S0-CFT-403

"THE HIGHER CHRISTIAN LIFE"

SOURCES FOR THE STUDY OF THE HOLINESS, PENTECOSTAL, AND KESWICK MOVEMENTS

A forty-eight-volume
facsimile series reprinting
extremely rare documents for the study of
nineteenth-century religious and social history,
the rise of feminism, and the history of the
Pentecostal and Charismatic movements

Edited by
Donald W. Dayton
Northern Baptist Theological Seminary

Advisory Editors
D. William Faupel, *Asbury Theological Seminary*
Cecil M. Robeck, Jr., *Fuller Theological Seminary*
Gerald T. Sheppard, *Union Theological Seminary*

A GARLAND SERIES

Die Moderne Gemeinschaftsbewegung in Deutschland

Paul Fleisch

Garland Publishing, Inc.
New York & London
1985

For a complete list of the titles in this series
see the final pages of this volume.

Library of Congress Cataloging in Publication Data
Fleisch, Paul.
*Die moderne Gemeinschaftsbewegung
in Deutschland.*
("The Higher Christian life")
Reprint. Originally published: 3., vermehrte und
vollständig umgearbeitete Aufl. Leipzig :
H.G. Wallmann, 1912–1914.
Includes index.
1. Gemeinschaftsbewegung. I. Title. II. Series.
BR856.F56 1985 274.3'081 84-25861
ISBN 0-8240-6419-4

The volumes in this series are printed on
acid-free, 250-year-life paper.

Printed in the United States of America

Die moderne Gemeinschaftsbewegung in Deutschland.

Von

Paul Fleisch,
Stiftsprediger in Loccum.

Dritte, vermehrte und vollständig umgearbeitete Auflage.

Erster Band.

Die Geschichte der deutschen Gemeinschaftsbewegung bis zum Auftreten des Zungenredens (1875—1907).

Leipzig,
Verlag von H. G. Wallmann.
1912.

Altenburg
Piererſche Hofbuchdruckerei
Stephan Geibel & Co.

Vorwort zur dritten Auflage.

In gänzlich veränderter Gestalt geht diese dritte Auflage des „Versuchs, die moderne Gemeinschaftsbewegung nach ihren Ursprüngen darzustellen" aus. Seit Erscheinen der zweiten Auflage ist der Sturm der „Pfingstbewegung" über die Bewegung dahingebraust, dessen erstes Stadium ich in meiner Schrift „Die innere Entwicklung der deutschen Gemeinschaftsbewegung in den Jahren 1906 und 1907" geschildert habe. Er hat eine gänzliche Umgestaltung der Gemeinschaftsbewegung zur Folge gehabt, ja teilweise eine Zerstörung, wovon sie sich erst ganz neuerdings zu erholen anfängt. Zugleich ist infolgedessen eine starke Änderung in vielen Anschauungen eingetreten. Diese Entwicklung ist noch nicht abgeschlossen, so daß eine Darstellung besser noch etwas wartet. Außerdem aber beansprucht eine auch nur einigermaßen alles zusammenfassende Schilderung der Geschichte der Gemeinschaftsbewegung seit dem Auftreten der Zungenbewegung einen Band für sich.

So ergab sich die Notwendigkeit, den vorliegenden Band vor dem Auftreten des Zungenredens abschließen zu lassen. Damit war eine Änderung der Anlage von selbst gegeben. Eine prinzipielle Würdigung als besonderer Teil mußte wegfallen, weil die Bewegung heute vielfach anders zu beurteilen ist als 1907; dafür mußte die Entwicklung der Anschauungen und Richtungen in der Bewegung in die geschichtliche Darstellung mit hineingenommen werden, um zu zeigen, wie allmählich sich die Konstellation herausbildete, die der Pfingstbewegung vorherging. Das erforderte die Scheidung in mehrere Perioden, wie es übrigens die vorige Auflage durch die besondere Darstellung der Erweckung schon angebahnt

*

hatte. Das erforderte jetzt aber auch notwendig eine Darstellung der einzelnen führenden Persönlichkeiten, die ich bis dahin, soweit es sich um Lebende handelt, aus begreiflicher Scheu möglichst vermieden hatte. Ich hoffe, man wird mir allseitig zugestehen, daß ich mich bemüht habe, gerade in diesem Punkte sine ira et studio zu schildern. Dazu habe ich möglichst ausführliche Zitate als Belege meiner Anschauung gegeben, um dem Leser ein Nachprüfen zu ermöglichen.

Mich haben zu dieser Ausführlichkeit aber noch andere Gründe bewogen: Es ist mir wohl von Gemeinschaftsleuten entgegengehalten worden, ich hätte einzelne Aussprüche einzelner Führer falsch verallgemeinert. Dem jetzt von mir vorgebrachten Material wird man diesen Vorwurf jedenfalls nicht mehr machen können. Andererseits macht sich neuerdings bei manchen auffällig die Neigung bemerklich, die Verantwortung für die verhängnisvolle Pfingstbewegung von sich abzuschieben, indem man nur seine heutige Gegnerschaft gegen dieselbe betont und vergessen machen möchte, wie man ihr einst vorgearbeitet. Ich sage nicht, daß das bewußt geschehe, aber es besteht in dieser Beziehung geradezu die Gefahr der Legendenbildung. Das zwang natürlich ebenfalls, meine gegenteiligen Behauptungen zu belegen.

Dadurch, daß ich diese Zitate meist in Anmerkungen gesetzt habe, hoffe ich, trotzdem die Übersichtlichkeit gewahrt zu haben. Andererseits hoffe ich, durch die ganze jetzige Anlage die Lesbarkeit des Buches erhöht zu haben, das ja sonst gezwungenermaßen viele trockene Zahlen und Namen enthält. Über den Umfang derselben wird man verschiedener Meinung sein; dem einen wird vielleicht zu viel erscheinen, was dem anderen nicht genügt. Das liegt an der Schwierigkeit des Materials. Bei der großen Ungenauigkeit der Angaben in den Quellen mußte ich, um das wirklich Festliegende zu bezeichnen und ein Nachprüfen zu ermöglichen, möglichst viele genaue Zeitangaben machen, und ebenso war besonders in der Schilderung der Ausdehnung der Bewegung eben wegen der Lückenhaftigkeit des Materials ein Bild nur durch möglichst zahlreiche Einzelangaben zu erreichen. Bemüht habe ich mich natürlich, dabei vor allem dasjenige an Namen zu bringen, was irgendwie von

Wichtigkeit für die Entwicklung ist, also Namen, die in der späteren Pfingstbewegung eine Rolle spielen, oder die etwa besonders deutlich das starke Fluktuieren der Berufsarbeiter zeigen u. dgl. Natürlich ist aber nicht beabsichtigt, die Geschichte jeder einzelnen Gemeinschaft zu geben, noch überhaupt nur jede Gemeinschaft aufzuführen, übrigens ein unmögliches Unterfangen. Vielleicht wird mir sogar manches verhältnismäßig Wichtige unbekannt geblieben sein; auch Irrtümer sind keineswegs ausgeschlossen. Herzlich bitte ich darum nochmals, mich auf etwaige Fehler aufmerksam zu machen, wie ich auch für alle freundliche Auskunft bzw. Berichtigungen, welch letztere mir leider spontan nur sehr wenig zugegangen sind, auch an dieser Stelle herzlich danke.

Auch für freundliche Beurteilung meiner Arbeit habe ich zu danken. Sie hat mir gezeigt, daß man doch auch auf Gemeinschaftsseite erkannt hat, daß der „freundliche Gegner", wie man mich wohl genannt hat, sich wirklich ehrlich bemüht, objektiv historisch zu arbeiten. Demgegenüber steht zu meiner Freude A. Dallmeyer fast allein, der im „Reichgottesarbeiter" behauptet: „Schriften von historischem Wert sind es nicht." „Im besten Fall gelingt es ihm, die Kirchenbehörden gegen die Gemeinschaftsbewegung aufzuhetzen. Das soll vielleicht auch der Hauptzweck der Arbeit sein." Ich hoffe, daß A. Dallmeyer die Vorreden meiner Arbeiten nicht mitgelesen hat, da er sonst mit dem letzten Satze mich geradezu der Lüge zeihen würde. Denn dort habe ich stets, wie hier, betont: Historische Arbeiten, keine Streitschriften will ich liefern. Im übrigen habe ich mich bemüht, auch aus dieser Besprechung zu lernen, nämlich den jungen Stand der „Reichsgottesarbeiter" noch besser zu verstehen. Lieber habe ich freilich aus anderen Rezensionen gelernt; das Ergebnis finden die Leser z. B. im Sperrdruck, gemischten Satz, u. dgl. Endlich habe ich wieder, wie bei allen bisherigen Arbeiten, für treue Mithilfe bei der Materialsammlung, Druckfertigstellung und Korrektur von ganzem Herzen zu danken, die mir die Weiterführung gerade dieses so äußerst weitschichtigen Studiums erst ermöglicht.

Loccum, im August 1912. **Paul Fleisch.**

Inhaltsverzeichnis.

Seite

Einleitung 1

Erster Teil.

Die Vorgeschichte der modernen Gemeinschaftsbewegung.

Erstes Kapitel. Überblick über die Geschichte der Gemeinschaften in den evangelischen Kirchen Deutschlands 2

Zweites Kapitel. Die Oxforder Bewegung 10

1. Der Gemeinschaftsgedanke in der englischen Kirche 10
   Puritanismus 10. Methodismus 10. Darbysmus 11. Einwirkungen auf Deutschland 13.
2. Die Wurzeln der Oxforder Bewegung 14
   Finney 14. Die amerikanische Heiligungsbewegung 15. Smith 15. Moody 17.
3. Die Oxforder Bewegung selbst 19
   Die Vorbereitungen 19. Die Tage in Oxford 20. Die Bereisung des Kontinents 21. Brigthon 23. Smiths Fall 25. Urteile der damaligen Zeit 26.
4. Die Keswick-Bewegung 29
5. Das Resultat 30

Zweiter Teil.

Die Anfänge der modernen Gemeinschaftsbewegung in Deutschland.

Erstes Kapitel. Die direkten Nachklänge der Oxforder Bewegung in Deutschland in Versammlungen, Liedern und Zeitschriften 32

Zweites Kapitel. Die Fortsetzung der Heiligungsbewegung durch Jellinghaus und seine Bibelschule 37

Drittes Kapitel. Die Wirkungen der Oxforder Bewegung in der Gemeinschaftsbildung 38

1. Die Chrischonagemeinschaften 38
   Rappard und die Chrischona 38. Süddeutschland 41. Oberhessen 41. Ost- und Westpreußen und die Gründung des Vereins für Innere Mission in Ost- und Westpreußen 41.

Seite

2. Die Reichsbrüder und andere Gemeinschaftsbestrebungen im Osten 43
Der Reichsbrüderbund 43. Die Reichsbrüder in Brandenburg und Brodersens Separation 46. Der pommersche Brüderbund 47. Die Reichsbrüder in Posen 48. Die Reichsbrüder in Ostpreußen und die schwärmerischen Erscheinungen dort 48. Die Entstehung des Ostpreußischen Gebetsvereins 49.

3. Die Anfänge der Gemeinschaftsbewegung in Berlin 54
Die Gemeinschaft Frl. v. Blüchers 54. v. Schlümbach und die Entstehung der St. Michaelsgemeinschaft 54. Der erste C.V.J.M. 56. v. Schlümbachs sonstige Arbeit 57.

4. Jasper von Oertzen und die Gemeinschaften Schleswig-Holsteins 58
Jasper v. Oertzen 58. Der schleswig-holsteinische Verein für Innere Mission 58. Der Lutherische Missionsverein in Westschleswig 61. Der Verein für Innere Mission in Nordschleswig 61.

5. Der rheinische Altpietismus und die neuen Anregungen . . . 62
J. G. Siebel und das Siegerland 62. Engels und das Oberbergische 63. Neukirchen 63. Die Evangelische Gesellschaft in Elberfeld 64. Der Herborn-Dillenburger Verein 65. P. Ziemendorff und Ch. de Neufville 66.

6. Der südwestdeutsche Altpietismus bis 1888 66
Der badische Verein für Innere Mission 66. Die Chrischonastation in Konstanz 67. Die Wißwässerbewegung und die Vereine für Innere Mission in der Pfalz und Rheinhessen-Starkenburg 67.

7. Der schwäbische Pietismus und Rektor Dietrich 70
Die Hahnianer 70. Die Smithschen Anregungen und die beiden Dietrich 72. Die Organisation der Altpietisten 72. Dietrichs „Kirchliche Fragen" 74.

Viertes Kapitel. Die Anfänge einer Evangelisationsbewegung . . . 78
1. Der erste deutsche Evangelist 78
2. Christlieb und die erste deutsche Evangelistenanstalt 82
Christlieb 82. Der deutsche Evangelisationsverein 83. Das Johanneum 85.

Dritter Teil.

Die Entwicklung und Ausbreitung einer einheitlichen organisierten Gemeinschaftsbewegung (1888—1902).

Erstes Kapitel. Die Entstehung und Entwicklung der Organisation . 88
1. Die Gnadauer Konferenzen bis zur Schaffung des Organisationszentrums 88
Die Gründungskonferenz und ihre Bedeutung 88. Die zweite Konferenz und das Deutsche Komitee für evangelische Gemeinschaftspflege 97. Die dritte und vierte Konferenz und das Evangelisationskomitee 101.

2. Die Weiterentwicklung des Organisationszentrums 108
Das Deutsche Komitee für evangelische Gemeinschaftspflege und Evangelisation als Zentrum der Arbeitsorganisation bis 1901 108. Der Deutsche Philadelphia-Verein 110. Die Organisation des Deutschen Verbandes für evangelische Gemeinschaftspflege und Evangelisation 113. Die Leiter- und Vertrauensmännerkonferenzen 114. Ausbau und Festigung der Gemeinschaftsorganisation 117.

3. Die Gnadauer Konferenzen von 1896 bis 1902 119

Seite

Zweites Kapitel. Die Ausbreitung der organisierten Bewegung in Deutschland und ihr Verhältnis zur Kirche bis 1902 127

1. Süddeutschland 127
Bayern 127. Württemberg 128.

2. Südwestdeutschland 130
Die Vereine für Innere Mission in Baden, Pfalz und Hessen und ihr Verhältnis zur Landeskirche 130. Das Eindringen der neueren Bewegung und die Wißwässerianer 133. Elsaß 135.

3. Westdeutschland 136
a) Hessische und Nassauische Gebiete 136
Frankfurt a. M. 136. Der Brüderrat der Chrischonagemeinschaften in Lich 136. Die organisierte Bewegung in Kurhessen 139. Der Herborn-Dillenburger Verein in Nassau 143. Das Eindringen der organisierten Bewegung in Nassau 144.

b) Die Rheinprovinz 144
Die Evangelische Gesellschaft 144. Kreis Wetzlar 148. Das Land zwischen Nahe und Mosel 148. Der Westerwald 149. Köln 149. Das Oberbergische 150. Das Industriegebiet und Dammann, Idel, Modersohn und Girkon 150. Mörs 154. Der rheinische Brüderrat 154. Allgemeines 155.

c) Westfalen 157
Siegen 157. Grafschaft Mark 158. Minden-Ravensberg 159. Das Eindringen der neuen Bewegung, Michaelis 160. Die Provinzialorganisation 161. Höxter 162. Lippe 162. Waldeck 163.

4. Nordwestdeutschland 163
Allgemeines 163. Nordschleswig 164. Der schleswig-holsteinische Gemeinschaftsverein, Röschmann, Witt und Bernstorff 164. Jensen-Breklum 171. Paulsen-Kropp 171. Der Kirchl. Verein für Evangelisation und Gemeinschaftspflege 171. Lübeck 172. Mecklenburg 172. Hamburg und Umgegend 173. Die Anfänge in Hannover 177. Braunschweig, Bremen und Oldenburg 179.

5. Mitteldeutschland 179
Provinz Sachsen 179. Anhalt 182. Thüringen 182. Sachsen 184.

6. Ostdeutschland 188
a) Berlin 188
St. Michael 188. Die Gemeinschaft W Hohenstaufenstraße 190. Die Bernstorffschen Gemeinschaften 190. Sonstige Gemeinschaften 191.

b) Allgemeines über die östlichen Provinzen außer Berlin . . 192
c) Brandenburg 193
Der märkische Brüderrat 193. Der Lohmannsche Kreis 194. Der Frankfurter Kreis 194. Die Stellung der Kirche 195.

d) Pommern. 195
P. Paul und die Überleitung des Brüderbundes in die organisierte Bewegung 195. Die Ausbreitung der Bewegung 198. Die Stellung der Kirche 200.

e) Posen, West- und Ostpreußen. 201
Die Arbeit der Reichsbrüder 201. Die Nakeler Konferenz 202. Der Brüderrat für Posen und Westpreußen 203. Verhandlungen mit der Landeskirche in Posen 204. Die Entwicklung der organisierten Bewegung in Westpreußen und ihr Verhältnis zur Landeskirche 205. Der Zionspilgerbund 207. Der Verein für Innere Mission in Ost- und Westpreußen 208. Chrischona-Brüder und Reichsbrüder in Ostpreußen 209. Blazejewski und die organisierte Bewegung in Ostpreußen 209. Die ostpreußischen Altpietisten 215.

Seite

f) Schlesien 216
Die Anfänge im nördlichen Schlesien 216. Die Entwicklung der Organisation 217. Mittelschlesien 218. Brieg und Oberschlesien 220. Niederschlesien 221. Oberlausitz 222. Kirche und Gemeinschaftsbewegung 222.

7. Die Stellung des Evangelischen Oberkirchenrates und der Eisenacher Kirchenkonferenz zur aufblühenden Gemeinschaftsbewegung 223

Drittes Kapitel. Die Arbeiten der Gemeinschaftsbewegung 226

1. Die Arbeit im eigenen Lande (Innerkirchliche Evangelisation) 227
a) Die Berufsarbeiter der Gemeinschaftsbewegung 227
Schrenk 227. Dannert 227. Franz 228. Kaiser, Eßler, Umstein und Hauser, Rubanowitsch 228. Die theologisch gebildeten Evangelisten Lohmann, Dammann, Paul und S. Keller 228. Evangelisten und Gemeinschaftspfleger 230. Wilde Evangelisten 230. Evangelistinnen 231.
b) Die Arbeitsmittel der Gemeinschaftsbewegung 232
Zeitschriften 232. Predigten 234. Traktatgesellschaften 235. Liederbücher und Sängerbündnisse 236. Erholungsheime 238.
c) Besondere Veranstaltungen zur Rettung und Bewahrung . 239
Bella 239. Das Blaue Kreuz 240. Das Weiße Kreuz 242. Waisenanstalten 243. Bethesda 243. Sonntagsschulen, Kinderbündnisse und Kinderbekehrung 243. Der J. B. f. E. C. 244. Die Chr. V. J. M. 249.
d) Die Arbeiten unter Angehörigen bestimmter Stände durch Standesgenossen 250
α) Die Gemeinschaftsbewegung und die Akademiker . . . 250
Die Entstehung und Entwicklung der D. C. S. V. 250. D. C. S. V. und christliche Verbindungen 253. Die Richtungen in der D. C. S. V. 254. Der S. f. M. 256. Die Schülerbibelkränzchen 257.
β) Die Gemeinschaftsbewegung und die Lehrer 257
γ) Die Gemeinschaftsbewegung unter Beamten und Kaufleuten 259
Die christlichen Postbeamten 259. Die christlichen Eisenbahner 260. Die gläubigen Kaufleute 260.
δ) Die pastoralen Gemeinschaftskonferenzen und der Frauenmissionsbund 261

2. Die Arbeit in fremden Ländern 262
Heidenmission 262. Fürsorge für die Armenier 264. Judenmission 265.

3. Die Ausbildungsanstalten der Gemeinschaftsbewegung 265
a) Für männliche Berufsarbeiter. 265
Jellinghaus' Bibelschule 265. Bibelkurse 266. Neukirchen 266. Chrischona 266. Johanneum 267.
b) Für weibliche Berufsarbeiter 268
Kinderheil 268. Magdalenenstift 269. Miechowitz 269. Elim-Hamburg 269. Bibelhaus 270. Vandsburg 271.

Viertes Kapitel. Die Gemeinschaftsbewegung in ihrer Beziehung zu verwandten Strömungen bis zum Jahre 1902 273

1. Gemeinschaftsbewegung und Innere Mission 273
2. Gemeinschaftsbewegung und Kirchlich-soziale Konferenz. . . . 277
3. Die Beziehungen der Gemeinschaften zu den Sekten 280

Seite

a) Die Evangelische Allianz 280
b) Blankenburg 281

Anna v. Weling und die Anfänge der Arbeit 281. Die ersten Konferenzen 282. Die Arbeiten Blankenburgs 283. Jellinghaus und die Konferenzen von 1892 bis 1897 283. Der Blankenburger Zweig der Allianz 283. Die XIV. und XV. Konferenz 284. Anna v. Welings Tod 285. Die XVI. und XVII. Konferenz 285.

Fünftes Kapitel. Rückblick 286

Vierter Teil.

Das Auftauchen neuer Strömungen und Mittelpunkte in der Gemeinschaftsbewegung (1902—1905).

Erstes Kapitel. Der Kampf um die wissenschaftliche Theologie und die Gruppe der Eisenacher 295

1. Der Wiedergeburtsstreit. 295
2. Der Streit um die Verbalinspiration. 297
3. Die Eisenacher 302

Kellers Kritik der Bewegung 302. Die erste Eisenacher Konferenz 303. Die zweite Konferenz und das Abrücken der Gemeinschaftsleute 304. Die dritte Konferenz und der Eisenacher Verband 305. Die vierte Konferenz und der Eisenacher Bund 306. Die Isolierung Eisenachs 303.

Zweites Kapitel. Blankenburg als Mittelpunkt einer darbystischen Richtung 308

1. Die Vermittler des Darbysmus für Blankenburg 308
2. Die Entwicklung des darbystischen Blankenburg (bis 1905) . . 311

Die Wirkungen der Konferenz von 1903 311. Die Wirksamkeit des Allianzblattes 312.

Drittes Kapitel. Die Entstehung einer geschlossenen Sondergruppe im Deutschen Verbande. 316

1. Das Auftreten einer neuen Heiligungstheorie. 316
2. Die Brüderräte Ostdeutschlands unter der Einwirkung darbystischer und Paulscher Gedanken 318

a) Die Entwicklung in Schlesien. 318

Edels Gedanken über die Kirche 318. Die Organisation der Einzelgemeinschaften 320. Die Stellung zur Kirche 321. Oberschlesien 322. Mittelschlesien 322. Niederschlesien 323. Oberlausitz 324. Die Gesamtorganisation und die Spaltung 324.

b) Pommern. 327

Die Gesamtorganisation 327. Die Entwicklung im einzelnen 328. Die Organisation der Einzelgemeinschaften und die Kirche 329.

c) Ostpreußen 330

Die gescheiterte Verständigung mit der Kirche 330. Die Organisation der Einzelgemeinschaften und die Königsberger Konferenz 332. Entwicklung der organisierten Bewegung 332.

d) Posen und Westpreußen 334

Der Zerfall des posen-westpreußischen Brüderrats und die Neubildung in Posen 334. Die Entwicklung der organisierten Bewegung in Posen 335. Der neue westpreußische Brüderrat 336. Krawielitzki und die Herrschaft des Darbysmus 338. Die Stellung der Landeskirche 342.

Seite

e) Die Vereinigten ostdeutschen Brüderräte 343
f) Die Reichsbrüder und die Altpietisten des Ostens 348

Viertes Kapitel. Der Streit um die „gemischten" Anstalten und die Gründungen der ostdeutschen Gemeinschaftskreise in Innerer und Äußerer Mission 351

1. Die prinzipielle Auseinandersetzung 351
2. Die ostdeutschen Schwesternhäuser 356
   Vandsburg 356. Magdeburg 357. Der Streit im Magdalenenstift 357. Kinderheil 358. Bibelhaus 358. Miechowitz 358.
3. Die Ostdeutschen und die Äußere Mission 358
   Liebenzell und die Ostdeutschen 358. Die Mission in Südost-Europa 359.

Fünftes Kapitel. Blankenburg und die Ostdeutschen 361

Sechstes Kapitel. Gnadau und die neuen Strömungen in der Gemeinschaftsbewegung 364

1. Gnadau und der darbystische Osten 364
   Der Kompromißbeschluß von 1903 364. Die Vertrauensmännerkonferenz 1903 365. Die Nachgiebigkeit der Gnadauer 366.
2. Gnadau und Blankenburg. 368
3. Gnadau und die Paulsche Heiligungstheorie 369
4. Die Gnadauer Konferenz von 1904 369

Siebentes Kapitel. Reichsgottesarbeiter und Zeitschriften als Träger der neuen Ideen 379

1. Die Brüder der älteren Anstalten 379
   Johanneum 379. Chrischona und Neukirchen 380. Jellinghaus' Bibelschule 380.
2. Der neue Stand der „Reichsgottesarbeiter" 381
   Allgemeines 381. Die Vereinigung der Reichsgottesarbeiter 382.
3. Die weiblichen Berufsarbeiter 383
4. Freie Evangelisten und Zeitschriften 383
   Die Zeltmission 383. Schrenk und ältere Evangelisten 388. Licht und Leben 388. Die Warte 389. Wahrheit in der Liebe 389. Kranz 390.

Achtes Kapitel. Die Entwicklung der einzelnen Gebiete und das Vordringen der darbystischen Richtung 390

1. Der Philadelphiaverein 390
2. Die nach älterer Gnadauer Art fest organisierten Landesteile 391
   a) Sachsen und Thüringen 391
      Die Stellung des Brüderrats 391. Ausdehnung der Arbeit 392. Die darbystisch Gerichteten 393. Die Stellung der Kirche 393. Thüringen 393.
   b) Brandenburg mit Berlin. 394
      St. Michael 394. Westend 394. Südost 395. Allianzgemeinschaft 395. Heilands- und Charlottenburger Gemeinschaft 395. Sarepta 395. Haus Gotteshülfe 395. Friedensgemeinschaft 395. Der kirchliche Evangelisationsausschuß 397. Kirchliche Evangelisationsbestrebungen in der Provinz 397. Der Frankfurter und Lohmanns Kreis 397. Kleinere Kreise 398. Der märkische Brüderrat 398.
   c) Provinz Sachsen. 399
   d) Schleswig-Holstein, Mecklenburg und Hamburg 400

Seite

Kämpfe und Trennungen im Gemeinschaftsverein 400. Der Anschluß Mecklenburgs und die Ausdehnung der Arbeit 401. Stellung zur Kirche 402. Der Kirchliche Verein für Evangelisation 402. Nordschleswig 402. Rubanowitsch und die Philadelphia 403. Die Arbeiten in der Umgegend Hamburgs 405. Die Mission unter Strandgut 406. Konferenzen 407. Dolman und die Wandsbeker Konferenz 407.

e) Das Gebiet des hessen-nassauischen Brüderrats 407

Die Stellung des Brüderrats 407. Entwicklung der Arbeit in Kurhessen und Anschluß von Meiningen 408. Die Entwicklung der Arbeit in Nassau und der Herborner Verein 409.

f) Rückblick 410

3. Die Entwicklung in den bisher lose oder gar nicht organisierten Landesteilen 410

a) Bayern 410

Konferenzen 410. Allianzzentren 411. Stellung der Kirche 411.

b) Hannover 411

Anfänge einer organisierten Bewegung 411. Stadt Hannover 412. Osnabrück 413. Lüneburg 413. Reiherstieg 413. Uelsen 413.

c) Rheinland-Westfalen 413

Die Kämpfe in Minden-Ravensberg 413. Die Gesamtorganisation 415. Siegen 415. Das sonstige Westfalen 416. Die Arbeit der Evangelischen Gesellschaft 416. Die Buntscheckigkeit der Richtungen am Niederrhein und das Vordringen der darbystischen 416. Die Barmer Konferenz 418. Die rheinische Konferenz 418. Das Oberbergische, der Westerwald, das Nahegebiet und Wetzlar 418.

d) Hessen-Darmstadt, Frankfurt und Pfalz 419

Die Chrischonabrüder in Oberhessen 419. Der Frankfurter Brüderrat 419. Die Pfalz 420.

e) Elsaß und Baden 420

f) Württemberg 421

Neuntes Kapitel. Die Spezialarbeiten als Sondergruppen 422

Blaues Kreuz und Gemeinschaftsbewegung 422. J.B. und Gemeinschaft 423. Ausbreitung des J.B. 424. Der darbystische Flügel und der J.B. 424. Die Gesamtorganisation des J.B. 425. Die Stellung der Zentrale zu den Richtungen 425.

Zehntes Kapitel. Die Berufsgemeinschaften 427

Die Entwicklung der D.C.S.V. 427. Gerdtells Studentenmission 428. S. f. M. 429. Christliche Techniker 429. Studentinnen, Frauenmissionsbund und Chr. Verein für Frauen und Mädchen 429. Neue Berufsgemeinschaften 430. Weiterentwicklung der älteren 431. Die Sängerbündnisse 432. Die pastoralen Gemeinschaftskonferenzen 432.

Elftes Kapitel. Die Stellung des altpreußischen Oberkirchenrats und der Eisenacher Kirchenkonferenz zur Gemeinschaftsbewegung . . . 433

Zwölftes Kapitel. Rückblick 438

Fünfter Teil.

Die Erweckung von 1905 und ihre Folgen.

Erstes Kapitel. Die Erweckung von 1905 442

1. Die Vorgeschichte der Erweckung 442

Seite

a) Die Evangelisation von Torrey und Alexander und die Erweckung in Wales 442
Torrey und Alexander 442. Wales 443. Keswick und die Erweckung 445. Mrs. Penn Lewis 446.

b) Die Vorbereitung der Erweckung in Deutschland 447

2. Der Ausbruch der Erweckung in Deutschland 448
a) Der Beginn im Westen 448
b) Nordwest- und Mitteldeutschland 456
c) Der Osten und die Erweckung. 460
d) Die Erweckung und Blankenburg 463

3. Gnadau und die Erweckung 465
a) Die Stellung der Gnadauer zu den darbystischen Freunden der Erweckung bis 1906. 465
Die unklare Stellung der Gnadauer 465. Die Brieger Woche 1905 466. Die Vertrauensmännerkonferenz von 1905 468. Die Einladung zur Konferenz 1906 469.

b) Die Gnadauer Konferenz von 1906 471
c) Gnadauer und darbystisch Gerichtete beim Erlöschen der Erweckung 479
Die Kompromisse von 1906 479. Kranz' und Bernstorffs Gedanken über Allianz 481. Der zweite deutsche Gemeinschaftstag und die Konferenz von 1907 482.

Zweites Kapitel. Das siegreiche Vordringen der darbystischen Richtung infolge der Erweckung 484

1. Der wachsende Einfluß Blankenburgs. 484
Die Konferenz und direkte Arbeiten Blankenburgs 484. Blankenburg und der Osten 485.

2. Arbeiter und Arbeitsmittel der Gemeinschaftsbewegung und der vordringende Darbysmus 487
a) Die Berufsarbeiter. 487
Zunahme der freien Evangelisten und der Reichsgottesarbeitervereinigung 487. Stellung zur Allianz 489. Die Zeltmissionen 489.

b) Die Ausbildungsanstalten 491
Neugründungen in Brüderhäusern 491. Die Schwesternhäuser und die Allianzdiakonissenkonferenz 494. Die älteren Brüderhäuser 497.

c) Sonstige Anstalten 499
d) Zeitschriften und Liederbücher 501
Wacht und Auf der Warte 501. Philadelphia, Wahrheit in der Liebe und Friedenshalle 501. „Wilde" Blätter 502. Licht und Leben 502. Die neuen Liederbücher 503.

3. Die Entwicklung in den einzelnen Gebieten des Deutschen Verbandes infolge der Erweckung 505
a) Der Osten. 505
α) Schlesien 505
Konferenz und Brüderrat 505. Oberschlesien 506. Mittelschlesien 506. Niederschlesien 507. Oberlausitz 508. Allianz und Landeskirche 508. Der kirchliche Verband 508. Die Anstalten 509.

β) Posen 509
Das Vordringen der darbystischen Richtung 509. Der Brüderrat 510. Die Reichsbrüder 511.

Seite

γ) Ostpreußen 512
Allgemeine Allianzgedanken 512. Der Brüderrat und die beginnende Zersetzung 512. Die Konferenzen 513. Die Kukatianer 514.

δ) Westpreußen 514
Wandlungen und Ausbreitung der Arbeit 514. Die beginnende Zersetzung 515. Stellung zur Landeskirche 515.

ε) Pommern 516
Die Gesamtlage 516. Störungen durch die Zeltmission 517. Ausdehnung der Arbeit 517.

ζ) Die vereinigten Brüderräte. 518

b) Die sonstigen fest organisierten Gebiete des Deutschen Verbandes 519

α) Brandenburg und Berlin 519
Der neue Gemeinschaftsverband 519. Der märkische Brüderrat 520. Das Verhältnis des märkischen Brüderrats zum Gemeinschaftsverbande, zur Landeskirche und zur Allianzströmung 521. Sonstige Gemeinschaften 522. St. Michael 522. Westend 522. Südost 523. Die Gemeinschaften in Rixdorf 523. Allianzgemeinschaft und Gemeinschaft des Nordens 523. Salems Arbeit im Norden und sonstige Gemeinschaften 523.

β) Königreich Sachsen 524
Der Brüderrat und die Ausdehnung der Arbeit 524. Konferenzen 525. Stellung zu Kirche und Allianz 525.

γ) Thüringen und Provinz Sachsen 526
Das östliche Thüringen 526. Der Thüringer Gemeinschaftsbund und seine Arbeit 526. Der sächsisch-anhaltinische Brüderrat und seine Arbeit 528. Die Arbeit der Evangelischen Gesellschaft 529.

δ) Mecklenburg, Schleswig-Holstein und Hamburg. 529
Wachsen der Arbeit in Mecklenburg 529. Stellung zur Kirche 529. Der Gemeinschaftsverein 530. Der Kirchliche Verein für Evangelisation 533. Nordschleswig 533. Wandsbek 534. Philadelphia 534. E. Meyers Geistestaufe und die Strandmission 537. Konferenzen 539.

ε) Hannover. 539
Die größeren Städte 539. Der neue Brüderrat 540. Stellung zu Allianz und Kirche 541. Ausdehnung 542. Einzeln stehende Gemeinschaften 542. Nachbargebiete 543.

ζ) Bayern 543
Entgegenkommen der Kirche 543. Entstehung des Brüderrats 544. Die Allianzrichtung 545. Die Arbeit des Philadelphiavereins 545. Die Ausdehnung der Arbeit 545.

η) Hessen-Nassau 545
Stand der Arbeit in Kurhessen 545. Die Haltung der Führer 547. Der Nassauische Zweig und seine Arbeit 547. Der Herborner Verein 548. Sonstige Arbeiten 548. Nassau südlich der Lahn 548.

ϑ) Resultat 549

c) Der Kampf der Richtungen in den lose oder gar nicht organisierten Landesteilen 549

α) Das Gebiet des Frankfurter Brüderrates 549
Die Chrischonabrüder in Oberhessen 549. Der Brüderrat und die Frankfurter Konferenz 550. Frankfurt 551. Rheinhessen-Starkenburg und der hessische Verein für Innere Mission 552.

Seite

β) Das Gebiet des südwestdeutschen Altpietismus 553
Die Wißwässerianer 553. Der Pfälzer Verein 553. Die Arbeiten im Westrich 553. Elsaß 554. Der Gegensatz der Richtungen in Baden 554.

γ) Württemberg 556
Gnadauer Anregungen und die Ausdehnung der Arbeit 556. Das Erstarken der Allianzströmung und der Kampf der Richtungen 556.

δ) Altpietisten, Gnadauer und darbystisch Gerichtete in Rheinland-Westfalen 558
Die Evangelische Gesellschaft und ihre Arbeitsgebiete 558. Die Stützpunkte der Allianzströmung 559. Die Barmer Konferenz 562. Das Industriegebiet 563. Das Oberbergische 563. Mörs 563. Siegen 563. Sauerland 564. Minden-Ravensberg 564. Die Gesamtbrüderräte 564. Die Stellung der Landeskirche 565. Lippe und Waldeck 565.

4. Der Deutsche Verband und der Philadelphiaverein 1907 . . . 565

Drittes Kapitel. Die Erweckung und die Berufsgemeinschaften . . . 567
Frauen 567. Lehrer 568. D.C.S.V. und Verwandtes 568. Neue Bildungen und Erstarken der älteren 572. Die pastoralen Gemeinschaftskonferenzen 574.

Viertes Kapitel. Gemeinschaftsbewegung und Spezialarbeiten 575

1. Der J.B. 575
J.B. und Gemeinschaften 575. Stellung zu Kirche und Allianz und Ausbreitung des J.B. 576. Stellung der Leitung 577.

2. Das Blaue Kreuz 578

Fünftes Kapitel. Nachträge 581

1. Die Eisenacher 1905—1907 581
2. Die Kirchlich-Sozialen und die Gemeinschaftsbewegung 1905 bis 1907. 583
3. Innere Mission und Landeskirche und die Gemeinschaftsbewegung 1905—1907. 583
4. Die Sekten und die Gemeinschaftsbewegung (Evangelische Allianz) 1905—1907 584

Schlußkapitel. Die Vorbereitung der „Pfingstbewegung“ in der deutschen Gemeinschaftsbewegung 585

Literatur.

1. Enthusiastische Bewegungen im allgemeinen 590
2. Der Pietismus im allgemeinen. 590
3. Brüdergemeinde 590
4. Methodismus 590
5. Darbysmus 591
6. Die amerikanische Heiligungs- und Evangelisationsbewegung und ihre Vorgeschichte 591
7. Die Oxforder Bewegung 591
8. Keswick. 592
9. Die deutsche Gemeinschaftsbewegung (Gesamtdarstellungen) . . . 592
10. Biographieen 592

Seite

11. Konferenzverhandlungen 593
12. Die Erweckung von 1905 593
13. Die Zungenbewegung 593
14. Das Gemeinschaftswesen einzelner Länder 593
15. Arbeiten und Veranstaltungen 595
16. Liederbücher, Predigtbücher, Kalender 596
17. Zeitschriften 596
18. Prinzipielles 597
    a) Allgemeine Schriften aus den Kreisen der Bewegung 597
    b) Gemeinschaftspflege, Gemeinschaftsbewegung und die Stellung der Kirche zu beiden 598
    c) Evangelisation 599
    d) Gemeinschaftsbewegung und Bibel 600
    e) Eschatologie 600
    f) Heiligung und Heiligungsbewegung, auch Geistesleitung, Geistes-taufe und Glaubensheilung 600
    g) Bekehrung, Wiedergeburt, Taufe und Abendmahl 600
    h) Allgemeines über das christliche Leben 601
19. Anhang 601

Einleitung.

Unter Gemeinschaften sind hier verstanden freiwillige Verbindungen von Christen eines Ortes zu regelmäßigen Zusammenkünften mit dem Zweck gegenseitiger Erbauung ohne einen geregelten Anschluß an das kirchliche Amt und Regiment.

Der Gedanke, solche Gemeinschaften zu gründen und zu pflegen, ist bekanntlich nicht erst seit der modernen deutschen Bewegung, deren Anfänge in das Jahr 1875 fallen, in den evangelischen Kirchen aufgetaucht, sondern hat bereits eine lange Geschichte. Da die moderne Bewegung tatsächlich und bewußt an diese Geschichte anknüpft, so wird es, wenn wir die Gegenwart verstehen wollen, nötig sein, wenigstens in Kürze einen Überblick über solche Teile dieser Geschichte zu geben, die einen Einfluß auf die moderne Entwicklung geübt haben. Dabei handelt es sich einmal um die schon vor der Bewegung bestehenden Gemeinschaften in Deutschland, sodann um die Geschichte des Gemeinschaftsgedankens in England und Amerika, soweit dieselbe in der sogenannten Oxforder Bewegung gipfelt, die ihrerseits die deutsche Bewegung beeinflußt hat.

Im folgenden soll zunächst ein solcher Überblick gegeben werden.

Erster Teil.

Die Vorgeschichte der modernen Gemeinschaftsbewegung.

Erstes Kapitel.

Überblick über die Geschichte der Gemeinschaften in den evangelischen Kirchen Deutschlands.

Gemeinschaften in dem eben erwähnten Sinne hat es zuerst in den reformierten Kirchen gegeben. Das ist nicht zufällig. Ihre eine Wurzel liegt geradezu in dem Begriffe Kalvins von der Kirche, der unter bestimmten Umständen zum engeren Zusammenschluß der ernsteren Christen drängen mußte. Die Kirche ist nämlich nach kalvinischer Anschauung die Gemeinde der nach Gottes völlig souveränem Willen Erwählten. Er ruft sie dadurch ins Leben, daß er seinen Geist durchs Evangelium Glauben wirken läßt, aber eben, absolut frei schaltend, nur dort wirklichen Glauben, wo er will. Infolgedessen ist es naturgemäß nur so weit möglich zu erkennen, ob an einem Orte wirklich Kirche vorhanden ist, wie es überhaupt möglich ist, wahrhaft Gläubige, d. h. Erwählte, zu erkennen. Nun besteht aber zwischen wahrhaft Gläubigen „Gemeinschaft", d. h. gegenseitiger Austausch geistlicher Gaben, wie Kalvin die „Gemeinschaft der Heiligen" im dritten Artikel erklärt. Aus dem Vorhandensein solcher Gemeinschaften ist also ziemlich sicher zu schließen, daß dort Kirche sei.

Andererseits kann auch der einzelne, ob er erwählt sei, mit einiger Sicherheit daraus erkennen, ob er sich zu solcher Gemeinschaft ernster Christen hält und hingezogen fühlt.

So mußten sich naturgemäß engere Kreise solcher, die ihres Heiles gewiß sein wollten, überall dort bilden, wo kalvinische Gemeinden aufhörten, kleine, nur aus ernsten Christen bestehende

Verfolgungsgemeinden zu sein, und Volkskirchen wurden, in denen wenig zu finden war von solcher Gemeinschaft untereinander und von dem Lebensernst, der den wahrhaft Gläubigen nach kalvinischer Anschauung charakterisiert.

Die äußere Form für solche Gemeinschaften war in der reformierten Kirche gegeben in der Einrichtung der Prophezey, die am 19. Juni 1525 in Zürich eingeführt wurde. Ursprünglich eine Umgestaltung der alten Horen, in der ein Bibeltext von den versammelten Geistlichen unter Teilnahme der Professoren und Studenten besprochen wurde, kam die Einrichtung, abgeändert durch a Lasko in seiner Londoner Flüchtlingsgemeinde, nach England, wo nun in den prophesyings auch Laien redeten. Diese prophesyings bildeten dann, als unter Elisabeth die Kirche Volkskirche wurde, den Kern der puritanischen Bewegung als die Versammlungen der wahren freiwilligen Christen gegenüber der sie verfolgenden Staatskirche, die als Volkskirche notgedrungen laxer war. Aber zugleich sehen wir hier, wie in diese Gemeinschaften die schwärmerischen Gedanken der Täuferparteien eindringen.

Ähnlich ging es in den Niederlanden. Die vom Rhein her zurückkehrenden Kalvinisten fanden in den auf die Prophezey zurückgehenden exercitia pietatis die Möglichkeit, sich enger zusammenzuschließen innerhalb resp. in gewissem Gegensatz zur Volkskirche der Niederlande. Dieselbe Synode zu Dordrecht, die jene eigentlich etablierte, gab jenen Gemeinschaften die kirchliche Legitimation. Ein Hauptförderer war Voet. Eine neue Anregung brachte Labadie, der aber auch stark quietistische Mystik in diese Kreise hineintrug. Lodensteyn wirkte separatistisch. Seine Anhänger, die „Ernstige oder Feine" genannt wurden, hielten sich vom Abendmahl fern, um es nicht mit Unwürdigen zusammen genießen zu müssen.

Von Labadie und Lodensteyn, zugleich von Gedanken der Brüder des gemeinsamen Lebens beeinflußt war der erste Begründer von Gemeinschaften in Deutschland Theodor Untereyk. 1665 entstand die erste Gemeinschaft, und zwar in der alten öffentlichen Gemeinde Mülheim (Ruhr), so daß sie, nur innerhalb der einzelnen Gemeinde, eine andere Form des alten Gegensatzes der heimlichen Gemeinden gegen die öffentlichen vorstellt. Auch hier war die Gemeinschaft die Versammlung der freiwilligen Christen, wie es die heimlichen Gemeinden unter dem Kreuz natürlich alle gewesen waren, im Gegensatz zur Volkskirche der öffentlichen Gemeinde. Gerade in jener Zeit nun wurden die Gemeinden vom „Kreuze" frei, und damit wurde bald überall der Gegensatz in die einzelnen Gemeinden selbst eingetragen. Das beförderte die Ausbreitung der Gemeinschaften trotz vieler Anfeindung. Wir bezeichnen darum diese erste Periode der reformierten Gemeinschaften als die der Opposition der wahren Christen gegen die laxer werdende Volkskirche.

Dabei ergibt sich in den vom landesherrlichen Kirchenregiment freien Kirchen des Niederrheins die eigentümliche Erscheinung, daß diese Kreise als die rechten Christen in der Kirche sich behaupten, das Volk entweder möglichst assimiliert oder zu Christen zweiten Ranges herabgedrückt wird.

In der lutherischen Kirche setzen die Gemeinschaften erst 1670 mit Speners collegium pietatis in Frankfurt ein. Speners Absicht war, die Selbständigkeit des sogenannten dritten Standes, der gewöhnlichen Laien, zu fördern; sie wurde aber beeinträchtigt durch einen gewissen Pessimismus, der ihn zuerst nur die Sammlung weniger in Angriff nehmen ließ. Die Form war die Bibelbesprechstunde, während die Freunde, die ihn zum Anfangen gedrängt hatten, „eine engere Freundschaft" hatten stiften wollen. Die z. T. maßlosen Angriffe gegen Spener sind bekannt, ebenso daß seine Anhänger Grund zu denselben boten durch offenen Separatismus und Mystizismus. Für sie war eben, wie bei den Reformierten, das Kollegium mehr die Sammlung der wahren Christen als ein Mittel zur Hebung des Laienstandes. Diese Ausprägung wurde sanktioniert dadurch, daß die Hallenser in ihrem gesteigerten Pessimismus sie vertraten; für sie handelte es sich nur noch um die Sammlung einzelner aus der Welt Geretteter. So bekamen die pietistischen Gemeinschaften den Charakter der Stillen im Lande, der durch die Verfolgungen befördert wurde. Teilweise war an diesen freilich der überall in die Gemeinschaften eindringende täuferische Mystizismus schuld. Gerade die kleinen Leute, Bauern und Handwerker, neigten sehr dazu, indem sie dadurch über den meist vom Adel protegierten Pietismus hinausgingen. Nur wo ein selbständiger Bauernstand den Pietismus und seine Konventikel aufgenommen hatte, haben sich diese in der lutherischen Kirche in kompakterer Masse erhalten, so in Württemberg, wo namentlich durch Bengels Einfluß die Regierung sie in Schutz nahm und, ohne ihre Freiheit zu verletzen, doch etwas regelte (1743), und in Minden-Ravensberg. Im übrigen hielten sich verstreut nur einzelne kleine Konventikel, gestärkt durch reisende Brüder der Brüdergemeinde, noch mehr zusammenschrumpfend in der Dürre des Rationalismus. Die meisten durch Diasporabrüder gepflegten Gemeinschaften hielten sich in Sachsen (Oberlausitz, und zwar bei Deutschen und Wenden, Erzgebirge, Voigtland), Altmark und Warthebruch. Damit schließt die erste Periode der lutherischen

Gemeinschaften ab. Es ist das die Periode der Stillen im Lande. Sie zeigt ein Aufblühen (Herrschaft des Pietismus) und Niedergehen (Herrschaft des Rationalismus). Zugleich brachte die Zeit des Rationalismus das Auftreten der Laienstundenhalter in größerem Umfange, besonders in Minden-Ravensberg und Württemberg. Hier bildeten sich in denjenigen Gemeinschaftskreisen, die nicht schon durch ihre Beziehung zu Herrnhut einen gewissen Zusammenhalt hatten, durch diese Laienstundenhalter, wie z. B. durch Lehrer Kullen in Hülben auf der Alb, Anfänge einer Organisation, wobei einer, Michael Hahn, einen eigenen Kreis mit besonderen theologischen Lehranschauungen stiftete. Diesen Hahnschen gegenüber, die ein ernstes Heiligungschristentum vertraten, entstanden die nach Pfarrer Pregizer genannten Gemeinschaften mit ihrem fröhlichen Rechtfertigungschristentum. Zeitweise fehlte es auch nicht an separatistischen Neigungen, die verschiedentlich Auswanderung zur Folge hatten. Die älteren Kreise beharrten dagegen teils auf Bengels und seiner Schüler, teils auf dem herrnhutischen Standpunkte. Einen Mittelpunkt fanden die Gemeinschaften hier 1819 in Kornthal. Unter den Litauern entstanden am Ende des achtzehnten Jahrhunderts durch den Einfluß eingewanderter Salzburger, die zugleich auch herrnhutische Einflüsse den Litauern vermittelten, Gemeinschaften unter eingeborenen Laienstundenhaltern, die sich in die Anhänger des Jurkunas († ca. 1880) und des Klimkus Grigelaitis (geb. 1750, † 1825) teilten, erstere freier gegenüber den Mitteldingen als letztere.

Von der Spenerschen Bewegung aus entstanden auch die Gemeinschaften im rheinischen Oberland, wo, wie die politische Karte eine höchst bunte war, so auch Katholizismus, reformierte und lutherische Kirche stark durcheinandergingen. Hier war es in den reformierten Gebieten, die ja unter landesherrlichem Kirchenregiment standen, nicht möglich, daß etwaige Gemeinschaften sich als die wahren Christen zur Anerkennung bringen konnten wie am Niederrhein. So mußten sie von vornherein zur Separation neigen. Damit war aber für den durch die lutherische Bewegung ausgelösten Enthusiasmus Tor und Tür geöffnet. So erklärt sich das z. T. geradezu wilde, enthusiastische, separatistische und unionistische Treiben in den Isenburger, Wittgensteiner usw. Herrschaften und von dort aus auch in Siegen. Von diesen Gebieten drang die Mystik durch Hochmann weiter ins rheinische Niederland. Wichtiger als er wurde aber für die ganzen rheinischen Gemeinschaftskreise bis Straßburg hinauf der von ihm erweckte Tersteegen. Durch diesen wurden in den ganzen Gegenden auch die reformierten Kollegia zu Versammlungen von Stillen mit stark quietistisch-mystischem Charakter. Als der

Rationalismus kam, schwanden auch sie vielfach dahin, wenn sie gleich stärker blieben als die meisten lutherischen. Damit geht für die reformierten Gemeinschaften die zweite Periode zu Ende, die wir als die mystische bezeichnen*).

Eine neue Zeit brach überall mit der Erweckung an, die am Niederrhein an den Namen Krummacher, in Siegen an Tilmann Siebel anknüpfte. Besonders bemerkenswert ist die Erweckung unter den Mülheimer Kahnschiffern 1845. Die Gemeinschaften blieben zum Teil Tersteegenianer; andere nahmen konfessionell kalvinistisches Gepräge an, ohne daß jedoch im Verkehr mit anderen Kindern Gottes die Weitherzigkeit geschwunden wäre. Unter diesen Umständen brachte die Union natürlich manche Störungen. Auch in Minden-Ravensberg wurde sie nicht ohne Widerstand aufgenommen; ein Laienstundenhalter separierte sich, während im übrigen die Erweckung hier außer dem Aufschwung der Gemeinschaften auch einen engeren Anschluß an die Pastoren brachte. In Schleswig-Holstein gingen die jetzt zuerst entstehenden Gemeinschaften, die durchaus auf dem Boden der Landeskirche stehen wollten, von einem Schuster Sommer (Husum) aus. In Pommern gründeten Pastoren wie Knak und Görke Gemeinschaften, aber auch erweckte Gutsbesitzer, wie die v. Belows, deren Gemeinschaften jedoch z. T. der Separation verfielen. In der Uckermark wirkte Büchsel. In Sachsen (im Voigtlande und Erzgebirge) ist diese Zeit geradezu die Blütezeit der Diasporagemeinschaften der Brüdergemeinde gewesen; auch die litauischen Gemeinschaften beider Richtungen haben damals trotz mancher Anfeindung sich am stärksten entfaltet. In Baden und Rheinhessen waren es die ehemals katholischen Geistlichen Henhöfer und Helferich, die Stunden ins Leben riefen. In Oberhessen bildeten sich in den vierziger Jahren in der Gegend von Lich Gemeinschaften. In Württemberg hielten sich die drei großen Kreise der Hahnianer, der Pregizerianer und der Altpietisten Bengelscher wie herrnhutischer Richtung. Gemeinsam ist in dieser Zeit allen der Sinn für Tätigkeit nach außen. Derselbe erstreckt sich vor allem auf die Mission; die Stunden sind gleichsam Missionsvereine. Der Anstoß dazu ist zuerst (Barmen) von England gekommen. Von dem, was wir heute Innere Mission nennen, wurde

*) Gegen Arnold (Gemeinschaft der Heiligen u. Heiligungs-Gemeinschaften 1909] S. 37) halte ich noch heute die obige Meinung aufrecht, daß die eine Wurzel der Separation der kalvinische Kirchenbegriff war. Befördert ist diese Neigung dann durch die quietistische Mystik Hochmanns und Tersteegens, womit übrigens nicht gesagt sein sollte, daß Tersteegen Prädestinatianer gewesen sei, wie Arnold mich scheinbar verstanden hat.

außer der Kindererziehung (z. B. Korntal) von den Gemeinschaften in dieser Periode nur die Traktat- und Bibelverbreitung gepflegt (z. B. Barmen, Stuttgart). Aber diese Tätigkeit, die übrigens ebenfalls auf englischen Anregungen beruhte, trat doch bei weitem nicht so in den Vordergrund wie die Äußere Mission. Wir können daher diese Periode geradezu als die der Missionstätigkeit bezeichnen.

Zur Äußeren Mission brachte dann das Jahr 1848 und Wichern die Innere, und zwar besonders den einst schon von Ph. M. Hahn gehegten Gedanken der Evangelisation. So entstehen nun vielfach Gesellschaften zur Evangelisation. Indem sie aber diese mehr in altpietistischer Weise in der Gewinnung einzelner Seelen durch Traktate, Besuche usw. zu erreichen suchen, so besteht das Neue dieser Periode mehr darin, daß der Gedanke der Evangelisation lebendig erhalten wird, und zweitens, daß durch die Gesellschaften den einzelnen Gemeinschaften vielfach ein Halt gegeben wird. So entstand in Elberfeld am 25. August 1848 die Evangelische Gesellschaft für Deutschland auf biblisch unierter Grundlage, 19. Juni bzw. 3. Juli 1850 der Evangelische Brüderverein ebendort auf Grund der neun Allianzartikel, aber durchweg reformiert, und zwar seit der Gründung der freien Gemeinde in Elberfeld durch seine Leiter Grafe und Neviandt independentisch gerichtet, 1852 der Verein für Reisepredigt im Sieger Lande, der mit Bewußtsein reformiert (lodensteynisch) sein will. Angeregt durch Einflüsse aus dem Brüderverein, dann aber selbständig, bildete sich 1. Advent 1857 (I. Generalversammlung 13. September 1858) mit 18 Mitgliedern, darunter als bedeutendstem H. Sommer (s. o.), der (lutherische) Verein für Innere Mission in Holstein. Bischof Koopmann gab seine Genehmigung unter der Bedingung, „daß die auszusendenden Boten im Anschluß an das kirchliche Amt ihre Arbeit täten". Nach 1864 dehnte der Verein sich auch auf Schleswig aus.

In Verbindung mit der Elberfelder Gesellschaft oder doch auf Grund von dorther stammender Anregungen entstanden 1863 der Herborn-Dillenburger Verein, 1864 der Monzinger Kirchliche Verein und 1873 der Land-Verein des Nieder-Elsaß in Straßburg. In Süddeutschland bildete sich außerdem der Verein für Innere Mission Augsburgischen Bekenntnisses in Baden am 24. Januar 1849, der auch in der Pfalz arbeitete, bis die Pfälzer im Jahre 1870 sich zum eigenen „Evangelischen Verein für Innere Mission in der Pfalz" zusammenschlossen, der aber in freundlicher Beziehung zu Baden blieb. Die Bildung eines gleichen hessischen Vereins fällt erst in die neuere Zeit. Die alten pietistischen Konventikel in der Pfalz suchte das Konsistorium 1856 durch ein Ausschreiben zu regeln.

Zu den bisher genannten Gesellschaften kommt noch die Wirksamkeit der Brüdergemeinde durch Diasporabrüder.

Somit erhalten wir als dritte (für die reformierten vierte) Periode die der Evangelisations-Gesellschaften. Für Württemberg gilt das freilich nicht, da die schon 1835 gegründete Evangelische Gesellschaft in Stuttgart nicht in dem Sinne als Evangelisations-Gesellschaft gedacht war. Zwar hat die Revolutionszeit auch Württemberg eine Evangelisations-Gesellschaft und sogar eine Evangelistenschule gebracht. Auf dem Salon bei Ludwigsburg gründete Chr. Hoffmann, der Sohn des Gründers von Kornthal, und seine beiden Schwäger, die Brüder Paulus, eine „Evangelische Schule" zur Ausbildung von Evangelisten. Zur Unterstützung gründeten sie 1848 den „Evangelischen Verein", der 1850 bereits 450 Ortsvereine zählte. Diese Bewegung, die in die Gemeinschaftskreise viel Störung brachte, wurde jedoch immer antikirchlicher und führte 1861 zur Gründung des „Deutschen Tempels". Z. T. gerade um sich des Tempels erwehren zu können, andererseits gegenüber methodistischen Eindringlingen organisierten sich hier die übrigen Gemeinschaften allmählich fester, insbesondere 1873 die Hahnianer durch die „neue Gemeinschaftsordnung". Seitdem am 4. Dezember 1856 16 Geistliche sich auf einer Konferenz in Stuttgart geeinigt und einen Ausschuß von 5 Geistlichen und 7 Laien gewählt hatten, war es für die Altpietisten wenigstens zu Landesbrüderkonferenzen (I. am 19. März 1857) in Stuttgart gekommen. So war unter dem Namen „Die Konferenz" eine Art Verband konstituiert, deren Geschäftskommission eben jener „Gemeinschaftsausschuß" bildete, „engere Konferenz" genannt. Außerdem wurden Bezirkskonferenzen eingerichtet und seit 1859 ein besonderes Blatt, die „Erbaulichen Mitteilungen". Sie wurden bis 1872 von Pfr. Werner redigiert, der bis 1871 auch Vorsitzender des Ausschusses war; ihm folgte Pfr. Schott in beiden Ämtern, der aber 1875 ans Basler Missionshaus ging. Damit geriet die Organisation fast wieder in Auflösung. Der Hauptgrund war, daß in Stuttgart selbst keine wirklich lebensfähige Gemeinschaft mehr war und die führenden Männer dort ausstarben. Im allgemeinen bekamen die Gemeinschaften Württembergs vielfach einen konfessionalistischen Zug und erlangten infolge größerer Betätigung ihrerseits Einfluß im Kirchenregiment.

In Ostpreußen entstanden in der Umgebung von Goldap neue Gemeinschaften, die sogenannten Meldiener (ca. 1858), die ihren Mittelpunkt an einem vier Kirchspiele umfassenden „Verein für Innere Mission“ (1864) und dem 1872 gegründeten Waisenhaus in Meldienen hatten.

In Siegen blieb man reformiert und kam so zum Gegensatz zur unierten Volkskirche. Im Wuppertal und überhaupt am Niederrhein schlief dieser Gegensatz zwar ein; dafür bildete aber diese Gegend immer mehr eine Musterkarte der verschiedensten Strömungen, so daß hier bald der beste Boden für die Bestrebungen der Allianz (seit 1846) war. In Minden-Ravensberg blieb man lutherisch in der Union. Lutherisch in der lutherischen Landeskirche war der schleswig-holsteinische Verein, der jedoch zeitweise unter englischen Einfluß geriet durch den Kolporteur der Bibelgesellschaft David und den Pastor der schottischen Freikirche Craig. Eine Lösung der dadurch entstehenden Wirren brachte erst die Wahl v. Oertzens zum Vorsitzenden 1873. Bei den übrigen mehr zerstreuten Gemeinschaften erhielt sich der alte subjektivistische Pietismus. Besonders wirkten in diesem Sinne die Diasporabrüder, die in den sechziger Jahren im Posenschen und in der Neumark Gemeinschaften gründeten. In Posen wirkten in der Nakeler Gegend seit 1852 auch die Gutsbesitzer Brüder Birschel (geb. 1826 im Rheinland).

Das Resultat ist also: In den siebziger Jahren ist mehr oder weniger reiches Gemeinschaftswesen in Ostpreußen (besonders Litauen), Posen, Altmark, Sachsen (gering an Zahl, durch Diasporabrüder gepflegt), Schleswig-Holstein (Verein), Minden-Ravensberg und am ganzen Rhein (Elberfelder Gesellschaft und die von ihr abhängigen Vereine, Brüderverein), Siegen (Verein), Baden (Verein), Pfalz (Verein), Württemberg (zum Teil organisiert). Die Stellung der Gemeinschaften ist durchweg die des alten Pietismus, zum Teil konfessionalistisch, zum Teil allianzfreundlich, zum Teil independentisch gefärbt. Charakteristisch ist überall die Tätigkeit in Äußerer und Innerer Mission; letztere wird, soweit sie Evangelisation bedeutet, als Einzelgewinnung betrieben. Ein neuer Anstoß kam von England her durch die sogenannte Oxforder Bewegung.

Zweites Kapitel.

Die Oxforder Bewegung.

1. Der Gemeinschaftsgedanke in der englischen Kirche.

(Puritanismus — Methodismus — Darbysmus — Einwirkungen auf Deutschland.)

Auch in England hatte der Gemeinschaftsgedanke eine Geschichte gehabt. Ja, man kann in der englischen Kirche von zwei großen und einer kleineren Gemeinschaftsbewegung reden. Die erste war die puritanische. Diese führte, soweit sie rein kalvinistisch war, im Presbyterianismus, soweit in ihr die kalvinistischen Gedanken mehr oder weniger mit täuferischen durchsetzt waren, im Kongregationalismus, sowie im Quäkertum und der Baptistenkirche zur eigenen Gemeindebildung.

Denselben Weg ging später die zweite Bewegung, der Methodismus. Sie entspricht etwa dem Pietismus der festländischen Kirchen, wie sie auch direkt von ihm berührt ist. Wie dieser sammelt der Methodismus die „Bekehrten". Dieser Gedanke, den übrigens Wesleys Vater bereits gehabt hatte, stammte bei Wesley direkt von der Brüdergemeinde; doch war ihm eine Ausführung, an die er dann auch anknüpfte, bereits vorgezeichnet in mehreren ums Jahr 1678 unter deutsch-pietistischer Einwirkung (Art. Methodismus in P. R. E.[3] XII. S. 751) entstandenen „Gesellschaften", die später in den methodistischen Gemeinschaften aufgingen.

Den Gedanken, nur in der Kirche Gemeinschaften zu bilden, hat Wesley lebenslang festgehalten (United societies). Doch hatte er selbst bereits den Weg zur Kirchenbildung beschritten durch eigenmächtige Ordinationen (1784 für Amerika, 1785 für Schottland, 1787 für England), und indem er seine Gemeinschaften, wenn auch ungern, unter den Schutz der Duldungsakte (für die Dissenters) stellte.

Schon seit 1742 waren übrigens die zur Kirche werdenden Methodistengemeinschaften ihrerseits in kleine Gemeinschaften (classes) geteilt. Solche class besteht aus etwa zwölf Personen und versammelt sich wöchentlich einmal unter einem Klaßführer. Diese hier von vornherein auftretende straffe Organisation ist charakteristisch für die methodistischen Gemeinschaften im Unterschied von den pietistischen, zu denen immer nur einzelne sich zusammenfinden in dem gleichen Bestreben, sich ängstlich aus der Welt zurückzuziehen. So möchte der Methodismus auch nicht nur einzelne retten, sondern die Massen der Armen und Elenden für Christus gewinnen durch aggressive Mittel wie Straßen- und Feldpredigten und vertritt gegenüber dem oft sauersehenden und beständig seufzenden Pietismus eine, ich möchte sagen, jauchzende Vollkommenheitslehre*). Überhaupt zeigt der Methodismus, während der Pietismus durchaus pessimistisch gestimmt ist, einen eminent optimistischen Zug, der besonders begünstigt wird durch das angelsächsische Organisationstalent.

Die entgegengesetzte und insofern dem deutschen Pietismus verwandtere Stimmung herrscht im Darbysmus. Die mit diesem Namen belegte Gemeinschaftsbewegung in England führt freilich denselben insofern mit Unrecht, als Darby nicht der Gründer derselben ist und sogar von einem großen Teil der zu dieser Bewegung Gehörigen nicht anerkannt wird. Es hatten sich 1825 in Dublin und von hier beeinflußt in Plymouth Versammlungen kraß pessimistisch gestimmter Christen gebildet, von ähnlichen Gedanken beherrscht, wie sie vielfach im älteren deutschen Pietismus zur Gründung „philadelphischer“ Gemeinden geführt hatten.

Hier ward jede Organisation, jedes Kirchen- oder Lehrsystem verworfen. Die „Brüder“ versammelten sich „einfach im Namen des Herrn Jesu, Matth. 18, 20“, d. h. ohne Rücksicht auf Denomination, ohne jedes Lehramt. Ihr „Brotbrechen“ stand offen für jeden Gläubigen. Ebensowenig war natürlich von organischer Verbindung der einzelnen Gemeinschaften zu gemeinsamem Wirken vorhanden. Entsprechend ihrem Pessimismus gab es auch im Gegensatze zum Methodismus keine Massenevangelisation, sondern nur ängstliche völlige Absonderung der Gläubigen von allem, was „Welt“ heißt, um der Wiederkunft des Herrn entgegenzuharren, der zunächst seine „Braut“ vor der großen Trübsal in die Luft entrücken wird, um dann mit ihr wiederzukommen zum Gericht. Überhaupt trat die Eschatologie stark hervor. Auch in der Heiligungslehre dachten sie anders als die Methodisten. Im Methodismus wird die Vollkommenheit hergestellt durch ein dem Rechtfertigungserlebnis analoges Heiligungserlebnis, das den Menschen innerlich umwandelt, also daß die innewohnende Sünde weggenommen ist. Im Darbysmus wehrt sich dagegen der Pessimismus: Die menschliche Natur bleibt auch im Gläubigen unverbesser-

---

*) Diese habe ich ausführlich dargestellt in meiner Schrift: „Zur Geschichte der Heiligungsbewegung“. 1. Heft. Die Heiligungsbewegung von Wesley bis Boardman (1910).

lich. Die Heiligung, und zwar die vollkommene, ist aber in Christo in vollständiger Bereitschaft und soll im Glauben genossen werden, wobei es dann am Glauben liegt, ob der praktische Genuß der Heiligung und die Verwirklichung derselben ganz oder bloß teilweise im Menschen erfüllt ist.

In diese geschichtslosen, vorwiegend negativen Gedanken, die Arnold (Gemeinschaft der Heiligen und Heiligungsgemeinschaften S. 29) wohl mit Recht auf den „zum Individualismus neigenden lyrischen Enthusiasmus der keltischen Nationalität" zurückführt, hat J. N. Darby ein theologisches, sozusagen kirchengeschichtsphilosophisches System gebracht, dessen Grundzüge wir hier kurz skizzieren müssen, weil Weiterbildungen desselben in den letzten Jahren eine verhängnisvolle Rolle in der deutschen Gemeinschaftsbewegung gespielt haben. Der Grundgedanke ist, daß in den verschiedenen „Haushaltungen" Gottes der Mensch jedesmal sofort im Anfang derselben von Gottes Plane abgefallen sei, so Israel, das am Sinai Gottes Verheißungen unter der Bedingung des Gehorsams empfing, aber sofort in Abgötterei verfiel. Allerdings blieben ihm die Verheißungen zugesichert, aber nur, weil sie früher Abraham und seinen Nachkommen ohne Bedingungen gegeben waren. Diese Verheißungen sind irdischer Art, denn in Abrahams Nachkommen hat sich Gott ein Volk auf Erden erwählt, unter dem er seinen Thron aufschlägt. Sie bleiben dem Volke auch dann noch, als der Abfall so groß geworden ist, daß die Herrlichkeit Gottes den irdischen Thron verläßt und nun die Regierung den heidnischen Weltmächten in der Person Nebukadnezars übertragen wird. Jetzt ist nicht mehr Gott, sondern Satan der Fürst der Welt, allerdings nach Gottes Zulassung. Insofern, aber auch nur insofern, ist auch die weltliche Obrigkeit Gottes Ordnung. Die Verheißungen an Israel sind dagegen noch nicht erfüllt, auch nicht in Christus, den Gott allerdings dem zu diesem Zwecke zurückgeführten Volke als Messias vorgestellt hat, den sie aber verworfen haben, zunächst in der Kreuzigung, dann, als er ihnen gepredigt wird als der Erhöhte, bei der Steinigung des Stephanus. Darum hat Gott nun das Volk Israel zeitweise völlig beiseitegesetzt. Etwas ganz Neues, bisher nicht Offenbartes, tritt dazwischen, die Reihenfolge der Wege Gottes gewissermaßen unterbrechend, das ist das „Geheimnis", das Paulus geoffenbart ist, nämlich die himmlische Berufung der Kirche, des Leibes Christi. Für sie ist Christus nicht der Messias, sondern das himmlische Haupt seines zu gleicher himmlischer Herrlichkeit berufenen Leibes. Allerdings ist die Kirche jetzt noch auf Erden und muß leiden, aber ihre Stellung ist prinzipiell eine himmlische, und als zu sich gehörig wird Christus vor der großen Trübsal sie zu sich „entrücken." Dann wird Israel sich im heiligen Lande sammeln, während die Völker unter dem Antichristen stehen. Die ungläubigen Juden werden sich mit ihm zu einer heftigen Verfolgung des gläubigen Überrestes in Israel vereinigen. Dann kommt Christus zum Gericht mit seinen Heiligen, seiner Braut, den treuen Rest Israels zu retten und den Antichrist zu töten.

Aber auch in der gegenwärtigen Haushaltung der Kirche, der Versammlung Gottes, ist der Abfall nicht ausgeblieben. Die Kirche war als Einheit aller Geretteten, als sichtbarer Leib, durch den Geist Christi gebaut. Die Bibel kennt nach Darby nur eine sichtbare, keine unsichtbare Kirche. Aber durch Verweltlichung der Kirche, durch Lehr- und Verfassungssysteme ist sie abgefallen. Die ganze Entwicklung der Kirche bedeutet einen Abfall vom Plane Gottes. Das haben die einzelnen Gläubigen rundweg in Demut anzuerkennen. Eine Wiederherstellung der ursprünglichen Versammlung zu versuchen, haben sie kein Recht, sondern nur soviel an ihnen ist, die Einheit aller Gläubigen, soviel es ihnen in Übereinstimmung mit Gott irgend möglich ist, zu bewahren. Dabei haben sie nicht nötig, zu warten, bis der Geist an einem Ort diese Versammlung aller Kinder Gottes bewirkt, sondern sollen sich, soviel sie sich zusammenfinden, einfach auf Grund der Verheißung Jesu von den zwei oder drei, die in seinem Namen zusammen sind, versammeln, vor allem aber auch andererseits aufs schärfste trennen von jeder Handlung, von der sie wissen, daß sie mit dem Worte Gottes nicht übereinstimmt. Dazu gehört bei Darby vor allem auch das geistliche Amt. Schon der Begriff eines clergyman schließt eine Versündigung gegen den heiligen Geist ein.

Freilich blieb er selbst immer der Theologe, noch dazu ein ziemlich herrschsüchtiger, wodurch es zur Trennung in die open und exclusive brethren kam. Die letzteren ließen nur die zu ihren Gemeinschaften, der „Versammlung Gottes", Gehörigen zum Brotbrechen zu, wurden also wieder Denomination; auch führte Darby eine gewisse Verbindung der Einzelgemeinschaften durch, während die „offenen Brüder" die Denominationslosigkeit im ursprünglichen Sinne festhielten, besonders durch den Einfluß des bekannten Waisenhausgründers G. Müller.

Der Darbysmus hat anfangs in Deutschland wenig Einfluß gehabt; nur im Siegerlande — hier war er 1890 die zahlreichste außerkirchliche Gemeinschaft — und im Gebiet der Elberfelder Gesellschaft, besonders im Westerwald, ist er störend aufgetreten. Namentlich hat aber der Brüderverein sich mit ihm auseinandersetzen müssen. War schon die ursprüngliche, reine Allianzstellung des Vereins nahe verwandt mit den Grundsätzen der open brethren, so lernten mehrere Sendboten, darunter das Vorstandsmitglied Brockhaus, durch einen bei Grafe sich aufhaltenden französischen Darbysten den Darbysmus, und zwar in Darbys Ausprägung, kennen und verbreiteten dessen Lehre. 1853 wurden sie genötigt auszutreten und begannen nun die Gründung der „Versammlung Gottes" namentlich dort, wo der Brüderverein schon wirkte, der wiederum seinerseits oft der Evangelischen Gesellschaft folgte.

Bezeichnend ist, daß der Darbysmus größeren Erfolg damals bloß in diesen Gegenden mit reformierter Grundanschauung hatte, deren Konsequenz in bezug auf die Lehre von der Gemeinschaft der Heiligen er im gewissen Sinne ist. Doch interessiert uns hier die Wirksamkeit des Darbysmus in Gründung eigener Versammlungen außerhalb der Landeskirche nicht weiter, ebenso wie die gleiche Wirksamkeit des Methodismus in Deutschland seit 1830 (Wesleyaner) resp. 1849 (Bischöfliche). Auf die innerkirchlichen Gemeinschaften hat der Darbysmus nach jenem Bruch im Brüderverein zunächst nur wenig Einfluß gehabt (z. B. auf Dorothea Trudel).

Ungleich stärker war der Einfluß des Methodismus auf die deutschen Gemeinschaften, direkt wie indirekt, sofern die ganze Kirche Englands, soweit sie wirklich Leben zeigte, von ihm berührt war. So war von England her schon der Barmer Missions- und Traktatverein angeregt, dann war, durch Wichern vermittelt, jener Anstoß gekommen, der zur Verbindung der Evangelisation mit der Gemeinschaftspflege führte, mochte auch der vorsichtige Pietismus zunächst Sieger bleiben über Wicherns Tatkraft.

2. Die Wurzeln der Oxforder Bewegung.

(Finney — Die amerikanische Heiligungsbewegung — Smith — Moody.)

Methodistischen Ursprungs war auch die Oxforder Bewegung, wenn auch die Antriebe zum Teil durch die Kongregationalisten vermittelt waren. In ihren amerikanischen Gemeinden war es gegangen wie in den pietistischen Gemeinschaften: Erweckungen und Schlaffwerden wechselten. Eine große Erweckungszeit war die des Präsidenten J. Edwards. Auch mit Whitefield waren sie in Berührung gekommen. Ihr berühmtester Evangelist, überhaupt epochemachend in der Geschichte der Evangelisation, d. h. der Massenevangelisation, war Finney, geboren 1792 in Warren (Connecticut); ohne Religion aufgewachsen, hatte er als Lehrling in einem Advokatenbureau in Adams die Notwendigkeit empfunden, sich zu bekehren. Er „wollte sich bekehren" und erlebte den Durchbruch am 10. Oktober 1821 und empfing ein paar Stunden später den heiligen Geist*). Er meldete sich bald zum Examen als Prediger und stellte sich einem Evangelisationskomitee zur Verfügung. 1832 wurde er an eine neue freie Kirche in Neuyork berufen, aus der durch sein Wirken nicht weniger als sieben neue Gemeinden entstanden. 1834 nahm er eine Berufung an eine Kongregationalistengemeinde an und wurde Mitgründer des „Neuyorker Evangelisten". 1835 wurde er den Sommer über Lehrer der Theologie in Oberlin (Ohio); im Winter war er Prediger in Neuyork († 1875). Von 1849 bis 1851 und 1858/59 arbeitete er in England. 1857 war er an der großen amerikanischen Erweckung durch seine Arbeit in Boston beteiligt.

Er evangelisierte aber nicht nur unter den Entfremdeten, sondern suchte auch auf eine Erweckung und Vertiefung der Gläubigen hinzuarbeiten. Dabei führte ihn die Beobachtung der Mängel der Gläubigen auf die Heiligungsfrage.

Als nun sein Kollege in Oberlin, Asa Mahan, neue Erfahrungen in der Heiligung gemacht zu haben meinte, schloß Finney sich seiner jetzigen Anschauung an und wurde mit ihm und Upham zusammen der Führer der sogenannten Oberlin-Lehre. Diese Heiligungstheorie, die, wie ich (Zur Geschichte der Heiligungsbewegung, 1. Heft S. 86 ff.) gezeigt zu haben glaube, nur eine geringe Modifikation der Wesleyschen Vollkommenheitslehre darstellt, erhielt eine etwas abweichende Weiterbildung durch W. E. Boardman (geb. 11. Oktober 1810 in Neuyork). 1845 erschien sein Büchlein „The higher christian life", das ungeheure Verbreitung fand**). So entstand eine große Heiligungsbewegung, namentlich nach dem Kriege (1865), an der sich auch die Methodisten stark beteiligten. Jährlich wurden viele „National and interdenominational Holiness Meetings" abgehalten. Ein Nationalkomitee für Beförderung der Heiligung wurde gebildet. In dieser Bewegung entstanden verschiedene der später auch in Deutschland gesungenen Heiligungslieder.

An diesen Veranstaltungen beteiligte sich bald auch der Mann, der zusammen mit Boardman die Heiligungsbewegung nach Europa übertrug, Robert Pearsall Smith nebst seiner Frau Hannah Whitall, die seit 1865 für die Heiligungsbewegung gewonnen waren. R. P. Smith war am 1. Februar 1827 zu Philadelphia

---

*) Über die Bedeutung dieser Bekehrung für seine Lehre vgl. meine Schrift „Zur Geschichte der Heiligungsbewegung". 1. Heft, S. 81 ff.

**) Eine genauere Darlegung seiner Lehre in meiner obengenannten Schrift S. 122 ff.

als Sohn des Quäkers John Lay Smith geboren. 1851 verheiratete er sich mit Hannah Whitall, die ebenfalls aus frommem Quäkerhause stammte (geb. 1832 in Philadelphia). Die Frau scheint gerade im Religiösen der führende Teil in dieser Ehe gewesen zu sein. Sie war in strengem Quäkertum aufgewachsen, und das Quäkertum hat ihres Mannes und ihre Anschauungen Zeitlebens beeinflußt. Man denke nur an die „Gleichwertigkeit" von Männern und Frauen im Dienst am Wort sowie an die Ansicht über „Geistesleitung". Hannah W. Smith kam zum Glauben im August 1858 durch den Besuch der täglichen Mittagsversammlungen, die infolge der Erweckung von 1857 auch in Philadelphia eingerichtet waren. Ein Darbyst machte ihr, die als Quäkerin von christlicher Lehre wenig kannte, klar, daß ihr Erlebnis die Wiedergeburt und sie nun ein Gotteskind sei. Die Folge war, daß sie nun viel mit den Darbysten verkehrte, bis sie an deren kalvinistischem Prädestinatianismus Anstoß nahm. Da sie dann sogar die Lehre von der Wiederbringung aller Dinge annahm, trennte sie sich von den Darbysten. Dadurch, daß ihr eigener Heiligungszustand sie nun beunruhigte, ward die Frage der Heiligung für sie brennend, besonders im Jahre 1865, wo sie von Germantown in das stille Melville verzogen waren. Ruhe fand sie in der methodistischen „Heiligung durch den Glauben", auf die sie freilich durch Fénélon und Mad. de Guyon, nicht zum wenigsten auch durch das Quäkertum selbst vorbereitet war. Sie schloß sich dann nicht dem speziell methodistischen, sondern dem Boardmanschen Typus dieser Lehre an und ward nun die Führerin ihres Mannes. Auch er war 1858 an dem gleichen Tage wie sie zum Glauben gekommen, und zwar durch das Studium von Schriften Tholucks und das zufällige Aufschlagen von 1. Joh. 1, 7 auf einer Eisenbahnfahrt*). 1861 stürzte er mit dem Pferde und erlitt einen Schädelbruch, sowie eine Gehirnerschütterung. 1865 kam er auch in Melville zur Erkenntnis der Heiligung durch den Glauben. Seine Frau interessierte ihn zunächst für diese Frage, und durch einige Arbeiter seiner dortigen Glasfabriken (Methodisten?) wurde er dann ganz gewonnen. Alsbald hielt er mit dem Evangelisten Hammond Versammlungen in Philadelphia und Oakington. 1870 erschien sein berühmtes Büchlein „Holiness through faith". 1871 arbeitete er in San Franzisco und Ende des Jahres in Philadelphia mit Inskip und Macdonald zusammen. Zwar hatte er einen erneuten Anfall seines Gehirnleidens, konnte aber 1872 wieder in

---

*) So Möller, Rob. Pearsall Smith, S. 9. Vermutlich hat aber auch hier vor allem seine Frau ihn beeinflußt.

Heiligungsversammlungen tätig sein, im März in Princeton, im Mai in Louisville und im Juli in Lagerversammlungen in Sea-Cliff, wo er die „Geistestaufe" empfing. In diesen verschiedenen Arbeiten scheint er Boardman kennen gelernt zu haben, der mit Inskip zusammen als ihm am nächsten stehend bezeichnet wird. Boardman kam 1873 krankheitshalber nach Ems und ging dann nach England, wo er mit Smith zusammentraf. Dieser setzte die Heiligungsversammlungen im großen Stil in Europa fort, während Moody um dieselbe Zeit dasselbe mit der Evangelisation tat.

Moody, geboren 5. Februar 1837, war ebenfalls Kongregationalist. Schon als Knabe hatte er „den Branntwein abgeschworen". Bei seinem Onkel in Boston in einem Schuhwarengeschäft wurde er sehr strenge kirchlich gehalten. Entscheidend für ihn wurde aber die Frage seines Sonntagsschullehrers im Laden, „ob er nicht sein Herz dem Herrn Jesu geben wollte" (16. Mai 1855). Bald fand er Gewißheit und fing auch alsbald an, von seiner Erfahrung zu sprechen. Später 1871 hat er auch die Erfüllung mit dem Geiste plötzlich erfahren. Nach einer Prüfung und öffentlichem Glaubensbekenntnis wurde er in die Mount-Vernon-Gemeinde aufgenommen*). 1856 ging er nach Chicago als Schuhverkäufer. Hier fing er, während er bei den Methodisten (vorher bei Baptisten und Kongregationalisten) verkehrte, bald an, auf eigene Hand Mission zu treiben, zusammen mit Stillson und Trudeau, der als Sänger wirkte. In den verworfensten Quartieren sammelte er auf Streifzügen seine Schüler zur Sonntagsschule, die er bald, da die Zahl der Besucher über 1000 stieg, in die Nordmarkthalle verlegte. Es macht einen eigenen Eindruck, die Energie dieses Mannes und seine Liebe zu den Elenden unter den Kindern zu sehen, mit der er nicht müde wurde, sich ihrer anzunehmen, mochten sie auch anfangs sich in seiner Schule prügeln und lärmen, ja mochten die Lehrer selbst auf ihren Streifzügen mißhandelt werden.

---

*) Die Aufnahme fand im Mai 1856 statt, nachdem der Gemeinderat ihn 1855 noch zurückgestellt hatte. Das Protokoll der Mount-Vernon-Kirche sagt darüber: „Nr. 1079 Dwight L. Moody. Wohnt Court Street 43. Ist getauft. Wurde am 16. Mai erweckt und war von da an um sein Seelenheil bekümmert. Erkannte sich als Sünder; die Sünde scheint ihm jetzt verhaßt und die Heiligkeit begehrenswert. Er glaubt Buße getan zu haben, hat sich vorgenommen, der Sünde den Abschied zu geben, und weiß, daß die Vergebung allein in Christo Jesu ist. Er betet. Wünscht für den Herrn zu arbeiten. Hat eine fromme Erziehung genossen. Befindet sich seit einem Jahre in hiesiger Stadt. Stammt aus Northfield. Schämt sich nicht, sich zu Christo zu bekennen. Achtzehn Jahre alt." Eine Randbemerkung besagt dann, daß er zurückgestellt sei.

Bald erweiterte sich das Feld seiner Wirksamkeit. Infolge der großen Erweckung von 1857 entstand in Chicago ein Christlicher Verein junger Männer, an dem Moody sich bald energisch beteiligte. 1860 gab er seinen weltlichen Beruf als hinderlich auf infolge der von ihm mit angesehenen Wirkung, die ein todkranker Lehrer auf seine Sonntagsschülerinnen ausübte. Die Zahl der durch Moody Bekehrten wuchs. Er sammelte sie nun um eine eigene Kirche, die Illinois-Street-Kirche, die 1864 eingeweiht wurde, und deren Pastor er wurde.

Wer der Gemeinde beitreten wollte, wurde über seinen Glauben geprüft und dann getauft. Hier hielt er nun eifrig Bibelstunden, Evangelisationsversammlungen, Dankgottesdienste, Erfahrungsstunden usw. Außerdem wirkte er als Präses des Christlichen Vereins junger Männer, der durch ihn großen Aufschwung nahm. Hatte er früher vorwiegend von seinen Erfahrungen geredet, so wurde er allmählich biblischer. Hierzu trug der Besuch der bereits seit 1856 jährlich stattfindenden Mildmay-Konferenz in England 1872 bei, dem dann am 7. Juni 1873 die erste Missionsreise nach England folgte, die einen ungeheuren Erfolg hatte (in Edinburg ca. 2000 Bekehrte). Namentlich Schottland hat gewaltige Anregung erhalten. Ihn unterstützte Sankey*) mit Singen, besonders seines eigenen Gesanges: Too late, too late, you cannot enter now. Die Versammlung sang den Refrain. Moody wird geschildert als ein Redner nicht gerade ersten Ranges. Trotzdem urteilte man in England sehr günstig.

1875 kehrte er nach Amerika zurück. Die Berichte aus England hatten in Amerika die Hoffnung auf eine große Erweckung angefacht. Sie brach aus bei der Arbeit Moodys in Neuyork 1876. Eines Abends redete er vor 11 000 Männern. „Tausende erheben sich und beantworten die Aufforderung, sich Christo zu ergeben, mit einem: „Ich will, ich will," „Amen", durchdringen wie das Rasseln von Gewehrfeuern den Ort, ja, die religiöse Bewegung steigt nicht selten zu einer Höhe, daß lange, mit stillem Gebet auszufüllende Unterbrechungen erforderlich sind, um die um ihre Sünden Bekümmerten in den Banden der nötigen Selbstbeherrschung zu erhalten." 1889 gründete er in Chicago das Bibelinstitut für 500 männliche und weibliche Schüler, die dort die Bibel studieren und dadurch zu praktischer christlicher Tätigkeit herangebildet werden.

---

*) Geboren 1840, englischer Abkunft. 1870 rief ihn Moody gelegentlich einer Konferenz in Indianopolis, wo er den Gesang leitete, aus seinem Berufe als Rentbeamter. Seither reiste er mit M. 1873 erschien die erste Auflage seiner Gospel Hymns.

Zeitweise gehörten die Schüler 33 verschiedenen Denominationen an. Überhaupt verwischen sich wie in Moodys Leben selbst, so auch bei seinen Arbeiten völlig die Denominationsgrenzen. Zum Leiter des Bibelinstituts berief er den später noch zu erwähnenden Torrey. Vom 9. Oktober 1881 bis 22. April 1883, 4. November 1883 bis Juli 1884 sowie 1891 und 1892 ist er wieder in England gewesen († 1899). Sankey ist 1901 noch einmal allein dort gewesen, 1903 erblindet († 14. August 1908).

3. Die Oxforder Bewegung selbst.

(Die Vorbereitungen — Die Tage in Oxford — Die Bereisung des Kontinents — Brighton — Smiths Fall — Urteile der damaligen Zeit.)

Gleichzeitig mit Moodys erster Anwesenheit in England trat nun auch Smith auf. Es war nur natürlich nach seiner und seiner Frau Entwicklung, daß er, wie Moody und früher Finney, auf die Zugehörigkeit zu einer bestimmten Denomination keinen Wert legte. „Nicht das Loslösen von den bestehenden Denominationen, sondern deren Belebung“ sollte seine Arbeit sein. Konsequent hat er darum die Auskunft über seine konfessionelle Stellung verweigert.

Er war nicht, um zu predigen, nach England gekommen, sondern weil sein Leiden im Zusammenhang mit Überarbeitung wieder stärker aufgetreten war. „Jedes Wort für den Meister war ihm verboten, ja, er sollte nicht einmal ein Tischgebet sprechen.“ Aber er fand in England und auf einer kurzen Erholungsreise in die Schweiz solche Kräftigung, daß er in einer Woche fünfzehn bis zwanzig Reden halten konnte. Zunächst sprach er nur in Zusammenkünften eines christlichen Freundeskreises in London, wo einige Führer der späteren englischen Heiligungsbewegung wie Rev. E. H. Hopkins gewonnen wurden. Die meetings wurden größer. Im Jahre 1874 wurden mehrere drei- und viertägige spezielle „Union meetings for consecration“ abgehalten, z. B. in London, in Mildmay Conference Hall, Hanover Square Rooms u. a., dann auch in Dublin, Manchester, Nottingham und Leicester, sogar auf dem Kontinent. Das Interesse wuchs. Auch in Cambridge wurden solche Meetings veranstaltet und „einige Glieder der Universität erhielten eine Ahnung des möglichen Segens und verlangten nach einigen Tagen der Zurückgezogenheit, stillen Nachdenkens und Gebets“. Das hörte der Besitzer von Broadlands Park, Lord Mount Temple, der alsbald seinen Landsitz zur Verfügung stellte. Dies Meeting vom 17. bis 23. Juli 1874 war von einigen hundert Personen besucht. Die ganzen Tage waren mit Versammlungen besetzt, auch solche für Frauen wurden gehalten, Bibellesen und stilles Gebet spielten eine große Rolle. Th. Monod-Paris wurde hier Anhänger der Heiligungsbewegung, von dem Jellinghaus am meisten beeinflußt zu sein bekennt. Als Richtlinien waren festgesetzt: „Die schriftgemäßen Möglichkeiten des Glaubens im Leben des Christen im täglichen Wandel a) in bezug auf die Erhaltung der Gemeinschaft mit Gott und b) in bezug auf den Sieg über alle erkannte Sünde.“ Man „begann mit der negativen Seite des Ablegens von erkanntem Bösen und auch von nur zweifelhaften Dingen.“ „Viele verborgene Sünden, viele kaum bewußte Vorbehalte, die der völligen Übergabe im Wege standen, wurden hier in das Licht des Bewußtseins gebracht und abgelegt in der Gegenwart des Herrn.“

Gegen Ende des Meetings bemerkte jemand: „Wir müssen diese Versammlungen in größerem Maßstabe wiederholen,“ ein anderer bot sofort 500 £ dafür an. Blackwood schlug Oxford als Ort vor. Sir Thomas Beauchamp berief ca. 40 Geistliche nach Longley Park zur Vorbereitung der Details.

Am 8. August erließ Smith die Einladung zum union meeting for the promotion of scriptural holiness.

„In allen Gebieten der Christenheit hat der Gott aller Gnade in vielen seiner Kinder ein tiefes Gefühl von der Mangelhaftigkeit und Kümmerlichkeit ihres gegenwärtigen geistlichen Zustandes erweckt und sie mit der lebendigen Überzeugung erfüllt, daß die Wahrheiten, welche sie glauben, auf ihr Herz und Leben eine ganz anders durchgreifende Nachwirkung ausüben könnten und müßten, als jetzt der Fall ist.“ „Der heilige Geist hat in ihnen ein Hungern und Dürsten nach Gerechtigkeit, nach **Lebens**gerechtigkeit, nach einem heiligen, dem Willen Gottes entsprechenden Leben, nach persönlicher Heiligkeit wachgerufen. Es verlangt sie nicht mehr nach neuen Lehr- oder Kirchenformen, sondern nach lebenskräftigerer Auswirkung dessen, was sie schon haben, und mächtigerer Verwirklichung des wahrhaftigen Evangeliums, das sie schon kennen und verkündigen.“

Unterzeichnet war die Einladung unter anderen vom Earl of Chichester, Sir Thomas Beauchamp, Lord Mount Temple, Blackwood, G. und Th. Monod (Paris), Paul Kober Gobat (Basel), W. E. Boardman, von Niebuhr und Varley.

Vom 29. August bis 7. September 1874 währten die „Segenstage von Oxford“. Nach zwei vorbereitenden Gebetsversammlungen am ersten und zwei Predigten am Vormittage des zweiten Tages begann am Nachmittage Smith zu sprechen über den rechten Anfang fortschreitender Heiligung und die völlige Hingebung in den Dienst Christi. An den folgenden Tagen, an denen stets von 7 bis 8½, um 9½, 11½, 3, 5½ und 8 Uhr Versammlungen, daneben auch Frauenmeetings durch Mrs. Smith gehalten wurden, sprach er von der Übergabe unseres ganzen Selbst an Gott, der Ruhe, die der findet, der Jesu Joch auf sich nimmt, und von einem des Christenberufs würdigen Wandel. Der Besuch stieg von Tag zu Tag. In den Frühmeetings fanden sich tausend Männer und Frauen aller Klassen und Denominationen zum Gebet und Austausch ihrer geistlichen Erfahrungen zusammen (NKZ 1874 S. 700 ff.).

Wohl nicht zum wenigsten durch die zum Teil geradezu unwürdigen Lobeserhebungen Deutscher, auch Geistlicher, bewogen, beschloß Smith auf den Kontinent zu gehen. Schon vorher wurden Versammlungen in seinem Sinne gehalten, in Bern, Straßburg, Zürich, Mülhausen, Kornthal, Stuttgart.

In Berlin hatte eine Anzahl christlicher Führer gelegentlich eines flüchtigen Besuches von Lord Radstock mit diesem verabredet, Smith zu einer Reihe von Versammlungen einzuladen. Am Mittwoch, den 31. März 1875, begannen dieselben. Hofprediger Baur leitete ein, dann sprach Smith von der durch ihn und Moody hervorgerufenen Bewegung. Eine seiner schönsten Stunden sei gewesen, wie er unter eine Volksmenge zum Predigen gegangen sei. Vor ihm sei ein vornehmer Mann mit einer Glocke gegangen. Er selbst habe ein großes Plakat mit einem Bibelspruch getragen, über den er dann predigte. Dabei betonte er, daß alles ohne excitement in völliger Harmonie mit den Dienern der Kirche vor sich gehe. Am Donnerstag fand morgens eine Konferenz für Geistliche(Laien nicht ausgeschlossen) statt. Konsistorialpräsident Hegel dankte dem Redner für die Stärkung in der Ermüdung. Gegen Knaks Geltendmachung der Rechtfertigung nahmen besonders die Laien sehr energisch Partei für Smith. Büchsel vermittelte. Asmis machte auf die mangelnde Betonung der Sakramente aufmerksam. Jellinghaus und de le Roi schilderten ihre in Oxford empfangenen Segnungen. Vom Donnerstag bis Sonnabend fanden die Abendversammlungen in der Garnisonkirche statt. In der Kanzel standen oder saßen vier bis sechs Männer, vorn Smith und Bädeker, der damals gerade in Berlin anwesend und gebeten worden war, zu dolmetschen. Smith sprach eine Periode mit „innigem dringenden Ausdruck", dann übersetzte Bädeker. War Smith an einem Abschluß, so nannte einer der hinter ihm sitzenden Pastoren ein Lied. Jedesmal forderte Smith ein stilles Gebet um irgendeine Gabe. Es kamen auch Szenen vor wie eines Morgens im Vereinshause: Smith wies auf das Gebot der Freude bei Paulus und sagte dann: „Freuet euch, freuet euch aber gleich jetzt!" Darauf wurde zweimal gesungen: „Mein Herze geht in Sprüngen." Dann wurde zum Beten aufgefordert. Erst betete Bädeker, dann andere, schließlich mit der Begründung, es seien Familienversammlungen, auch Frauen. Am Sonntag sprach Smith: „Meine Brüder, ich erwarte heute abend Großes vom Herrn." Er meinte die Geistestaufe für die Versammlung, wie er sie auch in Oxford für den zehnten Tag, entsprechend den zehn Tagen von Himmelfahrt bis Pfingsten, erwartet hatte.

Von Berlin ging Smith nach Basel zur Allianzwoche (4. bis 11. April), wo seine Mitwirkung durch Rappard eingeleitet war. Hier sprachen aber auch viele einheimische Pastoren. Um 7 Uhr war Gebetsversammlung, um 9 Uhr Bibelstunde, um 11 Uhr englisches Meeting, 2 Uhr Privatbesprechung, 4½ Uhr Brüderkonferenz, 8 Uhr große Versammlung. Am Schluß fand eine große, von etwa zweitausend Christen aller Denominationen besuchte Abendmahlsfeier statt, die als außerordentlich würdig und erhebend geschildert wird.

Inspektor Josenhans dagegen fragte die Missionszöglinge, als sie um die Erlaubnis baten, die Smithschen Vorträge besuchen zu dürfen, ob ihnen die Lehrer des Missionshauses, Katechismus und Konfirmandenbüchlein samt den alten Schwabenvätern nicht mehr genügten. „Gut," sagte er endlich, „eine Anzahl von euch kann abwechselnd jeden Abend gehen, aber wenn mir einer infolge dieser neuen Lehren und Art des Christentums einen ‚Grangel' macht, der fliegt zum Missionshaus hinaus."

Auch in Stuttgart (19. bis 25. April 1875) erregte Smiths Auftreten große Bewegung, wenn auch die Konfessionellen kritisch blieben. Aus Stundenkreisen wurden Stimmen laut: „So etwas hat man bei uns noch nicht gehört." „Jetzt hab ich's." „Das hat gefehlt." Auch hier hielt er unter großem Zulauf, auch von Methodisten und anderen Sekten, täglich vier bis fünf Reden mit dem „methodistischen Apparat" des Wechsels von Singen, Beten, Reden, Seufzen usw. und richtete das Gefühl auf die Erwartung eines großen unmittelbar eintretenden Sieges bis zur Verheißung einer pfingstlichen Geistesausgießung. In Karlsruhe versuchte Divisionspfarrer Lindenmayer eine theologische Begründung der zweiten Bekehrung und stellte die Männer von Luther bis Bengel als Vorläufer der neuen Bewegung hin.

In Frankfurt a. M., wo die Methodisten Smith in Beschlag nahmen, fanden sich nur wenige zu den Versammlungen ein, die sonst als sehr schön bezeichnet werden. Besonders groß scheint dagegen der Zulauf im Wuppertal gewesen zu sein. Im Missionshause Barmen hielt er unter anderm eine Predigerkonferenz, bei der selbst Dr. Fabri, „der nüchterne Mann, mit eigener Herzensbewegung im Namen der Brüder dankte und die Versammlung mit einem gemeinsamen Amen auseinanderging“ (NKZ 1875 S. 326). Das Resultat war nach Fabri (NKZ a. a. O. S. 357): Manche blieben kalt, viele hatten reichen Segen, manche waren enthusiasmiert.

Übrigens waren Christlieb und Fabri nicht willens, alles Englische ohne weiteres mitzumachen, so gaben sie ein eigenes Liederheft mit deutschen Liedern für die Versammlungen heraus (nach Nelle, Reformation 1909 Nr. 22).

Vom 29. Mai bis 7. Juni fand dann die große Versammlung in **Brighton** statt, wo ca. achttausend Christen, meist weiblichen Geschlechts, zusammenkamen. Den Tag über wurden bis zu dreißig Meetings gehalten*). Zweihundert Pastoren waren

---

*) Warneck (Briefe über die Versammlung zu Brighton S. 25) teilt z. B. das Programm für Sonnabend, den 5. Juli mit: 7—8 Gebetsversammlung (Mr. Smith); deutsche, desgl. französische Gebetsversammlung. 8—10 Frühstück für die ausländischen Pastoren mit Ansprachen. $9^1/_2$—11 Versammlung für Damen (Mrs. Smith), enquiry-meeting an vier verschiedenen Orten unter der Leitung von Hopkins, Graham, Thornton, Sawday, Battersby, Morgan, Fox, Miller. $11^1/_2$—$1^1/_4$ drei Hauptversammlungen an drei Orten unter P. Monod, Blackwood und Admiral Fishbourne. 3—$^3/_4$4 biblische Ansprache von Mrs. Smith; Hauptmeeting (Blackwood); conversational enquiry-meeting an drei Orten; italienische Gebetsversammlung. $6^1/_4$—$7^1/_2$: Hauptmeeting (Monod); meeting for ministerial experiences (die selbst Warneck bedenklich erschienen) unter Smiths Leitung; Gesanggottesdienst; 8—$9^1/_4$ resp. 10 Versammlung für Männer; Hauptmeeting (Varley); enquiry-meeting; holländische Pastoralkonferenz, dazu Gottesdienste und Spezialversammlungen.

Auf der Rückseite der Programme stand: „Wir sind zusammengekommen als Christen, um Gottes Verheißungen zu glauben, um uns selber dem Herrn williger zu übergeben und um „einzugehen in die Ruhe.“ Zu diesem Zwecke sind alle Anwesenden gebeten, folgende Punkte zu berücksichtigen: I. Komme mit einem empfänglichen Geiste; beuge dein ganzes Wesen vor den Unterweisungen des heiligen Geistes! Gott spricht mit uns durch sein Wort; sei bereit, alle schriftwidrigen vorgefaßten Ansichten daran zu geben! II. Entsage von ganzem Herzen jeder erkannten Sünde, sowie überhaupt allen Dingen, die nicht aus dem Glauben kommen! III. Komme harrend auf den Herrn! Erwarte zuversichtlich, daß der Herr dich persönlich segnen werde! IV. Vermeide eine Zeitlang alle Lektüre außer der Bibel. V. Vermeide alle Gespräche, welche dich von dem Hauptzweck der Versammlungen abwendig machen könnten! Vermeide besonders jegliche religiöse Kontroverse! Ist einer anderer Ansicht als du, so bete mit ihm! VI. Sei mäßig im Essen; einfach in der Kleidung; ziehe dich abends frühe zurück. VII. Morgens beim Erwachen sei dein erster Akt, daß du dich erinnerst: 1. daß jede deiner Sünden rein gewaschen ist durch das Blut

vom Kontinent dort, für die mit weitestgehender Gastfreundschaft gesorgt wurde. Die Versammlungen waren sehr besucht, besonders die in der corn-exchange. Siebzig ushers aus den vornehmsten Familien hielten großartige Ordnung aufrecht.

Um Smith war eine große Schar Helfer, so Monod, Riggenbach, Rappard, auch Erweckungsprediger wie Blackwood und Varley (ein Schlachter). Für die armen Leute war noch ein eigenes großes Zelt vorhanden. Smith war Seele und Zentrum des Ganzen, alles leitend, doch immer frisch und fröhlich. Die Deutschen hatten außerdem noch eigene Versammlungen, in denen Rappard und Riggenbach die Leitung usurpierten. Hier kam es auch zu Spaltungen zwischen den Schweizern und Süddeutschen und den vorsichtigen lutherischen Norddeutschen (Wangemann). Die Meetings zerfielen in zwei Hälften, bis Mittwoch wurde die Grundlage der völligen Hingabe gelegt („Selbstprüfung und Beichte in großem Stile“ nach Warneck), vom Donnerstag ab auf die Geistestaufe hingearbeitet. Ein genaueres Eingehen auf diese Meetings muß ich mir versagen. Smith hatte den Herrn um tausend Seelen gebeten, dementsprechend gestaltete sich das Ganze sehr dringend. „Jesus saves me now“ war mehr noch als sonst der Mittelpunkt. Am Sonnabendnachmittag erfolgte die Bitte um den heiligen Geist in verschiedenen Sprachen, danach stilles Gebet, wobei durch die geöffneten Türen Glockengeläut zu hören war. Sonntag früh behauptete Smith, er kenne kein Beispiel eines Rückfalles aus dem higher life, am Abend fragte er feierlich, ob sie bereit seien, den heiligen Geist zu empfangen. Darauf folgte ein acht Minuten langes, stilles Gebet. Am Montagabend fand Massenkommunion statt, an der sich jedoch zwanzig norddeutsche lutherische Pastoren nicht beteiligten.

Doch schon waren Umstände eingetreten, die eine schleunige

Christi; 2. daß du ganz sein bist, sowohl, weil er dich erkauft, als auch, weil du dich ihm mit vollem Bewußtsein übergeben hast; 3. daß also gar keine Wolke, ja, kein Schatten ist zwischen deiner Seele und Gott; 4. daß der Herr die stündliche Bewachung des Lebens und Wandels dessen übernimmt, der ihm übergeben worden ist. Dies sollte auch den ganzen Tag hindurch die Verfassung deiner Seele sein. Sollte die Gemeinschaft mit Gott durch eine Sünde auf einen Augenblick unterbrochen werden, so laß dir durch sofortiges Bekenntnis den Frieden wieder herstellen! VIII. Es mag dir eine Hilfe sein, öfters zu wiederholen: Herr, ich bin dein, gänzlich dein; ich bin erkauft und gerettet durch deine göttliche Liebe. Mit voller Hingabe will ich dein sein und mich ganz von dir leiten und regieren lassen.“ Denselben Text hatten übrigens schon die Oxforder Karten enthalten (Möller R. P. Smith S. 36).

Entfernung Smiths erwünscht erscheinen ließen. Die Erklärungen seiner Freunde sind sehr gewunden und zeigen ein unschönes Vertuschungsstreben*).

Blackwood, Hopkins, Martin, Matheson, Morgan, Radstock, Smithies und Varley schrieben an den „Freeman“:

„Da Gerüchte von außerordentlich schmerzlichem Charakter in betreff eines hervorragenden Lehrers, welche vor einiger Zeit im vertraulichen Umlauf waren, jetzt in Ihre und andere Zeitschriften gedrungen sind, so halten wir es für recht, im Interesse der Wahrheit und um der Gerechtigkeit willen gegen die fragliche Persönlichkeit folgende Erklärung abzugeben. Einige Wochen nach der Versammlung zu Brighton kam zu unserer Kenntnis, daß die betreffende Persönlichkeit bei einigen Gelegenheiten im Privatgespräch Lehren mit Wärme vorgetragen habe, welche höchst schriftwidrig und gefährlich waren. Wir fanden auch, daß ein Benehmen dabei war, welches, obgleich wir überzeugt waren, daß es frei war von böser Absicht, doch der Art gewesen ist, daß von unserer Seite gehandelt werden mußte. Deshalb ersuchten wir ihn, sofort sich aller öffentlichen Tätigkeit zu enthalten; und als ihm die Umstände in ihrem wahren Lichte dargestellt wurden, erklärte er sich völlig einverstanden mit der Richtigkeit dieser Maßregel und erkannte mit tiefem Schmerz den schriftwidrigen und gefährlichen Charakter des betreffenden Lehrens und Benehmens. Wir fügen dem Obigen hinzu, daß die Wiederkehr des bedauerlichen Gehirnleidens, an welchem er früher gelitten hat, ein sofortiges Zurücktreten von aller Tätigkeit absolut notwendig machte.“

Seine Geheimlehre, die Blackwood „eine geistliche Verblendung voll seltsamer und satanischer Spitzfindigkeiten“ nennt (das Schreiben s. ALK 1876 S. 109, dort auch der englische Wortlaut der obigen Erklärung), bestand nach Jellinghaus in einer wunderlichen Theorie von der besonderen Verlobung mit Jesu, die er, um niedergedrückten und ihm auf der Seele liegenden Männern und Frauen zu helfen, vorgetragen hat. Er hatte diese von dem Arzte der Nervenheilanstalt, wo er gewesen.

Smith kehrte zunächst nach Amerika zurück. 1888 siedelte seine Familie jedoch ganz nach London über, wo er nach langem schweren Leiden am 17. April 1898 starb. Die Schwäche der

---

*) Auch Rappard betont in einer „Vertraulichen Mitteilung“, daß er es lieber gesehen hätte, wenn der ganze Hergang einfach erzählt worden wäre, während ihm Hopkins schrieb, die englischen Freunde fühlten sich innerlich verpflichtet, nichts Genaues mitzuteilen, da die Natur der Verirrungen für ein gemischtes Publikum durchaus unverständlich wäre. Auch hätte Rappard sich gefreut, wenn in dem Bekenntnis mehr Nachdruck gelegt worden wäre auf das Fleisch, in dem nichts Gutes wohnt, und wenn die Verirrung deutlicher Sünde genannt worden wäre.

Gehirnnerven hat fortgedauert, doch soll er durchaus nicht in Skepsis gefallen sein, wie sonst behauptet wird*).

Man urteilte sehr verschieden über Smith. Ganz ablehnend stellt sich die ALK. Dem steht gegenüber die größte Überschwenglichkeit: „Fragt man mich, was ich gefunden? Ich habe mich an jedem Abend meinem Heiland übergeben.“ „Oxford ist mir die höchste Schule geworden.“ „Dr. Wichern hat seit sechsundzwanzig Jahren das Königreich Christi gepredigt: Hier habe ich es gefunden.“ „Betet für Deutschland, hier ist viel rechtgläubige Predigt, aber wenig Macht und Frucht des Geistes.“ Pastor O. Müller vom Johannisstift (Berlin) schrieb, er habe bei den Männern in Oxford so viel Gleichnisse aus dem Leben (das wird vielfach betont!) gefunden, wie sonst nur bei Christus. Das Journal religieux von Neufchatel schrieb über Berlin: A Berlin, où personne ne va plus à l'église, M. Smith a eu une entrevue avec cent cinquante notables de la ville et des provinces, généraux, hommes d'Etat, savants, conseillers, parmi desquels se trouvait le prince de Bismarck. Donc ce mouvement, dont le début fut très humble, a maintenant atteint les sommites politiques et sociales de l'Europe. Pastor Quistorp wollte damals Smiths wegen den Katechismus, Pank den Konfirmandenunterricht revidieren. In Brighton sagte Smith selbst: „Gott hat einen Hoffnungsstrahl durch den Kontinent gesandt, besonders durch die Brüder, die in Oxford gewesen sind“. Pastor Prochnow (Nachfolger Goßners, Schwiegervater von Jellinghaus) erwiderte in tiefer Erregung und redete von der Irreligiosität in Deutschland und Unkirchlichkeit in Berlin. Überhaupt taten manche, wie Wangemann bemerkt, als sei Deutschland vor Smith ein Feld voller Totengebeine gewesen. Dafür zog man auf Smiths Reden Marc. 2, 13. Andererseits warnten doch auch ihm nahestehende Männer vor überschwenglicher Bewunderung. Am ausführlichsten setzt Wangemann sich mit ihm auseinander EKZ 1875 S. 700 ff. Er wirft ihm vor: higher life sei ein Menschenfündlein, die Rechtfertigung werde zu tief gewertet, der Sündenbegriff sei nicht weit genug, Sündlosigkeit sei unrichtig, die tägliche

---

*) Eigentümlich ist, daß in der heutigen englischen Keswick-Literatur (s. u.), soweit sie mir zugänglich ist, Smiths Name nur wenig erwähnt wird, auch die Brightoner Versammlung hinter der Oxforder entschieden zurücktritt. Interessant ist auch Piersons Zugeständnis, daß der größere Teil in Brighton nicht gewußt habe, wozu sie zusammengekommen wären, außer daß in allen Herzen ein Verlangen nach neuem und völligerem Empfang der Kraft aus der Höhe geherrscht habe.

Reue und Buße fehle, es mangle überhaupt völlig die Traurigkeit, das now werde unbiblisch betont, der geschichtliche Sinn fehle, die Schrift werde falsch subjektivistisch behandelt, Kirche, Amt und Sakrament verkannt, die Geistestaufe fälschlich erwartet, und das ganze sei ein Methodismus der überspannten Freude. Aber andererseits habe Smith ins Gewissen gerufen, auf die nötige Einheit von Leben und Lehre gewiesen, das Ziel wieder hochgesteckt, die Pflicht täglicher Heiligung betont, die vielfach zu starke Betonung der Buße gemildert, die rechte Sorglosigkeit und die Freudigkeit wieder hervorgehoben, mehr Energie und Frische gebracht, gezeigt, wie die Pastoralkonferenzen erbaulicher werden könnten und endlich auf die Laienhilfe hingewiesen.

Freundlicher steht Warneck (Briefe über die Versammlung in Brighton). Er nennt Smith einen amerikanischen Arndt redivivus und findet im allgemeinen, daß viel mehr gesunde als bedenkliche Elemente in der von ihm ausgegangenen Bewegung vorhanden seien, trotz mancher Bedenken, die er gegen die etwas treiberische Art, namentlich die Erwartung der Geistestaufe, hegt. Er ist der Meinung, daß Smith eigentlich nichts Neues gebracht habe, sondern es nur mit neuer Kraft betont und seine ganze, volle entschiedene Übung im Leben mit neuer Energie gefordert habe.

Interessant ist die Haltung der NKZ. Sie hat als Allianzblatt viele Sympathieen für Smith gegen die „Konfessionellen" (1875 S. 323 f.). Sie nennt ihn 1875 S. 209 ff. ein „liebenswürdiges Gotteskind, dem das Siegel des Geistes auf die Stirn geprägt ist und dessen inneres Leben aus seinen klaren Augen herausleuchtet". Aber sie ärgert sich doch über die erwähnten „unpatriotischen Urteile". Mehr und mehr geht ihr dann auch über das Methodistische an Smith ein Licht auf, wenngleich sie an einem göttlichen Grundtrieb festhält und hofft, daß er in Deutschland „von der Kirche der Rechtfertigung" gelernt haben werde, und meint, Smithsche Theologie sei bei aller kritischen Beleuchtung mit eigenem Maßstab zu messen. Schließlich glaubt sie sogar zugeben zu müssen, daß sein Fall in Verbindung stehe mit seiner Lehre und schließt mit einer Warnung vor Sicherheit, wenn sie auch nicht glaubt, daß die Oxforder Bewegung im Sande verlaufen werde.

Rappard (in der erwähnten „Vertraulichen Mitteilung") fordert auf, sich zunächst zu demütigen vor Gottes Weisheit. „Wir wollen es gern bekennen, daß wir bewußt oder unbewußt zu viel aus dem Werkzeuge gemacht haben." „Verschiedene Dinge, die uns bei Smith nicht gefielen: eine gewisse Oberflächlichkeit in der Art und Weise der Aneignung der biblischen Wahrheiten, haben wir ihm nicht immer offen gesagt." „Wir tun tiefe Blicke in die Verderbtheit unserer Natur." „Wir lernen daraus recht nachdrücklich, daß wer da steht, wohl zuzusehen hat, daß er nicht falle; daß Nüchternheit zu allen Zeiten, besonders aber in unsern Tagen unentbehrlich ist." Er weist auf die ähnliche Sichtung in der Geschichte der Brüdergemeinde. „Wir sind überzeugt, daß zuallererst in Smith selbst Falsches und Wahres zu scheiden war." „Auch uns dient dies Feuer zur Läuterung unsers Glaubens." „Der ‚Smithismus' soll fallen, wir haben ihn in Wahrheit nie gewollt, die biblischen Wahrheiten bleiben." Smiths Fall sei nicht gegen seine Lehre, denn er habe selbst gesagt, daß er von Christo getrennt, nicht einen Augenblick stehen könne. Unerschütterlich bleibe die Wahrheit bestehen: „Jesus Christus will wahrhaftig sein Volk erlösen von ihren Sünden." „Er will uns befreien nicht nur von der Schuld, sondern auch von der Macht der Sünde, die so tief in unserm Fleische wurzelt; nicht nur von den gröberen Gestaltungen derselben, sondern auch von den inneren, verborgenen Banden der Selbstsucht und der Lust." „Er verlangt entschiedenes Brechen und aufrichtige Lossagung von jeder erkannten Sünde, ein wahres in den Todgeben des eigenen Willens, eine ganze Übergabe und ein volles, einfältiges Vertrauen, daß er das ihm dargebrachte Opfer annimmt. Der kindliche Glaube ist das Mittel sowohl zur Aneignung der Versöhnung Jesu Christi als auch zum Wandel und Wachstum in der Heiligung, kraft seines Auferstehungslebens. Es ist möglich — weil er es gebietet —, zu bleiben in ihm als in unserer Festung und dadurch wie durch das beständige Blicken auf ihn mit Wachen und Beten siegreich zu kämpfen gegen die Sünde von innen und die Anfechtung von außen." „Die Heiligung ist nicht ein mühsames Machwerk unserer eigenen Kraft, sondern ein göttliches Wirken des auferstandenen und verklärten Christus." „Das Wohlgefallen Gottes ruht auf der Aussonderung von mehreren Tagen zu gemeinsamer Vertiefung in Gott durch sein Wort, sowie auf der Gemeinschaft seiner Kinder untereinander." Rappard hatte, wie er an anderer Stelle sagt, seit seiner Bekehrung „oft schmerzlich den Mangel einer inneren Heiligung, einer völligen Erlösung von der anklebenden Sünde, einer ununterbrochenen Gemeinschaft mit Gott" vermißt. Dort in Oxford hatte er die „völlige Übergabe" als einen „Akt des Willens im Angesicht Gottes" vollzogen und meinte so gefunden zu haben, was er suchte.

Ähnlich ging es Jellinghaus, der mit Rappard und P. Kober sowie den Deutschen D. Pank, D. Müller und v. Gemmingen zusammen in Oxford war. Ihm machte es besonderen Eindruck, wenn dort von vielen Pastoren bezeugt wurde, daß sie nach ihrer gründlichen

Bekehrung so jämmerlich unter das Gesetz geraten wären, daß sie mit Angst seufzen mußten: „Ich sehe ein anderes Gesetz in meinen Gliedern usw." Nun aber hätten sie in der Botschaft von Jesu als dem Erretter von Schwachheitssünden und bösem Gewissen in eigener Führung, im völligen Verzweifeln an eigener Kraft und eigener Weisheit und in völliger Hingabe und völligem Vertrauen Herzensreinigung und stetigen Sieg über alle erkannten Sünden in stetem Glaubensblick auf Jesum gefunden. Dabei betonten sie: „Wir haben und behalten in uns Sünde, d. h. nicht Todsünde oder geduldetes Wollen des Bösen, aber der Geist Gottes gibt uns Zeugnis, daß Christi Blut uns rein gemacht hat und fortwährend rein bewahrt von der Sünde, Schuld und Unreinheit." Dennoch schien ihm manches unvorsichtig und gefährlich, so daß er innerlich in eine zwiespältige Lage geriet, aus der er hauptsächlich durch den Einfluß einer englischen Dame befreit wurde. Sein Bericht über diese Umwandlung (Mitteilungen aus der Bibelschule Nr. 19 S. 16 ff.) scheint nicht völlig psychologisch klar, doch erkennt man deutlich das eine: Es waren einzelne Persönlichkeiten, die wirklich solches higher life zu führen schienen, die den Umschwung hervorbrachten. Vorbereitet aber war er vor allem durch das starke Verlangen, loszukommen von der gesetzlichen Heiligung des Pietismus. So ging es vielen Pietisten, und diese Männer waren es, die die Bewegung weiter trugen.

4. Die Keswick-Bewegung.

In England waren schon zwischen den Konferenzen von Oxford und Brighton ähnliche Versammlungen gehalten, in Stroud und in Cheltenham. In letzterer präsidierte zum ersten Male Rev. Preb. Webb Peploe, der in dieser Zeit für die Heiligungsbewegung gewonnen wurde. Auf den 28. Juli 1875 berief dann Canon Harford-Battersby, der in Oxford die Smithsche Lehre angenommen hatte, eine zehntägige Konferenz nach Keswick (Cumberland-Nord-England), der eigentlich Smith präsidieren sollte. Da dieser inzwischen ausschied, leiteten sie Battersby und R. Wilson. Die Hauptsprecher waren Thornton, Croome und Webb Peploe. Sie war von ca. 600 Personen besucht. Das Programm zeigt fast wörtlich dieselben Anweisungen wie das Brightoner. Die Konferenz wurde jährlich wiederholt und bildet noch heute den Mittelpunkt der englischen Heiligungsbewegung, des Keswick-movement. Ihre Sprecher sind stets die Führer der Bewegung gewesen, außer den schon Genannten noch Evan Hopkins, Elder Cumming, Bowker, F. B. Meyer u. a. Keswick hat stets mit der deutschen

Heiligungs- bzw. Gemeinschaftsbewegung enge Verbindung gehabt, und die neuen Bewegungen, mit denen diese sich hat auseinandersetzen müssen, haben meist vorher Keswick berührt, ja, man kann sagen, daß das Verhalten Keswicks ihnen gegenüber von ausschlaggebendem Einfluß auf die deutsche Bewegung gewesen ist. Die Besucherzahl stieg schnell, 1896 waren es 3500, 1901 hatte man zwei Zelte, die je ca. 3000 Personen faßten. 1903 zählte man ca. 5—7000 Besucher. Ein eigenes Organ „Life of Faith" wurde schon bald herausgegeben.

5. Das Resultat.

Wodurch erklärt sich nun die Beachtung, die Smith in Deutschland gefunden hat, und in welcher Richtung zeigt sich sein Einfluß? Seine Wirkung war gewiß auch eine Folge der Ausländerei, die dem Deutschen einmal im Blute steckt. Aber dann ist vor allem, darin stimmen alle Zeugnisse, auch das der ALK, überein, seine Persönlichkeit von Einfluß gewesen, die durchaus den Eindruck eines wirklich ernsten Christen gemacht haben muß, dessen stets gleichmäßige freundliche Liebenswürdigkeit jedermann gewann, nicht minder aber drittens der Zustand der Kirche. Einmal gab es damals in den Landeskirchen die widerwärtigsten kirchenpolitischen Parteiungen. Man braucht nur einen Blick in die damaligen Kirchenzeitungen zu werfen, um das zu sehen. Da mußte ein solches Drängen auf inneres lebendiges Christenleben notwendig erfrischend wirken. Sodann war es nicht nur die Gründerzeit mit ihrer Hohlheit, sondern auch die Zeit der Zivilgesetzgebung, und das ist doch gewiß, daß diese zunächst ein furchtbares Verderben und tiefe Unkirchlichkeit „in der Masse", die jetzt gleichsam entfesselt wurde, aufgezeigt hat. Da schien die Evangelisation das Rettende, zunächst gerade unter den Gläubigen selbst, sie zu sammeln. Damit kommen wir schon auf die Richtung, die Smiths Einwirkung genommen hat. Erstens: Vor allem weckten seine Versammlungen das Gemeinschaftsgefühl unter denen, die da mit Ernst Christen sein wollten, man fühlte — das war nach allen Berichten das Erhebendste — die Einigkeit im Geiste. So erhielt die Gemeinschaftspflege einen neuen Anstoß. Zweitens: Erkannten jetzt die Gläubigen, daß sie mitten in unkirchlichen Massen standen, so zeigte Moodys und Sankeys Beispiel direkt, Smith selbst indirekt als Weg zur Hilfe die Massenevangelisation in praktischer Ausführung. Endlich hatte Smith aus den oben angedeuteten Gründen viele, namentlich bisher pietistisch Gerichtete für seine Heiligungslehre gewonnen. Diese drei Stücke werden wir in der nun beginnenden, von Männern, die von der Oxford-Bewegung berührt waren, geleiteten modernen deutschen Gemeinschaftsbewegung wiederfinden.

Zunächst freilich handelte es sich mehr um einzelne zusammenhangslose Versuche einzelner dieser Männer als um eine geschlossene Bewegung. Diese setzt vielmehr erst ein, als man sich allseitig zusammenfand in der ersten Gnadauer Konferenz 1888. Aber doch haben diese Versuche der späteren organisierten Bewegung den Boden bereitet, als deren Vorarbeiten sie anzusehen sind. Wir benutzen ihre Schilderung, um uns zugleich mit jenen Führern näher bekannt zu machen.

Zweiter Teil.

Die Anfänge der modernen Gemeinschaftsbewegung in Deutschland.

Erstes Kapitel.

Die direkten Nachklänge der Oxforder Bewegung in Deutschland in Versammlungen, Liedern und Zeitschriften.

Die Oxford-Gedanken wurden zunächst durch weitere Versammlungen im „Sinn und Geist von P. Smith" verbreitet, wie sie v. Gemmingen schon 1875 in Gernsbach abhielt. Auch in Pforzheim fand vom 17. bis 19. September eine „evangelische Versammlung zur Weckung religiösen Lebens auf Grund der reformatorischen Bekenntnisse" statt, wo Stockmayer (Neufchatel) sprach (ALK 1875 S. 934). Die Gernsbacher Versammlungen wiederholten sich 1878 und 1879 unter Stockmayer, Jellinghaus und Bädeker, der schon bald wieder nach Deutschland gekommen war. Auch in Baden-Baden und Lichtenthal wurden Konferenzen gehalten. Sie bewegten sich wie die Smithschen auf Allianzboden und sind in gewissem Sinne die direkten Vorläufer der Allianzversammlungen in Blankenburg geworden.

Auf diesen Versammlungen hörte man aber nicht nur die „heilistisch"*) gefärbten Reden, man sang vor allem auch die Lieder der Heiligungsbewegung. War es doch von Anfang an ein Kennzeichen der Bewegung gewesen, daß sie vielfach durch ihre Lieder verbreitet worden war. So war es in Amerika gewesen. Die Lieder waren nach England gedrungen und gelangten seit 1875 nach Deutschland. So kam es, daß den Grundstock englisch-amerikanische Lieder bildeten, vor allem die von Sankey gesammelten bzw. komponierten.

Das ist schon bei der meines Wissens ersten deutschen Sammlung der modernen Bewegung der Fall, den „Glaubens-

*) Jellinghaus hat dies wenig schöne Wort geprägt.

liedern" (Verlag von Spittler in Basel). Die vor mir liegende 26. Auflage von 1892 enthält 100 Lieder, von denen mindestens 17 aus dem Englischen übersetzt sind, und zwar stammen die meisten, soweit ich es nachweisen kann, aus den Sankeyschen Sammlungen. Die beliebtesten Heiligungs- und Evangelisationslieder sind darunter, wie „Herr Jesu, ich wäre so gerne" (das berühmte Whiter than Snow), „O sel'ge Erlösung", in anderen Übersetzungen „Welch' Glück ist's, erlöst zu sein" (Oh bliss of the purified), „Sicher in Jesu Armen" (Safe in the Arms of Jesus), „Ich blicke voll Beugung und Staunen" (I stand all bewildered with wonder), „Komm heim" (Come home), „Auf deinen Ruf, o Herr" (I hear thy welcome voice), „Der große Arzt" (The great physician), „Frei vom Gesetz" (Free from the law), „Jesus von Nazareth ging vorbei" (Jesus of Nazareth passeth by), „Es ist ein Born, d'raus heil'ges Blut" (There is a fountain) und „Auf, denn die Nacht wird kommen" (Work for the night is coming).

Der Inhalt ist auf der einen Seite die „völlige Erlösung", wobei in zum Teil unklaren, mystischen Ausdrücken vom Blute Jesu gesungen wird*), auf der anderen Seite die dringende Ein-

*) Z. B.: 1. Herr Jesu, ich wäre so gerne ganz heil,
Und hätte dich gerne zum bleibenden Teil.
Die Götzen zerbrich und die Bande zerreiß;
O wasche mich, mache wie Schnee mich so weiß,
So weiß als der Schnee, ja weißer als Schnee;
O wasche mich, wasche mich weißer als Schnee.

2. Herr Jesu, laß gar nichts Unreines in mir;
Entsündige mich, daß ich heilig sei dir.
Ich gebe dir gerne mein Alles zum Preis;
O wasche mich, . . .

Oder: 1. O sel'ge Erlösung! O heiliges Blut!
Ich tauche mich ganz in die purpurne Flut,
Blick mit Sieg auf den Feind, den mein Herr überwand,
Und zeig ihm die Nägelmal in Jesu Hand.
O singt seiner Liebe Macht usw.

Oder: 1. Frei vom Gesetz! O seliges Leben!
Hier in dem Blut wird Sünde vergeben!
Wir sind verflucht, verderbt durch den Fall,
Aber erlöst mit einem Mal!
Ewig frei! O faßt es, ihr Sünder!
Ewig frei! O glaubt es, ihr Kinder!
Hängt euch ans Kreuz, da sühnt er den Fall!
Jesus erlöst mit einem Mal!

ladung: „Komm, komm heut, jetzt!“ *). — Dichterisch sind die meisten dieser englischen Lieder fast wertlos, was Gebhardt einmal ziemlich unumwunden zugesteht**); dazu kommt, daß ihr meist daktylischer bzw. anapästischer Rhythmus für den deutschen Text häufig ganz ungeeignet ist, ja teilweise eine geradezu falsche Betonung herbeiführt.

Für eine gründliche Untersuchung der Melodien bin ich nicht musikalisch genug. Sie machen einen etwas weichen Eindruck und fallen außerordentlich leicht ins Gehör. Der Rhythmus ist sehr bewegt: Dreiviertel-, Sechsachtel-, und Neunachteltakt wiegen bei weitem vor, auch dann, wenn dadurch der deutschen Sprache

---

*) Z. B.:

1. Komm heim, komm heim, o du irrende Seel!
Von dem Vaterhaus fern, glänzt dir nirgends ein Stern.
O verlorenes Kind! Komm heim, o komm heim!
Komm heim, komm, o komm heim!

2. Komm heim, komm heim! Längst schon warten wir dein.
Laß in Reue und Schmerz, endlich brechen dein Herz! usw.

3. Komm heim, komm heim aus dem schrecklichen Land,
Wo der Finsternis Macht dir nur Jammer gebracht! usw.

4. Komm heim, komm heim! Bei dem Vater ist's gut.
Freundlich winkt Er dir zu, beut Vergebung und Ruh. usw.

Oder: 1. Wie wälzt das Volk sich drängend dort
Mit sturmbewegter Eile fort,
Warum die Menge Tag für Tag,
Was ist's, das sie verlocken mag?
Und lauter, lauter, tönt der Schrei:
„Jesus von Nazareth geht vorbei.“

5. O kommt zum großen Abendmahl
Zum Vaterhaus von Berg und Tal!
Ihr Wandrer noch am Abgrundsaum,
Auch für Verirrte ist noch Raum!
Hört auf dem Sündenpfad den Schrei:
„Jesus von Nazareth geht vorbei.“

6. Doch wenn ihr diesen Ruf verschmäht
Und an dem Herrn vorübergeht,
Und seine Gnade von euch stößt (sic!),
Der euch mit seinem Blut erlöst,
So heißt's: Zu spät! O ernster Schrei!
„Jesus von Nazareth ging vorbei.“

**) In der Vorrede zu den Evangeliumsliedern.

geradezu Gewalt angetan wird. Durchweg haben die Lieder einen Refrain, der ihr Singen als Solo mit Chor möglich macht.

Der Vermittler war in vielen Fällen der eben genannte Methodistenprediger E. Gebhardt, der viele englische Texte ins Deutsche übertrug und englische Melodien verarbeitete, teilweise auch — aber ganz im englischen Stile — neue Lieder schuf, von denen, soweit ich sehe, zwei in den Glaubensliedern stehen, darunter das vielleicht berühmteste Lied dieser älteren Zeit der Bewegung:

„Jesus errettet mich jetzt."

1. Hört es, ihr Lieben, und lernet ein Wort,
Das euch zum Segen gesetzt,
Sprecht es mir nach, und dann sagt's weiter fort:
„Jesus errettet mich jetzt."

2. Sind eure Sünden gleich blutrot und schwer,
Ist das Gewissen verletzt,
O so sprecht gläubig (vergeßt es nicht mehr):
„Jesus errettet mich jetzt!"

3. Wenn euch die Welt mit Versuchung anficht,
Satan euch nachstellt und hetzt,
So wiederholt es und fürchtet euch nicht:
„Jesus errettet mich jetzt!"

4. Wenn euch die Träne der Trübsal und Not
Oftmals die Wange benetzt,
Sagt nur ganz ruhig im Aufblick auf Gott:
„Jesus errettet mich jetzt!"

5. Kommt ihr dann hin zu dem finsteren Tal,
O so sprecht jubelnd zuletzt:
„Nun geht's zur Herrlichkeit, freut euch zumal,
Jesus errettet mich jetzt!" *)

Im gleichen Jahre wie die „Glaubenslieder" gaben Rappard und seine Frau die „Gemeinschaftslieder" heraus. Da diese Sammlung für die bestehenden pietistischen Gemeinschaften, namentlich auch der Schweiz, in ihren gerade dort vorhandenen verschiedenen Übergangsstufen zur freien Gemeinde sowie für solche

---

*) Gebhardts erste Liedersammlung „Frohe Botschaft in Liedern" kam ebenfalls 1875 als Frucht der Oxforder Bewegung heraus. Das Titelblatt trägt ausdrücklich den Vermerk: „Meist aus englischen Quellen ins Deutsche übertragen." 1880 folgten die „Evangeliumslieder", ebenfalls meist englischen Ursprungs, übertragen vielfach von Kübler.

Gemeinden selbst berechnet war, so trägt sie einen vermittelnden Charakter. Es wiegen vor die Choräle, vor allem aus der pietistischen Zeit: Tersteegen, Arnold und Hiller sind die bevorzugtesten Dichter, auch Michael Hahn und Pregizer fehlen nicht. Ich zähle nur 14 Lieder englischen Ursprungs, davon mindestens 8 aus Sankey. Bei 5 weiteren, zum Teil von Gebhardt stammenden, kann ich nicht entscheiden, ob sie Nachdichtung oder Neudichtung sind.

Die „Gemeinschaftslieder" fanden vor allem in schweizerischen und diesen nahestehenden deutschen Gemeinschaftskreisen Eingang. Andere blieben bei älteren Sammlungen, so die Württemberger bei Dölker und Benzinger.

Im allgemeinen aber fanden die neuen Lieder große Verbreitung. Das zeigt schon die Tatsache, daß es bald zu einem besonderen Zusammenschluß von auf diesem Boden stehenden Chören kam. Am 1. Januar 1879 regte der Elberfelder „Christliche Gesangverein" diesen Zusammenschluß durch die erste Nummer des „Sängergruß" an, und bereits am 31. August fand die erste Generalversammlung des „Christlichen Sängerbundes" in Elberfeld statt als einer „Verbindung von Gesangvereinen, welche danach streben, zur Ehre Gottes zu singen, und welche ihre Lieder für sich und andere zur Erweckung und Erbauung gebrauchen und sich gegenseitig zu diesem Zwecke stärken und ermuntern, damit nur Jesus verherrlicht werde." *) Der Bund zählte 1885 bereits 357 Vereine mit 8662 Mitgliedern (nicht nur in Deutschland). Als echtes Kind der Oxfordbewegung stand auch der Sängerbund auf Allianzstandpunkt, ja umfaßte sogar vorwiegend freikirchliche Chöre. Erst 1882 kam ein Landeskirchlicher, der seinerzeit durch Smith bekehrte Lehrer W. Kniepkamp, in den Vorstand.

Weniger erfolgreich war die neue Bewegung zunächst auf dem Gebiete der Zeitschriften. Allerdings wurde sofort 1875 ein eigenes Organ „Des Christen Glaubensweg, Blätter zur Förderung des christlichen Lebens" von Rappard ins Leben gerufen, das in jährlich 12 Heften erschien. Aber es stellte schon 1878 sein Erscheinen wieder ein. Von da ab erschien der „Glaubensbote" als besonderes Organ der Chrischona. Abgesehen von solchen spezielleren an ihrer Stelle zu erwähnenden Organen erschienen für einen größeren Kreis berechnet 1884 das „Gemeinschaftsblatt zur Förderung des auf Gottes Wort gegründeten Christentums" und 1885 der „Stadtmissionar", beide von A. Gerhard in Emden. Dazu kam 1887 die im Verlag der Deutschen Evan-

---

*) Der Name „Christlicher Sängerbund" wurde 1886 in „Allgemeiner Christlicher Sängerbund" geändert.

gelischen Buch- und Traktatgesellschaft in Berlin erscheinende, besonders von Graf Bernstorff protegierte „Friedens-Halle“. Alle drei waren Erbauungsblätter. Die programmatische Bedeutung des „Glaubensweges“ hatten sie nicht, sie vertraten auch nicht so ausschließlich seine Tendenz.

Dagegen widmete sein ganzes Leben und theologisches Können der Ausbreitung der — von ihm zuerst theologisch verarbeiteten und modifizierten — Oxfordlehre der schon genannte Jellinghaus.

Zweites Kapitel.

Die Fortsetzung der Heiligungsbewegung durch Jellinghaus und seine Bibelschule.

Th. Jellinghaus (geb. 21. Juni 1841 in Schlüsselburg) wurde der eigentliche Theologe der Heiligungsbewegung. Sein Vater, aus altem westfälischen Pastorengeschlecht, war seit 1844 Pastor in Wallenbrück (Minden-Ravensberg). In pietistischen Anschauungen aufgewachsen, studierte er Theologie, ging dann als Goßnerscher Missionar nach Indien, wo er 1866—1870 unter den Kols arbeitete. 1870—1873 wartete er in Berlin auf Anstellung im Pfarrdienst. Aus einer Anstellung in Ravensberg wurde nichts wegen seiner pietistisch-unierten Stellung. Endlich wurde er Pastor in Rädnitz bei Crossen, später in Gütergotz. Seine in Oxford neugewonnene Erkenntnis legte er theologisch verarbeitet in seinem Werk „Das völlige gegenwärtige Heil“ (1880) nieder. In derselben Zeit kam er mit den leitenden Brüdern des Reichsbrüderbundes in Beziehung, die ihn baten, Brüder zum Unterricht in sein Haus zu nehmen, damit sie fähig würden, neben ihrem Beruf eine gute Erbauungs- und Bibelbesprechstunde zu leiten. Neujahr 1885 begann Jellinghaus solche Bibelschule mit einem Schüler, dem mit dem eisernen Kreuz ausgezeichneten Bauernsohn Wilh. Fritz aus Sammenthin in Pommern. Das nächste Jahr kamen vier, dann schon zwölf. Er unterrichtete sie vom 1. November bis Ende März meist täglich dreimal in der Glaubenslehre nach seinem Buch, in der Auslegung des Römer-, Galater-, 1. Johannes- und 1. Petrusbriefes und wichtiger Kapitel aus den Evangelien und dem alten Testament, dazu in den Haupttatsachen aus der Kirchengeschichte. Leben und Wohnung war von spartanischer Einfachheit. Bis 1893 sind so im ganzen 73 Brüder von ihm in der „heilistischen“ Lehre unterrichtet, die sie dann in den von hnen bedienten Gemeinschaften ausbreiteten.

Drittes Kapitel.

Die Wirkungen der Oxforder Bewegung in der Gemeinschaftsbildung.

1. Die Chrischonagemeinschaften.

Rappard und die Chrischona — Süddeutschland — Oberhessen — Ost- und (Westpreußen und die Gründung des Vereins für Innere Mission in Ost- und Westpreußen.)

Während Jellinghaus seine Bibelschüler trotz aller Allianzgesinnung durchaus kirchenfreundlich beeinflußte, wirkten die Zöglinge eines anderen Vertreters der Oxford-Bewegung, des erwähnten Herausgebers des „Glaubenswegs", vielfach wenig kirchlich. Das waren die Boten der Chrischona, einer Ausbildungsanstalt, die zwar auf Schweizer Boden liegt, aber gerade durch Rappard für die deutsche Gemeinschaftsbewegung von großem Einflusse gewesen ist. Spittler, der Anreger so vieler Arbeiten, hatte sie nach mehreren fehlgeschlagenen Versuchen 1840 gegründet, aber sie litt darunter, daß Spittler absolut kein Organisator war. Ein großes Vielerlei von Aufgaben wurde mit ihr verbunden, darunter solche, die wie die abessinische Mission und die sogenannte Apostelstraße aussichtslos waren und die Anstalt mit Schulden überlasteten. Als Spittler am 8. Dezember 1867 starb und einige andere Stützen des Werkes ihm folgten, schien der Zusammenbruch da. Der Retter wurde der frühere Zögling und damalige Verwalter der Matthäus-Station C. H. Rappard*). Seine Beteiligung an der Oxforder Bewegung leitete diese Strömung natürlich auch in die Anstalt hinein, wurden hier doch bereits die Tage vom 16.—21. November 1874 „als eine Zeit der Stille und Sammlung vor dem Herrn" „ausgesondert", deren Leitung im Glauben ganz dem heiligen Geist übergeben wurde. Überhaupt hat Rappard augenscheinlich der

*) C. H. Rappard, geb. 26. Dezember 1837. Sein Vater (Sohn eines Pastors in Neukirchen und ein Schwager des späteren dortigen P. Bräm) war eine eigenartige Gestalt, ein echter „Separatist", erst spät durch Hebich wieder für religiöses Gemeinschaftsleben gewonnen. Da sein Sohn den Drang zur Wortverkündigung verspürte, gab er ihn 1861 nach Chrischona; 1864 wurde er eingesegnet und brachte ein Jahr in England zu, wo Spurgeon ihn beeinflußte, Schrenk und Christlieb mit ihm bekannt wurden; 1865 wurde er beauftragt, die Matthäusstation in Alexandria zu gründen. Seine Teilnahme an den Oxford-Meetings ist erwähnt. Damals lernte er auch Moody und Sankey kennen.

Anstalt seine Züge, zum Teil enthusiastischer Art, aufgeprägt. Er schaltete zwar nicht den Arzt geradezu aus, hielt es aber „für ein Vorrecht des Kindes Gottes, sich und die Seinen ganz unmittelbar in Gottes Hände zu befehlen und in Krankheitsfällen zu handeln nach Jak. 5, 14 f." Er war — wobei man freilich die Schweizer Verhältnisse berücksichtigen muß — durchaus Allianzmann, ohne jedoch die Schwierigkeiten zu verkennen, „die, namentlich in der praktischen Arbeit, dem inneren tiefen Allianzbewußtsein drohen." Dem Blauen Kreuz schloß er sich 1882 an. In allem aber war er durchaus ruhig und nüchtern*). Freilich hatte er für die wirkliche wissenschaftliche Arbeit der Theologie wohl weniger Verständnis, namentlich nicht für die Schwierigkeiten in Exegese und Einleitung. Er wollte jede Bibelkritik unbedingt ausgeschlossen sehen, zwar keine Inspirations*lehre* aufstellen, aber die Bibel so nehmen, wie sie ist, und 2. Petr. 1, 21 auf sie angewandt wissen. Dementsprechend wurde auch in der Anstalt verfahren. Der Lehrplan, der im wesentlichen stets der gleiche blieb, umfaßt vor allem „Bibelerklärung mit Hinweglassung aller Kritik." „Dieser Bibelunterricht soll eine Erbauung, eine Durchbildung, ein Starkwerden des innern Menschen bewirken." Der Kursus dauert vier Jahre, Klasse 4 und 3 bilden die erste, 2 und 1 die zweite Abteilung, in der ersten Abteilung werden neben den biblischen Fächern die Realfächer getrieben, in der zweiten vor allem biblisch-theologische Fächer und Pädagogik, in allen Klassen Gesang und Harmonium. In verschiedenen Orten der Umgegend halten die Brüder an den Sonntagnachmittagen Versammlungen. „Unsere Anstalt ist kein wissenschaftliches Seminar und will auch keins sein; sondern sie ist dafür da, allerlei Kräfte und Gaben, auch geringe, für die verschiedensten Tätigkeiten im großen Felde des Herrn flüssig zu machen." Die Bedingung für die Aufnahme der Brüder ist „die an dem Herzen erfahrene Gnade Gottes in Bekehrung und Erneuerung des Lebens und die nötige Begabung zum Lernen und zur Verkündigung des Wortes".

Von 1883 bis 1890 trat an Rappards Stelle, der sich ganz der freien Evangelisation widmen wollte und zugleich frei sein sollte, die verschiedenen Arbeitsfelder und Brüder der Anstalt zu besuchen, Haarbeck, sein Schwager. Als dieser jedoch ans Johanneum ging, zog Rappard wieder nach Chrischona.

---

*) Z. B. in der Abendmahlsfrage: „Wir Menschen, die wir die Herzen nicht erforschen können, sind dem Ausscheiden auf diesem Gebiet enthoben" (Carl Heinrich Rappard. Ein Lebensbild S. 327).

Die verschiedenen von der Anstalt in den ersten Jahrzehnten daheim und draußen begonnenen Arbeiten, die zum Teil aufgegeben, zum Teil verselbständigt wurden, interessieren hier nicht, nur die Ausbildung von Evangelisten oder Reisepredigern. Als solche wurden die meisten Zöglinge an andere Komitees abgegeben, wie z. B. an den badischen Verein für Innere Mission, nur eine kleine Zahl arbeitete direkt im Verbande der Pilgermission.

Über die Grundgedanken dieser Evangelistenarbeit sprach sich Rappard gleich im Anfange derselben (1871) dahin aus, daß Evangelisten, „mit der Botschaft des Heils ausgerüstete Reiselehrer", von Ort zu Ort gehen müßten, „um die in Unwissenheit und Gleichgültigkeit Dahinlebenden einzuladen, sich ihrem Heilande zu ergeben." Die Geistlichen, die für die Gesamtheit des Volkes da seien und darum, auch wegen der vielen äußeren Geschäfte, kaum auf so direkte und positive Weise wirken könnten wie die Evangelisten, sollten die Evangelistenarbeit als zeitgemäß und berechtigt erkennen. „Gott will, daß in seinem Reiche verschiedene Gaben zur Geltung kommen, wozu auch die der Evangelisten gehören (Eph. 4, 11)." Mit diesem Namen meinte man aber auf Chrischona nicht nur „Brüder, die in freier Tätigkeit stehen, und deren Aufgabe es vornehmlich ist, unter dem Volk die Erkenntnis des Herrn zu fördern", vielmehr wurden die Chrischonabrüder durchweg Versammlungsleiter, nur zwei freie Evangelisten. Gleichwohl blieb man bei dem Namen*). Auf das Verhängnisvolle dieser Unklarheit werden wir noch zurückkommen.

Was zur Aussendung des ersten Chrischona-Evangelisten (1869) getrieben hatte, waren neben den englisch-amerikanischen Vorbildern vor allem die schweizerischen kirchlichen Verhältnisse, und daß diese der Anlaß zu dieser ganzen Arbeit gewesen sind, ist auch in Betracht zu ziehen, wenn man die Arbeitsart der Chrischonabrüder prüft, die nun auch in Deutschland nicht immer gerade kirchenfreundlich sich gestaltete. Allerdings wurde ihnen in der Instruktion empfohlen, die zuständigen gläubigen Pfarrer der Landeskirche zu besuchen und die kirchlichen Ordnungen zu beachten, aber andererseits stand doch die Pilgermission „auf dem biblischen Allianzboden" und strebte „nach Gemeinschaft mit allen Kindern Gottes" (Rappard, Die Pilgermission zu St. Chrischona S. 228). Dazu kam noch die

---

*) „Die Umstände bringen es mit sich, daß sie unter den für Jesum Gewonnenen auch als Hirten und Lehrer zu wirken haben, wie denn auch mancher ‚Hirte' entschieden in evangelistischer Weise arbeitet."

äußerst freie und selbständige Stellung der im Verbande der Pilgermission Ausgesandten gegenüber der Anstaltsleitung, die es auch meines Erachtens erklärt, warum die an fremde Komitees Abgegebenen, soweit ich sehe, viel kirchlicher arbeiteten als die Pilgermissionsstationen selbst. Diese wurden seit 1875 Träger der Oxford-Gedanken, verstärkt durch schweizerisch-independentische Neigungen.

Auf einen kleinen Kreis beschränkt blieb ihre Arbeit in Baden (Konstanz s. u.) und in Württemberg. Hier arbeitete seit 1871 der Evangelist Limbach im Hohenloheschen, dem 1875 ein zweiter, dann noch ein dritter folgte. Übrigens bestand zu den Altpietisten eine gewisse Beziehung, indem der unten zu erwähnende Pfarrer Claus zum Komitee der Chrischona gehörte.

Die Hauptfelder der Chrischona in Deutschland wurden vielmehr Oberhessen und Ost- und Westpreußen. In Oberhessen bestanden einige wenige Gemeinschaften seit der Erweckungszeit, so in Niederweisel, Holzheim, Dorfgüll, Ettingshausen und Lich. Hierher rief 1878 der Ortspfarrer den Chrischonabruder Holdermann. Die Pastoren hatten nur an einen Kolporteur gedacht. Als er nun als Evangelist Versammlungen abhielt, auch in die Umgegend z. B. nach Ettingshausen, Holzheim und Niederweisel von der dort bestehenden alten Versammlung gerufen wurde, kam es zum Bruche. Der Verein für Innere Mission in Gießen stellte seinerseits einen Kolporteur an, an Chrischona wurde die Bitte gerichtet, Holdermann zurückzuziehen, aber die Leiter der Chrischona glaubten „ihre Grundsätze nicht aufgeben und ihren Sendboten nicht zurückziehen zu dürfen" (Verh. 1888 S. 116). So bekamen die Chrischonagemeinschaften hier von vornherein ein schiefe Stellung zur Landeskirche. Kam es doch hie und da selbst zu separaten Abendmahlsfeiern. Dabei wuchs die Arbeit bald, vor allem in der religiös von jeher angeregten Wetterau. Bereits 1881 kam F. Motzkus Holdermann zu Hilfe; im nächsten Jahre versuchte er in Gießen eine Station zu gründen. 1883 nahm er jedoch einen Ruf nach Amerika an, die Arbeit in Gießen ging wieder ein. In Lich kaufte man bereits 1882 ein Haus und baute einen Saal (eingeweiht 1883). Dadurch vergrößerte sich der Zwist mit den Pastoren jedoch so, daß man 1885 das Haus wieder verkaufte. An Holdermanns Stelle trat Härdle (1886) und bald darauf nach einem Besuche Rappards als zweiter Bruder Hodel (19. November 1886), den 1889 Szillat ablöste.

Noch größer entwickelte sich die Arbeit im Osten. 1877 wurde Kreuzenstein aus Gumbinnen, der eigentlich für Texas bestimmt war, nachdem er bei Gelegenheit seiner Abschiedsbesuche in der Heimat Bibelstunden gehalten hatte und gebeten worden war, dort zu bleiben, „vorläufig" von Chrischona aus in Gumbinnen stationiert. 1879 zog er nach Tilsit, wo bald darauf ein Saal eingeweiht wurde. Im gleichen Jahre wurde auch Weißkopf nach Elbing in seine Heimat als Evangelist entsandt. Beide gingen dann doch noch (1880 bzw. 1882) nach Amerika, aber es folgte Ersatz. 1880 wurde A. Motzkus nach Insterburg geschickt, verlegte jedoch 1881 seinen Wohnsitz nach Jessen und versah von 1882 an auch Elbing, wohin er 1884 ganz übersiedelte. Hier konnte er schon nach drei Jahren ein Vereinshaus bauen, dessen Saal dreihundert Personen faßte. In Ostpreußen nahmen Wisotzky (1883 in Schmalleningken) und Szidat (1884 in Insterburg) die Arbeit auf. Ersterer siedelte 1886 nach Tilsit, 1888 nach Memel über, wo sich eine Versammlung befand, die schon seit 1883 ein Vereinshaus besaß, das nun von Chrischona übernommen wurde. Ein weiterer Stützpunkt wurde 1889 Heiligenbeil, wo Nachtigal stationiert wurde.

Ein Einigungsband schuf man schon 1885, indem im Herbst in Zinten mehrere Reichsbrüder und Chrischonabrüder zusammenkamen und einstimmig die Gründung eines Blattes beschlossen. Rendant Kleinfeldt in Zinten wurde Redakteur des am 1. Januar 1886 zuerst erscheinenden „Gemeinschaftsboten". Auch Verlags- und Druckort war Zinten. Als Zweck wurde bezeichnet „kein anderer als derjenige, der auch bei der persönlichen Mission von uns verfolgt wird, nämlich: Das Leben, das aus Gott ist, oder lebendiges Christentum zu wecken, zu stärken und zu verbreiten. Jede Parteibestrebung liegt uns fern. Der Gemeinschaftsbote steht innerhalb der Landeskirche auf dem Boden der Evangelischen Allianz." 1890 brachte dann der Gemeinschaftsbote das Statut des Vereins für Innere Mission in Ost- und Westpreußen, zu dem die Chrischonabrüder sich mit Schülern aus Jellinghaus' Bibelschule, Lehrern, Missionaren und anderen zusammengeschlossen hatten*).

Hierzu gehörte, wenn ich recht sehe, auch C. Hoff in Rastenburg, der, wie er selbst 1888 in Gnadau berichtete, durch Jellinghaus' Bibelschule, die er 1885/6 besuchte, eine viel freundlichere Stellung zum Amte gewann, als er vorher besaß. 1890 erlebte er in seiner Arbeit eine Erweckung. Später zog er nach Gr. Rödersdorf bei Bladiau.

*) Nach Fabianke (Reich Christi 1903 S. 94) war auch hier Rendant Kleinfeldt die Seele des Vereins.

2. Die Reichsbrüder und andere Gemeinschaftsbestrebungen im Osten.

(Der Reichsbrüderbund — Die Reichsbrüder in Brandenburg und Brodersens Separation — Der pommersche Brüderbund — Die Reichsbrüder in Posen — Die Reichsbrüder in Ostpreußen und die schwärmerischen Erscheinungen dort — Die Entstehung des Ostpreußischen Gebetsvereins.)

Die Reichsbrüder hatten sich inzwischen wieder von den Chrischonabrüdern getrennt. Bei diesen Pionieren der modernen Gemeinschaftsbewegung waren zweierlei bzw. dreierlei Strömungen wirksam.

Die eine rührte von Blumhardt her. Blumhardt in Möttlingen war bei der Erweckung 1844 auf den Gedanken gekommen, daß eine große Zeit für die Kirche bevorstehe, wo der Geist seine Herrschaft besonders durch Heilung von leiblichen Gebrechen beweise. Ihm folgten Dorothea Trudel in Männedorf, Freiherr v. Seckendorff in Cannstatt und andere „einzelne glaubensstarke Personen, die nach Gottes Fügung die Praxis der Glaubensheilung wieder ausgruben und der Gemeinde Christi in Erinnerung brachten" (Phil. 1902 S. 84).

Unter diesem Einflusse stehende Männer, wie z. B. der von Blumhardt selbst erweckte Johannes Seitz aus schwäbischer Bauernfamilie und der etwa 15 Jahre ältere Martin Blaich, wie jener ein echter Schwabe, einst als der erste ausgebildet auf dem „Salon", waren andererseits Hoffmann in die Tempelbewegung gefolgt, fühlten sich aber von ihm, als er immer rationalistischer wurde, abgestoßen. In dieser Zeit des Bruches mit dem Tempel wurden sie nun auch von der Oxfordbewegung berührt (Fabianke im „Reich Christi" 1903 S. 85*), vgl. Münkel, Neues Zeitblatt 1883 S. 324). Im einzelnen kann ich diese Einwirkungen nicht feststellen. Eine Berührung ist offenbar folgendes: Ende der siebziger Jahre kam Boardman durch Berichte über Dorothea Trudels und Blumhardts Krankenheilungen durch Gebet und auch durch Verkehr mit anderen in derselben Richtung arbeitenden besonders deutschen Freunden auf die Glaubensüberzeugung, daß der Herr auch in unseren Tagen auf gläubiges Gebet die Kranken heile. Er gründete in London ein Haus und gab ein eigenes Blatt

*) Übrigens stimmen verschiedene Angaben dieses Artikels nicht mit sonstigen Angaben der Reichsbrüder. Das im folgenden von mir gegebene erscheint nach Vergleich der verschiedenen Quellen als das Sicherste.

„Thy Healer“ heraus (gestorben 1886). Auch nahmen Seitz und Blaich an Londoner Konferenzen teil*).

Noch als Mitglieder der Gesellschaft der Jerusalemsfreunde kamen Seitz und Blaich in den Osten. In Bentschen (Posen) war ein kleiner Kreis, der sich zur Brüdergemeinde in Neusalz hielt und dadurch Beziehungen zu dem Hausvater der Armenschullehreranstalt „Kommt zu Jesus“ in Alt Tschau, Ruhmer, hatte. Ruhmer lernte den damals Schlesien besuchenden Seitz kennen und bot ihm sein Haus und freie Station an. Seitz lehnte ab, wies aber auf Blaich hin, den dann auch die Gesellschaft der Jerusalemsfreunde nach Schlesien sandte. Weihnachten 1875 fand dann in Neusalz eine Zusammenkunft statt, deren Ergebnis war, daß das Haupt jenes Bentschener Kreises, der Fischereipächter Carl Leszczinski**), Blaich sein Haus als freie Station anbot. Um dieselbe Zeit kam Seitz nach Ostpreußen, wo die Folge war, daß ein Gutsbesitzer D. in Preußisch-Bahnau ihn in sein Haus aufnahm.

Inzwischen vollzogen Blaich und Seitz und bald darauf auch Elser den definitiven Bruch mit dem Tempel und gründeten mit den von ihnen Gewonnenen 1878 den „Evangelischen Reichsbrüderbund“.

Der Bund entstand als „Gebetsbund“. Die Mitglieder übernahmen die Verpflichtung täglich um 9 und um 3 Uhr für die Arbeit zu beten. Die Organisation war zunächst äußerst lose. Blaich und Seitz, die aus dem Tempel kamen, wollten nichts mehr von Organisation wissen. In bezug auf die Unkosten stand man auf dem Standpunkt: „Der Herr kommt für alles auf.“ Allmählich organisierte man sich aber doch fester mit Vertrauensmännern. Auch ein eigenes Organ wurde geschaffen, und zwar zunächst, wie erwähnt, mit den Chrischonabrüdern zusammen der „Gemeinschaftsbote“. Als aber ein paar Jahre später Franson nach Ostpreußen kam und Seitz einen Artikel gegen ihn schreiben wollte, lehnte die Schriftleitung die Aufnahme ab. So kam es

*) Vgl. auch Blaichs Äußerung: „Wir preisen Gottes Gnade besonders dafür, daß in der letzten Zeit der Geist Gottes . . . vielen . . . die Wahrheit in persönlicher Erfahrung aus der Bibel aufgeschlossen hat, daß in Christi Tod und Auferstehung die Sündenmacht gebrochen ist, so daß alle, welche ihre Sünden bereuen und bekennen und sich ihm ganz ergeben, Befreiung und Sieg über alle Art von Sünde erlangen können“ (Reich Christi a. a. O. S. 93).

**) Geb. 1. Okt. 1833. In lebensgefährlicher Krankheit gelobte er Gott, ein anderes Leben zu beginnen. Wieder gesundet zog er „sich von der Welt zurück und gab Kartenspiel, Tanz und Weltgenossen auf.“ Er pachtete die große Gräflich-Lippesche Fischerei.

zur Trennung, und die Reichsbrüder gaben seit 1889 den „Evangelischen Brüderboten" heraus (Redakteur anfänglich Zimmer-Züllichau, dann Leistert-Lissa).

Auch die Satzungen hatten dementsprechend ursprünglich nur sieben kurze Paragraphen. Der vierte betonte, daß sich jeder „ohne Unterschied des Standes und der Konfession" dem Bunde anschließen könne. Das wurde erläutert: „Weil in dieser Zeit der ‚Zerstreuung des heiligen Volkes' dieses Volk Gottes noch unter allen Konfessionen zerstreut ist, so ist es unser innigster Wunsch, mit allen diesen zerstreuten Gliedern in brüderliche Verbindung zu treten, um an unserem Teile an der Erfüllung des Vermächtnisses unseres für uns in den Tod gegangenen Herrn und Heilandes Jesu Christi beitragen zu helfen." Das führte natürlich zu Schwierigkeiten mit der Landeskirche. 1886 erklärte man daher „nach den Erfahrungen der letzten Jahre, um uns gegen mancherlei Mißverständnisse zu verwahren", „daß wir in keiner Weise daran denken, eine neue Kirche oder auch nur eine besondere Kirchenpartei zu bilden." Man wolle keineswegs die Seelen dahin bringen, die öffentlichen Gottesdienste und die Sakramente gering zu achten. Nur sei man der Überzeugung, „daß ohne freie, brüderliche Gemeinschaften lebendiges Christentum nur selten geweckt und erhalten werden kann." Bei der Revision der Statuten ist in § 4 „ohne Unterschied der Konfession" gefallen.

Die Grundlage (§ 1) des Bundes ist die Bibel. Der Zweck ist (§ 2): Die Ausbreitung eines biblischen Christentums, Bekämpfung des Unglaubens und Aberglaubens und der alles bedrohenden Umsturzbestrebungen unserer Zeit, die Mittel sind (§ 3): Förderung der Evangelisation und Gemeinschaftspflege, Abhaltung von Bibel- und Erbauungsstunden, Verbreitung christlicher Schriften und Aussendung geeigneter Brüder als Evangelisten und Kolporteure. § 4: Dem Bunde kann sich jedermann ohne Unterschied des Standes anschließen, wenn er den Zweck will und fördern hilft. Die Leitung (§ 5) besteht a) aus dem Brüderrat und b) aus Vertrauensmännern des Brüderbundes, welche sich selbst ergänzen und erweitern. Aufgabe der Bundesleitung (§ 6) ist: a) Nach Kräften dafür zu sorgen, daß Brüder, welche Zeit und Gaben besitzen, die Versammlungen pflegen, b) geeignete Brüder als Evangelisten und Kolporteure anzustellen, c) durch periodische Einberufung von Konferenzen des Brüderrates und der arbeitenden Brüder die Einheit des Geistes zu fördern und Ungesundes fernzuhalten. § 7: Zur Unterhaltung der Arbeiter und Deckung anderer Ausgaben leisten die Mitglieder des Bundes freiwillige Beiträge, je nachdem ihnen von der guten Hand ihres Gottes gegeben ist, 1. Chron. 29, 9—14, Esra 2, 69, Sprüche 3, 9. 10, Mark. 12, 41. 42, 2. Kor. 8, 2—4; 9, 6—8. Diese Beiträge werden an den Bundeskassierer oder an die Kassierer der einzelnen Provinzen abgeliefert. § 8: Über die Wirksamkeit des Bundes sowie über die Einnahmen und Ausgaben wird je nach Bedürfnis im Bundesorgan, dem „Evangelischen

Brüderboten", berichtet. § 9: Die Gemeinschaften und Mitglieder des Brüderbundes bestreben sich, als treue Glieder der evangelischen Kirche in Einmütigkeit des Geistes mit den Dienern derselben an dem Bau des Reiches Gottes zu arbeiten. Partei und Sonderbestrebungen liegen dem Bunde fern. Er will nur mit dem ihm von Gott anvertrauten Pfunde — ein jeder in seinem geringen Teil — daran arbeiten und mitwirken, daß biblisch lebendiges Christentum unsere Kirche und unser Volk durchdringe, den Leib und Seele zerstörenden Mächten entgegengearbeitet und das Reich Gottes gefördert werde.

Die in § 7 erwähnten Provinzialkassen wurden für Ostpreußen und Posen eingerichtet, auf die die Arbeit der Reichsbrüder sich in der Hauptsache beschränkte, während sie Mitglieder durch ganz Deutschland (besonders Württemberg) gewannen. Übrigens arbeiteten sie auch in letzterem Lande, speziell im Schwarzwald.

Ihre Eigentümlichkeiten, Betonung der Heilung durch das Gebet und des tausendjährigen Reiches (daher „Reichsbrüder", von ihren Gegnern, besonders den Kukatianern auch wohl „Dusendjährige" genannt), erklären sich aus ihren Ursprüngen.

Man war überzeugt, daß „unser Heiland den Befehl: Machet die Kranken gesund usw." Mark. 16 nie zurückgenommen habe, sondern derselbe nur vernachlässigt sei. „Darum wurde es als eine besondere Aufgabe unserer Zeit erkannt, alle gröberen und feineren Banne aufzusuchen und wegzuräumen, welche den Geist Gottes betrüben und die Gemeinde Christi ihrer ursprünglichen Kräfte berauben oder das Eindringen dieser Kräfte hindern. In die Lauterkeit, Reinheit und Heiligung wahrer Propheten- und Jüngerherzen einzudringen, welche Gott mit sich selbst und seiner Fülle erfüllen könne, wurde von uns als eins der schreiendsten Bedürfnisse im Reiche Gottes gefühlt."

Mit den eschatologischen Gedanken hing ihre Vorliebe für Palästinamission zusammen, wohin Blaich mehrfach reiste und eine Station am Fuße des Karmel anlegte, mit ihren Ideen von Krankenheilung die Gründung von Erholungsheimen (zuerst in Preußisch-Bahnau durch Seitz). Blaich, Seitz und Elser waren die „Evangelisten" des Bundes. Doch verstand man auch hier unter Evangelisation eigentlich nur die Sammlung von Gemeinschaften der Gläubigen, so daß die Reichsbrüder eine gewisse Übergangsstufe zwischen dem älteren (in diesem Falle schwäbischen) Pietismus und der modernen organisierten Bewegung bildeten, deren Vorläufer sie aber wurden, besonders im Osten.

Verhältnismäßig wenig Einfluß haben sie offenbar in **Brandenburg** geübt. Anfangs schien es anders, wohnte doch in Züllichau der Mitbegründer des Bundes, Julius Zimmer († 18. Oktober 1910). Mit durch seine Anregung wurden vom 9. bis 16. September 1883 in Züllichau die ersten „Glaubensversammlungen" gehalten, zu denen Besucher bis aus Ostpreußen kamen, und an denen Rappard, Stockmayer, Jellinghaus, Thumm-Wilhelmsdorf und der Methodistenevangelist v. Bachwitz-Krauser teilnahmen (s. Bericht in Münkel, Neues Zeitblatt 1883 S. 324), die zum Teil, wie die beiden erstgenannten, dadurch erst im Osten bekannt wurden. Mochte aber dadurch das Haus Zimmers für die Umgegend ein Mittelpunkt der neuen Bewegung werden, so sind doch die direkten Nachwirkungen für die Provinz nicht erheblich gewesen. Das kam durch den Zusammenhang mit Brodersen, seit 1883 Pastor in Trebschen bei Züllichau. Schleswig-Holsteiner von Geburt, Schüler Becks, erlebte er infolge seiner gewaltigen Bußpredigt 1886 in Trebschen eine Erweckung. Meilenweit kam man zu seinen Gottesdiensten, aus Züllichau, ja aus Bentschen. Mit den Reichsbrüdern war er innig zusammen. 1888 stand er zu Gnadau. Da kam er in Berührung mit dem Regimentsschneider Riedel-Posen. Ursprünglich Herrnhuter, dann zu den Reichsbrüdern gehörend, leitete er nun eine eigene kleine Versammlung darbystischen Charakters. Er kam in die religiös erregte Trebschener Gemeinde und war bald von allen — auch von Brodersen — anerkannter Papst. Unter seinem Einfluß kam Brodersen bis zur Sündlosigkeitslehre, andererseits weigerte er sich, Kinder unbekehrter Leute zu taufen. Dadurch kam es zu seiner Absetzung (Herbst 1888). Bald darauf ließ er sich zugleich mit Zimmer von Rohrbach-Berlin wiedertaufen. Seine Anhänger ließen sich ebenfalls wiedertaufen und bildeten eine kleine separierte Gemeinschaft, die bedeutungslos war. Die Arbeit der Reichsbrüder war damit in der Umgegend Züllichaus ebenfalls zerstört.

Weit mehr Einfluß als in Brandenburg haben die Reichsbrüder in Pommern ausgeübt. Hier kamen die bestehenden älteren Gemeinschaften teilweise mit Franson, dann 1888 mit Seitz und Blaich in Berührung. Dadurch entstanden noch mehr Versammlungen als bisher. Die „mancherlei sichtenden Versuchungen der Sekten" einerseits, sowie der „Mißverstand und das Mißtrauen der sich uns vielfach bekämpfend entgegenwendenden Geistlichkeit der Landeskirche" veranlaßten die kirchlich Gesinnten, sich auf einer Versammlung bei dem Gemeindevorsteher Kell in Langenhagen in Gegenwart von Seitz zu einem „Evangelischen Brüderbund" zu vereinigen. Die Statuten wurden denen des Reichsbrüderbundes nachgebildet, nur fehlt in § 3 „Förderung der Evangelisation und Gemeinschaftspflege".

§ 5: Der Bund steht unter der Leitung eines Brüderrates, welcher sich je nach Bedürfnis selbst ergänzt. § 6: Die Unterhaltung geschieht nicht durch Kollektieren, sondern durch freiwillige Beiträge. § 8: Der evangelische

Brüderbund in Pommern steht in enger gliedlicher Verbindung mit dem evangelischen Reichsbrüderbund und wählt zu diesem Zweck aus seinem Brüderrat zwei Brüder, die Brüder Fritz und Kell, welche als Brüderratsmitglieder in den Brüderrat des evangelischen Reichsbrüderbundes eintreten, um mit letzterem gemeinsam die allgemeinen Angelegenheiten des Bundes zu beraten und zu leiten. § 9: Der Brüderrat hat die Aufgabe, nach Kräften dafür zu sorgen, daß Brüder, welche Zeit und Gaben besitzen, die Versammlungen pflegen, und wo die Kräfte nicht ausreichen, geeignete Brüder als Evangelisten oder Mitarbeiter angestellt werden, auch Einheit des Geistes gefördert und Ungesundes ferngehalten wird. § 10 und 11 entsprechen fast wörtlich dem § 9 der Reichsbrüder, nur heißt es noch nachdrücklicher: „Sie sind und bleiben in unserer evangelischen Landeskirche."

Die 20 Mitglieder des damaligen Brüderrates scheinen vorwiegend bäuerliche Besitzer zu sein, ihre Wohnsitze zeigen zugleich den Hauptherd der Bewegung, nämlich die Gegend zwischen Ihna und Rega. Einer von ihnen ist jener Fritz aus Sammenthin, der der erste Schüler Jellinghaus' war (s. oben) und auch Blaich zuerst nach Pommern gerufen hatte. Er arbeitete auch als Reisebruder (ohne Besoldung). Erster angestellter Bote war später Stüwe.

Das Hauptarbeitsgebiet der Reichsbrüder aber wurde Posen, und zwar vornehmlich der Süden und Westen, also der Bezirk Posen. Ihr Mittelpunkt blieb hier vor allem Bentschen, wo Blaich zunächst wohnen blieb. Bereits Anfang der achtziger Jahre errichtete Leszczinski einen eigenen Saal, der auch zu Konferenzen diente. Außerdem wurden ihre Hauptorte Posen selbst, Wollstein, Bomst, Meseritz, Lissa (wo ja Leistert wohnte), Tirschtiegel, Gnesen, Fraustadt und Rawitsch. 1890 war die Arbeit so gewachsen, daß Blaich und Seitz auf einer Durchreise nach London sich einen jungen Bruder aus Neukirchen zur Hilfe erbaten.

In Ostpreußen arbeiteten die Brüder außer in Preußisch-Bahnau vor allem in Königsberg, wo Elser wohnte, auch in Osterode, wo eine Gemeinschaft sich schon ca. 1880 gebildet hatte. Gerade ihre ostpreußischen Gemeinschaften freilich haben teilweise, wie es scheint, allerlei Stürme erfahren. Waren die Brüder in ihrem auf Glaubensheilung und baldigen Anbruch des tausendjährigen Reiches gerichteten Enthusiasmus doch nur zu geneigt, Schwärmern, die etwa mit dem Anspruch auftraten, die Gabe der Heilung zu haben, Gehör zu schenken. So brachte Seitz Anfang der achtziger Jahre einen gewissen Wood mit nach Königsberg, den er und Blaich in England kennen gelernt hatten. Eine Reihe Erweckungen wurden auch durch ihn hervorgerufen. Als er dann freilich in Königsberg die Versammlung eine ganze Nacht zusammenbehalten und jedem durch Handauflegung den Geist mitteilen wollte, regte sich die praktische Nüchternheit des Schwaben bei Seitz. Er machte sich los von Wood, der nachher völlig Schiffbruch erlitt.

Ob etwa der ostpreußische Charakter überhaupt zur Schwärmerei neigt*)? Jedenfalls verlief die Erweckung unter P. Droste in Alt-Pillau 1888—1892 ebenfalls schwärmerisch. Er nannte die Landeskirche Babel, verwarf die Kindertaufe, ließ sich selbst, nachdem er aus der Landeskirche ausgetreten war, von Rohrbach wiedertaufen, lehnte theologisches Studium, Predigtvorbereitung usw. als teuflisch ab, selbst die Orgelbegleitung wurde entfernt. Was der Geist eingab, wurde geredet und gesungen. Man erstrebte eine Gemeinde mit den ersten Gaben. Auch er kam, wie Brodersen-Trebschen mit Riedel zusammen und nahm dessen Sündlosigkeitslehre an, wodurch seine Getreuen völlig auseinandergesprengt wurden.

Woher Droste ursprünglich beeinflußt war, ist mir nicht bekannt. Überhaupt scheinen im Osten, besonders in Ostpreußen, in den siebziger und achtziger Jahren, zum Teil infolge der Oxforder Bewegung an verschiedenen Stellen Erweckungen vorgekommen zu sein, die aber vielfach ausarteten und in ihrer Vereinzelung wohl bald wieder erloschen**).

Scharfen Gegensatz fanden diese neuen Bewegungen, besonders die Reichsbrüder, bei einem Teile der altpietistischen Litauer, dem ebenfalls in dieser Zeit sich organisierenden Ostpreußischen Gebetsverein Christoph Kukats. Kukat war der Schüler und Nachfolger von Dobat und Didlaukys, die anfangs zu den Jurkunißkei gehörten, dann aber eigene Wege einschlugen (Gaigalat, Die evangelische Gemeinschaftsbewegung unter den preußischen Litauern S. 30). Kukat (nach der Angabe im Friedensboten 1904 Nr. 21) 1844 geboren, bekehrte sich mit 20 Jahren in Potsdam beim Militär. Nach Gaigalat hat er sich zuerst zu den Klimkenai gehalten und ist dann zu Dobat übergegangen, aber auch mit dem in der ersten Auflage dieses Buches genannten Steinmetzmeister Grunewald (Jurkunißkis) hat er nach eigener Aussage gut gestanden und mit ihm Versammlungen abgehalten. Anfangs scheint er um seiner Jugend willen nicht viel Einfluß gehabt zu haben. Bald aber gewann er denselben durch seine außerordentliche Wirkung. Sein Hauptstreben war, seinen Versammlungen die staatliche Anerkennung zu verschaffen. So gründete er den „Ostpreußisch evan-

*) Auch eine Erweckung in den sechziger Jahren in der Nähe Gumbinnens verlief schwärmerisch (Israels Hoffnung 1905 Nr. 3).

**) Vgl. auch „Jasper v. Oertzen" S. 144.

gelischen Gebetverein", organisiert auf Grund des Vereinsgesetzes, eingetragen am 27. April 1885.

Die Statuten lauten: „§ 1. Der Zweck dieses Gebetsvereins ist, zur Ausbreitung des Reiches Gottes auf Grund des alten und neuen Testaments durch regelmäßige Vorträge biblischer Texte, den Glauben an den dreieinigen Gott zu wecken, jede falsche Beschuldigung zu widerlegen und somit ein wahres Christentum innerhalb unserer unierten evangelischen Staatskirche zu bauen und zu fördern (Psalm 95, 6; Ebr. 10, 25). § 2. Der endesunterschriebene Vorstand des ostpreußischen Gebetsvereins zu Berlin und das Komitee der Zweigvereine zu Ostpreußen haben ihren, seit vielen Jahren treu bewährten christlichen Mitbruder Christoph Kukat aus Gr. Wersmeningken, Kr. Pillkallen, jetzt Tilsit, zu ihrem Präses und ersten Vereins-Reiseprediger gewählt und ihm zugleich das Recht übertragen, mit Zustimmung des Komitees nach Bedürfnis ähnliche Zweigvereine zu gründen und Vereins-Reiseprediger an dieselben zu bestellen (Apgsch. 20, 28—31). § 3. Bei Gründung der Zweigvereine in verschiedenen Amtsbezirken muß das Vereinsgesetz vom 11. März 1850, § 2, genau beachtet und das Namensverzeichnis der sich dazu anschließenden Mitglieder mit der Angabe ihrer Vorsteher, deren es jedesmal drei sein müssen, unter Beifolgung dieser Statuten der betreffenden Ortspolizei-Behörde unterbreitet werden (1. Kor. 14, 33). § 4. Mitglied dieses Vereins kann jeder getaufte, evangelische Christ werden, der nicht nur mit dem Munde, sondern auch von Herzen ein Christ ist und dem ganzen Bibelworte glaubt. Dasselbe muß sich herzlich angelegen sein lassen ale (sic!) Sünden zu meiden und jeden Trieb zu derselben in der Kraft des Geistes Gottes zu überwinden suchen (Ev. Joh. 1, u. 10, 35, Gal. 5, 16—21). § 5. Jedes Mitglied, das sich öffentlicher grober Sünden schuldig gemacht hat, wird nach verhörter Sache mit Zustimmung des Vorstandes und einiger Mitglieder von dem betreffenden Prediger aus dem Verein ausgeschlossen, kann aber nach erfolgter Reue und Besserung wieder aufgenommen werden (Matth. 18, 15—18). § 6. Der Verein hält es für seine besondere Pflicht, jede Obrigkeit dem Worte Gottes gemäß zu ehren und für sie zu beten, sonderlich unseres allergnädigsten Landesvaters, Seiner Majestät des Kaisers, unseres Königs im öffentlichen Gebet vor Gott zu gedenken, auf daß Gott ihn noch lange und unserem Vaterlande zum Wohl und Segen erhalten wolle (1. Timoth. 2, 1—5). § 7. Der Grund jeden Vortrages ist einzig und allein die Bibel nach der von Luther herrührenden Übersetzung, wie solche als reine Lehre göttlichen Wortes in der ungeänderten Augsburgischen Konfession und den (sic!) kleinen lutherischen Katechismus Dr. M. Luthers überhaupt den symbolischen Büchern dargetan und von treuen Fürsten und Ständen und gottseligen Theologen unterschrieben ist, worin wir einen unerschütterlichen Grund, ein festes prophetisches Wort haben (2. Petri 1, 19). § 8. Die religiösen Vorträge sollen keine Politik bringen und dürfen nach erfolgter Anmeldung an jedem Tage zu beliebiger Zeit, aber an Sonn- und Festtagen unter Berücksichtigung des kirchlichen Gottesdienstes abgehalten werden in deutscher, litauischer und polnischer Sprache (1. Petri 4, 15). § 9. Der Verein arbeitet darauf hin, daß die alte christliche Ordnung im Hausstande, nämlich Morgen- und

Abendandacht, wie auch Tischgebete als eine Christenpflicht wiederhergestellt werde, was selbstverständlich ohne polizeiliche Anmeldung stattfinden darf (Kol. 3, 16—17). § 10. Der Gottesdienst in den Versammlungen des ostpreußischen Vereins wird meistens in folgender Weise abgehalten: 1. Gesang aus dem Quandtschen Gesangbuch; 2. Eingangsgebet; 3. Vorlesen eines Bibeltextes; 4. Predigt; 5. Schlußgebet; 6. Schlußgesang. Beim Beten wird stets gekniet (Ephes. 3, 14; Korinth. 14, 40). § 11 Die in diesem Verein erforderlichen Bücher hat der betreffende Vorstand zu führen. Der Vorstand der Zweigvereine ist jedoch den Anordnungen des Komitees unterworfen, welches bei Erledigungsfällen sich selbständig zu ergänzen das Recht hat (1. Petri 5, 5). § 12. Die Mitglieder des Vereins müssen Kranke besuchen und unterstützen, gewissenhaft für innere und äußere Mission sorgen, sind jedoch an keine bestimmte Beiträge gebunden und auch den Vereinspredigern wird kein Gehalt gezahlt, somit ist der ganze Verein nur auf freie Gaben der christlichen Liebe gegründet (1. Timoth. 6, 3—5; Gal. 6, 6). § 13. Das Vereinssiegel wird vom Komitee dem Präses zur Verwaltung übergeben (Jeremias 32, 14). § 14. Für gesetzwidrige Handlungen ist der betreffende Vorsteher, Prediger, oder das Mitglied des Vereins bei der Polizeibehörde verantwortlich (Römer 1, 1—2). § 15. Die Veränderung der Statuten kann nur mit Zustimmung des Präses angenommen und der Ortspolizei-Behörde zur Kenntnisnahme unterbreitet werden (Ephes. 5, 12). § 16. Der Vorstand wird jedesmal von den Vereinsmitgliedern gewählt; selbstredend gibt hierin die Majorität den Ausschlag (1. Korinth. 16, 20)."

Das Statutbüchlein druckt ferner ab den Kleinen Katechismus (inkl. Tauf- und Traubüchlein), die Augsburgische Konfession 1—19 und ein Verzeichnis der Predigten J. J. Rambachs. Dann folgt eine „kurze Beschreibung der staatskirchlichen evangelischen Gebetsversammlungen in Ostpreußen", worin es über die Entstehung heißt:

„Freilich habe ich jetzt seid (sic!) den vielen Jahren meines Predigtamtes mehr erfahren, als vielleicht jemand denken mag; überhaupt in den letzten drei Jahren, wo die ostpreußischen Versammlungen viel erlitten haben. Die unschuldigen Tränen der armen frommen Seelen, welchen die Selbstverwaltung den Gottesdienst in ihren geringen Hütten untersagte, werden am Jüngsten Tage davon ein besseres Zeugnis ablegen." „Es war wirklich mir und allen treuen Untertanen des preußischen Staates, die zu Tausenden zu der reinen Lehre unserer Gebetsversammlungen sich bekannten, schwer zu ertragen, daß wir wegen Gottesdienst bei der Regierung und sämmlichen (sic!) Landräten des Bezirks angeschwärzt stehen mußten. Solches haben wir denen zu verdanken, die sich für unsere Seelsorger ausgeben, aber leider stiefmütterlich sind sie mit uns umgegangen. Sie haben unsere mit der Kirche in Verbindung stehenden Hausgottesdienste schriftlich und mündlich für Sektiererei ausposaunt, die Arbeit, welche Christus mir und allen Gläubigen zur Aufgabe und Gewissenssache gemacht hat, zu verhindern gesucht und verfolgten mich mit ihren schmutzigen Schriften von Königsberg bis Berlin; wiewohl keiner von diesen feindseligen Herren mir nachzuweisen imstande ist, daß ich jemals wider Gottes Wort gepredigt hätte, oder aus der Landeskirche ausgetreten wäre, oder andere dazu überredet hätte." „Wir kämpfen mit Luthers Lehre und der heiligen Schrift gegen die Gottlosigkeit und falsche Lehre innerhalb der Landeskirche, verwerfen die falsche Lehre der Wiedertäufer und Chiliasten (der Tausendjährigen), wie auch sämtlichen Glaubensrichtungen, Parteien und Sekten, welche die Bibel wider Katechismus und wider die Augsburgische Konfession auslegen. Siehe Artikel 9 und 17. Wir meiden jede Ungerechtigkeit, alle Laster und unnütze Hantierung; enthalten uns von starken Getränken und Genuß des Tabaks. Folgen auch nicht der Welt in ihren eitlen Moden und Spielereien, so den Christen nicht geziemen. Wir Gläubigen begrüßen uns nach der Verordnung des Apostels Pauli, Römer 16, 16, mit einem heiligen Kuß. Und befleißigen uns neben der reinen Lehre auch einen reinen Lebenswandel zu führen. Dazu helfe uns Gott der Vater durch Jesum Christum. Amen." Dann folgt eine „Unterweisung für die Unternehmer, die eine religiöse Versammlung bei der Ortspolizeibehörde anzumelden haben", einige Lieder, außer „Ein feste Burg" zum Teil recht schwache Reimereien von Kukat selbst u. a.*), „Reisepaß und Wanderbuch eines Christen" sowie Artikel 29 der preußischen Verfassung und das Vereinsgesetz. Den Schluß bildet die Einsegnungsordnung für den Vereinsprediger. „Nachdem der zur Einsegnung erschienene Bruder eine kurze Predigt auf der Provinzialkonferenz gehalten hat, steht der erste Vorsteher des Gebetsvereins oder dessen Stellvertreter auf und fragt die anwesenden Brüder, ob sie die Einsegnung zum Predigtamt bewilligen, und auf die Antwort ‚Ja' wendet er sich zu dem betreffenden Bruder und spricht: So knie nun nieder, lieber Bruder. — Da nun die anwesenden Brüder gegen Dich nichts einzuwenden haben und Du entschlossen bist, das heilige Predigtamt, welches ein Amt des heiligen Geistes ist, in unserem Gebetsverein öffentlich zu führen und Deine Versammlungen in den (sic!) „Friedensboten" bekannt zu machen, so frage ich Dich vor Gott und diesen anwesenden Brüdern, ob Du aus reiner Liebe zu Jesu ohne Ehrsucht und schändlichen Gewinns willen Christi Schafe und Lämmer weiden, den Leib Christi durch falsche Lehre und gottlosen Lebenswandel nicht zerreißen, sondern durch reine Lehre und heiligen Lebenswandel bauen wirst? So antworte: Ja. Nun sage Du selbst, lieber Bruder, Deine Herzenserfahrung, und lege Dein Glaubensbekenntnis vor Gott und den anwesenden Brüdern ab. — Ich, euer Bruder A. K., bekenne vor Gott dem Allmächtigen und Allwissenden, daß ich seit etwa zehn Jahren zur wahren Bekehrung gekommen bin. Seit der Zeit kämpfe ich gegen alle offenbaren und heimlichen Sünden in der Kraft des heiligen Geistes und trage Leid über meine anklebenden Sünden in täglicher Reue und Buße

---

*) z. B.: Versammelt euch, ihr Gottes-Knechte!
Als Wächter stellt euch auf den Felsen hin,
Verkündiget des Herren Rechte,
In Liebe fördert den Gebets-Verein.
Bis endlich aller Menschen Knie sich beugt,
Und Christi Gottheit vor der Welt bezeugt.

unter Tränen; befinde mich auch jetzt in der täglichen wahren Buße und Vergebung meiner Schwachheitssünden durch Christum vor Gott im lebendigen Glauben. Diesen wahren, allein seligmachenden Glauben, der die wahre Buße bis zum seligen Sterben zugrunde hat, und in der ungefärbten Bruderliebe und den (sic!) heiligen Lebenswandel sich beweist, verspreche ich vor Gott und den anwesenden Brüdern, laut den Bekenntnisschriften der ersten lutherischen Kirche, Luthers Katechismus und den Statuten unseres Gebetsvereins, in der Kraft des heiligen Geistes rein und lauter zu predigen, fremde und falsche Lehre zu verwerfen und reinen, heiligen Lebenswandel vor Gott und Menschen zu führen; so wahr mir Gott helfe durch Jesum Christum zur ewigen Seligkeit. Amen. Dann spricht der Vorsteher: Auf dieses Dein Bekenntnis, welches ich vor Gott und den anwesenden Brüdern auf Dein eigenes Gewissen lege, wird Dir der Erzhirte Jesus Christus, so Du ihm treu bleibst bis ans Ende, die unvergängliche Krone der Ehren und des Lebens geben." Dann legt der betreffende Vorsteher die Hand auf das Haupt des Bruders, liest Hes. 3 und spricht: „Zu diesem Deinem wichtigen und vor Gott verantwortlichen Predigtamt gebe dir Gott den heiligen Geist durch Jesum Christum Seinen Sohn." Segen.

Vorgebildet sind diese „Prediger", die meist aus den kleinen Leuten stammen, nicht.

Als Organ des Vereins gab Kukat den „Friedensboten" (Pakajaus Paslas) heraus, ein Wochenblatt, das deutsch-litauisch erscheint. Dementsprechend sind auch die Reden in den Versammlungen deutsch und litauisch, dazu kam noch polnisch, weil die Kukatianer sich auch unter den evangelischen Polen stark ausbreiteten. Schon früh dehnten sie sich sogar über Ostpreußen hinaus aus. Teile von Westpreußen, Pommern wurden ihr Arbeitsgebiet. In Berlin bildete sich 1883 ein blühender Zweigverein. Aber auch noch weiter westlich tauchten sie auf, vor allem im rheinisch-westfälischen Industriebezirk. Hier seit 1885 (z. B. in Wattenscheid seit 1888). Kukat beherrschte zunächst den Verein völlig, auch schon dadurch, daß er den „Friedensboten" allein schrieb. Allerdings gab es daneben noch Konferenzbeschlüsse*) und für Rheinland und Westfalen eine besondere „Hauptbesprechung".

Als seine größten Gegner betrachtete Kukat die Reichsbrüder, die „Dusendjährigen", die von der Augsburgischen Konfession verdammten „Chiliasten". Kirchenfreundlich wollte er zwar sein, aber das hinderte ihn nicht an oft sehr scharfen Äußerungen gegen die Pastoren.

---

*) Die große Konferenz fand in Tilsit, später in Insterburg statt.

3. Die Anfänge der Gemeinschaftsbewegung in Berlin.

(Die Gemeinschaft Frl. v. Blüchers — v. Schlümbach und die Entstehung der St. Michaelsgemeinschaft — Der erste C. V. J. M. — v. Schlümbachs sonstige Arbeit.)

Ob ein kleiner 1875 durch Rektor Jskraut in Friedeberg (Neumark) entstandener Kreis direkt auf Oxforder Anregungen zurückgeht, ist mir unbekannt. Dagegen waren eine direkte Frucht der Bewegung die ersten Gemeinschaftsgründungen in Berlin. Hierher war Bädeker schon bald wieder zurückgekehrt. Zu ihm gewann Beziehungen Fräulein Toni von Blücher, eine der bei Smiths Vorträgen zum „Durchbruch" Gekommenen (14. April 1875).

Smith redete an dem Tage über das Thema: „Was der heilige Geist tut, um das Opfer Christi klar und kräftig zu machen." Fräulein von Blücher „kam nach Hause, zog sich in ihr Zimmer zurück und ‚rang danach, daß sie durch die enge Pforte einginge'. ‚Herr, jetzt oder nie!,' rief sie aus. Als eine neue Kreatur in Christo Jesu stand sie von ihren Knieen auf und begann sogleich für den Herrn zu arbeiten" (Ein Bote des Königs. Dr. F. W. Baedekers Leben und Wirken S. 25).

Die Arbeit begann mit Traktatverteilen und Kaffeeabenden. 1881 kam eine Sonntagsschule hinzu. Am 14. April 1883 wurde ein Saal für die „Christliche Gemeinschaft" eingeweiht. Die Arbeit geschah im Sinne der Allianz, wie Toni von Blücher auch später von Anfang an teilnahm an der Blankenburger Konferenz. Mit ihr arbeiteten Fräulein von Arnim und Fräulein von Bunsen*).

Wichtiger wurde die Gemeinschaft St. Michael unter dem überaus rührigen Grafen Pückler. Sie hatte ihren Ursprung in der Arbeit v. Schlümbachs, der zuerst Moodysche Evangelisation in Deutschland einführte, während Smith sich ja an die schon Gläubigen gewendet hatte. Schlümbach war geborener Württemberger, mit siebzehn Jahren nach Amerika gegangen, im Kriege Oberst geworden, später nach wildem Leben deutsch-amerikanischer Methodist und hatte als solcher unter Moody in Amerika gewirkt,

---

*) Anmerkungsweise sei die Evangelische Missionskapelle in Charlottenburg hier erwähnt, deren Leiter, der schon erwähnte Prediger Rohrbach, früher in England gewesen, mit Frl. v. Blücher eng verbunden war. Die 1881 gegründete Gemeinschaft war mehr freie Gemeinde, wenn auch nicht alle Glieder aus der Landeskirche austraten. Bericht über die ersten 25 Jahre s. in „Auf der Warte" 1906 Nr. 5. 1910 hat Rohrbach die Kapelle an die Baptisten vermietet und ist freier Evangelist geworden.

zuletzt als Reisesekretär des deutschen Zweiges der Christlichen Vereine Junger Männer. Als er 1882 krankheitshalber in Deutschland war, gewann ihn Christlieb für eine zeitweilige Reise im Osten und Norden Deutschlands. Nach Berlin rief ihn Stöcker unter der Bedingung, daß er kirchlich arbeite. Er trat auf wie Moody, sang auch Solo. So hielt er ein erstes christliches Gratis-Volkskonzert. Er blieb in Berlin fünf Monate und wirkte vorwiegend unter der allerärmsten Bevölkerung, aber auch unter anderen Ständen.

Es galt nun, die angeregten Elemente zu weiterer Pflege zu sammeln, und so trat Weihnachten 1882 durch v. Schlümbach und P. Diestelkamp „die schwere Frage" an Pückler heran, ob er „auf eigene Verantwortung ein Werk von so bedeutender Tragweite übernehmen wollte". Pückler hatte damals gerade sein Assessorexamen gemacht. Als er seine Bedenken überwunden hatte, griff er die Arbeit mit außerordentlichem Eifer an. Es hat wohl so leicht keiner in der Gemeinschaftsbewegung pekuniär so viel geopfert. Andererseits freilich schlugen auch gerade in ihm mehr und mehr enthusiastische Anschauungen starke Wurzeln*), die im Verein mit seiner sehr impulsiven Art ihn zu fester, klarer und einheitlicher Leitung nicht immer geeignet machten, wie sich namentlich in den kritischen Jahren bei der Leitung des deutschen Verbandes zeigen sollte (s. u.).

Seine Arbeit in Berlin wurde auf dem Gebiete der Gemeinschaftsbewegung in vieler Beziehung eine Musterleistung. Man begann in dem Tanzlokal „Fürst Blücher" am Wedding N., das am 12. Januar 1883 als „Christliches Vereinshaus" in Benutzung genommen wurde. Erst nach drei Jahren nannte man sich „Christ-

*) Augenscheinlich bezieht sich auf ihn, was Rubanowitsch (Was sagt die Schrift? 1910 Nr. 27) von Gotteskindern erzählt, die glauben, wie Automaten in Gottes Hand sein zu müssen, ohne eigenes Denken und Wollen, obgleich dies nirgend in der Bibel gefordert wird: Ein Gotteskind gebe jährlich für das Reich Gottes über 30000 Mk. und plage sich Tag und Nacht, dem Heiland zu dienen. Es warte auf der Friedrichstraße in Berlin mit geschlossenen Augen und gefalteten Händen, ob es rechts oder links gehen solle. Als er in seinem Zimmer sitzt, gibt ihm der Herr ein, eine Versammlung da und da abzuhalten. Als sie angesagt ist, kommt er aber nicht und bereitet so große Verlegenheit. Als man ihn fragt, heißt es: „Ich war im Geiste gebunden, ich durfte nicht gehen." — Doch sei ausdrücklich betont, daß diese — allerdings von uns scharf verworfene — Art bei dem Grafen aus so kindlich fröhlichem Glauben an seinen Herrn entspringt, daß sie keineswegs etwa lächerlich wirkt. Sein Glaube und seine Opferwilligkeit fordern vielmehr alle Hochachtung.

liche Gemeinschaft". Vorher hatte man nur einen „Christlichen Verein" mit Statuten und einem Vorstand, von denen freilich Pückler 1908 sagte, jene seien nicht zwei, dieser nicht fünf Pfennig wert gewesen, ein „eilig zusammengerafftes Komitee, dem Vereinsleitung und Hausverwaltung zugedacht waren, und das sich schon in den ersten 14 Tagen als seiner Arbeit keineswegs gewachsen herausgestellt hatte". Es wurde so beseitigt, daß, als Ende Januar 1883 Bernstorff dem Werk beitrat, die Hausverwaltung auf ein besonderes, aus drei Personen bestehendes Komitee überging, während der „Christliche Verein am Wedding", wie er sich dann nannte, einen eigenen, durchaus brauchbaren Vorstand wählte, der zehn Jahre lang die Vereinsangelegenheiten geleitet hat. Damals „wagte noch niemand zu sagen, daß er bekehrt sei". Nur Vorhofsarbeit sei damals getrieben, urteilte Pückler 1908. Aber trotz dieser geänderten Beurteilung erklärte er diese Jahre doch noch für seine Lieblingsjahre, Jahre, in denen Großes geschehen sei.

Bereits 1885 wurde im Osten (Koppenstraße), 1887 am Gesundbrunnen*) die Arbeit angefangen (zuerst in einem Kleinkinderschulsaal (Koloniestraße), dann Badstraße und endlich in N Buttmannstraße) und im gleichen Jahre auch in SW, wo sich zunächst ein Freundeskreis sammelte, dann ein Jungfrauenverein. Bereits vorher muß in der Friedenstraße begonnen sein. So waren es bis 1888 fünf Stationen.

Durch Schlümbach wurde damals der erste deutsche Christliche Verein Junger Männer (C. V. J. M.)**) gegründet, am 22. Januar 1883 in Berlin mit 15 Mitgliedern. Er hatte durch die Zeitung zu dieser Versammlung eingeladen. Unter den Anwesenden war auch v. Rothkirch. Alle waren einstimmig für die Gründung solches Vereins. „Sie haben", erklärte Schlümbach, „die Frage, die ich Ihnen gestellt habe, mit einem unumwundenen Ja beantwortet. Das genügt mir als die Antwort von Gott . . ." Er forderte ein Blatt Papier, schrieb den Namen des Vereins darüber und darunter: „Wir, die Unterzeichneten, treten hiermit zur Bildung eines C. V. J. M. zu Berlin zusammen." Nun folgte sein Name, das Blatt wurde herumgereicht, und ein jeder — er mochte wollen oder nicht — mußte sich unterschreiben. „So erschien", erzählt v. Rothkirch, „mein Name auf dem Blatt." Als nun Vorschläge für die Vorstandswahlen gemacht wurden, nannte einer v. Rothkirchs Namen. „Ich erschrak bis ins innerste Herz

---

*) Mit zwei Männern, einem Jünglingsverein und 60 Frauen.
**) Über das Wesen dieser Vereine s. u.

hinein und stammelte in längerer Rede Entschuldigungsgründe. Als ich fertig war, sagte v. Schlümbach: ‚Sind Sie nun fertig?‘ ‚Ja‘. ‚Nun, Gott kann nur Toren gebrauchen für seine Arbeit, die anderen Leute sind ihm zu klug, und weil Sie gar nichts wissen und können, so kommen Sie in Gottes Namen und nehmen Sie das Amt an.‘“ Am 4. April fand die Eröffnung statt. Vorher fragte J. v. Oertzen v. Rothkirch: „Sagen Sie mal, da hat ja der gute Schlümbach hier so'n C. V. J. M. ins Leben gerufen, was will er denn eigentlich damit? — Ach, Sie sind ja überhaupt Vorsitzender, was wollen Sie mit dem Verein?“ Rothkirch mußte ihm sagen: „Ich habe keine Ahnung, was wir wollen.“ Stöcker war übrigens mit Schlümbachs Gründung nicht ganz einverstanden und sagte bei der Eröffnung: „Vergeßt nicht, daß ihr eine importierte Pflanze seid.“ Vizepräses wurde Bernstorff, Generalsekretär Phildius*). Vorsitzende des Damenkomitees wurde Gräfin Waldersee, ihre Nachfolgerin Gräfin Bernstorff. Lange Jahre hindurch wurde ein Teil der Mittel durch einen Bazar von Lebensmitteln und ein Gartenkonzert aufgebracht. Später bekam v. Rothkirch „es aufs Gewissen gelegt“, „alle diese irdischen Hilfsmittel aufzugeben und das tägliche Brot nur vom Herrn zu erbitten“.

Schlümbach erklärte beim Abschied aus Deutschland, er werde aus der Methodistenkirche austreten. In Amerika verleumdeten die Deutschen ihre heimische Kirche. Er dagegen habe jetzt die preußische Landeskirche lieb gewonnen. Später war er in Amerika Pastor. Versuchte Gründungen in Texas schlugen vollständig fehl. Von seiner Frau ließ er sich scheiden. Er starb am 28. Mai 1901.

Er hatte nicht nur in Berlin gewirkt. Auch Bremen und das Wuppertal öffneten sich ihm. In Hamburg und Lübeck aber verbaten sich die Pastoren den Evangelisten. Auch in Holstein war Paulsen-Kropp gegen ihn, und Ruperti erließ eine Warnung: die Kirche sei nicht so bankerott, daß sie von den Almosen der Sekte leben müsse. Er machte auch auf die unverhohlene Freude der Methodisten aufmerksam. Doch trat Jensen-Breklum für ihn ein, und Jasper v. Oertzen nahm ihn auf.

---

*) Es entstanden genauer damals drei Vereine; einen in W und SW übernahm eben v. Rothkirch, den zweiten ein Rentner, den dritten (O) v. Oertzen (Jaspers Bruder). Als Pückler dann das Vereinshaus baute, übernahm er die Gesammelten.

4. Jasper von Oertzen und die Gemeinschaften Schleswig-Holsteins.

(Jasper v. Oertzen — Der schleswig-holsteinische Verein für Innere Mission — Der Lutherische Missionsverein in Westschleswig — Der Verein für Innere Mission in Nordschleswig.)

Dieser damalige Leiter des Vereins für Innere Mission in Schleswig-Holstein und spätere Leiter der ersten deutschen Gemeinschaftskonferenzen stammte aus pietistisch angeregtem Hause. Sein Vater war durch Jänicke in Berlin, seine Mutter durch die Kreise Amalie Sievekings in Hamburg beeinflußt. Nach einer ungebändigten Jugend und etwas wildem Leben als österreichischer Offizier brachte ihn eine schwere Krankheit 1858/59 zur Umkehr. Er nahm seinen Abschied, gab auch den Versuch, Landwirt zu werden, bald auf und wurde durch Wicherns Einfluß, dessen Bekanntschaft er in dieser Zeit machte, und der für sein Leben von entscheidender Bedeutung wurde, zum Berufsarbeiter der Inneren Mission. Seit 1870 war er Pensionatsleiter im Rauhen Hause, von 1875 bis 1884 Vorsteher der Hamburger Stadt-Mission. Er stand seit seiner Erweckung auf Allianzstandpunkt, lernte jedoch immer mehr die Landeskirche schätzen. Wann und wie die Oxforder Bewegung ihn berührt hat, ist mir nicht möglich festzustellen. Seltsamerweise ist dieselbe in seiner Biographie nicht erwähnt. Daß er mit v. Schlümbach zusammenwirkte, ist bemerkt. In die eigentliche Gemeinschaftsarbeit war er hineingeführt, indem er seit 1873 Vorsitzender des schleswig-holsteinischen Vereins für Innere Mission war. Wie bereits erwähnt, fand er den Verein in einer durch englischen Einfluß der Kirche ziemlich entfremdeten Stellung. Sein Streben war, ihn wieder fester an die Kirche anzuschließen. Zu diesem Zwecke wurde die Einrichtung der fest eingeschriebenen Mitglieder, als leicht zur Separation führend, abgeschafft. Überhaupt scheinen unter v. Oertzen die Statuten im lutherischen Sinne geändert zu sein. Die ersten Paragraphen der ältesten Statuten lauteten:

„§ 1. Der Zweck des Vereins ist: Kolporteure auszusenden, um den Leuten das Wort Gottes nahe zu bringen.

§ 2. Jeder, der die erlösende Kraft Jesu Christi an seinem eigenen Herzen erfahren hat oder doch darnach verlangt und einen jährlichen Beitrag gibt, ist Mitglied des Vereins."

In einem von v. Oertzen herausgegebenen „Kurzen Abriß" der Geschichte des Vereins vom Jahre 1885 heißt es dagegen:

„§ 1. Grundlage des Vereins ist das Bekenntnis der evangelisch-lutherischen Kirche auf Grund der Augsburgischen Konfession.

§ 2. Hauptzweck des Vereins ist, Sendboten zur Ausbreitung des Wortes und Reiches Gottes auszusenden mit besonderer Berücksichtigung derer, die der Kirche und dem Reiche Gottes noch fernstehen.

Wie die christusfeindlichen Elemente auflösend und zersetzend durch ihre Sendboten (Agitatoren) zu wirken suchen, so will unser Verein durch den Dienst seiner Sendboten die Umworbenen warnen, die Angefochtenen trösten, die Einzelstehenden stärken, die Verführten zurückzuführen suchen, die Zerstreuten sammeln und zu diesem Zwecke auch Vereinshäuser und Herbergen zur Heimat erbauen als Stützpunkte für seine Tätigkeit.

§ 3. Mitglied des Vereins kann jeder werden, der die erlösende Kraft des Blutes Jesu Christi an seinem Herzen erfahren hat, oder doch darnach ein Verlangen trägt."

Während der bei Übernahme des Vorsitzes durch v. Oertzen unter Leitung des Kolporteurs David mit einem Sendboten abgesplitterte, mehr freikirchliche Teil schon bald wieder einging, gelang es v. Oertzen, seinen Verein zur Kirche in eine freundliche Stellung zu bringen. Wie er selbst sagt, fand er „viel Entgegenkommen bei den Pastoren", namentlich bei P. Decker-Thumby († 1884), der schon früher dem Verein nahegestanden und 1866 bis 1874 sogar die „Monatliche Botschaft", das Organ des Vereins, redigiert hatte. „Es schlossen sich viele hervorragende Geistliche", schreibt v. Oertzen in dem erwähnten „Kurzen Abriß", „seiner Stellung zum Verein an, und in größeren und kleineren Pastoral-Konferenzen wurden die Zwecke des Vereins oft lobend anerkannt*)." 1880 erließen P. Decker, Propst Lilie, P. Hansen, P. Kähler, P. Jensen-Breklum, P. Witt-Havetoft, P. Bruhn, P. Riewerts-Neumünster, P. Evers, P. Treplin, P. Chalybaeus und Propst Mau eine Erklärung des Wortlauts:

„Durchdrungen von der Notwendigkeit der Laienhilfe und überzeugt, aß aus der Wirksamkeit der Sendboten für Innere Mission in Schleswig-Holstein Segen für unsere Landeskirche erwachsen ist und ferner erwachsen kann, erklären wir uns bereit, die Zwecke des Vereins in unseren Gemeinden und bei unseren Amtsbrüdern zu unterstützen, sofern der Verein dem aus unserer Mitte erwählten Komitee bei Anstellung der Boten und bei der Leitung der Tätigkeit derselben Rat und Stimme gewährt."

Der Vorstand stimmte zu und ein solches Komitee (Jensen, Kähler, Riewerts) trat ins Leben. Doch ist in „Wirklichkeit aus

*) Es ist nicht recht verständlich, wie Ihloff „Im Weinberge des Herrn" angesichts dieser Ausführungen v. Oe.s schreiben kann: „Leider mußte er selbst einsehen, daß sein Ideal sich nicht verwirklichen ließ. Es ging ihm wohl so, wie vielen Freunden der Kirche. Er überschätzte die Träger des geordneten Amts in ihrer inneren Stellung zum Herrn und ließ außer acht, daß ein gedeihliches Zusammenarbeiten in seinem Sinne nur mit bekehrten Pastoren möglich ist" (S. 53).

dem Versuch, die freie Laientätigkeit dem kirchlichen Amte unterzuordnen, nichts herausgekommen", behauptet Ihloff (a. a. O. S. 53).

v. Oertzens andere Hauptsorge war die Vermehrung der Sendboten und damit Ausdehnung der Arbeit. Er fand zwei Sendboten vor. Im nördlichen Angeln hatte sich ein eigener Verein unter dem Sendboten Horn gebildet, v. Oertzen gewann ihn zum Anschluß an den Gemeinschaftsverein, als dessen Sendbote Horn dann bis 1881 arbeitete. 1876 trat der bisherige Schmied Lohse als Sendbote ein, der auch häufiger auf den Gnadauer Konferenzen das Wort ergriffen hat, 1880 der in Breklum ausgebildete Sendbote Stoldt, 1882 Ihloff. 1885 waren es sieben Sendboten, 1888 elf (davon sechs ausgebildet). Als ihre vornehmste Aufgabe bezeichnete v. Oertzen (Kurzer Abriß S. 10), die dem Christentum Entfremdeten zurückzuführen. „Und wie viele sind auf dem Wege, gleichgültig zu werden." „Der Pastor hat keine Zeit, sie zu besuchen, weiß vielleicht gar nichts von ihnen; der Sendbote aber sucht sie auf, spricht ihnen zu und bittet sie in seine Versammlung." Aber v. Oertzen fordert darum auch „keine Soldaten der Heilsarmee, sondern stille wirkende, friedenvertretende Sendboten! Keine stürmische Volksversammlung, sondern stille geweihte Gemeinschaft" (a. a. O. S. 11). „Der Sendbote darf seine Leute nicht als etwas Besonderes gegenüber der Gemeinde betrachten, darf sie nicht abschließen von der Kirche, sie nicht zu einer ecclesiola in ecclesia machen." „Die Sendboten sind Laien, und wenn sie andere Laien in den einzelnen Gemeinschaften gewonnen haben, so helfen ihnen diese in ihrer Arbeit, wenn auch nicht berufsmäßig. Der Pastor muß sich als der Führer dieser arbeitenden Laien ansehen, nicht als ihr Gegner. Nur dann behält die Kirche die Bewegung, die nun einmal begonnen und sich sicherlich nicht mehr aufhalten läßt, in ihrer Hand" (a. a. O. S. 12 f.). Klar sprach v. Oertzen es aus, daß der Verein „immer da fördernd und heilbringend gewirkt hat, wo er sich möglichst eng an die Kirche schloß und die Leute zurückführte in die Bahnen des geordneten kirchlichen Lebens; wie es aber nur zu Streitigkeiten in seinen Reihen und größerer Entfremdung führte und die Sache keinen rechten Fortgang hatte, sobald diese Stellung verlassen wurde". Man merkt eben auch hier, daß v. Oertzen nicht umsonst durch Wicherns Schule gegangen war, mochte er auch für die Anregungen der Oxford-Bewegung ein offenes Herz haben und bereit sein, sie auch nach Holstein überzuleiten, wie seine Berufung Schlümbachs zeigt.

Ganz unbeeinflußt davon entstanden dagegen in dieser Zeit speziell in Nordschleswig zwei andere von Dänemark stammende

Richtungen. Nachdem eine frühere in den sechziger Jahren entstandene Vereinigung wieder eingeschlafen war, bildete sich 1880 der Lutherische Missionsverein in West-Schleswig (s. den sehr interessanten Bericht in „Auf der Warte“ 1910 Nr. 31). Er ging zurück auf eine kleine Gemeinschaft in Ballum an der Westküste, die zu Dänemark Beziehungen hatte. Von dort kamen des Schweden Rosenius „Geheimnisse in Gesetz und Evangelium“ ins Dänische übersetzt zu der Ballumer Gemeinschaft. Es entstand Nachfrage nach diesen Büchern in Bornholm, wo die Roseniussche Lehre durch die Laienprediger Möller und Peter Seiersen verbreitet wurde. 1874 kam daher Seiersen mit einem dänischen Bauer nach Ballum. Es entstanden andere kleine Gemeinschaften. Chr. Möller kam ebenfalls, und die Gemeinschaften schlossen sich dem Lutherischen Missionsverein in Dänemark an. Als die preußische Regierung den dänischen Sendboten das Versammlungshalten verbot, wurde im Herbst 1880 der „Lutherische Missionsverein in West-Schleswig“ gegründet. Der Arbeiter Hans P. Nielsen wurde als Evangelist und Kolporteur angestellt, 1883 als zweiter Hans Paulsen, der jedoch 1888 abgehen mußte, weil er als dänischer Staatsangehöriger keinen Gewerbeschein erhalten konnte. Für ihn trat der Arbeiter Hans Berg ein. Die Arbeit blühte auf. Man wollte durchaus lutherisch bleiben und landeskirchlich sein. Ein fröhliches Rechtfertigungschristentum wurde betont. Wir werden den „Bornholmern“, wie sie auch genannt werden, noch anderwärts begegnen.

Im Jahre 1886 schrieb der Bauer Holm namens der Gemeinschaft Vinderup an v. Oertzen und bat ihn, durch Anstellung dänischredender Sendboten die Arbeit des Gemeinschaftsvereins auf Nord-Schleswig auszudehnen und empfahl dafür Lars Birk in Vinderup, der schon 15 Jahre als Sendbote des dänischen „Kirchlichen Vereins für Innere Mission“ unter dem bekannten P. W. Beck tätig gewesen war. Am 16. September verhandelten v. Oertzen und Beck darüber bei dem Orgelbauer Jakobsen in Hadersleben. Gleichzeitig hatte sich ein Mann an den damaligen Diakonus in Apenrade P. Tonnesen gewandt, um von ihm als Kolporteur angestellt zu werden, wandte sich dann aber auch an v. Oertzen, der sich seinerseits mit P. Bahnsen-Bülderup in Verbindung setzte. Tonnesen und Bahnsen kamen im November 1886 mit P. Nielsen-Hoirup, Obbarius-Hammeleff und Lawaetz-Ulkebüll in Apenrade zusammen. Man beschloß aber zunächst nur einen Mann anzustellen und wählte den erfahrenen Lars Birk. Am 1. April 1887 machte man im „Sädekornet“, dem späteren Organe des „Kirchlichen Vereins für Innere Mission in Nordschleswig“, bekannt:

„Unterzeichnete haben sich vereinigt, einen Missionar für Innere Mission in Nordschleswig zu halten und als solchen Lars Birk angenommen, der in Vinderup bei Christiansfeld wohnhaft ist, aber 15 Jahre im Dienste der Innern Mission in Dänemark gestanden hat. Derselbe macht Hausbesuche, um Bücher anzubieten, sowie mit den Bewohnern über die Angelegenheiten des Reiches Gottes Besprechungen zu halten. Wo der Pastor damit einverstanden ist, und wo die Bewohner ihm in ihren Häusern Platz einräumen wollen, ist er auch bereit, erbauliche Versammlungen zu halten. Dadurch, daß er Schriften verbreitet, die vom Vorstande ausgesucht und für gut befunden, bietet er der Bevölkerung Garantie für gute und gesunde Lektüre. Durch Gemeinschaftspflege unter den Erweckten hält er die Lehre unserer lutherischen Kirche den Sekten gegenüber aufrecht. Wir empfehlen hierdurch den nordschleswigschen Gemeinden diesen Zweig der Arbeit im Weinberge des Herrn und bitten, denselben durch Fürbitte und Wohlwollen unterstützen zu wollen . . .“

Unterzeichnet hatten außer den fünf Genannten v. Oertzen und Pianofortefabrikant Jakobsen-Hadersleben. P. Nielsen war zunächst Vorsitzender. v. Oertzen war mehr Ehrenmitglied. Der anfangs beabsichtigte Anschluß an den Gemeinschaftsverein wurde fallen gelassen.

5. Der rheinische Altpietismus und die neuen Anregungen.

(J. G. Siebel und das Siegerland — Engels und das Oberbergische — Neukirchen — Die Evangelische Gesellschaft in Elberfeld — Der Herborn-Dillenburger Verein — P. Ziemendorff und Ch. de Neufville.)

War v. Oertzen aus kirchlicher Unbestimmtheit immer mehr zu kirchlicher, lutherisch gefärbter Stellung gelangt, so war der Mann, der durch ein Gespräch mit ihm die erste direkte Anregung zur Gnadauer Konferenz und damit zur organisierten deutschen Gemeinschaftsbewegung gegeben hat, durch und durch reformiert. Das war der Lederfabrikant J. G. Siebel in Freudenberg (Siegen), geb. 29. Mai 1830, Neffe jenes berühmten Tilmann Siebel der Erweckungszeit. 1849 war er durch eine Predigt des P. Künzel in Elberfeld bekehrt, nach seines Oheims Tode (1875) wurde er Präses des Vereins für Reisepredigt und tatsächlicher Führer der Sieger Gemeinschaften († 13. Januar 1894). An des Genfer Reformators eigenen Schriften gründlich gebildet, erhielt er die Gemeinschaften im alten kalvinistischen Fahrwasser. Wohl im Zusammenhange mit der Oxford-Bewegung fand 1877/8 in Freudenberg eine Erweckung statt, die sich 1882/3 wiederholte. Allmählich drückten die Gemeinschaften dem ganzen Lande ihren Stempel auf. Wirtschaften und namentlich öffentliche Tanzvergnügungen nahmen ab, ja, verschwanden teilweise ganz. Die reformierte strenge Sonntagsfeier setzte sich durch. Schwierigkeiten gab es mit Independenten und Darbysten, aus dem zu Anfang erwähnten Grunde. Feierten doch auch die Gemeinschaften unter sich das Abendmahl, um es nicht mit Unwürdigen zusammen zu genießen. Dadurch wurde natürlich die Stellung zu den zum Teil lutheranisierenden Pastoren der unierten Landeskirche sehr erschwert.

Auch in den Gebieten von Cleve, Jülich und Berg nebst der Grafschaft Mörs bildete wohl der in der Erweckungszeit wieder erstarkte Kalvinismus*) um 1875 noch überall den Grundzug, nur durch Tersteegensche Einflüsse teilweise mehr mystisch gerichtet, andererseits durch die Boten der Evangelischen Gesellschaft zu einem biblischen Unionismus abgeschwächt. Zu den von Tersteegen beeinflußten Führern gehörte P. Engels-Nümbrecht (1851—97), dem das Gemeinschaftsleben speziell des Homburger Landes (südlicher Teil des Kreises Gummersbach) besonders viel zu verdanken hat. Infolge der Oxforder Bewegung erlebte er 1877 eine Erweckung, wobei sich jedoch trotz seiner und seines damaligen Hilfspredigers W. Haarbeck Einwirkung viel independentische Neigung zeigte.

Geradezu independentisch-darbystische Anschauungen vertrat die, wohl durch die neue Heiligungsbewegung zum mindesten mit veranlaßte Neukirchener Anstalt**). 1873 war in Neukirchen der auf dem Gebiete der Kinderrettung sehr tätige P. Bräm gestorben und sein bisheriger Hilfsprediger Doll sein Nachfolger geworden, geb. 1846 in Kirchen (Kr. Altenkirchen, dicht an der Grenze des Siegerlandes), der, am 22. November 1866 „erweckt", 1867 „zum Glauben gekommen" war. In einer Zeit körperlichen Leidens gelobte er dem Herrn, er wolle im Fall seiner Genesung etwas Besonderes für die Mission tun, und am 6. Februar 1878 erhielt er „die volle Gewißheit vom Herrn, daß auf alle dem, was er in Seinem Namen in Neukirchen anfangen werde, Sein Segen ruhen würde (5. Mose 28, 8). So gründete er 1878 das Waisenhaus, 1879 das Missionsblatt „Der Missions- und Heidenbote", und 1880 sprach er zuerst den Plan der Gründung einer Missionsanstalt aus, bereits 1882 wurde das Missionshaus eingeweiht. Georg Müller aus Bristol hielt die Einweihungs-

*) Vgl. Bilder aus dem Leben des Evang. Hengstenberg S. 49ff.

**) Die Arbeit des Brüdervereins lassen wir im allgemeinen außer Betracht. Er hatte 1875 19 Arbeitsgebiete (10 im Industriegebiet, 2 im Oberbergischen, 2 in Siegen, 1 in Nassau, 2 im Nahegebiet und 2 in Ostfriesland).

predigt. Das ist bezeichnend für dies Werk. Doll nämlich war bei seiner Gründung beeinflußt durch das Studium des Lebens Franckes und durch Vorträge eben G. Müllers, der, wie oben erwähnt, einer der Hauptführer der open brethren war. Dementsprechend steht die Neukirchener Anstalt rein auf dem Allianzboden und will nicht „einer Einzelkirche, sondern dem Herrn Jesu Christo und dem himmlischen und ewigen Reich Gottes im Glauben nach der Richtschnur des Wortes Gottes dienen". Sie nimmt daher Brüder aller kirchlichen Richtungen auf. Kollektiert wird nicht, sondern man „erwartet alles vom Herrn". Die Stellung der Brüder ist infolge dieser „nackten Glaubensabhängigkeit vom Herrn", auf die auch jedes einzelne Glied immer wieder gewiesen wird, der Leitung gegenüber etwas freier. Diese Stellung der Anstalt wurde nach Dolls Tode, 23. Mai 1883, beibehalten. Inspektor und erster Lehrer des Missionshauses war von Anfang an J. Stursberg, daneben später Schiefer. Nehmen wir noch hinzu, daß die drei älteren Lehrer als Studenten Schüler Becks gewesen sind, der ja einen realistischen Biblizismus vertrat, so haben wir in der Anstalt die Vertreterin eines zum Biblizismus abgeschwächten, darbystisch (im Sinne der open brethren) gefärbten Kalvinismus. Die Anstalt sollte zwar in erster Linie Missionare ausbilden, doch überwogen bald die „Evangelisten". Auch sie konnten je „nach ihrer Führung" in andere Verbände eintreten. Taten sie es nicht, so hatten sie „festes Gehalt und bestimmte regelmäßige Unterstützung" nicht zu erwarten, wohl aber fürbittende Gemeinschaft des Glaubens und der Liebe, auch nach Möglichkeit Rat und Weisung, auch das, was mit besonderer Bestimmung für sie eingeht und was ihnen nach Vermögen aus sonstigen Gaben mitgeteilt werden kann. Alljährlich wurde eine Evangelistenkonferenz abgehalten.

Natürlich war Arbeit und Stellung der Neukirchener Brüder sehr verschieden, je nachdem sie etwa in die Dienste der Evangelischen Gesellschaft oder der Reichsbrüder oder aber des Brüdervereins oder freier Gemeinden traten oder endlich als freie Reiseprediger wirkten. Viele scheiden als freikirchlich ganz aus unserer Betrachtung aus, die Arbeit anderer steht auf der Grenze.

Bezeichnend ist, daß, als hie und da die Neukirchener Brüder neben Boten der Evangelischen Gesellschaft arbeiteten, diese anfangs sehr dafür eingenommen waren. „Als aber dann übereifrige Anhänger sagten: Ihr tut euer Werk nicht im Glauben, ihr habt das rechte Licht nicht, da wurden die Arbeiter vorsichtiger und abwartend."

Bezeichnend ist es freilich zugleich für die ruhige, nüchterne

Arbeit der Gesellschaft und ihrer Boten. Seit 1858 war P. Rinck ihr Präses bis zu seinem Tode (18. Januar 1881). Er leitete sie durch die Aufregung der Oxforder Zeit hindurch, das Gute willig anerkennend, aber auch warnend vor den Gefahren.

Der Heiligungsbewegung gegenüber, „die Heiligung und Heilung aufs engste miteinander verknüpft und zum Teil in gesund biblischen Wegen geht, zum Teil aber auch in schwärmerisches Wesen ausartet", blieb man vorsichtig. Allianz im Sinne einer Arbeitsgemeinschaft mit den Sekten lehnte man energisch ab. Rinck, der mit Christlieb zusammen in der „Evangelischen Vereinigung" arbeitete, folgte P. Müller (bis 1883, dann Vizepräses), dann P. Ohly (bis 1888) und P. F. Coerper, der vorher (1885 bis 1888) das Inspektorat bekleidet hatte als Nachfolger von Erdmann (1870 bis 1884).

In den siebziger Jahren entstanden die ersten Vereinshäuser der Gesellschaft. In dieser Zeit begann man auch, um für die Besitzverhältnisse der Vereinshäuser usw. die juristische Persönlichkeit zu erlangen, eingeschriebene Mitglieder zu sammeln; 1879 hatte man 6000 und hielt 1880 die erste Generalversammlung, wo 13 Zweigvereine vertreten waren. Am 14. Juli 1882 erhielt die Gesellschaft den Charakter der juristischen Person. Im gleichen Jahre war auch das Defizit endlich überwunden.

In demselben Geiste arbeitete der Herborn-Dillenburger Verein im nassauischen Dillkreise weiter.

1881 wurde ein neues Statut beschlossen, auf das hin der „Verein zur Pflege des christlichen Gemeinschaftslebens und zur Erziehung armer Kinder zu Herborn" die juristische Persönlichkeit erhielt. Damals hatte der Verein ein Vereinshaus (zu Herborn), einen Vereinsboten, der in demselben wohnte. Der Vorstand bestand aus Bürgermeister Kreuter, Brandenburger, Hofmann, Jüngst, Thielmann, Neßberg, Kauferstein, Gräf, Stoll.

Die Statuten lauteten: § 2: Der Verein hat den Zweck, das christliche Leben nach zwei Seiten hin zu pflegen und zu fördern:

1. in Beziehung auf die christlichen Gemeinschaften und Versammlungen zur Erbauung aus Gottes Wort;
2. bezüglich der Erziehung armer, verwahrloster oder von der Verwahrlosung bedrohter Kinder.

§ 3. In ersterer Beziehung erstrebt der Verein den Zusammenschluß heilsbegieriger Seelen zur gemeinsamen Erbauung aus Gottes Wort und ist gewillt, diese Gemeinschaften so zu ordnen und zu pflegen, daß die Glieder derselben in gesunder Lehre befestigt, zu christlichem Leben angeleitet und vor separatistischen Beeinflussungen bewahrt bleiben.

§ 4. Die Tätigkeit des Vereins nach dieser Seite hin soll sich in den Schranken der kirchlichen Ordnung bewegen und sich möglichst an die Tätigkeit der kirchlichen Organe anschließen. In den Versammlungen darf kein auswärtiger Reiseprediger und Stundenhalter lehrend auftreten, der nicht mit der schriftlichen Erlaubnis des Vereinspräses versehen ist.

§ 8. Mitglieder des Vereins können diejenigen Mitglieder der evangelischen Kirche werden, welche feststehen auf dem Grunde der hl. Schrift und festhalten an den in den Bekenntnisschriften der evangelischen Kirche bezeugten Grundtatsachen und Grundwahrheiten des Evangeliums.

Im südlichen Nassau rief P. Ziemendorff in Wiesbaden in den achtziger Jahren eine Gemeinschaft ins Leben.

In Frankfurt-Nordost begann der Rentner Ch. de Neufville 1885 seine Arbeit, der 13 Jahre in Nordamerika zugebracht hatte und es als „das Land des lebendigen Christentums" pries. Bibel- und Gebetsstunden, Jugendvereine usw. wurden eingerichtet.

6. Der südwestdeutsche Altpietismus bis 1888.

(Der badische Verein für Innere Mission — Die Chrischonastation in Konstanz — Die Wißwässer-Bewegung und die Vereine für Innere Mission in der Pfalz und Rheinhessen-Starkenburg.)

Noch weniger griff die Oxfordbewegung in die Entwicklung der südwestdeutschen Gemeinschaftskreise ein, wenigstens hat die schwere Erschütterung, die der Verein für Innere Mission A. B. in Baden in den siebziger Jahren erlitt, augenscheinlich keinen Zusammenhang mit ihr gehabt. Feindschaft gegen die Kirche war hier vielmehr das Motiv der Trennung, merkwürdigerweise in einer Zeit, wo im Verein selbst kein Pfarrer im Vorstande saß. Bei einer Statutenänderung 1871 waren nämlich fünf Geistliche aus dem Vorstande ausgetreten, weil sie glaubten, daß den Gemeinschaften ein zu großes Recht bei der Vereinsleitung eingeräumt sei. 1873 war Direktor Stern gestorben und Müllermeister Dörrfuß sein Nachfolger geworden († 1883). Während seiner Amtszeit ist kein Geistlicher im Vorstande gewesen. Die Festschrift zum fünzigjährigen Jubiläum nennt diese Zeit die Periode der „Behauptung der Freiheit und Selbständigkeit unter bewußter Ablehnung kirchlicher Bevormundung und Einwirkung." Die Einnahmen und Ausgaben des Vereins wuchsen von 31 000 Mk. auf 34 500 Mk., die Zahl der angeschlossenen Gemeinschaften stieg von 150 auf ca. 250, die der Reiseprediger von 12 auf 22. Das Organ des Vereins, seit 1869 der „Reichs-Gottes-Bote", nachdem von 1850—1869 der „Bote des Vereins für Innere Mission" als Beiblatt zum „Reich Gottes" erschienen war, zählte 1874 8000, 1883 18 000 Abonnenten. Am 14. April 1880 konstituierte sich der Verein als Aktiengesellschaft, wodurch er Korporationsrechte erhielt, der Vorstand wurde zum Verwaltungsrat.

Nach Dörrfuß' Heimgang trat wieder ein Pfarrer (Dekan Zimmermann) an die Spitze. Es war das ein Akt freiwilliger Annäherung an die offizielle Kirche. 1885 erwarb der Verein ein eigenes Vereinshaus in Karlsruhe. Daß freilich auch während der pfarrerlosen Zeit der Verein keineswegs kirchenfeindlich arbeitete, zeigt der Bericht über seine Wirksamkeit auf der Pfarrsynode Lahr 1883, es sei durch diese Arbeit „eine sittliche Veredlung und Verfeinerung" hervorgewachsen, die das evangelische Volksleben in ganzen Gegenden gehoben habe. „Der Geist ganzer Gemeinden ist durch den Einfluß des Pietismus umgebildet worden." In Gemeinden, wo vor anderthalb Menschenaltern bei äußerer Kirchlichkeit die größte Zügellosigkeit die Herrschaft gehabt, werde jetzt keine lärmende Hochzeit mehr gefeiert und würde keine Frau es wagen, ein Wirtshaus zu betreten. Offenbar haben hier die vom Verein angestellten und beaufsichtigten Chrischonabrüder durchaus kirchenfreundlich gearbeitet. Übrigens gab es seit 1881 auch eine selbständige Chrischonastation in Baden, nämlich Konstanz, seit 1891 im eigenen Hause.

In Konstanz, wo augenscheinlich überhaupt schweizerische Einflüsse wirksam waren, war nun seinerzeit Adam Wißwässer, damals Feldwebel, zur Bekehrung gekommen. Seit 1859 in Mannheim, hatte er auch dort Versammlungen abgehalten und war 1865 vom Verein für Innere Mission angestellt, nachdem er aus dem Militär ausgeschieden war. Der Mannheimer kirchliche Liberalismus bestärkte ihn jedoch in seiner antilandeskirchlichen Entwicklung, bis er „gewissenshalber" nicht mehr zum kirchlichen Abendmahl ging und mit seinen Anhängern gesonderte Abendmahlsfeiern einrichtete.

Am 13. Juni 1877 wurde er daher vom Verein ausgeschlossen und gründete nun am 1. Juli einen „Evangelischen inneren Missionsverein apostolischen und augsburgischen Bekenntnisses" *), der, namentlich durch Wißwässers aus Amerika zurückgekehrten Sohn Leberecht immer schärfer antikirchliche Tendenz erhielt. Die Landeskirche war das „Babel"; die eigenen Prediger tauften sogar, beerdigten und teilten das Abendmahl aus, jedoch meist ohne förmlichen Austritt aus der Landeskirche.

Ein eigenes Organ wurde 1879 geschaffen: „Der kleine Bote

*) Der Verein hat sich „zur ausschließlichen Pflicht und Aufgabe gesetzt, das lautere biblische Evangelium von Jesu Christo in Wort und Schrift zu verbreiten" (Lamb, Die Wißwässer-Sekte S. 66.)

im Reiche Gottes". Auch eigene Kinderschwestern wurden herangebildet. Die Anschauung von der im Blute des Menschen wohnenden Sünde (s. Lamb a. a. O. S. 71) weist wohl auf Hahnsche Einflüsse (s. u.), in der Heiligungslehre sind auch Anschauungen der Heiligungsbewegung eingedrungen (a. a. O. S. 76). Die Heiligungskräfte des Herrn sind zugleich Heilungskräfte, daher wird der Gebrauch des Arztes verworfen.

Die Wißwässersche Bewegung blieb nicht auf Baden beschränkt. Besondere Wirren rief sie in der Pfalz hervor, wo Wißwässer in dem dortigen Verein für Innere Mission, der Hey als ersten Evangelisten angestellt hatte, gegen den selbständigen Verein und für den Anschluß an den badischen, dem er ja damals noch angehörte, agitierte. Man beschloß am 19. Dezember 1873 sich als selbständigen Zweigverein zu konstituieren*). Am 18. Februar 1874 wurde die offizielle Angliederung dieses Zweiges auf der badischen Generalkonferenz beschlossen. Der badische Verein sandte 1875 den „Reiseagenten" Adam Ewald, dessen Gehalt jedoch noch länger von Baden getragen wurde. Er ließ sich am 7. März 1875 in Essingen nieder, zog aber im September 1876 nach Steinweiler. Erst 1878**) wurde man ganz selbständig, nachdem nun auch die unruhigen Elemente durch das Ausscheiden der Wißwässerianer ausgetreten waren. An P. Scherrers Stelle trat P. Stempel. Ewald zog 1885 nach Ludwigshafen, wo ihm Mai (von Chrischona) als Gehilfe gegeben wurde, 1886 nach Neustadt. 1887 erhielt der pfälzische Verein Korporationsrechte als „anerkannter Verein". Damals arbeitete man an mehr als 50 Orten. 1888 gab es schon 62 Gemeinschaften. Die pfälzischen Wißwässerianer traten zum Teil aus der Kirche aus.

Dagegen blieb das Verhältnis der Wißwässerianer in Rheinhessen und Starkenburg durchweg freundlich zur Kirche, besonders infolge der versöhnlichen Stellung des sie bedienenden Reisebruders Oskar Schmidt. Auch der badische Verein für Innere Mission arbeitete hier. 1881 wurde Reiseprediger Greiner nach Worms gesandt. Am 22. November 1886 wurde dann dort ein selbständiger „Evangelischer Verein für Innere Mission im Großherzogtum Hessen" gegründet, in der Absicht, „den Grundsatz des allgemeinen Priestertums zu verwirklichen und die

*) Das scheint ein Kompromißbeschluß gewesen zu sein. Ganz klar ist die Entwicklung nicht, auch nicht bei dem sonst gut orientierenden Heft von Lamb.

**) An anderer Stelle wurde behauptet, 1876 sei ein „neuer Verein" gegründet.

in der neuen Kirchenverfassung gegebenen Formen . . . mit dem Inhalt eigentümlichen praktischen Christenlebens zu erfüllen, gleichzeitig aber eine in der Gegenwart immer fühlbarer hervortretende Lücke auszufüllen . . ., das ist die Pflege des christlichen Gemeinschaftslebens nach dem Vorbilde der apostolischen Kirche und die Befriedigung eines an sich auch in gutem Sinne natürlichen menschlichen Triebes, des Geselligkeitstriebes, . . . welchen auch die Welt nach ihrer Art in allerlei das Familienleben zersetzenden und das ganze sittliche und soziale Leben schädigenden freien Vereinigungen, wie sogenannten geschlossenen Gesellschaften, im Wirtshaus, Kasino und Loge zu befriedigen beflissen ist, an welchen aber die ernsten Christen unserer Tage gewissenshalber schon längst nicht mehr Anteil nehmen."

Nach § 1 „treten einzelne Glieder unserer evangelischen Landeskirche in einen engeren Verein zusammen", um Seelen aus dem „jetzt herrschenden geistlichen und leiblichen Verderben" zu erretten. Die heilige Schrift Alten und Neuen Testaments, sowie die Bekenntnisschriften unserer evangelischen Kirche bilden die Grundlage (§ 3). Die Wirksamkeit geschieht: a) in Abhaltung von Bibelstunden, Vorträgen, Konferenzen, Gebets- und Monatsversammlungen, b) durch Gründung und Pflege von Stadtmissionen, Sonntagsschulen, Jünglings- und Jungfrauenvereinen, Kleinkinderschulen usw., c) durch Besuche von Kranken usw., d) durch Verbreitung der Bibel usw. (§ 5). Hierzu werden geeignete Brüder angestellt (§ 6). Der Verein wird geleitet durch einen Verwaltungsrat von 24, mit einem geschäftsführenden Vorstand von sieben Gliedern (§ 7). Jedes Jahr findet ein Vereinsjahresfest um Johannistag und zwei Generalversammlungen (um Ostern und Michaelis) statt. Im übrigen erwartet er von jedem Gliede (§ 4): a) „Persönliches Bekennen des Namens unseres Herrn Jesu Christi als unseres Herrn und Gottes. b) Persönliche Übergabe an den Herrn in wahrhaftiger Buße und Glauben an den Herrn Jesum und einen lauteren und ernsten Christenwandel in der Furcht Gottes. c) Persönliche Vertiefung in die ganze und volle Wahrheit der heiligen Schrift als des heiligen Wortes Gottes. d) Persönliches Aufsuchen und Lindern der Notstände jeder Art nach Maßgabe der persönlichen Kraft und der sich darbietenden Gelegenheit. e) Persönliche Wachsamkeit und Treue mit geduldigem Warten und freudigem Eilen zur Zukunft dessen, der gesprochen: ‚Siehe, ich komme bald.'"

Der Verein forderte von jedem seiner Glieder, daß es „ein treues Glied unserer teuren Evangelischen Kirche sei und die in derselben dargebotenen Gnadenmittel treulich gebrauche, die öffentlichen Gottesdienste fleißig besuche, das Amt in derselben ehre und jede separatistische Ausschreitung meide", und betonte, daß der Verein sich innerhalb des Rahmens der Landeskirche nicht in irgendwelchem Gegensatz zum Amt bewege, sondern um demselben in jeder möglichen Weise bescheiden Handreichung zu tun.

7. Der schwäbische Pietismus und Rektor Dietrich.

(Die Hahnianer — Die Smithschen Anregungen und die beiden Dietrich — Die Organisation der Altpietisten — Dietrichs „Kirchliche Fragen".)

In Württemberg hielten sich die Hahnschen Gemeinschaften von der Oxford-Bewegung frei. Sie bildeten ja seit 1873 eine fest geschlossene Organisation. Es waren 26 Bezirke geschaffen unter dem sich jährlich einmal auf einer Hauptkonferenz versammelnden „weiteren" und dem „engeren Ausschuß", der aus sechs Mitgliedern bestand. Vorsitzender war Lehrer a. D. Griesinger. An der Spitze der einzelnen Gemeinschaften standen durchweg Laienstundenhalter. An Zusammenhalt und Anregung fehlte es nicht, namentlich durch besuchende Brüder, die es um so mehr gab, als der ehelose Stand von jeher bei den Hahnianern bevorzugt wurde. Auch herrschte unter ihren durchweg dem Bauernstande angehörigen Gliedern vielfach Wohlhabenheit. Die Bevorzugung der Ehelosigkeit hängt mit der ganzen Hahnschen Lehre zusammen. Hahn wollte seine Lehre außer aus der Schrift, „der ganzen Schrift", wie er im Anschluß an Oetinger und Bengel betonte, aus unmittelbarer Erleuchtung, aus der Zentralschau (Intuition) haben. Er leugnet, Böhme damals gekannt zu haben, aber die Einwirkung von Böhme, Arnold, Ötinger, Ph. Ma. Hahn ist unverkennbar. In der Zentralschau, die er nach dreijährigem Bußkampfe erlebte, erblickte er in der schwarzen Wolke ein elektrisches Feuerlicht, in demselben eine Geburtsquelle, ein vierfaches Rad, als wenn es aus vier Lebewesen bestände. In diesem Rade erblickte er das Original der Menschheit und also die Herrlichkeit des Herrn und noch tiefer die Kräfte der Aktion und der Reaktion.

Der Grundgedanke seines Systems war: Wiedervereinigung aller aus Gott geflossenen, durch die Sünde in Disharmonie gekommenen Potenzen durch Christus mit Gott. Lucifers Fall bestand darin, daß er sein eigenes Sein wollte. Der Fall war eigentlich naturnotwendig. In der sichtbaren Schöpfung war darum neben dem himmlischen und irdischen auch schon ein höllisches Element, so auch im Menschen, denn „lasset uns Menschen machen . . ." war buchstäblich an alle Kreaturen gerichtet, die alle etwas hergeben mußten. Der Mensch war trotz des höllischen Einschlags von hohem Adel. Die beiden Geschlechter waren ungeschieden in ihm vereinigt, er hatte überhaupt eine höhere und reinere Leiblichkeit, etwa wie die Seligen. Er mußte nun, wenn er bewährt werden sollte, durch die Versuchung hindurchgehen. Dann hätte er sich von einem bloßen Geschöpf Gottes zum freien Kind Gottes fortentwickelt. Die himmlische Weisheit hätte sich solcher Weise unauflöslich und für immer mit dem Menschen vereinigt oder vermählt, auch seine irdische Natur, seine Leiblichkeit, wäre in die Gemeinschaft der göttlichen Natur aufgenommen worden. Er hätte nicht mehr sündigen und nicht mehr sterben können. Der Anknüpfungspunkt für die Verführung war seine sinnliche Natur, das was er von der höllischen Welt in sich trug. (So lange sein Wille sich damit nicht vereinigt hatte, war es nicht böse zu nennen.) Durch die Betrachtung der Tierwelt nun (1. Mose 2, 19) ward sein Blick nach unten gelenkt, und er suchte nach einer Gehilfin. So entsteht der tiefe Schlaf, gleichsam ein Ohnmächtigwerden der Seele infolge Überwiegens der Sinnlichkeit. Da weicht die himmlische Sophia von ihm, und das Weib wird geschaffen, indem Gott die weibliche Tinktur von Adam nimmt (Tinktur = unsichtbares, geistleibliches Fluidum, das den eigentlichen Lebensgeist in jedem Wesen ausmacht).

Durch Eva kommt dann der zweite Fall, mit dem die Sünde vollendet war. Das Essen des Apfels infiziert sie mit Todes- und Sündengift. Hierdurch wird die ganze Natur des Menschen roher, massiver, plumper, tierähnlich. Die Erneuerung und Wiederherstellung geschieht durch Christus, der da ist die Zentralkraft in des Lichtvaters Schoß, der Urmensch. Er hat für die Männer jungfräuliche, für die Weiber männliche Tinkturen, selbst für die Tiere Unsterblichkeitswesen. Er hat schon im Himmel himmlische Menschheit an sich. Christus mußte Mensch werden, weil nur der Mensch als Extrakt aller erlösend wirken kann. Christi irdischer Leib war der Extrakt aller guten Dinge. Christus ist aller Wesen Herzwesen. Bei seinem Opfer kam es vor allem auf die Opferung des Blutes an, in dem alle sündigen Begierden stecken. Mit seinem Blute nämlich schwitzte der Herr die durch den Fall eingedrungenen Begierden wieder aus und verklärte das Fleisch zur Geistleiblichkeit. So viele Begierden und Tiereseigenschaften in Adam begehrend nach dem Irdischen ausgefahren sind, so viele Schweißtropfen mußten sich an Christo öffnen, damit das falsche, in den Menschen eingedrungene Wesen ausgeschwitzt werde zur Versöhnung. Dieses Blut, das Göttliches und Menschliches als eine Kraft in sich enthält, trug Christus hinauf in den Thronquell, von wo aus es nun wirkt, und zwar gleichsam chemisch. Denn „die Kinder Gottes wollen nicht von außen gerecht sein, sondern gerecht geboren von innen". Geburtsmäßig muß das Heil uns zuteil werden, Christus im Menschen Gestalt gewinnen. Dies geschieht, indem Gott das Ewigkeitsgefühl, die Lust und den Willen zur Wahrheit im Menschen weckt, wenn durch das Wort, innere Erleuchtung und Sakramente die Tinkturkraft des Blutes Christi auf den Menschen wirkt, bis der Mensch mit seinem Willen aus sich selbst und der Kreatur ausgeht und in Jesum gläubig eindringt. Dann strömt der Geist Christi ein als neue Lebenssonne. Der neue geistleibliche Mensch ist geboren. Jetzt gilt es, daß dieser wächst und das Böse durch bußfertigen Sinn ausgeschieden wird. Indem der Mensch in Kraft der ihm mitgeteilten Tinktur dieser immer mehr Platz macht, wächst sich in ihm das Bild Jesu aus. Mittel zu solcher „Heiligung" sind die Stunden (wie überhaupt der Verkehr mit besonders Geistbegabten, von denen Tinkturkraft überfließt, stark betont wird), Wort Gottes, Sakramente, innere Erleuchtung, wie auch die Leiden, die als Gnadengerichte anzusehen sind. Bei diesem „Platzmachen" aber wird außerordentlich die Arbeit an sich selbst betont, das Wachen über sich und die beständige Buße. Dadurch bekommt die ganze Lebenshaltung etwas Düsteres und Strenges.

Das Ende aller Dinge ist die Wiederbringung. Überhaupt ist die Eschatologie stark ausgebildet.

Bei solchen Anschauungen mußte ihnen die methodistisch beeinflußte Art der neueren Bewegung von vornherein fremd, wenn nicht sittlich leichtfertig vorkommen.

Im übrigen waren sonst unter den Pietisten Württembergs in den Tagen Smiths die Wogen gar hoch gegangen, wie hoch, zeigt die Tatsache, daß die Evangelische Gesellschaft in Stuttgart das von Professor Kübel vorgeschlagene Vortragsthema „die christliche Nüchternheit" ablehnte, weil manche sich dadurch verletzt fühlen könnten. In Stuttgart bildete sich durch die Oxforder Anregungen eine neue Gemeinschaft, die jedoch bald in ungesunde Bahnen, ja, in Auflösung zu geraten drohte. Da trat an ihre Spitze ein Mann, dessen energischer Arbeit es gelang, sie zu gesunder, kräftiger Entwicklung zu bringen. Das war Chr. Dietrich, der als Lehrer in Hornberg der Gründer des Gemeinschaftslebens im württembergischen Franken geworden war und jetzt als Emeritus in Stuttgart lebte. Neben ihn trat sein Neffe, geboren 1844, aufgewachsen im Hause seines Onkels und jetzt Institutslehrer in Stuttgart, später (seit 1896) Rektor des Töchterinstituts.

Dieser „Rektor Dietrich", eine der verehrungswürdigsten Gestalten der deutschen Gemeinschaftsbewegung, dessen Milde und Besonnenheit die Entwicklung derseben oft genug segensvoll beeinflußt hat, hat nach zwei Seiten Bedeutung gehabt. Für die württembergischen Altpietisten ist er der Vermittler der neuen Anregungen geworden, der durch seine eigene Bodenständigkeit es vermochte, das Neue in die alte Eigenart wirklich hineinzuleiten, und auf der anderen Seite war er in der neuen Bewegung bei aller Aufgeschlossenheit für das Neue und aller energischen Mitarbeit doch der Vertreter des geschichtlich gebildeten, kirchenfreundlichen und stillen Geistes des schwäbischen Altpietismus.

In ersterer Beziehung hat er vor allem an der festeren Organisation der württembergischen Gemeinschaften gearbeitet. Er und sein Onkel standen Pfarrer Claus nahe, der, als der Einfluß des Stuttgarter „Ausschusses" fast ganz geschwunden war, seinerseits sich um die Organisation der Gemeinschaften bemühte. Sein Einfluß erstreckte sich vor allem auf die „Albbrüder", d. h. den Kullenschen Kreis mit seinen damaligen Führern Lehrer Kullen in Hülben, Schultheiß Klaß in Neckartenzlingen und Karl Buck von Beuren. Im Juni 1877 fanden Vorbesprechungen in Metzingen und Würtingen statt, an denen auch die beiden Dietrich sich beteiligten. Ein Zirkular an die Brüder im Lande wurde erlassen. Am 15. September fand eine

Zusammenkunft mit dem bisherigen Stuttgarter „Ausschuß“ statt. Claus machte geltend, daß der Ausschuß Elemente enthalte, die nicht ganz in der Gemeinschaft drin stehen, „und solche, wenn sie auch Brüder sind, können doch nicht wohl an der Leitung sich beteiligen“. Kullen wünschte bei den Stuttgarter Konferenzen mehr Laienart. Andererseits brachte Josenhans zwei Bedenken vor: „1. der Geist und die Art der Oxford-Bewegung, falls darnach die Gemeinschaften gepflegt werden sollten; 2. die freikirchlichen Neigungen sollten ferngehalten werden, denn wir stehen auf dem Boden des alten württembergischen Pietismus und lehnen uns an Bengel, Steinhofer, Rieger, Hartmann. Dieses Erbe wollen wir zu erhalten suchen.“ Claus antwortete: „Allerdings sind mehrere unter uns, die eine Anregung empfangen haben durch die Oxford-Bewegung, aber es ist uns nicht darum zu tun, diese Dinge zu fördern, und in der Gemeinschaftssache müssen wir uns davon fern halten.“ So beschloß man zusammenzuwirken. Bei der Herbstkonferenz, an der die Albbrüder teilnahmen, wurde ins Auge gefaßt, Bezirke zu machen (Alb, Neckartal, Remstal, Schwarzwald usw.) mit regelmäßigen Monatsstunden und einen Gemeinschaftsausschuß zu schaffen aus den Brüdern, die teils in Stuttgart, teils auf der Alb sich zu diesem Zweck verbunden haben. Aber eine wirkliche innere Einheit der „Albbrüder“ mit den „Stuttgarter Herren“ kam nicht zustande. So bildete sich am 26. Oktober 1881 aus den eigentlich leitenden Brüdern unter dem Namen „Engere Konferenz“ ein neuer Ausschuß, der zunächst ohne förmliche Organisation den Verband leitete. Claus wurde Vorsitzender. Dieser Ausschuß brachte dann 1889 eine eigentliche Gemeinschaftsordnung zustande, deren ausdrückliche Annahme für jede Gemeinschaft zur Bedingung ihrer Angliederung gemacht wurde. Die Kullenschen, Herrnhuter und die speziell sogenannten Altpietisten Bengelscher Richtung nahmen sie an, auch die seinerzeit durch Dietrich sen. im Hohenloheschen entstandenen Gemeinschaften. 1890 waren bereits 200 dem Verbande der „altpietistischen Gemeinschaften“ angeschlossen. Die Gemeinschaftsbezirke mit monatlichen Bezirksversammlungen wurden festgelegt. An die Spitze jedes Bezirks traten ein bis drei Bezirksbrüder. Alle Bezirksbrüder zusammen bildeten den weiteren Brüderkreis, zwei Pfarrer, zwei Lehrer, zwei Kaufleute und drei Bauern den engeren Brüderkreis, die „engere Konferenz“. An Claus' Stelle, der schon 1890 heimging, trat als Vorsitzender Dietrich sen., dem dann 1898 Rektor Dietrich folgte. Zwei Hauptbrüderkonferenzen in Reutlingen und Korntal vereinigten den weiteren Brüderkreis. Als Aufgabe der Brüderkreise galt: für die Bedürfnisse der Gemeinschaften nach innen und außen zu sorgen; das, was sterben will, zu stärken; wo Türen sich auftun, neue Gemeinschaften zu gründen; wo Spaltungen oder sonstige Übelstände sich zeigen, Ordnung zu schaffen und nach Umständen Zucht zu üben; wo äußere Notstände eintreten, zu unterstützen. Daneben blieb der alte Ausschuß, die „Zusammenkunft in Gemeinschaftssachen" in Stuttgart bestehen, veranstaltete nach wie vor die Herbstbrüderkonferenz und gab das Blatt heraus. Von 1880—1892 besorgte Pfarrer Schlaich in Degerloch die Redaktion, dann Pfarrer Werner in Unterweißach, der Sohn des Begründers. Die „Erbaulichen Mitteilungen" zerfielen in fünf Teile: I. Fingerzeige zur Schriftbetrachtung im Brüderkreis, II. „Von unsern alten Brüdern" (geschichtliche Mitteilungen), III. Gottes Wege zum Menschenherzen, IV. und V. Mitteilungen aus der Gemeinschaftsarbeit und kurze Nachrichten und Anzeigen aus Missions- und Gemeinschaftskreisen.

Hatte an dieser ruhigen Weiterentwicklung der altpietistischen Gemeinschaften Rektor Dietrich großen Anteil, so hat er die Entstehung einer organisierten deutschen Gemeinschaftsbewegung mit veranlaßt durch seine im Jahre 1887 veröffentlichten „Kirchlichen Fragen der Gegenwart". Es war die Zeit des zu Ende gehenden Kulturkampfes, und die Sorge vor der wachsenden Macht der römischen Kirche spricht aus dem ganzen Buche. Auf der anderen Seite zerreißt ihm die Not der Christenheit das Herz. Vor allem fürchtet er die Wirkung der liberalen Theologie. Dabei steht er ganz auf altpietistischem Boden. Er kennt nicht den Trost Luthers, daß wir glauben dürfen, daß da, wo Gottes Wort lauter und rein gelehrt wird, auch Kirche sei*). Denn die Kirche ist ihm nicht die durch Wort und Sakrament erzeugte Gemeinde der Gläubigen, die eben durch die Verwaltung von Wort und Sakrament stets zugleich Mutter neuer Scharen Gläubiger wird. Sie ist ihm vielmehr rein atomistisch „die Gemeinschaft der lebendig Gläubigen aller Zeiten" in dem Sinne, daß Kirche nur da ist, wo konstatiert werden kann, daß in einer Kirche man „das Zeugnis der heiligen Schrift über ihn und sein Werk und das Zeugnis seines Lebens in seinen Gläubigen voll annimmt als das Zeugnis des Vaters von seinem Sohne" und „ihn auch als die alleinige Quelle aller wahrhaften Erlösung, Freiheit, Kraft, Weisheit und Heiligung lehrt und ergreift". Auf die Reinerhaltung der Lehre wird daher nur insofern Gewicht gelegt, als es nötig ist, daß die „persönliche Verbindung mit Jesu Christo" im Mittelpunkte stehe, und da das in sämtlichen reformatorischen Kirchen der Fall ist, einschließlich der evangelischen Sekten, so redet er auf der einen Seite

---

*) Diesen Gedanken lehnt er vielmehr ausdrücklich ab (a. a. O. S. 56 f.).

von der „evangelischen Kirche Deutschlands“, wo „lutherisch“, „reformiert“ und „uniert“ für ihn nicht in Betracht kommt und stellt andererseits gegenüber Kirchen und Sekten die Regel auf: „Hast du den Heiland gefunden, bist du bekehrt . . ., so hast du ihn wohl durch den Dienst irgendwelcher Kirche oder ihrer Glieder oder doch innerhalb einer Kirche gefunden, und dann bleibe in dieser Kirche.“ Er selbst bekennt sich nach eben diesem Grundsatz als gut landeskirchlich, und in der Tat durchzieht eine warme Liebe zur Landeskirche das ganze Buch.

Aber, wie es bei dieser pietistischen Anschauung nicht anders möglich ist: Sein Herz gehört weniger dem ganzen Organismus der Bekenntniskirche als der „kleinen Herde“ in der „großen Weltkirche“, der „Gemeinschaft der Geheiligten“, dem „kleinen Häuflein“. Wo solche „Lebens- und Liebesgemeinschaft der Geheiligten“ fehlt „da fehlt der Sauerteig, das Salz, das Licht. Da walten blinde Leiter der Blinden des heiligen Amts und fallen beide miteinander in die Grube“ (a. a. O. S. 11).

So fordert er denn vor allem die Predigt der Bekehrung als eines einmaligen schroffen Bruches mit der Vergangenheit und vermißt sie auch bei den Arbeiten der Inneren Mission. Dazu ist dann nötig die Forderung der Heilsgewißheit, und zwar in der pietistischen Form, daß dazu gehöre „nicht bloß mein Glaube an das, was für mich geschehen, sondern auch das Zeugnis des heiligen Geistes in mir, daß ich ein Kind Gottes sei“. Ebenso gehört dazu die Heiligung. Hier zeigt sich die Einwirkung Smithscher Gedanken, wenn er redet von der „Ergreifung des neuen Auferstehungslebens in Christo durch den Glauben“. Aber die pietistische Betonung des sich immer noch wieder regenden Fleisches fehlt bei ihm nicht. Die Heiligung erweist sich — ebenfalls echt pietistisch — vor allem in der Absonderung, und zwar nicht nur von der Sünde, sondern „auch von der fortsündigenden, von Gott abgekehrten Welt“. Er beklagt, daß diese Forderung, die von der katholischen Kirche wenigstens als eine höhere Stufe christlichen Lebens empfohlen werde, in der evangelischen im allgemeinen fehle*).

---

*) „Nicht will ich dem gänzlich unevangelischen Klosterleben mit seinem Zwange das Wort reden, nicht einer Weltflucht, da man sich für zu heilig hält, um mit den Kindern dieser Welt irgendwelche Berührung zu haben. Aber wer sich bekehrt, soll nicht sitzen, da die Spötter sitzen (Ps. 1, 1), z. B. nicht in der landläufigen Wirtshausgesellschaft, — soll nicht am fremden Joch ziehen mit den Ungläubigen, denn welchen Teil hat der Gläubige mit dem Ungläubigen? (2. Kor. 6, 14 f.), — soll also auch nicht einen ungläubigen

Die Kehrseite ist dann natürlich die „Gemeinschaft der Kinder Gottes“ im Sinne eines persönlichen Verkehrs in den Privaterbauungsstunden*). Darum ist es „eine der wichtigsten Aufgaben der Kirche“, eine solche Gemeinschaft herzustellen.

Des weiteren zeigen Dietrichs Pietismus vor allem die Ausführungen über „der Kirche Armut an Gaben und Kräften des heiligen Geistes“, namentlich, was er über Krankenheilung durch Gebet, Handauflegung und Heilung sagt (a. a. S. S. 95 ff.); die spezielle schwäbische Färbung spiegelt sich in seiner Vorliebe für die Eschatologie. Die englisch-amerikanische Bewegung hat vor allem seine Ansicht von der Notwendigkeit der Evangelisation beeinflußt, wobei freilich auch das Vorbild der katholischen innerkirchlichen Missionen gerade bei ihm stark mitgewirkt hat (a. a. O. S. 58 ff.).

Dabei fehlt ihm aber nicht der gesunde, nüchterne Blick, der ihn in praxi allen bedrohlichen Unnüchternheiten die Spitze abbrechen ließ. So verhindert er den Donatismus, der eigentlich die notwendige Folge der pietistischen Anschauung von der „Gemeinschaft der Bekehrten“ ist, dadurch, daß er in glücklicher Inkonsequenz in solche Gemeinschaft eintreten lassen will, wer da will**). Ja, er tritt ausdrücklich dem Wahn entgegen, „als seien nur die wahre Christen, die sich einer Privatgemeinschaft anschließen, oder als sei die organisierte ‚Gemeinschaft‘ die einzige Form christ-

---

Ehegatten wählen oder sich freiwillig mit einem ungläubigen Berufsgenossen assoziieren, — soll nicht die Feste und Vergnügungen der Welt mitmachen, wo man der Augenlust, Fleischeslust und Hoffart dient, — soll nicht den Modegötzen huldigen in Kleidung und Wohnung, — soll nicht der Welt Freundschaft suchen oder derselben pflegen, denn der Welt Freundschaft ist Gottes Feindschaft, und wer der Welt Freund sein will, der wird Gottes Feind sein.“ „Solche Absonderung gehört zu einer wahren Bekehrung. Wird sie sich auch anders gestalten bei hochgestellten, einem größeren Lebenskreise verpflichteten Personen als bei geringen, einfachen Leuten: erlassen kann sie keinem werden“ (a. a. O. S. 38 ff.).

*) „Auch die äußerliche Gemeinschaft desjenigen Teils der Kirchengemeinde, welcher die Gottesdienste besucht, die kirchlichen Ordnungen respektiert und beobachtet, entspricht nicht dem Bedürfnis der bekehrten oder in der Bekehrung stehenden Seelen. Für dieses Bedürfnis gibt es keine andere Befriedigung als die engere Gemeinschaft der Erweckten innerhalb der Kirchengemeinde“ (S. 42).

**) „Unredliche Persönlichkeiten werden es nicht lange aushalten, wenn anders der Geist Jesu in solchem Kreise lebendig ist, schüchterne und geringe sollen nicht abgestoßen, Sünder nicht verachtet, Schwache getragen werden. Nur wer sich nicht der Zucht nach dem Worte Gottes unterstellen will, dem bedeute man, daß er wegbleibe“ (S. 43).

brüderlicher Verbindung. Es möchte ja wohl geschehen, daß am jüngsten Gericht manche Gemeinschaftsglieder durch sogenannte ‚Weltleute‘ oder durch ‚Kirchenchristen‘ beschämt und verurteilt werden.“ Ernstlich warnt er vor separierter Abendmahlsfeier. Auch seine praktischen Ausführungen über die Evangelisation atmen diese Nüchternheit. Die „Weise der Heilsarmee, den Melodien bekannter Gassenhauer geistliche Texte zu unterlegen“ findet er „der heiligen Sache unwürdig“. Er mahnt, „alles Lärmende, Aufregende“, alles Dringen auf sofortiges öffentliches Bekenntnis oder Zeugnis, „alles Herauszerren des Heiligtums auf den Markt der Welt“ zu unterlassen. „Man übertrage auch nicht die Art der englischen und amerikanischen Revivals kurzweg ins Deutsche. Eine Mission in Deutschland muß deutsch sein. Daher ziemt für sie deutsche Weise: deutsche Gründlichkeit und Wahrhaftigkeit, deutsche Besonnenheit und Nüchternheit, deutsche Bescheidenheit und Sittsamkeit (daher keine weiblichen Prediger), deutsche Pietät und Kirchlichkeit, aber auch deutscher Mut und deutsche Beharrlichkeit.“ So verkennt er auch nicht die Gefahren der Laienpredigt. „Es ist meist traurig, wenn Laien, die dazu nicht einmal die nötigste formale Bildung besitzen, sich auf den hohen Lehrstuhl setzen und ihre Fündlein preisgeben. Darum sind Leiter christlicher Privatversammlungen zu ermahnen, sich vor eigenen Auslegungen der Schrift zu hüten, sich vielmehr an die gegebenen Auslegungen bewährter Männer der Kirche zu halten und ihre Aufgabe darin zu suchen, aus dem reichen Vorrat an Schrifterkenntnis, wie er in unserer evangelischen Kirche vorhanden ist, sich und andere zu erbauen.“ Überhaupt hat er geschichtlichen Blick und eben deshalb Verständnis für die Landeskirche*). Freilich kommt dadurch in seine Ausführungen eine gewisse Inkonsequenz. Die Einheit wird bei ihm hergestellt durch seine fromme, gottinnige Persönlichkeit. Aber für eine große Bewegung hat solche Stellung immer ihre Gefahren. Mochte sie in Schwaben, wo, wie es scheint, eine glückliche Veranlagung einen gewissen Dualismus zwischen Kopf und Herz verhältnismäßig leicht erträglich macht, möglich sein, für die Bewegung in Norddeutschland war sie unmöglich. Hier wurden über kurz oder lang die enthusiastischen Konsequenzen der Grundanschauung gezogen, sobald nicht Männer wie Dietrich die überragenden Führer waren. Dann aber mußte sich der tragische

*) „Was an religiösen Bestrebungen in Deutschland von weitgreifenden Folgen und von dauerndem Bestand sein soll, muß auf dem Boden der Kirche bleiben; das wird durch die Geschichte des deutschen Sektentums hinlänglich bewiesen (S. 70).“

Konflikt ergeben, daß sie im Namen der Nüchternheit ankämpfen mußten gegen Anschauungen, die doch aus demselben Nährboden enthusiastischer und donatistischer Gedanken aufsprossen, in dem ihre eigene Grundanschauung wurzelte.

Viertes Kapitel.

Die Anfänge einer Evangelisationsbewegung.

1. Der erste deutsche Evangelist.

Die von Dietrich als ein Heilmittel der kirchlichen Schäden geforderte Evangelisation und zwar Evangelisation der Volksmassen nach englisch-amerikanischem Vorbilde, nicht Einzelgewinnung wie bei den Chrischona- und Reichsbrüdern war inzwischen gerade zum ersten Male von einem Deutschen in Deutschland geübt. Auch dieser erste deutsche Evangelist war wie Dietrich ein schwäbischer Pietist, Elias Schrenk*). Entscheidend für sein inneres Leben ist der bekannte pietistische Kaufherr Carl Mez in Freiburg, sowie der Lehrer Gilg und die kleine Freiburger Gemeinschaft gewesen. Bis dahin hatte er in äußerer Kirchlichkeit und einer gewissen Gottesfurcht gelebt, so daß ihm ein äußerlich rechtschaffenes Leben zur zweiten Natur wurde und er nie in grobe Sünden fiel. Doch sah er das späterhin nur an als „eine Art alttestamentliche, gesetzliche Frömmigkeit, die dem Herzen keinen Frieden mit Gott und keinen Sieg über innewohnende Sünde gibt". Von Freiburg schied er „als Jünger Jesu". In Basel erfuhr er die „Kraft des Blutes Christi"**).

---

*) Geb. 19. Sept. 1831 in Hausen in Württemberg, dann Kaufmannslehrling in Tuttlingen, Kommis in Donaueschingen und bei Gebr. Mez in Freiburg. Am 25. Aug. 1854 trat er in Basel als Missionszögling ein. Von 1859—1864 war er zuerst in Afrika, an der Goldküste, und nach einem Erholungsaufenthalt in England und der Schweiz nochmals von 1866—1872. Nachdem er dann drei Jahre ohne feste Stellung in der Schweiz und in England (als Kurpfarrer, Kollektenreiseprediger usw.) zugebracht hatte, wurde er Missionsreiseprediger in Frankfurt a. M. 1875—1879, dann Prediger der Evangelischen Gesellschaft in Bern, 1886 freier Evangelist.

**) „Ich litt, wie so viele junge Leute, an verderbter Phantasie. Als nun Herr Pfarrer von Brunn mit Macht von der Kraft des Blutes Jesu Christi redete, ergriff ich es im Glauben und erfuhr eine tiefgehende innere Reinigung." „Innere Absage an die Sünde und völliges Vertrauen auf Jesu Blut führt zum Sieg" (a. a. O. S. 45).

Zugleich erkannte er, daß ihm „die innere Versiegelung seines Gnadenstandes durch den heiligen Geist nach Eph. 1, 13 und 4, 30 fehle". In dieser Überzeugung bestärkte ihn das Lesen der Biographie A. H. Franckes. Dabei war er sich bewußt, lebendigen Glauben zu haben*). So kam er in schwere Kämpfe, bis eines Abends „nicht etwa durch Nachdenken, sondern als Gabe" plötzlich das Wort Offenb. 7, 13—17 „in göttlicher Beleuchtung" vor seiner Seele stand und „der Geist Gottes" ihm sagte: das gehört dir. „Vom Moment an erfüllte heilige Ruhe und Stille mein Herz, wie ich das nie vorher erfahren hatte, — der Herr hatte mich heimgesucht. Von jenem Abend an, also seit 48 Jahren, blieb mir mein Gnadenstand gewiß."

Durch diese Kämpfe nervös zerrüttet, suchte er Heilung bei Blumhardt in Boll, obwohl ihm „eine innere Stimme" klar sagte: „Geh nach Männedorf", der er nur nicht folgte, weil Inspektor Josenhans kein Freund von Frauenarbeit war. Blumhardts Handauflegung befreite ihn nicht von seinem Leiden. „Der Herr hatte mich nicht nach Boll, sondern nach Männedorf gewiesen." Er ging dann nach Davos und endlich doch nach Männedorf, wo ihm Dorothea Trudel drei Tage lang täglich einmal die Hände auflegte und über ihm betete. Nach drei Tagen war seine Nervosität so weit gehoben, daß er weiter studieren konnte. „Von jenem unscheinbaren, buckeligen, aber nach Natur und Geist reich begabten Weiblein ging Gotteskraft aus, und ich bekam eine reelle Kraftmitteilung für meinen inneren und äußeren Menschen." Auch sein bald darauf sich ausbildendes Leberleiden wurde durch eine Handauflegung besser.

Seine Frau, eine Tochter des Pfarres Tappolet, hatte ebenfalls Beziehungen zu den Kreisen von Nonnenweier, Männedorf u. a.

So war es ein echtes altpietistisches schwäbisches Christentum, mit dem er hinauszog nach Afrika, und mit dem er später seine Evangelistentätigkeit begann. Die Grundlage war dementsprechend ein strenger Biblizismus, und auch die im Pietismus so vielfach

---

*) „In Freiburg kam ich zum lebendigen Glauben" (a. a. O. S. 49). „Ich konnte auf Grund des Wortes fest an die Vergebung meiner Sünden im Blute Jesu glauben und hatte Frieden mit Gott. Aber dieser Friede war kein beständiger, es kam immer wieder Unruhe in mein Herz in betreff meines Gnadenstandes. Die Notwendigkeit der Versiegelung durch den heiligen Geist wurde mir immer klarer. So gewiß es nach der Schrift ein Innewohnen des heiligen Geistes gibt, so gewiß gibt es eine Versiegelung; beides läßt sich nicht trennen. Wer die Versiegelung durch den heiligen Geist bestreitet, bestreitet auch das Innewohnen des Geistes und setzt sich in Widerspruch gegen die Schrift."

vorhandenen enthusiastischen Züge fehlten nicht*). Aber demgegenüber stand als Gegengewicht einmal ein eiserner Fleiß in der Arbeit drinnen wie draußen unter dem mörderischen Klima der Goldküste und sodann auch bei ihm die bereits erwähnte glückliche schwäbische Gabe, mit offenem Blick an dem Punkte, wo die enthusiastischen Gedanken und Gefühle etwa gefährlich werden könnten, einfach die Konsequenzen umzubiegen. So sind z. B. seine Ausführungen über Sklaverei (a. a. O. S. 76 f.) außerordentlich nüchtern, ebenso hinderte ihn seine Anschauung über Glaubensheilung keineswegs, im Chinin die Rettung vor dem Fieber zu sehen. Vor allem schätzte er echt schwäbisch den gründlichen systematischen Unterricht und hatte Respekt vor der Geschichte**).

Freilich fehlte so auch seiner Anschauung in etwas die Einheitlichkeit, was nicht ganz ohne verhängnisvollen Einfluß auf die Gemeinschaftsbewegung bleiben sollte. Das wurde aber aufgewogen durch seine im höheren Alter immer reifer und abgeklärter werdende Persönlichkeit, der man je länger je weniger anders als mit ungeteilter, inniger Verehrung gegenübertreten konnte. Seine Berührung mit der neuen Bewegung erfolgte in England, wohin er bald nach den Tagen von Oxford kam, und wo er die Versammlungen von Brighton mitmachte. Sein Urteil darüber war: „Es redeten an denselben so viele treffliche Männer, daß niemand, der offen war für die Wahrheit, leer ausging. Die Versammlungen standen aber doch nicht mehr auf der Höhe derer vom Jahr 1873 in London und 1874 in Oxford. Was mich betrifft, so wurde ich auch gesegnet. Doch hatte ich das Gute, das sie boten, schon lange vorher erlebt, und die schwache Seite, die sie zeigten, hatte ich schon vor Jahren überwunden. Die schwache Seite war der Mangel an tiefer, schriftgemäßer Erkenntnis der Sünde, der seine Konsequenzen in der ganzen Heilslehre zieht. Die Engländer überwanden nachher diese schwache Seite, und so ging aus jener Bewegung die Keswicker Bewegung hervor,

---

*) Vgl. außer der erwähnten Lehre von der Versiegelung und von der bewahrenden Kraft des Blutes Christi die Heilung durch Handauflegung, Verwerfung des Rauchens (hatte Mez doch gesagt: „Wer raucht, hat dem Teufel den kleinen Finger gegeben, denn rauchend kann man nicht vor Gott treten") u. dgl.

**) „Junge, eifrige Leute, denen es aber oft an Lebenserfahrung, Weisheit von oben und an Geduld fehlt, sind immer geneigt, den Faden der Geschichte zu durchhauen und neu anzufangen; sie vergessen das Wort von Bunsen: ‚Gott in der Geschichte'. Ignorieren wir die Geschichte, so riskieren wir immer, daß unsere Neuschöpfung eine kurze Geschichte habe" (a. a. O. S. 171).

die Tausenden zum Segen wurde und noch wird." — So zeigte sich auch hier, mag auch die Beurteilung der Keswick-Bewegung nach meiner Ansicht zu günstig sein, die gesunde Nüchternheit, die sich nicht ohne weiteres vom Ausländischen blenden ließ. Wichtiger scheint es für ihn geworden zu sein, daß er damals Moody und Sankey evangelisieren hörte. Als das Fruchtbare erschien ihm die Tatsache, „daß allabendlich bis achtzig Geistliche aller Denominationen, die Hochkirchlichen, katholisierenden, ausgenommen, auf der Plattform saßen und in den Nachversammlungen brüderlich mit Moody zusammen arbeiteten, um die Erweckten sofort in bleibende Pflege zu übernehmen. Man hatte nur ein Ziel: Sünder zu retten; darum segnete Gott diese einmütige Arbeit reichlich."

Das beförderte den Allianzgedanken bei Schrenk, wozu überhaupt der Verkehr mit den verschiedenen Denominationen in England, z. B. auch mit Quäkern, viel beitragen mochte. Zugleich wurde er bestärkt in seinem Plan, deutscher Evangelist zu werden. Der Gedanke war freilich bei ihm schon älter. Schon bei seinem ersten Erholungsaufenthalt in der Schweiz war er in Heiden durch verschiedene Umstände dazu geführt, eine Zeitlang täglich Versammlungen zu halten, auch mit Sprechstunden, und hatte die segensreiche Wirkung davon gespürt. Wenn er aber auch insofern die Evangelisation nicht „den Methodisten abgeguckt" hatte, sondern „dem lieben Gott", so hat doch entschieden die Arbeit Moodys und Sankeys ihn stark beeinflußt.

Schon als Reiseprediger in Frankfurt gestaltete er denn auch seine Arbeit evangelistisch, noch mehr war das der Fall in Bern, wo er die Evangelische Gesellschaft bewog, Evangelisation anzufangen. Gelegentlich eines Urlaubs in England kam ein neues Moment in seine Arbeit: Er fing an, Kranke mit Öl zu salben im Namen des Herrn nach Jak. 5, 14 und ihnen die Hände aufzulegen. „Von jener Zeit an kamen Kranke zu mir, und ich hatte auf dem Lande im Zusammenhang mit Evangelisation in der Stille besondere Krankenversammlungen." Wiederum aber blieb sein Urteil nüchtern: „Dabei machte ich einzelne liebliche Erfahrungen von Heilung; aber viele wurden nicht gesund." Außerdem erkannte er in jener Zeit die Notwendigkeit der Arbeit auch an den Gläubigen *).

Da rief ihn Christlieb, mit dem er schon bei seinem ersten Aufenthalt in England, als jener Pfarrer in Islington war, sich befreundet hatte, zur Arbeit nach Deutschland. Im Herbst 1884 machte er den ersten Versuch, da die Verhandlung mit Berlin

*) Bewundernswert ist sein unerschrockener Zeugenmut in den damals öfters über ihn hereinbrechenden Pöbelverfolgungen.

sich zerschlug, in Bremen, wohin ihn P. Cuntz rief, und in Frankfurt a. M. Hier evangelisierte er im Herbst 1885 zum zweiten Male, dreiundvierzig Tage lang und mit großem Erfolge, im Anschluß daran auch in Bergen, Hanau, Cassel, Heidelberg und Bonn. Die Probe war gelungen, und so siedelte er am 1. Oktober 1886 nach Marburg über, bis ihn Haarbecks Bitte 1890 nach Barmen rief. Besonders fand seine Weise in seinem Heimatlande Württemberg Anklang; hier hatte er in seinen Sprechstunden auch besonders viel Handauflegung für Kranke.

Bei seinen Evangelisationen hielt er meist nicht nur Sprechstunden, sondern auch sogenannte Nachversammlungen, wo die, „die sich dem Herrn übergeben wollen" und auf Aufforderung zurückgeblieben sind, von dem Evangelisten und einer Anzahl Helfer seelsorgerlich beraten werden. Doch schreibt er auch hier nüchtern: „Für Nachversammlung um jeden Preis bin ich nicht." „Ich spreche es mit Entschiedenheit aus, daß mir seelsorgerliche Einzelunterredung die Hauptsache bleibt, nicht die Form, wie ich die Leute erreiche."

2. Christlieb und die erste deutsche Evangelistenanstalt.

(Christlieb — Der Deutsche Evangelisationsverein — Das Johanneum.)

Schon mehrfach haben wir in dem Bisherigen den Mann erwähnt, der sich vor allem um die Übertragung dieser neuen Arbeitsweise der Evangelisation nach Deutschland verdient gemacht hat, Christlieb. Er war es zugleich, der den Anfang machte, alle diese zerstreuten Fäden, in die die Anregungen der Oxford-Bewegung auseinanderzulaufen drohten, miteinander fest zu verknüpfen zu einer organisierten deutschen Gemeinschaftsbewegung.

Christlieb, geboren den 7. März 1833 in Birkenfeld (Württemberg), studierte unter Beck, kam als Pfarrverweser in Berührung mit Stundenleuten und war 1858—1865 in London, wo er für englisches Christentum Vorliebe faßte*). Von Friedrichshafen

---

*) Gleichwohl war er kein blinder Nachahmer desselben. Gelegentlich des Besuches von Smith in Barmen urteilte er: „Ich bin in den wenigen Stunden, die ich mit Herrn Smith zusammensein und ihn hören konnte, unwillkürlich in die ersten Jahre meines Aufenthalts in England zurückversetzt worden. Es liegt in der englischen und amerikanischen Art des Christentums ohne Frage vieles, was uns Deutschen zunächst etwas befremdlich ist, bei dem wir uns fragen müssen, ob wir das je nachahmen können und sollen, und ob wir es nach unserer eigentümlichen kirchlich-

(1865—1868) wurde er als Professor der praktischen Theologie nach Bonn berufen. Bald schon gründete er die „freie evangelische Vereinigung“ in Verbindung mit Fabri, Reviandt, G. Siebel u. a., 1880 am 3. April aber, wiederum mit Fabri zusammen, den westdeutschen Zweig der Allianz, mit dem darauf jene Vereinigung am 5. Oktober verschmolz. 1882 schrieb er „Zur methodistischen Frage in Deutschland“, worin er einerseits (schon 1879 auf der Baseler Allianzversammlung von ihm vorgebrachte) Übergriffe der Methodisten rügte, andererseits nachwies, daß die deutschen Landeskirchen ihre Schuldigkeit bisher nur ungenügend getan hätten und methodistische Tatkraft gegenüber dem „mystisch-lutherischen“ Pietismus pries. Die deutschen Kirchen anzufeuern, hielt er 1884 auf der Allianzversammlung in Kopenhagen einen Vortrag über die religiöse Gleichgültigkeit und die besten Mittel zu ihrer Bekämpfung. Hier bezeichnete er ein Evangelistenamt als notwendig. Schon vorher hatte er aber selbst einen Schritt zur Ausführung dieses Gedankens getan. Nach Besprechungen auch mit v. Schlümbach vereinigte er sich im Frühjahr 1884 auf einer von ihm berufenen Konferenz in Bonn mit mehreren Gleichgesinnten, um die Frage der Evangelisation gründlich zu beraten.

Man einigte sich auf folgende Grundsätze: I. Wir wollen in unserer gesetzlosen Zeit auf Stärkung der Autorität hinarbeiten. II. Wir wollen nicht polemisieren. III. Man lasse sich nicht rufen von Leuten, die eine Sonderstellung haben. IV. Man hüte sich vor einseitiger Gesetzespredigt. Je mehr der Evangelist das Volksleben kennt, desto besser; vor allem aber muß er unter der Leitung des Geistes Gottes stehen. V. Der Evangelist stelle die Adiaphora nie in den Vordergrund. VI. Er gebe dem kirchlichen Bewußtsein des Volkes nicht Anstoß durch Einführung fremder Lieder. VII. Den Erweckten wird Anschluß an eine bestimmte Gemeinde, desgleichen christliche Jünglings- und Jungfrauenvereine empfohlen.

Man gründete ein weiteres Komitee unter dem Namen „Deutscher Evangelisationsverein“. Ihm gehörten unter anderen an Christlieb als Präses, v. Oertzen, P. Damman, Ch. de

---

theologischen Bildung auch annehmen dürfen. Es ist sehr natürlich, daß wir in diesem, wenn ich so sagen darf, kirchlichen oder auch theologischen Partikularismus gegenüber von Neuem und Fremdem, was nicht recht in unsere Art paßt, etwas mißtrauisch sind. So ist es mir überall in England, auch zum Teil in Amerika bei ähnlichen Versammlungen ergangen. Aber ich habe die Erfahrung machen können, daß wir doch unrecht tun, wenn wir unseren Maßstab zum voraus an alles, was uns noch fremd ist, anlegen. Wenn uns auch vieles, wie man sagt, wider den Mann ist, lassen wir es einstweilen — vielleicht erkennen wir doch mit der Zeit, daß auch daraus etwas Gutes kommen kann.“

Neufville, P. Rinck-Hamburg, P. Ziemendorff-Wiesbaden, Graf Bernstorff, Pückler und Schrenk. Ein engeres Aktionskomitee mit dem Sitz in Bonn sollte die Berufung, Aussendung und Leitung der Evangelisten in die Hand nehmen. Die Geldmittel flossen zum Teil aus England.

Die Satzungen lauteten in § 1—3: 1. Zweck des Vereins ist die Verkündigung des Evangeliums unter den vielen, die bei der geringen Zahl der angestellten Geistlichen und der ungenügenden Organisation vieler unserer Gemeinden, zumal in den Großstädten, von der kirchlich geordneten Predigt und Seelsorge seit Jahren nicht erreicht werden konnten, und daher der Kirche und dem Christentum ganz entfremdet sind. 2. Evangelisch-kirchlicher Charakter des Vereins. Indem der Verein vor allem für die Förderung des Reiches Christi unter den Verirrten und Verlorenen, jedoch im Anschluß an Geistliche beziehungsweise Presbyterien oder innerkirchlich arbeitende Vereine der Landeskirche zu wirken bestrebt ist, macht er es den mit ihm in Verbindung stehenden Evangelisten zur Bedingung, daß sie a) nur das lautere Evangelium ohne Hervorkehrung streitiger Punkte schlicht und kräftig zur Erweckung der Gleichgültigen und Unkirchlichen verkündigen; b) für ihre Person einer der bestehenden Landeskirchen angehören und in deren Abendmahlsgemeinschaft stehen; c) ihre Versammlungen niemals auf eine Stunde des öffentlichen Gottesdienstes verlegen; d) im Unterschied von außerkirchlichen Evangelisationsbestrebungen die Früchte ihrer Arbeit den bestehenden Kirchen und den zur Mithilfe willigen Seelsorgern für weitere Pflege überweisen und keinerlei außerkirchliche Sonderzwecke verfolgen. 3. Sendboten des Vereins. Art und Weise ihrer Wirksamkeit. Obigem Zwecke gemäß sind die Sendboten des Vereins wesentlich Evangelisten, d. h. sowohl Geistliche, welche hierzu inneren Beruf und eine bewährte Gabe der Erweckung haben, als auch solche Laiengehilfen am Dienst des Wortes zur Unterstützung des geordneten Amtes, welche an Kenntnis und Erfahrung hinreichend ausgerüstet, der Sprache des Volkes mächtig und zu lebendiger Anfassung der Gleichgültigen befähigt sind. Diese Evangelisten sollen die bisherigen Arbeiten der inneren Mission, zumal die der Stadtmissionare und Kolporteure und ihre gesegnete Wirksamkeit in kleineren Kreisen, besonders unter Armen und Hilfsbedürftigen, nicht beeinträchtigen, vielmehr in ihrem Teile erweitern und fördern. In solchem Sinne der Mithilfe sollen sie aber außer Hausbesuchen und persönlicher geistlicher Pflege in größeren öffentlichen Versammlungen in allerlei, auch weltlichen Lokalen durch freie Ansprachen die gottentfremdeten und daher schließlich auch dem Staat und der Gesellschaft Gefahr bringenden Massen wieder möglichst unter den Einfluß des Evangeliums zu bringen und dadurch dem Christentum und der Kirche zurückzugewinnen suchen.

Der anfangs geplante „undenominationelle" Charakter des Werkes war wegen des gegen Schlümbach sich erhebenden heftigen Widerspruchs als „Unmöglichkeit" fallen gelassen (s. Münkel, Neues Zeitblatt 1883 S. 353).

Schon früher war von der irisch-presbyterianischen Missionsgesellschaft, die in Bonn ein Judenmissionshaus hatte, dieses Christlieb angeboten. Bereits Oktober 1883 war es eingeweiht und sollte als Mittelpunkt des ganzen Werkes dienen. Allein es waren außer Schrenk keine Evangelisten vorhanden. So wurde das Haus bis 1886 als Wohnung für Studenten benutzt. Da beschloß am 31. März 1886 die in Berlin tagende Generalkonferenz des Vereins eine Evangelistenschule zu gründen, und am 1. April wurde Dr. G. Pfleiderer, damals Gymnasialprofessor in Bern, als Inspektor berufen. Am 21. Oktober 1886 begann die Arbeit mit einem Zögling (Eug. Zimmermann aus Stuttgart). Die Statuten waren bereits 1883 dem Oberkirchenrat vorgelegt.

Als Aufnahmebedingungen galten zunächst: Gute natürliche Begabung, aufrichtige Bekehrung und Bewährung des neugeschenkten Lebens aus Gott, leibliche Gesundheit, das zurückgelegte 23. Lebensjahr, Absolvierung des Militärdienstes, innerkirchliche Abendmahlsgemeinschaft, namentlich aber die spezifisch evangelistische Gabe der Weckung und Anfassung durch volkstümliche und geistesmächtige Rede, mehrjährige Leistungen in irgendeinem Zweig der Inneren Mission, Zustimmung der Eltern, lediger Stand, Ableistung eines Probevierteljahrs. Später wurde das Alter auf 20 bis 30 Jahre festgesetzt. Ein dreijähriger Ausbildungskursus in deutscher Sprache, Weltgeschichte und Kirchengeschichte sowie tunlichst im Griechischen des Neuen Testaments war vorgesehen. Als weitere Unterrichtsaufgabe galt geistliches Verständnis der Psalmen und Propheten, Leben und Lehre Jesu, spezielles Studium des Evangeliums Johannis und der Apostelgeschichte, des Römerbriefes, der Pastoralbriefe und des Hebräerbriefs, biblische Glaubens- und Sittenlehre, das Wichtigste der Scheidelehren, Pastoraltheologie, Homiletik und Predigtübungen.

Zöglinge mit hinreichender Bildung sollten als Hospitanten an der Universität immatrikuliert werden. Am Schluß war Abschlußprüfung in Gegenwart eines Generalsuperintendenten vorgesehen. Der erste, August 1887 ausgesandte Zögling, Figge*), ging zur Michaelsgemeinschaft nach Berlin. Dezember 1887 waren sechs Zöglinge in der Anstalt (darunter Zimmermann, G. Kaiser, Nieß). G. Kaiser ging Mai 1888 zu P. Diestelkamp nach Berlin, Zimmermann im August als Stadtmissionar nach Wiesbaden, ein anderer nach Darmstadt. Ihr Schlußexamen fand vor Christlieb,

*) Er war erst im April eingetreten, Zimmermann blieb länger in der Anstalt.

Pfleiderer und Professor D. Krafft statt, der für Generalsuperintendent D. Baur eintrat. Im Herbst 1888 hatte man sieben Zöglinge. Es wurden zwei Klassen eingerichtet und als zweiter theologischer Lehrer cand. min. H. Coerper angestellt.

Die Provinzialsynode in Soest 1887 hatte auf Grund eines Vortrags von Christlieb die Einrichtung des „Johanneums" unter Zustimmung zu dem kirchlichen Charakter desselben und in der zuversichtlichen Hoffnung auf Aufrechterhaltung dieses Charakters freudig begrüßt. 1888 hielt Christlieb auf der Wuppertaler Festwoche den beifällig aufgenommenen Vortrag über „Erziehung evangelistisch begabter Männer zum Gehilfendienst am Wort und dessen Angliederung an den Organismus der Kirche". So ließ sich alles scheinbar gut an. Die Zahl der Zöglinge stieg auf neun, als der Tod Christliebs (15. August 1889) das ganze Werk in Frage stellte. Pfleiderer legte sein Amt als Inspektor wegen seines Alters nieder. Der Evangelisationsverein, dessen Präses jetzt v. Oertzen wurde und dessen weiteres Komitee sich gleichzeitig durch Kooptation (unter anderen Christlieb-Denklingen, Coerper-Barmen, Herbst-Ansbach, Dietrich und Siebel) vergrößerte, berief den bisherigen Inspektor der Chrischona, P. Th. Haarbeck, zum 1. April 1890. Pfleiderer blieb theologischer Lehrer, zumal H. Coerper gleichzeitig nach Heidelberg ging; als dritter Lehrer wurde im Herbst cand. Kirchberg berufen. Bereits 1889 hatte das Komitee beschlossen, daß die Zöglinge keine Vorlesungen an der Universität mehr besuchen sollten, so fesselte nichts mehr an Bonn, das, in der Diaspora gelegen, sich als nicht günstig erwies.

Der Beschluß, die Anstalt nach Barmen zu verlegen, kam aber nicht zustande, obwohl Schrenk deswegen schon dorthin gezogen war. Aber erst als man am 18. März 1892 die Verlegung nach Barmen zum zweiten Male beschlossen hatte, wo am 4. Mai 1893 das neue Haus eingeweiht wurde, überwand die Anstalt jene Krisis. Pfleiderer hatte die Verlegung nicht mehr mitgemacht, sondern hatte sich nach Korntal zurückgezogen († 23. Dezember 1897).

Die weitere Entwicklung verfolgen wir unten. Eine Evangelistenschule, wie Christlieb gewollt, war das Johanneum nicht geworden. Damals war überhaupt noch kein Zögling freier Evangelist geworden. 1890 wurde im Jahresbericht ausdrücklich betont, man wolle nicht Evangelisten aussenden, die, ohne ein abgegrenztes Arbeitsgebiet zu haben, als Reiseprediger im Lande herumzögen. Allerdings aber betrachte man als die spezifische Aufgabe des Johanneums die Pflege christlicher Gemeinschaften, das Aufsuchen der dem Evangelium Entfremdeten und die volkstümliche, kräftige

Verkündigung des Evangeliums unter denselben. Daher behielt man auch den Namen Evangelisten-Schule bei*).

Am Tage der Einweihung des Hauses in Barmen löste sich auch der Deutsche Evangelisationsverein auf, während die Leitung des ganzen Werkes ein neugewähltes Barmer Komitee unter P. Müller übernahm. Der Verein hatte seine Arbeit getan, denn bereits war aus ihm ein anderes Werk hervorgegangen, das immer mehr der Mittelpunkt der modernen Bewegung geworden ist, und zwar so, daß es das Organisationszentrum für die alten und Ausgangspunkt für neue Gemeinschaften geworden ist. Das neue Werk war die Gnadauer Konferenz und die daraus entstehende sogenannte Philadelphia-Bewegung.

*) In dem gleichen Jahre löste sich die Verbindung mit zwei früheren Zöglingen, weil sie die kirchliche Stellung der Anstalt nicht mehr teilten. Einer, Zimmermann, trat freilich später wieder in den Verband.

Dritter Teil.

Die Entwicklung und Ausbreitung einer einheitlichen organisierten Gemeinschaftsbewegung (1888—1902).

Erstes Kapitel.

Die Entstehung und Entwicklung der Organisation.

1. Die Gnadauer Konferenzen bis zur Schaffung des Organisationszentrums.

(Die Gründungskonferenz und ihre Bedeutung — Die zweite Konferenz und das Deutsche Komitee für evangelische Gemeinschaftspflege — Die dritte und vierte Konferenz und das Evangelisationskomitee.)

Auf der Generalversammlung des Evangelisationsvereins am 13. und 14. April 1887, wo außer dem Bonner Komitee Christlieb, v. Oertzen, Graf Bernstorff, Pückler, P. Krafft, Fabri, P. Dammann, Ziemendorff und Schrenk anwesend waren, wurde beschlossen, eine freie Konferenz für das nächste Jahr nach Gnadau zu berufen.

Der Aufruf verlangt: 1. Stärkere Betonung der Lehre von der Heiligung; 2. Mitarbeit der Laien, und zwar vor allem a) Gemeinschaftspflege, wozu zunächst die lokale Organisation von Privaterbauungsgemeinschaften vonnöten sei, wie sie auch die Reformatoren, vor allem Luther, gewollt, b) freie Evangelisationsarbeit, womöglich durch Schaffung eines kirchlichen Evangelistenamts. Dementsprechend wird eingeladen, wer Recht und Pflicht der Laienarbeit, die Privaterbauung als wichtige Ergänzung des öffentlichen Gottesdienstes anerkennt, die bestehende Volkskirche aber als göttlichen Segen achtet. Als Zweck wird bezeichnet „erstens auf Grund der biblisch-reformatorischen Grundanschauungen das Recht der gemeinschaftlichen Privaterbauung, der Gemeinschaftspflege, der Evangelisation sowie der Laientätigkeit überhaupt in ihrem Verhältnis zum geordneten Amt und den Organen der Kirche klarzustellen, zweitens durch brüderliche Gemeinschaft und Gebet sich neu zu stärken für die vielfachen Aufgaben, welche die Arbeit für das Reich Gottes uns in der Gegenwart vorlegt."

Unterschrieben war die Einladung unter anderen von Christlieb, v. Oertzen, Bernstorff, Fabri, Graf Lüttichau, Schrenk, Graf Korff, Pückler, Dammann, Jellinghaus, F. Coerper, den beiden Dietrich, Jensen-Breklum, P. Müller-Barmen, Pfleiderer, J. G. Siebel, Herbst-Ansbach, Engels, Ch. de Neufville, Stockmayer, Thumm-Wilhelmsdorf, P. Witt-Havetoft, Ziemendorff. Somit standen von vornherein mit der Konferenz in gewisser Verbindung die Gemeinschaften von Schleswig-Holstein, Berlin, Siegen, Rheinland, Württemberg.

Ferner waren anwesend: Schmalenbach (Mennighüffen-Minden-Ravensberg), Oberstleutnant a. D. v. Knobelsdorff, Major a. D. v. d. Oelsnitz (Schlesien), v. Viebahn, v. Rothkirch (Chr. V. J. M. in Berlin), Haarbeck (Chrischona), Schiefer (Neukirchen), Elser und Seitz (Reichsbrüderbund), Motzkus (Westpreußen), Szidat, Urbschat (Ostpreußen), Zimmermann, C. Hoff (Rastenburg-Ostpreußen), Ihloff und Lohse (Sendboten in Schleswig-Holstein) und R. Schultz (damals bei Jellinghaus), im ganzen 142 Männer. Es konnte also die Konferenz, wenn auch in durchaus freier Weise, als Mittelpunkt des größten Teiles der deutschen Gemeinschaften gelten.

Von den Begrüßungsreden am Abend des 22. Mai stellte die Christliebs den kirchlichen Standpunkt der Konferenz fest: Es gebe viele, die alles Heil für die Kirche vom Amte erwarteten. Andere erwarteten nichts mehr davon und suchten die anfaßbaren Elemente möglichst dem Einfluß der Geistlichen zu entziehen. Eine stets wachsende mittlere Gruppe meinte es einerseits von Herzen wohl mit der Kirche, wollte auch dem Amt nichts nehmen, es aber wirksamer machen durch stärkere Heranziehung begabter Laien, der Kirche auf innerkirchlichem Wege helfen, aber freieren Raum begehren zur Befriedigung des Gemeinschaftsbedürfnisses. Zu diesen, die die Kirchenmänner bitten möchten, ihr Mißtrauen gegen solche kirchlichen Erbauungskreise fahren zu lassen und diese Kreise, doch die in der Kirche noch vorhandenen Heilsgüter dankbar anzuerkennen, — „zu dieser Gruppe", führte er aus, „gehören wir, d. h. wohl die große Mehrzahl der hier versammelten Brüder."

Am 23. morgens hielt Fabri den ersten Vortrag über „Berechtigung, Notwendigkeit und Grenzen der Laientätigkeit." Die Berechtigung und Notwendigkeit sah er im allgemeinen Priestertum, das im Neuen Testament allgemein anerkannt bzw. durchgeführt erscheine, sowie in der göttlichen Begabung für die geistliche Tätigkeit. Er berief sich auch auf die Kirchengeschichte, so auf Kellers Ausführungen über die „altevangelischen Gemeinden", sowie auf Luthers Vorschläge einer Sammlung der Gläubigen innerhalb des großen Haufens und die pietistischen Gemeinschaften. Die Begrenzung liege darin, daß dem kirchlichen Amte Kultus und Predigt, Seelsorge, Verwaltung der Sakramente und Kasualien sowie der kirchliche Jugendunterricht bleiben müsse.

In der Diskussion erinnerte Dietrich die Laienbrüder daran, daß es für den Geistlichen, namentlich wenn er von der Behörde eingesetzt, dies als Berufung von Gott ansähe und sich als verantwortlichen Hirten fühlte, nicht leicht sei, auch andere dort arbeiten zu lassen, und bat die Pfarrer, von den Laien lernen zu wollen. Ferner wünschte er Laienbibelkurse, wie Jellinghaus sie halte. Dabei warnte er auch hier davor, „daß ein Laienbruder ja nicht seine eigene Auslegung, wie hier und da einmal geschieht, für die allein richtige halte und zum Steckenpferd mache. Er bedenke wohl, daß auch ein bibelbewanderter Laie ohne Kenntnis des Grundtextes leicht irren kann, und daß das Wort Jak. 3, 1 f. ihm besonders gilt. Er sei mißtrauisch gegen neue Fündlein und studiere zuvor die Auslegungen bewährter Theologen".

Christlieb ergänzte Fabris Ausführungen. Die Berechtigung der Laientätigkeit liege objektiv im Willen Gottes und Christi, daß das Evangelium aller Kreatur gepredigt, daß allen Menschen geholfen werde und dergleichen Sprüchen; subjektiv im allgemeinen Priestertum der Gläubigen und der besonderen Gabe, die der einzelne empfangen habe und zum Besten des Ganzen im Geist dienender Liebe verwerten müsse. Die Notwendigkeit beruhe teils darauf, daß zur allseitigen Entwicklung geistlichen Lebens alle Glieder am Leibe Christi mitwirken müssen, teils auf der Tatsache, daß das kirchliche Amt allein mit der Aufgabe der Durchdringung des Volks mit dem Evangelium zumal in Großstadtgemeinden absolut nicht mehr fertig werden könne. Die eigentliche Schwierigkeit liege in der Bestimmung der Grenzlinien. „Auf unserm kirchlichen Standpunkt verstehe es sich von selbst, daß der Laienevangelist in den geordneten Dienst am Wort und die Verwaltung der Sakramente nicht eingreifen dürfe. Er halte es durchaus nicht für zulässig, daß ein ob auch noch so begabter Evangelist einen Sonntagsgottesdienst in der Kirche übernehme. Aber man möge doch einen Unterschied machen lernen zwischen regelmäßigem Gottesdienst vor versammelter Gemeinde und den außergewöhnlichen evangelistischen Versammlungen an einem andern Ort." Den Laienbrüdern legte er ans Herz, „doch ja nie darauf auszugehen, das bestehende Amt in Schatten zu stellen. Dazu sende sie der Herr gewiß nicht." Die Geistlichen aber möchten die Laienarbeiter nicht eifersüchtig ansehen.

Von Fabri und Pückler wurden dann folgende Thesen aufgestellt und am folgenden Tage angenommen:

1. Wo Gott eine geistliche Gabe gegeben hat, liegt nicht allein eine Berechtigung, sondern vielmehr eine Verpflichtung vor, dieselbe im Dienst des Reiches Gottes zu gebrauchen.

2. Daher versündigt sich die Kirche, wenn sie erkannte geistliche Gaben ihrer Mitglieder nicht entwickelt und nicht benutzt.

3. Die Gabe wird sich ihren Weg zwar selbst suchen, sie wird jedoch im allgemeinen nur dann von dem vollen gottgewollten Segen begleitet sein können, wenn sie im Anschluß an die bestehenden Ordnungen der Kirche zur Ausübung gelangt.

Am Nachmittage stellte v. Oertzen über „die Notwendigkeit der organisierten Evangelisation neben dem pastoralen Amt und ihre Bedeutung für das kirchliche Leben“ folgende Leitsätze auf:

1. Es gehört eine besondere Begabung und anders geartete Arbeit zu dem Evangelisten-Beruf wie zum pastoralen Beruf des Hirten- und Lehramtes, daher diese beiden Ämter nebeneinander bestehen sollten — wie es auch am Anfang in der Christenheit war.

2. Diejenigen, welche als Objekt der Evangelisation in Betracht kommen, entziehen sich zumeist äußerlich wie innerlich dem pastoralen Amte gänzlich: daher lassen sie sich leichter von anderer Seite auf neuen Wegen gewinnen.

3. Die Gefahren der Evangelisation sind:
   a) daß sich die neu Gewonnenen an die Person des Evangelisten hängen;
   b) daß sie der Schwärmerei und Separation leicht anheimfallen;
   c) daß sie das Ansehen des geordneten Hirtenamtes leicht schädigen.

Daher ist organisierte Evangelisation und Angliederung derselben an die kirchliche Organisation nötig.

4. Die organisierte Evangelisation ermöglicht der Kirche ein geschlossenes energisches Vorgehen gegen den organisierten Unglauben und ermöglicht es namentlich, die latenten Lebenskräfte zu entwickeln und zu entfalten, wie der Unglaube es seinerseits meisterhaft versteht, alle Kräfte ins Feld zu führen.

5. Die organisierte Evangelisation bedeutet ferner die entsprechende Gegenwehr und Angriffstellung gegen Rom, welches seinerseits die Massen ganz anders beherrscht, als wir es bisher vermochten.

6. Sie erhält endlich innerhalb der Kirche selbst das Leben rege und frisch, indem sie
   a) der Kirche neue Elemente zuführt;
   b) die Gläubigen sammelt und stärkt, und
   c) fortgesetzten Kampf mit den vielen Feinden der Kirche wach erhält; denn eine Kirche, die nicht gewinnt, sammelt und erobert, geht zurück, verliert Boden und zersplittert.

Der Begründung der Thesen schickte v. Oertzen voraus, daß er voll und ganz auf dem Boden der Volkskirche stehe. Daß wir noch an geographischen Parochien mit überwiegend totem Namenchristentum krankten, läge daran, daß wir nicht den Mut hätten, nach Luthers Gedanken innerhalb derselben Gemeinden des Herrn zu sammeln. „Das Evangelium will und soll Gemeinschaft bildend wirken; eine solche Gemeinschaft kann die Parochie . . . in den meisten Fällen nicht bieten." „Auch die äußerliche Gemeinschaft desjenigen Teiles der Kirchengemeinde, welcher die Gottesdienste noch besucht, entspricht nicht dem Bedürfnis der Bekehrten." Die Organisation der Evangelisation dachte er sich so: Kein Evangelist sollte auf eigene Hand hinausziehen, ein Komitee mit festen Statuten sollte ihn entsenden und mit den Generalsuperintendenten einen modus vivendi zu vereinbaren suchen.

Schrenk gab gewissermaßen ein Korreferat. Evangelist könne nur sein, wer vom Herrn die Gabe der Erweckung empfangen habe. Dem müsse dann noch die wissenschaftliche Ausrüstung hinzugefügt werden, falls er sie noch nicht habe. In seiner Arbeit müsse die göttliche Legitimation ersichtlich sein. Er wies auch, wie früher Dietrich (s. o. S. 76), auf die katholischen Missionen hin. Der Geist Gottes werde in den nächsten zwanzig Jahren die Diakonie der Evangelisten in unserer Kirche zum vollen Recht kommen lassen. Der Evangelist gehe vor allem dahin, wo ein Pastor ruft, dann werde es von selbst Parochialarbeit. Kommen Bitten aus Gemeinden, wo große Not ist, die Pastoren aber keine Evangelisation wollen, so beweise der Evangelist durch seine Arbeit, daß von Separation keine Rede sei. Unter vierzehn Tagen solle nicht gearbeitet werden. Er empfahl dringend, nach den Versammlungen die Angefaßten zur Aussprache zurückbleiben zu lassen. Nach der Evangelisation müßten die Erweckten durch Bibelstunden gepflegt werden. Er streifte auch die Lehre vom heiligen Geist, die viel zu viel vernachlässigt werde. „Wie bald und leichtfertig sagt man jetzt: ‚Ich habe den heiligen Geist.' Wieviel haben wir denn? Etwa so viel, als die Apostel nach Joh. 17 hatten, oder so viel, als sie unmittelbar vor Pfingsten hatten, oder haben wir die Fülle?"

Fabri wies auf die evangelistisch begabten Geistlichen, die etwa zu Predigtreisen beurlaubt werden könnten. Kirstein vom Johannisstift vermißte eine genaue Definition des Wortes „Evangelist". Er warnte vor den Gefahren, die nur in wohlbedachter Angliederung des Evangelistenamts an die kirchliche Organisation vermieden werden könnten, nicht minder vor dem Gedanken, daß jeder in einem Brüderhause ausgebildete Mann eo ipso ein Evangelist sein müsse.

Gleichwohl ward die These 3 in der völlig geänderten Form angenommen:

„Trotz einzelner Gefahren, denen das Evangelisationswerk, wie alle geistlichen Arbeiten, ausgesetzt ist, tritt das Wünschenswerte einer an die Organe der Kirche angegliederten und für dieselbe arbeitenden Organisation immer dringender an den Tag."

Hinzugefügt wurde These 7:

„Darum richtet die Pfingstkonferenz in Gnadau die herzliche und dringliche Bitte an die evangelische Landeskirche und ihre Organe, in Erwägung unserer kirchlichen Notstände die bereits bestehende Evangelisationstätigkeit mit allen Kräften zu unterstützen und ihre Ausbreitung in Berücksichtigung zu ziehen."

Am 24. morgens redete Geß („Was lehrt die heilige Schrift über Heiligung?") von der Heiligung als der Durchdringung des ganzen Herzens und Wandels mit dem heiligen Geist, durchaus in den Bahnen der kirchlichen Lehre. 1. Joh. 1, 8 und Phil. 3, 12 f. müsse „gewaltigen Zweifel erregen, wenn über irgendwelchen Christen die Behauptung aufgestellt werden sollte, er habe schon auf der Erde das Heiligungsziel erreicht. Und wollte ein Christ diese Versicherung von sich gar selbst aufstellen, so wäre zu befürchten, daß er durch argen Hochmut verblendet sei".

Seitz behauptete die Erfahrung gemacht zu haben, daß der eigentliche Sieg über die Sünde im Worte, Blute und Geiste Jesu zu finden sei. „Solange ich irgend eins wissentlich oder unwissentlich von den andern getrennt habe, konnte ich das volle Heil nicht ergreifen." Er habe einer Frau, die ihre Sünden nicht besiegen konnte, gesagt: „Glauben Sie, daß Jesus Christus fertig geworden ist mit der Welt?" „Glauben Sie, daß der Heiland auch mit der Sünde fertig geworden ist, mit der Sie jetzt im Kampfe sind?" „Wollen Sie das glauben? Jetzt?" „Sie glaubte, und da kam der Sieg über die Sünde."

Noch schärfer vertrat die Oxforder Lehre cand. theol. R. Schultz*).

---

*) Schultz (geb. in Neubrandenburg) war als Student der Trunksucht erlegen; im Krankenhause zu Köln zur Besinnung gekommen, hatte er das Studium der Theologie wieder aufgenommen, mußte aber noch 1882 Breklum wegen eines Rückfalles verlassen, in den er trotz eifrigen Betens geraten war. In den Alsterdorfer Anstalten hörte er dann von Brüdern die Lehre, daß man durch Jesus frei werden könne von der Macht der Sünde. Zugleich ging ihm an der Versuchung Jesu die Erkenntnis auf, daß Versuchung noch nicht Sünde sei. Als er endlich den Mut faßte, einem jener Brüder seine Gebundenheit zu bekennen, erfuhr er von da an Christus als den Befreier von der Sünde. Zur Zeit der ersten Gnadauer Konferenz

Er stellte die Frage, ob man den in Sünden Gebundenen verkündigen dürfe, Jesus könne sie von jedem Sündenbande frei machen. 1. Joh. 1, 8 könne nicht dagegen sein wegen 3, 6. 8. 9. Man müsse unterscheiden zwischen Sünde und Versuchung. Nicht jeder versuchliche Gedanke sei schon eine Verunreinigung. Am Nachmittage kam er nochmals darauf zurück und wies Phil. 3, 12 als Gegenbeweis ab, da dort nicht vom Sieg über die Sünde die Rede sei. Er wiederholte die Frage: „Darf man z. B. den Trinkern sagen: ‚Jesus kann dich von dieser deiner Sünde frei machen?'" „Vielstimmige Antwort aus der Korona: ‚Ja.'" „Wenn aber von dieser Sünde, dann auch von jedem andern Sündenbande?" „Ja." „Nun, so werde ich hinausgehen und diese Wahrheit den Gebundenen mit Freuden anpreisen." Jellinghaus unterstützte ihn. Es sei wichtig, Jesus als den Erlöser zwar nicht vom Dasein unserer Sündennatur, wohl aber von aller Sündenmacht und sündlichen Gebundenheit zu verkündigen, schon aus dem Grunde, weil es in unsern Tagen so viel an Schuldgefühl mangele, dagegen nicht an Elendsgefühl über Sündenketten. Mühe dagegen setzte die Heiligung in „die tägliche Annahme des Heilandes", darein, daß man den neuen Menschen, der durch die Taufe in uns geboren sei, stärke. P. E. Lohmann, damals Inspektor der Evangelischen Gesellschaft, erklärte sich andererseits entschieden dagegen, daß die Schrift lehre, es sei von dem Gläubigen schon in diesem Leben wahre Vollkommenheit zu erreichen. v. Oertzen wies auf den Unterschied zwischen „Sünde haben" und „Sünde tun"; „von ersterem kommen wir nicht los, von letzterem müssen wir loskommen". Der Gegensatz der Anschauungen wurde nicht überbrückt.

War schon, wie gezeigt, im Verlauf der Verhandlungen mehrfach von der Organisation von Gemeinschaften geredet, so wurde nun ausführlich darüber verhandelt, als Schmalenbach sprach über „die Gemeinschaft der Heiligen und die notwendige Organisation der christlichen Gemeinschaften in Stadt und Land". Wenn die Augsburgische Konfession sage, die christliche Kirche sei eigentlich die Gemeinde der Heiligen, Versammlung der Gläubigen (lateinisch sogar „vere" credentium),

---

war er Hauslehrer bei Jellinghaus in Gütergotz. Später, als er zum theologischen Examen nicht zugelassen worden war, Sendbote in Schleswig-Holstein, dann Inspektor des Blankenburger Allianzhauses und Schriftleiter des Allianzblattes, darauf Gemeinschaftsleiter in Hamburg und Wernigerode, endlich freier Evangelist. † 24. April 1910 ca. 60 Jahre alt. Aus seiner Lebensführung erklärt sich der einseitige Eifer seines Eintretens für die Oxfordlehre.

so entspreche das dem Bilde des Neuen Testaments von der Kirche. Nun sei zwar „Uneigentliches" dazwischen, das Unkraut zwischen dem Weizen, und diesen gemischten Zustand müsse man tragen, aber ihn nicht für das ausgeben, was er nicht sei. Darum müsse man den Unterschied von bekehrten Gläubigen und Unbekehrten recht klar ans Licht stellen. „Wo der Geist . . ist, da wird sich dieser Geist auch kräftig erweisen . . . in der persönlichen Bekehrung des einzelnen zu Christo und dann auch in der Sammlung und Pflege aller derer, die den Heiland von Herzen meinen." Diese Gemeinschaften müßten aber nach Luthers und Löhes Gedanken auch organisiert werden. Sie würden die Kirche keineswegs zerstören. „Wenn die Kirche eigentlich ist die Versammlung der Gläubigen, so kann es doch keine Zerstörung der Kirche sein, wenn die Gläubigen sich versammeln." Christlieb vermißte eine Erörterung der Frage, ob es wünschenswert und wie es etwa auszuführen wäre, daß die Gemeinschaften unter sich in nähere Berührung, in einen Verband träten . . . Man könnte hierbei an Beschaffung eines gemeinsamen literarischen Organs, an die Anstellung einiger Reisebrüder zum Besuch der Gemeinschaften, an periodische Verbandstage für einzelne Länder u. a. denken . . . . . Die Versammlung möge bis zur nächsten Zusammenkunft über diesen Teil der Frage und die besten Mittel und Wege zu ihrer Lösung etwas nachdenken.

Pückler wollte entsprechend seinen damaligen Anschauungen (s. o. S. 56) nicht nur das „Allerheiligste" organisieren, sondern auch die „gewisse christliche Schicht, die sich schon von der Welt einigermaßen unterscheidet" als „Heiliges". Solche Gemeinschaft „kann natürlich nicht bestehen ohne Organisation. Schon die ersten christlichen Gemeinden waren organisiert. Die organisierte christliche Gemeinde ist allein die Macht, die imstande ist, den Stürmen zu trotzen, die der Kirche drohen. Und diese organisierten christlichen Gemeinden müssen untereinander in ganz Deutschland in Kontakt gebracht werden." Am Nachmittage kam Schrenk darauf zurück. Der Geist sei an der Arbeit, sich einen „Leib" zu schaffen, wie es der ursprüngliche Wille des Hauptes der Gemeinde sei. Es müsse uns ein Anliegen sein, daß die zerstreuten Kinder Gottes zusammenkommen. „Das kann und soll ohne alle Separation geschehen. Die Brautgemeinde Jesu Christi, die er in dieser letzten Zeit sammelt, besteht nicht aus Separatisten, die eine Winkelstellung einnehmen, sondern aus Priestern, die göttliche Stellung einnehmen, die wie ihr Gott und Herr im Ganzen und doch über dem Ganzen stehen, die ‚in der Welt, aber nicht von der Welt sind'." Dann sprach er über „Gebetsversammlungen und

Gebetsgemeinschaften", Coerper über „Bibelstunden und Bibelbesprechstunden". An den Abenden wurde aus den einzelnen Arbeitsfeldern berichtet.

Der Ertrag des Ganzen wurde von Dammann in folgende Sätze zusammengefaßt:

1. „daß der Pastor nicht allein Generalpächter des Wortes Gottes sei;
2. daß das allgemeine Priestertum der Gläubigen mehr zur Geltung kommen müsse;
3. daß die Gabe des Wortes und des Gebetes, die mancher Laie von Gott empfangen, auch mit in den Dienst der Gemeinde zu stellen sei;
4. daß insonderheit das Amt der Evangelisten, wie es in der ersten Zeit der christlichen Kirche bestanden, wieder zu erneuern sei;
5. daß die Taufe und die Konfirmation von vielen Tausenden in bedenklicher Weise mißbraucht wird;
6. daß neben den öffentlichen Gottesdiensten die Gemeinschaft der Gläubigen in Bibel- und Gebetsstunden anzustreben sei;
7. daß in solchen Bibel- und Gebetsstunden auch die Laien zum Worte zu kommen ein Recht haben."

These 5 lautete ursprünglich, „daß Taufe und Konfirmation noch keine wiedergeborenen Christen schaffe". Das ist in den gedruckten Verhandlungen überklebt.

Die Konferenz zeigt das Bild frischer Verhandlungen einer Schar ernster Christen, die ein Herz haben für die Not des Volkes, ein Herz voll Liebe zu ihrem Herrn, voll Liebe auch zur Volkskirche. Was fehlt, ist offenbar die wirklich theologische Durchdringung der Fragen, was z. B. Kirstein mit Recht bezüglich des Begriffs der „Evangelisten" vermißte, was noch mehr beim Begriff der Kirche mangelte und vor allem bei dem für die ganzen Verhandlungen grundlegenden Begriff des „Laien". Der Grund war augenscheinlich, man wollte keine „theologischen Streitigkeiten"; aber die Folge war, daß von wirklich prinzipiell klarer Einigkeit eigentlich nicht geredet werden konnte. Die verschiedensten Anschauungen gingen durcheinander. Wichernsche Gedanken über den Ausbau der Laientätigkeit kreuzen sich mit methodistischen und alten enthusiastischen Gedanken von der „göttlichen Berufung" durch die Verleihung der „Gabe" und der Legitimation durch „Früchte", d. h. Bekehrungen. Ja, teilweise treten diese Gedanken so stark hervor, daß das nicht leugbare Bestreben, treu landeskirchlich bleiben zu wollen, als eine — allerdings glückliche — Inkonsequenz erscheint. Der lutherische Gedanke, daß der Beruf durch die geordnete Obrigkeit „ordentlicher Beruf" sei, wird nur einmal und zwar als Entschuldigungsgrund für mißtrauische Pastoren angeführt. Selbst in der Resolution tritt die schwärmerische Anschauung hervor, sie überwindet sogar die Bedenken, die zwei derjenigen Männer, die in praxi mit nichttheologischen Berufsarbeitern am meisten zu tun hatten, v. Oertzen und Kirstein, gegen die Unterschätzung der Gefahren solcher Evangelisation äußerten.

Ähnlich ungeklärt sind die Anschauungen über Gemeinschaften. Sie sind den einen nur der arbeitsbereite Kern der Parochie, die Angeregten, denen ihr Christentum Herzenssache geworden ist. Daneben steht die scharfe Scheidung von „bekehrt" und „unbekehrt", von Subjekt und Objekt in der Tätigkeit der Kirche. Der alte schwärmerische Gedanke der Wiederherstellung von „biblischen Gemeinden" fehlt ebensowenig wie die naive Gleichsetzung von Gemeinschaft und Gemeinde des Herrn.

Geradezu Gegensätze bestehen in der Heiligungslehre. Kirchlichen und altpietistischen Gedanken treten die methodistisch-oxfordischen unvermittelt gegenüber.

Gleichwohl fühlte man sich eins, eins in dem Bewußtsein bekehrt, von der „Welt" getrennt und Gottes Volk zu sein, eins auch in dem Bestreben, Hand anlegen zu wollen, zur Organisierung des Volkes Gottes und zur Evangelisation der „Welt". Das schien alle jene Verschiedenheiten und Gegensätze zu überwiegen.

So wünschte Dietrich nicht nur eine Wiederholung der Konferenz, sondern auch „die Bildung eines Zentral-Ausschusses für evangelisch-kirchliche Gemeinschaftspflege und Evangelisation. Eine solche Stelle dürfte nicht die Aufgabe haben, die betreffende Arbeit zu regieren, — nur das nicht! Wir Schwaben z. B. fühlen gar nicht das Bedürfnis, in unserer Arbeit von den norddeutschen Brüdern regiert zu werden. Ein solcher Ausschuß sollte vielmehr die Aufgabe haben, zu dienen, zu verknüpfen, zu verbinden." Dasselbe hatte Christlieb gewünscht (s. o.).

Schon die nächste Konferenz (27. bis 30. Mai 1890) hat diesen Wunsch erfüllt. Sie war von etwa 130 Personen besucht. Den Schluß bildete die gemeinsame Feier des Abendmahls. Das Programm war weniger überladen. Die drei Hauptreferate hielten: P. Witt-Havetoft über „Die geschichtlich gewordene Kirche in ihrem Unterschied von der biblischen Gemeinde des Herrn", Müller-Barmen über „Die Bedürfnisse und die Aufgaben der Gemeinde des Herrn" und als Korreferenten Pückler und G. Siebel über „Die Gemeinschaftspflege in Stadt und Land". Zuerst gedachte man des heimgegangenen Christlieb. Dann betonte v. Oertzen, daß man das bisherige Grundprinzip festhalte: „Gemeinschaftsbildung und Freiheit der Bewegung zur Arbeit", während Schrenk bekannte, daß er ungeahnten Eingang im Volke gefunden habe. In Witts

Referat zeigte sich wieder die Überschätzung der Urgemeinde, wenn er den Unterschied zwischen ihr und der geschichtlichen Kirche ausführte: „dort Einigkeit, hier Zerrissenheit . . ., dort Reinheit, hier Weltförmigkeit", wobei es nicht an einem Ausfall auf Orthodoxie, das „Festhalten an den Bekenntnisschriften, als ob mit der Abfassung derselben alles Forschen nach Wahrheit abgeschlossen sei", einerseits, andererseits auf die freie Forschung fehlte. Ferner sei die Gemeinde des Herrn frei gewesen, die Kirche an den Staat gebunden, jene habe in wunderbarer Macht gewirkt, diese immer mehr von ihrem Einfluß verloren, dort habe Reichtum an geistlichen Gaben geherrscht, hier Armut. Solche Entwicklung habe der Herr zwar vorausgesehen, aber nicht gewollt. So sei nun in der alle Getauften umfassenden Kirche die Gemeinde des Herrn, die Genossenschaft des Glaubens und heiligen Geistes in den Herzen, die zwar unsichtbar sei, sofern Menschen nicht über jeden einzelnen entscheiden könnten, ob er dem Reiche Gottes angehöre, die aber andererseits gerade berufen sei, der Welt gegenüber eine sichtbare Genossenschaft derer zu sein, die im Reiche Gottes sind. So sei die Definition der Kirche in C. A. VII wohl richtig, aber es gebe doch auch wahrhaft Gläubige, die im Sinne der confessio in der Lehre irrten. „Fassen wir die Sache richtig, so braucht die Frage die Christen nicht zu beunruhigen: Gehöre ich auch der richtigen Kirche an? wird in unserer Kirche Gottes Wort lauter und rein verkündigt?"

Das Verhältnis der Kirche und der Gemeinde des Herrn in ihr bestimmte er so, daß die weltförmige Kirche das wirkliche Kommen des Reiches stets für etwas Gefährliches ansehen werde, die Gemeinde aber weder eine Verheißung habe, daß sie die Kirche reformieren könnte, noch daß sie eine Kirche organisieren solle. „Sollen wir denn die große Kirche mit ihren Ordnungen und Arbeiten sich selbst überlassen und dem Fortschreiten des Verfalles und Abfalles ruhig zusehen und mit Geringschätzung alles ansehen, was in ihr geschieht? Das hieße, dem Feind das Feld einräumen und blind sein für die Segnungen, die der Herr, der diese Kirche bisher getragen hat, durch sie der Menschheit hat zufließen lassen und immer noch zufließen läßt."

Hier zeigt sich deutlich, daß Männer wie Witt wohl ein starkes Pietätsgefühl gegenüber der Landeskirche haben, aber eine innere organische Verbindung zwischen Kirche und Gemeinschaft — denn diese ist es doch, die als Gemeinde des Herrn angesehen wird — mangelt. Der Gedanke Luthers von der Wirksamkeit der Wortverkündigung fehlt. Ja, Jellinghaus wehrte ihn ausdrücklich ab: Die Gemeinde des Herrn sei die wahre Kirche. „Aber wenn man den zweiten Teil von Art. VII der Augustana so auslegt: die wahre Kirche ist da, wo das Evangelium rein gepredigt und die Sakramente laut des Evangelii gereicht werden, so kommen wir nicht zur Klarheit . . . Wo das Wort Gottes orthodox gepredigt und die Sakramente ganz bekenntnisgemäß verwaltet werden, kann lauter Tod sein und die gottvergessene Welt das Regiment haben.“ Andererseits warnte er energisch vor Idealisierung der ersten Gemeinde, besonders vor dem Streben, ihre Verfassung wiederherzustellen. Büttner-Kelbra dagegen sprach von der Notwendigkeit der Ausscheidung der Welt aus der Kirche. Bei manchen Sekten sei mehr heiliger Geist und weniger Welt, darum auch mehr geistliche Kraft. Er mußte sich aber von Dietrich sagen lassen, es sei besser, da zu bleiben, wo Gott einen hingestellt habe. — Er habe neuerdings in der Frage der Konfirmation anders denken gelernt. Früher sei er gegen sie eingenommen gewesen, habe aber inzwischen gelernt, wie viele alte Brüder noch so manches aus ihrem Konfirmandenunterricht wüßten. Auch v. Oertzen bekannte sich wieder entschieden zur Volkskirche. Er sei alles mögliche gewesen: baptistisch, methodistisch, irvingianisch angeweht. v. Schlümbach habe ihm den Blick für die Volkskirche geöffnet, der habe ihm gesagt: „Redet ihr in Deutschland doch nicht von Heidentum! Ihr wißt gar nicht, was das ist. Was neben den Christengemeinden in Amerika von heidnischem Wesen herläuft, davon habt ihr gar keinen Begriff. Wenn ich hier in Europa eine Ansprache halte, da finde ich Verständnis. Woher kommt das? Das Volk ist getauft, und das ist nicht gleichgültig: sehr oft ist christliche Kindererziehung darauf gefolgt, und viele sind durch einen gläubigen Konfirmandenunterricht hindurchgegangen; darin liegen große Segnungen.“ Cuntz-Bremen trat für die Bekenntnisse ein. Schrenk dagegen sprach von der Einheit des Leibes Christi. Müller-Barmen wünschte, daß die landeskirchliche Stellung Gnadaus scharf betont würde.

Auch sein Referat über die „Bedürfnisse und Aufgaben der Gemeinde des Herrn“ hob hervor, daß in der gegenwärtigen Kampfes- und Arbeitszeit die lebendigen Christen treu zur sichtbaren Kirche stehen müßten, während Büttner gegen die Staatskirche eiferte und erzählte, wie er einst auf der Universität durch den Hegelianismus Schiffbruch am Glauben erlitten habe, und Röschmann ohne weiteres die Gemeinde des Herrn, von der das Thema rede, mit den Gemeinschaften identifizierte. Hoff-Rastenburg wünschte Bibelschulen, worauf Jellinghaus von der seinigen berichtete. Dabei führte er aus: „Ich halte es gerade für die Gemeinschaften, die innerhalb der Landeskirchen bleiben wollen, für sehr wichtig, daß sie Leute haben, welche neben ihrem irdischen Beruf und als Hausväter in landeskirchlichen Gemeinden stehend Gottes Wort in den Gemeinschaften verkünden. Dadurch bleibt die Verbindung mit der Landeskirche gewahrt, und sie bleiben als ein Salz der Landeskirche erhalten. Es ist unmöglich, daß die Gemeinschaften nur durch die Pastoren oder durchreisende Sendboten sollten richtig bedient werden. Stellte man aber Laienprediger mit Gehalt für alle Gemeinschaften an, dann wäre eine Separation nur noch eine Frage der Zeit*). Am Donnerstag morgen führten Pückler und Siebel ihre praktischen Erfahrungen in der Gemeinschaftspflege in Berlin und im Siegerlande aus. Pückler berief sich dabei auch auf Sulzesche Gedanken und betonte auch diesmal, daß man nicht sowohl wiedergeborene Menschen als vielmehr diejenigen zu sammeln suchen solle, die mit Ernst Christen sein oder werden wollten, freilich nicht aus prinzipiellen, sondern aus praktischen Gründen. Jungclaußen dagegen stand auf dem Standpunkt schroffer Scheidung von der Welt, sogar von aller christlich-sozialen Arbeit, bei der man nur innerlich zurückgehe. Diese Absonderung „oftmals auch von denen, welche am Bau des Reiches Gottes mitarbeiten wollen“, hatte auch Röschmann in der Morgenandacht scharf gefordert, zugleich das Erfülltwerden mit dem Geiste, für das die Wiedergeburt nur Voraussetzung sei, wie auch Petrus erst 50 Tage nach seiner Wiedergeburt zu Ostern Pfingsten erlebt habe. „Das Ziel, zu dem Gott einen Menschen bringen will, ist nicht die Vergebung der Sünden . . ., sondern das Angetanwerden mit Kraft aus der Höhe.“ Das hatte auch Witt am Schluß seines Referates gefordert, ebenso in der Debatte Schrenk, der ja damals ebenfalls die Ansicht vertrat, daß weder Taufe noch Wiedergeburt, so sehr letztere ein Werk des Geistes sei, schon das Pfingsten des Menschen bedeute. Lepsius dagegen verstieg sich sogar zu dem Satze, daß, wer an der Taufwiedergeburt festhalte, auch jedem Ungläubigen zugestehen müsse, daß er ein wahrhafter Christ sei. Auch die Reformatoren seien in der Lehre vom heiligen Geist noch nicht zur Klarheit gekommen. Die lutherische Erklärung zum dritten Artikel ermangele der biblischen Begründung.

Man sieht, die Unklarheiten der ersten Konferenz sind keineswegs überwunden, dagegen dringt die Lehre Finneys von der Geistestaufe ein und wird nicht wirklich zurückgewiesen.

---

*) Leider hat diese klare Erkenntnis weder damals, noch, soviel ich sehen kann, überhaupt irgendwelchen Widerhall gefunden. Die Folgen für die Bewegung werden wir weiter unten sehen.

Nach Schluß der Konferenz bildete sich das „Deutsche Komitee für evangelische Gemeinschaftspflege“. Ihm gehörten an v. Oertzen als Vorsitzender, Pückler, P. Witt-Havetoft, J. G. Siebel, Charles de Neufville und Chr. Dietrich. Seit Januar 1892 kamen hinzu: P. Herbst-Ansbach (später Barmen) und P. Eichhorn-Abtswind (später Ansbach)), die damals der Bewegung in Bayern Eingang verschafften. Die erste Tat des Komitees war, in Befolgung einer Anregung der Konferenz, ein Monatsblatt zu schaffen. Zum Schriftleiter wurde Dietrich erwählt, der als Namen Philadelphia vorschlug, unter dem es dann 1891 seinen ersten Jahrgang erlebt hat. Ende 1891 hatte es 1400 Abonnenten, 1892: 2000, 1894:4700. Die Einnahmen betrugen 1891 2447,05 Mk., die Ausgaben 2374,20 Mk. Man hatte ursprünglich an eine Art Fachblatt für Gemeinschaftspflege gedacht, da aber gerade die einfachen Leute sich herzudrängten, mußte man es volkstümlicher gestalten, wollte jedoch besonders der Förderung der christlichen Erkenntnis dienen. Durch das Blatt und allerlei Beziehungen gab man mehrfach Anregung zur Gemeinschaftspflege.

Am 28. Juli 1893 beschloß das Komitee die Anstellung eines Kolporteurs. Am 1. November trat der bisherige Kolporteur der englischen Bibelgesellschaft und des Calwer Verlagvereins, Kühlwein aus Kammerforst bei Ansbach, in Chemnitz seine Stellung an.

Im übrigen war das Komitee zunächst nur, wie Dietrich es gewollt, zur Arbeitsanregung da. Aggressiver wurde man, als am 14. November 1893 v. Oertzen gestorben war und nun Pückler an die Spitze trat.

Der III. Konferenz vom 7. bis 9. Juni 1892 hatte noch v. Oertzen präsidiert. Sie war von ca. 170 Mitgliedern besucht. Es sprachen Lohmann: „Was können wir vom Apostel Paulus für die Evangelisationsarbeit lernen?“, Haarbeck: „Was lehrt die heilige Schrift über Bekehrung?“, Mühe: „Die biblische Lehre von den letzten Dingen,“ Bernstorff: „Was kann unsererseits geschehen, daß christliches Gemeinschaftsleben geweckt, gepflegt und vertieft werde?“ Außerdem fanden wie früher Mitteilungen aus den Arbeitsgebieten statt, und Dietrich berichtete zum ersten Male über die Philadelphia-Arbeit.

Aus Lohmanns Referat ist zu bemerken, daß er ausdrücklich hervorhob: „Wir stehen ganz auf dem Boden der Schrift, ganz fest auf jedem Wort Gottes von 1. Mos. 1, 1 bis Offenb. 22, 21,“ aus der Diskussion, daß Schrenk davor warnte, Neulinge und Jünglinge als Evangelisten auszusenden.

Haarbeck bestimmte die Bekehrung nachdrücklich als eine einmalige, in sich abgeschlossene Erfahrung, nämlich als „eine grundsätzliche Annahme und eine zentrale Aufnahme des Heils, deren Folgen und Wirkungen für die einzelnen Gebiete des inneren und des äußeren Lebens so lange fortdauern, als der Mensch lebt". Wenn auch unter den Bekehrten große Unterschiede vorhanden sind und ebenso unter den Unbekehrten, so besteht doch „zwischen bekehrt und unbekehrt eine tiefe Kluft". Zwar sei bei der Bekehrung im Vergleich mit der apostolischen Zeit der große Unterschied festzustellen zwischen einem getauften Christen und einem ungetauften Heiden, der aber auch nicht überschätzt werden dürfe, daß man etwa meine, daß nun der ganze Prozeß der Bekehrung in der Regel einen andern Verlauf nehme oder unter Umständen gar nicht nötig sei. Gott tue viel in der Kindertaufe, fügte er in der Debatte hinzu, sie könne aber nie die Wiedergeburt sein.

Für die Taufwiedergeburt traten P. Tiling, P. Jensen und P. Mühe ein, v. Oertzen kam ihr wenigstens sehr nahe, indem er den Sakramentscharakter der Taufe betonte, zum Teil scharf dagegen sprachen Pückler und Paul; v. Knobelsdorff stellte es als abnorm hin, wenn jemand den Tag seiner Wiedergeburt nicht wisse, und Jellinghaus betonte, daß auch der Mensch bekehrt sei, bei dem dann die Dornen mit aufgingen und erstickten den Glauben.

Am Abend fügte Schrenk auf allgemeine Bitte noch ein Wort hinzu: „Unsere Gnadauer Konferenz steht auf dem Boden der Landeskirche und muß deshalb festhalten an der Kindertaufe. Ich für mich glaube entschieden an eine Taufgnade, die das Kind empfängt, bin aber überzeugt, daß auf dieselbe die persönliche Entscheidung des Kindes für Christus folgen muß."

In Mühes Vortrag zeigt sich zum ersten Male, daß innerhalb der Gemeinschaftsbewegung darbystisch beeinflußte Gedanken aufgetaucht sind, ja, er bezeichnet die Frage nach der Entrückung, und zwar der Entrückung einer Auswahl (der eigentlichen „Braut") vor der großen Trübsal als eine „brennende Frage". Er lehnte sie ab, ebenso Dietrich in der Debatte, der schon im Januarheft seines Blattes vom selben Jahr dagegen aufgetreten war. In Gnadau fand sie damals keine Verteidiger.

Bernstorff vertrat seinen Allianzstandpunkt und nahm „die sogenannten Sekten" in Schutz. „Wir können nicht wissen, ob Gott durch die Methodisten, Baptisten, vielleicht sogar die Heilsarmee oder durch die Landeskirche uns Heil bringen will. Wir glauben das letztere und stehen darum fest und treu auf dem Boden unserer Kirche, aber versagen wir die Bruderhand denen nicht, von welchen wir überzeugt sind, daß auch in ihnen Gottes Geist waltet." Auch de Neufville stimmte dem zu und vor allem Büttner, der zugleich zur Konferenz nach Blankenburg einlud.

In Bernstorffs Referat finden sich auch schon Anzeichen davon, daß die Abendmahlsfrage die Gemeinschaftsleute zu beunruhigen anfing. Aber er warnte vor Separation. „Wir wollen auch keinen Anstoß daran nehmen, daß Weltleute auch an den Tisch des Herrn gehen. Freilich glaube ich, daß das Mahl des Herrn nur für seine Gläubigen bestimmt ist — aber wir können den Leuten doch nicht mit Sicherheit ins Herz sehen."

Die IV. Konferenz fand statt vom 15. bis 17. Mai 1894, im Anschluß wurden Spezialkonferenzen für Studenten, Weißes Kreuz, Blaues Kreuz und Stadtmission abgehalten. Das erste Referat hatte Röschmann über „Das Einwohnen des heiligen Geistes".

Er behauptete, die Lehre vom heiligen Geist, welcher uns nicht nur zum rechtfertigenden Glauben bringt, sondern auch in uns wirken will, sei in der Kirche der Reformation weit und breit stiefmütterlich behandelt. Das Einwohnen des Geistes setzte er in die Wiedergeburt, indem er betonte, daß man als Schriftbeweis nicht die besonderen Fälle der Apostelgeschichte und den Entwicklungsgang der Apostel, sondern die Briefe anzusehen habe. Jedoch gab er zu, daß nicht in allen, die irgendwie die Gnade Gottes in der Vergebung erfahren haben, der Geist wohne. Manche machten auch heute noch eine ähnliche Entwicklung durch wie die Apostel und Johannesjünger. Aber auch normal Wiedergeborene hätten nicht ohne weiteres alle Fülle. „Mögen wir den Geist Gottes empfangen haben, ja mögen wir mit demselben erfüllt worden sein, so schließt das doch nicht aus, daß es Stufen gibt im Erfülltwerden mit dem heiligen Geist, und zwar solche Stufen, welche wir noch nicht erreicht haben." So sah er z. B. in Joh. 14, 23 eine besonders hohe Stufe. Dagegen wandte er sich gegen die Meinung, die einzelnen Christen bzw. die Gemeinde müßten auf den Geist warten. Wenn sie ihren Mangel einsähen, hätten sie nicht mehr zu warten, sondern in Glauben und Hingabe zu nehmen. Büttner erzählte wieder seine Bekehrung vom Hegelianismus und wollte δικαιοῦν im Neuen Testament nicht nur als „rechtfertigen", sondern als „gerechtmachen" erklären, indem er zugleich gegen die Taufwiedergeburt polemisierte. Für diese trat nur einer (ein Lehrer) ein, während Knobelsdorff geradezu erklärte: „Über die Lehre von der Wiedergeburt durch die Taufe möchte ich nicht sprechen, weil zu wenige Leute hier sind, die diese Ansicht haben."

Dagegen entspann sich eine lebhafte Besprechung über die Frage, ob nicht die „Geistestaufe", die eigentliche Gabe des heiligen Geistes, gänzlich von der Wiedergeburt zu trennen sei, nach Finneys*) (und Moodys) Vorgang. Diesen Standpunkt, wobei als der Zweck der Gabe des Geistes besonders die Kraft zum Dienst angesehen wird, vertraten Lepsius, Knobelsdorff, Pückler, der sich auf Joh. 14, 23 berief, das dem schon Wiedergeborenen gelte, während doch dies persönliche Wohnungmachen nicht stückweise erfolgen könne, und Dammann, der den Abstand von der apostolischen Zeit und ihren Gaben hervorhob. Für Röschmanns Anschauung, daß „jedes Kind, welches diesen Namen überhaupt verdient", den Geist hat, trat besonders energisch Dietrich ein, wenn er auch zugab, daß es Bekehrte geben möge, die nicht ganz fertig wären und so den Geist noch nicht hätten, sowie daß in der Entwicklung eines Gottesmenschen durch Gottes ganz besondere Gnadenoffenbarungen und Geistesmitteilungen Krisen vorkämen, wo man gleichsam auf eine höhere Stufe gehoben werde.

Ähnlich führte Holzapfel in der Morgenandacht aus, daß jeder Gläubige den Geist habe, die Fülle aber allmählich oder plötzlich kommen könne. Wolck erklärte, daß er bisher die Blumhardtsche Ansicht vom Warten der Gläubigen auf den Geist geteilt habe, jetzt aber zu der Überzeugung gekommen sei, daß der Geist sich nicht etwa seit dem dritten Jahrhundert zurückgezogen habe, sondern nur „Ungehorsam und Unglaube den völligen Geistesbesitz gehindert" habe. „Der heilige Geist war da, aber nicht in Fülle."

Trotz dieser verschiedenen Anschauungen wollte man aber die Einigkeit nicht aufgeben. Lepsius erklärte: „Die Schrift spricht für beide Ansichten. Einigen wir uns dahin!" Haarbeck war überzeugt, daß Lepsius und Röschmann beide dasselbe Ziel hätten. „Wir werden uns über die biblischen Begriffe nie ganz und voll verständigen. Seien wir damit zufrieden!"

Ebenso heißt es nach der Bibelbesprechung über Joh. 3, die Witt hielt, und in der er zu dem Satze gelangte: „Wasser und Geist gehören nach Gottes Ordnung zusammen, Taufe und Glaube; und der Mensch ist erst dann wiedergeboren, wenn zu der Taufe der Glaube hinzugekommen ist", im Protokoll: „Die Konferenz war diesen Darlegungen mit sichtlichem Interesse gefolgt; dennoch kam es nicht zu einer eingehenderen Diskussion. Der Grund hierfür ist nicht etwa darin zu suchen, daß keine abweichenden Ansichten auf der Konferenz vertreten gewesen wären, sondern vielmehr darin, daß die Versammlung durch Gottes Gnade stark unter dem Einfluß des heiligen Geistes stand. Man stellte

---

*) Vgl. meine Schrift „Zur Geschichte der Heiligungsbewegung". 1. Heft.

die eigene Ansicht zurück und fühlte die Notwendigkeit, Lehrunterschiede da nicht zur Geltung zu bringen, wo man eins sein wollte im Herrn."

Auch darin, daß man Paul die Herstellung des Verhandlungsberichtes übertrug, zeigt sich, daß man die radikalere Richtung jedenfalls nicht ausschließen wollte.

H. Coerpers Referat über den „Gehorsam des Glaubens" sprach unter anderem von einem „immer tieferen Erfassen der für uns vorhandenen Lebenskräfte in Jesu", der „wunderbaren Wahrheit, daß wir Anrecht und Teil haben an dem ganzen Siege Jesu über die Sünde" und meinte, ob sich nicht hinter dem Wort Luthers vom täglichen Ersäufen des alten Menschen bei uns leicht der alte Mensch überhaupt verstecke, daß man keine wirkliche völlige Willensübergabe wolle. Boardmansche Gedanken vom völligen Glauben an den Herrn, der uns bewahren will und kann, klangen stark darin an. Paul trat ganz auf seine Seite.

Bei den Berichterstattungen (16. abends) sprach Paul von der als Gnadau des Ostens gedachten Nakeler Osterkonferenz. Am 17. sollte Schiefer über „Die heutige christliche Bewegung und die Reformation" sprechen. Jedoch „nach einer besonderen Fügung Gottes waren die im Programm genannten lieben Brüder — außer Schiefer noch Michaelis und Christlieb (Denklingen), beide für die Morgenandachten — verhindert und konnten den Verhandlungen nicht beiwohnen. Infolgessen mußte das dritte Referat ausfallen, und die Morgenandachten wurden anderen Brüdern übertragen. So sehr wir es auch bedauerten, nun nicht das wichtige dritte Referat hören zu können, so sehr wurde doch im Verlaufe der Verhandlungen es klar ersichtlich, daß der Herr uns einen andern Segen zugedacht hatte. Dem vierten Referat konnte nun mehr Zeit zugewiesen werden, und dadurch entstand ein praktischer Gewinn, der uns sonst nach menschlichem Ermessen nicht zuteil geworden wäre".

Dieses vierte Referat betraf die „Evangelische Gemeinschaftspflege" (Philadelphia). Pückler sprach „Ein Wort über das zu erreichende Ziel". Er habe gehofft, das ausgefallene Thema würde beweisen, erstens, daß die offizielle Kirche vor und nach der Reformation unfähig war, gewisse, absolut notwendige Dinge zu verrichten, und zweitens, daß die jetzige Bewegung von freiwilligen Kräften die Ergänzung der Lücke zu bilden beginne. Diese Lücke sei die fehlende Einrichtung, welche die Kirche Christi haben sollte und nicht habe. Dazu gehöre unzweifelhaft die nicht nur ideell, sondern auch reell sich betätigende Gemeinschaft der

Gläubigen, die auch Luther gekannt habe. Ja, die Augsburgische Konfession habe sogar nur in der reell sich betätigenden Gemeinschaft die wahre Kirche erkannt (Congregatio sanctorum et vere credentium). Auch wenn Luther die evangelische Kirche auf den Boden eines das ganze Volk umspannenden Netzes gebaut habe, sollte doch auch darin die wahre Kirche ihre Form und äußere Erscheinung haben (Deutsche Messe). Man habe sich 1890 das Ziel gesteckt, Gemeinschaften zu bilden. Der Anfang sei gemacht. „Was will und kann die Konferenz mit ihrer Arbeit erreichen?" Es fragt sich, ob wir alle Orte Deutschlands mit unserer Arbeit erreichen wollen und die Kinder Gottes sammeln. „Wir müssen drauf und dran gehen, wenn's auch gefährlich wird." „Ich wünschte, es käme etwas in uns von Cromwells Eisenseiten." „Ich wünschte, wir würden Löwen." „Der Herr möge den heutigen Tag so an uns segnen, daß wir aus vollem Herzen bekennen: ‚Wir, seine Knechte, haben uns aufgemacht und bauen.'" Bedeutend ruhiger sprach dann Dietrich über die Philadelphia: Gott habe sie in stiller Arbeit geführt ohne groß Geschrei. „Unsere Philadelphia-Arbeit will an den Mauern Jerusalems herumgehen, an denen ja überall gebaut wird, um zu sehen, ob müde Hände zu stärken oder Schläfer aufzuwecken sind, auch nachzusehen, ob ein Stück Mauer darniederliege, und fragen, ob sich nicht jemand des Stücks Mauer annehmen wolle." „An eine Bauleitung dachte ich nicht." „Denn es ist mir wichtig, daß die Brüder nicht glauben: Da kommt einer her und will uns kommandieren." In der dann eröffneten Diskussion sagte Pückler: „Es kommt sehr darauf an, wie wir unsere Sache betreiben." „Der Herr will mehr tun." „Die Türen sind offen, es kommt darauf an, daß wir in die offene Tür hineingehen." „Es müßte die Aufforderung an uns mit solchem Nachdruck ergehen, daß wir gezwungen werden, mehr zu tun und Hilfe zu leisten." Warnend fragte Paul, ob sie denn auch zum rechten Kampfe bereit seien. „Wie wird man ein Löwe? Wenn man ein Schaf geworden ist." Ebenso wies Holzapfel auf die Arbeit am eigenen Wandel hin. Pückler antwortete: „Wir sind sehr dankbar für diese Bemerkungen. Ich möchte jedoch darauf aufmerksam machen: wir dürfen nicht vollkommen sein wollen, ehe wir arbeiten. Es ist nötig, daß man in die Arbeit eintritt." Auch Büttner (Kelbra) trieb zur Arbeit. Röschmann betonte: „Es ist nötig, daß eine Konferenz eine praktische Spitze hat." „Gott hat uns vor einen neuen Schritt gestellt. Ich habe den Glauben, daß der Herr von hier aus praktische Segnungen für unser Vaterland geben will." „Wir sehen, der Herr will etwas tun, er stellt die Konferenz vor die Aufgabe, in eine weitere Arbeit einzutreten."

„Wollen wir etwa noch länger warten, bis der Herr Evangelisten schickt?" „Der Philadelphia-Verein muß gleichsam ein Mittelpunkt werden, wo die Fäden zusammenlaufen, wo man diese oder jene Wünsche vorbringt, damit man den Weg ebnen kann und dieser oder jener Bruder gesandt werde." Pückler stimmte bei: „Es ist etwas Wunderbares, eine einmal verpaßte Sache kommt nicht wieder zustande. Jetzt ist eine gute Zeit. Die Türen stehen offen. Ich glaube bestimmt, daß wir vor einem wichtigen Moment stehen. Es ist wichtig, daß wir nichts tun, was den Entwicklungsgang des Reiches Gottes aufhalten könnte." Dietrich warnte noch einmal: „Wir müssen mit den Verhältnissen rechnen." „Unser Bitten muß dahin gehen, daß sich Pastoren finden, die der Freiheit eine Gasse machen." „Mancher Arbeiter steht in schwierigen Verhältnissen, da müssen noch Türen aufgetan werden." Nach Schluß der Diskussion bat Pückler nur noch: „Lassen wir nur den rechten Moment nicht vorüber, beachten wir den Wink Gottes, wenn er uns zur Arbeit ruft. Nehmen wir doch dies recht aufs Herz!" Nachdem dann die Bibelbesprechung gewesen war, erbat sich Konsistorialrat Robert aus Frankfurt a. M. das Wort, um noch eine besondere Sache zur Sprache zu bringen. Er ging auf Röschmanns Vorschlag ein. „Es fehlt uns an Organisation bei der Evangelisation. Wir sind gewissermaßen Soldaten ohne Führer. Ich möchte den Antrag stellen: Die Versammlung möge das Philadelphia-Komitee beauftragen, sich im Namen der Gnadauer Konferenz als Evangelisationskomitee für Deutschland zu bilden, um auch dort, wo Gemeinschaften sich noch nicht befinden, zunächst Leben in Gott und dann Gemeinschaftsbildung anzustreben." Der Vorsitzende spricht seinen Dank aus für diesen Antrag und bemerkt: „Wenn das der Sinn und Wille der Konferenz ist, so möge es geschehen." Die Versammlung, soweit sie zur deutschen Landeskirche gehörte, erhob sich fast ausnahmslos.

Das Komitee hat sich konstituiert. Sieht man den ganzen Vorgang an, so muß man wohl sagen: Eine kleine energische Schar, besonders Pückler, hat es verstanden, die Konferenz auf eine starke Art zu einem folgenreichen Schritt zu drängen. Philadelphia berichtete: „Auch wo es Meinungsverschiedenheiten gab, führten sie nicht zu Streitreden, sondern zu friedlicher Auseinandersetzung", und von dem Antrag auf Bildung des Evangelisationskomitees heißt es nur, er sei gestellt „in der Voraussetzung, daß die Evangelisation mit der Gemeinschaftspflege Hand in Hand gehen, ja das Material für Gemeinschaftspflege zum Teil erst schaffen müsse".

Das so geschaffene „Deutsche Komitee für evangelische Gemeinschaftspflege und Evangelisation" wurde zugleich ergänzt, indem für die beiden Verstorbenen, v. Oertzen und G. Siebel, Graf Bernstorff, der auch v. Oertzens Nachfolger im schleswig-holsteinischen Verein wurde, Fabrikant A. Siebel, der Bruder Gustavs, und P. Paul (Ravenstein-Pommern) in dasselbe aufgenommen wurden.

2. Die Weiterentwicklung des Organisationszentrums.

(Das Deutsche Komitee für evangelische Gemeinschaftspflege und Evangelisation als Zentrum der Arbeitsorganisation bis 1901 — Der Deutsche Philadelphia-Verein — Die Organisation des Deutschen Verbandes für evangelische Gemeinschaftspflege und Evangelisation — Die Leiter- und Vertrauensmännerkonferenzen — Ausbau und Festigung der Gemeinschafts-Organisation.)

Zunächst trat im Sommer des Jahres ein weiteres Mitglied in das Komitee, der schon genannte Gutsbesitzer Birschel in Erlau bei Nakel. Die Abonnentenzahl der Philadelphia stieg auf über 5000. Die Einnahmen betrugen 7635,30 Mk., denen 7037,70 Mk. Ausgaben gegenüberstanden. So schritt man energisch zur Erweiterung des Werkes. Auf der bei Gelegenheit der Kasseler Osterkonferenz 19. April 1895 stattfindenden Komiteesitzung, wo von zehn Mitgliedern acht anwesend waren, wurde der Färbermeister Riedel für das östliche Sachsen (Dresden), Merz für Thüringen (Neudietendorf) als Berufsarbeiter unter Gebet und Handauflegung eingesegnet. Ferner wurde beschlossen 1. Dietrich einen ständigen Mitarbeiter zu geben, 2. für die Evangelisation im Osten und Norden eine Zentrale zu schaffen und einen Bruder (Pastor) hierfür in Berlin zu stationieren, 3. wenn Gott den rechten Mann und die nötigen Mittel gebe, auch für Schlesien einen Kolporteur anzustellen. Jener Mitarbeiter fand sich in dem Kandidaten Bauerle, einem Neffen Dietrichs, den Posten in Berlin übernahm P. Bührmann, Inspektor des Predigerseminars und der Brüderanstalt in Breklum; als seine Hauptaufgaben bezeichnete Pückler (Phil. 1895 Nr. 8): „Die evangelistisch begabten Männer herauszufinden und sie, wills Gott, in die Arbeit zu rufen, sodann dem Willen Gottes folgend dorthin sich zu wenden, wo der rechte von Gott gewiesene Ort ist, und die Beziehungen zwischen dem Bedürfnis nach Evangelisation und denen, die Abhilfe bringen können, unaufhörlich anzuknüpfen und zu befördern."

So waren Ende des Jahres im Dienste des Komitees mit der Tochter Dietrichs (für die Expedition) sechs Angestellte tätig, zu denen April 1896 für Schlesien der Diakon Ph. Hoßfeld aus Erbach kam[1], der jedoch bereits 1897 wieder ausschied. Die Kolportage hatte zu den Anfängen eines Büchergeschäftes geführt, das 1896 bereits 1800 Mk. Gewinn abwarf, die Gesamtausgaben des Komitees stiegen 1895 auf 14231,19 Mk., 1896 schon auf 22471,50 Mk., aber die Einnahmen hielten Schritt, 1895: 15003,89 Mk., 1896 allein an Liebesgaben 19056,51 Mk., wozu als früherer Vorrat 1614,99 Mk. und die Einnahme des Büchergeschäfts kam. Auch das Defizit von 1897, 567,85 Mk., wurde durch die Buchhandlung getilgt. Zwei Evangelisten, die in diesem Jahre durch Bührmann berufen wurden, erhielten kein Gehalt, sondern hatten ihren Unterhalt durch Schriftenverkauf und spezielle Gaben (Fürstenau und Peters). Auf der Gnadauer Konferenz 1898 konnte Dietrich mitteilen: „Die ursprüngliche Absicht des Komitees, durch das Blatt „Philadelphia“ in ganz Deutschland Anregung zur Gemeinschaftspflege zu geben, ist in manchen Gegenden von so gutem Erfolg begleitet gewesen, daß dieselben jetzt eigene, abgegrenzte Gemeinschaftsbezirke mit selbständigem Brüderrat oder Komitee und mit eigenem Gemeinschaftsblatt bilden.“ Aber er fügte auch hinzu: „Ob im Fortgang der Gemeinschaftsbewegung die andere Absicht, die bei der Begründung unseres Blattes mitwirkte, nämlich einer Verbindung der deutschen Gemeinschaftskreise zu dienen, auch in fortschreitendem Maße erreicht wird, muß sich wohl in den nächsten Jahren erweisen. Der Herausgeber des Blattes hat seine Aufgabe von Anfang an im Dienen, nicht im Leiten gesucht.“ Dabei betonte er, „daß wir bei aller aufrichtigen Allianzgesinnung doch unsere Arbeit ausschließlich innerhalb der deutschen evangelischen Landes- und Bekenntniskirchen haben und daher auch verpflichtet sind, auf deren Organisation und Einrichtungen alle nur mögliche Rücksicht zu nehmen, und zwar aus aufrichtigem Herzen, nicht etwa nur aus Opportunitätsgründen.“

Im übrigen warnte er vor Hast und Ungeduld, die die Mutter der Oberflächlichkeit sei. An manchen Orten sei rasch ein vielversprechender Anfang gemacht, dem ein entsprechender Fortgang fehle. Pückler beeilte sich zu erwidern: „Nun, meine lieben Freunde, die Warnung, welche wir gehört haben, ist ja sehr gut nach einer Richtung hin. Aber man kann sie auch sehr falsch verstehen.“ „Wir sind schrecklich geduldig gewesen in Deutschland, und das ist ganz sicher, daß Gott ein viel rascheres Tempo geht, als die Menschen mitgehen und mitzugehen gewillt sind.“ „Es gibt eine ganz falsche Geduld.“

Am 15. Oktober 1898 trat W. Bornhak als Geschäftsführer in die Buchhandlung ein, im übrigen brachte das Jahr bei einer Ausgabe von 22265 Mk. ein Defizit von 1737,23 Mk., wovon jedoch 950 Mk. durch die Buchhandlung gedeckt wurden. Die

Abonnentenzahl stieg auf 6000. Das nächste Jahr brachte weitere Vermehrung der Angestellten. Zwar gab Bauerle seine Stelle auf, aber im Herbst trat P. Brockes für ihn ein, der früher Pastor in Prittag-Schlesien, darauf Vorstand des deutsch-armenischen Waisenhauses in Bebek bei Konstantinopel gewesen, aber auf Wunsch der türkischen Regierung abberufen war. An die Stelle der bisher in der Expedition tätig gewesenen Tochter Dietrichs, die sich mit Bornhak verlobte, trat ihre Schwester. Von den Kolporteuren wurde Kühlwein vom westlichen Sachsen ins östliche nach Zittau versetzt, Falkeisen ersetzte ihn in Zwickau, neu angestellt wurde Kusch in Liegnitz. Die dadurch wiederum vermehrten Ausgaben (25427 Mk.) wurden durch Liebesgaben (24082 Mk.) und Buchhandlung aufgebracht. Nachdem dann 1900 noch Alfred Horst, Bruder des nachher zu erwähnenden P. Horst-Mansbach (Hessen), als Sekretär des Bestrebungsvereins in Graz, Theodor Bursche aus Freienwalde mit Zustimmung des Brüderrates als Kolporteur für Pommern, Heß in Thal (Gotha) für Thüringen und Kohn in Leipzig angestellt, Falkeisen nach Katzenelnbogen versetzt waren, befanden sich Ende des Jahres folgende zwölf Männer im Dienste des Komitees: Brockes in Stuttgart, zugleich Reiseprediger, Bührmann-Potsdam, als evangelistischer Reiseprediger, Horst in Graz, Bornhak für die Buchhandlung und die Kolporteure Heß-Thal, Kohn-Leipzig, Kühlwein-Zittau, Bursche-Freienwalde (später Dramburg), Riedel-Klotzsche bei Dresden (später Hohndorf bei Lichtenstein), Merz-Blankenburg, Falkeisen-Katzenelnbogen, Kusch-Liegnitz. Philadelphia wurde in 8000 Exemplaren versandt. Die Folge der dadurch nötigen Ausgaben (31884,83 Mk.), denen nur 28673,31 Mk. Einnahmen gegenüberstanden, war ein Defizit von 2182,50 Mk.

Da brachte das Bürgerliche Gesetzbuch eine neue Phase der Entwicklung. Am 29. Dezember 1900 bildete das bisherige Deutsche Komitee für evangelische Gemeinschaftspflege und Evangelisation den rechtsfähigen „Deutschen Philadelphia-Verein", eingetragen am 23. Februar 1901. Ihm gehörten alle damaligen Komiteemitglieder mit Ausnahme Pauls an, nämlich Graf Pückler, Graf Bernstorff, Birschel, Dietrich, de Neufville, Reuter, Siebel, Witt und Wittekindt. P. Eichhorn war bereits April 1896 ausgeschieden, P. Herbst Juni desselben Jahres; über die Gründe ist aus Philadelphia nichts zu ersehen, Direktor Reuter-Magdeburg gehörte dem Komitee seit Oktober 1897 an, P. Wittekindt-Oberissigheim (Hessen-Nassau) seit Januar 1899.

Die Satzungen des Vereins lauten: § 1. Der „Deutsche Philadelphia-Verein" ist eine geschlossene Gesellschaft evangelischer Männer zu dem Zwecke, unter dem deutschen Volke christliches Leben zu wecken und zu pflegen.

§ 2. Diesen Zweck sucht der Verein zu erreichen a) durch Evangelisation, d. h. volkstümliche, erweckliche Verkündigung des Evangeliums, b) durch Pflege christlicher Gemeinschaft, c) durch Verbreitung christlicher Schriften. § 3. Der Verein steht auf dem gemeinsamen Bekenntnisgrund der evangelischen Landeskirchen und sucht denselben durch seine Tätigkeit zu dienen. Sektiererische Bestrebungen liegen ihm fern. § 4. Die für seine Tätigkeit nötigen Geldmittel bringt der Verein auf a) durch freiwillige Gaben seiner Mitglieder und Freunde, b) durch Herausgabe und Vertrieb christlicher Schriften. Eine Verpflichtung der Mitglieder zu Geldbeiträgen besteht nicht. § 5. Der Sitz der Verwaltung und der rechtliche Wohnsitz des Vereins ist in Stuttgart. § 6. Der Verein besteht aus mindestens sieben Mitgliedern. Zur Aufnahme neuer Mitglieder ist ein Beschluß der Mitgliederversammlung erforderlich. § 14. Eine Mitgliederversammlung ist einzuberufen, wenn Beschluß zu fassen ist über a) die Wahl eines Ausschußmitgliedes, b) die Wahl neuer oder den Ausschluß vorhandener Mitglieder, c) die Anstellung von Reisepredigern und Missionsarbeitern, d) Erwerbung, Übernahme oder Veräußerung von Häusern, Grundstücken, Aufnahme oder Hingabe von Darlehen gegen hypothekarische Versicherung, e) Entgegennahme bzw. Feststellung des jährlichen Rechenschaftsberichts, f) Änderung der Statuten oder Auflösung des Vereins . . . § 18. Löst der Verein sich auf, so hat er das Recht, in einer Schlußsitzung über die Verwendung des vorhandenen Vermögens im Sinne von § 1 und 2 dieser Satzungen zu verfügen. Kann eine solche Schlußsitzung nicht mehr stattfinden, so gehen Aktiva und Passiva des Vereins an die „Christliche Gemeinschaft St. Michael" in Berlin über. § 19. Der „Deutsche Philadelphia-Verein" soll ins Vereinsregister eingetragen werden, hat sich also in allen Dingen, die nicht in seiner Satzung bestimmt sind, nach den Bestimmungen des Bürgerlichen Gesetzbuchs für eingetragene Vereine zu richten.

Dem § 4b entsprechend wurde jetzt aus dem Büchergeschäft Philadelphia eine „Buchhandlung des Deutschen Philadelphia-Vereins". Sie führte dem Werk des Vereins jährlich 1000 Mk. zu. § 14d war besonders deswegen von Wichtigkeit, weil der Philadelphia-Verein als rechtsfähiger Verein sich erbot, Gemeinschaftshäuser, die von nicht rechtsfähigen Gemeinschaften erbaut wurden, zu übernehmen.

Als Bedingungen wurden (Philadelphia 1901 S. 111 f.) aufgestellt: 1. Die Gemeinschaft oder der Verein muß so eingerichtet sein, daß sich mindestens drei Personen zu einem verantwortlichen Vorstand der Gemeinschaft oder Lokalkomitee verbinden, damit sie als die geordneten Vertreter gelten und handeln können. Mit ihnen schließt dann der Deutsche Philadelphia-Verein einen Nutznießungsvertrag ab. Es wird aber dabei vorausgesetzt werden: 2. daß der Vorstand oder das Lokalkomitee so viel Mittel aufbringen, daß mindestens ein Drittel der Kaufs- und Baukosten bar bezahlt werden kann. Die auf den Anwesen lastenden Schulden sollen nicht mehr als zwei Drittel des Brandversicherungsbetrages ausmachen. Das sind dann natürlich Schulden, die der Philadelphia-Verein mit dem Hause übernimmt. 3. Der Vorstand oder das lokale Komitee muß sich verpflichten: a) das Haus zu nichts anderem verwenden zu wollen als zu den Zwecken, die denen des Philadelphia-Vereins entsprechen; b) die jährlichen Steuern und Passiv-Zinsen zu bezahlen; c) das Haus in gutem Stand zu erhalten; d) bauliche Veränderungen nur mit Genehmigung des Philadelphia-Vereins vorzunehmen; e) für allmähliche Verminderung der Schulden zu sorgen; f) über das alles jährlich an den Philadelphia-Verein zu berichten. 4. Solange der Gemeinschaftsvorstand oder das Lokalkomitee diese Bedingungen erfüllt, hat er (es) im übrigen vollkommen freies Hausherrnrecht. 5. Wenn diese Bedingungen nicht erfüllt werden, so kann der Philadelphia-Verein Änderungen im Betrieb des Hauses anordnen und, falls diese nicht zum Ziele führen, das ganze Anwesen nach vorausgegangener sechsmonatlicher Kündigungsfrist an sich ziehen, um es von sich aus für stiftungsgemäße Zwecke anderweitig nutzbar zu machen. — Die vom Philadelphia-Verein übernommenen Häuser können selbstverständlich auch für Jünglings- und Jungfrauen-Vereine, kirchliche Bibelstunden, Kleinkinderschulen usw. verwendet werden.

Wieviel solcher Häuser übernommen sind, ist mir unbekannt, jedenfalls die Vereinshäuser Neunkirchen und Zweibrücken, deren Mieteinnahmen mit 2130,87 Mk. (resp. 2013,25 Mk.) in den Berichten von 1904 und 1905 figurieren. Das hing zusammen mit dem Anschluß eines ganzen Gemeinschaftskreises in diesem ehemals pfälzischen Gebiete 1901 (worüber unten), wodurch auch drei Brüder neu in den Dienst des Vereins eintraten: Ohler-Neukirchen, Volk-Heidelberg, Will-Zweibrücken. Ebenfalls neu kam 1901 hinzu Ackermann-Wiesbaden, wogegen Falkeisen-Katzenelnbogen ausschied. Kühlwein wurde Gemeinschaftspfleger in Chemnitz, blieb aber im Dienst des Vereins; für ihn kam, da der zuerst berufene Arlt aus Prittag nicht antreten konnte, Kretschmar nach Großschönau bei Zittau, so daß am 1. Januar 1902 mit Fräulein Dietrich siebzehn Personen vom Verein besoldet wurden, worunter zwei Pastoren. Das war der Höhepunkt der Philadelphiaarbeit. Eine weitere Steigerung war nicht möglich wegen des Defizits. Als nämlich durch den Aufschwung der Arbeit 1901 die Ausgaben auf 38 087,17 Mk. gestiegen waren, vergrößerte sich trotz des Steigens der Einnahmen auf 33 679,37 Mk. die Gesamtschuld um 4 407,80 Mk. und belief sich Ende 1902 auf 9 063,65 Mk.

Aber es kam noch etwas anderes hinzu, was Dietrich schon 1898 andeutete (s. o.): nicht zum wenigsten gerade durch die Tätigkeit des Deutschen Komitees war inzwischen eine ganze Anzahl von Gemeinschaftskreisen entweder neu entstanden oder stark gewachsen. Jetzt wurden diese Kreise selbständiger, trieben ihre Arbeit selbst und gaben zum Teil auch schon bald ihre eigenen Blätter heraus. So sank die Abonnentenzahl von „Philadelphia“ (1900 kaum 6000), und das Philadelphiakomitee bzw. der Philadelphiaverein wurde aus dem Zentrum der Arbeitsorganisation eine Arbeitsorganisation neben den anderen.

Daß aber auch allmählich zentrifugale Strömungen aufgekommen waren, denen die ganze Art des Komitees, die nicht wenig von schwäbischem Altpietismus Dietrichs beeinflußt wurde*), weniger zusagte, sehen wir, wenn wir die Entwicklung des Organisationszentrums als Zentrum der Gemeinschaftsorganisation betrachten.

Als die Bewegung seit 1894 sich schnell ausdehnte, entwickelte sich aus dem Philadelphiakomitee allmählich auch das Zentrum einer Gemeinschaftsorganisation. Im Jahre 1897 fand auf Pücklers Veranlassung am 26. und 27. Oktober eine „Konferenz von Gemeinschaftsleitern und Freunden" in Berlin statt, auf welcher unter anderen anwesend waren: Major z. D. v. d. Oelsnitz-Schadewalde (Schlesien), Bührmann, P. Kamlah-Neugattersleben, P. Meyer-Groß-Benz (Pommern), Birschel, Siebel, Büttner-Kelbra, Graf Bernstorff, P. Witt-Kiel, Zimmermann-Striegau, Kühlwein, Wüsten-Görlitz, Bauerle, P. Lepsius, P. Michaelis-Bielefeld, welch letzterer, wie auch mehrere andere, betonte, es sei mehr Zusammenschluß und Organisation in einem Brüderrat für jede einzelne Provinz nötig.

Das Resultat war am 27. Oktober 1897**) die Gründung des „Deutschen Verbandes für evangelische Gemeinschaftspflege und Evangelisation".

Seine Satzungen lauten: 1. Der Deutsche Verband für evangelische Gemeinschaftspflege und Evangelisation bezweckt, innerhalb der Landeskirchen christliche Gemeinschaft zu fördern und religiöses Leben zu wecken. 2. Er steht auf dem Boden der heiligen Schrift und der reformatorischen Bekenntnisse. 3. Er besteht aus einem Komitee und mehreren Provinzialverbänden, welche selbständig, jedoch in Anlehnung an dasselbe, arbeiten. Die Geschäfte eines jeden Provinzialverbandes werden je durch einen Brüderrat besorgt. 4. Sowohl das Komitee als auch die Vorstände der Provinzialverbände berufen Bibelboten, Kolporteure und Evangelisten behufs Erreichung des gesteckten Zieles. 5. Zu dem gleichen Zwecke werden Konferenzen von ihnen oder im Einverständnis mit ihnen von einzelnen Gemeinschaften einberufen, auf denen vor allem brüderliche Aussprache ge-

*) Vgl. z. B. die Anweisung an die Berufsarbeiter, nach der sie keine Versammlungen halten sollen während eines Hauptgottesdienstes, nicht über Geistliche räsonnieren, dagegen den Pfarrer zuerst besuchen, wenn sie erstmals in einer Gemeinde kolportieren usw. (Phil. 1901 Nr. 1).

**) Also weder 1898 wie die doch offiziellen Verhandlungen 1902 S. 72 und sogar die offizielle Erklärung Phil. 1904 S. 108 noch 1896 wie Phil. 1901 S. 192 angeben.

pflogen werden soll. 6. Das Komitee ergänzt sich durch Kooptation. Die Vorsitzenden der Provinzialverbände gehören demselben als solche an. Mitteilungen aus der Arbeit erfolgen in dem Blatte Philadelphia. 7. Auf Grund der heiligen Schrift und in Übereinstimmung mit den Vätern unserer evangelischen Kirche halten wir die Sammlung erweckter und gläubiger Gemeindeglieder zur Schriftbetrachtung und Gebet in besonderen Versammlungen neben den gottesdienstlichen für ein unabweisbares Bedürfnis. 8. Indem wir die Gemeinschaftssache pflegen und zu fördern suchen, wollen wir nicht die Separation, der wir vielmehr wirksamst vorbeugen, sondern das Wohl der ganzen Kirche und die Förderung des Reiches Gottes. 9. Als ein besonderes Mittel hierzu in unseren Tagen betrachten wir das möglichst überallhin ertönende, volkstümliche Zeugnis erfahrener Gnade an die Christo Entfremdeten, auch neben den ordnungsmäßig eingerichteten Gottesdiensten, und zwar von solchen, die von der Liebe Gottes getrieben und vom heiligen Geist erfüllt sind, es seien Pastoren oder Laien.

Juli 1898 gehörten dem Hauptvorstande des Verbandes außer den damaligen Mitgliedern des Deutschen Komitees (Pückler, Bernstorff, Birschel, Dietrich, Neufville, Paul, Reuter, Siebel, Witt) an: P. Kamlah für Provinz Sachsen, P. Michaelis für Westfalen, v. d. Oelsnitz für Schlesien und P. Wittekindt für Hessen-Nassau. Januar 1900 kamen hinzu: Landwirt W. Kell in Langenhagen für Pommern, P. Leyn-Thurm für Sachsen.

Die Oktoberkonferenz in Berlin wurde mehrfach wiederholt als „Leiter- und Vertrauensmännerkonferenz des Deutschen Verbandes für evangelische Gemeinschaftspflege und Evangelisation“. Die erste unter diesem Titel fand 31. August und 1. September 1898 statt, wo besonders „der Reichsgottesarbeiter nach der Schrift“ behandelt und betont wurde: 1. Er muß bekehrt sein, 2. Erfahrungen im Glaubensleben gemacht haben, 3. er muß den heiligen Geist haben und eine geheiligte Persönlichkeit sein, 4. die heilige Schrift kennen und verstehen, 5. ein Beter sein, 6. nicht um schändlichen Gewinns willen arbeiten, 7. vom Herrn berufen sein, 8. auch sein Arbeitsgebiet vom Herrn angewiesen erhalten haben.

Die nächste am 12. und 13. Oktober 1899 brachte die Frage nach der Stellung zur Landeskirche. „Einstimmig (s. Dietrichs Bericht in Philadelphia 1899 S. 178) wurde zum Ausdruck gebracht: Wir stehen mit unserer Arbeit auf dem Boden der Landeskirche, wir wollen auf ihre Organe alle gebührende Rücksicht nehmen, können aber nicht von ihnen abhängig sein, sondern allein vom Worte Gottes. Unsere Aufgabe sehen wir darin, die Einrichtungen der Landeskirche einerseits zu ergänzen, andererseits zu beleben; letzteres, indem wir durch Evangelisation und Gemeinschaftspflege einzelne Seelen zu Jesu und damit zum Leben zu führen suchen, die dadurch lebendige Glieder der Landeskirche werden. Diese Stellung — so wurde betont — nehmen wir nicht etwa nur aus Opportunität ein, sondern aus innerer Überzeugung, die wir aus Schrift und Erfahrung gewonnen haben. Hat doch die Erfahrung gelehrt, daß der Herr mit den Gaben und Kräften seines heiligen Geistes in unseren landeskirchlichen Kreisen so kräftig wirkt, daß man sagen kann: Die tiefsten und nachhaltigsten Geisteserweisungen, welche wir in den letzten drei Jahrzehnten auf deutschem Boden beobachten durften, haben sich auf landeskirchlichem Boden gezeigt." Die kirchliche Evangelisation wurde mit Freuden begrüßt, die freie aber daneben für notwendig erklärt. Als besondere Gefahr wurde bezeichnet, daß junge oder ältere Brüder, denen besondere Gaben verliehen sind, in Versuchung geraten, in selbstsüchtiger Weise Anhang zu suchen und eine an ihre Person gebundene Gemeinschaft zu bilden. „Als Ziel für die Erbauung in Gemeinschaftskreisen wurde hingestellt: die Erziehung zu Persönlichkeiten, die, am Worte Gottes gebildet, als selbständige Christen bestehen können." Gegenüber der „vielfach zutage tretenden" Unklarheit über Heiligung, Geistestaufe, Geistesleitung usw. werden als Hilfsmittel empfohlen: die Schriften der „Väter in Christo, die vor uns gelebt haben und als geistliche Väter legitimiert sind", besonders Arndt, Goßner, Hofacker, Steinhofer, Hartmann. „Die christlichen Schriftsteller der Gegenwart werden von uns sehr geschätzt, schon deshalb, weil gerade sie die vom Herrn gebrauchten und gesegneten Werkzeuge sind, durch welche die gegenwärtige Bewegung hervorgerufen wurde und getragen ist. Aber sie sind zugleich Kinder dieser Bewegung, die noch der Abklärung bedarf. Darum ist es gut, neben dem frisch sprudelnden Quell des Neuen das abgeklärte Alte zu gebrauchen." Hier hatte augenscheinlich der Einfluß Dietrichs und der altpietistischen Erfahrung überwogen.

Die IV. Konferenz fand am 15. und 16. Oktober 1901 in Berlin statt. Interessant ist schon das Einladungsschreiben Pücklers, nach dem es „hohe Zeit erscheint, indem viele Fragen von ernster Bedeutung und Wichtigkeit vorliegen, daß alle die Geschwister sich wieder einmal begegnen, denen Gott so Wichtiges für Deutschland anvertraute". Der ganze Ton der Einladung ist dringend: „Seht doch, liebe Brüder, wie weiß zur Ernte das Arbeitsfeld gerade jetzt, wie nötig die Arbeiter sind und wie sehr es daran gebricht." Es war ja, wie wir oben sahen, das Jahr der größten Ausdehnung der Arbeit und des großen Defizits. Auffälliger ist die Betonung, daß es ein großes „national-deutsches" Werk sei, und die Bitte zu kommen „wegen der notwendigen Gemeinschaft im heiligen Geist, wegen des großen, gemeinsamen

Zieles, das wir verfolgen, und schließlich auch wegen äußerer Linien, welche gut sind unter denen zu vereinbaren, welche Gott an demselben Werk gemeinsam dienen". Man hat den Eindruck, als ob hier zentrifugale Strömungen auftauchten oder doch ihr Auftauchen befürchtet würde. Das klingt auch durch das augenscheinlich wichtigste Referat der Konferenz. Nachdem nämlich P. Hahn-Teltow über die Frage „Wer darf erwarten, daß seine Arbeit bleibende Frucht bringt zum ewigen Leben?" (wobei er den Gebrauch von Kommentaren verwarf) referiert hatte und P. Michaelis über „Wie erziehen wir in den Gemeinschaften einfache Brüder für den Dienst am Wort?" (wobei unter anderem auch konstatiert wurde, daß Bibelkurse sehr schlimme Wirkungen haben könnten, besonders wenn der Schüler hochmütig und eingebildet würde, sich zu gut halte für seinen werktäglichen Beruf und meine, er sei zum Predigen berufen), referierte nach kurzem Wort Pücklers Dietrich über die Doppelfrage „Was ist das einzelne Mitglied des Verbandes unserem Verbande schuldig, was der Verband seinen Gliedern?" Die Zeit der Zerstreuung sei für die Menschen seit Christo vorüber; die Liebe, des guten Hirten neues Gebot, treibe zusammen, besonders die, die durch äußere Umstände, geschichtliche Führung, dieselbe Form der geistlichen Erziehung aufeinander gewiesen seien. „Die eine Herde darf Abteilungen haben, und jeder muß wissen, in welche Abteilung er gehört." Aus diesem Sinne sei der Deutsche Verband entstanden. Er sei seinen Gliedern, d. h. den angeschlossenen Gemeinschaftskreisen, schuldig: 1. Gelegenheit zur Besprechung der Arbeit zu geben, was im großen in den Gnadauer Konferenzen, namentlich für Detailfragen aber in den Oktoberkonferenzen und durch das Komitee des Verbandes geschehe, 2. freie Bahn zur Entfaltung, Arbeit, Organisation, „soweit solches alles den Richtlinien nicht zuwiderläuft". Jeder Kreis solle seine Eigenart behalten, das Ganze nicht einem Rosen- oder Veilchenbukett, sondern einem Feldblumenstrauß gleichen, 3. schulde der Verband Rat und Hilfe, die bisher stets gewährt sei, 4. daß die Leitung das Ihre tue zur Abwendung oder Abstellung von Ärgernissen in Lehre oder Leben; aber Maßregeln dürften nur „gemeinschaftlich und nur nach klaren Aussprüchen der heiligen Schrift" getroffen werden.

Umgekehrt seien die Glieder dem Verbande schuldig: 1. seine Veranstaltungen zu beschicken, 2. ihn pekuniär zu unterstützen, 3. seine Richtlinien zu respektieren, vor allem in aufrichtiger Stellung zur Landeskirche, Kirchlichkeit bloß aus Opportunität sei Heuchelei und bringe keinen Segen. Zum Schluß betonte Dietrich noch einmal: „Wenn unsere Gemeinschaftsbewegung gesund bleiben und nicht vor ihren Gegnern zuschanden werden soll, so muß noch mehr, ein noch innigerer Zusammenschluß stattfinden. Es droht uns bereits die Gefahr, daß die Bewegung durch ein ungesundes Freibeuterwesen geschädigt, gehindert und auch bei wohldenkenden Christen . . diskreditiert wird." In der Debatte wurde über das Verhältnis zu den freien Evangelisten gesprochen und festgestellt, daß der Bewegung durch solche Arbeiter da und dort schon empfindlicher Schaden zugefügt sei. Ein anderer Übelstand sei es, wenn zwei Gesellschaften, die beide landeskirchlich sein wollten, an einem Orte arbeiteten. „Es wäre dringend zu wünschen, daß der Vorstände-Verband (d. h. das Komitee des Deutschen Verbandes) die betreffenden Gesellschaften und Vereinigungen zu einem gegenseitigen und freundlichen Rücksichtnehmen aufeinander bewegen könnte."

Schließlich referierte Wittekindt über „Was gehört zur ehrenhaften Ordnung in den Gemeinschaften?", wo unter anderem gefordert wurde, daß jede Gemeinschaft etliche Älteste haben sollte, die den Vorstand bilden, bestimmen, wer in der Versammlung reden oder sonst in der Gemeinschaft arbeiten soll, und über Lehre und Wandel wachen. Hier tauchen offenbar schon die Gedanken der Organisation der Einzelgemeinschaften auf (s. u.).

Als Gesamtresultat gewissermaßen berichtet Philadelphia 1901 Nr. 11: „Der Gemeinschaftsverband erwies sich mehr als je bisher als wirksames Bindemittel zwischen den verschiedenen Gemeinschaftskreisen."

Auch sonst empfand man augenscheinlich die Notwendigkeit, solche „Bindemittel" zu schaffen bzw. zu verstärken. Hierher gehört vielleicht weniger die Gründung einer Verbandskasse auf der Komiteesitzung bei Gelegenheit der Kasseler Konferenz am 9. April 1901 (Kassierer: Direktor Reuter-Magdeburg), mehr schon der gleichzeitig gefaßte Beschluß, die Gnadauer Konferenz jährlich abzuhalten. Die Zurücknahme desselben in der Sitzung am 15. Oktober 1902 in Berlin, wo beschlossen wurde, die Konferenz nur alle zwei Jahre zu halten, die provinzialen Gemeinschaftsverbände aber zu ersuchen, in den Jahren der Gnadauer Konferenzen größere Pfingst-Konferenzen nicht zu veranstalten, sieht sehr nach einem Kompromiß zwischen Zentralisations- und Dezentralisationsstreben aus*).

Im gleichen Jahre wurde auf der Gnadauer Konferenz der auf der Oktober-Konferenz von 1901 aufgetauchte Gedanke einer Arbeitsverständigung zwischen den einzelnen Kreisen und Gesellschaften wieder aufgenommen, indem Pückler ausführte: „Was

*) In dieser Sitzung wurde auch beschlossen, in Sachen des P. Horst-Mansbach (s. u.) beim Kultusminister vorstellig zu werden.

sollen wir weiter tun? Mit etwas Konferenz- und Schönwetterchristentum führt der Herr seine Sache nicht durch. Es gilt zu sterben mit ihm." Vor allem verlangte er Selbständigkeit der Gemeinschaften, nicht nur „soweit, als der jedesmalige Ortsgeistliche sie pflege und billige". Andererseits sollten auch die Gemeinschaften sich erinnern, daß das Volkskirchentum manchen Segen bringe. Ein etwas geschlosseneres Vorgehen und größere Verbindung des Zentralverbandes und der einzelnen Brüderräte wäre gut. „Die Not schreit." Ganze Provinzen schreien danach, daß „Jesus seine Hand kehre zu den Kleinen". Überall seien offene Türen. Weder Bonifatius noch Luther haben so viel offene Türen gehabt für das Evangelium, als sie unserer Bewegung gegeben sind. „Wir haben keine größeren Feinde, als unsere eigene christliche Verschlafenheit. Sie ist unsere besondere Nationalsünde."

Pücklers Wort hatte Erfolg. Am 23. Mai 1902 fand eine vertrauliche Besprechung von Vertretern deutscher Gemeinschaftskreise und Evangelistenschulen statt (vertreten waren: St. Chrischona, Deutscher Philadelphia-Verein, Johanneum, Rheinische Mission, Brüdergemeinde, Verein für Reisepredigt, Neukirchen, Deutsche Zeltmission und die Elberfelder Evangelische Gesellschaft, dann die Brüderräte von Schlesien, Posen-Westpreußen, Ostpreußen, Brandenburg, Schleswig-Holstein, Sachsen-Anhalt, Westfalen, Rheinland, Hessen-Nassau, Württemberg).

Als Richtlinien wurden aufgestellt: „1. Wir vereinigen uns auf den Grundsatz gegenseitiger Anerkennung und Rücksichtnahme in der praktischen Arbeit. 2. Ohne vorherige Verständigung mit den leitenden Brüdern einer Gemeinschaft soll ein Berufsarbeiter nicht im Gebiet dieser Gemeinschaft Versammlungen abhalten. 3. Wenn ein Arbeiter als Gast in eine von ihm nicht bediente Gemeinschaft kommt, so soll von ihm das Vereinigende und nicht das Trennende hervorgekehrt werden. 4. Wo mehrere Gemeinschaften nebeneinander bestehen oder arbeiten, soll jedes Herüberziehen anderer Gemeinschaftsglieder zu der eigenen Sache vermieden werden, dagegen ist brüderliche Fühlung zu suchen. 5. Entstehende Differenzen sollen durch brüderliche Besprechungen und Bezirkskonferenzen beseitigt werden. 6. Den einzelnen Arbeitern sollen von ihren Vorständen möglichst bestimmte Instruktionen nach den Richtlinien der heutigen Besprechung gegeben werden. 7. Im Anschluß an die Gnadauer Pfingstkonferenz soll jedesmal eine vertrauliche Besprechung der Vertreter der Gemeinschaftskreise bezüglich ihrer Arbeit stattfinden."

Damit wurde zugleich die Gnadauer Konferenz wieder mehr in den Mittelpunkt der Bewegung gerückt. Die dazwischenliegenden Konferenzen waren gegenüber dem Ausbau der Organisation und damit den Oktoberkonferenzen, die diesem dienten, mehr zurückgetreten. Ehe wir jedoch diesen Ausbau in den einzelnen Landesteilen verfolgen, sei auch über die Gnadauer Konferenzen von 1896 bis 1902 ein kurzer Überblick gegeben. Blieb Gnadau doch nach wie vor die einzige allgemeine deutsche Konferenz.

3. Die Gnadauer Konferenzen von 1896 bis 1902.

Konferenzkomitee und Deutsches Komitee sind darum auch stets eng verbunden gewesen, schon dadurch, daß der Vorsitzende, v. Oertzen, später Pückler, von Anfang an derselbe war, auch Bernstorff, de Neufville und Witt-Havetoft gehörten beiden Komitees an, nur dem Konferenzkomitee dagegen: Freiherr v. Rothkirch-Berlin und Vischer-Sarasin-Bern. Als nun der Deutsche Verband gegründet war, entstand die Frage, ob nicht das Konferenzkomitee in das Verbandskomitee übergehen solle, jedoch wurde am 31. August 1898 das gesonderte Fortbestehen beider Komitees beschlossen, zugleich aber festgesetzt, daß alljährlich zugleich mit der im Spätherbst in Berlin stattfindenden Verbandssitzung eine Konferenzkomiteesitzung zu verbinden sei, bei welcher Gelegenheit auch die Grundlinien der nächsten Konferenz besprochen werden sollten. Erwähnenswert ist noch der ebenfalls damals gefaßte Beschluß, daß das Präsidium der Konferenz zwar in der bisherigen Hand verbleiben, jedoch bei der einen oder anderen Versammlung durch ein anderes Komiteeglied geführt werden solle. Damals wurde übrigens schon das Komitee durch zwei Verbandskomiteemitglieder (Wittekindt und Michaelis) erweitert, bereits 1900 waren weitere sechs (Dietrich, Kamlah, Reuter, Paul, v. d. Oelsnitz, Müller-Barmen) dem Konferenzkomitee hinzugetreten, 1902 noch Birschel, Siebel, Kell, Leyn, Haarbeck, so daß, nachdem Vischer-Sarasin am 13. Mai 1902 gestorben war, tatsächlich Konferenzkomitee und Verbandskomitee indentisch waren (v. Rothkirch gehörte jetzt als Vertreter des Weißen Kreuzes auch dem Verbande an).

Die V. Konferenz (26. bis 28. Mai 1896) war von 4—500 Personen besucht (370 angemeldet). Die Verhandlungen wurden wieder von Paul zusammengestellt, und so trägt schon die Einleitung einen den ersten Konferenzberichten fremden Zug. Die Konferenz „möchte recht eigentlich eine Pfingstkonferenz sein. Sie will dem heiligen Geist Raum machen. Sie will Gelegenheit dazu geben, daß sich die an den Herrn Jesus Gläubigen nach Pfingstsegnungen und Pfingstgnade ausstrecken. Sie will Zeugnis davon ablegen, daß es auch heute noch ein Pfingsten gibt für jeden, der danach verlangt.“ „Es ist verlorene Mühe, wenn man solche Verhandlungen liest oder ihnen beiwohnt, ohne daß man sich von Jesu mit dem heiligen Geist und mit Feuer taufen läßt.“

Dabei ist natürlich Voraussetzung, wie es auch Schrenk in der Morgenandacht aussprach: „Wer nach Gnadau kommt, bei dem darf man voraussetzen, daß er in Christo Jesu sei."

Über den „Begriff der christlichen Vollkommenheit nach der Bibel und den Weg, dieselbe zu erreichen", referierten O. Stockmayer-Hauptweyl und Haarbeck. „Christlich vollkommen", führte ersterer aus, „ist der Mensch, der von Christo ergriffen ist, dessen Christus sich hat bemächtigen . . . können", „ein Mensch, der nichts mehr haben und nichts mehr wissen will als Christus". Er hat Macht zu lieben, wie Gott liebt. Diese Liebe ist aber bei uns noch der Vervollkommnung fähig. „Bei einem Sohne kann die Art des Vaters durchgeschlagen haben, ohne daß seine sittliche Gestalt mit der des Vaters . . . sich deckt." Ausdrücklich erklärte er in der Debatte, daß solche Vollkommenheit Unvollkommenheit nicht ausschließe. Vollkommenheit in diesem Sinne sei nicht ein letztes Ziel, „sondern der Stand eines normalen und gesund geborenen Kindes Gottes." Aber die heutigen Verhältnisse seien nicht normal. „Wir werden geboren von einer Muttergemeinde, die nie aus der Kindheit der ersten Pfingstzeit zum Mannesalter Christi aufgestiegen ist." Auch die Bekehrung sei selten eine reine Schöpfungstat Gottes, menschliches Treiben und Schaffen walte oft mit. Darum müßten so manche den Weg zu dieser Vollkommenheit erst suchen. Der Weg sei Jesus Christus, und zwar: 1. Jesus Christus, der da war, uns gemacht von Gott zur Gerechtigkeit, 2. Jesus Christus, der da ist, uns von Gott gemacht zur Heiligung, und 3. Jesus Christus, der da kommt, uns von Gott gemacht zur Erlösung. Unter 2. redete er von dem Bleiben in Jesu durch völlige Hingabe an ihn und von der fortdauernden Reinigung durch das Blut Jesu. „Wir können . . . im Geiste und in der Liebe wandeln nur unter der Deckung des Blutes Jesu." „Der Reinigung dieses Blutes können wir keinen Augenblick entbehren." Dazu kommt noch in besonderer Weise die Reinigung durch das Blut, wenn der Geist uns um etwas straft. „Immer tiefergehende Buße macht Raum für tiefergehende Reinigung und völligere Lösung." Aber das Blut Christi heilt auch von allem Trieb, der nicht aus Gott kommt, und jeder Tendenz, die nicht auf Gott zielt; es lehrt unterscheiden nicht nur zwischen Fleisch und Geist, sondern auch zwischen Seele und Geist. Beim dritten Punkt zeichnete er Gottes letztes Ziel mit uns: Eine Braut zu haben für seinen Sohn, die mit ihm regiere. „Wie Gott mit einer Rippe Adams die Eva gebaut hat, so baut der heilige Geist im gegenwärtigen Äon mit dem am Kreuz ausgeschütteten Leben des Sohnes dem Sohne ein Weib." Erst dessen Ausgestaltung briagt auch den Abschluß des Äons. Sie geschieht durch Leiden. Ihre Glieder haben nicht nur zugerechnete, sondern Lebensgerechtigkeit.

Viel nüchterner als diese mystische, oft schwer faßliche Sprache vom Blute Christi und diese darbystischen Gedanken von der — als Auslese gedachten — Brautgemeinde klangen Haarbecks Ausführungen: „Im Neuen Testament haben wir zunächst zu unterscheiden zwischen „vollendet" und „vollkommen". Jenes wird erst ins Jenseits verlegt. Vollkommenheit ist in erster Linie nicht eine Forderung Gottes an uns, sondern eine Gabe Gottes für uns und eine Tat Christi an uns. „Die vollkommene Gabe Gottes erfordert unsererseits eine vollkommene Aneignung derselben durch vollkommene Hingabe." „Wir sollen ganz kindlich sein gegen Gott, ganz erfüllt mit Christus und ganz hingegeben an ihn, von ganzem Herzen allen Menschen in Liebe zugetan, ganz harmonisch in unserm Charakter, mündig und männlich. Der Herr will aber auch eine vollkommene Gemeinde haben. Diese besteht aus allen, die eins sind in der Erkenntnis und Erfahrung der Fülle Christi. Haarbeck definierte daher die Vollkommenheit als „die in allen Lagen und Beziehungen des inneren und des äußeren Lebens zu betätigende Stellung des Menschen und der Gemeinde in der Fülle Christi, zu der wir befähigt, berufen und verpflichtet sind durch das vollkommene Erlösungswerk unseres gekreuzigten, auferstandenen und wiederkommenden Heilandes." Die Voraussetzung ist eine gründliche (eventuell nachträglich zu ergänzende) Bekehrung und Wiedergeburt, der dann der Verzicht auf eigenes Leben und eigene Leistungen und die gläubige Konzentration auf die Person und Wiederkunft Christi unter der beständigen Einwirkung des Dienstes der Knechte Christi und der Erziehung Gottes in den Prüfungen des Lebens folgen muß. Die Frage nach der wirklichen Erreichbarkeit lehnte er als unpraktisch und unwesentlich ab, weil ganz genaue Übereinstimmung über den Begriff nahezu unmöglich sei, starke subjektive Faktoren, Erkenntnis und Gewissen mit hineinspielten und weil der Charakter der einschlägigen Schriftstellen ein durchaus praktischer sei und solchen theoretischen Erörterungen widerstrebe. Wesleys Anschauung wies er ab, aber ohne auf den eigentlich entscheidenden Punkt in dessen Lehre, das besondere Heiligungserlebnis im Glauben, einzugehen. Auch Haarbeck sprach von der Brautgemeinde, worunter er freilich keine Eliteschar verstand, sondern nur die Gesamtheit der Gläubigen, die bis zur Wiederkunft zur vollen Reife der Erkenntnis und des Glaubens erzogen werden soll, wozu auch die neutestamentlichen Geistesgaben nötig sind. Die Verschiedenheit von Stockmayers Auffassung wurde aber vollständig zurückgestellt. Die Einigkeit wurde betont, jede Kritik unterlassen, auch in der Debatte.

Dietrich setzte „vollkommen" = „entschieden", Paul dagegen führte aus, wie so viele zwar die Vergebung der Sünden empfangen hätten, aber sie hätten doch die von Stockmayer gezeichnete Vollkommenheit noch nicht eingenommen, weil sie wohl Christus zu ihrer Rechtfertigung, aber nicht als ihre Heiligung angenommen hätten.

Ganz anders wiederum klang das Referat von S. Petrich „Wann ist nach den Lehren des Neuen Testaments die Bekehrung vollendet?", in dem der fortgehende Heiligungskampf betont wurde. Die Bekehrung sei vollendet, wenn der Willensentschluß, der das Wesen und den Anfang der Bekehrung ausmacht, zum bleibenden, das Leben beherrschenden Willen geworden sei, und wenn andererseits Gott durch seinen Geist einer Seele den Frieden der Versöhnung versiegele. Der Zeitpunkt des ersteren lasse sich nicht fixieren, wer aber dies letzte Siegel habe, brauche über seine Bekehrung nicht zu sorgen. Die Möglichkeit des Abfalls bleibe. Eine Abgeschlossenheit der Bekehrung gab er zwar zu, aber betonte andererseits, daß niemand im Neuen Testament von sich sage: „Ich bin bekehrt" oder „Ich habe mich bekehrt".

Dagegen legten die Diskussionsredner allen Nachdruck auf den abgeschlossenen Akt der Bekehrung, so Pückler, Stockmayer, Büttner, der abermals seine Bekehrungsgeschichte erzählte, Bernstorff, der fast bei dem Nichtwiederabfallenkönnen des wirklich Bekehrten ankam, und Schrenk, der gegen „fortlaufende Bekehrung" sich aussprach, was eine Verwechslung mit der Heiligung sei. Am Schluß warf jemand die Frage auf: „Es wird immer betont, daß die Bekehrung vollendet ist mit dem Empfang des Friedens. Nun gibt es aber Gotteskinder, die sich ganz dem Herrn übergeben haben und doch nicht Frieden haben im Gefühl." Pückler: „Da liegt etwas dazwischen, da muß es zuerst zu einem Bekenntnis kommen." Schrenk: „Es gibt krankhafte Zustände, physische und seelische, und solche Leute muß man nicht nach der Schablone, sondern individuell behandeln. Die Art ist jedenfalls abnorm." Stockmayer: „Und es gibt eine verhängnisvolle Verwechslung von Fühlen und Glauben."

Eine Lösung der Schwierigkeiten war also auch hier nicht gefunden. Offenbar war aber die Mehrheit der Ansicht, daß ein einmaliger, von jedem durchzumachender, abgeschlossener Akt der Bekehrung den Anfang jedes Christenlebens bilden müsse, dem dann die Versiegelung durch das Zeugnis des Geistes folge.

Auf der VI. Konferenz vom 31. Mai bis 2. Juni 1898 waren über 400 anwesend. Lepsius referierte über „Die Reinigung der Gewissen durch das teure Blut Jesu Christi von den toten Werken zum Dienst des lebendigen Gottes.“ Er führte aus: 1. „Der Dienst aller, die Jesu Jünger sein wollen, muß in erster Linie ein Opferdienst sein,“ worunter er die Verkündigung des Versöhnungstodes Christi verstand, und 2. „der Dienst aller Jünger Christi muß ein Dienst nicht der toten Werke, sondern des Glaubens sein.“ Damit meinte er, es gelte die Leute zur unerschütterlichen Gewißheit der Errettung in Jesu Blut zu führen, wobei er die Art der Seelenrettung ganz in Finneyscher Weise beschrieb. Zu der Rechtfertigung durch den Glauben komme dann die Heiligung durch den Glauben, ebenfalls nach Finneyscher Anschauung. „Das ist es, was wir in der evangelischen Kirche Deutschlands noch zu lernen haben.“ Überhaupt sprach er ziemlich scharf über die Kirche und ihre Arbeit und hoffte, „daß wir in Deutschland einer großen Erweckungszeit entgegengehen.“ Andererseits verwarf er sehr energisch alle mystischen Gedanken vom Blute Christi. „Nichts von allem, was zu Christo gehört, und wodurch er wirkt, weder sein Wort, noch sein Blut, noch sein Geist darf getrennt werden von seiner Person und seinem persönlichen Wirken.“ Paul dagegen entging mit seinen Mahnungen „praktisch unters Blut zu kommen“, dieser Gefahr keineswegs, und Pückler erwähnte sogar, was er vor kurzem gelesen habe: „daß das Blut Jesu für jede Seele, die mit ihm in Verbindung tritt, eine naturgemäße Wirkung hat, indem die Seele mit dem teuren Blute Jesu Christi in Verbindung tritt, tritt sie mit dem Leben Jesu Christi in Verbindung. Das Leben des Menschen ist in seinem Blut.“

In dem Vortrage von P. Witt-Kiel über „Die Bedeutung der Gnadenwahl für die Auffassung des Reiches Gottes“ brachen vollständig die Gedanken „von der Brautgemeinde, den Erwählten Jesu Christi, als von solchen, die eine Gemeinde der Erstgeborenen seien“, durch, die dann später (im tausendjährigen Reiche) das Werkzeug zur Rettung der anderen sein würde*). Auch Stockmayer führte seinen Lieblingsgedanken

*) Das hatte er schon 1896 (trotzdem ließ man ihn 1898 in Gnadau referieren!) in seinem Buche „Der Tag Jesu Christi. Eine Erklärung der Offenbarung“ ausgeführt. Die Entrückung der „Brautgemeinde“, der „Überwinder“, bildet den Mittelpunkt seiner Gedanken. Die „törichten Jungfrauen“ bleiben zurück, manche aber werden durch die Tatsache der plötzlich heimlich erfolgten Entrückung bekehrt und als Märtyrer selig, jedoch auf geringerer Stufe. Diese Brautgemeinde hat im Unterschied von Israel

von der „Erstlingsschar" wieder aus, „die kein anderes Ziel mehr will als das Ziel Gottes mit ihnen: als ihr ganzes Leben umgestalten zu lassen und gleichgestaltet zu werden mit Christus". Das Kommen Christi hänge geradezu davon ab, daß es dem Geiste gelinge, Christus im Leben von Gläubigen zu verklären. Aber auch Wittekindt sprach in seinem Korreferat („Die Bedeutung der Gnadenwahl für den vollen Sieg der Auserwählten") von der „Brautgemeinde", zu der die „Überwinder" gehören, die „den vollen Sieg glauben" und sich von Gott völlig heiligen lassen. Dabei zeigte er stark quietistische Gedanken und meinte: „Das Ziel der Mystik, das Stillesein und Ruhen in Gott und ihn in sich wirken lassen, das muß in unseren Tagen noch mehr das Ziel aller Gläubigen werden." Zeller dagegen betonte Witt gegenüber, daß das Gesagte nicht die Ansicht der ganzen Konferenz sei, und Dietrich bat, nicht zu debattieren über Fragen, über welche es Gott nicht gefallen habe, einen klaren Ausdruck zu geben.

Am Donnerstag hielt Keller die Morgenandacht.

Am Abend wurde, wie bei allen Konferenzen, das Abendmahl nach der Ordnung der Brüdergemeinde gefeiert.

---

himmlischen Beruf, was er ganz in Darbys Weise schildert, für sie ist „Jesus alles, und selbst der Vater, wenn wir menschlich reden dürfen, tritt gegen ihn zurück". Das Weib in Kap. 12 ist ihm übrigens die Gemeinde aus Israel, der Sohn die Schar der aus ihr Versiegelten. Aufs schärfste wendet er sich gegen Pfarramt und Landeskirche. Nikolaitismus ist ihm „die traurige Irrlehre, nach der es in der Gemeinde Gottes einen Unterschied geben soll zwischen sogenannten Geistlichen und Laien". Sardes sind ihm die evangelischen Landeskirchen, die „in den Anfangsgründen stecken geblieben" sind, für die Auferstehung und Wiederkunft Christi keine praktische Bedeutung haben. Andererseits ist ihm die „Volks- und Staatskirche" Laodicäa, das die Toten und Ungläubigen halte, aber die durch den Geist Gottes lebendig gemachten bekämpfe, wobei er sich nicht von Karrikaturen freihält (z. B. S. 97 f., vor allem 102 ff.). Dem steht gegenüber Philadelphia, das er etwas naiv gleichsetzt mit der „Kirche der freien Gemeinschaften". Die Glieder dieser Gemeinde sind wohl erkennbar, ihr Christentum ist das „wahre, weltflüchtige" (S. 221), sie haben auch Christus als ihren Arzt angenommen (S. 81) u. dgl. Wie weit er die „Welt" begreift, zeigt die Behauptung, daß der Satan selbst Bekehrte so weit bringe, „daß sie selbst Theaterbesuch und Tanz im Familienkreise verteidigen". Das ist ihm die „teuflische Lehre Bileams" (S. 40). Seine Dämonologie zeigt krassen Aberglauben (S. 153 f. 157). Dabei meint er nicht gerade bescheiden, er habe „nach dem Licht, das mir Gott gegeben hat, einfach erklärt". „Auch das Verständnis des göttlichen Wortes beruht wie das Wort selbst auf unmittelbarer Offenbarung."

Allmählich war das kleine Gnadau zu eng geworden. Daher beschloß man, weil man doch bereits Gäste in Schönebeck und Elmen hatte unterbringen müssen, 1900 nach Bad Elmen zu ziehen, wo man eine große Halle erbaute. Am Nachmittag des zweiten Tages wollte man, „um das Allerschönste nicht zu entbehren", nach Gnadau zum gemeinsamen Abendmahl ziehen.

Bei der Eröffnung der VII. Konferenz, vom 5. bis 7. Juni 1900, führte Pückler aus, daß alles Leben in der Kirche der Konferenz zu verdanken sei, was er später jedoch dahin modifizierte, es habe sich nur auf die Gemeinschaftssache bezogen. Auch erklärte er, es solle nimmermehr von ihm englisches Christentum eingeführt werden (ALK 1900 S. 568). Am zweiten Tage redete Stockmayer über „Geistesleitung", wobei nach ALK a. a. O. „die Nüchternheit eines Schrenk und die Schwärmerei des Grafen Pückler" scharf aufeinander trafen. Den Vorgang der Geistesleitung beschrieb Stockmayer: „In Tiefen unseres Wesens, viel tiefer als das Gebiet des Gefühls, der Stimmungen oder Eindrücke, vernehmen wir nach der einen Seite hin ein „Halt", nach der anderen ein „Vorwärts". Hier geht die Tür auf, dort wird ein Riegel vorgeschoben. Es ist nichts anderes, als Übertragung ins Kleine und Alltägliche von dem, was alle wirklichen Kinder Gottes in feierlichen Stunden erfahren, wenn sie in entscheidenden Lebensfragen zu einer klaren Überzeugung gelangen, wenn sie in ihrem Gott Freudigkeit gewinnen, einen Ruf anzunehmen oder auszuschlagen, vorwärts zu gehen oder stille zu stehen." Übrigens seien die Erfahrungen auf diesem Gebiet verschieden. Er warnte davor anderen gegenüber sich darauf zu berufen, daß Gott einem etwas gesagt habe, konstatierte aber andererseits eine nahe Berührung von Geistesleitung und Prophetie.

Die Bibelbesprechung galt der „kräftigen Wortverkündigung" 1. Kor. 1. 2. Am 7. Juni sprach Schrenk über das Heilige Vaterunser, wobei in der Diskussion die Frage auftauchte, ob Christen die fünfte Bitte beten könnten, was bejaht wurde.

Die VIII. Konferenz wurde ganz in Schönebeck gehalten vom 20. bis 22. Mai 1902. Die Zeltmission hatte ihr Zelt dafür geliehen. Die Zahl der Teilnehmer wurde auf 500 geschätzt (Chron. d. Chr. W., Dietrich: angemeldet ca. 300, anwesend etwa doppelt so viel, etwas geringer als 1900).

Der Begrüßungsabend, von Pückler, Dietrich und Reuter geleitet, fand im Zelte statt, das im übrigen der Witterung wegen mit einem Saale vertauscht werden mußte. Am 21. redete Modersohn über die „Kraft des heiligen Geistes im ewigen Wort": Das Wort Gottes wird viel gepredigt und gibt doch keine Frucht, wo es nicht im heiligen Geist gesagt wird. „Keine Gaben, keine Fähigkeiten, keine Kenntnisse können den heiligen Geist ersetzen.“ „Ich bin nicht gegen Studium und Wissenschaft; der Apostel Paulus war ein studierter Mann . . . Aber das bekenne ich doch offen . . ., daß ich für mein Teil von manchen Brüdern im Schurzfell mehr gelernt habe als von manchen Schriftgelehrten auf der Kanzel oder dem Katheder.“ Andererseits: „Wir wollen uns nicht mehr verschanzen hinter unseren Ausflüchten . . ., daß wir keine Gaben hätten. Wir sind es ja nicht, die da reden und sprechen, sondern der Geist will wirken. Er will nur Sprachrohre haben, nur Werkzeuge.“ „Gib dich ihm hin.“ „Er will auch dich gebrauchen.“

Paul betonte, daß der Geist die Wahrheit, d. h. Realität sei. Er schloß (nicht in den gedruckten Verhandlungen!): „Daß der heilige Geist Realität ist, das werdet ihr jetzt sehen: schon mehrere Tage war ich lahm auf einem Fuß bis zu diesem Augenblick. Mit gesundem Fuß werde ich jetzt hinabsteigen in den Saal.“ So geschah es. Die Diskussion geriet auf den Wert wissenschaftlicher Bildung, wobei Rappard (nicht in den Verhandlungen!) den Segen einer geheiligten Bildung konstatierte.

Dieselbe Frage knüpfte sich an den Nachmittagsvortrag von Professor Uphues-Halle über „Wirksame Wortverkündigung“, speziell die Frage nach der Predigtvorbereitung. Pückler: „Die Predigt ist um so wirksamer, je mehr der Prediger offen ist für Geistesleitung. Ist er das, so bedarf es nicht spezieller Vorbereitung, auch nicht der Abfassung eines Manuskriptes, noch weniger des Auswendiglernens einer Predigt. Diese Dinge sind nur Hindernisse für den Geist Gottes. Wie kann man bitten, daß einen der heilige Geist leiten möge, wenn man schon das Manuskript in der Tasche hat.“ Einige hatten einen Redner (wohl eben Pückler) so verstanden, als sei theologische Wissenschaft ein Hindernis für den heiligen Geist. Dagegen trat Haarbeck auf. Dietrich wies auf den Segen, den gerade die Gemeinschaften von der Wissenschaft eines Bengel gehabt. Eine Verachtung der Wissenschaft an sich sei töricht nnd komme oft aus dem Hochmut. Am 22. sprach P. Michaelis über „Gesetzliche und evangelische Heiligung“. Am Nachmittag berichteten Dietrich, W. Siebel, Bernstorff, Haarbeck, Birschel, Wittekindt, Edelhoff aus den verschiedenen Gebieten. Das Schlußwort Pücklers und die daraus folgende Arbeitsverständigung haben wir bereits erwähnt.

Sehen wir auf die Konferenzen von 1896 bis 1902 zurück, so finden wir: Über die prinzipiellen Fragen der Berechtigung und Notwendigkeit der Gemeinschaftsbewegung ist man hinaus. Jetzt gilt es, die Anschauungen der „Gemeinde“ über verschiedene dogmatische Punkte, namentlich der Bekehrung und Heiligung, zu klären, wobei sich freilich ergibt, daß vielerlei Anschauungen durcheinandergehen. Man empfindet sie aber nicht als trennend, weil man sich bewußt ist, insgesamt zu dem Volke Gottes zu gehören, „die Gemeinde“ darzustellen. Dies Bewußtsein der Einigkeit wird gestärkt durch die Berichte aus den einzelnen Landesteilen, die jährlich von neuem Vordringen der Bewegung erzählen können. Diese Ausbreitung der organisierten Gemeinschaftsbewegung bis etwa zum Jahre 1902 soll im folgenden geschildert werden.

Zweites Kapitel.

Die Ausbreitung der organisierten Bewegung in Deutschland und ihr Verhältnis zur Kirche bis 1902.

Die Ausbreitung fand entweder so statt, daß die Organisation in die bestehenden älteren Gemeinschaften eingeschoben wurde, oder durch Neugründung von Gemeinschaften. Bei letzterer war der Gang meist so: Es wurde durch ein freies Komitee eine Konferenz einberufen, und im Anschluß an dieselbe entstanden kleine Gemeinschaften, oder auch durch eine Evangelisation entstand erst einmal eine Gemeinschaft, die dann eine Konferenz veranstaltete. Die Konferenz wurde zur ständigen Einrichtung, aus dem Konferenzkomitee wurde ein Brüderrat, die einzelnen Kreise vereinten sich unter diesem Brüderrat als Vorstand zu einem Gemeinschaftsbund, und der Vorsitzende trat in das Komitee des Deutschen Verbandes ein. Wo dagegen ein alter Verband bestand, trat derselbe einfach dem Deutschen Verbande bei, behielt aber im übrigen mehr oder weniger seine Eigenart.

Dadurch war natürlich eine große Verschiedenheit ermöglicht. Vor allem war auch der Gang der Entwicklung sehr verschieden schnell.

1. Süddeutschland.

(Bayern — Württemberg).

Die ersten von Gnadau aus angeregten Konferenzen fanden in Bayern statt. Hier hatte es nur ganz vereinzelte Versammlungen gegeben. Dann hatten Seitz und Blaich vom Reichsbrüderbund die ersten Versuche gemacht, die Gläubigen zu sammeln. Eine Schwierigkeit war, daß gesetzlich nur Hausandachten erlaubt waren. Durch Gnadau wurden nun die beiden oben genannten Pfarrer Herbst und Eichhorn bewogen, größere Versammlungen zu berufen. Bereits 1888 ward in Rothenburg o. T. die erste bayerische Konferenz gehalten unter Mitwirkung von Württembergern, der bis zur II. Gnadauer Konferenz sich vier weitere Versammlungen angeschlossen hatten. Dann folgte weiter Nürnberg 4. November 1890, später Ansbach (zuerst 1892), Kitzingen (seit 1895), Feuchtwangen (seit 1898), Uffenheim (seit 1900). Die Ansbacher, Kitzinger und Uffenheimer Konferenzen wurden halbjährlich, die Rothenburger und Feuchtwanger jährlich wiederholt. Zur Organisation kam es zunächst nicht, da Eichhorn ihr abgeneigt war. Überhaupt herrschte augenscheinlich, vielleicht durch die Nähe Württembergs beeinflußt, mehr die stille altpietistische Art. Doch klagte Herbst auch schon 1890 in Gnadau über sektiererische Bestrebungen.

Außer diesen Gemeinschaften in Unter- und Mittelfranken, deren geistiger Leiter Eichhorn blieb, waren' kleinere Gemeinschaften auch in Oberfranken entstanden, z. T. vom Reichsbrüderbunde gepflegt. Ein dritter Kreis entstand in Augsburg, durch Fabrikdirektor E. Mehl 1894. Ein Kolporteur wurde angestellt, auswärtige Evangelisten berufen. 1902 hatte die Gemeinschaft schon einen eigenen Saal.

In Württemberg schritten die Altpietisten ruhig auf dem eingeschlagenen Wege fort. Der organisierten Bewegung schloß man sich nicht an, wenn man auch durch die Person Dietrichs mit ihr enge Fühlung hatte. Man hatte augenscheinlich kein Bedürfnis nach solchem Anschlusse. Hatte man doch, wie Dietrich mehrfach in Gnadau betonte, ein gutes Verhältnis zur Landeskirche und dazu einen festen Rechtsboden unter den Füßen, das Generalreskript von 1743. Dies bestimmt, die Versammlungen seien dem Ortsgeistlichen anzuzeigen, dem freier Zugang zu gestatten sei. Er soll die Versammlung überwachen, beharrlichen Separatisten den Zutritt untersagen, unbekannte und ungeprüfte, noch mehr aber verdächtige und wirklich gefährliche Personen, besonders fremde, nicht zulassen. Fremde sollen ohne Vorwissen des Ortsgeistlichen überhaupt nicht die Versammlung besuchen und darin reden, besonders sollen herumreisende Personen, welche sich ein Geschäft daraus machen, Jünger zu sammeln, Gewissensrat zu erteilen, Anstalten einzuführen, durch die Geistlichen geprüft werden. Eigentliche Sektierer sollen abgewiesen werden, Leuten von starkem, aber nur unklarem Eifer soll stillschweigendes Anwohnen oder in

Gegenwart des Geistlichen auch eine vorsichtige Ermahnungsrede gestattet, jedenfalls ihre Aufenthaltszeit eingeschränkt werden. Eine mäßige Überschreitung der sonst anzunehmenden Höchstzahl von 15 Personen untersteht dem Ermessen des Geistlichen. — Letztere Bestimmung ist wohl kaum später noch in Anwendung gebracht, aber im allgemeinen ist diese Ordnung die Grundlage geworden, auf der das Verhältnis der württembergischen Gemeinschaften zur Landeskirche sich zu einem wirklichen In- und Miteinanderleben und Wirken gestaltet hat, mochte es natürlich auch im einzelnen Falle von den Persönlichkeiten der Gemeinschaftsleiter und des Pastors abhängig sein. 1890 konnte Dietrich in Gnadau berichten: „Wenn der Pfarrer kommt, übergibt man ihm gewöhnlich die Leitung.“ Wir haben ziemlich viele Geistliche, welche die Gemeinschaft ihres Ortes je und je besuchen und herzlich mit den Brüdern verbunden sind, aber es sind ihrer wenige, welche sich ganz für die Gemeinschaftspflege hergeben und auch auswärtige Gemeinschaften oder Monatsstunden besuchen. Das kommt teilweise daher, daß ein Pfarrer sich scheut, in die Gemeinde eines anderen hinüberzugreifen.“ „In den meisten Dörfern, wo Gemeinschaften sind, sind die Stundenhalter zugleich Kirchengemeinderäte.“ „Unsere Stundenleute sind regelmäßige Kirchenbesucher.“ Vielfach gingen die Gemeinschaften als solche zum Abendmahl. An solchem Abendmahlsgang beteiligten sich aber auch andere. Sie hätten die Regel: „Sieh nicht auf die, die rechts und links von dir gehen, du hast es mit deinem Heiland zu tun, und kannst immer wissen, daß sich viele in ihm mit dir verbinden, auch wenn sie jetzt nicht da sind.“ Auch wo man es etwa als Mangel empfinde, das Abendmahl nicht im geschlossenen Brüderkreise genießen zu können, wolle man sich nicht von der Landeskirche trennen, verzichte lieber, „um der gegenwärtigen Not willen“ auf eine gesonderte Abendmahlsgemeinschaft.

Die eigene Organisation baute man weiter aus. 1895 waren 220 Gemeinschaften dem altpietistischen Verbande angeschlossen. Um Gemeinschaftshäuser auf den eigenen Namen übernehmen zu können und zu sonstigen rechtlichen Vertretungen bildete sich aus dem „Engeren Brüderkreis“ mit Hinzuziehung einiger anderer Mitglieder der „Württemberger Gemeinschaftsverein“, der 1895 juristische Persönlichkeit wurde. Eigene Berufsarbeiter stellte man aber zunächst nicht an. Man hatte eine Abneigung dagegen. Anstatt dessen hatte man „Reisebrüder“, Kaufleute, Handwerker, meistens aber Bauern*), die sich 8—14 Tage von ihrem Beruf

*) Hier blieb die Gemeinschaftssache eben im Bauernstande festgewurzelt.

losmachen und die Gemeinschaften einer Gegend der Reihe nach besuchen, besonders im Winter, z. T. gegen Ersatz des Reisegeldes. Erst Ende der neunziger Jahre ging man zur Anstellung eigener Brüder über (z. B. in Göppingen Enderlin).

Am 9. Dezember 1900 bildete sich auch ein eigener Evangelisationsverein*), der Schrenk in Württemberg und Kaiser in Österreich unterstützte. Schrenk evangelisierte, von der Stuttgarter Gemeinschaft gerufen, dort alle zwei Jahre. Auch größere Philadelphiakonferenzen fanden in Stuttgart statt. Auf der Konferenz von 1895 kam es dabei zu starker Beunruhigung mancher durch eine Äußerung eines Führers der modernen Bewegung über die Taufe, die Konferenz 1900 war die größte Konferenz seit Beginn der Philadelphia-Arbeit (über 1000 Besucher am dritten Abend sogar ca. 2500).

So drangen doch allmählich die neuen Gedanken auch hier ein, aber unter Dietrichs Leitung vorsichtig und besonnen.

Die der neuen Bewegung offeneren Chrischonabrüder (s. o. S. 41) erlangten augenscheinlich weniger Bedeutung. Die eine Stelle wurde nach Limbachs Tode 1896 gar nicht wieder besetzt.

Im Schwarzwald arbeiteten die Reichsbrüder weiter, wie es scheint, nicht ganz ohne Reibungen mit den Altpietisten über die Abgrenzung der Gebiete.

Ganz für sich blieben die etwa 60 noch bestehenden Pregizerianer-Gemeinschaften und die große Organisation der Hahnschen Gemeinschaft. Auch sie erlangte 1897 die juristische Persönlichkeit. Ihre Stuttgarter Gemeinschaft zählte 1890 ca. 150—200 Mitglieder und wuchs noch mehr. Seit 1898 hat sie dort auch ein eigenes Haus, dessen Saal 500 Personen faßt. In ganz Württemberg gab es 1890 etwa 200 Hahnsche Gemeinschaften, 1902: 370. Pregizerianer wie Hahnianer erstreckten sich auch auf Baden.

2. Südwestdeutschland.

(Die Vereine für Innere Mission in Baden, Pfalz und Hessen und ihr Verhältnis zur Landeskirche — Das Eindringen der neueren Bewegung und die Wißwässerianer — Elsaß.)

Hahnsche Gemeinschaften (1895 60, 1902 ca. 70, eine in Frankfurt) hatten sich in Baden vorwiegend in der Gegend zwischen Pforzheim und Mannheim gebildet.

---

*) Vorstand: Dekan Römer, Pf. Gauger, Dietrich, Pf. Werner, Pf. Wurster, Fabr. Lechler, Gemeinderat Böhringer.

Der bedeutendste badische Gemeinschaftskreis blieb der des **Vereins für Innere Mission A. B.**, der sich ebenfalls völlig selbständig, ohne Berührung mit der organisierten deutschen Bewegung weiter entwickelte. 1899 besaß er im ganzen 15 Häuser. Er umschloß fünf Bezirke mit den Stationen Lörrach, Steinen und Kandern, Emmendingen, Lahr, Kehl und Hornberg, Karlsruhe, Bruchsal, Durlach, Söllingen, Pforzheim, Bretten und Rüppurr, Sinsheim, Wieblingen, Schönau, Walldorf, Meckesheim und Weinheim, sowie Mosbach, Eberbach, Adelsheim und Wertheim. Auf diesen Stationen arbeiteten 26 Berufsarbeiter, teils Chrischonazöglinge, teils aus Basel, teils unvorgebildete. Vierteljährliche oder monatliche Bezirkskonferenzen und zwei jährliche Hauptkonferenzen vereinigten die arbeitenden Brüder des Bezirks bzw. des ganzen Landes. An der Spitze jedes Bezirks stand ein „Brüderrat", der von den Brüderkonferenzen des Bezirkes gewählt und vom Verwaltungsrat bestätigt wurde. Bedient wurden 1899 ca. 350 Gemeinschaften, wobei aber ca. 180 Ortschaften mitgerechnet sind, in denen Versammlungen stattfanden, wenn gerade ein Reiseprediger dort weilte. Für den engeren Zusammenschluß benachbarter Gemeinschaften bestanden schon seit 1865 „Monatsstunden". Dazu kamen rein erbauliche „Brüderkonferenzen", sowie die jährliche Generalversammlung in Karlsruhe und das Jahresfest, möglichst in der Mitte des Landes.

Die Einnahme betrug 1902: 60039,34 Mk., die Ausgabe 55818,69 Mk. Der „Reichs-Gottes-Bote" hatte sich auf einer Höhe von 18000 Abonnenten erhalten.

Einen bedeutenden Aufschwung nahm der **Pfälzer Verein**, nachdem 1889 der langjährige Vorsitzende P. Stempel gestorben und P. Schollmayer an seine Stelle getreten war. Jetzt wurde der Grundsatz: „Zuerst Geld, dann Arbeiter", aufgegeben, bald standen zwei Reiseprediger Ewald zur Seite. 1902 besoldete der Verein 7 Reiseprediger (abgesehen von drei mit ihm zusammenhängenden Stadtmissionen) und besaß 2 Vereinshäuser. Die Einnahme betrug 11413,31 Mk., die Ausgabe 10538,13 Mk. Ordentliche Mitglieder zählte er 220, was aber nicht als Maßstab seiner Arbeit genommen werden darf, da es sich dabei nur um eine rechtliche Form handelt. Den Ausschuß bildeten Pf. Schollmayer, Prof. Krieg, Pf. Blitt, Dek. Hoffmann, Pf. Götz, Prof. Krafft, Schneider, Thomas, Knauber, Müller, Mees, Pick. Wie seinen ersten Arbeiter, hatte der Verein auch die Art seiner Arbeit von Baden übernommen, so neben den „Versammlungen", „Monatsstunden", „Bezirksfeste", „Bibelkurse", „Jahres- und Waldfeste".

Der Hessische Verein für Innere Mission bediente 1902 insgesamt 30 Orte in Rheinhessen und Starkenburg. Neckarsteinach schloß sich dem badischen Vereine direkt an. Die Hauptorte waren Worms, Nierstein (hier die größte Gemeinschaft in Rheinhessen) und Schwabsburg. An diesen Orten wurden auch die Konferenzen des Vereins gefeiert. Die Stellung zur Landeskirche blieb die gleiche, grundsätzlich freundliche, wenn auch in Worms wohl keine Beziehung zwischen Pfarramt und Gemeinschaft bestand. In Schwabsburg wurde 1899 die Konferenz zum ersten Male in der Kirche gefeiert. Das Kirchenregiment stellte sich wenigstens nicht unfreundlich.

Viel schwieriger lagen die Dinge in der Pfalz wegen der gesetzlichen Bestimmungen. Die II. bayrische Verfassungsbeilage bestimmt nämlich in §§ 1—4:

„Jedem Einwohner des Reichs ist . . . eine vollkommene Gewissensfreiheit gesichert. Er darf demnach in Gegenständen des Glaubens und Gewissens keinem Zwange unterworfen, auch darf niemandem, zu welcher Religion er sich bekennen mag, die einfache Hausandacht versagt werden. Sobald aber mehrere Familien zur Ausübung ihrer Religion sich verbinden wollen, so wird jederzeit hierzu die königliche ausdrückliche Genehmigung erfordert. Alle heimlichen Zusammenkünfte unter dem Vorwande des häuslichen Gottesdienstes sind verboten."

So war es den Gegnern der Gemeinschaften stets möglich, die Staatsgewalt anzurufen, und solche Gegner fanden sich zahlreich namentlich unter den protestantenvereinlichen Pfarrern. Die Generalsynode beschloß 1897 mit 48 liberalen und einer positiven gegen 15 positive Stimmen die Bitte an das Konsistorium, „daß dasselbe endlich Mittel und Wege finde, um die im Zusammenhange mit der Inneren Mission herausgebildeten und immer allgemeiner empfundenen Mißstände auf dem Gebiete des kirchlichen Lebens zu beseitigen".

Das Konsistorium legte darauf 1899 bei Wiederholung ordnungswidriger Ausschreitungen den dem Verein angehörigen Geistlichen die „Frage wegen der Zulässigkeit längeren Verbleibens im Vereine" nahe.

Bald darauf kam es von protestantenvereinlicher Seite — unwürdigerweise — zur Anrufung der Polizei gegen die Stundenhalter. 1901 wurde abermals von der Generalsynode beschlossen, das Konsistorium möge die Geistlichen verpflichten, „von jedem Einbruch der Agenten" des Vereins der Kirchenbehörde Anzeige zu machen, und gegen die Geistlichen, die den Verein leiten, disziplinarisch vorgehen. In der Debatte wurde vom Dekan Hoffmann darauf hingewiesen, daß jeder Eingriff in die Sakramentsverwaltung den Agenten versagt sei und die Vereinsleitung streng darüber achte, daß nicht freikirchliche Neigungen bei ihnen aufkämen. Von anderer Seite wurde nicht mit Unrecht gefordert, daß dann mindestens ebenso gegen die Agenten des Protestantenvereins vorgegangen werden müsse.

Die Stellung des Badischen Vereins zur Landeskirche bezeichnet die Festschrift Eben=Ezer, S. 55 f., so: „Wir wollen nach wie vor aufrichtige Glieder der Landeskirche bleiben und nur im Rahmen derselben arbeiten. Wir wissen, was wir unserer Kirche zu verdanken haben, und sehen keine Veranlassung, uns von ihr zu trennen, selbst wenn sie nicht überall und nicht immer dem Ideal entspricht, das Gottes Wort ihr vorhält. Wir wissen, daß die gesunde Weiterentwicklung unserer Arbeit auch wesentlich durch diese unsere Stellung zur Kirche bedingt bleibt." Dem entspricht es, daß „sich die Reiseprediger bei ihrem ersten Besuch in einer Gemeinde dem zuständigen Ortspfarrer vorzustellen haben", daß von den Mitgliedern der „fleißige Besuch des Gemeindegottesdienstes, die Hochachtung vor dem Predigtamt und die gewissenhafte Erfüllung der kirchlichen Pflichten" gefordert werden, und daß „sich die Wortverkündigung der Evangelisten nach dem Bekenntnis der Kirche zu richten hat". Auch sind letztere angewiesen, von Geistlichen vor anderen nur das zu äußern, was man in Wahrheit Gutes und Löbliches von ihnen vernommen. Von dem Zusatz „Augsburgischen Bekenntnisses" heißt es: „Wer mit uns Innere Mission treiben will, muß vor allem mit uns eins sein im gesunden, seligmachenden Glauben und im Bekenntnis der lauteren, heilsamen Lehre Christi. Wir wissen wohl, daß das Unterschreiben der Augsburgischen Konfession noch kein lebendiger Glaube ist; aber der gesunde lebendige Glaube bekennt das Augsburgische Bekenntnis als sein Bekenntnis."

Das Kirchenregiment versicherte demgegenüber 1899: „Es ist bei uns selbstverständlich, daß den privaten Erbauungsgemeinschaften seitens der kirchlichen Organe kein Hindernis in den Weg gelegt wird."

Von den Sekten erklärt die genannte Schrift: „Keine Gemeinschaft, die sich aus der Landeskirche ausschließt, kann in unserem Verein Aufnahme finden." „Von unserem Verein angestellte . . . Evangelisten, die nachweislich nicht mehr auf dem Boden des kirchlichen Bekenntnisses stehen oder antikirchliche Tendenzen verfolgen sollten, sind zu entlassen."

Die Art der genannten Vereine blieb also zunächst, wie aus dem Bisherigen hervorgeht, durchaus die altpietistische. Dem Deutschen Verbande traten alle drei nicht bei. Allerdings zeigte auch die moderne Bewegung ihre Einflüsse teilweise schon früh in diesen Gebieten. In Heidelberg fand schon am 5. Januar 1892 die erste Philadelphiakonferenz statt, der im selben Jahre noch zwei andere folgten, zum Teil geleitet von Dietrich selbst. Dort stand an der 1876 erbauten Kapelle seit 1890 P. H. Coerper, dem wir bereits als einem Vertreter der modernen Heiligungsbewegung in Gnadau begegnet sind. Zu seiner Unterstützung kam 1892 der Johanneumsbruder Wüsten, dem 1897 Ruprecht folgte. Auch in Freiburg wurden bereits 1893 die ersten Philadelphiakonferenzen gehalten. Hier hat auch Bührmann evangelisiert. Ebenso kam es in Kaiserslautern und Landau zu Philadelphiakonferenzen. Mit dem hessischen Verein hatte man freundschaftliche Beziehungen. Dietrich und andere Philadelphialeute nahmen an seinen Konferenzen teil, dieselben wurden (schon 1892) in „Philadelphia" angezeigt usw. 1899 wurde ein Johanneumsbruder (Semmel) Greiners Gehilfe.

Auch mit Darmstadt, wo eine alte, selbständige Gemeinschaft bestand *), entstanden Berührungen. Schon seit dem 4. September 1894 fanden dort jährliche Konferenzen statt. Ende der neunziger Jahre bildete sich ferner ein kleiner, selbständiger Kreis von etwa zehn Gemeinschaften in den Amtsbezirken Mannheim und Weinstein, hauptsächlich durch den Darmstädter Staatsanwaltsgehilfen Walter, der 1896 den Chrischonabruder Knoll nach Neckarau (1. Konf. 29. Januar 1897) und später nach Schwetzingen rief. Als er 1902 nach Berlin ging, folgte ihm der Johanneumsbruder Schneider. Bald bildeten sich Beziehungen zum Philadelphiakomitee und dadurch auch zwischen diesem und der Gemeinschaft in Viernheim (Hessen), wo schon 1897 Konferenzen in „Philadelphia" angezeigt wurden. In diesem Kreise waren Neckarau und Schwetzingen bald so aufgeblüht, daß sie eigene Vereinshäuser beschaffen konnten. Viernheim stellte (1901?) einen Johanneumsbruder (zur Nieden) an.

Geradezu engen Anschluß an den Philadelphiaverein suchten dagegen 1901 eine Reihe Wißwässerscher Gemeinschaften. Wißwässer war am 6. April 1897 gestorben. Zum Nachfolger hatte er schon vorher seinen jüngsten Sohn Paul eingesegnet. Es entstanden aber Streitigkeiten zwischen seinen Erben und den Gemeinschaften wegen der Eigentumsrechte an dem in Mannheim erworbenen Grundbesitz. Infolgedessen schlossen sich verschiedene Gemeinschaften in der Pfalz dem Pfälzer Verein wieder an. Nur wenige in der Gegend von Germersheim, Speyer, Zweibrücken, Ruchheim und Homburg blieben bei Paul Wißwässer. Ein großer Teil aber, nämlich 16 Gemeinschaften zwischen Nahe und Mosel mit zwei

*) 1902 gegen 200 Mitglieder. Eigenes Vereinshaus.

Brüdern, Will in Zweibrücken und Ohler in der von Will gegründeten Gemeinschaft zu Neunkirchen (Bez. Trier) traten, wie bereits in der Geschichte des Philadelphia-Vereins erwähnt, 1901 zu diesem über.

Auch in Baden ging ein Teil der Wißwässerschen unter Volk in Heidelberg zum Philadelphia-Verein. Die anderen (1903: 10) blieben bei Wißwässer in Mannheim, ebenso die Gemeinschaften in Hessen (1902 in Rheinhessen 7 und mehrere in Starkenburg). Die rheinhessischen stellten sich freundschaftlich wie zur Kirche, so jetzt auch zum Verein für Innere Mission*).

Fast ganz unberührt von der neuen Bewegung blieb in dieser Zeit das Elsaß. Hier pflegte die „Evangelische Gesellschaft" in Straßburg bzw. ihre Kommission für „Landmission", der „Landverein", durch zwei Evangelisten in Brumath und Hagenau etwa 20 bis 25 Gemeinschaften. In Brumath wurde am 19. Juli 1896 ein Vereinshaus eingeweiht, wofür der Chrischonabruder Meßner (seit 1889 im Dienste des Landvereins) in „Philadelphia" gebeten hatte, der dann auch die Einweihung darin anzeigte und auch sonst die Verbindung mit Philadelphia aufrecht erhielt. Konferenzen wurden auch im Elsaß veranstaltet, so jährlich auf dem Geisberg bei Weißenburg und in Melsheim, sonst z. B. 1898 in Moderfeld und in Brumath, sowie in Petersbach für Lothringen.

Im Ober-Elsaß stellten die drei großen alten Gemeinschaften in Mülhausen, Münster und Kolmar sich in Gegensatz zur Landeskirche durch separierte Abendmahlsfeiern. In Münster pflegte Evangelist Heinr. Meister die Beziehungen zur Philadelphiabewegung, bei dem 1901 auch Bührmann evangelisierte.

Das Ergebnis, wenn wir auf die Lande südlich des Main blicken, ist also in dieser Periode: zum Teil reich entwickeltes, altpietistisches Gemeinschaftsleben, teilweise, aber sehr viel geringer, von der neuen Strömung hervorgerufene Gemeinschaften, langsames Vorwärtsdringen dieser Strömung auch in die alten Kreise hinein, aber noch nirgends ein organischer Anschluß an die organisierte Bewegung, mit Ausnahme einiger badisch-pfälzischer Kreise.

---

*) Unabhängig von Wißwässer sowohl wie vom Verein für Innere Mission bestanden 1902 die Gemeinschaft des Johanneumsbruders Egli in Mainz (seit 1901) und eine in Nierstein (neben der des Vereins).

3. Westdeutschland.

a) Hessische und Nassauische Gebiete.

(Frankfurt a. M. — Der Brüderrat der Chrischonagemeinschaften in Lich — Die organisierte Bewegung in Kurhessen — Der Herborn-Dillenburger Verein in Nassau — Das Eindringen der organisierten Bewegung in Nassau.)

Dagegen stand die neue Bewegung von Anfang an in nahen Beziehungen zu Frankfurt a. M. Hier hatte nach einer Schrenkschen Evangelisation Ch. de Neufville (s. o.) am 15. Februar 1888 zum Bau eines Vereinshauses Nord-Ost aufgerufen, um einen Mittelpunkt für seine mannigfache Arbeit zu haben. 1889 war das Haus fertig. In zwölf Abteilungen wurde gearbeitet (Sonntagsschule, Christl. Verein junger Männer, Männerverein, Weißes Kreuz, Bäckerabteilung, Blaues Kreuz, Jungfrauenverein, Näh- und Flickverein, Missions-Nähverein, Arbeit im Gefängnis, Bahnwärtermission, Schriftenverbreitung). 1892 waren schon vier Stadtmissionare angestellt. Das Komitee bestand aus den Herren de Neufville, Bernus, Pf. Correvon, Fuchs, Günther, Lejeune, Schneider, Weil. In den Sonntagsgottesdiensten predigten häufiger Auswärtige wie G. Müller, Baedeker, Rappard, Haarbeck, P. Wagner-Darmstadt, H. Coerper, Horst-Mansbach, Röschmann. 1891 evangelisierten z. B. G. Müller, Dammann, Lohmann, der in diesem Jahre als Pastor an der Christuskirche ganz dorthin übersiedelte. So gab es hier auch schon bald Gemeinschaftskonferenzen der neueren Art, die erste in Frankfurt-Bockenheim am 15. Februar 1892.

Philadelphiakonferenzen richteten auch die Chrischonabrüder in Oberhessen bald ein, am 30. Januar 1895 die „erste oberhessische" in Lich, am 27. Februar die zweite in Niederweisel. An die organisierte Bewegung schlossen sie sich aber nicht an, sondern bauten ihre eigene Organisation weiter aus. Der Mittelpunkt blieb Lich, wo man 1891 neben den Saal auch ein Wohnhaus baute. Die Arbeit in Schwalheim, Münzenberg und Großenlinden wurde begonnen (1892), in Niederweisel am 20. August 1893 ein Vereinshaus eingeweiht. Von Hachborn bei Marburg bis Schwalheim bei Friedberg reichte die Arbeit der Brüder; ein dritter Evangelist (Herrmann) mußte berufen werden (1894), aber eine Bedienung von Lich aus erwies sich auch für drei Evangelisten zu schwierig. So beschloß der Brüderrat, der für die hessischen Gemeinschaften von den Chrischonaevangelisten eingerichtet war, 1895 die Teilung in drei Bezirke. Niederweisel und den Süden erhielt Zantop, der von dort aus Fauerbach, Gambach, Holzheim, Münzenberg und Schwalheim bediente. Für den Norden wurde in Bellnhausen Herrmann stationiert. In Lich blieb Härdle und erhielt noch eine Stütze in Martin. Damals wurde von Lich aus die Arbeit in Allendorf und Leihgestern begonnen.

Eine abermalige Erweiterung der Arbeit entstand, als einige Orte im Büdingenschen die Chrischonabrüder riefen; da gleichzeitig Martin nach Marburg ging, wurden am 29. August 1897 Wohlleber (für Büdingen) und Jakob Vetter (für Lich) eingeführt. Letzterer bekam bald einen Blutsturz und wurde nun vorwiegend für längere Evangelisationen verwandt, z. B. in Dorfgüll, Lich, Niederweisel, Großenlinden u. a., bis er die Zeltmission gründete. Wohlleber ging später als Missionar nach China, seine Nachfolger bewährten sich nicht, und die Station wurde aufgegeben. Da Zantop 1898 nach Waldeck versetzt wurde, kam Martin nach Niederweisel, Basel nach Lich zu Härdles Unterstützung. Dieser nahm nun auch die Arbeit in Gießen wieder auf. Auch in Lauterbach wurde ein Bruder (Stahl, 1900 Wernher) stationiert. So konnte der Brüderrat 1900 um zwei neue Brüder bitten; Bollinger wurde am 2. September in Gießen stationiert, von wo er unter anderem Alten-Buseck, Allendorf, Großenlinden, Lützellinden und Hörnsheim bediente. Am 7. Oktober 1900 wurde das Lokal in Gießen eingeweiht, 1902 in Allendorf ein Haus gebaut.

1901 wurde endlich auch Friedberg besetzt, nachdem es früher von Niederweisel aus mitversehen war; der dorthin gestellte Br. Haecker arbeitete auch in der Hanauer Gegend. 1902 standen unter dem Brüderrat der Chrischonagemeinschaften in Hessen acht Bezirke (Lich, Gießen, Niederweisel, Friedberg, Oberau, Bergheim, Oberbreitenbach und Lauterbach). An der Spitze der Gesamtorganisation stand ein Brüderrat. Sechs der 1902 dazugehörigen Gemeinschaften hatten damals schon eigene Vereinshäuser. Das *Verhältnis zur Kirche* blieb unerquicklich. Die einzige Berührung zwischen Pastoren und Gemeinschaftskreisen fand noch bei den Versammlungen in Kloster Arnsburg statt. Bittere Klagen wurden laut (ALK 1901 Nr. 18), die von der Chrischonaleitung nicht widerlegt wurden. Namentlich wurde darauf hingewiesen, daß die Versammlungen keine Rücksicht nähmen auf die kirchlichen Gottesdienste.

„Nicht wenigen Pastoren begegnen die Kirchenflüchtigen während des Geläutes zum heimatlichen Gottesdienst, oder wenn der Pastor vom ersten Gottesdienst auf der Filiale heimkehrt." „Die Kinder sendet man wohl noch zum Konfirmandenunterricht; nach der Konfirmation indes hält man sie trotz ihres Gelöbnisses von der Kirche und Kinderlehre ganz zurück."

Daß man gleichwohl sich kirchlicherseits bemühte, zu einer möglichst objektiven Würdigung der Bewegung zu kommen, zeigt der Erlaß des Darmstädter Kirchenregiments 1897.

Er macht darauf aufmerksam, daß die Evangelisation als wünschenswert erscheint, die Gemeinschaftspflege vielfach separatistisch wirkt. Gegen einen Evangelisten, der die Leute zur Kirchlichkeit ermahnt, maßvoll in der Lehre ist (besonders Rechtfertigung und Heiligung nicht vermischt), ist grundsätzlich nichts einzuwenden. Es kann sogar für den Geistlichen Gewissenssache werden, ihn zu unterstützen. Zu beobachten ist darum erstens, ob man dem Evangelisten vertrauen darf und ob sein Bildungsgang und seine Gabe Gewähr leisten, zweitens, ob er sich an die ganze Gemeinde wendet und drittens persönliche Fühlung mit dem Pfarrer sucht, viertens, ob die Verhältnisse die freie Evangelisation wünschenswert erscheinen lassen, was besonders in größeren Gemeinden mit einer geistig beweglichen, von modernen Ideen lebhaft ergriffenen Bevölkerung der Fall ist. Auch da, wo die Evangelisation mit Gemeinschaftspflege verbunden ist, soll sie, solange sie die Grundlagen des evangelischen Glaubens nicht verletzt und das Band mit der Kirche nicht zerreißt, nicht bekämpft werden, da die Bewegung noch in der Entwicklung ist. Um der Einheitlichkeit willen soll der Geistliche den Rat der vorgesetzten Behörde einholen. Je nach Umständen ist Besprechung mit dem Kirchenvorstand zu empfehlen, immer dann, wenn es sich um Überlassung der Kirche handelt. Gerade dieser Gegenstand aber sowie die Beurteilung der Qualifikation „kann ohne uns endgültig nicht entschieden werden". Kirchlicherseits wird man durch die Bewegung vor die Frage gestellt, ob alles getan ist. „Wenn die Geistlichen der Gemeinde allsonntäglich eine aus der Fülle und Tiefe der heiligen Schrift, sowie aus der eigenen Glaubenserfahrung geschöpfte Predigt bieten und hierbei die erweckliche, auf Buße und Bekehrung gerichtete Seite der Heilsverkündigung nicht übersehen, wenn sie ferner jede Gelegenheit benutzen, um Gottes Wort hin und her in den Häusern den Armen, Kranken, Bekümmerten und Angefochtenen nahe zu bringen, und wenn sie sich vor allem selbst in ihrem ganzen Lebenswandel als Diener Gottes beweisen, dann werden sie mehr und mehr der wahre Mittelpunkt der Gemeinde werden, an den sich die, die gutes Willens sind, vertrauensvoll anschließen. Dann ist aber auch unter einfachen Verhältnissen eine von außen kommende Evangelisation kaum noch nötig." — Bei besonderem Erbauungsbedürfnis wird auf Bibel- und Missionsstunden und religiöse Besprechung hingewiesen und die Frage angeregt, ob nicht ein Austausch der Gaben unter den Geistlichen zu bewirken sei. Das Schreiben schließt: „Überhaupt wird die Liebe erfinderisch machen und die rechten Wege zeigen, auf denen das alte gesegnete Evangelium Jesu Christi mit neuen Zungen in allerlei Weise unserem Volke gepredigt und dabei doch die Einigkeit des Geistes in Glaube, Liebe und Hoffnung festgehalten werden kann, die zu dem Gedeihen unserer von schweren Gefahren ringsum bedrohten evangelischen Kirche so durchaus notwendig ist."

Ähnlich besonnen urteilte der Vortrag von P. Sardemann auf der „Theologischen Konferenz zu Gießen" vom 6. Juni 1901 (Leitsätze s. Kirchl. Jahrb. 1902 S. 370).

Die Wirksamkeit der Brüder ging, wie schon angedeutet, mit der Zeit über Oberhessen hinaus nach Wetzlar sowie nach Hessen-

Nassau. In **Kurhessen** hatten im Kreise Marburg in den achtziger Jahren einige Personen aus Bellnhausen und Sichertshausen die Villa Seckendorf in Cannstatt zur Heilung aufgesucht und nach ihrer Rückkehr angefangen, Versammlungen zu halten. Sie wandten sich an die Chrischonabrüder, und Zantop arbeitete dort, zunächst von Lich aus, in Fronhausen, Oberwalgern, Bellnhausen, Sichertshausen, Odenhausen, Salzböden, Wolfshausen, Weipoldshausen und Kirchvers. Daß 1895 Herrmann in Bellnhausen stationiert wurde, ist erwähnt. 1896 wurde dort bereits ein Vereinshaus eingeweiht. 1898 kam Stock Herrmann zur Hilfe und 1899 noch Eisel.

In Marburg selbst begann Martin 1897 die Arbeit, nachdem dort durch einen Siegerländer Kaufmann Wagner zuerst Versammlungen eingerichtet waren. Die Brüder wechselten schnell (1898 Jung, 1899 Böhler), aber die Arbeit faßte Wurzel. Ein lokales Komitee wurde eingerichtet, dem die Pilgermission die Leitung übergab. 1900 wurde ein eigenes Haus gebaut. Vetter evangelisierte dort, auch Dammann u. a.

In Heinebach war schon in den siebziger Jahren eine Versammlung entstanden, auch die Clötersche Auszugsbewegung hatte hier Fuß gefaßt. 1895 entstand dort eine neue Bewegung. Henrichs wurde 1896 nach Melsungen zur Bedienung dieser Gemeinschaften gesandt. Darüber kam es zur Trennung. Diejenigen, die Henrichs' Wiederabberufung wünschten, blieben in der Minderheit und trennten sich als „kirchliche" Gemeinschaft. Auf Henrichs folgte Winkler (1899), dann Knipper (1901). Die kurhessischen Chrischona-Gemeinschaften wurden ebenfalls organisiert und dem Chrischonabrüderrat in Lich angeschlossen.

Anfangs der neunziger Jahre kam auch ein **Neukirchener** Bruder, Klein, in den Kreis Schlüchtern, dem Juli 1893 Franz folgte. Dieser siedelte sich in Weichersbach an, wo er noch vier andere Gemeinschaften im Kreise ins Leben rief, sowie zwei im Kreise Gelnhausen.

Als nun die **Philadelphiaorganisation** in Kurhessen auftrat, wurde versucht, diese beiden Gemeinschaftsgruppen ebenfalls der Organisation anzuschließen. Sie lehnten jedoch ab. Von einem gescheiterten Anknüpfungsversuch mit Chrischona berichtet ALK 1897 S. 1198. Auch 1902 wurde ein neuer Versuch gemacht. Doch war das Verhältnis zur organisierten Bewegung wenigstens nicht feindlich.

Alle anderen Gemeinschaften in Kurhessen schlossen sich ihr an, bzw. sind durch sie entstanden. Schrenk, Dannert und Kaiser gaben mehrfach durch ihre Evangelisation den Anstoß zur Gemeinschaftsbildung, so letzterer in Kruspis (9. bis 23. Dez. 1894) und Wehrda (6. bis 22. Januar 1895) und anderen Orten der Kreise Hersfeld und Hünfeld, Schrenk für die Gemeinschaft in Kassel, deren sich später vor allem P. Sperber annahm, Dannert und Kaiser für die Gemeinschaften im Kreise Eschwege. Hier war jedoch eine, die in Herleshausen, bereits 1887 durch einen rheinischen Missionar entstanden.

1888 nahm P. Wittekindt-Oberissigheim an der ersten Gnadauer Konferenz teil und rief dann die Gemeinschaft in seinem Orte ins Leben, die sich ein eigenes Haus baute. Das wurde der Ausgangspunkt für die Kreise Hanau und Gelnhausen. Konferenzen in Hanau, Bergen und Oberissigheim wurden zahlreich abgehalten.

1893 brach in Großalmerode, einer Fabrikstadt von 3000 Einwohnern, durch P. Holzapfels Arbeit, der 1892 in Gnadau gewesen war, eine Erweckung aus. Er war von Schmalkalden nach Großalmerode versetzt.

„Gleich mit der ersten Predigt begann die Erweckung." „Sonntag für Sonntag wurden Seelen erweckt. Ein Mann lief mitten aus seiner Arbeit fort und schrie seiner Sünden wegen." „Einmal beteten wir zum Herrn, er möge die Herzen öffnen und den heiligen Geist ausgießen. Da kam es denn auch, daß die Seelen erschüttert wurden. Sie schrieen um Gnade, dankten, lobten, sangen. An dem Abend kamen fünf oder sechs Seelen zum Durchbruch."

Die Erweckung dauerte sechs bis sieben Monate. Holzapfel berief einen Chrischonabruder zur Hilfe.

Schon in Klein-Schmalkalden hatte Holzapfel 1890 eine Gemeinschaft gegründet. Sein Nachfolger versuchte sie mehr zu verkirchlichen, verlegte sie ins Schulhaus und machte eine Bibelbesprechstunde daraus. Die bezeichnende Folge war, daß die Gemeinschaftsleute sich zu den Albrechtsleuten verliefen. Erst als er auf Holzapfels Rat Dannert 1897 evangelisieren ließ und die Versammlung wieder wie früher in eine Werkstätte verlegte, blühte die Gemeinschaft wieder auf*). 1900 evangelisierte dann Keller dort, wodurch namentlich die Umgegend angeregt wurde. Besonders der Ringschmied Vogt-Seligental nahm sich der Sache an. Die Seligentaler Gemeinschaft entstand am 23. September 1900.

Vogt wurde in demselben Jahre vom Gemeinschaftsbunde an-

---

*) D. und Br. (S. 83) meinen: „Seitdem Pf. Schenkheld ein besseres Verständnis für das Wesen biblischer Gemeinschaft gewonnen hatte," u. E. zeigt dagegen der Vorgang, wie stark soziale Motive in der Gemeinschaftsbewegung mitspielen. Die „kleinen Leute" wollen unter sich sein, ohne den Pfarrer, selbständig.

gestellt. Die Entwicklung dieser Gesamtorganisation hatte bereits 1894 begonnen. Am 29. November 1894 bildete sich ein „hessischer Brüderrat" (für den Konsistorialbezirk Kassel), bestehend aus Metropolitan Ströbel-Bockenheim, P. Sperber-Kassel, Buchhändler Röttger-Kassel, P. Holzapfel-Großalmerode, P. Sartorius-Burghaun (Gründer der dortigen Gemeinschaft), Peter Menge-Hanau, P. Wittekindt-Oberissigheim. Dann wurde in Kassel, wo bereits früher kleine Gemeinschaftskonferenzen für die Umgegend stattgefunden hatten, vom 16. bis 18. April die erste Osterkonferenz abgehalten. („Das Werk des heiligen Geistes. 1. Die grundlegenden Wirkungen des heiligen Geistes. 2. Was Jesu Jünger in der Gemeinschaft des heiligen Geistes haben. 3. Der heilige Geist und der Leib Jesu Christi".) Diese von da ab alle zwei Jahre wiederholte Konferenz wurde zwar vom hessischen Brüderrat berufen, war aber zunächst mehr eine allgemeine Konferenz, ähnlich wie die Gnadauer, mit der sie auch abwechselte. Der hessische Brüderrat wurde 1897 neu gebildet durch Wahl seiner (zwölf) Mitglieder seitens einer konstituierten „Vereinigung für Evangelisation und Gemeinschaftspflege innerhalb der Landeskirche".

§ 2. Er „will zusammenschließen alle diejenigen evangelischen Christen der hessischen Landeskirche, welche sich auf Grund der heiligen Schrift und des evangelischen Bekenntnisses die Erweckung lebendigen Glaubens durch Evangelisation, sowie die Pflege brüderlicher Gemeinschaft und die Vertiefung in Gottes Wort zur Aufgabe machen, und die Zersplitterung, wie sie in einzelnen Teilen der Landeskirche zutage tritt, fern halten wollen, um der Landeskirche das Salz zu bewahren."

Bereits 1895 waren vom Brüderrat den Gemeinschaften Evangelisten angeboten. 1897 ließ er Dannert ein Jahr lang in Hessen evangelisieren. Mehrere neue Gemeinschaften bildeten sich infolgedessen. Gleichzeitig entstand in Wendershausen bei Tann eine Erweckung durch ein gläubiges Dienstmädchen.

Die Bewegung war schon so erstarkt, daß im gleichen Jahre die Anstellung der ersten Brüder vom Brüderrat beschlossen werden konnte. Karl Franz, Johanneumsschüler, bisher im Dienste des Herborn-Dillenburger Vereins, wurde in Bergen stationiert fürs Hanauische, der andere, Recht, ebenfalls aus dem Johanneum, in Hersfeld für Niederhessen. Franz blieb bis 1900, dann wurde er freier Evangelist. Herbst 1898 wurden fünf Brüder als Gäste auf sechs Monate ins Johanneum gesandt, darunter Wiegand aus Großalmerode, der nach seiner Rückkehr dort angestellt wurde. Eine weitere Erstarkung brachte der Anschluß von Nassau, und 1901 erfolgte die Konstituierung des Hessisch-nassauischen Gemeinschaftsvereins (5. August) — eingetragener Verein mit dem Sitz in Kassel. Der Brüderrat wurde zum Vorstand.

Die ersten Paragraphen dieses Vereins lauten: § 1. Der . . . Verein ist eine geschlossene Gesellschaft evangelischer Männer zu dem Zwecke, in der Provinz Hessen-Nassau christliches Leben zu wecken und zu pflegen. § 2. Diesen Zweck sucht der Verein zu erreichen: a) durch Evangelisation, d. h. volkstümliche, erwecklie Verkündigung des Evangeliums, b) durch Pflege christlicher Gemeinschaft, c) durch Verbreitung christlicher Schriften. § 3. Der Verein steht auf dem Bekenntnis der evangelischen Landeskirche und sucht derselben durch seine Tätigkeit zu dienen. Separatistische Bestrebungen liegen ihm fern.

Vorsitzender wurde P. Wittekindt. Ein eigenes Monatsblatt „Hessen-nassauischer Gemeinschaftsbote" erschien schon seit 1900. 1902 standen vier Berufsarbeiter des Verbandes in Kurhessen, in Hanau (Harlos seit 1899), Hersfeld (Heß, seit 1902 für Recht), Großalmerode (Wiegand) und Seligental (Vogt seit 1900). Angeschlossene Gemeinschaften zählte man 1902 im Kreise Kassel 8, Witzenhausen 4, Eschwege 4, Rotenburg 3, Melsungen 1, Marburg 1, Homberg 1, Ziegenhain 2, Fritzlar 1, Fulda 1, Gersfeld 1, Hünfeld 5, Hersfeld 6, Schlüchtern 2, Gelnhausen und Hanau 9 und Schmalkalden 7.

Der Brüderrat wollte, während die Neukirchener und Chrischonagemeinschaften teilweise separierte Abendmahlsfeiern hatten, „landeskirchlich" wirken, wie auch die Statuten es ausdrücklich betonen. Das Kirchenregiment seinerseits, speziell Generalsuperintendent Lohr, stellte sich nicht unfreundlich. Der Zusammenstoß zwischen Kirche und Gemeinschaften im Falle Horst lag nicht allein an Horsts Gemeinschaftsstellung.

Die Ankläger des P. Horst in Mansbach sind augenscheinlich nicht Gegner der Gemeinschaftsbewegung und pietistisch-methodistischer Frömmigkeit, sondern einfach unkirchliche Gegner jedes ernsten Christentums, vor allem jeder Bußpredigt gewesen, so daß jedem ernsten und treuen Pastor dieselbe Feindseligkeit zuteil werden konnte resp. mußte. Dazu hat der Patron zu derartigen Mitteln gegriffen*), daß man, auch wenn man der

---

*) Der Millionär Wenzel, der die beiden Rittergüter der Familien v. Mansbach und v. Geiso gekauft, resp. sein Sohn, verbot dem Pastor, irgendein Arbeiterhaus seiner Güter zu betreten, entließ die Leute, die die Kirche besuchten, kontrollierte selbst, wer in die Kirche ging, und fuhr auf Wagen seine Leute nach Geisa zur Kirche. Er selbst war einmal in der Kirche, allerdings zufällig gerade beim Evangelium vom reichen Mann. Das Unerhörteste aber war, daß er den weimarischen Pastor von Geisa kommen und im Schloß das Abendmahl austeilen ließ. (Über alle diese Vorgänge vgl. Mitteilungen aus der Bibelschule Nr. 11 bis 17.)

„heilistischen" Predigtweise Horsts nicht zustimmen kann, dennoch im Interesse der Kirche und des Pfarramtes sich nur freuen kann, daß der Kultusminister die Verurteilung durchs Konsistorium zur Strafversetzung (2. Mai 1902) später wieder aufgehoben hat (22. Juni 1904). Eine solche Bekämpfung der Gemeinschaftsbewegung würde nicht deren Auswüchse, sondern das an ihr treffen, was jeder Pastor mit ihren Vertretern überein haben muß, die unerschrockene Bekämpfung der Sünde nach oben wie nach unten. Für Horst verwandten sich nicht nur seine Gemeindeglieder, sondern auch der Vorstand des Deutschen Verbandes.

Nassau war, wie bemerkt, bereits vor Gründung des Gemeinschaftsvereins mit hinzugezogen. Doch hat hier, wo ja auch politische wie kirchliche Vergangenheit eine ganz andere war, die neuere Organisation noch weniger das ganze Gemeinschaftswesen einzubeziehen vermocht.

Gehört das heutige Nassau doch zu den von mir eingangs als rheinisches Oberland bezeichneten Gebieten alten pietistischen Gemeinschaftslebens, dessen Träger hier bis zum Auftreten der modernen Bewegung die Evangelische Gesellschaft und der Herborn-Dillenburger Verein waren, erstere durch ihre Boten vom Rheinland und Kreise Wetzlar aus, letzterer speziell im Dillkreise. Beide arbeiteten zunächst in ihrer bewährten kirchlichen Art weiter. Dabei verschloß sich der Herborn-Dillenburger Verein keineswegs gänzlich den neuen Ideen. Schon im Herbst 1887 hatte er zwei Johanneumszöglinge, Nieß und Zimmermann, im Kreise evangelisieren lassen. Auch von den drei Boten, die der Verein 1896 hatte*), war einer (Franz) Johanneumsbruder, ebenso der 1900 angestellte vierte Bote (Friemel).

Nicht so kirchlich wie der Verein, der auch auf der Herborner Synode vertreten war, und die Boten der Evangelischen Gesellschaft stellten sich auch hier die Vorläufer der modernen Bewegung, die Chrischona- und Neukirchener Brüder, erstere im Kreise Biedenkopf von Lich aus, letztere im Westerwalde, beide mit separierter Abendmahlsgemeinschaft. Der Synodalbericht der Kreissynode Herborn klagt sehr über sie, „die ohne weitere Leitung und Weisung von ihrer Anstalt, selbständig und willkürlich verfahren". „Stände nicht so vielfach das Eigene, die eigene Gemeinschaft, über dem angegebenen Zweck, Seelen zu retten, so würde viel Kampf und Streit vermieden."

---

*) Einer für die Erziehungssache, Triesch in Allendorf, K. Franz in Dillenburg (für ihn 1897 Moll). Zu dem Vereinshause in Herborn (23 800 Mk.) war noch eins in Dillenburg (15 000 Mk.) gekommen, später noch eins in Oberndorf. Vorsitzender damals Professor D. Maurer, ihm folgte Professor Haussen.

In dieses verschieden gefärbte Gemeinschaftsleben begann dann die organisierte Bewegung sich einzuschieben. Schon seit 1893 hielt Ziemendorff-Wiesbaden jährlich Konferenzen zur Förderung und Vertiefung des Glaubenslebens, hauptsächlich in Verbindung mit Jellinghaus. Ein Bibelschüler Jellinghaus', Wenzelmann, arbeitete seit 1897 selbständig auf dem Westerwalde in Unnau. P. Vömel in Dautphe stellte 1901 in Silberg den Johanneumsbruder, bisherigen Boten des Herborn-Dillenburger Vereins, Friemel an, dem 1902 Bohnke folgte. Dann luden Pfarrer Huth-Walsdorf und Bergassistent Kurrandt-Diez zum 24. Januar 1900 zu einer Konferenz in Diez ein, die von Wittekindt geleitet und alljährlich wiederholt wurde. Hier wurde auch mit Pfarrer Konradi-Katzenelnbogen Anknüpfung gesucht. Der nächste Schritt war die Stationierung Falkeisens (s. o.) durch das Deutsche Komitee in Katzenelnbogen (9. Oktober 1900), worauf am 14. Juli 1901 die erste Konferenz dort stattfand, die ebenfalls zur ständigen Einrichtung wurde. Bereits am 4. März hatte die moderne Bewegung mit der Konferenz in Weilburg auch im Oberlahn- und Usinger Kreise Einzug gehalten. Als Falkeisen am 1. Oktober 1901 als Stadtmissionar nach Leipzig ging, bestand in Katzenelnbogen eine Gemeinschaft, freilich noch die einzige in dieser Gegend. Sein Nachfolger Ackermann wurde in Wiesbaden stationiert. Inzwischen war der Anschluß an Hessen vollzogen.

In den Herborn-Dillenburger Kreis suchte man einzudringen durch die Konferenzen in Allendorf bei Haiger, wo die erste für den Dillkreis am 3. und 4. Dezember 1902 stattfand. Doch kam es — wohl auch durch die Art des Vorgehens der Philadelphialeute — nicht zu einem Zusammenschluß mit dem Herborn-Dillenburger Verein.

Von irgendwelchen Zusammenstößen mit der Kirche ist mir nichts bekannt geworden. Falkeisen hatte sogar ein Empfehlungsschreiben vom Generalsuperintendent Maurer mitbekommen.

b) Die Rheinprovinz.

(Die Evangelische Gesellschaft — Kreis Wetzlar — Das Land zwischen Nahe und Mosel — Der Westerwald — Köln — Das Oberbergische — Das Industriegebiet und Dammann, Idel, Modersohn und Girkon — Mörs — Der rheinische Brüderrat — Allgemeines.)

In den in der heutigen Rheinprovinz zusammengeschlossenen Gebieten blieb auch jetzt noch die Evangelische Gesellschaft für Deutschland die stärkste Gemeinschaftsorganisation. Daß durch Gnadau die Gedanken von Laienarbeit, Evangelisation und Gemeinschaftspflege so kräftig vertreten wurden, brachte ihrer Arbeit neuen Aufschwung. 1888 hatte man nur 25 Boten, 1891 schon 30, 1898 40, davon 26 in Rheinland und 9 in Westfalen, 1902 waren noch 2 fürs Rheinland, 4 in Westfalen hinzugekommen. Die Vereinshäuser stiegen von 16 (1891) auf 19 (1898) und 27 (1902). 1884 hatte man noch 13 Zweigvereine gezählt, 1898 28 (20 im Rheinland, 8 in Westfalen), 1902 36, eine Anzahl davon in 6 Kreisverbänden zusammengeschlossen. Die „Mitteilungen", die seit 1851 das Organ der Gesellschaft gebildet hatten, hatten 1898 eine Auflage von 3300. Daneben wurde 1898 ein Wochenblatt, „Unser Bote", geschaffen. Die Einnahmen der Betriebskasse betrugen 1902 75356,05 Mk., die Ausgaben 76362,74 Mk., der Umsatz der Buchhandlung 67010,65 Mk.

Dabei bewahrte man sich bei aller Beziehung zur modernen Bewegung seine Selbständigkeit. Zwar schien es einmal, als wollte man ganz auf die neuen Bahnen eingehen, als 1888 der bereits erwähnte, von den neuen Gedanken der Evangelisation begeisterte E. Lohmann, vorher in Halle, Inspektor wurde; er blieb jedoch nur bis 1891, und ihm folgte Munz, aus schwäbischen Stundenkreisen*) stammend, dann Basler Missionar gewesen. So blieb unter ihm der altpietistische Charakter der Gesellschaft bei allem Vorwärtsdringen bewahrt. Neben ihn trat 1898 der ebenfalls schwäbische P. Gauger. Man stand zwar Gnadau stets nahe, hatte doch Coerper zur ersten Konferenz mit eingeladen, man stand auch in gewisser Verbindung mit dem Johanneum schon dadurch, daß Vorstandsmitglieder der Gesellschaft auch dessen Vorstand angehörten, man hatte freundschaftliche Beziehungen zu Schrenk u. dgl., aber man schloß sich doch z. B. dem Deutschen Verbande nicht offiziell an. Man blieb durchaus, was man war, „ein im Jahre 1848 gegründeter Verein für Innere Mission" altpietistischen Gepräges mit dem Zweck, „zur Ausbreitung der evangelischen Heilswahrheit auf Grund des Wortes Gottes und der reformatorischen Bekenntnisschriften in Deutschland beizutragen". Diesen Zweck verfolgte die Gesellschaft „im Anschluß an die evangelische Landeskirche: a) durch Verbreitung von Bibeln und Schriften, die in christlichem Geist verfaßt sind, b) durch Stadtmission, c) durch Reisepredigt und d) durch Abhalten erbaulicher Versammlungen".

Dabei legte sie das Hauptgewicht in altpietistischer Weise auf die Arbeit an der Einzelseele, wie es in der „Arbeitsanweisung für die Boten" heißt:

*) Geb. 30. März 1854 in Reichenbach.

1. „Jeder Bote hat vor allem die Aufgabe, den Entkirchlichten und Verlorenen nachzugehen, was dadurch geschieht, daß die Häuser der Reihe nach besucht werden, um jedem Gottes Wort und christliche Schriften anzubieten. — Auch bei fortgeschrittener Arbeit ist diese anfängliche Tätigkeit nicht aus dem Auge zu verlieren, damit das Arbeiten unserer Gesellschaft nie den Charakter der Missionstätigkeit verliere. — Wo dies wegen der anderen Arbeiten nicht möglich erscheint, haben die betreffenden Boten darüber zu berichten und nähere Anweisung zu erwarten. — Bei den Besuchen muß es die Bitte jedes Arbeiters sein, daß der Herr ihm das rechte Wort schenken möge, um allen alles zu werden, und etliche für Christum zu gewinnen. Angeregte und Kranke sind natürlich nach Bedürfnis öfters zu besuchen; es entspricht aber nicht dem Zweck unserer Gesellschaft, wenn ein Bote vorwiegend nur die Gläubigen besucht. 4. Soll eine Gemeinschaft gesund bleiben, so muß Missionssinn da sein. Dieser Missionssinn ist dadurch zu pflegen, daß die Mitglieder der Gemeinschaft und Vereine, je nach ihrer besonderen Befähigung, zum Verteilen von Schriften in Traktatvereinen, zu Haus- und Krankenbesuchen, zum Halten von Sonntagsschulen angehalten und die erprobten Christen zu Bibelbesprechstunden und zum Halten von Versammlungen möglichst herangezogen werden." Besonders deutlich altpietistisch ist § 6: „Bei dem Anwachsen der Feste und bei der Menge der Konferenzen werden die Boten angewiesen, ihre stille segenbringende Arbeit nicht zu versäumen und nicht zu unterschätzen."

Daran änderte auch nichts, daß mehrfach Zöglinge des Johanneums in den Dienst der Gesellschaft traten. Die meisten Boten waren übrigens nicht besonders vorgebildet, sondern machten nur vor der Aussendung einen verschieden langen Lehrkursus beim Inspektor durch, eine ganze Anzahl war auch bei dem Hausvater Busch († 1897) der Vorschule im Barmer Missionshaus ein bis zwei Jahre unterrichtet. Dazu kam seit 1889 jährlich ein von Schrenk geleiteter Bibelkursus für die Boten.

Wenn man aus den Berichten von Boten in der Festschrift oder in den Mitteilungen liest, so weht einen der Hauch echten Christenlebens altpietistischen Gepräges an, und zwar jener stillen, treuen und vor allem überaus bescheidenen Art, wie man sie sonst wohl bei den Diasporabrüdern der Brüdergemeine findet. Wie gut diese Brüder z. B. ihre doch immerhin schwierige Stellung gegenüber dem geordneten Pfarramt begriffen, und welchen Takt einzelne bewiesen, mag die eine Äußerung von F. W. Pietzsch zeigen, der in schwerer Wanderarbeit auf dem im Winter so unwirtlichen Westerwalde dort ein reges Gemeinschaftsleben begründete: „Mein Bücherverkauf ist schwach. Ich suche nicht die Gläubigen mit Büchern zu bedienen, sonst helfe ich sie von den Pastoren trennen; vielmehr sehe ich es gern, wenn die Gläubigen ihre Neigung, neben den Pastoren herzugehen, überwinden und ihren Bedarf an Kalendern und Bibeln von den Pastoren kaufen. Wenn ich die Trennung im kleinen nicht vermeide, dann kommt die Trennung im großen von selbst. Doch ist's oft recht schwierig, die Freude am eignen Verkauf hinter den Zweck der Gesellschaft und die Anforderung wahren Christentums zurücktreten zu lassen" (50 Jahre der Evang. Gesellsch. usw. S. 188). Dazu stimmt die Anweisung der Gesellschaft an die Boten, „über ihre regelmäßigen Versammlungen in den Gemeinden den betreffenden Pastoren Mitteilung zu machen und deren Wünsche im Rahmen des Zwecks unserer Gesellschaft zu berücksichtigen". Die Pastoren sollen zu den Versammlungen eingeladen, überhaupt wenn irgend möglich für die Arbeit interessiert werden. „In jedem Falle hat ihnen der Bote mit Ehrerbietung zu begegnen und auch bei Differenzen über unsere Arbeit in aller Bescheidenheit Aufschluß zu geben. Besonders jedoch hat der Bote einem lieblosen Aburteilen über die Geistlichen und die Kirche in Gemeinschaftskreisen entgegenzutreten."

Bei dieser Stellung war es nicht verwunderlich, daß 1898 die Gesellschaft von ihren Boten bezeugen konnte, daß selten wirklicher Streit zwischen Pfarramt und Boten gewesen sei, mochte auch das Verhältnis von Gesellschaft und Landeskirche formell und prinzipiell manche schwierige Probleme bieten. So wurde 1881 die Gesellschaft auf mehreren rheinischen Synoden scharf angegriffen, weil ihre Tätigkeit die kirchliche Ordnung störe, darunter freilich von einer, in deren Gebiet dieselbe gar nicht arbeitete. Andererseits wurde ihr von der Elberfelder Kreissynode ein günstiges Urteil ausgestellt. Als dann 1884 die rheinische Provinzialsynode verlangte, daß die Sendboten nicht dorthin geschickt würden, wo sie von den kirchlichen Organen zurückgewiesen würden, und sich die Anweisung für ihre Tätigkeit beim Pfarramt holen sollten, die Gesellschaft aber in einzelnen Konfliktsfällen sich der Entscheidung des Konsistoriums unterwerfen sollte, da lehnte man zwar den zweiten Punkt ab, versprach aber, bei neuer Arbeit sich mit den Pastoren ins Einvernehmen zu setzen und sich der schließlichen Entscheidung des Konsistoriums zu unterwerfen. 1894 freilich nahm man dies Versprechen zurück, man wolle wegen der Schwierigkeiten, die sich ergeben, von Fall zu Fall verhandeln, und das Konsistorium bedauerte zwar die Erfolglosigkeit der Bemühungen, wollte aber etwaige Vorkommnisse nach wie vor mit dem Vorstande verhandeln und sprach die Hoffnung förderlicher Übereinkunft aus. 1896 stimmte dem die Synode bei.

Mit dem Brüderverein*) stand man nach wie vor schiedlich, friedlich. Die Geschichte der Neukirchener Anstalt sowie die des

*) Er hatte 1900 20 Boten.

Johanneums in dieser Zeit geben wir richtiger unten bei der Übersicht über die Ausbildungsanstalten. Haben sie doch nicht derart bestimmend auf den Charakter des Gemeinschaftslebens gerade speziell der Rheinprovinz Einfluß geübt wie die Evangelische Gesellschaft, die fast ausschließlich in Rheinland und Westfalen gearbeitet hat. Zwar hat sie auch zeitweise in anderen Landesteilen gearbeitet, z. B. in Breslau und in Ostpreußen, dauernd hat sie aber nur ein Außenwerk behalten, in Thüringen, wovon nachher noch zu reden sein wird.

In der Rheinprovinz ist eins der am frühsten (schon 1851, 1852 schon in Daubhausen, Leun und Ehringshausen feste Versammlungen) von ihr besetzten und am wirkungsvollsten bearbeiteten Gebiete der durch nassauisches Territorium völlig von der übrigen Provinz getrennte Kreis Wetzlar. 1898 arbeiteten dort drei Boten (2 in Wetzlar, 1 in Allendorf), das Vereinshaus in Ehringshausen war 1891, das in Wetzlar 1894 gebaut, der Zweigverein Kreis Wetzlar war mit Kreis Biedenkopf zum Wetzlarer Kreisverband zusammengeschlossen. 1902 wohnten vier Boten in Wetzlar, Aßlar, Allendorf und Gr. Rechtenbach, drei Zweigvereine in besonderem Kreisverbande hatten sich gebildet, und in Gr. Rechtenbach, Niedergirmes, Dutenhofen, Leun und Reiskirchen waren Vereinshäuser gebaut. Dazu bestand schon 1898 im Kreise Wetzlar eine wohlgeordnete freiwillige Hilfstätigkeit. Alle zwei Monate wurde auf einer Konferenz das Nötige besprochen, und je zwei Brüder übernahmen dann die Stunde in einem Orte (a. a. O. S. 191).

In dies geordnete innerkirchliche Gemeinschaftswesen drangen dann um 1900 die Neukirchener mit ihren separierten Abendmahlsfeiern ein, die 1902 an drei Orten arbeiteten, desgleichen die Chrischonabrüder aus Oberhessen, die in einem Ort sogar ein eigenes Vereinshaus bauten.

Die Gebiete südlich der Mosel einerseits, der Sieg andererseits gehören wie Nassau zu jenen Gebieten des rheinischen Oberlands, die zwar meist reformierten Gepräges waren, jedoch stets unter einem, noch dazu sehr vielfältigen, landesherrlichen Kirchenregiment standen, wodurch ihre Entwicklung sich von der niederrheinischen Kirche unterscheidet. Der hier seit Auftauchen des Pietismus herrschenden Opposition gegen die Landeskirche kam besonders der Brüderverein*) und noch mehr die ihm folgenden Darbysten entgegen; das wirklich innerkirchliche Gemeinschaftsleben

*) 1900 im Nahegebiet 3 Boten.

stand dagegen in diesen Gebieten größtenteils in der Pflege der Evangelischen Gesellschaft.

In dem Südzipfel an der Saar entstand in St. Johann 1889 eine Gemeinschaft, deren Pflege seit 1896 der Chrischonabruder Grau übernahm. Sie baute bald ein eigenes Vereinshaus. Im genannten Jahre faßte auch die Evangelische Gesellschaft dort Fuß. Durch ihren Boten vom Baur entstand ein Zweigverein. Daß in Neunkirchen von Will (Zweibrücken) in den siebziger Jahren eine Wißwässersche Gemeinschaft gegründet ist, die sich unter ihrem Leiter, Ohler, an den Philadelphiaverein anschloß, ist bereits oben erwähnt. Bis 1903 hatten diese drei Kreise untereinander keine Verbindung.

In dem ehemals meist pfälzischen Nahe- und Hunsrückgebiet entwickelte sich das von der Evangelischen Gesellschaft und dem Monzinger kirchlichen Verein an der Nahe, der ihr Zweigverein wurde, gepflegte Gemeinschaftswesen gedeihlich weiter. 1898 standen Boten in Waldalgesheim bei Bingen, in Oppertshausen (Kr. Simmern), in Norheim bei Kreuznach und in Nußbaum bei Monzingen. Der dortige „Kirchliche Verein" und der Zweigverein „Auf dem Hunsrück" bildeten den oberrheinischen Kreisverband. 1902 war noch ein Bote in Sobernheim und der Zweigverein an der oberen Nahe hinzugekommen. 45 Gemeinschaften zählte der Kreisverband.

Die Arbeit der Boten der Evangelischen Gesellschaft, speziell des F. W. Pietzsch, auf dem Westerwalde haben wir schon erwähnt. 1890 waren dort im oberen Westerwalde schon ungefähr 20 Versammlungen, die an dem Vereinshause (1874) in Daaden-Biersdorf und dem dort stationierten Boten einen festen Stützpunkt hatten. 1890 kam noch ein Vereinshaus in Wahlbach (politisch schon zu Westfalen gehörig!), 1891 eins in Oberdreisbach hinzu. In Wahlbach war 1898 ebenfalls ein Bote stationiert. Ein dritter stand in Puderbach im Kreise Neuwied. Hier, im unteren Westerwalde, entstand um 1900 noch ein Vereinshaus in Dierdorf, wohin dann auch der Bote übersiedelte. Der Westerwälder Kreisverband setzte sich 1898 aus den Zweigvereinen Biersdorf, Wahlbach und Kreis Neuwied zusammen. 1902 arbeiteten hier im ganzen vier Boten.

Aus den ehemals geistlichen Landesteilen sei nur erwähnt, daß die Evangelische Gesellschaft schon längere Jahre in Köln gearbeitet hatte. Ihre Boten hatten dort einen Traktatverein ins Leben gerufen. Aus diesem und einem Blaukreuzverein bildete sich 1899 eine Stadtmission, die dann einen eigenen „evangelistisch begabten Bruder" anstellte, der nun neben der Gesellschaft arbeitete.

Aus den Gebieten von Cleve, Jülich und Berg nebst Grafschaft

Mörs haben wir P. Engels' Arbeit bereits erwähnt (s. o. S. 63). Außerdem war die Landschaft an der Sieg und Agger von jeher ein Arbeitsgebiet der Evangelischen Gesellschaft. Hinzu kam nun die Arbeit der von Prof. Christlieb in Bonn beeinflußten Theologen*).

1889 entstand durch Engels' damaligen Hilfsprediger Weigle eine neue Erweckung. Damals wurde in Nümbrecht ein Vereinshaus gebaut. 1893/94 ging von der Gemeinde P. Christliebs, Denklingen, wiederum eine Erweckung aus infolge einer Evangelisation Röschmanns. Neben Christlieb trat dabei vor allen Jungclaußen-Dhünn hervor. In Bergneustadt baute die Evangelische Gesellschaft 1895 ein Vereinshaus. 1902 hatte sie im Oberbergischen drei Boten, nämlich außer in dem zuletzt genannten Orte noch in Gr. Gaderoth (Gem. Nümbrecht) und in Holpe. Der oberbergische Kreisverband umfaßte die Zweigvereine Kr. Gummersbach, Kr. Waldbroel und an der Agger. Die in der neueren Bewegung entstandenen, resp. durch sie beeinflußten Versammlungen fanden ihren Mittelpunkt in der Oberbergischen Gemeinschaftskonferenz, wie sie z. B. 4. Januar 1900 durch den zu diesem Zweck gebildeten Brüderrat nach Nümbrecht einberufen wurde.

Im übrigen ehemals Bergischen, dem rheinischen Industriegebiet, war das Gemeinschaftsleben immer buntfarbiger geworden. Da hielten sich auf der einen Seite alte, streng reformierte Gemeinschaften, war doch Mülheim (Ruhr) der Anfang aller reformierten deutschen Gemeinschaften, ebenso auf der anderen Seite mehr mystisch gerichtete Tersteegenianer. Daneben gründeten die Boten der Elberfelder Gesellschaft ihre landeskirchlichen, die Brüdervereinler ihre mehr außerkirchlichen Gemeinschaften**). Dazu kamen Pastoren als Freunde und Wecker des Gemeinschaftslebens, zum Teil auch hier Schüler Christliebs, aber auch solche, die nicht in seinen streng landeskirchlichen Bahnen wandelten.

Aus dem Kreise Lennep haben wir Dhünn schon erwähnt, in Wermelskirchen hatte die Elberfelder Gesellschaft schon länger einen Boten und einen Zweigverein. Im Wuppertal war der alte Sitz der Elberfelder Gesellschaft mit Vereinshaus und Zweigverein in Elberfeld und einem Zweigverein in Barmen (1902 in Elberfeld-Barmen drei Boten), einem Vereinshaus (seit 1884), Zweigverein und Boten in Solingen. In Barmen kam seit 1893 das Johanneum hinzu, dessen Zöglinge auch während ihres dortigen Aufenthaltes in den Gemeinschaften beschäftigt wurden. Auf der

*) Dazu die Boten des Brüdervereins. 1900: 2.
**) 1900 im Industriegebiet 11 Boten.

anderen Seite war hier auch der alte Mittelpunkt des Brüdervereins. Dazu kamen noch manche ausländische Einflüsse. 1889 kam Franson dorthin *), mit seiner Betonung der Wiederkunft des Herrn und seinen Gebetsheilungen. Aus der durch ihn hervorgerufenen Bewegung ging die China-Allianz-Mission (s. u.) hervor.

So schillerte das Gemeinschaftsleben des Tales bald in allen Farben. 1898 schon wollten manche 30 verschiedene Richtungen zählen. Ein „Vorstand für Gemeinschaftspflege" bildete sich **), der die verschiedenen Richtungen miteinander in Berührung bringen sollte.

Im Kreise Mettmann wurde 1897 ein Johanneumsbruder (Pack) vom Evangelisch-kirchlichen Verein für Mettmann „am Brökelchen" stationiert. In Haan stand ein Bote der Elberfelder, in Düsseldorf entstanden jährliche „Versammlungen zur Vertiefung des Glaubenslebens", auf Allianzstandpunkt. 1899 (12.—15. Februar) sprachen hier Knobelsdorff, Ströter, Stockmayer, Jellinghaus, Mandel, Scheve u. a. Nach Essen war schon 1885 Dammann gekommen ***). Seit 1889 gab er „Licht und Leben" heraus. 1894 trat ihm H. Coerper zur Seite, der ihn für die moderne Heiligungsbewegung gewann. 1897 legte er sein Pfarramt nieder und wurde Evangelist, Coerper ging ans Diakonissenhaus nach Straßburg

*) Franson, geb. 1852 in Schweden. 1869 mit seinen Eltern nach Chicago ausgewandert. 1872 erweckt, schloß er sich Moody an und begann 1875 zu predigen. 1881 ging er in die skandinavischen Länder, wo er viel Aufsehen erregte; in Dänemark wurde er ausgewiesen. Dann stark durch Hudson Taylor angeregt, kam er nach Deutschland und lernte bei Mandel in Neukirchen Deutsch († 2. August 1908 in Idaho). In seiner „Himmelsuhr" vertritt er etwa die gleichen Gedanken über Entrückung der Brautschar wie Witt-Kiel, auch dieselbe Auffassung von Nikolaiten, Sardes, Philadelphia usw. und die abergläubische Dämonologie. Seine sonstige „Theologie" ist nicht frei von Abgeschmacktheiten und Plattheiten (z. B. die Ausführungen über die Braut des Vaters und des Sohnes [S. 83], die „Hochzeit" [S. 111], Gottes „Abendpromenade" [S. 144] und den „Eßsaal" der Verklärten [S. 145]). Sehr stark wird die noch ausstehende wörtliche Erfüllung der Weissagungen für Israel betont, doch wird noch ausdrücklich „Leib" und „Braut" als identisch erklärt (siehe dagegen unten Ströter). Im übrigen werden haarspaltende Rechenkunststücke getrieben.

**) Dietr. und Brock. S. 125. Wann?

***) Geb. 1840 in Warburg, studierte bei Tholuck und Hupfeld, vom Vater zur Theologie bestimmt. „Diese Selbstbestimmung zum Geistlichen ist ebenso unbiblisch wie das Studium selbst", sagte er später. „Die Welt hielt mich damals gefangen, wohl auch dadurch, daß ich auf Wunsch meines Vaters einer Verbindung beigetreten war" (Wingolf). Zuerst Pastor in Burgscheidungen, dann 1879—1885 in Siegen, wo er sich den Gemeinschaftsleuten angeschlossen hatte.

und 1899 nach Hamburg (s. u.). Das Vereinshaus der Evangelischen Gesellschaft wurde 1896 erbaut. Zwei Boten standen 1902 hier und einer zu Bergeborbeck, wo seit 1894 ein Vereinshaus der Gesellschaft gehörte. Die Zweigvereine Essen I und II und Bergeborbeck bildeten einen Kreisverband.

In Velbert stand P. Jdel, der wegen seiner maßlosen Angriffe auf Kirche und Pfarramt mit seiner Behörde in Zwiespalt geriet und 1894 abgesetzt wurde. Er war nach seinen Angaben 1891 wiedergeboren. Am 16. Juni 1897 ließ er sich mit seinem Freunde Fries durch den Prediger Wallfisch wiedertaufen und begann nun eine freie Gemeinde um sich zu sammeln. Er lehrte die „Sündlosigkeit", zu der freilich seine Unverträglichkeit wenig passen wollte, die sich vor allem auch in Scheltreden gegen die meisten Führer der Gemeinschaftsbewegung äußerte, besonders Dammann wurde von ihm angegriffen. 1898 veröffentlichte er einen Widerruf, in dem er alle Schmähungen zurücknahm; bald begann er aber seine Schimpfereien aufs neue. Alle in Blankenburg lehrenden und leitenden Brüder wurden 1899 von ihm verdammt. Auch mit dem einzigen Freund, der ihm nahestand, Fries, zerfiel er. Fries wurde geisteskrank. Er selbst starb am 15. Juli 1902, nur 51 Jahre alt.

In Mülheim (Ruhr) trat neben die ältere Gemeinschaft mit eigenem Vereinshaus eine zweite durch die Wirksamkeit P. Modersohns, der Ende 1899 von Weidenau aus dorthin versetzt war. Hatte er, der früher ein so liberaler Theologe gewesen war, daß er als Student in Halle die Beteiligung am Kindergottesdienst deswegen aufgegeben hatte (Heilig dem Herrn 1910 Nr. 12), in Weidenau (1894—1899) schon sich den Gemeinschaftsleuten angeschlossen, so ging er in Mülheim ganz auf die neuere Bewegung ein. Die erste Tersteegensruher Konferenz 1900 machte ihn zum begeisterten Anhänger der Heiligungsbewegung. Auch den Gedanken der Heilung durch den Glauben unter Ausschaltung des Arztes vertrat er, wie er denn auch mit seiner an schwerstem Gelenkrheumatismus und Brightscher Nierenkrankheit erkrankten Frau eins wurde, die ärztliche Hilfe aufzugeben († 1900). Ebenso verwarf er Lebensversicherung als ein Vertrauen auf Menschen und menschliche Kassen.

1901 wurde ein Bibelkursus von Jellinghaus dort abgehalten. Weitergreifenden Einfluß erhielt Modersohn dadurch, daß er 1900 die Schriftleitung der „Sabbathklänge" übernahm, einer bereits 1859 von Stursberg begründeten Zeitschrift, die schon lange Jahre ein Mittelpunkt der Gemeinschaften an Ruhr und Niederrhein gewesen war. Modersohns Bestreben war nach seinen eigenen

Worten von vornherein, „das Blatt so zu schreiben, daß gerade die entschiedenen Kinder Gottes Speise und Freude darin hätten" (Sechs Jahre in der Stadt Tersteegens S. 87)*). Auch sonst trat er bald mehr und mehr schriftstellerisch hervor. Gleichzeitig mit Modersohn wurde am 5. November 1899 P. Girkon in Mülheim eingeführt, der mit ihm auf gleichem Standpunkte stand. Modersohn bekennt, ihm viel zu verdanken, z. B. die Aufgabe des Rauchens. Wie Girkon darüber dachte, zeigt eine Rede von ihm in Tersteegensruh 1901: „Wir denken nicht daran, den Unbekehrten das Rauchen zu verbieten; denen sagen wir: Bekehre dich zum Herrn! Aber wir reden hier mit Gläubigen, die den heiligen Geist empfangen haben. Man sagt so oft leichthin: ‚Ich kann alles mit Danksagung genießen.' Kannst du wirklich deine Zigarre mit Dank genießen?" Er setzt dann einfach voraus, daß die meisten auf „sündhafte Weise" zu diesem Genuß gekommen seien, als es ihnen verboten war, und weist darauf hin, daß man damit soviel Geld nutzlos vergeude usw. Vor allem war Girkon Blaukreuzler, war er doch durch v. Knobelsdorff zur Bekehrung gelangt**).

Girkon und Modersohn waren von Anfang an stark beteiligt an der schon mehrfach genannten Konferenz in Tersteegensruh bei Mülheim, die 1900 zuerst stattfand, anfangs unter der Leitung von v. Knobelsdorff. Hier stand man auf Allianzstandpunkt. v. Viebahn, Bädeker und Stockmayer beteiligten sich. Hier wurden die Lehren der Heiligungsbewegung z. T. in Pauls Sinne verkündigt, im ausgesprochenen Gegensatz zum älteren Pietismus, wie denn Girkon ausführte: „Man hält uns ‚die Väter' entgegen. Wir haben Achtung vor den Vätern. Sie haben treu gewandelt.

*) So tritt er denn z. B. für „Kinderbekehrungen" ein, beantwortet die Frage: „Darf ein Christ Romane lesen?" mit „Nein" u. dgl.

**) Martin Girkon, geb. 31. März 1860 in Balleten (Ostpr.). Von seinen Universitätsjahren sagt Modersohn: „Es waren verlorene Jahre." „Es waren meist verknöcherte alte Gelehrte aus der Wellhausenschen Schule, wohl ohne eigenes Leben in Christo." „Das Studium der Bibel wurde arg vernachlässigt. Wenigstens wurde sie den Studenten nicht groß und herrlich gemacht, sondern im Gegenteil zerkleinert und zerstückelt. So hat M. Girkon gewiß in seinen Studentenjahren kein Buch der Bibel gelesen" (Modersohn, M. Girkon, ein Fürst und Großer in Israel, ein Buch, das auch für Modersohn selbst charakteristisch ist, wie schon diese Zitate zeigen. Man vgl. noch S. 54: „Zuweilen gab ihm Gott auch ein Gedicht in die Feder"). 1884 kam er nach Großfriedrichsdorf (Kr. Niederung). Ein schweres Lungenleiden machte ihn zu einem ernsten Manne. Er geriet dann zuerst in die Bahnen der Kukatianer, bis er durch v. Knobelsdorff und Blazejewski für die neuere Bewegung gewonnen wurde (s. u.).

Aber die Weisheit der Väter darf nicht dem Lichte entgegengestellt werden, das Gott in dieser letzten Zeit aus seinem Wort gegeben hat."

In der Umgebung Mülheims hatten sich aber auch alte kalvinistische Gemeinschaften gehalten, wie in Broich und vor allem in Meiderich, auch Neukirchener und Boten des Brüdervereins arbeiteten dort. In Stockum-Beeck wurden von einigen Gliedern der dortigen älteren Gemeinschaften Evangelist Kaul und Schwester Sattler berufen, beide wenig kirchlich gesinnt, letztere aus der badischen Landeskirche ausgetreten, ersterer auch für die Großtaufe eintretend. Die Folge war eine Spaltung. Die neue Gemeinschaft stand ziemlich freikirchlich, veranstaltete Allianzgebetsstunden und seit 1897 jährlich im Januar dreitägige Missions- und Glaubensversammlungen. In Marxloh baute 1895 die Evangelische Gesellschaft ein Vereinshaus. 1898 hatte sie dort und in Bruchhausen Zweigvereine, der Bote war in Marxloh stationiert. Die beiden Vereine bildeten den niederrheinischen Kreisverband zusammen mit dem Zweigverein in Hiesfeld, wo seit etwa 1894 ebenfalls ein Bote arbeitete. Weiter ins Clevesche hinein hatte dagegen das Gemeinschaftsleben in der dort ansässigen Bauernbevölkerung weniger Fuß fassen können*).

In der Grafschaft Mörs blieb die reformierte Art herrschend, wenn auch selbst hier neben die streng kalvinistisch gerichteten neuere Gemeinschaften traten, in denen das Reformiertentum mehr zu einem reformiert gefärbten Biblizismus geworden war und in denen vor allem der neue Gedanke der Evangelisation wirksam war. Teilweise standen sich beide Richtungen gegensätzlich gegenüber. Einen Mittelpunkt hatte die neuere Richtung an den Neukirchener Anstalten.

Bei dieser Mannigfaltigkeit des Gemeinschaftslebens in der Rheinprovinz, mit seinen teilweise geradezu gegensätzlichen Strömungen war ein Anschluß an die Organisation des Deutschen Verbandes natürlich nicht leicht. Zwar trat bereits am 9. Februar 1898 in Düsseldorf eine „konstituierende Versammlung" zusammen, berufen von einem provisorischen Komitee unter P. Kissing-Barmen, wo ca. 90 Männer anwesend waren, es wurde jedoch fast einstimmig beschlossen, keinen „Bund", sondern nur die lose Form der Konferenz zu wählen**). So beschränkte sich der damals geschaffene

---

*) In Issum arbeitete der Brüderverein.

**) Als Richtlinien wurden aufgestellt:

1. Die rheinische Konferenz für Gemeinschaftspflege will das Gemeinschaftsleben innerhalb der ev. Landeskirche in Übereinstimmung mit ihrem Bekenntnis zu fördern suchen.

„Rheinische Brüderrat", bestehend aus P. Kissing-Barmen, Conrad-Denklingen, P. Cürlis-Altendorf, Funke-Elberfeld, Haarbeck, Munz, P. Spiecker-Herchen, Trappmann-Barmen, P. von Velsen-Jüchen und P. Christlieb-Mettmann, auf die Abhaltung der zweimal im Jahr stattfindenden „Rheinischen Konferenzen" und einer jährlichen „Rheinischen Vertrauensmännerkonferenz" am Fronleichnamstage in Düsseldorf, wozu nur persönlich eingeladen wurde. Die Konferenzen wechselten. Die erste fand in Mettmann am 15. Mai 1898 statt, die zweite am 22. November 1898 in Wermelskirchen, 1899 eine Brüderkonferenz in Düsseldorf (17. Januar), wo der Brüderrat neugewählt wurde (P. Müller-Barmen, Vorsitzender, Herbst, Spiecker, Munz, Funke, Rektor Rehbein-Düsseldorf, Knellessen-Beeck, Conrad, Christlieb, Haarbeck). Die dritte rheinische Konferenz war in Mülheim (7. Juni), die vierte in Rhonsdorf, 1900 in Beeck und Rüngsdorf-Godesberg, 1901 in Duisburg.

Blicken wir rückwärts, so finden wir in dieser Periode am Rhein vom Main abwärts ein reiches Gemeinschaftsleben älterer wie neuerer und neuester Richtung, z. T. im Begriff, miteinander zu verschmelzen, z. T. noch kühl, ja ablehnend einander gegenüber. Nur langsam schiebt sich die moderne Organisation hier ein, wenn sie auch schon weiter vorgedrungen ist als in Süd- und Südwestdeutschland. Beim Blick auf die Stärke des Gemeinschaftslebens hier ist nicht zu vergessen, daß wir uns mit Ausnahme Oberhessens und einiger kleineren Gebiete auf vorwiegend reformiert gefärbtem Boden befinden, besonders am Niederrhein, wo, wie wir eingangs

---

2. Zu diesem Zweck will sie a) auf den von ihr veranstalteten Konferenzen die Gemeinschaftskreise Rheinlands zu gegenseitiger Erbauung und Förderung sammeln, b) die Jünger Jesu zu neuem Interesse für das große Reich Gottes, zu lebendigerer Teilnahme an der Äußern und Innern Mission und Evangelisation und zu regerem Fleiß in der Arbeit für den Herrn anregen. Alles soll dazu dienen, das Bewußtsein von der Einheit des Leibes Christi mehr zu wecken und zu pflegen.

3. An der Spitze der Konferenz steht ein Brüderrat, bestehend aus 5 Pastoren und 5 Laienbrüdern . . .

4. Der Brüderrat wird auf 4 Jahre gewählt und hat sich während dieser Zeit bei Todesfällen usw. selbst zu kooptieren . . .

5. Der Brüderrat arbeitet in möglichst enger Fühlung mit den Vertrauensmännern der einzelnen Gemeinschaften.

6. Die Obliegenheiten des Brüderrats sind: a) auf allgemeinen deutschen Gemeinschaftskonferenzen Rheinland zu vertreten; b) abwechselnd in verschiedenen Gegenden der Provinz allgemeine Gemeinschaftskonferenzen und Brüderkonferenzen, wo es angeht in Verbindung mit einer Evangelisationsversammlung, einzurichten.

feststellten, die „Gemeinschaft" etwas Natürliches, ja, unter bestimmten Verhältnissen Notwendiges ist. Das ist auch zu berücksichtigen, wenn man die Stellung der Gemeinschaften dieser Gebiete zur Kirche ansieht. Sie wird stets da am besten sein, wo auch die Pastoren wirklich reformiert denken, andererseits werden die Gemeinschaften, wenn die Kirche in lutheranisierender Weise das Volkskirchliche stärker betont, stets sich als die wahre Kirche zu fühlen geneigt sein und auch separierte Abendmahlsfeiern für ihr gutes Recht halten.

Dabei ist ferner zu beachten, daß es sich in diesen Landesteilen teils um kleinbäuerliche, teils um Industrie- bzw. Handwerkerbevölkerung handelt, die augenscheinlich besonders geneigt ist zu möglichst selbständiger, auch vom Pfarramt unabhängiger Gemeinschaftsbildung, während unter den großen Bauern der Clever Gegend augenscheinlich die Neigung dazu nie so stark gewesen ist. Schließlich sei auch das erwähnt, daß wir hier durchweg fränkisches Volkstum vor uns haben, das immerhin beweglicher und vor allem subjektivistischer ist als z. B. das niedersächsische*).

Bei dem verschiedenartigen Charakter der rheinischen Gemeinschaften war die Stellung der Kirche nicht leicht. Das Verhältnis zur Evangelischen Gesellschaft haben wir bereits besprochen. Zur Evangelisationsfrage stellte das Konsistorium 1895 den Kreissynoden das Proponendum: Was kann von seiten der amtlichen Organe geschehen, daß die zur außerordentlichen Verkündigung des göttlichen Wortes drängende Gabe nicht zur Verwirrung, sondern zur Erbauung der Gemeinde gereicht? Nur wenige Antworten waren prinzipiell abweisend.

Ähnlich wurde die Frage 1898 bei dem Proponendum: „Was kann zur Belebung und Förderung der rechten Gemeindepflege geschehen?" vielfach besprochen. 1897 wurde die Frage auf der Provinzialsynode verhandelt. Hier dachte man an freie Evangelisationskomitees unter dem Vorsitze des Generalsuperintendenten.

---

*) Immerhin geht, glaube ich, die Kirchenregierung in der Schätzung dieses Faktors zu weit, wenn sie z. B. von Westfalen behauptet: „Uns will es scheinen, als ob die Konfession weniger bestimmend sei als die Stammeseigentümlichkeiten. Das industrielle, von Franken bewohnte, reformierte Siegerland ist von Gemeinschaften in jedem Dörfchen ganz durchsetzt, während das gleichfalls reformierte Tecklenburger Land, das von Niedersachsen bewohnt ist, von der Gemeinschaftsbewegung fast ganz ferngeblieben ist" (Schott 1904 S. 416). Es wird auf das Zusammenwirken obiger Faktoren und geschichtliche, äußere Einflüsse ankommen. Tecklenburg hat Bauernbevölkerung.

1902 wandte man sich gegen unbefugte auswärtige religiöse Tätigkeit von Pfarrern.

c) Westfalen.

(Siegen — Grafschaft Mark — Minden-Ravensberg — Das Eindringen der neuen Bewegung, Michaelis — Die Provinzialorganisation — Höxter — Lippe — Waldeck.)

Fränkisches Volkstum, Industrie- und Kleinbauernbevölkerung, dazu reformiertes Kirchentum finden wir auch noch in dem Teile Westfalens, der uns nun zunächst beschäftigt, im Siegerland. Hier blieb man auch jetzt noch bewußt Lodensteynianer, wie der Führer des dortigen Gemeinschaftslebens, der mehrfach erwähnte F. A. Siebel, selbst betont hat, d. h. nichts anders als echt reformierter Gemeinschaftsmann. F. A. Siebel folgte seinem Bruder J. G. Siebel 1894 in der Leitung des Vereins für Reisepredigt. Ihnen zur Seite stand der im Zuchthause zur Bekehrung gekommene „Ohm Michel" († 1900), der die Buchhandlung des Vereins leitete. 1895 hatte der Verein bereits 35 eigene Häuser, 1897 40, 1902 45. Sieben Boten standen 1902 in seinen Diensten (1894 vier)*). 1901/2 gab es eine neue Erweckung in Neunkirchen. Schwierigkeiten machten noch stets independentische und darbystische Konsequenzen des eigenen Standpunktes**). Die gesonderte Abendmahlsfeier brachte auch jetzt wieder Konflikte mit der Kirche. 1896 sprach sich die Gesamtkonferenz der Pastoren sehr stark gegen die Gemeinschaften aus.

Die Kreissynode Siegen beschloß sogar 1902 einen Antrag an die Provinzialsynode gegen Sanktionierung der außerkirchlichen Abendmahlsfeiern. Es sei von der Konfirmation auszuschließen, bei wem vorauszusehen sei, daß es ihm mit dem Gelübde der Treue gegen die evangelische Kirche kein Ernst sei, also bei Teilnahme an sektiererischen und separatistischen Gemeinschaften. Die Provinzialsynode erklärte darauf, daß es grundsätzlich der kirchlichen Gesinnung, die von einem Kirchenbeamten verlangt werden müsse, widerspreche, wenn er — nicht in außerordentlichen Fällen, sondern — gewohnheitsmäßig an außerkirchlichen Abendmahlsfeiern teilnehme oder sektiererische Bestrebungen befördere. Andererseits hatte A. W. Siebel eine Denkschrift an die Synode verfaßt. Sein Zweck war, „zu verhindern, daß Synode nicht wieder wie vor 18 Jahren in diesem Punkte die Vorschläge der Synode Siegen, deren Trag-

*) Organ des Vereins war schon seit seiner Gründung der „Evangelist aus dem Siegerland".

**) 1900 2 Boten des Brüdervereins.

weite man sich seines Erachtens in letzterer nicht klar bewußt war, zu den ihrigen machte". „Das ist", schrieb er ans Kirchl. Monatsblatt, „gottlob schon allein dadurch nicht eingetreten, daß die Resolution von Soest bezüglich der Abendmahlsfrage die Hauptsache, den eigentlichen Ausschluß vom aktiven Wahlrecht, ganz fallen gelassen hat." Überhaupt konstatierte Siebel schon 1898 in Gnadau, daß die Provinzialkirchenbehörden, Konsistorium und Generalsuperintendent, sie besser verständen als die Kreissynode.

Mancherlei Beziehungen hatte man von Anfang an zu dem westdeutschen Zweige der Evangelischen Allianz, wurden doch dessen mehrtägige Versammlungen alle zwei Jahre meistens im Vereinshaus Hammerhütte, dem lokalen Mittelpunkte des Siegerländer Gemeinschaftslebens abgehalten.

An den Siegerländer Verein schlossen sich auch die Gemeinschaften im Wittgensteinschen (Berleburg) dadurch, daß der Neukirchener Zögling Ries, der dort seit 1884 arbeitete, erst freundschaftliche Beziehungen mit dem Verein für Reisepredigt anknüpfte, um endlich von diesem als Bote übernommen zu werden.

In der ehemaligen Grafschaft Mark, besonders im westfälischen Industriegebiet, hatte die Evangelische Gesellschaft schon früh ihre Arbeit begonnen. In Wattenscheid bestand schon vor 1870 eine kleine Gemeinschaft, die dann einen Boten der Evangelischen Gesellschaft rief (1874 Vereinshaus). Von hier aus zweigten sich dann die Gemeinschaften in Gelsenkirchen (Vereinshaus der Evangelischen Gesellschaft 1890), Eickel (Vereinshaus 1892), Schalke, Wanne und Röhlinghausen ab. 1902 waren in Wattenscheid und Eickel je ein, in Gelsenkirchen zwei Boten stationiert, und die Zweigvereine dieser drei Orte bildeten den Kreisverband des Kohlenreviers. Ferner arbeitete ein Bote in Herne, einer in Witten und einer in Hagen (Zweigverein), wo seit 1896 ein Vereinshaus bestand. In Dortmund hatte die Gesellschaft sogar schon seit 1866 ein Vereinshaus, 1898 waren dort zwei Boten*) stationiert, und der dortige Zweigverein bildete mit dem in Hörde, wo ebenfalls ein Bote stand, und dem in Kamen den märkischen Kreisverband.

Im Dienste des Deutschen Komitees evangelisierte hier dann seit 1895 mehrfach Bührmann, so 1895 und 1896 in Hagen, 1897 und 1899 in Wattenscheid.

In Hüllen wurden in dem der dortigen Gemeinschaft gehörenden Vereinshause vierteljährliche Gemeinschaftskonferenzen eingerichtet, an denen auch polnische Gemeinschaftsglieder teilnahmen, die sonst

*) 1902: 1 in Dortmund und 1 in Marten.

in eigenen Gemeinschaften sich abgesondert hielten, meist zum Ostpreußischen Gebetsverein gehörend.

Bührmann evangelisierte auch im Sauerland*), so 1895 in Altena, wo früher einmal die Evangelische Gesellschaft einen blühenden Zweigverein besessen hatte, im gleichen Jahre auch in Lüdenscheid. Der dortige „Evangelische Verein Philadelphia" war 1893 durch Idel entstanden. 1898/9 war dann der durch Bührmann berufene Fürstenau (s. o.) länger hier tätig. Die Gemeinschaft führte feste Mitgliedschaft mit regelmäßigen Beiträgen ein. Später bildete sich noch ein „Kirchlicher Verein für christliche Gemeinschaftspflege". In Halver, wo der Lehrer Becker eifrig für die Gemeinschaftssache tätig war, evangelisierte Bührmann von 1895 an drei Jahre hintereinander. In Iserlohn entstand eine Gemeinschaft mit einem eigenen Brüderrat ca. 1897. In Westig stationierte die Evangelische Gesellschaft um 1900 einen Boten.

Ende der achtziger Jahre arbeitete in Soest der Lehrer Mundhenk in Blaukreuzarbeit und Gemeinschaftspflege. 1895 evangelisierte Eßler dort, Mundhenk starb 1896, und seine Arbeitsstätte, der Zionssaal, scheint dann in verschiedene Hände übergegangen zu sein; der kirchliche Blaukreuzverein hat dort seine Arbeit gehabt, später ging er an die freie Gemeinde über. Aus der Mundhenkschen Arbeit bildete sich 1897 die „Landeskirchliche Gemeinschaft Philadelphia", die 1900 ein eigenes Vereinshaus gründete, auch eingetragener Verein wurde. Die Leitung dieser „im Sinne der Gnadauer Konferenz" arbeitenden Gemeinschaft übernahm Landmesser Toellner.

Die Arbeit der Evangelischen Gesellschaft war hier die gleiche kirchliche wie im Rheinland. Als in den achtziger Jahren dort die erwähnten Schwierigkeiten entstanden, trat in Westfalen der Generalsuperintendent warm für sie ein.

1900 bildete sich in der Mark ein „Kirchlicher Verein für Evangelisation und Gemeinschaftspflege in der westfälischen Mark" (Vors. Kaufm. Hörstensmeyer-Bochum, Kass. Keudel-Witten, Schriftf. der ehemalige Johanneumsbruder Oberdörster-Werne, ferner Dr. Beckmann-Witten, Bröcking-Gevelsberg, Berge-Werne, Dönges-Hiltrop, Edelhoff-Wetter, Freywald-Bochum, P. Grote-Ober-Fischbach, Hundt-Hattingen, Wolf-Werne und P. Michaelis-Bielefeld).

Waren es wie im rheinischen Industriebezirk in Siegen und der Mark hauptsächlich Industriearbeiter, bei denen die Gemeinschaftsbewegung und vorher schon die Arbeit der älteren Evan-

*) 1900 stand im Sauerland 1 Bote des Brüdervereins.

gelisationsgesellschaften Eingang fand, so lag die Sache in Minden-Ravensberg anders. Hier hatte der Pietismus sich in der dem niedersächsischen Stamme angehörenden Bauernbevölkerung zäh erhalten, wenn auch die äußere Erscheinungsform des Konventikels zurückgetreten war, je mehr Laien und Pastoren in immer lutherischer gefärbtem Pietismus eins wurden. So mußte die neuere Bewegung mit ihrem aggressiven, aus dem Methodismus stammenden Wesen, das die gewohnte Sitte und Ordnung so oft durchbricht, gerade diesem konservativen, die Sitte so überaus hochachtenden Stamme als etwas Fremdes erscheinen. Dazu kommt, daß die moderne Gemeinschaftsbewegung auchseitens des wohlwollendsten Kritikers nicht freizusprechen ist von einer gewissen Schablone in der Beurteilung und infolgedessen mangelndem Verständnis für die Eigenart eines Volksstammes. Aus der Stadt stammend und auf die entfremdeten Industriearbeiter eingestellt, konnte sie die zur Sitte gewordene Bauernfrömmigkeit nicht verstehen. So konnte die neue Bewegung zunächst nur langsam vordringen, mochten auch Männer wie Schmalenbach und Michaelis-Bielefeld sich an der Gnadauer Konferenz beteiligen. Namentlich letzterer war der Hauptvertreter Gnadauer Gedanken in Minden-Ravensberg. Da er vorsichtig war und auch seine theologische und kirchengeschichtliche Bildung nicht wie so manche andere theologische Führer der Bewegung verleugnete, so verkannte er das Bewährte des Altpietismus nicht und suchte zu mäßigen und zu vermitteln bei Zusammenstößen. Im Jahre 1893 evangelisierte Schrenk in Bielefeld in Einmütigkeit mit allen sieben Geistlichen der Stadt, 1895 kam Bührmann. Als dann 1899 Dannert im Gegensatz zur dortigen Geistlichkeit auch in Herford evangelisierte, berichtete ein Anonymus darüber in Philadelphia (Nr. 6) mit einem scharfen Seitenhieb auf die Kirche, die eine grundsätzlich feindliche Stellung gegenüber jeder Laientätigkeit einnähme, nachdem die alten pietistischen „Zeugen im Amte" und die Stundenhalter ausgestorben seien. „Gott Lob und Dank aber, daß er uns seit kurzer Zeit Männer nach Minden-Ravensberg gesandt hat, die . . . das fast erstorbene Leben von neuem anfachen." Michaelis erwiderte darauf auf Dietrichs Bitte: Allerdings seien einst größere Männer dort gewesen als jetzt. Aber wenn jener Artikel den Anschein erwecke, als sei die gesamte Pastorenschaft ohne Leben aus Gott, so versündige sich der Einsender, ohne es zu wollen, an den Geistlichen, denen es auch dort um Seelenrettung zu tun sei. Die Stundenhalter seien in der Tat zusammengeschmolzen, aber einzelne Geistliche pflegten das Gemeinschaftswesen, und wenn sie mit wenigen Ausnahmen gegen die moderne Gemeinschaftspflege seien, so liege das „bei vielen sicherlich im Mangel an Verständnis für wirkliche Seelenpflege" begründet, „bei anderen aber ist keineswegs dieser Mangel der Grund, sondern ihre dogmatische und kirchliche Stellung, die ich freilich nach manchen Seiten als ein Hindernis ansehen muß, das an den Seelen zu erreichen, was diese teuren Brüder selbst von ganzem Herzen wünschen. Wenn jener Artikel endlich einige seit kurzem im Lande arbeitende Brüder als die einzigen Träger des Lebens darstellt, so tut er diesen nur einen schlechten Dienst" *). Mit diesen Trägern des Lebens war wohl vor allem E. Lohmann gemeint, der auch von Frankfurt nach einigen Jahren wieder weggegangen war und nun in Schildesche lebte, und neben ihm sein Schwager P. Köhler dort, der mit Feuer und Flamme auf die neue Bewegung einging und die Gemeinschaft in Herford gesammelt hatte. Lohmann hatte damals durch den „Freiwilligen" und „Für Alle" ziemlichen Einfluß, ging jedoch bald darauf von hier nach Freienwalde (s. u.).

Verschiedene Anregungen gingen auch von dem Maurermeister Wolck aus, den wir schon gelegentlich der IV. Gnadauer Konferenz erwähnt haben (damals war er in den Alsterdorfer Anstalten, durch ihn hat, wie es scheint, auch R. Schultz den entscheidenden Anstoß erhalten). Durch ihn entstanden die Gemeinschaften in Bielefeld und Vlotho sowie in Westrup. Außerdem stationierte die Evangelische Gesellschaft, die schon früher hier gearbeitet hatte, um 1900 einen Boten in Mellbergen. Michaelis, für dessen vorsichtige, vornehm diplomatische Art die oben angeführten Äußerungen bezeichnend sind, suchte die einzelnen Kreise einander zu nähern. Er rief in Bielefeld vierteljährliche Konferenzen ins Leben, deren Leitung, als er an die Missionsgesellschaft Berlin III ging, Wolck übernahm.

Michaelis arbeitete auch an dem Zusammenschlusse Westfalens. Mit L. Becker-Halver, Kühn-Siegen, Niemöller-Enger, v. Velsen-Unna, Huyssen-Bockhorst, Hausvater Budde-Bethel und Bröcking-Gevelsberg berief er auf den 8. April 1896 die I. Westfälische Gemeinschaftskonferenz in Unna. Die II. fand in Hamm am 11. November statt, die III. am 17. Juni 1897, die IV.

*) Übrigens sprachen 1899 auf dem theologischen Kursus in Bielefeld Cremer und Schlatter sehr freundlich über Gemeinschaftspflege, ohne Widerspruch seitens der Pastoren zu finden. Allerdings betonten sie auch, daß die Hauptsache sei, daß uns das reine Evangelium erhalten bleibe. Die Gemeinschaftskreise stehen in großer Gefahr, durch urteilslosen Anschluß an den Methodismus und willkürliche Schriftauslegung das Evangelium zu verkehren.

6. Oktober 1897 in Soest, die V. 12. April 1898 in Dortmund*); auf der VI. 5. Oktober 1898 in Iserlohn, die nur gering besucht war, wurde der Vorstand (westfälische Brüderrat) definitiv aus acht Herren zusammengesetzt: P. Engelbert-Wattenscheid, P. Grote-Oberfischbach, P. Niemöller-Enger, Schröder-Dortmund, Bröcking-Gevelsberg, Michaelis, Siebel, Wolck, und beschlossen, die Konferenz nur noch im Herbst abzuhalten; dafür solle möglichst jedes Brüderratsmitglied in seinem Kreise für Quartalsversammlungen sorgen**). Die VII. Konferenz tagte daher am 15. November 1899 in Bielefeld, die VIII. zweitägig am 4. und 5. Oktober 1900 in Altena. Im Vorstande war an die Stelle von Schröder-Dortmund Becker-Halver getreten, der jedoch am 14. April 1901 starb. In diesem Jahre fiel die allgemeine Konferenz aus und fand erst wieder am 30. November 1902 in Witten statt. Inzwischen hatte sich das Konferenzkomitee mit einem neuen Verein, der sich Evangelisation, Reisepredigt und Ausbreitung des Glaubenslebens zur Aufgabe gesetzt hatte, verschmolzen. So entstand der „Westfälische Verein für kirchliche Evangelisation und Gemeinschaftspflege." Er knüpfte zunächst mit Dammann an, der sich auch bereit erklärte, wo man ihm ein Arbeitsfeld nachweise, zu arbeiten (Licht und Leben 1901 Nr. 41). Im folgenden Jahre stellte man dann einen eigenen Berufsarbeiter in Weitmar bei Bochum an (Br. Görtz). Im übrigen war der Verein bzw. Brüderrat nicht viel mehr als ein Konferenzkomitee, an irgendwelche festere Vereinigung der so verschiedenartigen Gruppen, die ja zum Teil wie in Siegen und im Gebiete der Elberfelder Gesellschaft selbst fest organisiert waren, war nicht zu denken.

Ganz getrennt von den übrigen Gemeinschaften Westfalens bildete sich eine Gemeinschaft in Höxter. Ein Fabrikbesitzer (Nölle) berief dorthin 1900 einen Johanneumsbruder (Kühn) und suchte andererseits Anschluß an den schleswig-holsteinischen Gemeinschaftsverein (s. u.).

Von Minden-Ravensberg aus hatte die Evangelische Gesellschaft schon früher auch in Lippe-Detmold gearbeitet, jetzt nahm

---

*) Hier wurden den rheinischen fast völlig gleichlautende Satzungen angenommen. Nur lautet § 3 einfach: „. . . in welchem Pastoren und Laien zu gleicher Zahl vertreten sind." In § 5 wird als Bemerkung hinzugefügt: „Dadurch, daß nach diesem Beschluß die einzelnen Gemeinschaften die Vertrauensmänner ernennen, wird die bisherige Zusammensetzung derselben einige Veränderungen erfahren." In 6 a wird eingeschoben: „Der Vorsitzende des Brüderrats ist als solcher Mitglied des großen deutschen Vorstandes für Evangelisation und Gemeinschaftspflege".

**) So z. B. in Gevelsberg 26. November 1899.

der in Mellbergen stationierte Bruder die Arbeit wieder auf. Im übrigen waren dort, als die neuere Bewegung auftrat, die älteren pietistischen Gemeinschaften ziemlich verschwunden, die noch vorhandenen stellten sich freundlich zu ihr (so Drüner in Örlinghausen). Bereits am 3. Juli 1898*) tagte unter der Leitung von P. Theopold die erste lippische Brüderkonferenz in Lemgo, die dann halbjährlich wiederholt wurde. Die achte, im Oktober 1901, war von ca. 300 Gästen besucht. Damals hatte die Konferenz in Br. Schmidt von der Evangelischen Gesellschaft bereits einen eigenen Berufsarbeiter angestellt.

In Waldeck fand schon 1895 in Wildungen eine Gemeinschaftskonferenz statt (120—150 Anwesende). Chrischonabrüder, zu Anfang auch ein Neukirchener, nahmen sich der neuentstehenden Gemeinschaften an. In Bergheim arbeitete Merten, der immer mehr zur Großtaufe neigte. Trotzdem wurde er nicht eher abgerufen, bis er 1898 selbst ausschied und sich den Baptisten anschloß. Zantop wurde nach Waldeck gesandt und in Wildungen stationiert. 1902 zählte man in Waldeck 14 Gemeinschaften, 5 kirchlich, 9 ziemlich freikirchlich mit separierter Abendmahlsfeier.

4. Nordwestdeutschland.

(Allgemeines — Nordschleswig — Der Schleswig-holsteinische Gemeinschaftsverein, Röschmann, Witt und Bernstorff — Jensen-Breklum — Paulsen-Kropp — Der Kirchliche Verein für Evangelisation und Gemeinschaftspflege — Lübeck — Mecklenburg — Hamburg und Umgegend — Die Anfänge in Hannover — Braunschweig, Bremen und Oldenburg.)

Bereits mit Minden-Ravensberg, das wir nur um der Provinzialorganisation willen vorausnehmen mußten, haben wir niedersächsisches Gebiet betreten, bei allen Verschiedenheiten im einzelnen das Land eines zäh konservativen, mitunter geradezu halsstarrigen Volksstammes, mit allen Vorzügen und Nachteilen eines selbständigen, auf mittleren, ja großen Höfen sitzenden Bauernvolkes. Recht, Autorität und Sitte sind die Grundfesten seines ganzen Lebens. Das überträgt sich auch aufs religiöse Leben und ist vielfach das nach außen allein in Erscheinung tretende. Mögen aber daher auch namentlich Fremde vielfach nichts anderes wahrnehmen als kirchliche Sitte, mag auch vielfach wirklich nichts anderes vorhanden sein als äußere Kirchlichkeit, es ist doch auch noch gar viel lebendige Frömmigkeit darunter verborgen, die in Worten vor anderen zu offenbaren aber dem an sich ernsten, um nicht zu sagen schwer-

*) So im Bericht (Phil. 1898 Nr. 8), Dietr. und Br. geben 1896 an.

fälligen Geschlecht als eine Entweihnng vorkommen würde, zum mindesten als ein Übertreten des bäuerlichen Maßhaltens. Dazu kommt in diesem ganzen Gebiet ein Luthertum, das niemals den einen Grundzug der lutherischen Volkskirche, das Pädagogische, verlernt hat. So ist der niedersächsische Bauer nie sehr empfänglich für pietistische Einwirkungen gewesen, anders der Friese und teilweise der Schleswig-Holsteiner, die beide schon in manchem den Nordgermanen verwandt sind. Es kommt auch wohl noch hinzu, daß Schleswig-Holstein infolge z. T. sehr ausgedehnter Kirchspiele verhältnismäßig schlechter kirchlich versorgt ist als Hannover. Außer einigen kleineren für sich stehenden Kreisen in Ostfriesland ist daher fast alles, was von moderner Gemeinschaftsbewegung in diesem ganzen Gebiet vorhanden ist, von Schleswig-Holstein ausgegangen.

In Schleswig-Holstein selbst blieb die nordschleswigsche Gemeinschaftsbewegung, soweit ich sehe, von der deutschen Bewegung gänzlich unberührt, nicht nur die Bornholmer, sondern auch der „Kirchliche Verein für Innere Mission in Nordschleswig", der im übrigen in dieser Zeit mächtig aufblühte. Zählte er doch in seinem verhältnismäßig kleinen Gebiet 1902 nicht weniger als 12 Sendboten. Seine Stellung zur Landeskirche und ihrem Bekenntnis blieb dieselbe. Pastoren hatten die Leitung. So bietet er das Beispiel einer Gemeinschaftsbewegung, die unter der bäuerlichen Bevölkerung wirklich Fuß gefaßt hat, andererseits kirchlich nicht nur sein will, sondern ist, an den lutherischen Bekenntnissen festhält und dem geordneten Amt sich willig unterordnet, eine lutherische Gemeinschaftsbewegung. Wieweit beide Seiten zusammenhängen, wäre eine interessante kirchenkundliche Forschung. Es hat sich doch wohl um eine Art Wechselwirkung gehandelt: Weil sie lutherisch und kirchlich war, fand sie bei den Bauern, die an dem von den Vätern Überkommenen festhielten, Eingang, und weil sie dort Eingang fand, wurde sie in die feste kirchliche Sitte eingeordnet. Dazu kam das Volkstum und seine verhältnismäßig hohe Kultur, vielleicht auch der politische Druck, der zur religiösen Selbständigkeit trieb, denn bezeichnenderweise hat sich diese Entwicklung nur im dänischen Sprachgebiete gezeigt.

Der im deutschredenden Schleswig und in Holstein arbeitende „Verein für Innere Mission", der „Gemeinschaftsverein", hat, soviel ich sehe, nicht so im Bauerntum Wurzel gefaßt, vielleicht um so weniger, als er mehr und mehr in die Bahnen der modernen Bewegung einging. v. Oertzen selbst leitete naturgemäß schon diese Entwicklung ein infolge seines Anteils an Gnadau. Schon 1889 wurde R. Schultz, den wir oben als fast fanatischen Anhänger der Heiligungsbewegung kennen lernten, als Sendbote in Heide eingeführt. 1890 wurden dann zuerst auch Johanneumsbrüder angestellt, Grabowsky in Segeberg und Buchborn in Itzehoe. Beim Tode v. Oertzens waren 12 Boten im Dienste des Vereins. Weit radikaler aber als v. Oertzen, der, wie wir sahen, immer mehr Verständnis für die Bedeutung der Landeskirche gewonnen hatte, standen dann die Männer, die nach ihm die Leitung des Vereins in die Hand nahmen und teilweise schon in seinen letzten Lebensjahren neben ihm arbeiteten. 1891 ward P. J. Röschmann zum Inspektor berufen*). Damals war er Pastor in Itzehoe, wo er gleich zu Anfang die Allianzgebetswoche mitmachte und sich weigerte einen Artikel seiner Amtsbrüder gegen die Baptisten zu unterschreiben. Hatte er doch schon als Student für freie Allianz und freie Evangelisation sich begeistert. Durch v. Oertzen war er 1888 auf die Gnadauer Konferenz aufmerksam gemacht und hatte dort neue Anschauungen über Taufe und Abendmahl aufgenommen. Das letztere war ihm nun nicht mehr die Darbietung der Vergebung, es war ihm die Selbstmitteilung Jesu an die bekehrten, im Besitze der Vergebung befindlichen Gotteskinder. „Aus dieser Auffassung", meinte er, „ergibt sich auch das immer mehr hervortretende Verlangen der Gemeinschaftskreise, nicht mehr mit den Ungläubigen, sondern für sich das Abendmahl des Herrn zu feiern." 1890 besuchte er wiederum Gnadau und auch Blankenburg. Die englische Literatur der Gemeinschaftsbewegung gewann gleichzeitig Einfluß auf ihn, wie Haslam, Havergal und vor allem Murray, dessen „Bleibe in Jesu" ihn für die Heiligungsbewegung gewann, die wir ihn auf der Gnadauer Konferenz von 1894 vertreten sahen. Luthers „tägliche Reue und Buße" verwarf er jetzt. Von deutschen Führern trat ihm Stockmayer — später auch persönlich — nahe. Von ihm übernahm er die Anschauung von der Schar der „Überwinder", die s. M. nach — er gibt zu, daß da noch nicht alles klar ist — während der Endtrübsal entrückt werden soll („Philadelphia und Laodicäa" S. 61 ff.), während das Gros des Volkes Gottes, die „nur Geretteten", die

*) Geb. 12. Oktober 1862 in Heide als Sohn eines frommen Schmiedeehepaares. Beim Studium hatte in Erlangen v. Zezschwitz ihn beeinflußt, dazu kamen mehrere Besuche in Neuendettelsau. „Um diese Zeit hat er dann und wann noch studentischen Zusammenkünften beim Bier beigewohnt, für die er zwar keine Vorliebe hatte, die sich aber offenbar noch mit seinem Christentum vertrugen", schreibt sein Biograph in „Was sagt die Schrift" 1906 Nr. 33 ff. Später fand er die „freiere Stellung zur Welt" seiner Studiengenossen bedenklich. 1886 wurde er Pastor in Itzehoe, wo er mit den Gemeinschaftsleuten und dadurch mit v. Oertzen bekannt wurde. Hier verheiratete er sich mit der Tochter des Lehrers Witt aus Glückstadt.

nicht den „Lammesweg“ gegangen, verzichten müssen „auf die Herrlichkeit, die seine Lämmer mit ihm teilen sollen“. R. Schultz, dessen Anstellung in manchen Kreisen übel vermerkt war, nahm er mit offenen Armen auf. Die Laienpredigt verteidigte er mit dem Worte: „Ich glaube, darum rede ich.“

Am 19. März 1891 berief ihn der Vorstand des Gemeinschaftsvereins zum Inspektor, um den kränkelnden v. Oertzen zu unterstützen; am 24. April hielt er seine Abschiedspredigt und zog zu seinem unverheirateten Schwager P. J. Witt nach Kaltenkirchen. Er übernahm alsbald die Redaktion des seit 1885 monatlich, seit 1890 wöchentlich erscheinenden „Gemeinschaftsfreundes“. Unter ihm erhielt der Verein auch seine eigene Buchhandlung, nachdem er bei einer Reise nach Siegen die Vereinsbuchhandlung des Vereins für Reisepredigt kennen gelernt hatte. Am 2. November 1892 traten in Neumünster v. Oertzen, Jhloff, Röschmann und fünf andere zur Bildung der offenen Handelsgesellschaft G. Jhloff u. Co. zusammen. Das erste Verlagswerk waren die von Röschmann zusammengestellten „Reichslieder“. Im Winter 1891/2 hatte er sich an die Arbeit gemacht. Als Vorlage, namentlich der Ausstattung, diente das englische „Sacred songs and solos“. Röschmann wählte nur Lieder, „die ein entschiedenes Bekenntnis enthielten, besonders aber unterschieden zwischen Errettet- und Nichterrettet sein, zwischen Bekehrung und Heiligung“, „die den klaren Gedankengang störenden und die obigen Unterschiede verdunkelnden Strophen (z. B. bei den Kirchenliedern) strich“ er. Nach einem Jahre waren 5000 vergriffen. Das zweite Verlagswerk war das Pfennigblatt „Nimm und lies“, das Jhloff 1894 einführte.

Durch Röschmann kam auch die Blaukreuzarbeit nach Schleswig-Holstein. Er hatte v. Knobelsdorff kennen gelernt, der ihn für das Blaue Kreuz gewann. Im gleichen Jahre (1892) reiste er als Festredner fürs Blaue Kreuz nach Barmen, wo damals das Deutsche Zentralkomitee gegründet und Röschmann die Vertretung für den Norden übertragen wurde.

Im selben Jahre wurde das erste Sommerfest des Vereins (in Schleswig) gefeiert. Röschmann ging schon 1893 nach Hamburg (s. u.) und gab daher sein Inspektoramt auf, blieb aber im Verbande des Vereins, indem er zum Vizepräses ernannt wurde. Sein Nachfolger als Inspektor wurde Witt. Er stand, wie wir schon sahen (s. o. S. 123), noch weniger landeskirchlich als sein Schwager, schied jetzt sogar aus der Landeskirche aus. In Kiel, wohin er verzogen war, gründete er 1896 einen deutschen Zweig der China-Inland-Mission, für die sich auch Röschmann besonders erwärmte, „da ihm die Grundsätze dieser Mission am meisten den göttlichen Linien der hl. Schrift zu entsprechen schienen" (Ihloff, Im Weinberge des Herrn S. 72.). 1899 kam es freilich auch hier zu einer Trennung, der deutsche Zweig der China-Inland-Mission wurde nach Hamburg verlegt, wo Coerper (s. u.) die Leitung übernahm, Witt gründete einen eigenen Kieler Zweig, legte 1900 das Amt eines Inspektors im Gemeinschaftsverein nieder und ging selbst nach Pakhoi. Die Inspektorstelle blieb zunächst unbesetzt.

Daß die Scheidung von Witt erst so spät eintrat, lag wohl daran, daß der Nachfolger v. Oertzens in der Stellung zur Kirche nicht in dessen Bahnen ging. Am 5. Februar 1894 wurde Andreas Petrus Graf von Bernstorff*) einstimmig zum Vorsitzenden gewählt. Auch die Generalsuperintendenten hatten ihn gebeten, die Stellung anzunehmen, weil sie hofften, er werde Röschmanns und Witts antikirchlicher Strömung entgegenwirken. Er schreibt aber selbst (in seinem Lebensbild von H. v. Redern S. 228): „Die Erwartung der Generalsuperintendenten habe ich wohl getäuscht." Zwar sah auch Bernstorff in der Landeskirche „durchaus nicht bloß eine menschliche Einrichtung", sondern die „historisch gewordene, von Gott zugelassene Stätte, wo sie Gott anbeten können im Geist und in der Wahrheit". Aber eine wirklich innere Stellung zur lutherischen Landeskirche hatte er nicht. Es war kaum richtig, wenn er schreibt: „Ich bin immer erst Christ, dann evangelisch und erst in dritter Linie Lutheraner gewesen", fürs Luthertum hatte er vielmehr gar kein Verständnis. Das lag daran, daß er die entscheidenden religiösen Eindrücke als Knabe in England empfangen hatte, besonders war es Sir Culling Eardley, der Gründer der Evangelischen Allianz, mit dem seine Eltern befreundet waren, der ihn beeinflußte. Ein Traktat, der ihm im Sommer 1858 beim Spazierengehen in die Hand gedrückt wurde (Don't be afraid von Ryle), führte zu seiner Bekehrung. So blieb ihm trotz lutherischen Unterrichts die Vorliebe für englisches Christentum, mochte er auch in einer gewissen ihm überhaupt eigenen Unklarheit meinen, ein rein biblisches, interdenominationelles und internationales Christentum zu besitzen**). So hörte er auch wohl in Dresden Langbein

*) Geb. am 20. Mai 1844 in Berlin. 1854 wurde sein Vater Gesandter in London, wo der Sohn bis 1860 erzogen wurde, um dann auf das Gymnasium nach Dresden zu kommen. Er studierte in Berlin und Heidelberg, arbeitete als Legationssekretär in Dresden, London, Wien und Washington, war 1874 bis 1880 Landrat von Lauenburg und wurde dann ins Kultusministerium nach Berlin berufen.

**) Bezeichnend für diese Unklarheit ist der Satz seiner zitierten Biographie S. 22: „Ich suchte mir zu allen einzelnen Lehren die Stellen in

und Fröhlich, aber ein englischer Kreis stand ihm näher. Seinen Urlaub verbrachte er stets in London. Er verteidigte die englische Sonntagsfeier und „war in dieser Hinsicht immer im Krieg mit dem lutherischen Katechismus, der das dritte Gebot zu einem Hören des Wortes Gottes verflüchtigte, statt uns den ganzen biblischen Text zu geben" (a. a. O. S. 150). Über das Abendmahl sagt er (S. 72): „Zu einem ungläubigen Pastor wäre ich ungern zum Abendmahl gegangen, weil da jede Gemeinschaft fehlte, aber mit Christen anderer Denominationen zum Tisch des Herrn zu treten, habe ich nie Bedenken getragen." Die pastorale Absolution forderte von ihm ein sacrificio dell intelletto (S. 203). Schon als Student bezw. Referendar in Berlin war er für Laienarbeit begeistert, besonders für die Sonntagsschule; als er 1880 wieder nach Berlin zurückkehrte, nahm er die Arbeit wieder auf. Die Verkirchlichung als „Kindergottesdienst" machte ihm als Vorsitzenden des Deutschen Sonntagsschulkomitees Gewissensnöte.

An der Gnadauer Konferenz war er von Anfang an beteiligt, wie wir oben sahen. „Wenn ich mich", schreibt er (a. a. O. S. 202), „nun mit völliger Entschiedenheit auf Seite der neuen Gemeinschaftsbewegung gestellt habe, ja sogar in dieselbe, so habe ich den Eindruck, daß ich damit nicht den geringsten Wechsel meiner kirchlichen und religiösen Stellung vorgenommen habe." Man sieht, er fand den Typus seines englisch gefärbten Christentums in der modernen Gemeinschaftsbewegung wieder.

Als ihre Grundgedanken bezeichnete er: „1. daß der Mensch sich bekehren müsse." Luthers Ausdruck von täglicher Reue und Buße meint „etwas Richtiges", ist aber „sinnenverwirrend". „Die Wiedergeburt in der Taufe zu suchen, ist eine grobe Irrlehre." „2. Darum muß auch bewußt darauf hingearbeitet werden, daß die Ungläubigen sich bekehren. Das sollte jeder Pastor als seine Hauptaufgabe ansehen; aber es ist nicht nur die Pflicht des Pastors, sondern jedes gläubigen Christen. Außerdem hat der Herr in letzter Zeit das Evangelistenamt seiner Gemeinde wieder geschenkt." „3. Mit dem in der Kirche der Reformation anerkannten Prinzip des allgemeinen Priestertums muß Ernst gemacht werden." „4. Wenn der Mensch sich bekehrt hat, soll er der Heiligung nachjagen. Der Herr gibt Überwinderkräfte. Darum müssen die Gläubigen gepflegt . . . werden. Sie haben sich zu diesem Zwecke in der Gemeinschaft zusammenzutun" (a. a. O. S. 200 ff.). Er fand diese Grundsätze im Methodismus und Pietismus verkörpert. Letzterem habe nur der aggressive Charakter gefehlt.

---

der Bibel zusammen und schrieb sie aus. So lernte ich nicht nur die Schrift kennen, sondern meine Glaubenslehre baute sich ohne menschliche Dazwischenkunft auf die Schrift auf." Als ob nicht die Zusammenstellung der „einzelnen Lehren" und diese Art Benutzung der Schrift schon auf einen ganz bestimmten Typus des Christentums zurückführten!

Bernstorff war eine äußerst weiche Natur, so lag es ihm nahe, „Brüdern“ gegenüber nur das einigende Band der Liebe zu sehen und Lehrunterschiede zu übersehen. So war er ganz der Mann, unter dem die moderne Gemeinschaftsbewegung den Gemeinschaftsverein völlig eroberte. Er war weniger ein tatkräftiger Vorwärtsdränger wie v. Oertzen als der im kleinsten genaue Organisator. Die fließenden Grenzen, die v. Oertzen gewollt, wurden wieder aufgegeben. 1894 wurde in § 3 der Statuten wieder hinzugefügt (s. o.): „. . . und sich verpflichtet, mindestens einen Beitrag von 0,05 Mk. per Woche zu zahlen.“ Nach § 8 wird in den einzelnen Ortschaften, in denen Mitglieder des Vereins sind, ein Vorsteher ernannt, welcher die Mitgliederliste führt und für Einkassierung der Beiträge sorgt. Nach § 9 besteht die Generalversammlung aus den Vorstandsmitgliedern, den Deputierten der einzelnen Ortschaften und den Sendboten. Bis zu 20 Mitglieder wählen einen Deputierten. Diese Paragraphen haben jedoch bis 1899 nur auf dem Papier gestanden (Gemfr. 1899 S. 333). Hier wird der Beschluß des Vorstandes mitgeteilt, daß die nächste Generalversammlung statutenmäßig zusammengesetzt sein solle, während bis dahin jedes Vereinsmitglied, das kam, auch stimmte. Vor allem wurde unter Bernstorff der Bau von Vereinshäusern betrieben. Bereits aus v. Oertzens Zeit stammte das erste Vereinshaus des Vereins, das in Elmshorn, nämlich aus dem Jahre 1877. Bereits 1883 und 1892 mußten Anbauten gemacht werden; jetzt wurde 1898 ein großer Neubau aufgeführt, in dem nun der Verein auch sein Jahresfest am Fastnachtsmontag abhalten konnte. In Neumünster, wo seit 1882 Ihloff stand, war das vom (m. W. ursprünglich kirchlichen) Männer- und Jünglingsverein 1886 erbaute Vereinshaus, als dieser in das Fahrwasser der Gemeinschaftsbewegung geriet, an diese übergegangen, allerdings zunächst ohne auf den Namen des Vereins bezw. der Buchhandlung eingetragen zu werden. Unter Bernstorff wurden dann bis 1902 noch 6 weitere Häuser gebaut: 1897 das in Ütersen (eingeweiht 19. September), im gleichen Jahre das in Barmstedt, 1899 eins in Lübeck, 1900 in Glückstadt, 1901 in Sonderburg und 1902 in Bredstedt. Dazu kam noch 1898 das Missionshaus Witts in Kiel, das dem Verein zur Verfügung stand, sowie das Haus in Höxter (s. o.), das sogar zeitweise auf den Namen des Vereins eingetragen war. Auch in Itzehoe, Segeberg, Lindaumühlenholz, Kaltenkirchen, Rendsburg (gebaut 1899) und Schleswig dienten 1902 Häuser den Zwecken des Vereins.

Eine Vermehrung der Sendboten fand dagegen bis 1902 unter v. Bernstorff nicht statt. Schultz ging 1894 nach Blankenburg, für ihn kam Clasen nach Heide; im gleichen Jahre wurden Sievers (Ütersen) und Jensen (in Itzehoe für den ausscheidenden Buchborn) angestellt, beide aus Breklum, 1895 Brügmann (seit 1897 in Rendsburg), 1897 Iversen in Sonderburg (vorher in Hamburg s. u.), 1900 Ebeling, 1902 Edelhoff. Bernstorffs Augenmerk war auch auf eine bessere Besoldung der Boten gerichtet. 1900 wurde eine neue Instruktion aufgestellt, deren erste Paragraphen lauten:

§ 1. Da es Zweck des Vereins ist, Evangelisation und Gemeinschaftspflege zu treiben, so liegt dem Sendboten als seine Hauptaufgabe ob, den Gottentfremdeten das Evangelium nahezubringen, sowie auch die Bekehrten durch Unterweisung aus dem Worte Gottes zu fördern zu suchen.

§ 2. Um diesen Zweck zu erreichen, hat der Sendbote öffentliche Versammlungen zu veranstalten, Bibelstunden, Bibelbesprechungen und Gebetsstunden zu halten, wo es angebracht ist, Männer- und Jünglingsvereine sowie Frauen- und Jungfrauenvereine zu gründen und zu pflegen, Kindergottesdienste (Sonntagsschulen) ins Leben zu rufen und weiter zu führen. Neben diesen Veranstaltungen sind recht fleißig Hausbesuche zu machen, um Gelegenheit zu finden, durch Einzelseelsorge den angefaßten Seelen den Weg zu zeigen und den Bekehrten in ihren besonderen Schwierigkeiten behülflich zu sein . . . .

§ 3. Der Sendbote hat sich zu hüten vor allem Parteiwesen, auch hat er alles Tadeln kirchlicher Ordnungen möglichst zu vermeiden. Vielmehr muß er mit allen, die den Herrn Jesum lieb haben, namentlich auch mit gläubigen Pastoren, die Einigkeit im Geist durch das Band des Friedens zu erhalten und zu fördern suchen in ungefärbter Bruderliebe."

Auch die Einnahmen und Ausgaben sind unter Bernstorff bis 1902 nicht sonderlich gestiegen. 1892 betrugen sie 18 570 Mk. bezw. 16 380 Mk., und 1902 belief sich der Etat auf 16 405,90 Mk. Dagegen war die Buchhandlung sehr aufgeblüht. Ihr Umsatz belief sich 1902 auf 76 841,79 Mk. Der „Gemeinschaftsfreund" zählte 2700 Abonnenten, „Nimm und lies" erschien in 70 000 Exemplaren, und „Reichslieder" waren 1902 ebenfalls 70 000 abgesetzt.

Die Stützpunkte des Vereins waren, wie schon die obigen Namen zeigen, vor allem die Städte, namentlich mit Industriebevölkerung. Im übrigen konzentrierte sich seine Wirksamkeit vor allem auf die Gebiete des Landrückens, der die Mitte Schleswig-Holsteins durchzieht. In den Marschen war trotz der Boten in Heide und Meldorf seine Wirkung geringer. Schultz sprach von der „Schwerfälligkeit der Dithmarsen", bemerkte aber auch richtig, was sonst vielfach übersehen wird, daß für die niedersächsische Landbevölkerung ein großes Hindernis bei der Bibelbesprechung in der Sprache liege.

Gegen Ende unserer Periode fingen die Schwierigkeiten mit den sogenannten „Sündlosen" an, einer aus Dänemark herübergekommenen Richtung, die die Möglichkeit des Sündigens von sich leugneten. Schon 1896 wird aus Kiel von ihnen berichtet (Phil. 1896 Nr. 7).

Wie erwähnt, hat der Verein mehrfach seine Sendboten aus Breklum überkommen, wo P. Jensen 1879 neben der Missionsanstalt auch eine Brüderanstalt begründet hatte*). Jensen stand den Gemeinschaftsleuten innerlich nahe, war ja auch einer der Erklärer von 1880, aber er war andererseits ein zu echter friesischer Individualist, als daß er ganz mit ihnen gehen konnte. So schrieb „Auf der Warte" 1908 Nr. 46: „Jensen stand den Stillen im Lande und damit auch den Gemeinschaftschristen in Schleswig-Holstein sehr nahe. Es gab eine Stunde, da er nahe daran war, sich ganz und ausschließlich auf sie zu stützen in seiner Arbeit. Es kam anders; ob es gut war, daß es anders kam, darüber habe ich hier nicht zu urteilen." Mit jener Entscheidungszeit ist wohl die schwere Krisis der Schleswig-holsteinischen Missionsgesellschaft 1893 gemeint, in der die Männer des Gemeinschaftsvereins Jensen drängten, P. Horst aus Mansbach (s. o.) als Missionsinspektor anzustellen. Jensens Besonnenheit ließ es zu dieser Entscheidung, die die — bald darauf erfolgende — Heilung des eingetretenen Risses unmöglich gemacht hätte, nicht kommen.

Geradezu ein Gegner des Gemeinschaftsvereins blieb dagegen stets P. Paulsen in Kropp mit seinem schon anfang der siebziger Jahre gegründeten „Verein der vier Kirchspiele" auf lutherischer Grundlage.

1896 führte dann die Haltung des Gemeinschaftsvereins zur Gründung des „Kirchlichen Vereins für Evangelisation und Gemeinschaftspflege". In dem Aufruf der beiden Generalsuperintendenten, Kaftan und Ruperti, (ALK 1896 S. 762) wurde betont, daß „der altgeordneten Amtstätigkeit der Geistlichen eine Ergänzung durch eine freie Tätigkeit zur Seite treten müsse". Als Organe rechnete man einerseits „dafür begabte und dafür sorgfältig ausgebildete" Missionare, andererseits „für evangelisatorische Tätigkeit begabte und hierzu willige landeskirchliche Geistliche" **). Der Verein kam nicht recht zum Leben. Es scheint, als ob Kaftan nur mit halbem Herzen dabei gewesen sei, schrieb

---

*) Die Brüderanstalt kam aber erst wirklich vorwärts, als 1883 das Predigerseminar für Amerika damit verbunden war.

**) Als Ziel wurde bezeichnet, „in den innerlich dem Evangelium noch fernstehenden Gliedern unserer Kirche entschiedenes, vollbewußtes Christentum zu wecken und dadurch die lebendigen, am kirchlichen Leben sich beteiligenden Kreise in den Gemeinden zu stärken, zu sammeln und zu mehren".

er doch im „Kirchen- und Schulblatt" über die Verkirchlichung der Evangelisation: „Ich habe bald ein Menschenalter im Dienst der Kirche gestanden, habe jenen Schlußgedanken (Verkirchlichung) in verschiedenen Variationen gehört, auch Ansätze zu Ausführungen wie Ausführungen erlebt, habe auch mit derartigen Fragen im Sinne über die Grenzen unserer Landeskirche hinausgeschaut — einen kirchlichen Verein für Evangelisation und Gemeinschaftspflege, der wirklich das ist, was sein Name sagt, habe ich noch nie gefunden. Entweder ward das ‚kirchlich' zur leeren Etikette oder aus der Evangelisation und Gemeinschaftspflege wurde nichts" (Kirchl. Jahrb. 1901 S. 323). Der Verein arbeitete zunächst vornehmlich in Angeln. Er hatte 1902 einen einzigen, in Flensburg stationierten Boten.

Wie bereits bemerkt, erstreckte sich die Arbeit des Gemeinschaftsvereins auch nach Lübeck, wo sie 1895 aufgenommen wurde. Anfangs wurden die Stunden im Privathause gehalten, dann in der zur Mitbenutzung überlassenen schwedischen Kapelle. 1899 betrieb Sendbote Clasen dann den Bau eines Hauses, das am 2. September 1900 eingeweiht wurde.

Der Anschluß Mecklenburgs fällt erst in spätere Zeit (s. u.). In dieser Periode zeigt die Gemeinschaftsbewegung dort erst ihre allerersten Anfänge. Im Unterschiede von den sonstigen niedersächsischen Gebieten war hier nicht das Bauerntum der ausschlaggebende Faktor, sondern der Adel*). Adlige waren auch die Leiter der ersten etwa 1895 entstehenden Gemeinschaftskreise in Rostock: Math. v. Oertzen und Ref. v. Engel. Um des Konventikelgesetzes von 1836 willen konnte man nur unter der Firma eines „Christlichen Vereins" vorgehen, hatte aber 1902 schon ein eigenes Haus gemietet. In Kowalz bei Tessin entstand unter Mithilfe der Gutsherrschaft durch Kandidat Spengemann**) eine Gemeinschaft, in Rothenmoor wurde eine gegen Ende unserer Periode durch den damals erweckten Freiherrn v. Tiele-Winkler ins Leben gerufen. Außerdem hatten sich in Lühburg b. Gnoien 1899, in Neustrelitz

---

*) Insofern wäre Mecklenburg richtiger unter den ostelbischen Landesteilen zu behandeln gewesen. Wir stellen es hierher nur um des erwähnten Anschlusses an Schleswig-Holstein willen.

**) Geb. 1874 in Bünde (Westf.), 1895 durch Schmalenbach als Lehrer nach Kowalz gebracht, wo die Mutter der Gemeinschaftsschriftstellerin M. v. Oertzen Gutsherrin war. Er war aus pietistischem Hause; an seine Studentenzeit „dachte er selbst mit Betrübnis zurück". Erst in Kowalz scheint er zur „Bekehrung" gekommen zu sein. Murray beeinflußte ihn. Eine gewisse „Gelassenheit" wurde sein Ideal. Er wurde bald lungenkrank und starb am 13. Mai 1897.

1900 kleine Kreise gebildet. Die lutherische Pastorenschaft stand größtenteils ablehnend dazu. Besonders sprach Prof. Walther-Rostock die lutherischen Bedenken, nicht gegen Gemeinschaftspflege an sich, sondern gegen die spezifisch historisch bestimmte moderne Gemeinschaftsbewegung klar aus. Seine Thesen auf der Landespastoralkonferenz 1900 lauteten:

„1. Die Gemeinschaftsbewegung der Gegenwart hat ihre Wurzeln im Pietismus und im Methodismus. 2. Daher die Gefahr falscher Anschauungen über das „Weltliche", den Wert der reinen Lehre und des Gefühls, die Erweckung, die Rechtfertigung, die Heiligung, die Gnadenmittel und den Beruf. 3. Es ist aber unter ihren Freunden vielfach ein Streben nach gesunderen Anschauungen zu beobachten. 4. Auf das Bestimmteste abzuweisen ist die Ansicht, es sei absolut notwendig, durch Sammlung der Gläubigen der Kirche Jesu Christi neue Formen zu geben."

Mochte Walther sich nun auch in dem so entstehenden Kampfe hie und da reichlich scharf ausdrücken, so wurden doch auch von gemeinschaftsfreundlicher Seite äußerst scharfe Angriffe gegen ihn gerichtet, die dabei die doch bei ihm vorhandene prinzipielle Klarheit vermissen ließen (s. Kirchl. Jahrb. 1901 S. 324 f.).

Wir haben schon oben erwähnt, daß Röschmann 1893 nach **Hamburg** zog. Hier hatte seit 1886 jedes Jahr im Anschluß an die Allianzgebetswoche Schrenk drei Wochen evangelisiert, anfangs noch mit Rinck zusammen. 1893 konnte er nicht kommen, da wurde durch v. Oertzen Röschmann gerufen, unterstützt in der ersten Woche durch v. Knobelsdorff, dann durch P. Jungclaußen-Dhünn und den jüngeren Christlieb. „Zu dem greifbaren, sichtbaren Segen rechnen wir namentlich die Tatsache, daß P. Röschmann nun seinen Wohnsitz nach Hamburg verlegen wird," schrieb Phil. 1893 Nr. 3. Zwei Schwestern (Frl. Stülcken), „denen das Wohl ihrer Vaterstadt sehr auf dem Herzen lag und die sehr gern etwas für den Herrn tun wollten", brachten ein bestimmtes Gehalt für ihn auf. Er hatte schon länger den Gedanken gehabt, junge Mädchen als Diakonissen im Sinne seiner Richtung auszubilden, hatte auch zwei in Altona ausgetretene kennen gelernt, die er als Leiterinnen für geeignet hielt. Damals leiteten sie in Eppendorf ein kleines Siechenhaus. Dort sowie im Christlichen Verein Junger Männer und in Altona hielt Röschmann nun Versammlungen. Seit Oktober 1893 kam der „Eppendorfer Missionssaal" in seinem neuerbauten Wohnhaus, Tarpenbeckstraße 77, hinzu. Gleichzeitig wurden Räumlichkeiten am Holstenwall 2 gemietet, in die bald zwei Schwestern aus der eigenen Arbeit in Eppendorf — er hatte inzwischen dort nun auch in einem gemieteten Hinterhause das Diakonissenwerk begonnen — einziehen konnten. 1894 wurde das neuerbaute Siechenhaus

Elim eingerichtet. Im gleichen Jahre bat ihn Beschnidt, der damals in der Christlichen Gemeinschaft West-Eimsbüttel arbeitete, bei ihm Blaukreuzarbeit treiben zu dürfen. 1895 trat er dann ganz in die Röschmannsche Gemeinschaft „Philadelphia" am Holstenwall ein. Röschmann fand Anklang. Mehrere Privatwohnungen wurden ihm zur Verfügung gestellt. „So wuchs das Werk beständig trotz mancher Krisen, in denen es fast schien, als solle alles auseinandergehen" (Was sagt die Schrift? 1906 S. 538). Ebenfalls 1894 hatten der Steuerkassenbeamte Iversen und Maurer Otto Hoff eine Sonntagsschule begonnen. 1896 gab ersterer seinen Beruf auf und trat ganz in die Arbeit ein, ging allerdings schon 1897 als dänisch redender Sendbote des Gemeinschaftsvereins nach Sonderburg (s. o.), wo er früher angestellt und durch eine Evangelisation Röschmanns erweckt war.

1896 evangelisierte zum ersten Male Rubanowitsch in Hamburg. Zwischen ihm und Röschmann entstand damals enge Freundschaft. 1898 und 1899 wurde diese Evangelisation wiederholt. Die Gemeinschaft wuchs durch jene erste Evangelisation so, daß ein eigenes großes Gemeinschaftshaus (Am Holstenwall 81/3) gebaut werden konnte, das am 7. November 1897 eingeweiht wurde. Gleichzeitig wurde Röschmanns Schwager D. Witt Mitarbeiter, während für Iversen G. Lindemann gekommen war.

Als 1899 in der China-Inland-Mission die oben erwähnte Spaltung eingetreten war und H. Coerper die Leitung des nach Hamburg verlegten Zweiges übernahm, schloß er sich eng an Röschmann an, mit dem er schon 1891 in Niesky bekannt geworden war und der auch einige Male bei ihm in Heidelberg evangelisiert hatte.

Am 17. Juli 1901 starb Röschmann. Inspektor Beschnidt übernahm die Leitung, und Coerper stand ihm zur Seite. Das Röschmannsche Haus in Eppendorf ging in den Besitz der Gemeinschaft über und wurde als „Bethel" eingerichtet. Beschnidt überarbeitete sich zeitweilig, Coerper verlegte die Mission 1902 nach Liebenzell. Da berief die Gemeinschaft Rubanowitsch als Leiter. Die weitere Entwicklung verfolgen wir unten. Von Anfang an hatte die „Philadelphia" geradezu eine eigene Gemeinde gebildet, in der Röschmann Wort und Sakrament durchaus selbständig verwaltete, dieses aber, ohne daß die Mitglieder aus der Landeskirche austraten. Ob v. Oertzen diese Entwicklung gebilligt hätte, ist wohl fraglich. Bernstorff, der dem Vorstande der Gemeinschaft angehörte, hat jedenfalls damit übereingestimmt. Allerdings sind die lockeren kirchlichen Verhältnisse in Hamburg dabei in Betracht zu ziehen.

Die „Philadelphia“ beschränkte ihre Arbeit nicht auf die Häuser am Holstenwall und in Eppendorf. Bereits 1895 fing man im Hammerbrook an, mußte die dortige Arbeit freilich schon nach zwei Jahren wieder aufgeben, begann aber 1899 an anderer Stelle aufs neue. 1896 nahm man die Uhlenhorst in Angriff, wo man bald ein leeres Gartenhaus mietete, in dessen Nähe von 1900—1902 auch das Domizil der Coerperschen Mission war. Auch in Rothenburgsort arbeitete man.

Bald erstreckte sich die Wirksamkeit auch über die Stadt Hamburg hinaus. Schon in der ersten Zeit hatte Röschmann in Altona in einer Privatwohnung Stunden gehalten, bis diese ihm entzogen wurde. Dann begann Iversen die Stunden wieder, die auch fortgesetzt wurden, als Iversen ganz in die Arbeit in Hamburg eintrat.

In Wandsbek hatte ein neuangestellter Stadtmissionar eine kleine „heilsbegierige Schar“ um sich gesammelt. Auf Röschmann aufmerksam gemacht, gingen ca. 20—30 regelmäßig zum Holstenwall. Dem Stadtmissionar wurde Sommer 1897 gekündigt, es kam zur Spaltung, und es bildete sich eine Wandsbeker „Philadelphia“.

In Lokstedt konnten Iversen und Beschnidt schon 1896 Bibelstunden einrichten, und 1897 wurde dort ein gemietetes Lokal eingeweiht.

In Trittau und Umgegend hatten seit 1892 von Segeberg und Sande aus Sendboten des Gemeinschaftsvereins gearbeitet. Als dann Segeberg zeitweise unbesetzt war, hielt Deckert von Sande aus die Stunden allein, bis auch er 1896 nach Elmshorn versetzt wurde. Da übernahm die „Philadelphia“, deren Brüder schon vorher auch nach Trittau gekommen waren, die Arbeit allein.

In Moorburg im Hamburger Landgebiet hielten Röschmann, Kaufmann H. Meyer und O. Hoff am 25. Juli 1895 die erste Versammlung. „Die Bekehrten gingen nicht mehr zu Theater, Ball, Konzert oder weltlichen Hochzeiten. Männer warfen ihre Zigarre, das Priemchen fort; nicht mal ein Glas Bier wollten sie mehr trinken.“ Der Ortsgeistliche fing auch Versammlungen an, die aber wieder einschliefen. Die Leitung der Philadelphiaversammlungen übernahm Cl. Maack, ein geborener Moorburger und früherer Milchhändler, der 1899 auch einen Jugendbund und einen Blaukreuzverein gründete. Später übernahm der Maschinist Alfred Petersen aus Altona die Arbeit. Maack zog nämlich nach Harburg. Hier war schon 1893 eine kleine Stunde entstanden, erst in einer Schusterwerkstatt, dann in einer ostpreußischen Familie, bis 1902 Maack, der bis dahin von Hamburg aus das Landgebiet bedient hatte, ganz dorthin zog. Die Arbeit in Altenwerder, die schon 1895 begonnen war, seit 1897 in gemietetem Lokal, ging dagegen ein. Nur das Missionsfest wurde dort jährlich gefeiert.

Die „Philadelphia" war nicht die einzige Hamburger Gemeinschaft. Schon seit 1875 existierte die Gemeinschaft „Hoffnung", von sieben Personen gegründet. 1893 näherte sie sich der „Philadelphia", indem sie mit dieser zusammen die Räume am Holstenwall mietete, nachdem ein Maurerpolier, den Röschmann als Mitarbeiter berufen hatte, Vorsitzender geworden war. Es kam aber bald wieder zur Trennung, und die „Hoffnung" schloß sich eng an das Pfarramt zu St. Michaelis an. Sie zählte 1902 ca. 150 Mitglieder.

Die „Christliche Gemeinschaft West-Eimsbüttel" haben wir schon erwähnt. Sie scheint mit v. Oertzen in Verbindung gestanden zu haben, der 1893 Beschnidt dafür zu gewinnen suchte. Als er gerade zugesagt hatte, starb v. Oertzen, und Beschnidt trat am 2. Januar 1894 die Arbeit an. Neben ihm arbeitete ein Zollbeamter Mau. Nach Beschnidts Weggang zum Holstenwall kam 1896 E. Ruprecht vom Johanneum, unter dem Kaiser zur Evangelisation berufen wurde. Er zog jedoch schon 1897 weiter. R. Schultz blieb auch nur ein Jahr, worauf die Gemeinschaft eingeschlafen zu sein scheint.

Wichtiger wurde die „Christliche Gemeinschaft in Hamburg", die 1896 aus einer Evangelisation P. Pauls in Verbindung mit dem Christlichen Verein Junger Männer entstand, in dessen Räumen sie bis 1902 hauste. Vier Jahre war sie ziemlich klein, doch hatte sich 1898 in ihr ein Blaukreuzverein gebildet. 1900 übernahm der Johanneumszögling E. Meyer, ein Rheinländer, die Leitung. Bald begann er die „Mission unter Strandgut", d. h. die Arbeit an den Verkommenen, besonders in den Verbrecherkellern der Niedernstraße. Ende 1900 wurde die Versammlungshalle in der Niedernstraße 64 eröffnet, 1901 die „Zufluchtsstätte" für obdachlose Männer und am 4. November des Jahres die Kaffeehalle Niedernstraße 113/4. Die Hauptentwicklung erfolgte erst später.

Konferenzen fanden in Hamburg seit 1897 statt, wo die erste Osterkonferenz für Norddeutschland vom 21. bis 23. April gehalten wurde, die sich 1899 und 1901 wiederholte, unter der Leitung Bernstorffs.

Einen anderen Typus vertrat die Wandsbeker Pfingstkonferenz (I. 27. bis 31. Mai 1901). Sie hatte ihren Stützpunkt an dem Judenmissionshaus Bethel unter dem anglikanischen P. Dolman, dessen Vorgänger Bachert die Arbeit anfangs in Hamburg betrieben, dann aber das Haus in Wandsbek gekauft hatte.

Auf dieser jährlich wiederholten Konferenz sprachen stets auch Engländer, Vertreter der Keswicklehre. Dementsprechend stand man hier von Anfang an auf Allianzstandpunkt.

Wie wir bereits erwähnten, wirkte die „Philadelphia" auch bald nach Hannover hinüber, speziell nach Harburg. Wie dort, so waren aber im ganzen Lande bis 1902 erst ganz geringe Anfänge vorhanden. Hier war eben alles das vorhanden, was dem Eindringen pietistisch-methodistischer Gedanken, wie wir oben sagten, entgegensteht: Altansässiges Großbauerntum, niedersächsischer Volksschlag, bodenständiges Luthertum*). So faßte die Bewegung auf dem Lande zunächst nur in Baden bei Achim festen Fuß, wo im Hause des Bauern Claus eine Gemeinschaft sich bildete. Ob hier, in der Nähe Bremens, aus der früheren Erweckungszeit etwa noch reformierte Einflüsse nachwirken, wird sich schwer feststellen lassen. Bemerkenswert ist jedenfalls, daß 1849 gerade Baden auch für die Methodisten das Einfallstor in Hannover gewesen ist (Jacoby, Geschichte des Methodismus II S. 256 ff.) 1898 ließ sich dort Br. Eckhardt nieder. Er war früher Bruder des Stephansstiftes, des hannoverschen Brüderhauses, gewesen, dort aber ausgetreten, weil ihm die Frömmigkeit der Gemeinschaftskreise mehr zusagte, und einige Zeit Sendbote des schleswig-holsteinischen Gemeinschaftsvereins gewesen. Er bekümmerte sich nach seiner Übersiedlung nach Baden auch um die Gemeinschaft in Stadt Hannover (Anfänge 1900) sowie in Osnabrück. Hier hatte sich ebenfalls 1900, im November, ein kleiner Kreis zu wöchentlichen Gebetsstunden zusammengefunden, der, nach einem Besuche eines Kolporteurs aus Borbeck, monatliche „Stunden" einrichtete zur Bibelbesprechung. Sie erhielten Zuwachs, die Stunden wurden alle vierzehn Tage gehalten, Eckhardt sprach einige Male dort und wurde 1902 ganz für Osnabrück gewonnen.

In Lüneburg hatte in den neunziger Jahren die Frau des

*) Bezeichnenderweise nennt Dietrich und Brockes (a. a. O. S. 70) als Hindernis unter anderem auch — und mit Recht — die Einrichtung von Bibelstunden durch die Pastoren, auf die hier schon lange vor Auftauchen der Bewegung gedrungen war, sowie die Hermannsburger Separation, wozu aber noch der Einfluß Hermannsburgs mit seinem ausgesprochen lutherischen Charakter auch gerade auf die kirchlichen Gemeinden der Landeskirche hinzuzufügen ist. Endlich hielt sich der landsässige Adel Hannovers der Bewegung ganz fern. Es würde hier zu weit führen, wäre aber für eine hannoversche Kirchenkunde eine interessante Frage, zu untersuchen, inwieweit auf die bewußt lutherisch-kirchliche Haltung eines großen Teiles des Adels (und vielleicht auch der Bauern) die ausgesprochen lutherische Frömmigkeit des alten hannoverschen Fürstenhauses von Einfluß gewesen ist bzw. noch ist.

damaligen Kommandeurs Beschnidt aus Hamburg zu Bibelstunden kommen lassen, doch löste dieser Kreis, der durchweg aus Nicht-Hannoveranern bestand, sich durch Wegziehen der Glieder bald wieder auf.

Ebenfalls in den neunziger Jahren entstand die Gemeinschaft in Blumenthal, in reformierter Gegend, wo damals die lutherische Gemeinde erst gebildet wurde. Zu dem Kollaborator, dem diese Aufgabe zugewiesen war, kamen eines Abends mehrere Fabrikmädchen, darunter zwei Ostpreußinnen, und baten um eine Bibelstunde. Er hielt sie in seiner Wohnung. Unter seinem Nachfolger riefen sie einen Evangelisten aus Bielefeld, dem der Pastor, da er vorher nicht gefragt war, einen Saal zu verschaffen ablehnte. Er hielt ihnen aber seinerseits Bibelbesprechstunden im Konfirmandensaal. Es kam dann zum Bruche, weil die Gemeinschaft Versammlung hielt, während in der Kirche Gottesdienst gehalten wurde. Die Gemeinschaftsleute ihrerseits betrachteten den Pastor, der ihnen vorher als „Bekehrter" galt, plötzlich als „Rückfälligen". Außer der einen Ostpreußin Anna Voß übernahm der Evangelist Niemeyer die Leitung. Sie nannten sich zunächst Blaukreuzverein, standen auch anfänglich mit den Gemeinschaften in Lehe und Osterholz-Scharmbeck in Verbindung. An diesen Orten waren es zwei von auswärts gekommene Katasterkontrolleure, die kleine Kreise um sich sammelten. In Geestemünde endlich arbeitete zeitweise P. Witt-Kiel und dann Brüder der Hamburger Philadelphia. Deren Arbeit in Harburg haben wir oben besprochen. Dort hatte sich außerdem 1893 unter den eingewanderten Ostpreußen auch ein Zweigverein der Kukatianer gebildet.

Die viel subjektiver als die Niedersachsen veranlagten Friesen O s t f r i e s l a n d s, die schon seinerzeit dem alten Pietismus sich vielmehr geöffnet hatten als Hannover und wo außerdem reformierte Einflüsse wirksam waren, waren auch auf die Gemeinschaftsbewegung eher eingegangen. In Emden erschienen ja zwei der ältesten Gemeinschaftsblätter, später faßten auch die Bornholmer hier Fuß. In der Umgegend von Norden entstanden in den neunziger Jahren Gemeinschaften.

Im Jahre 1902 wurde dann von H a n n o v e r aus der Versuch gemacht, die Gemeinschaften der ganzen Provinz zusammenzufassen, durch Gründung eines B r ü d e r r a t e s. Den Vorsitz übernahm P. Oehlkers vom Stephansstift, mehrere andere gut lutherisch-kirchlich gesinnte Geistliche gehörten ihm an. Von Gemeinschaftsseite war vor allem Graf Korff in demselben, der in Stadt Hannover der Mittelpunkt eines kleinen Kreises gebildeter Gemeinschaftsfreunde war, zu dem unter anderen die Gräfin

Waldersee gehörte, der, als geborener Amerikanerin, dieser Typus des Christentums der natürliche war.

Der Brüderrat hat, wie wir unten sehen werden, eine wirkliche Bedeutung nicht erlangt.

In Braunschweig, Bremen und Oldenburg zeigten sich in unserer Periode noch keine Spuren von Gemeinschaftsbildung. 1899 behandelte die Oldenburger lutherische Konferenz (ALK 1899 S. 573) die Frage der Evangelisation; man war einig darin, daß man von der Bewegung lernen müsse und daß wilde Evangelisation schädlich sei.

5. Mitteldeutschland.

(Provinz Sachsen — Anhalt — Thüringen — Königreich Sachsen.)

In der Provinz Sachsen setzte die Arbeit zuerst in Magdeburg (1891) ein, stand doch dort als Gewerbeschuldirektor der als Mitglied des Zentralkomitees mehrfach genannte Reuter*). Gleichwohl wurde die Provinz im ganzen noch 1894 als „verschlossenes" Land bezeichnet, im gleichen Jahr aber schon die Arbeit im Sinne der Philadelphiabewegung in Angriff genommen. Reuter, Lepsius, damals in Friesdorf, Kamlah-Neugattersleben und Oberlehrer Geiling-Donndorf beriefen zum 11. Oktober 1894 eine Versammlung nach Neugattersleben, wo 28 Männer die „Christliche Gemeinschaft in der Provinz Sachsen und Anhalt" bildeten. Im nächsten Jahre fand die I. sächsisch-anhaltinische Gemeinschaftskonferenz in Gnadau statt, die alle zwei Jahre, mit der allgemeinen Gnadauer alternierend, dort wiederholt wurde. Außerdem fanden in verschiedenen Teilen der Provinz kleinere Bezirkskonferenzen statt.

---

*) Reuter (geb. 1838 zu Apenrade in Schleswig) war kirchlich erzogen, durch den Konfirmandenunterricht weiter angeregt. Als Ingenieur nach England gegangen, war er nach 1½ Jahren wegen Personaleinschränkung entlassen. Da fällt sein Auge auf Psalm 81, 11. Er glaubt Gott und erhält auch in der Tat gleich darauf eine Stelle in einer englisch-schottischen Firma. Er macht durch einen Tischgenossen, einen eifrigen meetingsman, Bekanntschaft mit dem Herzog v. M., der ihn anredet: „O, ich freue mich, ein Bruder in Jesus, nicht wahr?" Sein „ja" macht ihm, als unwahr, dann große innere Schwierigkeiten, bis er durch einen Iren ganz gewonnen wurde. R. bekannte seine Sünde und brach zusammen mit dem Schrei: „Herr, nimm mich auf!" Der Ire fing ihn auf mit den Worten: „He has received you." Am nächsten Tage wurde er schon in die „Reichsgottesarbeit" eingestellt, zog sich später ganz aus dem Geschäft zurück, war drei Monate Stadtmissionar und dann Hilfssekretär einer Evangelisationsgesellschaft. 1867 kam er wieder nach Deutschland.

An der Spitze dieser „Christlichen Gemeinschaft“ standen damals außer den Genannten noch P. Donndorf-Wippra, P. Richter-Halberstadt, P. Zeller-Biesenrode und Kaufmann Behrens-Oschersleben. Mitglied konnte werden „jedes Glied unserer Landeskirche, welches sich zum Gehorsam des Glaubens an das Evangelium unseres Herrn und seiner Apostel bekennt und sich mit der Gemeinschaft und ihren Bestrebungen im Geist verbunden weiß“. Am 31. Januar 1898 beschloß man den Anschluß an den Deutschen Verband. Kamlah trat in den Zentralvorstand ein.

Inzwischen dehnte sich die Arbeit in der Provinz aus. Im nördlichen Teile war es vor allem Magdeburg selbst, wo sich neben der Reuterschen Gemeinschaft 1896 eine in Magdeburg-Neustadt, zeitweise von Br. Kohn geleitet, 1897 eine in Sudenburg unter P. Littann bildete. 1899 bestanden vier, 1900 fünf Gemeinschaftskreise in Magdeburg (zwei unter Littann, einer unter Reuter, einer unter Generalsuperintendent Vieregge und einer unter Br. Meyer). 1897 entstand die Gemeinschaft in Burg. Im übrigen fand die Bewegung in diesem nordöstlichen Teile der Provinz wenig Anklang. Nur in Mahlitz ließ Ende der neunziger Jahre der Gutsherr Major v. Katte den Bibelboten Tetzel (s. u.) häufiger arbeiten.

Auch in der — ihrem Charakter nach noch zu Niedersachsen und zwar zu den wenig kirchlichen Gebieten gehörenden — Altmark war es zunächst nur Stendal, wo 1896 eine Gemeinschaft sich bildete, die aber bald wieder einging.

Regeres Leben entwickelte sich in dem südlichen Magdeburger, dem Halberstädter und Harzgebiet. 1895 entstanden durch die Ortspastoren Gemeinschaften in Friesdorf und Neugattersleben, 1896 bildete sich die Quedlinburger und 1899 wieder durch den Ortspastor Lüdecke die Staßfurter Gemeinschaft. Besonders entwickelte sich die durch Frau Mannhardt aus Hamburg und ein Fräulein Ahrens 1897 ins Leben gerufene Wernigeroder Gemeinschaft, zu deren Leitung 1898 der oft genannte R. Schultz berufen wurde. Sie bildete zugleich den Stützpunkt der Harzkonferenz, die von Schultz, Bernstorff, Horst, Jellinghaus, Lüdecke, Reuter, Mandel-Neukirchen und P. Rabe-Wernigerode auf den 24. bis 27. Juli 1899 zum ersten Male berufen wurde. Sie sollte, auf Allianzboden stehend, mehr ein Gegenstück zu Blankenburg (s. u.) sein.

Auch im östlichen Teil der Provinz sind die Gemeinschaften erst durch die neue Bewegung entstanden, in Halle schon bald nach 1894 durch P. Simsa, ohne Mitwirkung des Gemeinschaftsbundes, dann aber diesem angeschlossen, in Eilenburg, wo auch Bührmann evangelisierte, durch Fabrikant Meister, in Bitterfeld durch Fräulein

Falbe. In Torgau, Sangerhausen und Kösen bestanden 1902 Anfänge zur Gemeinschaftsbildung. In Klostermansfeld evangelisierte Kaiser. Eine besondere Verbindung bestand anfangs zwischen den Kreisen Halle, Merseburg und Leipzig, sofern sie besondere Konferenzen für sich hielten (III. am 29. Juli 1898 in Merseburg), später ebenso zwischen Halle, Merseburg und Eilenburg durch Konferenzen in Halle (I. 6. bis 9. November 1899). Eine in Naumburg durch Mühe gesammelte Gemeinschaft ging mit seinem Tode ein. Interessant ist Brockes' Bemerkung dazu (Dietrich und Brockes a. a. O. S. 154): „Da er (Mühe) aber die neulutherische Lehre von der Wiedergeburt durch die Taufe für eins der wesentlichsten Stücke des christlichen Bekenntnisses hielt, war eine Verbindung zwischen ihm und anders gerichteten Christen nicht wohl möglich. So blieb auch seine Gemeinschaft geflissentlich isoliert und schloß sich gegen die neuere Gemeinschaftsbewegung hermetisch ab. Isolierung ist aber im Gemeinschaftsleben immer eine Vorstufe des Todes*)." Auch die Evangelische Gesellschaft arbeitete zeitweise in diesem Gebiete. 1898 war ihr Bote Tetzel in Eisleben stationiert. Dann wurde diese Station aufgegeben.

Nur im südlichen, thüringischen Teile der Provinz hatten sich einige ältere Gemeinschaften, z. T. durch die Pflege der Diasporabrüder, erhalten, so in Langensalza (seit 1839) und in Mühlhausen (seit 1848). Auch Boten der Evangelischen Gesellschaft hatten dort gearbeitet. 1898 war noch ein Bote in Tennstedt stationiert, eine Station, die auch weiterhin beibehalten wurde, und neben die 1902 Mühlhausen (vom Baur) trat. Dazu kamen dann noch die im Thüringischen stationierten Philadelphiaboten. Schon 1897 fand in Erfurt eine Konferenz statt, wo Bührmann über „Bedeutung der Evangelisation und Gemeinschaftspflege" redete. 1899 wurde dieselbe zum vierten Male gehalten. Im Mai 1900 bildete sich eine „Thüringer Gemeinschaftskonferenz" als Arbeitsvereinigung speziell für den Bezirk Erfurt neben dem allgemeinen Brüderrat, die einen Bibelboten Tetzel (der frühere Bote der Evang. Gesellschaft?) anstellte und Konferenzen in Erfurt veranstaltete. Die Gemeinschaft in Erfurt selbst wurde 1899 durch zwei Eisenbahnbetriebssekretäre, Häfer und Sandrock († 13. April 1901), ins Leben gerufen. Man plante alsbald den Bau eines Hauses (Phil. 1899 Nr. 3). An die Spitze des Brüderrats der Thüringer

---

*) Das Irrige des letzten Satzes wird durch die Geschichte so mancher alten pietistischen Gemeinschaft bewiesen. Übrigens kann Mühe so ablehnend gar nicht gestanden haben; vgl. seine Teilnahme an der dritten Gnadauer Konferenz.

Konferenz trat der Leiter der Langensalzaer Gemeinschaft, Stadtrat Fischer.

Das Kirchenregiment, speziell Gen.-Sup. Vieregge, stellte sich nicht unfreundlich. Nach dem unten noch zu besprechenden Erlasse des Oberkirchenrates wurde ein Ausschuß für kirchliche Evangelisation eingerichtet. Von diesem wurde Keller zur Evangelisation in Magdeburg berufen. Sein Wirken wurde vom Generalsuperintendenten vor der Provinzialsynode 1902 als kirchlich bezeichnet (s. ALK 1902 S. 1057).

In Anhalt bestanden 1902 ca. fünf Gemeinschaften. In dem ganzen Gebiete beschränkte sich die Bewegung offenbar fast nur auf die Städte. Die Bauern erreichte man nicht.

Wie Prov. Sachsen, so gehörten auch die thüringischen Staaten 1894 noch zu den „Festungen, die im Sturm genommen werden müssen". Auch hier hatte früher die Brüdergemeinde von Neudietendorf und Ebersdorf aus Einfluß geübt. Dann arbeiteten hier Boten der Evang. Gesellschaft, endlich kam mit den Philadelphiaboten Merz in Neudietendorf, später Blankenburg, und Heß in Thal die neue Bewegung. Zu den Schwierigkeiten, die sonst schon zwischen Kirche und Gemeinschaft bestehen, kam hier noch der Umstand, daß die Pastoren der meisten Landeskirchen (außer Sachsen-Altenburg, Reuß und Schwarzburg) vorwiegend liberal waren.

Am schnellsten kam es in Gotha zu einer Organisation. In Friedrichroda hatte ein im Christlichen Verein Junger Männer in Berlin erweckter Kunstschlosser (Stötzer) eine Gemeinschaft gesammelt. In Gotha bildete sich eine Stadtmission auf Gemeinschaftsgrundlage als das Werk einer Dame (Frl. Füllner), die einen eigenen Berufsarbeiter, früheren schleswig-holsteinischen Sendboten berief und Dammann, Lohmann u. a. evangelisieren ließ. Sie bekam aber eine mehr und mehr isolierte Stellung. Nannte doch selbst der Führer der Bewegung in Gotha, P. Graebenteich-Hohenkirchen, diese Arbeit „unsympathisch". Graebenteich gehörte zu den Kreisen der kirchlich-sozialen Konferenz. Diese hatte auf einer Thüringer Spezialversammlung in Gotha das Thema „Evangelisation und Gemeinschaftspflege" von Stöcker behandeln lassen. 1899 beschäftigte sich dann die Landeskonferenz mit der Frage der Evangelisation in ziemlich ablehnendem Sinne. Graebenteich trat für Evangelisation im Sinne Wicherns und Stöckers ein. 1900 bildete sich eine „Landeskirchliche Vereinigung für Gemeinschaftspflege und Evangelisation im Herzogtum Gotha", deren Vorsitzender Graebenteich wurde. Seine Stellung spricht sich in den Satzungen aus:

1. Die landeskirchliche Vereinigung für Gemeinschaftspflege und Evangelisation im Sinne Wicherns für den Bereich des Herzogtums Gotha hat ihren Sitz am Wohnort des Vorsitzenden ihres Brüderrats.

2. Die Vereinigung setzt sich zum Zweck, im Anschluß an die Ordnungen der Gothaischen Landeskirche die verschiedenen Glieder derselben zur Förderung christlicher Erkenntnis, zur Stärkung des Glaubens und zur Verbreitung lebendigen Christentums zu sammeln.

8. Mitglied der Vereinigung kann jedes konfirmierte Glied der Landeskirche werden, wenn es sich verpflichtet, den Zweck des Vereins mit dem Brüderrat zu fördern und jährlich einen noch näher zu bestimmenden Beitrag zu zahlen.

9. Wer den Zwecken der Vereinigung zuwiderhandelt und durch seinen Wandel Ärgernis erregt, wird, wenn wiederholte Ermahnungen von seiten des Brüderrates nichts nützen, durch den letzteren ausgeschlossen.

Dem Brüderrate gehörten außer Graebenteich und Stötzer noch an: Hauptmann a. D. Danneil = Gotha, Domänenpächter Holder=Birnbaum b. Ohrdruf, P. Götz=Altenbergen. 1902 waren ca. 10 Gemeinschaften angeschlossen.

In Eisenach fand schon Juni 1897 die erste thüringische Gemeinschaftskonferenz statt, wo außer Haarbeck auch Sartorius und Horst aus Hessen redeten neben dem Leiter der Stadtmission, Tietz (Johann.). Den Grund zu dieser hatte Kaiser gelegt, der zeitweise dort wohnte, 1899 zog Dammann, als er freier Evangelist geworden war (s. o.), dorthin. Er konnte im Juli 1899 das Stadtmissionshaus einweihen.

Kaiser evangelisierte auch zuerst in Sachsen=Meiningen, und zwar in Salzungen (April 1901) und Meiningen (Mai 1901). In Salzungen bestand schon früher eine kleine Gemeinschaft, es fanden hier auch seit 1897 Konferenzen statt. In Meiningen wurde der Mittelpunkt der Gemeinschaft das Haus von Frau und Fräulein Tidemann. Seit 1901*) berief Kaiser jährliche Konferenzen nach Meiningen (I. 1. u. 2. Juli 1901).

Im östlichen Thüringen wirkte im Schwarzburgischen die Blankenburger Allianz (s. u.), die einen eigenen Berufsarbeiter für diese Arbeit anstellte (zeitweise ein Breklumer), sowie Merz=Blankenburg. In Sachsen=Altenburg wurde das Gut

*) Dietrich und Brockes S. 178 geben 1900 an, allein in den „Mitteilungen aus der Bibelschule" wird die Konferenz von 1903 als dritte bezeichnet, in „Licht und Leben" die von 1902 (10. und 11. Juni) als zweite. Andererseits wird im Hessen=Nassauischen Gemeinschaftsboten 1905 Nr. 22 gesagt, daß bereits vor vier und vor zwei Jahren in Meiningen Konferenzen gehalten seien. Ein treffendes Beispiel der außerordentlich großen Ungenauigkeit der Angaben, die das historische Arbeiten sehr erschwert.

des Freiherrn v. Thümmler-Selka Ausgangspunkt der Gemeinschaftspflege. In Reuß ä. L. fand schon am 15. April 1895 eine Brüderkonferenz in Greiz statt, im Dezember des Jahres in Aubachthal. Außer an diesen Orten bildeten sich Gemeinschaften in Schönfeld, Pohlitz und Zeulenroda, in Reuß j. L. in Gera, Schleiz und Triebes.

Sachsen ist geradezu typisch für die Ausbreitung der organisierten Bewegung. Das ältere, von der Brüdergemeinde gepflegte, Gemeinschaftsleben ist eingangs aufgeführt. In den achtziger Jahren kamen die Reichsbrüder, besonders Seitz, der 1898 das Erholungshaus in Limbach, später in Teichwolframsdorf gründete. Auch ihr Wirken erstreckte sich sonderlich aufs Erzgebirge und Voigtland. 1892 setzte die Philadelphiabewegung ein. Der Anfang war eine Konferenz. Am 31. Juli 1892 hielt Dietrich auf Einladung des Lehrers P. Kroitzsch-Limbach und Stickereibesitzer Matthes-Plauen, die in Gnadau gewesen waren, eine sächsische Brüderkonferenz in Zwickau ab, die zweite folgte am 27. Dezember ebendort, die dritte Pfingsten 1893 in Plauen, die vierte im Juli in Herrnhut und die fünfte wieder in Zwickau am 27. März 1894. Am Ende dieses Jahres waren im ganzen bereits abgehalten vier in Zwickau, zwei in Plauen, zwei in Herrnhut und je eine in Reichenbach (5. August 1894), Annaberg (28. Oktober 1894) und Dresden (2. und 3. September 1894), außer der letzteren alle im Industriebezirke des Erzgebirges und Voigtlandes, die meisten von Dietrich geleitet. Einen Stützpunkt gewann die Arbeit durch die Anstellung des Philadelphiaarbeiters Kühlwein in Chemnitz (1893), der nach Verlauf eines Jahres auf ca. 25 neu entstandene Gemeinschaften zurücksehen konnte. Die Zahl der Philadelphialeser stieg 1894 auf 1000. Auch Bührmann evangelisierte dort 1895. Die Bewegung breitete sich rasch aus, immer neue Orte tauchen auf, deren Gemeinschaften zu Konferenzen einladen, so Dezember 1894 noch Mülsen-St. Niclas, wo Dietrich 1892 bei einem Weber die erste Versammlung hielt, und Hohenstein, 1895: Kauffungen, Eppendorf, Werdau, Vielau, Falkenstein i. V., Reinsdorf, 1896: Oberlungwitz, Stangendorf, Leubsdorf, Glauchau und Eibenstock, die meisten von ihnen wurden jährlich wiederholt. In Chemnitz selbst fand die erste Arbeit Kühlweins keinen Boden, und als der Ostpreuße, der ihm die Wohnung gestellt hatte, Haus und Geschäft verkaufte, wurde Kühlwein nach Zwickau versetzt.

Erst dem aus Schleswig-Holstein stammenden, 1895 sich in Chemnitz niederlassenden Kaufmann P. Kleemann gelang es, eine Gemeinschaft ins Leben zu rufen. Im gleichen Jahre wurde zu Weihnachten die erste Konferenz dort abgehalten, die dann jährlich wiederholt, 1897 und 1898 (Redner u. a. Bauerle, Bornhak, Schiefer-Neukirchen, geborener Sachse) sogar dreitägig gehalten wurde, und obwohl es sich dabei um zwei Werktage handelte, waren 1897 gleichwohl 200—300 Arbeiter zugegen. So war die Gemeinschaft gewachsen. Bereits am 7. Juni 1896 hatte man einen Saal in der Herberge bezogen, doch mußte man schon ein Jahr später in einen größeren Saal mit 250 Sitzplätzen übersiedeln und konnte am 2. Juli 1899 einen eigenen Saal einweihen. 1901 kam auch Kühlwein als Gemeinschaftspfleger hierher zurück. Auch die Stellung zur Kirche war besser geworden. Während noch an der Konferenz von 1897 die Stadtgeistlichkeit sich nicht beteiligte, nahm sie an der Saaleinweihung teil. Ähnlich schnell ging es in Reichenbach: Hier entstand gleich zu Anfang eine kleine Gemeinschaft, 1901 hatte sie ein Haus und 300 Seelen. In Zwickau arbeitete bis 1899 Kühlwein, dann kam bis 1901 Falkeisen. Doch scheint es hier zu einer größeren Gemeinschaftsbildung nicht gekommen zu sein. In Plauen wirkte außer dem oben genannten Matthes vor allem Kaufmann Schwartner. In der durch ihn geleiteten Gemeinschaft kam es 1900 zur Spaltung, wobei die verschiedene Stellung zur Kirche eine Rolle gespielt zu haben scheint und die neue Gemeinschaft in ihrem Bericht tut, als habe sie erst die Arbeit dort begonnen.

Aber die Gemeinschaftsbewegung beschränkte sich nicht auf die Südwestecke Sachsens, mochte sie auch hier unter den Industriearbeitern, besonders auch Bergleuten bei dem leicht erregbaren, religiös beweglichen Sinne des dortigen Volksschlages, der auch allerlei Sekten, sowie namentlich dem Spiritismus, sich ebenfalls geöffnet hatte, am meisten Fuß fassen.

In der Nordwestecke kam es fast nur in Leipzig zu bedeutenderer Gemeinschaftsbildung, wo besonders Kaufmann Scharwächter und P. Wurlitzer 1895 eine „landeskirchliche Vereinigung für christliche Gemeinschaftspflege" ins Leben riefen, nachdem Bührmann dort evangelisiert hatte. Die erste Konferenz fand in Verbindung mit dem zweiten Jahresfest am 12. Dezember 1897 statt. 1900 wurde Kohn von der Philadelphia hier als Gemeinschaftspfleger angestellt, im gleichen Jahre evangelisierte Keller hier. Die „Gläubigen" wurden in 13 Bibelkränzchen geteilt, die jeden zweiten Sonntag im Monat eine allgemeine Versammlung veranstalteten.

Im Leipziger Kreise sind außerdem nur noch Döbeln (P. Keller) zu nennen (1. Konferenz 1900) und Hainichen, wo 1900 eine Gemeinschaft sich bildete, die bei der Konferenz am 11. Mai 1902 bereits 130 bis 150 Seelen zählte.

Im östlichen Sachsen waren ebenfalls brüderische Einflüsse vorhanden. In Dresden wurde seit 1894 eine jährliche Konferenz abgehalten. 1895 evangelisierte hier Bührmann, dann wurde hier von der Philadelphia Riedel stationiert (später in Klotzsche bei Dresden). Namentlich P. Zeißig nahm sich der Sache an. In der Lausitz ward Zittau ein Mittelpunkt, wo 1899—1901 Kühlwein, nach ihm (in Großschönau bei Zittau) Kretschmar arbeitete. Die erste Konferenz fand hier 1895 in Oberoderwitz statt; die erste Zittauer, bei der auch die Stadtgeistlichkeit sich beteiligte, wurde am 11. November 1900 durch Kühlwein abgehalten.

In der Wendei wurde nach vielen Schwierigkeiten 1898 besonders durch die Arbeit von Frl. Frauenholz in Belgern ein Gemeinschaftshaus eingerichtet. Zusammengefaßt wurden die sächsischen Gemeinschaften, indem im Dezember 1899 ein „Brüderrat für landeskirchliche Gemeinschaftspflege im Königreich Sachsen" gebildet wurde.

Die Statuten sagen: 1. „Unter dem Namen ‚Brüderrat für landeskirchliche Gemeinschaftspflege im Königreich Sachsen' bildet sich eine Vertretung der innerhalb der evangelisch-lutherischen Landeskirche bestehenden engeren Privaterbauungs-Gemeinschaften mit dem Zweck, innerhalb der sächsischen Landeskirche die Pflege der christlichen Gemeinschaft zu fördern und entschieden christliches Leben zu wecken und zu vertiefen. 2. Er besteht aus einer größeren, nicht fest bestimmten Zahl von Mitgliedern. Er wählt aus seiner Mitte einen ersten Vorsitzenden usw. . . . und ergänzt sich durch Zuwahl. 3. Er gründet sich bei seiner Arbeit auf das geschriebene heilige Wort Gottes, wie wir es in den kanonischen Büchern der Bibel besitzen, nach dem Bekenntnis unserer evangelisch-lutherischen Kirche. 4. Indem er die Gemeinschaftssache zu fördern sucht, sowohl durch Pflege der bestehenden, als durch Sammlung neuer Gemeinschaftskreise, will er bei Vermeidung jeglicher Separation die Förderung des Reiches Gottes sich ernstlich angelegen sein lassen. 5. Diesen Zweck sucht er zu erreichen a) durch allerlei Rat und Auskunft an die Gemeinschaftskreise, b) durch Aussendung von geeigneten Brüdern, c) durch Verbreitung entschieden christlicher Schriften, d) durch Veranstaltung von Gemeinschaftskonferenzen in den einzelnen Kreisen des Landes, e) durch eine jährliche Hauptkonferenz mit den Vertretern der einzelnen Gemeinschaftskreise, f) durch Zusammenschluß der innerhalb der evangelisch-lutherischen Landeskirche bestehenden engeren Gemeinschaften zu einem Gemeinschaftsbunde. 7. Beschließt er seine Auflösung, so hat er das Recht, über sein Vermögen zugunsten der Gemeinschaftssache frei zu verfügen. Wird eine solche Verfügung nicht getroffen, so fällt das Vermögen dem sächsischen Hauptmissionsverein zu."

Der Vorsitzende war anfangs P. Leyn-Thurm († 12. März 1903). Außer ihm gehörte noch der Vereinsgeistliche dem Brüderrate an (Weidauer). Auch der Gemeinschaftspfleger des Landesvereins, Missionar Böhme, war Mitglied. Der Landesverein hatte nämlich seit dem 1. Mai 1899 einen eigenen Pfleger angestellt, der die Gemeinschaftskreise des Landes, deren Vertrauen er genießt, besuchen sollte. Er arbeitet „ebenso in brüderlicher Fühlung mit den übrigen Berufsarbeitern für Gemeinschaftspflege, die im Lande tätig sind, wie im Einvernehmen mit dem geistlichen Amte der Kirche". Auch Zeitz-Teichwolframsdorf wurde in den Brüderrat gewählt. 1900 waren freilich von ca. 100 Gemeinschaften erst 40 angeschlossen, 1902 aber bereits 106, während etwa 20 sich noch fern hielten.

Das deutet doch wohl darauf hin, daß auch in Sachsen von vornherein nicht alle Gemeinschaften (s. o. Plauen) die kirchenfreundliche Haltung des Brüderrates teilten, mochte auch bald die große Mehrzahl sich ihm anschließen. Am 3. August 1902 fand in Zwickau die statutenmäßige erste Landesgemeinschaftskonferenz statt, auf der im Kreise von 100 Vertrauensmännern Dietrich unter allgemeiner Zustimmung ausführte, daß man auf dem Boden der Kirche bleiben müsse, der man so viel verdanke, der „unsere geistlichen Väter" gedient haben, und die ihnen mehr Freiheit lasse, als in außerkirchlichen Gemeinschaften vorhanden sei. Die weniger kirchenfreundlichen Elemente hatten wohl z. T. einen Stützpunkt an den, soweit ich sehe, von methodistischer Seite ausgehenden Herbstkonferenzen zur Vertiefung des Glaubenslebens, ebenfalls in Zwickau, seit 1899.

Die kirchenfreundliche Haltung wenigstens des größeren Teiles der sächsischen Gemeinschaften geht wohl nicht zum wenigsten darauf zurück, daß Dietrich der eigentliche geistige Vater der Bewegung dort war. Andererseits stellte sich auch die Kirchenbehörde freundlich zur Bewegung. Sie äußerte über die Jahre 1891—1895, daß die Bewegung höchst bedeutsam und im ganzen als gesund anzusehen sei, wenn auch ein unverkennbar nicht ganz gesunder pietistischer, zur Gleichgültigkeit gegen das kirchliche Bekenntnis neigender Zug Gefahren berge. Die Hoffnung sei nicht aufzugeben, daß es dem Amte bei rechter Wachsamkeit, Weisheit und Treue gelingen werde, die Bewegung in gesunde kirchliche Bahnen zu leiten und darin zu erhalten. Sie habe bislang eine Teilnahme des Amts selbst gesucht und dankbar aufgenommen. 1900 hieß es, daß neuerdings sich die Stimmen mehrten, welche schwärmerische, ja sektiererische Verirrungen fürchteten. „Die Nährung der Gleichgültigkeit gegen die Sakramente und das Bekenntnis unserer Kirche sowie die Lockerung des parochialen Bandes werden als besonders bedenkliche Begleiterscheinungen bezeichnet." Andererseits sei bezeugt, daß die Bewegung Fühlung mit der Kirche behalte. Philadelphia-Versammlungen hätten den Eindruck hervorgerufen, daß der Geist tiefsten Ernstes, viele Herzenstöne wahrer Frömmigkeit, Hunger nach Gottes Wort, Verlangen nach tieferer Erkenntnis und klare, nüchterne Auslegung dort walteten. Viele Ephoren berichteten auch (nach Chron. d. Chr. W. 1903 S. 5), daß die Bewegung dem Umsichgreifen der Sekten Einhalt tue. Andererseits wurde besonders vom Jugendbund (s. u.) auch behauptet, daß er die Fühlung mit dem Amte vielfach meide.

Auch sonst stellten sich die Pastoren freundlich. Die Grundgedanken der Verhandlungen der Konferenz in Bautzen (28. Juni 1900) über die Evangelisationsbewegung waren: „Es ist ein Segen darin" (1), das geistliche Amt muß darüber wachen (2), durch Pflege der Geistlichen mit Hinzunahme geeigneter Kräfte ist dem Krankhaften zu wehren (3). Auch die Meißener Konferenz (s. Chron. d. Chr. W. 1902 Nr. 26 und Phil. 1902 Nr. 10) trat am 2. Juni 1902 entschieden für eine „innere Einigung" zwischen Gemeinschaft und Landeskirche ein.

Auf die leichtbewegliche sächsische Art, von der der Vertreter 1906 in Gnadau selbst sagte, das Reden werde ihnen nicht schwer, „Leute, die sich mit Mose entschuldigen: ‚Ich habe eine schwere Zunge', sind anderwärts mehr als bei uns", haben wir schon hingewiesen, ebenso darauf, daß die Bewegung auch in Sachsen am meisten unter den kleinen Leuten Anklang gefunden hat. Doch trat hier, wie so vielerwärts, auch der Adel mehrfach in die Bewegung ein.

6. Ostdeutschland.

Ganz besonders tritt uns diese Tatsache freilich in Ostdeutschland (inkl. Mecklenburg s. o.) entgegen, selbst in der Großstadt Berlin, die sonst natürlich eine eigene Stellung einnimmt.

a) Berlin.

(St. Michael — Die Gemeinschaft W Hohenstaufenstraße — Die Bernstorffschen Gemeinschaften — Sonstige Gemeinschaften.)

Hier machte die bedeutendste Gemeinschaftsarbeit, Pücklers Michaels-Gemeinschaft, samt ihrem Leiter infolge des Verflochtenseins mit der organisierten Bewegung eine gewisse Wandlung durch. Etwa 1893/4 haben nach Pücklers Bericht (Michaelsbote 1908 Nr. 2) die Leute den Mut bekommen, sich als bekehrt anzuerkennen, „und die es sagten, waren es auch," während er 1888 in Gnadau noch ausführte: „Über Gemeinschaften herrschen ja sehr verschiedene Ansichten. Viele Brüder wollen diese Gemeinschaften so eng wie möglich einrichten, sie wollen nur wirklich bekehrte Leute darin haben. Ich halte dies für unmöglich, denn Gott allein kann prüfen, wie weit der Stand des Glaubens in jeder einzelnen Seele gediehen ist." Hatte man bis dahin im allgemeinen jeden aufgenommen, so jetzt nur, „von wem die Leiter die Überzeugung hatten, daß derselbe mit Ernst ein Christ sein wolle". Infolgedessen konnte die Zahl der eingeschriebenen Mitglieder natürlich nicht so stark steigen. 1900 waren es 1334. Dabei war die Arbeit bedeutend ausgedehnt. Bereits 1892 betrug der Umsatz ca. 32000 Mk. Zwischen 1896 und 1900 kamen die Plätze in Lichtenberg*), Friedenau-Wilmersdorf und Chausseestraße hinzu. Im letzteren Jahre hatte man als Berufsarbeiter drei Evangelisten und einen Vereinswart. Außer den acht Gemeinschaftslokalen (N am Wedding, O Koppenstraße, N (Gesundbrunnen) Buttmannstraße, NO Friedenstraße (Christophorus), SW Gneisenaustraße, Lichtenberg Hubertusstraße, Friedenau-Wilmersdorf Bernhardstraße, N Chausseestraße) unterhielt die Gemeinschaft noch zwei Herbergen zur Heimat mit je einem Hausvater, zwei Kaffeestuben mit je einer Leiterin und ein Zufluchtsheim für Gefallene mit Fräulein Wilke als Vorsteherin.

Die Herbergen, Kaffeestuben usw. sollten ebensowohl der Evangelisation dienen wie das „Hoffingen", die „Mitternachtsmission" und die von Zeit zu Zeit, besonders in den Arbeitervorstädten veranstalteten Evangelisations- (auch Wald- und Straßen-) Versammlungen. Evangelisation und Gemeinschaftspflege wurden aufs innigste verbunden. Die durch die genannten Arbeiten Gewonnenen wurden den Gemeinschaften zugeführt, andererseits wurden die geförderten Elemente sofort selbst wieder in die Arbeit gestellt, jeder an seinen Standes- und Berufsgenossen. In den Gemeinschaften wurde das Gruppensystem eingeführt.

Jede Gemeinschaft hat eine Männer-, Frauen-, Jünglings-, Jungfrauen-, Konfirmierte- und Sonntagsschulabteilung. Jede Woche versammeln sie sich, außerdem ist wöchentlich öffentliche Versammlung und alle vier Wochen Teeabend, im ganzen wöchentlich 75 Versammlungen. Jede Abteilung ist in Gruppen gegliedert, so daß also z. B. immer die Frauen, die in einer oder zwei aneinander grenzenden Straßen wohnen, zu einer Gruppe gehören, an deren Spitze eine aus ihrer Mitte heraus gewählte Leiterin steht. Bei den Männern hat sich das System erst allmählich Bahn gebrochen.

Als Organ der Gemeinschaft erschien seit 1888 monatlich der „St. Michaelsbote" (1895 : 1300), daneben seit 1. Oktober 1890 wöchentlich der „Kleine St. Michaelsbote". Unterstützt wurde die

*) Durch ein dorthin verziehendes Mitglied vom Wedding.

Arbeit durch eine Gemeinschaft aus den gebildeten Ständen unter einer Zentralleitung.

Die „Christliche Gemeinschaft“ Fräulein v. Blüchers konnte, nachdem sie 1889 nach Bülowstraße 5 verlegt war, am 14. April 1894 ihren Saal in W Hohenstaufenstraße 65 einweihen. Alljährlich fanden hier „Maiversammlungen“ statt, auf denen vielfach Engländer sprachen.

Zu diesen älteren Gemeinschaften brachte die erstarkende moderne Bewegung eine ganze Reihe neuer Bildungen, vor allem seit 1894, wo man ja im allgemeinen aggressiver wurde. So entstanden 1894 Gemeinschaftsabende gebildeter Familien (zuerst 24. Oktober 1894 bei Bernstorff. Teilnehmer: v. Hassell, v. Redern, Mrs. Davies, P. Israel, P. Krummacher u. a.).

Im Juni 1895 kam Graf Bernstorff zum erstenmal in die Wohnung von Frau P. Licht im Westend, wo ein kleiner Kreis sich versammelte. Ihre Tochter hatte bisher im Christophorus gearbeitet. Jetzt wohnten sie „in dem geistlich toten Westend und suchten dort Leben zu erwecken“. Allmählich vergrößerte sich der Kreis. Im Winter 1895/96 begann man zu evangelisieren im Saal des „Restaurant Westend“. Bereits am 6. Januar 1896 wurde ein Haus gekauft Spandauerberg 2, und als am 10. Januar 1897 die „Christliche Gemeinschaft Westend-Charlottenburg“ ihr erstes Jahresfest beging, zählte sie bereits 144 Mitglieder, hatte freilich infolge der Hypothek ein Defizit von etwa 2500 Mk. Schon 1899 war das Haus zu klein geworden. Die Gemeinschaft veranstaltete auch Sommerversammlungen z. B. auf der Chaussee vor Schloß Ruhwald, auch im Grunewald. Sie bildete eine Sonntagsschule, Frauen-, Jungfrauen- sowie Männer- und Jünglingsabteilungen.

Ebenfalls durch Bernstorff ins Leben gerufen wurde die „Christliche Gemeinschaft Süd-Ost-Berlin“. Im Sommer 1896 fand die Berliner Gewerbe-Ausstellung statt. In dem dicht vor derselben belegenen Hotel in Treptow wurde von christlichen Freunden für den hohen Preis von 6000 Mk. ein Laden gemietet, dem hinten ein offener Hofraum sich anschloß. Da es nur für den Sommer sein sollte, genügte ein Glasdach, um den Hofraum als Versammlungsort gebrauchen zu können. Gen.-Sup. Faber stellte sich an die Spitze des kleinen Komitees, und es gelang, das Geld für Miete, Bänke und Glasdach und die Kräfte für eine tägliche Evangelisation vom 1. Mai bis 15. Oktober zu beschaffen. Von halbem Monat zu halbem Monate hatte eine andere Organisation die Verantwortung für die Versammlungen, Bernstorff, Faber, St. Michael, Chr. V. J. M. u. a. An schönen Sommertagen sind nacheinander wohl 2000 Zuhörer in den Versammlungen gewesen. Als der Schluß nahte, wollten viele nicht wieder auseinandergehen. An einem Abend wurden von armen Leuten 200 Mk. zur Miete eines definitiven Lokals gesammelt. So mietete man einen Fabrikraum in der Waldemarstraße 27. Die Arbeit übernahm ein getaufter Israelit, Herzka, der damals sich noch auf die theologischen Examina vorbereitete. 1898 zog die Gemeinschaft nach Kottbuser Ufer 44. 1902 kam an Herzkas Stelle Knoll aus Mannheim-Neckarau (s. o.). Auch hier hatte man Sonntagsschule, Jungfrauenabteilung, Knaben- und Jugendabteilung, Blättermission und Eisenbahntraktatmission.

Unbekannt ist mir das Gründungsjahr der „Christlichen St. Markus-Andreas-Gemeinschaft" O Andreasstraße, die schon 1896 unter Inspektor Papke bestand. 1897 bildete sich eine Gemeinschaft in Friedrichsberg, die 1902 unter J. Volkmann stand *).

Anfang 1900 entstand die „Evangelische Allianzgemeinschaft Charlottenburg-Berlin W", Eislebenerstraße 15, unter dem Evangelist H. Bartsch, der 1898 und 1899 Jellinghaus' Bibelschule besucht hatte. Auch seine Frau Frieda geb. v. Arnim war Schülerin der Bibelschule.

Ebenfalls 1900 bildete sich die „Heilandsgemeinschaft in Moabit", in der zwei Fräulein v. Hennigs arbeiteten, sowie durch E. Lohmann die Gemeinschaft in Rixdorf, für die Engel (Chrisch.) angestellt wurde und die 1901 mit „Südost" zusammen Konferenz abhielt (14. bis 16. Oktober 1. Kor. 1, 30), 1902 die Gemeinschaft in der Evangeliumshalle Sarepta, anfangs SW Friedrichstraße.

Unbekannt ist mir die Entstehung der Charlottenburger Gemeinschaft in der Schillerstraße. Die Kukatianer hatten seit 1898 ein eigenes Haus. 1901 wurde auch ein „Ausschuß für kirchliche Evangelisation" gebildet aus Mitgliedern der zweiten Kommission der kirchlich-sozialen Konferenz, zu denen noch einige andere gebeten wurden. Sie gewannen Keller für eine Evangelisation im Februar 1902.

Eine Verbindung der einzelnen Gemeinschaften Berlins untereinander bildete sich nicht. Auch an die Provinzialorganisation schlossen sich nur die Michaelsgemeinschaften und P. Klein-Lichtenrade an.

---

*) Erwähnt sei auch der „Christliche Hülfsverein", eine Arbeit unter den Armen von Berlin O, zu der sich der Methodist Schaarschmidt mit Paul und Evang. Schwarz zusammentat 1899 (1902 Tilsiterstr. 15).

b) **Allgemeines über die östlichen Provinzen außer Berlin.**

In der Provinz Brandenburg, abgesehen von Berlin, ist die Gemeinschaftsbewegung nur langsam vorgedrungen. Als Grund wurde von Gemeinschaftsseite allgemein angegeben die große Unkirchlichkeit in weiten Strecken der Provinz, in der es viele Gemeinden gibt, „die seit Jahrhunderten gewöhnt sind, den Pastor im Verein mit dem Großgrundbesitzer als ihre Feinde anzusehen“.

Das gilt nicht nur für Brandenburg, sondern mutatis mutandis für den ganzen Osten, soweit der Großgrundbesitz vorherrscht. Die Tagelöhnerverhältnisse spielen, wie überhaupt fürs kirchliche Leben, so auch für die Gemeinschaftsbewegung ihre große Rolle. Wo die Gutsherrschaft kein Verständnis für religiöse Dinge hat, und die Leute den Sonntag für die eigene Wirtschaft nötig haben, ist auch für die Gemeinschaftsbewegung harter Boden (vergl. z. B. die Schilderung in dem Nachruf für P. Tietze-Haselberg, † 1899, Mitglied des Brüderrats, in Phil. 1899 Nr. 9). Umgekehrt wird eine zur Gemeinschaftsbewegung neigende Besitzerfamilie nun auch die von ihr Abhängigen mitzuziehen suchen, das zeigt u. a. folgendes höchst charakteristische Bild aus den „Gottestaten“ (Nr. 9) (augenscheinlich aus Briefen eines Gutsbesitzers resp. Gutsbesitzersfrau. Daß die geschilderte Begebenheit teilweise jenseits unserer Periode liegt, tut nichts zur Sache): Seit dem 27. (Dezember 1903) evangelisieren hier die Brüder. Der Menschenandrang ist nicht so groß als im vorigen Jahre, wo die Sache durch ihre Neuheit viele Neugierige anzog, und der Pastor unseres Nachbardorfes, zu dem das Gut gehört, damals die Evangelisation von der Kanzel bekannt machte. Jetzt dagegen steht er direkt feindlich und droht, uns aus der Landeskirche herauszuwerfen. Nun **Gott kann** seine Sache **desto mehr segnen!** . . . Gestern war übrigens von der benachbarten Gutsherrschaft Frau . . . . mit den Ihrigen hier und hat entschieden Gefallen daran gefunden. Gebe Gott, daß sie auch vollen Frieden mit ihrem Hause finden möge! . . . . Die beiden letzten Tage waren bei der Evangelisation wieder die herrlichsten. Am 9. ergaben sich sieben und gestern, am letzten Tage, sechzehn Seelen dem Herrn . . . Der Herr hat uns so reich begnadigt, daß in meinem Hause so viele Erweckungen geschehen sind, und von den Hausbewohnern sind doch drei anscheinend unberührt geblieben . . . Denke dir aber nur, im Pferdestall sind zurzeit vier Knechte und sämtlich gläubig! — Einer wird uns heute allerdings verlassen, weil der Herr ihn augenscheinlich anderweitig gebrauchen will. Der Eigentümer . . . ist . . . gestorben . . . Seine

Witwe (mit sieben kleinen Kindern) kam am Sonnabend zur Erweckung. Nun war sie gestern früh bei uns und bat mich, ihr den ... als Knecht zu überlassen ... Und so sagte ich der Frau, wenn sie täglich mit ihm beten will usw. (merkwürdige Mietsbedingung!), so würde ich ihr ihn gern überlassen." Es wird dann eine Vandsburger Schwester verschrieben, die berichtet: „Es ist z. Zt. hier alles in großer Bewegung und Regung .... Sonnabend ist der Inspektor hier erweckt worden, Sonntag morgen das Stubenmädchen." Die Herrschaft schreibt weiter: „Gestern hatten wir die große Freude, daß auch das letzte Glied unseres Hauses, das Stubenmädchen, erweckt wurde. So haben wir nun alle den Herrn gefunden. In den Tagelöhnerhäusern steht die Sache leider noch nicht so günstig, immerhin durften wir gestern feststellen, daß von 42 erwachsenen Bewohnern des Gutes 21 den Herrn gefunden haben ... Das benachbarte Dorf B. hat zurzeit auch etwa 20 Erweckte resp. Bekehrte." — Bei dieser Sachlage hat hier im Osten auch der gemeinschaftsfreundliche Adel so besonders große Bedeutung, wie ja schon vor 200 Jahren in der Pietistenzeit und in der Erweckungszeit des vorigen Jahrhunderts.

Die geschilderte wirtschaftliche Lage zeigt aber in der Geschichte des Pietismus noch eine andere Folge: Die Kreise der kleinen Leute waren stets geneigt, über den kirchlichen Pietismus des Adels hinaus resp. in Opposition zu ihm den radikalen Strömungen zu verfallen. Sollte hierin auch ein Grund für den Radikalismus der ostdeutschen Gemeinschaften liegen, der uns im folgenden noch viel beschäftigen wird? Ich wage nur die ganz lose Vermutung auszusprechen.

c) Brandenburg.

(Der märkische Brüderrat — Der Lohmannsche Kreis — Der Frankfurter Kreis — Die Stellung der Kirche.)

In Brandenburg mußte die Bewegung nach dem Untergange der Arbeit der Reichsbrüder (s. o. S. 47) von vorn anfangen, zumal die Diasporagemeinschaften der Brüdergemeinde in der Warthegegend und der oben erwähnte Friedeberger Kreis zunächst ganz für sich blieben. Die neue Bewegung hat hier außer Pückler als dem treibenden Faktor besonders Bührmann die ersten Anregungen zu verdanken. Er hatte sich Ende 1895 in Potsdam niedergelassen und 1896 bereits an 30 Orten der Provinz evangelisiert. Am 10. und 11. Februar 1896 fand die I. märkische Konferenz statt, die jährlich wiederholt wurde. Bei Gelegenheit der Gnadauer Konferenz desselben Jahres bildete sich dann der Brüderrat, der alsbald den Breklumer Bruder Heydorn als Evangelist nach

Strausberg berief. Er wollte dann bald selbständig arbeiten und ging 1897 nach Frankfurt a. O., blieb aber in gewisser Verbindung mit dem Brüderrat. An seine Stelle in Strausberg trat Wrase, der später nach Eberswalde versetzt wurde und bis 1902 der einzige Bote des Brüderrates blieb.

In diesem Jahre kam für die Priegnitz ein von den dortigen Gemeinschaften und dem Brüderrat angestellter Evangelist hinzu. Hier war die Bewegung am frühsten zum Ausbruch gekommen. Bereits 1890 war durch den Kreisausschußsekretär Rathmann in Perleberg eine Gemeinschaft ins Leben gerufen. Seit 1893 besaß sie ein eigenes Haus. 1894 waren es zwei Kreise mit ca. 100 Seelen. 1897 gab es dort bereits Konferenzen, die im Juni 1901 zuerst dreitägig ausgestaltet und jährlich wiederholt wurden.

An seinem Wohnort Potsdam hatte Bührmann schon 1896 eine Gemeinschaft gesammelt, desgleichen in Nowawes. Zwischen der fünften und sechsten Gnadauer Konferenz evangelisierte Bührmann in Freienwalde, Eberswalde, Küstrin, Strausberg und Perleberg, gründete auch ein eigenes „Evangelisches Sonntagsblatt für die Mark". Die Küstriner Gemeinschaft verdankte den Bührmannschen Anregungen ihre Existenz. Ihre Leitung übernahm Eisenbahnbetriebsinspektor Friese. In Eberswalde arbeitete Wrase, der hier schon 1900 seinen Wohnsitz hatte. In Fürstenwalde war die Gemeinschaft durch einen Wasserbaubeamten Brehmer angeregt. Mehrere Versuche in Landsberg (Warthe) schlugen fehl. In Königsberg (Neumark) evangelisierte ebenfalls Bührmann. Auch hier kam es zu Anfängen von Gemeinschaftsbildung.

In Freienwalde war S. Wilke früh Gemeinschaftsfreund. In der Nähe stand Tietze-Haselberg. Bereits 1896 bestand eine Gemeinschaft dort und fand eine Konferenz statt. Dann verzog E. Lohmann als freier Evangelist von Schildesche dorthin. Schon 1898 hatte er in Freienwalde das Bibelhaus gegründet, dessen eigenes Haus (1900) ein Mittelpunkt der Gemeinschaftsbewegung jener Gegend wurde. Dem märkischen Brüderrat schlossen Lohmann und seine Gemeinschaften sich nicht an. Zu seinem Kreise gehörte die bereits erwähnte Gemeinschaft in Rixdorf bei Berlin, während die Lichtenrader unter Klein sich dem Brüderrat anschloß.

Ein dritter Kreis trat in eine gewisse (persönliche) Verbindung mit Bernstorff. Der Mittelpunkt desselben wurde Frankfurt a. O. Hier fing der oben genannte Heydorn am 1. November 1897 seine Arbeit mit etwa einem Dutzend Zuhörer an, doch bereits am 30. April 1899 wurde ein eigenes Haus eingeweiht, 1900 wurde die Gemeinschaft eingetragener Verein, im gleichen Jahre fand im Februar die von ca. 150 Personen besuchte „I. Konferenz zur

Förderung des christlichen Lebens" statt, die dann jährlich wiederholt wurde. Während die Ortsgeistlichen der Gemeinschaft ferner standen, beteiligte sich hier eifrig P. Huhn-Baudach, wie überhaupt die Arbeit dieses Kreises sich vornehmlich in den Süden erstreckte. So pflegte Heydorn z. B. die in Spremberg durch eine Lehrerin ins Leben gerufene Gemeinschaft. Gegen Ende dieser Periode schloß sich dieser Kreis an den schlesischen Brüderrat an.

Die Kirchenbehörde stellte sich von vornherein ziemlich freundlich. Der Gen.-Sup. der Kurmark, Dryander, trat 1896 auf der I. kurmärkischen Maikonferenz in Potsdam für Evangelisation und Sammlung der Gläubigen ein. Auf der II. 1897 sprach Wevers über das „Bedürfnis der Evangelisation und ihre Gestaltung"; ebenso forderte er auf der neumärkischen Konferenz desselben Jahres, daß als die nach dem Oberkirchenratserlasse desselben Jahres einzurichtenden Evangelisationsausschüsse die Provinzialkonsistorien einzutreten hätten. Die kurmärkische Konferenz verhandelte auch 1901 wieder über „Gemeinschaftspflege in der Gemeinde". Gen.-Sup. Hesekiel hielt den Vortrag und mahnte zu engem Zusammenhalt von Gemeinschaft und Amt, dabei übrigens die Gefahren der nicht ans Amt angeschlossenen Gemeinschaften deutlich kennzeichnend; fast noch freundlicher sprach Dryander. Auf der neumärkischen Konferenz des gleichen Jahres sprach P. Pirscher-Golchen über gesunde Gemeinschaftspflege, ihren Segen für die einzelnen und die Gemeinden. Sein Wunsch, ein Komitee zur Förderung gesunder Gemeinschaftspflege in der Neumark eingerichtet zu sehen, fand 1902 insofern Erfüllung, als ein „Komitee zur Veranstaltung kirchlicher Evangelisation" auf der Konferenz gebildet wurde. Auf der Niederlausitzer Pastoralkonferenz in Kottbus 1901 sprach Ohly ebenfalls freundlich über Gemeinschaftspflege. Der brandenburgische Pfarrverein hatte sich sogar schon 1897 in durchaus wohlwollendem Sinne darüber ausgesprochen (Phil. 1897 Nr. 7).

d) Pommern.

(P. Paul und die Überleitung des Brüderbundes in die organisierte Bewegung — Die Ausbreitung der Bewegung — Die Stellung der Kirche.)

In Pommern kam die bisher im Sinne des Reichsbrüderbundes betriebene Laienbewegung jetzt in Berührung mit Pastoren, die ganz und gar auf die moderne Bewegung eingegangen waren, besonders Paul, damals in Ravenstein, und Meyer, damals in Gr. Benz. Paul ist von dem größten und, wie wir später sehen werden, verhängnisvollen Einfluß nicht nur auf die pommersche, sondern die ganze ostdeutsche Gemeinschaftsbewegung geworden. Es war leider eine Täuschung, wenn S. Braun-Jakobshagen (und ihm nach Bunke im Kirchl. Jahrb. 1901 S. 357) meinte: „Gewiß gilt Br. Paul in den Gemeinschaftskreisen sehr viel; aber es ist durchaus nicht der Fall, daß dieselben ihm in allen Stücken Gefolgschaft leisteten". Richtig war dagegen Brauns Behauptung: „Keiner fördert die Evangelisation mehr als Br. Paul, und keiner steht ihr mehr im Wege als er. Er fördert sie durch die zahlreichen Versammlungen, die er mit einer Unermüdlichkeit hält, in der es ihm sobald niemand gleichtut. Er hindert sie, sonderlich bei seinen Amtsbrüdern, durch seine, wie ich meine, dogmatisch unklaren Schriften". Gerade das letztere ist für Paul bezeichnend. Sehr häufig zeigten seine Arbeiten neben Reminiszenzen an gründliche deutsche theologische Arbeit kritiklose Aufnahme englisch-amerikanischer Gedanken. Er war begeisterter Anhänger der Heiligungsbewegung, und zwar vertrat er im Gegensatze zu Jellinghaus den radikaleren Flügel*). Hier zeigt sich seine Unklarheit in den Ausführungen darüber, wie das ständige Siegesleben im Geheiligten zustande komme. Die ganze Heiligungsbewegung antwortet: dadurch, daß der Geheiligte im Glauben „in Jesu bleibt". Während aber dann Jellinghaus lehrte, daß dieser Glaube in „Trauen und Treusein" bestehe, also ein Willensmoment einschließe, behauptete Paul in seinem Buche „Ihr werdet die Kraft des heiligen Geistes empfangen" (1896): „Man empfängt das Bleiben in Jesu als ein Geschenk erst dadurch, daß Jesus in uns Wohnung macht." „Wir können zu diesem Bleiben in Jesu auch nicht einmal mitwirken" (a. a. O. S. 409). Was für einen Sinn dann noch Mahnungen an den Geheiligten haben sollen, wird nicht klar. Er hat augenscheinlich die Boardmanschen Gedanken einfach übernommen, ohne sie, wie Jellinghaus, wirklich theologisch zu verarbeiten. Beinahe noch schlimmere Unklarheiten zeigt seine Unterscheidung der drei Stadien der „Rechtfertigung", „Heiligung" und „Erlösung", zumal er nicht zu jenen gehört, die, wie Lepsius und Pückler (s. o. S. 104), die Geistestaufe der Wiedergeburt erst nachfolgen ließen, sondern den Wiedergeborenen mit der Wiedergeburt auch den Geist besitzen läßt, andererseits aber die einzelnen Stadien in besonderen plötzlichen Durchbrüchen und Überströmungen eintreten läßt. Um begreiflich zu machen, wie der Geist in drei Stadien in verschiedener Intensität ins Herz kommen soll, scheidet er in fast spielerischer Art eine Einwohnung des Geistes von der des Sohnes und des Vaters.

---

*) Genaueres hoffe ich demnächst im zweiten Heft meiner Arbeit „Zur Geschichte der Heiligungsbewegung" zu bringen.

Ebenso unklar waren seine Anschauungen über Kirche und Allianz. Er wollte gut landeskirchlich sein und in seiner Schrift über „Die Einheit der Kinder Gottes und den Austritt aus Kirche oder Kirchengemeinschaft" (1898) erklingen in der Tat wirklich pietätvolle Töne gegenüber der Landeskirche, wie er auch in der Schrift „Die Gabe des heiligen Geistes" (1896) sich auf die lutherischen Bekenntnisschriften berief. Aber es fehlt völlig die klare Schärfe dogmatischer Durcharbeitung. Die erstgenannte Schrift ist vornehmlich gegen die Darbysten gerichtet, was auch insofern interessant ist, als es zeigt, daß diese damals in Pommern Bedeutung gehabt haben müssen. Er warnt vor dem Austritt aus der Landeskirche, als ob alle „Gläubigen" sich in der „Versammlung Gottes" vereinigen müßten. Er betont richtig, daß auch in der Urchristenheit schon so starke Verschiedenheiten wie Juden- und Heidenchristen bestanden hätten, aber er verkennt vollständig die Verschiedenheit etwa der lutherischen Kirche von den Baptisten, Methodisten usw. Sie sind ihm alle gleichwertig. Daher folgert er auch aus der inneren Einheit aller Gläubigen, der geglaubten einen heiligen christlichen Kirche nicht nur die Anerkennung jedes einzelnen gläubigen Christen als Bruder, sondern „Allianz" und zwar in dreifachem Sinne: mit allen Kindern Gottes nicht über diese oder jene Lehrpunkte, Gebräuche und Einrichtungen zu streiten, sondern den gemeinsamen Boden mit ihnen aufzusuchen, je nach Zeit und Gelegenheit mit den verschiedenen Kirchengemeinschaften Gemeinschaft zu haben im Worte Gottes, Gebet und Abendmahl und den verschiedenen Beruf der verschiedenen Kirchengemeinschaften anzuerkennen.

Diese unklaren Gedanken Pauls gewannen um so verhängnisvolleren Einfluß auf die ostdeutschen Gemeinschaften, als Paul nicht nur, wie schon gesagt, mit unermüdlichem Eifer in der Evangelisation tätig war, sondern auch durch seine allerseits gerühmte liebenswürdige und freundliche Art überall die Herzen für seine Lehre gewann. So wurden weite Gemeinschaftskreise des Ostens dafür prädisponiert, besondere Heiligungsstufen und Durchströmungen zu erwarten. Andererseits kam es für die Entwicklung ihrer Stellung zur Kirche ganz darauf an, welche Gedankenreihe Pauls bei ihnen überwog, die der „Allianz" oder der Treue zu der Kirche, in der sie erzogen wurden.

Die nächste Wirkung der Berührung mit Paul für den pommerschen Brüderbund war das Aufkommen von **Konferenzen** (23. August 1891 in Gr. Benz, II. im Dezember in Ravenstein, dann wieder in Benz, Juni 1892). 1896 hielt man am 28./29. Oktober die erste größere Konferenz in Stettin. Ferner wurden jetzt Berufsevangelisten angestellt, während 1889 noch vorwiegend an im Berufsleben stehende Gemeinschaftspfleger gedacht wurde. 1895 waren es bereits vier, 1901 sechs und 1902 sieben vom Brüderrat unterhaltene Evangelisten*). Dazu kam seit 1900 der Philadelphiaarbeiter Bursche, der zuerst in Freienwalde wohnte, aber bald nach Dramburg zog. Paul legte 1899 sein Pfarramt nieder und zog als freier Evangelist nach Steglitz. Meyer wurde sein Nachfolger in Ravenstein.

Für die Berufsarbeiter wurden 1901 besondere Brüderkonferenzen in Stargard und Schivelbein eingerichtet. Auf der zweiten (Oktober 1901) wurde die Herausgabe eines besonderen vierteljährlichen Blattes beschlossen „Mitteilungen des pommerschen Brüderbundes an die Gemeinschaften in Pommern". Die Februarkonferenz in Stargard wurde zugleich Mitgliederversammlung des Brüderbundes.

Dieser hatte nämlich damals begonnen, sich umzugestalten. Seit 1900 gehörte Kell als Vertreter Pommerns dem Komitee des Deutschen Verbandes an. Am 31. Oktober beschloß man einen eingetragenen Verein zu bilden. Den Vorstand bildeten damals die Bauern Kell, Utecht-Beweringen, Kumm-Moderow (alle drei Mitglieder des ursprünglichen Brüderrats) und die Pastoren Meyer und Bluth-Lassehne, den Brüderrat Rentier Kehler-Stettin, Fabrikant Brodde-Pyritz, Hausbesitzer Mörke-Stargard, Korschelt-Daber, Bureauassistent Pelz-Kolberg, die Lehrer Radke-Neustettin und Schwerdtfeger-Köslin, P. Karge-Wintershagen, Bauer Klatt-Tieten und Lenz-Braunsforth, letzterer der einzige noch aus dem alten Brüderrat. Die Verbindung mit dem Reichsbrüderbunde erlosch. Die Eintragung ins Vereinsregister wurde nach langer Verzögerung ohne Angabe von Gründen abgelehnt.

Inzwischen hatte sich die Bewegung mächtig ausgedehnt. Gab es 1892 etwa 30 Orte mit regelmäßigen Versammlungen, so bestanden 1902 in 17 Städten und ca. 100 ländlichen Orten Gemeinschaften, die größten in Ball, Ravenstein, Brietzig, Braunsforth und Pirbstow. Aber längst war die Bewegung über das ursprüngliche Gebiet hinausgewachsen. Im östlichen Hinterpommern entstand in Kolberg Oktober 1899 eine Versammlung durch Bührmanns Evangelisation, die anfangs bei Frl. v. Lemcke, seit 1900 im Evangelischen Vereinshause zusammenkam. Hier sowie in Körlin und Köslin arbeitete dann Rappe, doch wurde 1902 speziell für Kolberg Kubisch (Joh.) angestellt. Sowohl in

*) Kreling-Pyritz, Kotz-Schlawe, Gehrmann-Polzin, Golz-Stettin, Rappe-Stargard, Kubisch-Kolberg, Lehnhardt-Grabow.

Kolberg wie in Köslin (seit 1898) wurden jährlich zweitägige Konferenzen eingerichtet. Auch in Rügenwalde, Stolp und Schlawe wurden Konferenzen gehalten. Hier arbeitete seit 1901 Kotz, in Stolp auch der Hauptlehrer a. D. Behrendt. Die südöstliche Ecke bereiste vor allem Gehrmann, zum Teil zusammen mit einem nicht-berufsmäßigen Reisebruder. Außer Bublitz wurde hier besonders Neustettin ein Mittelpunkt der Bewegung, wo 1900 die erste Konferenz stattfand, die ebenfalls jährlich wiederholt wurde. November 1902 evangelisierte hier E. Lohmann.

Im westlichen Hinterpommern evangelisierte Bührmann, in Stargard zuerst im Januar 1898. Hier hatte in der Methodistengemeinde eine Trennung stattgefunden. Die Ausgetretenen wurden gelegentlich von Paul besucht. Jetzt wurde vom Brüderrat ein Barmer Missionszögling angestellt, der den Bau eines Saales veranlaßte. Bei der Einweihung am 27. Mai 1900 sprach Pückler das kühne Wort: Christus werde damit in Pommern inthronisiert. Im gleichen Jahre fand die I. Stargarder Konferenz statt (II. 29., 30. Januar 1901). Doch hatte der Bau so viele Schwierigkeiten gemacht, daß der Evangelist schon nach 1½ Jahren weggehen mußte. Brüder der dortigen Versammlung leiteten nun dieselbe, wie Mörke und Rentier Lieberenz, welch letzterer auch größere Evangelisationsreisen im Lande machte. Doch hatte die Gemeinschaft sehr gelitten. „Die Brüder waren untereinander verärgert“, und Rappe, der am 10. Oktober 1902 hier stationiert wurde, „traf“ (nach seiner eigenen Aussage) „bei seinem Antritt ein ganzes Papstkollegium an“, in dem jeder „Führer vom Ganzen sein“ wollte.

In Pyritz arbeitete bis Oktober 1901 Kotz, dann Kreling, besonders in der Stadt selbst. Auch hier wurden zweitägige Konferenzen eingerichtet.

Bereits 1892*) war namentlich durch Pauls Anregung der „Verein für Evangelisation und Gemeinschaftspflege in Stettin“ entstanden, in enger Beziehung mit dem Brüderbunde. Bald wurde ein Evangelist angestellt (Mitte der neunziger Jahre der Johannesbruder Grams). Seit der bereits erwähnten Konferenz von 1896 wurden hier jährlich größere Konferenzen gehalten (23./24. November 1897 die II. über „Biblisches Christentum“). Lange litt die Gemeinschaft in Stettin unter der Lokalfrage, so tauchten schon 1900 Baupläne auf. 1902 hatte die Gemeinschaft einen Evangelisten (Golz). Dazu kam die Förderung durch P. Fabianke, der durch Meyers Vermittlung Oktober 1901 an die Diakonissenanstalt Kinder-

*) Nicht 1893, wie Dietrich und Brockes a. a. O. S. 112 angeben.

heil berufen war. Er sollte zugleich Evangelisation treiben. Das Verhältnis zu den Stadtgeistlichen war weniger gut, zum Teil auch infolge allerlei stark schwärmerischer Parteiungen, die zur Folge hatten, daß sowohl eine Gemeinschaft Dowiescher Richtung unter einem Evangelist Peters wie eine Idelsche „christliche Versammlung" sich abzweigte.

In Stettin wohnte gegen Ende unserer Periode auch General v. Viebahn, der seit 1897 die „Zeugnisse eines alten Soldaten" herausgab. Er leitete — ohne aus der Landeskirche ausgetreten zu sein — dort den einen Teil der darbystischen „Versammlung Gottes", hatte sich auch wiedertaufen lassen. Ein von ihm besoldeter Arbeiter wirkte in der Gegend von Anklam und auf Usedom, ohne Anschluß an den Brüderrat (Weisenbacher).

Verhältnismäßig spät drang die Bewegung nach dem ziemlich unkirchlichen Vorpommern vor. November 1900 unternahm zuerst der in Altheide stationierte Lehnhardt eine Erkundigungsreise. Es gelang ihm, an 33 Orten insgesamt 83 Versammlungen zu halten. 1901 entstanden die ersten Gemeinschaften in Pasewalk und Demmin sowie Anfänge in Treptow a. T. P. Eiter-Greifswald und v. Zastrow-Zemitz unterstützten die Arbeit. Lehnhardt zog 1901 nach Grabow, um seinem Arbeitsgebiet näher zu sein. Am 15. Juni 1902 wurde das erste Evangelisationsfest in Zemitz gefeiert unter Mitwirkung von P. Schwartz-Hohensee, Fabianke und Lehnhardt.

Die Stellung der Kirche zur Bewegung war ziemlich freundlich. Schon an der II. Stettiner Konferenz beteiligte sich Konsistorialrat Nourney. Namentlich S. Braun (s. o.) trat energisch für die Bewegung ein durch ein Referat auf der pommerschen Ephoren-Konferenz 1899: „Evangelisation in Pommern" (auch gedruckt). Ebenso freundlich sprach sich Gen.-Sup. Poetter auf der Provinzialsynode aus: „Die Gemeinschaftspflege hat die Sekten aufgehalten. Unsere Christenleute wachsen durch Evangelisation und Erkenntnis Christi. Irrtümer sind dabei bald zurückgedrängt. In Vorpommern haben sich viele Pastoren zusammengetan über die Frage, wie das Gemeinschaftswesen zu pflegen sei. Gott segne das. Es ist auffallend, daß auch in unkirchlichen Gegenden sich das Verlangen nach solchen Versammlungen findet" (Brdb. 1902 Nr. 46). Scharf gegen die Bewegung äußerte sich Lic. Dunkmann auf der Pfarrervereins-Versammlung in Stolp 1900, wo er ein wirklich freundschaftliches Verhältnis zwischen Kirche und Gemeinschaftsbewegung rundweg als unmöglich erklärte und behauptete, die Bewegung werde „sich niemals weder in den Dienst der Innern Mission noch der sozialen Frage stellen, sie müßte dann erst ihre

Haut wandeln". Dagegen urteilte Nathusius-Greifswald auf der Kirchlichen Konferenz in Stettin 1901 sehr viel milder über die Gefahren des Subjektivismus der Gemeinschaftsbewegung als die Gefahren des „toten Kirchentums".

e) Posen, West- und Ostpreußen.

(Die Arbeit der Reichsbrüder — Die Nakeler Konferenz — Der Brüderrat für Posen und Westpreußen — Verhandlungen mit der Landeskirche in Posen — Die Entwicklung der organisierten Bewegung in Westpreußen und ihr Verhältnis zur Landeskirche — Der Zionspilgerbund — Der Verein für Innere Mission in Ost- und Westpreußen — Chrischonabrüder und Reichsbrüder in Ostpreußen — Blazejewski und die organisierte Bewegung in Ostpreußen — Die ostpreußischen Altpietisten.)

Besonders freundschaftlich schien sich das Verhältnis zwischen Kirche und Gemeinschaftsbewegung in Posen gestalten zu wollen, gefördert wohl einmal durch den Umstand, daß man sich hier in der Diaspora befand, dann auch dadurch, daß zunächst die Arbeit hier vorwiegend von dem allmählich immer kirchlicher gewordenen Reichsbrüderbunde getrieben wurde. Gerade Posen blieb neben Ostpreußen sein Hauptgebiet. So hatte es 1899 in dem Brüderrat von insgesamt 19 Laien 9, Ostpreußen 5 Vertreter. Hier wurde in Posen selbst der mehrfach erwähnte Fritz als Berufsarbeiter stationiert und 1898, als Blaich dauernd nach Pr. Bahnau gezogen war*), der Sohn Leszczinskis, Johannes, nachdem er ebenfalls in Neukirchen ausgebildet war, in Bentschen. Später wurde er, um Leistert zu helfen, nach Lissa versetzt. So nahmen die Brüder hier allmählich die Formen der sonstigen organisierten Bewegung an. 1902 hatten sie auch ihre erste größere Konferenz in Posen. Mit dem Kirchenregiment hatten sie allmählich so freundliche Fühlung erlangt, daß es sich an ihren Konferenzen beteiligte.

Die organisierte Bewegung drang in dies Gebiet zunächst in Tirschtiegel ein, wo der leitende Br. Schulz schon Ende der neunziger Jahre einen Gemeinschaftssaal baute. Er stand in Verbindung mit Schlesien und wurde auch von Niederschlesien aus unterhalten.

Im übrigen besetzte die neuere Bewegung zunächst den nördlichen Teil der Provinz, der ja etwa zur Hälfte evangelisch ist. Hier entstand 1892 im Kreise Wirsitz, wo ja in Erlau Hermann Birschel**) ansässig war, eine Erweckung, auf die vor allem Paul Einfluß hatte.

*) An Stelle des nach Sachsen gegangenen Seitz.

**) Sein Bruder Meinhard † 1894.

Wie es dabei zuging, beschrieb er in Gnadau (1894, Verh. S. 116): „Da (sc. gelegentlich einer von ihm und dem Ortsgeistlichen gehaltenen Versammlung) geschah etwas, wobei ich an jene Stelle aus der Apostelgeschichte denken mußte: ‚Da Petrus noch diese Worte redete, fiel der heilige Geist auf alle, die dem Worte zuhörten;' denn plötzlich entstand auf der einen Seite des Zimmers ein Geschrei, und zugleich fielen mehrere Leute auf die Kniee. Es war nicht möglich, weiter zu predigen, sondern diese Versammlung war durch Gottes Fügung nun eine Gebetsversammlung geworden. Dabei war diese Geistesmacht so spürbar, daß man alles andere darüber vergaß. Der Herr war gegenwärtig und hatte die Leute zusammengebrochen. Wir mußten hingehen, mit ihnen beten und sprechen. Ein Mann, zu dem ich kam, sagte: ‚Ich kann noch nicht beten.' Er lag zitternd und bebend auf den Knieen, blieb aber noch vollständig stumm. Endlich nach längerer Zeit rief er aus: ‚Jetzt bin ich durch,' und nun konnte er Gott loben und preisen."

Es bildete sich ein kleines Komitee, das den Evangelisten Magdanz in Bielawy bei Nakel (Bibelschüler von Jellinghaus) anstellte. Dann wurde, hauptsächlich auf Pauls Betreiben, 1894 die I. Nakeler Osterkonferenz abgehalten, von der dieser in Gnadau berichtete (a. a. O. S. 116):

„Es war eine wundervolle Versammlung. Der große Schützenhaussaal war während der gesamten Verhandlung vollständig gefüllt. Die Zahl der Teilnehmer nahm noch am zweiten Verhandlungstage bedeutend zu. Zuweilen lag eine solche Andacht und Teilnahme auf der großen Versammlung, daß man es deutlich merken konnte, wie der Geist Gottes an den Herzen arbeitete. Ebenso zeugten die Gebetsversammlungen davon, daß viel um Segen von oben gebetet wurde. Auch waren einige Seelen zu dieser Konferenz gekommen, weil sie um ihr Seelenheil bekümmert waren und hofften, sie würden in den Versammlungen zum Frieden kommen. Der Herr hat sich auch an ihnen bezeugt. Wir aber durften es in jenen herrlichen Konferenztagen so recht erfahren, welch ein großer Segen von solch einer Erweckung durch den Geist Gottes ausgeht."

Es sprachen P. Blazejewski-Borken über „Bekehrung und persönliche Heilserfahrung als Grundlage des Christentums", Brockes über „Die Evangelisation eine Lebensaufgabe der evangelischen Kirche", P. Schmolke-Libau über „Gemeinschaftspflege innerhalb der Landeskirche" und P. Simon-Speck (Pommern) über „Das neutestamentliche Heiligungsziel". Die Teilnehmerzahl betrug ca. 500. Birschel leitete. Die II. Konferenz wurde auf den 11.—13. Juni 1895 von Birschel, Kemnitz, P. Lassahn und P. Venzlaff einberufen, auch eine Konferenz der Berufsarbeiter für das Reich Gottes angeschlossen. Nach der III.*) 1896, auf

*) VII. 12.—15. Juni 1900 („Des Christen Glaubensleben", Paul, Coerper u. a.), VIII. 10.—13. Juni 1901 („Gottes Wille: der Welt Erlösung,

der ca. 40 Geistliche und Reichsgottesarbeiter zugegen waren, wurde ein Brüderrat aus drei Pastoren und drei Laien gewählt, dessen Vorsitz Birschel übernahm. Auch die damals bestehenden westpreußischen Gemeinschaften schlossen sich an und bildeten zusammen einen Gemeinschafsbund für Posen und Westpreußen Die Reichsbrüder lehnten dagegen den Anschluß ab.

Man übernahm nun Magdanz als ersten Evangelisten und richtete bei ihm die Geschäftsstelle ein. Später kam ein zweiter, anfänglich in Vandsburg, dann in Gnesen, hinzu. Sie erhielten eine besondere Legitimation, außer ihnen aber auch nach einer Erweiterung des Brüderrates noch vier Laienmitglieder desselben. Der Legitimation wurde ein kirchliches Zeugnis des Ortspfarrers hinzugefügt.

Ferner arbeitete der Brüderrat „Lebensregeln für Mitglieder einer christlichen Gemeinschaft" aus und einen Anhang zu den Reichsliedern.

Im Vorwort heißt es über den Bund: „Er bezweckt den Zusammenschluß aller derer, die Jesus als ihren persönlichen Heiland kennen und erfahren haben, und die im Glauben und in der Liebe zu ihm eins sind, zur eigenen Stärkung und der evangelischen Kirche zur Förderung. Unser Bund besteht auf Glauben. Die Gewißheit, daß der Herr gerade solche Vereinigung der Gläubigen will, gab uns Mut."

So stand auch im Aufruf an die Gemeinschaftskreise: „Wir möchten nun gern, daß solche, die mit Ernst Christen sein wollen, die da wissen, daß sie an den Herrn gläubig sind, und diesen Glauben auch vor der Welt bekennen wollen, ... sich uns vertrauensvoll anschließen." „Aber nicht nur Zusammenschluß der Gläubigen an jedem Ort, sondern auch Ausbreitung der beseligenden Wahrheit tut not ... Und erwiesenermaßen hat der treue Heiland das Bekenntnis und das Zeugnis und die Ansprachen mancher Laien in den Versammlungen gläubiger oder suchender Seelen gesegnet, so daß jeder wahrhaft gläubige Diener des Herrn, wenn er die Sache richtig kennen lernt, sich nur darüber freuen muß." Daher wolle man „auch die Evangelisation durch gläubige sogenannte Laien als die Aufgabe des Brüderrates aufnehmen".

Boden gewann die Bewegung vorwiegend unter den kleinen Leuten*). Ihre Hauptplätze wurden Nakel (Rendant Kemnitz; 1902 bestand schon ein eigener Saal), Erlau, Libau (P. Schmolke), Hohenwalde, Mrotschen (P. Lassahn und Evangelist R. Zimmermann), Lindenwald (P. Schenk). Im Jahre 1902 arbeiteten im Gebiete

---

der Erlösten Heiligung, der Geheiligten Vollendung"), IX. 10.—12. Juni 1902 („Das neue Leben in Christo").

*) „Die ganz armen geringen Arbeiter, die Kolonisten auf ein paar Morgen, hin und wieder ein kleiner Besitzer" (Bericht in Gnadau 1904).

des Gemeinschaftsbundes für Posen und Westpreußen bereits sechs Evangelisten, allein 1900 waren drei von Chrischona dem Brüderrat überlassen (Schliep, Wiechert, Zimmermann), zwei für Westpreußen, einer für Posen.

Bereits auf der II. Nakeler Konferenz hatte man über das Verhältnis zur Kirche verhandelt. Folgende Leitsätze über Ordnung und Leitung der Evangelisation und des Gemeinschaftslebens innerhalb der Landeskirche wurden angenommen:

„1. Evangelisation und Gemeinschaftspflege sind als notwendige und unentbehrliche Einrichtungen der Landeskirche anzuerkennen. 2. Die Evangelisation und die mit ihr verbundene Gemeinschaftspflege ist als ein Zweig der Inneren Mission anzusehen. Ihr gebührt daher ein besonderer Platz neben den anderen Zweigen der Inneren Mission (Stadtmission, Vereinswesen, Diakonissen- und Rettungsarbeit usw.). 3. Wie die Stadtmission, arbeitet sie im Anschluß an das geistliche Amt. 4. Die Leitung der ganzen Arbeit liegt, wie bei den übrigen Missionszweigen, ausschließlich in den Händen der zum Zweck der Evangelisation und Gemeinschaftspflege gebildeten Vereine und Komitees. 5. Diese Evangelisationsvereine nehmen im Rahmen der Kirche eine ebensolche Stellung ein wie die verschiedenen Gesellschaften der Äußeren und Inneren Mission, welche ihre Angelegenheiten durchaus selbständig ordnen. 6. Sie bieten in den Wirren und Nöten der Gegenwart ihre Kräfte zur Mitarbeit für die Landeskirche und zur Unterstützung ihrer Organe freiwillig und unentgeltlich dar, und daher ist es für die Kirche und ihre Organe geboten, solcher Hilfsarbeit, ebenso wie der Äußeren und Inneren Mission freien Spielraum zu gewähren. 7. Wenn kirchliche Organe die Gemeinschaftspflege und die außerordentliche Verkündigung des Wortes Gottes beschränken oder gar bekämpfen, so wird Sektenbildung die Folge sein; dagegen verlieren die Sekten dort den Nährboden, wo die kirchlichen Organe und die Arbeiter der Gemeinschaftspflege miteinander Hand in Hand gehen und sich gegenseitig fördern. 8. Zur Herstellung und Erhaltung eines harmonischen Verhältnisses zwischen den kirchlichen Organen und den Arbeitern der Evangelisationsvereine empfiehlt es sich, für die einzelnen Provinzen und Bezirke einen Brüderrat zu bestellen, der zu einem Teile aus Trägern des geistlichen Amtes, zum andern aus Vertretern der betreffenden Vereine besteht, und dessen Aufgabe es ist, etwaige Differenzen und vorhandene Übelstände zu beseitigen." Außerdem wurden noch zehn ebenfalls durchaus kirchlich gehaltene Thesen über die innere Ordnung und Leitung angenommen.

Aber das Resultat war, wie Burk (Schott, 1896 S. 568) richtig sagt, daß man auf beiden Seiten dem Frieden nicht recht traute.

So sagte das Konsistorium von Posen über die Konferenz: „Aus den gefaßten Beschlüssen ist weder klar zu ersehen, was die Versammlung eigentlich als Aufgabe der Evangelisten ansieht, noch wie sie sich das von ihr vorausgesetzte organische Verhältnis der Evangelisation zur Gemeinschaftspflege denkt, noch auch, mit welchem Rechte sie beide Tätigkeiten für Zweige der Inneren Mission hält. Es läßt sich nicht leugnen, daß die Beschlüsse eine nicht unbedenkliche Überschätzung der freien Tätigkeit und eine ebenso große Unterschätzung der kirchlichen Ordnung, auch noch einen Mangel an Verständnis für das Verhältnis beider zueinander verraten. Trotzdem scheinen sich die Verhandlungen im ganzen in nüchternen Bahnen bewegt zu haben, und eine sektiererische oder separatistische Tendenz ist nirgends zum Vorschein getreten. Wir glauben daher, annehmen zu dürfen, daß die Konferenz den vielen Hunderten von Gemeinschaftsgliedern aus den Kreisen der Erweckten, die derselben beigewohnt, nicht nur eine Befestigung des Glaubens und eine Förderung des inneren Lebens, sondern auch eine Stärkung des kirchlichen Bewußtseins und der Zusammengehörigkeit mit der Landeskirche gewährt hat, und solange sie in demselben Geiste geführt wird, auch fernerhin gewähren wird."

Andererseits machte Dietrich folgende Anmerkungen: „1. Die Angliederung an den Organismus der Kirche, d. h. ans geistliche Amt, wird sich freilich nur da mit Segen durchführen lassen, wo der Geistliche ein gläubiger Mann und für Evangelisation und Gemeinschaftspflege eingenommen ist. 2. So wahr der Satz ist, daß die Sekten dort Boden verlieren, wo die kirchlichen Organe und die Arbeiter der Gemeinschaftspflege zusammen gehen (Thes. 7), so muß doch gesagt werden: ‚Wo die Eifersucht gegen die Sekten, d. h. gegen die nicht landeskirchlichen Gemeinschaften, die Triebfeder für Evangelisation und Gemeinschaftspflege ist, da ist die Arbeit schon in der Wurzel krank und hat wenig Aussicht auf bleibenden Erfolg.'"

Aber das Verhalten des allseitig verehrten Gen.-Sup. Hesekiel blieb freundlich. Auch als 1900 die Kreissynode Inowrazlaw einen Antrag an die Provinzialsynode richtete, darauf hinzuwirken, daß den Gemeinden das Recht gegeben werde, Personen, die sich sektiererischer Propaganda schuldig machten, auszuschließen, verhielt sich das Konsistorium ablehnend zu diesem Antrage. So blieb ein gewisses freundschaftliches Verhältnis zwischen Kirchenbehörde und Gemeinschaftsbewegung in Posen gewahrt, während ein Verständigungsversuch in Westpreußen scheiterte, obwohl der Brüderrat in beiden Fällen derselbe war. Augenscheinlich standen die westpreußischen Mitglieder der Landeskirche kühler gegenüber als die Posener.

Die Erweckung in der Nakeler Gegend hatte auch nach Westpreußen in den Kreis Flatow hinübergegriffen. Hier waren noch Spuren der Erweckung aus der ersten Hälfte des 19. Jahrhunderts vorhanden, in Zempelburg, wo S. Warschutzki gewirkt und Knak einst gepredigt hatte, und in Vandsburg, wo Fauck gestanden. In der neuen Erweckung war hier, wie in Posen, Paul derjenige, der den meisten Einfluß ausübte. Besonders Vandsburg wurde ein Mittelpunkt. Hierher kam 1894 Krawielitzki als Pfarrer, der bald durch einige Brüder seiner Gemeinde „darauf hingewiesen wurde, sich völlig dem Herrn zu übergeben". Er nahm sich der bestehenden kleinen Versammlungen an, die in Gefahr standen, den Methodisten anheimzufallen. „Ich wurde", berichtet er (Graebenteich, Zur Evangelisationsfrage S. 38), „durch den Herrn selber zu klarer entschiedener Stellung geführt, vor Polemik gegen die Methodisten bewahrt, aber zum Evangelisieren durch seinen Geist getrieben." So kamen außer Paul M. Girkon, Blazejewski, Lohmann u. a. Bald wurde ein Vereinshaus mit Saal erbaut, ein Evangelist (1896 Ebeling von Chrischona) angestellt. Noch bedeutender wurde Vandsburg, als 1900 das „Gemeinschaftsschwesternhaus" von Borken nach Vandsburg verlegt wurde. Ein neues Haus mit einem Saal für 800 Personen wurde nun für Gemeinschaftszwecke und Schwesternhaus gebaut, Besitzer wurde ein besonderer Brüderverein (G. m. b. H.). 1902 unterhielt die Gemeinschaft zwei, zeitweise drei Evangelisten.

Ein weiterer Stützpunkt der Bewegung in diesem Gebiete wurde Zempelburg besonders seit dem Amtsantritt des von Blumhardt beeinflußten P. Natters 1897. Auch ihm wurde bald ein Evangelist (Schliep 1900) zur Seite gestellt. In Jeschewo (Kreis Schwetz) entstand Anfang der neunziger Jahre eine Gemeinschaft und begann 1901 eine Erweckung unter P. Lange. In Graudenz entstand durch J. Hoff (früher in Jeschewo) seit 1897 ein festgeschlossener Gemeinschaftskreis mit eigenem Saal. In Danzig-Ohra begann die Bewegung 1895, nachdem P. Niemann sich derselben angeschlossen hatte. Auch hier wurde 1900 ein Vereinshaus gebaut.

1899 wurde dann die I. Danziger Konferenz von einem freien Komitee einberufen. Auf der II. (1900) sprachen Schmolke, Schmidt, P. Lettau-Kietzig (Pommern), Krawielitzki, Paul, Jellinghaus, Lepsius, Stockmayer („Wenn euch der Sohn frei macht, so seid ihr recht frei"), auf der III. (5.—8. Februar 1901. „Die Herrlichkeit des Wortes Gottes") Stockmayer, Lohmann, Paul, Dolman, Lettau, Menge.

Die Einberufung der I. Danziger Konferenz, bei der Paul an mehreren Abenden evangelisierte, ohne daß vorher mit den Geistlichen der Stadt Verständigung versucht wäre, führte zur Aufrollung der Frage nach dem Verhältnis zwischen Gemeinschaftsbewegung und Kirche. Bei der Jahresversammlung des Provinzial-Vereins für Innere Mission wurde über „Die Pflege der christlichen Gemeinschaft" gehandelt. Ein Referat von Gen.-Sup. Hesekiel lag vor, Konsistorialrat Reinhard hielt ein Korreferat, das auch die Gefahren der Bewegung klarstellte. Als Resolution wurde einstimmig (es waren auch Gemeinschaftspastoren anwesend) angenommen:

„1. Es ist Pflicht des Geistlichen in seiner Gemeinde durch die ihm obliegende geordnete Tätigkeit (Predigt, Bibelstunde u. a.) die rechte Gemeinschaft zu pflegen.

2. Außer dieser Tätigkeit des Geistlichen hat in den mannigfachen Vereinen und Anstalten der Inneren Mission die rechte Pflege der Gemeinschaft stattzufinden.

3. Nach Spenerschem Vorbild ist der engere Zusammenschluß gläubiger Gemeindeglieder im häuslichen Kreise und außerhalb desselben auf dem Boden der geordneten Kirche in rechter Gemeinschaft der Schriftforschung und des Gebets als berechtigt anzuerkennen."

Auf den 5. Februar 1900 wurde dann zu einer Besprechung zur Förderung der kirchlichen Evangelisation und Gemeinschaftspflege nach Danzig eingeladen, wobei über „Bibelbesprechung und Gebet in Versammlungen" verhandelt wurde. Am 7. März folgte für den westlichen Teil eine Konferenz in Konitz. Hier wurde betont, daß Evangelisation, „erweckliche Wortverkündigung mit dem Ziele einer bewußten Entscheidung für den Heiland" nötig sei. Der Evangelist müsse „ein persönliches Verhältnis zum Herrn" haben, die erweckliche Gabe besitzen und rite vocatus sein. Es wurde beschlossen, einen Ausschuß für Evangelisation zu bilden, der in Westpreußen neben dem Posener Brüderrat arbeiten solle, aber in enger Fühlung mit dem kirchlichen Komitee für Evangelisation unter Gen.-Sup. Doeblin. Es wurden drei Geistliche aus dem Vorstande des Provinzialvereins in den Ausschuß gewählt, dazu P. Natter-Zempelburg, P. Niemann-Ohra und P. Huß-Osche.

Auf der Jahresversammlung in Thorn, 12. Juni 1900, kam es dann aber nicht zu einer Einigung, weil die Gemeinschaftsführer ohne Verbindung mit den übrigen Geistlichen ihre eigenen Wege gehen und von ihrem vermeintlichen Rechte weiter Gebrauch machen wollten, in fremden Gemeinden auch ohne Verbindung mit den Ortsgeistlichen tätig zu sein.

Ein im gleichen Jahre auf der Danziger Pastoralkonferenz gehaltener Vortrag von P. Erdmann-Graudenz, dem früheren Inspektor der Evang. Gesellschaft, stellte sich naturgemäß freundlich zur Evangelisation.

Die eben genannten Verständigungsversuche erstreckten sich vor allem auf die Vertreter der Vandsburger Bewegung. Inzwischen schloß sich aber dem Brüderrate ein anderer unabhängiger Gemeinschaftskreis an, dessen Leiter C. A. Wolff bei einer Erweiterung des Brüderrats kooptiert wurde. Das war der „Zionspilgerbund". Wolff begann 1890 als Lehrer in Fischerskampe bei Elbing seine Wirksamkeit, richtete ein Vereinshaus ein und gründete Anfang 1892*) den Zionspilgerbund, hielt auch in Fischerskampe Brüderkonferenzen. Als man von ihm verlangte, er solle keine Versammlungen mehr halten und besuchen, legte er sein Amt nieder. Damals (1896) wurde der vom Judenmissionar Urbschat (Vater der beiden Gemeinschaftspastoren) in Danzig, Paradiesgasse 33, gebaute Missionssaal frei, da Urbschat abberufen war und sein Nachfolger, Kolporteur John, starb. Wolff übernahm den Saal und die Leitung der dortigen Gemeinschaft. Der Bund wurde fest organisiert. Zwölf Älteste traten an die Spitze, die Mitglieder wurden in Arbeitsabteilungen eingeteilt, aufgenommen wurden nur, die sich Jesu völlig hingegeben haben, biblische Zucht sollte nach Matth. 18 geübt werden. Monatliche Zionspilgerfeste wurden eingerichtet. 1897 berief Wolff dann Idel und Fries und geriet ganz in deren Bahnen. Die Folge war eine Absplitterung. Zwar bekannte er 1900 auf der Nakeler Konferenz, verkehrte Wege gegangen zu sein, aber ein Fortschritt ließ sich gleichwohl nicht in der Danziger Gemeinschaft bemerken.

Abgesprengte des Zionspilgerbundes sammelte Konsistorialrat Franck in Danzig.

Angeregt war Wolff ursprünglich von Motzkus, der, seitdem Kleinfeldt am 3. Dezember 1890 gestorben war, der eigentliche Leiter des „Vereins für Innere Mission in Ost- und Westpreußen“ war (s. o. S. 42) Seit dem 1. April 1895 war er auch Redakteur des Gemeinschaftsboten, nachdem ihn in der Zwischenzeit Nachtigal redigiert hatte, der wegen Schwierigkeiten mit Druck und Verlag zurücktrat. Auch die Arbeit der Chrischonabrüder, die sich in Westpreußen vorwiegend auf den nördlichen und östlichen Teil der Provinz erstreckte, hatte infolge des seit 1888 erstarkenden Gemeinschaftsgedankens großen Aufschwung genommen. Der Saal in Elbing mußte schon 1891 so erweitert werden, daß er 800 Personen faßte. 1894 bekam Motzkus eine Hilfe, H. Schmidt, (später Kmitta, 1901 Walter). Schmidt siedelte dann 1897 nach Briesen, 1900 nach Marienwerder über, wo ebenfalls ein Vereinshaus entstand. 1902 arbeiteten in Westpreußen vier besoldete Evangelisten des Vereins. In Ostpreußen hatte Szidat 1891 die von Wisotzky begonnene Arbeit in Tilsit wieder aufgenommen und baute dort auf seinem Grundstück im nächsten Jahre ein Haus für 12000 Mk. mit einem Saal für 600 Personen. Später schied er aus dem Chrischonaverbande und arbeitete ganz selbständig. Das gleiche tat Kraunus in Rastenburg, der die dortige, nach

*) Ein Blatt „Zionspilger“ gab er schon seit 1891 heraus.

C. Hoffs Weggange scheinbar in Auflösung geratene Gemeinschaft zu einer geordneten Gemeinschaft umschuf und seinem Hause auch einen Saal einbaute. 1901 erbat er sich von Chrischona den damaligen Gehilfen Motzkus', A. Kmitta. Wisotzky fing von Memel aus eine Arbeit in Königlich Schmelz an, wo auch 1899 ein eigenes Vereinshaus gebaut wurde. Doch kamen später für diese Gemeinschaft stürmische Zeiten. Nachtigal in Heiligenbeil konnte 1897 einen Saal für 275 Personen einrichten. Seit 1890 hatte man endlich auch durch den Litauer Dedeleit in Szibben unter den Litauern gearbeitet. So waren in Ostpreußen außer Kraunus und Szidat 1902 drei Chrischonabrüder. In beiden Provinzen zählte der Verein damals ca. 3000 Mitglieder.

Das Verhältnis zwischen dem Verein für Innere Mission und den Reichsbrüdern scheint seit der Trennung von 1889 (s. o. S. 44) nicht besonders gut gewesen zu sein. Dabei arbeiteten sie in Ostpreußen oft räumlich nahe beieinander. So lag der Hauptstützpunkt der letzteren, Pr. Bahnau, dicht bei der Chrischonastation Heiligenbeil. Außer Blaich in Pr. Bahnau und Elser in Königsberg hatten die Reichsbrüder 1902 je einen Bruder in Bartenstein (seit 1897 eigenes Haus) und Osterode.

Neben Reichsbrüder, Verein für Innere Mission und die alten pietistischen Gemeinschaften trat nun in den neunziger Jahren die organisierte Bewegung. Ihr Führer wurde P. Blazejewski*),

---

*) Carl Ferdinand Blazejewski, geb. 17. Januar 1862 zu Thorn als Sohn eines Sergeanten, aus einer Mischehe stammend. Seine Jugend war sehr entbehrungsreich, ebenso seine Studentenzeit, mußte er doch zeitweise sein Studium unterbrechen, um erst wieder Geld zu verdienen. So setzte er seinen Stolz darein, aus eigener Kraft etwas zu sein. Aber der Konflikt zwischen seiner liberalen Theologie und den Anforderungen des Predigtamtes zerriß ihn innerlich. „Mir wäre es die größte Gabe, daß jemand mir den Inhalt unserer heiligen Bücher mit den Forderungen der Logik in Einklang brächte. Wer wird leugnen, daß die meisten Dogmen beinahe unannehmbar sind? Aber, aber — hier redet nun wieder mein Herz — ich fühle die Existenz eines persönlichen, liebenden Gottes und glaube auch an Gebetserhörungen. Wie ist das nun zu vereinigen? Ich bin ganz irre geworden. Gibt es einen Gott? Ja! Finden wir seine Offenbarung in der Bibel? Ja und nein!" (Aus einem Briefe vom 18. 5. 1884). „Auf der einen Seite das Gefühl: im Christentum ist die Wahrheit, und auf der anderen die klare Erkenntnis: ich kann diese Wundergeschichten und Widersprüche nicht erklären. Ich kann kein Theologe werden, ich werde Philologe — aber, aber, kommt mein Gewissen zur Ruhe?" (23. 6. 1884). 1888 machte er in Münster sein erstes Examen, kam ins Domkandidatenstift, absolvierte 1889 bereits die zweite Prüfung und wurde am 1. Januar 1890 als Marinepfarrer in Kiel angestellt. Er verheiratete sich mit Wilhelmine geb. Campagne

seit 1892 in Borken. Damals kam ihm Bunyan in die Hand, wodurch er sehr beunruhigt wurde. „Uns beiden", schreibt seine Frau, „war der Zustand unerklärlich, weil wir von Bekehrung nichts wußten." Er wurde in Borken, wo der Kirchenbesuch sehr groß war, ein eifriger Bußprediger, „doch von Bekehrung sprach er noch nicht". Im Laufe des Sommers 1892 wurde die Unruhe so stark, daß er eines Tages auf dem Rückwege von Pr. Eylau im Chausseegraben niederkniete und nicht aufstand, bis er Frieden gefunden. Einer seiner Freunde schrieb davon: „Er fühlte einmal plötzlich eine wunderbare Freude und süßen Frieden über sich kommen. Seitdem wußte er sich als des Herrn errettetes Eigentum, und sein Eifer für ihn, verbunden mit eindringlicher und feuriger Beredsamkeit, wurde gewaltig."

Seine ganze scharf entschlossene, fast leidenschaftliche Art und rücksichtslose Energie spiegelte sich nun auch in seinen neuen Anschauungen wieder. Selbstverständlich forderte er nun von jedem Bekehrung und Heilsgewißheit im Sinne der neueren Bewegung*). So fragte er jeden, mit dem er zu tun bekam, ob seine Seele gerettet sei. Ja, er verlangte solche aggressive Art von allen**). Daher tritt er natürlich für Nachversammlungen ein***). Ein Kennzeichen der Bekehrung ist ihm selbstverständlich

---

aus Utrecht, mußte dann aber 1½ Jahre mit einem Kriegsschiff auf Reisen. Nach seiner Rückkehr bat er um seine Entlassung. Es hatte sich Zuckerkrankheit eingestellt. Juli 1892 wurde er in dem kleinen Borken eingeführt.

*) „Ich bin weit entfernt davon, für alle Menschen eine furchtbare gewaltsame Erschütterung zu lehren, ich halte aber fest an dem Satz, wer in seinem Leben von keinem radikalen Bruch weiß, der hat überhaupt nie gebrochen. Jeder ist dann ein Christ, wenn er das Zeugnis des heiligen Geistes empfangen hat. Hast du dies Zeugnis? Hast du es nicht, können alle Opiate der Dogmatik und von frommen Liedern nicht helfen. Die Vergebung der Sünden, der Friede, der aus Jesu Blut stammt, das Zeugnis des heiligen Geistes sind etwas so Reales, daß man darüber nicht im Unklaren sein kann." (Dieses wie sämtliche obigen Zitate aus „Am Kreuz". Erinnerungen an den verstorbenen P. F. Blazejewski in Borken [Bandsburg 1901].)

**) „Wovon redest du? Sprichst du auch von Jesus, von der Notwendigkeit der Bekehrung?" „Fragst du andere, ob sie bekehrt sind, ob sie Jesu dienen? Wehe, wenn du schweigst. Es ist das ein Zeichen, daß du selbst nicht bekehrt bist." „‚Gericht der Wahrheit' gegenüber dem Nächsten liegt darin, daß wir ihn fragen, ob er bekehrt sei."

***) „Reichsgottesarbeit ohne Nachversammlungen, ohne daß Seelen zur Übergabe kommen, ist Manöver, aber nicht Krieg." „Luk. 6, 6—10 ist Beleg dafür, daß Jesus Nachversammlungen hielt." Solche Auslegungen hat er vielfach.

die Enthaltung von den sogen. „Mitteldingen". Für den Christen „gibt es keine Mitteldinge" *), d. h. er kann und darf bloß tun und sprechen, was ganz direkt auf göttliche Dinge bezogen werden kann. Vor allem ist der Alkoholgenuß zu verwerfen **).

Auch zur „verweltlichten" Kirche hat er daher eigentlich nur noch eine gebrochene Stellung. Nicht nur, daß er von der „Armseligkeit" der „bloßen reinen Lehre" spricht und die Möglichkeit leugnet, daß Gott zu seiner Reichsarbeit je einen „Unbekehrten" verwende; er mahnt geradezu, Gaben „nur an Brüder und an Sachen, welche lebendig sind und auf Bekehrung hinarbeiten", zu geben ***). Dagegen werden die „verachteten Sektierer" wegen ihrer christlichen Entschiedenheit gelobt, gegen das „Papsttum" des „Amtes" heftig polemisiert †). So richtig er Front macht gegen Verquickung von „fleischlichem Patriotismus mit der Predigt des Wortes Gottes": gegen „Hurra-Predigten, bei denen statt des ‚Amen' der Ruf Hurra! besser wäre", so will er doch auch überhaupt nichts wissen

---

*) Das ist natürlich vollständig richtig, wenn man damit meint: Es gibt für den Christen keine Handlung, die weder gut noch böse ist, sondern auch der Gebrauch der sog. Mitteldinge ist gut, wenn er mit Danksagung geschieht, und böse, wenn er mir irgendwie im inneren Leben schadet. So meint es aber Bl. nicht, wie z. B. folgende Notiz zu Offenb. 2, 12—17 zeigt: „Dieser Balaams gibt es leider noch zu viele! Ihr erkennt sie an den Mitteldingen! Da dringt die Welt mit ihrem Götzendienst und ihrer Hurerei ein in das Volk Gottes — und seine Kraft ist dahin."

**) „Wieviele Kinder Gottes bedenken gar nicht, wie sie sich selbst und anderen durch ihr Trinken schaden! Hat dich dein Trinken (auch das mäßige!) noch nie beim Beten gestört? Wenn das der Fall ist, versündige dich nicht wieder," worauf er in seltsamem Zirkelschluß fortfährt: „Wie schlimm, wenn dich ein mäßiges Quantum schon nicht mehr stört!" „Segensreich ist da das Blaue Kreuz, seine Mitglieder erfahren erst den vollen Haß der Welt, auch der ‚Gläubigen'. Solange du mittrinkst, ist die Feindschaft nicht groß und dein Zeugnis nicht wirksam. Das Blaue Kreuz ist keine Gesetzesanstalt, sondern der Ausdruck einer Liebe, welche dem Herrn alles (auch die Zigarre!) opfert."

***) „Für Altarteppiche, Maueranstrich oder unnütze Kirchtürme gebt nichts. Da wird nur unnötig Kapital festgelegt. Gebt auch nichts für Anstalten und Missionare, welche nur Katechismus und nicht Jesus treiben! Den ‚Tod' konservieren brauchen wir nicht. Wir wollen keine Gemeinschaft mit der Welt haben." „Man sucht auch nicht ‚Leichenkammern' (tote Anstalten) auf, um sich für Jesu Dienst vorzubereiten und ausrüsten zu lassen."

†) Auch er deutet die Nikolaiten auf „solche, welche gegen öffentliches Beten, gegen Versammlungen, gegen Laienarbeit sind und bloß Talar, Bäffchen, Amt, Kirche, gedruckte Agende und zauberhaft wirkende Sakramente kennen."

von „deutschem Christentum“ *). In dieselbe Linie gehört ihm „auch der christliche Sozialismus, der durch menschliche Mittel das Glückseligkeitsreich errichten will, welches allein der Herr bringt“.

Dagegen werde „lebendiges Christentum“ „als Gefühlschristentum, als Methodismus verleumdet“. Eine Kritik der Gemeinschaftsbewegung von einem Andersgerichteten ist einfach nicht erlaubt. Wer die „Versammlungen“ „antastet, mag ja Menschen treffen wollen, aber er bekämpft Gottes Sache als Helfer Satans“. Die „Gemeinschaft“ ist ihm Kennzeichen des Verhältnisses zu Christo. „Es ist jedesmal betrübend, wenn man Gegner der Gemeinschaften und Versammlungen trifft. Man trifft in ihnen nämlich unerlöste Seelen, Leute ohne Jesus.“ Hier wird also die Gleichsetzung von „Nicht-Gemeinschaftsmann“ und „unbekehrt“ ausdrücklich und uneingeschränkt vollzogen, wozu das andere Wort stimmt: „Ich vermute vielmehr, falls jemand schweigt beim Gebet (d. h. in der Gebetsgemeinschaft), eine unrichtige Stellung zu Gott oder einen stummen Teufel, der das Lob Gottes verhindert**).“ Das öffentliche Beten der Frauen wird ausdrücklich gerechtfertigt. Allerdings verkennt er auch nicht die Schwächen der „Bekehrten“ in praxi: „Es gibt Leute genug, die aus Scheu vor wirklicher Arbeit Reichsgottesarbeiter werden wollen.“ Er klagt über die „Mißhandlung gläubiger Pastoren durch ‚Bekehrte‘,“ über ein gewisses „adliges“ Christentum, bei dem das Standesbewußtsein nicht ersäuft ist, und die „Kilometergebete“ derer, die „betend. predigen wollen“, ja, er sagt: „Mancher Bekehrte geht in Versammlungen, gehört zu so und so vielen Vereinen, singt schöne Lieder — ach, Blätter nur!“ Aber dennoch sind ihm alle diese „Bekehrten“, auch wenn sie „ungeheiligt“ sind, durch Zank und Streit und Klatsch die Versammlung sprengen u. dergl., Leute, „welche Paulus 2. Thess. 3 schlechte und böse Menschen nennt“, trotz dieser „bösen Dinge und Unaufrichtigkeiten“ noch „Gotteskinder“, jeder Gegner der Gemeinschaften aber, wie wir sahen, ein Mensch ohne Jesus.

---

*) „Geschlechts- und Volksunterschiede hören auf vor der Tatsache: in Christo (da spricht man auch nicht wegwerfend mehr von englischen Melodien, amerikanischem Import usw., denn der alte, deutsche Mensch ist eben untergegangen in Christo!),“ ja, er versteigt sich zu dem Satze: „Was den Chinesen näher zu Christo bringt, bringt auch den Deutschen näher.“

**) Seltsam berührt die Behauptung: „Wertvoll ist es, daß Luther in seiner Erklärung des dritten Gebotes gar nicht vom Sonntag redet, sondern nur darauf dringt: ‚daß wir die Predigt (in der Kirche) und sein Wort (d. h. zu Hause und in der Versammlung) gern hören und lernen.‘ So hat er die Bahn gebrochen auch für die Besprechung und Behandlung des Wortes Gottes außerhalb der Kirchenmauern.“

Dabei bleibt ihm natürlich nichts übrig, als von den bloß Gerechtfertigten die zu unterscheiden, die sich heiligen lassen. So geht er ganz in den Bahnen der Heiligungsbewegung, für die er 1893 auf der Studentenkonferenz in Frankfurt a. M. gewonnen wurde. Die Bekehrten müssen sich noch einmal völlig dem Herrn übergeben, zu „willenlosen Werkzeugen", daß er in ihnen lebe und sie seinerseits heilige. „Ringen und Kämpfen", „Ersäufen des alten Menschen" ist ihm Selbstheiligung. Freilich fehlt dann auch bei ihm die Unklarheit der ganzen Heiligungsbewegung nicht, daß er trotz dieser Passivität allerlei Mahnungen zur Pflichterfüllung aufstellt.

Dieser energische Mann hatte in seiner Gemeinde bald eine Erweckung. Er schreibt darüber unterm 29. Januar 1895: „Seit Weihnachten schenkt mir der Herr eine große Erweckung, ca. 150 Personen sind bis jetzt zum Frieden und zur Freude in Jesu gekommen". Besonders die Blaukreuzsache lag ihm am Herzen.

Für die ganze deutsche Gemeinschaftsbewegung ist er von der größten Bedeutung geworden durch die Gründung des Gemeinschaftsschwesternhauses in Borken. Wenn es auch sein letztes Werk war, dessen Entstehung (1899 s. u.) er nicht mehr lange überlebte, so hat er ihm doch die Grundsätze mitgegeben, nach denen es auch nach der Verlegung nach Vandsburg geleitet worden ist. Er starb Himmelfahrt 1900. Am Sonnabend vor Kantate war er erkrankt, trotzdem hielt er am Sonntag Kirche. „Unter Gebet in festem Vertrauen auf den Herrn suchte er der Krankheit Herr zu werden und ging nicht zu Bett. Erst am nächsten Sonntag suchte er das Bett auf, einen Arzt hat er nicht gebraucht. ‚Der Herr ist mein Arzt', das war seine Zuversicht. Auch Medizin brauchte er nicht".

Für Ostpreußen ist er der eigentliche Führer der modernen Bewegung geworden, besonders dadurch, daß einige andere durch ihn den Anstoß zur Bekehrung empfingen. Zu diesen gehörte der bereits bei Rheinland erwähnte M. Girkon, damals Pastor in Gr. Friedrichsdorf (Kr. Niederung), der nach seiner Erweckung zunächst Kukatianer geworden war. Dann hatte ihn ein Vortrag v. Knobelsdorffs (21. Juni 1893) für die Arbeit des Blauen Kreuzes gewonnen, zugleich aber überzeugt, daß er „noch nicht zu der Zahl der wahrhaft erretteten und angenommenen Sünder gehöre, daß er noch ohne Heilsgewißheit dahinlebe". Er übergab sich dem Herrn. Aber auch diese Bekehrung brachte ihm noch keinen rechten Frieden, er blieb noch Kukatianer. Da trat 3½ Monate später Blazejewski mit ihm in Verbindung und kam nach Gr. Friedrichsdorf. Gleich in der ersten Nachversammlung kam es durch Kukatianer zu wüsten Lärmszenen. Blazejewski blieb fest. „Gegen 1 Uhr nachts war ein völliger Sieg gewonnen; etwa 15 Seelen kamen zum Durchbruch." Damit war Girkon selbst für die neuere Bewegung gewonnen. Zugleich begann eine Erweckung in seiner Gemeinde. Vor allem trieb er das Werk des Blauen Kreuzes mit wirklich rührender, selbstverleugnender Liebe. Bereits 1897 konnte für das Blaue Kreuz und den Jugendbund ein Holzhaus errichtet werden. Doch ergaben sich später, als der Besitzer Freikirchler wurde, Schwierigkeiten. 1899 ging Girkon, wie wir sahen, nach Mülheim (Ruhr).

Durch ihn war nach längerem Widerstand 1896 auch sein Bruder Fritz in Budwethen gewonnen und auch hier ein großer Blaukreuzverein gegründet. Das Bekanntwerden eines übrigens schon 1892 geschehenen Fehltritts desselben im Jahre 1901, das zu seiner Amtsniederlegung führte, brachte der Bewegung natürlich viel Anfeindung. Seine Gemeinschaft bat ihn damals, bei ihr zu bleiben und baute ihm ein Vereinshaus (eingeweiht am 3. September 1901 durch v. Knobelsdorff). Doch scheint er sich dann aus der Öffentlichkeit zurückgezogen zu haben. Jedenfalls konnten die Vertreter der Gemeinschaftsbewegung mit Recht darauf hinweisen, daß die Sache eben längst vor seiner Bekehrung geschehen sei. Die Gemeinschaft in Budwethen zählte 1902 ca. 250 Mitglieder.

Ebenso wie auf M. Girkon ist Blazejewski auf den späteren Führer der ostpreußischen Gemeinschaftsbewegung, P. Edelhoff-Eichmedien, von entscheidendem Einfluß gewesen, der ihn bald nach seiner Bekehrung kennen lernte. „In dem Vollendeten", schreibt er nach Blazejewskis Tode, „begegnete mir zum ersten Male ein Mensch, der, wie ich ihn auch sah, stets unter Geistesleitung stand." Edelhoff erlebte dann 1898 in seiner Gemeinde die Erweckung einiger Seelen und gründete 1900 ebenfalls einen Blaukreuzverein. Mit den Genannten folgte auch P. Giere in Alt-Pillau Blazejewski mit der Gründung einer Gemeinschaft nach.

Dazu kamen Adelige, die die Bewegung unterstützten, so z. B. v. Schmeling und in Ponarien schon früh die Gräfinnen v. d. Gröben. Einen weiteren Schritt vorwärts tat die Bewegung, als v. Schmeling, Blazejewski und M. Girkon 1898 die I. ostpreußische Gemeinschaftskonferenz nach Königsberg einberiefen. Daß davon das Pfarramt nicht benachrichtigt war, erregte einen Streit im „Evang. Gemeindeblatt"; v. Schmeling versicherte jedoch, daß man „keine feindselige Stimmung gegen die Kirche" habe. Als Blazejewski gestorben war, kam es zum Konflikt mit der Kirchenbehörde, die Urbschat (vorher in Armenien) nicht bestätigen wollte. Die Verfügung wurde erst nach Verwendung aller ostdeutschen Brüderräte vom Oberkirchenrat aufgehoben. (Die Akten s. in Mitt. aus der Bibelschule Nr. 9 S. 23 ff.). Am 25. Juni 1901 wurde dann die „Christliche Vereinigung für Evangelisation und Gemeinschaftspflege in Ostpreußen" gegründet unter einem Brüderrat von neun Gliedern (v. Below Vorsitzender, Edelhoff Schriftführer, Kraunus, Urbschat-Königsberg, Giere-Alt-Pillau, Hübner-Falkenau, C. Hoff-Gr. Rödersdorf, Löper-Gr. Friedrichsdorf, Raguschat-Stallupönen).

„Sie will (§ 1) zusammenschließen zu gemeinsamer Arbeit alle diejenigen evangelischen Christen der Landeskirche, welche sich auf Grund der heiligen Schrift und des evangelischen Bekenntnisses die Erweckung lebendigen Glaubens durch Evangelisation sowie die Pflege brüderlicher Gemeinschaft und die Vertiefung in Gottes Wort zur Aufgabe machen, und die Willkür und Zersplitterung, wie sie in einzelnen Teilen der Landeskirche zutage tritt, fernhalten wollen, um der Landeskirche das Salz zu bewahren." Sie arbeitet, „soweit es irgend möglich ist, in Anlehnung an das geistliche Amt und die kirchlichen Ordnungen". „Mitglied der Vereinigung wird jedes Glied unserer Landeskirche, das obigen Bestrebungen von Herzen zugetan ist und einen freiwilligen Jahresbeitrag zahlt. Die Kosten für Bestellung von Brüdern werden außerdem durch freiwillige Sammlungen u. dgl. aufgebracht" (§ 4). „Alljährlich findet wenigstens eine allgemeine Versammlung der Mitglieder (Konferenz) statt ..... (§ 5)."

Gelegentlich der Königsberger Konferenz des Jahres am 6. November wurden dann alle Brüderratsmitglieder einstimmig neugewählt, die noch Morszeck-Königsberg und Urbschat-Borken kooptierten. Als Ausschuß des Brüderrats fungierten v. Below, Edelhoff, Giere, Morszeck, die beiden Urbschat und C. Hoff. Letzterer sollte bis zur Anstellung eines eigenen Evangelisten als reisender Bruder dienen.

Der eben genannte Raguschat war Möbelhändler in Stallupönen und Leiter der dortigen Gemeinschaft. Dieselbe stammte schon aus älterer Zeit. Schon 1875 hatte Wolffschmidt dort der Gemeinschaft einen Saal eingerichtet. Später öffnete er „sich und seinen Saal der neuen Geistesbewegung". Auch der Verein für Innere Mission in Ost- und Westpreußen beteiligte sich von Anfang an, wie schon aus den Namen des Brüderrats hervorgeht, an der Organisation. Dagegen hielten sich die Reichsbrüder zunächst noch zurück. Gar keine Fühlung gewann man zu den alten *litauischen* Gemeinschaften, die im übrigen offenbar im Rückgang begriffen waren. Nach Gaigalat hatten im Anfang des neuen Jahrhunderts die Jurkunißkei nur noch drei Stundenhalter, Klimkenai gab es noch bedeutend mehr; der Angesehenste ihrer Stundenhalter war Mikelis Kybelka-Pangessen, neben dem Gaigalat im Memeler Kreise vierzehn, Heydekrug sechs, Tilsit drei, Ragnit vier Redner anführt. Zu feindlichen Zusammenstößen kam es mit den auch unter den

Deutschen verbreiteten Kukatianern (s. o. Blazejewski und Girkon). Sogar beim Konsistorium wurde Girkon von diesen „alten Christen“ verklagt. Freilich konnte Kukat trotz alles eifrigen Wachens über der „Katechismuslehre“ es nicht einmal verhindern, daß in seine eigenen Reihen fremde Elemente eindrangen und Risse entstanden.

Namentlich die Schriften des Rosenius (vgl. die Bornholmer in Schleswig-Holstein) wurden viel gelesen. Vor allem der von Kukat weit entfernte Westen erlebte häufiger Erschütterung, so wäre 1901 durch einen Polen, Großkopf, der Verein in Westfalen fast aus den Fugen gegangen. In Gelsenkirchen riß durch Br. Sylla, der Kukat einen gesetzlichen Prediger nannte, eine Spaltung ein.

Aber auch im Osten selbst trennte sich — aus persönlichen Gründen — der Zionsverein, neben der Kukatschen in Königsberg die größte Gemeinschaft.

Nehmen wir noch hinzu, daß in der Goldaper Gegend die Meldiener sich in dieser Periode noch als gesonderter Gemeinschaftskreis erhielten, daß unter den Masuren die Gromadki genannten alten Stundenkreise um das Jahr 1890 ihren Höhepunkt erlebten, so ist es ein höchst buntes Bild, das die Entwicklung des ostpreußischen Gemeinschaftslebens uns zeigt. Allen, auch besonders der neuen organisierten Bewegung, eigen ist die Betonung der Enthaltung von Alkohol und Tabak.

Bei der Erklärung der Tatsache dieses äußerst reichhaltigen Gemeinschaftslebens ist wohl zu beachten, daß ein sehr reger kirchlicher Sinn in der ostpreußischen Bevölkerung herrscht, der aber infolge der außerordentlich ausgedehnten Parochien kirchlicherseits nicht befriedigt werden kann.

f) Schlesien.

(Die Anfänge im nördlichen Schlesien — Die Entwicklung der Organisation — Mittelschlesien — Brieg und Oberschlesien — Niederschlesien — Oberlausitz — Kirche und Gemeinschaftsbewegung.)

Sehr viel einheitlicher entwickelte sich die Bewegung in Schlesien. Von dem früheren Wirken der Brüdergemeinde, deren seit 1866 auf dem Rummelsberge bei Strehlen gefeiertes Fest viel Bedeutung gehabt hatte, scheint wenig direkt zur neuen Bewegung hinübergeführt zu haben, abgesehen von den oben erwähnten Berührungen mit den Reichsbrüdern (s. o. S. 44). Ein Teilnehmer jener Weihnachtsbesprechung von 1875, Lehrer em. Neiweier, der aus Posen nach Neusalz verzog, und P. Brockes in Prittag (wo auch Rubanowitsch evangelisierte) waren die Bahnbrecher der neuen Bewegung im nördlichen Schlesien. Zu festen organisierten Gemeinschaften kam es hier noch nicht, auch nicht in Grünberg, wohin die Bewegung durch Prittager getragen war. So bröckelten diese Kreise, als Brockes bald darauf wegging, wieder auseinander. Inzwischen hatte er aber zusammen mit Major z. D. v. d. Oelsnitz in Schadewalde*) den Grund für die Organisation einer schlesischen Gemeinschaftsbewegung gelegt. Die beiden Männer beriefen nämlich, angeregt durch die Gnadauer Konferenz von 1894, einen kleinen Kreis zum 8. Juli 1895 nach Liegnitz zusammen zur Gründung einer schlesischen Gemeinschaftskonferenz, die am 10. bis 12. September des Jahres zum ersten Male in Gnadenberg stattfand. v. d. Oelsnitz leitete, Lepsius, Bührmann und Paul sprachen. Einberufer waren außer Brockes und v. d. Oelsnitz Konsistorialrat a. D. Lange, P. Romann, Simša (damals Breslau), Freiherr v. Stark und Rektor Urban-Striegau. Durch diese Konferenz wurden für die Bewegung gewonnen P. Regehly und P. Klose in Lüben, P. Müller-Giersdorf, P. Hahn-Leipe, P. v. d. Nahmer-Militsch, P. Thiemann-Marklissa. So begann bald überall die Bildung von Gemeinschaften. 1896 zählte man 15, 1898 bereits 25. Die allgemeinen schlesischen Konferenzen fanden bis 1898 alle in Gnadenberg statt, die V. dagegen in Breslau im September 1899 (ca. 300 Besucher, davon 100 aus Brieg. „Der Reichtum der Gnade Gottes"), die VI. in Brieg (September 1900), die VII. wieder in Breslau (3. bis 5. September 1901. „Jesu Sinn"). Das Konferenz-Komitee bildete seit 1896 zugleich den Brüderrat der Provinz mit einem „Gemeinschaftsbund für Schlesien". Die letztgenannte Breslauer Konferenz brachte eine Neuordnung und festere Organisation, indem man alle Evangelisten und gemeinschaftsleitende Pastoren kooptierte und die Gemeinschaften Vertrauensmänner erwählten. Aus der großen Zahl ward dann 7. Februar 1902 der eigentliche Gesamtbrüderrat von Schlesien erwählt (Vors. v. d. Oelsnitz, Bild-Brieg, Buchborn, P. Ebeling, Edel, P. Klose, Kusch, P. Müller-Giersdorf, P. v. d. Nahmer-Schönberg, Pätzoldt-Saarau, P. Regehly stellv. Vors., Ruprecht, P. Thiemann, Rektor Urban, Urban-Brieg, Wüsten).

Als Satzungen wurden angenommen: „1. Der Christliche Gemeinschaftsbund für Schlesien ist eine Vereinigung evangelischer Christen aller Stände, welche auf Grund der heiligen Schrift und der reformatorischen Bekenntnisse innerhalb der evangelischen Landeskirche die Pflege christlicher Gemeinschaft, die Erweckung lebendigen Glaubens — insbesondere durch Evangelisation,

---

*) Der damals ein begeistertes Schriftchen „Auf zur Evangelisation!" verfaßte, nicht ohne Schärfen gegen die Landeskirche.

die Betätigung christlicher Bruderliebe, besonders auch in der Jugendpflege — und die Arbeit für die Mission bezweckt.

Die Arbeit des Bundes soll, soweit dies irgend möglich ist, im Anschluß an das kirchliche Amt erfolgen.

Der Gemeinschaftsbund treibt seine Arbeit selbständig, jedoch im Anschluß an die Grundsätze des „Deutschen Verbandes für evangelische Gemeinschaftspflege und Evangelisation". Der Vorsitzende des Gemeinschaftsbundes ist Mitglied des Komitees dieses Verbandes und vertritt den Bund in demselben.

2. Der Gemeinschaftsbund besteht aus einem Brüderrat von 12 bis 16 Mitgliedern und den Bezirks-Gemeinschafts-Verbänden (Zweigen des Bundes), welche ihren Anschluß an den Gemeinschaftsbund erklärt haben... In den Brüderrat wählen die einzelnen Zweige je drei Mitglieder. Der so gewählte Brüderrat kooptiert vier weitere Mitglieder und berücksichtigt dabei nach Möglichkeit die Wünsche der Zweige.

6. Zur Erreichung der Zwecke unserer Bestrebungen berufen sowohl der Brüderrat als auch die Vorstände der Bezirksverbände und der Gemeinschaften Bibelboten, Kolporteure, Missionsarbeiter und Evangelisten. Sie veranstalten Versammlungen, Konferenzen, Teeabende usw. nach Bedürfnis und unter Berücksichtigung benachbarter Gemeinschaften resp. Bezirksverbände und des Bundes, so daß Kollisionen in der Zeitbestimmung für größere Versammlungen möglichst vermieden werden.

7. Das Organ unseres Bundes sind die „Mitteilungen für die Freunde der Gemeinschaftspflege und Evangelisation in Schlesien".

Nach § 2 wurden vier Bezirksbrüderräte eingerichtet, die übrigens zum Teil sich schon früher gebildet hatten.

Damit war erst eine wirklich feste Zusammenfassung der schlesischen Gemeinschaften erreicht, denn die Entwicklung des bis dahin stärksten Zweiges war ursprünglich nicht vom Brüderrat ausgegangen. Der oben erwähnte Rektor Urban hatte Anfang der neunziger Jahre mehrere Söhne in Bonn, wohin der eine den anderen nachgezogen hatte. Waren sie nun schon von Haus aus durch ihre „gläubige" Mutter († 13. Dezember 1900) beeinflußt, so wurden sie in Bonn in einem kleinen Jünglingsverein, an dem auch Eugen Edel aus Stoßweier im Elsaß, damals Soldat in Bonn, mitwirkte, „an Jesus gläubig und mit Eifer für Gottes Reich erfüllt." Im Winter 1894/5 hörten sie Eßler evangelisieren. Jetzt hatten sie nur noch den Wunsch, der möchte auch in Striegau evangelisieren. Mit Hilfe ihrer kleinen Ersparnisse wurde die Reise garantiert. Eßler *) sprach zunächst unter Zustimmung von P. Güntzel sogar in der Kirche, aber nach seiner ersten Ansprache fanden die Pastoren, daß

*) Nach anderen Angaben hat diese Evangelisation bereits Frühjahr 1894 stattgefunden, es müßte also die Angabe oben in „Winter 1893/94" geändert werden. Röschmann wäre dann schon im Herbst 1894 gekommen.

er Irrlehre namentlich bezüglich der Sakramente verbreite. Die Kirche wurde ihm verschlossen, der Riß war da. Der für Eßlers Ansprachen gemietete Saal faßte die Leute kaum, „und eine ganze Zahl bekehrte sich klar und gründlich". Röschmann kam gelegentlich des Rummelsberger Festes der Brüdergemeinde und half die Versammlung zu einer Gemeinschaft zusammenschließen. Diese berief dann 1896 Rubanowitsch zur Evangelisation und stieg so bald auf ca. 300 Seelen. Ein Frauenbund tat sich zur Anstellung eines eigenen Gemeinschaftspflegers zusammen. Edel, der inzwischen Johanneumsgast geworden war, vermittelte ihnen Eug. Zimmermann, jenen ersten Zögling des Johanneums, der erst Gehilfe Ziemendorffs in Wiesbaden gewesen und später Reiseprediger des Siegerländer Vereins gewesen war, damals noch aus dem Johanneumsverbande ausgeschieden (s. o.). Mit dieser Anstellung, die als „ein in Schlesien unerhörtes Faktum", als „die Aufrichtung eines Gegen- oder Nebenpastorates" erschien, wurde der Gegensatz zum Pfarramte unüberbrückbar. Am 9. August 1896 fand in Striegau eine Gemeinschaftskonferenz statt (später Osterkonferenzen), und schon September 1896 konnte ein eigener Saal eröffnet werden. Zimmermann wurde die Seele der Organisation in Mittelschlesien. In Saarau schloß sich die schon ältere dortige Gemeinschaft der neuen Bewegung an. Ihr Leiter, Kaufmann Pätzoldt, der bisher sich zur schottischen Freikirche gehalten hatte, wurde wieder landeskirchlich. Am 27. Mai 1897 fand hier eine Konferenz stand, an der Dietrich, Regehly, P. Repke-Freiburg, Hahn, Pätzoldt und Urban teilnahmen. In Freiburg, wo eine alte Diasporagemeinschaft bestand, wandte sich P. Repke der Bewegung zu. Hier evangelisierte Eßler 1895. In Gnadenfrei-Peilau rief Zimmermann die Gemeinschaft ins Leben. Hier evangelisierte Rubanowitsch. Am 21. November 1900 fand auch hier eine Konferenz statt. In Schreiberhau hatte bereits 1894 eine geborene Dänin, Frau von Kraker-Schwarzenfeld, einen kleinen Kreis gesammelt. Sie selbst zog später weg. In Breslau gab es 1896 außer einer durch Simša und (als dieser damals nach Halle ging) von P. Alberts gepflegten Gemeinschaft christlicher Frauen eine Gemeinschaft bei dem damaligen Kirchendiener zu St. Salvator, Kusch. Oktober 1897 evangelisierte hier Amstein. Am 1. April 1898 ward Weiffenbach, am 1. September Buchborn, auf Anregung Zimmermanns und Edels, für Breslau angestellt *). Im Januar 1899 rief die „Christliche Gemeinschaft in der Landes-

*) Buchborn war von 1894—97 in Reutlingen, dann in Mülhausen (Els.) Stadtmissionar gewesen.

kirche“ Amstein zum zweiten Male. In Militsch wirkte v. d. Rahmer, in Strehlen Ebeling, in Camenz v. Treskow. Die meisten Pastoren Mittelschlesiens standen jedoch wie in Striegau ablehnend. Etwa 1897 evangelisierte Dannert in Ohlau unter anfänglicher Zustimmung des Pastors, der dann aber zu einem anderen Urteil kam. Es blieben nur vier bis fünf übrig, die sich in der Stille zusammenfanden. Die Gemeinschaften hatten sich schon früh zusammengeschlossen. Bereits am 27. Januar 1897 konstituierte sich in Striegau der „mittelschlesische Zweig des christlichen Gemeinschaftsbundes“, der am 28. Dezember 1897 in Breslau seine erste Generalversammlung und Gemeinschaftskonferenz abhielt (ca. 150 Besucher), wo Zimmermann den Jahresbericht erstattete. Am 30. Oktober 1901 gestaltete sich der Zweig nach der Reorganisation des Gesamtbrüderrates seinerseits neu. Vorsitzender wurde Ebeling. 1902 bestanden größere Gemeinschaften in Striegau, Freiburg, Peilau-Gnadenfrei, Saarau, Militsch und Breslau, wo die Gemeinschaft unter Buchborn zwei Lokale besaß, während daneben noch andere Kreise bestanden. Zimmermann selbst ging 1901 nach Frankfurt a. M. ans Vereinshaus Nordost. Sein Nachfolger wurde Ruprecht, damals in Heidelberg.

Zimmermann hatte bereits am 17. November 1896 die Arbeit auch in B r i e g und von da aus in O b e r s c h l e s i e n begonnen, die dann vor allem durch den bereits genannten Edel gefördert wurde. Dieser wurde gleich bei der Gründung des mittelschlesischen Zweiges von demselben als Gehilfe Zimmermanns in Striegau angestellt. Er hielt kleine Bibelstunden auch in Brieg im Hause des Kaufmanns Bild, der seinerseits durch die Gnadenberger Konferenz gewonnen war. Da wurde Rubanowitsch im April 1897 zur Evangelisation nach Brieg berufen. Die 14tägige Evangelisation hatte überraschenden Erfolg. Edel erkannte „den Plan Gottes mit dieser Stadt“, zog nach Brieg und pflegte die rasch aufblühende Gemeinschaft. Im Dezember 1897 wurde ein eigenes Gemeinschaftshaus eröffnet. 1898 evangelisierte Dannert hier. 1900 gründete Edel ein „Pilgerheim“. Im gleichen Jahre wurde im Juni zum ersten Male die Brieger Bibelwoche unter Stockmayers Leitung veranstaltet, die Brieg besonders zu einem Mittelpunkte der ganzen schlesischen, ja ostdeutschen Gemeinschaftsbewegung machen half. 1901 sprach man hier über den „heiligen Geist“. 1902 wurde als Edels Gehilfe Martin Urban (damals Hamburg) berufen, speziell als Reiseprediger für Oberschlesien.

Von da ab wuchs die Bewegung in Oberschlesien schnell (s. u.). Bis dahin beschränkte sie sich auf wenige Kreise. So hatte in Neustadt 1899 ein Naturheilkundiger, der sich in Berlin bekehrt hatte, mit zwei bis drei Mitgliedern des Jünglingsvereins eine Gebetsstunde eingerichtet, die bald wuchs. November des Jahres wurde Dannert gerufen, im Einverständnis mit dem Pastor, das dann freilich bei einem Amtswechsel aufhörte. 1901 bildete sich hier eine regelrechte Gemeinschaft, im gleichen Jahre eine in Ratibor, die von Brieg aus durch Sendung eines dortigen Mitgliedes unterstützt wurde. Als dann im Oktober des Jahres unabhängig von diesen Bestrebungen Paul zur Evangelisation kam, entstand ein heftiger Sturm gegen die Gemeinschaft, von der schließlich nur 12 übrigblieben.

In der meist katholischen Grafschaft Glatz wurde die zur Brüdergemeinde gehörende Gräfin Pfeil in Hausdorf (Kr. Neurode) Freundin der Bewegung. Der dortige Brüderprediger war jedoch zunächst anderer Meinung, bis 1901 ein Personenwechsel eintrat.

Die landeskirchlichen Pastoren standen auch in Niederschlesien meist gegnerisch der Bewegung gegenüber. Abgesehen von der Prittager Gegend wurden hier besonders Liegnitz und Lüben Mittelpunkte. An letzterem Orte wirkten die Pastoren Regehly und Klose ganz im Sinne der neueren Bewegung. Zweimal wurde Rubanowitsch zur Evangelisation berufen. 1896 wurde hier der Philadelphiaarbeiter Hoßfeldt stationiert und bereits am 17. November 1897 ein Vereinshaus eingeweiht. In der Nähe eröffnete Regehly am 1. April 1902 das Zufluchtsheim Pella (s. u.). In Liegnitz, wo P. Romann († 11. September 1897) die Bewegung begünstigt hatte, wurde 1899 Kusch aus Breslau angestellt, er hatte 1902 hier eine Gemeinschaft von ca. 100 Mitgliedern. Kusch versorgte auch eine Gemeinschaft in Haynau. In Leipe, wo P. Hahn stand, konnte bald ein Vereinshaus gebaut werden. Konferenzen waren schon 1896 in Prittag unter v. d. Oelsnitz, später in Grünberg (1899), Liegnitz (1900 und 1901), Haynau und besonders in Lüben abgehalten (Mai 1899, 1900). Am 24. Oktober 1901 wurde dann der „niederschlesische Zweig des christlichen Gemeinschaftsbundes in Schlesien" gegründet unter Regehly und Klose, P. Essen-Dt. Wartenberg, P. Schmidt und Kusch in Liegnitz und P. Huhn-Baudach, weil auch, wie bereits erwähnt, der brandenburgische Kreis, dem Huhn angehörte, sich an Niederschlesien angeschlossen hatte. Andererseits bestanden Beziehungen zu Posen, indem die Blaukreuzvereine Schulz-Tirschtiegel als ihren Bundesagenten anstellten.

Es waren vor allem die kleinen Leute der armen Heidegegend, die sich der Bewegung öffneten, wo vierzig Jahre vorher auch die Clötersche Auszugsbewegung Boden gefunden hatte. In die reichere Hirschberger Gegend vermochte man nicht einzudringen. In Hirschberg selbst hielten Kusch und Schulz die ersten Versammlungen.

Auch Keller evangelisierte hier (Winter 1900/01), gerufen „von Personen, die noch heute unserer Gemeinschaftsbewegung gleichgültig gegenüberstehen", schreibt der „Gemeinschaftsbote" 1908 Nr. 34. Bleibenden Erfolg soll die Evangelisation nicht gehabt haben.

Als vierter schlesischer Zweig bildete sich der Oberlausitzer unter Oberpfarrer v. d. Nahmer in Schönberg, wo schon 1899 ein Vereinshaus bestand. In Markliſſa richtete P. Thiemann 1900 ein Gemeinschafts-Krüppelheim ein; in der Nähe, in Schadewalde, wohnte Major v. d. Oelsnitz. Auch die Pastoren von Ruhland schlossen sich der Bewegung an. Die größte Gemeinschaft bildete sich aber in Görlitz. Sie war begründet durch P. em. Kümmel, der damalige P. Blindow, der auch 1890 die Gnadauer Konferenz mitmachte, förderte sie; vor allem kam ihr die Arbeit des Stadtmissionars Stachelhaus zugute. In Zeiten schwerer Krisis war vor allem ein Frl. v. Klitzing Stütze der Gemeinschaft. Als dann 1897 E. Wüsten von Heidelberg nach Görlitz berufen wurde auf Betreiben Edels und Zimmermanns, wuchs die Gemeinschaft schnell und konnte November 1898 ihr eigenes Vereinshaus einweihen. Hier fanden dann auch die Konferenzen für die Oberlausitz statt.

Auch Wüsten war, wie wir bereits erwähnten, Johanneumsbruder. Die große Zahl der an einzelnen Gemeinschaften angestellten Pfleger ist geradezu charakteristisch für die schlesische Bewegung geworden, sie auch von den übrigen ostdeutschen Gebieten, mit denen sie sonst vieles, z. B. die starke Betonung der Blaukreuzarbeit, gemeinsam hatte, unterscheidend. Gerade diese Anstellung von berufsmäßigen Gemeinschaftspflegern hat (s. oben Striegau) ganz entschieden viel zu dem wenig freundlichen Verhältnis zwischen Kirche und Gemeinschaften beigetragen, wie es einst schon Jellinghaus (s. o. S. 100) gefürchtet hatte. Dabei hat es natürlich auch nicht auf seiten der Pastoren an Schuld gefehlt. Ob etwa auch die m. W. ziemlich radikale Stellung mancher städtischer Pastoren zu dem rapiden Anwachsen der Bewegung und ihrer kühlen Haltung beigetragen hat, kann ich nur vermuten. Jedenfalls wurde die gegenseitige Stellung nicht dadurch verbessert, daß die berufsmäßig angestellten Gemeinschaftspfleger anfingen, sich den Namen „Prediger" beizulegen. Selbst ein so gemeinschaftsfreundlicher Mann wie Bunke beklagte das (im „Kirchl. Jahrb." 1901) sehr.

Während das Kirchenregiment, wie die meisten Pastoren, sich ablehnend verhielten (s. „Licht und Leben" 1898 Nr. 10), versuchte der Provinzialverein für Innere Mission seinerseits eine Verbindung der Gemeinschaften mit der Kirche herzustellen und im Sinne des Oberkirchenratserlasses von 1897 Evangelisation zu treiben.

P. Schmidt=Adelsdorf und Bunke=Münsterberg wurden zu Schrenk gesandt, um bei ihm gewissermaßen zu hospitieren. Dann begannen sie selbst zu evangelisieren im Januar 1899: Bunke in Freiburg, Schmidt in Neusalz, Glogau u. a., der Vereinsgeistliche Richter bald darauf in Charlottenbrunn, Pirscher in Grünberg, Haynau und Prittag, Blindow in Wüstegiersdorf. Die Arbeit in Glogau führte zur Gemeinschaftsbildung. Nun beantragte der Provinzial= verein bei der Provinzialsynode Mittel für Anstellung eines Berufs= arbeiters und stellte, als dieser Antrag aus formellen Gründen abgelehnt war, seinerseits P. Schmidt als zweiten Vereinsgeistlichen speziell für Evangelisation und Gemeinschaftspflege an mit dem Sitze in Liegnitz, wo er, wie wir sahen, auch in den Brüderrat für Niederschlesien aufgenommen wurde. Aber trotz dieser Be= ziehung blieb das Verhältnis zwischen Landeskirche und Gemeinschaft in Schlesien im allgemeinen gespannt.

7. Die Stellung des Evangelischen Oberkirchenrates und der Eisenacher Kirchenkonferenz zur auf- blühenden Gemeinschaftsbewegung.

Bei einer derartigen Verschiedenheit der aufblühenden Gemein= schaftsbewegung nicht nur in den verschiedenen Landesteilen, sondern auch oft in demselben Gebiete war es für die Kirchenbehörden nicht leicht, die rechte Stellung zu finden. Ihr Verhalten, wie wir es an den betreffenden Stellen geschildert haben, wich daher vielfach voneinander ab. Noch schwieriger war es natürlich für ein Kirchenregiment wie den Oberkirchenrat der evangelischen Kirche in den älteren preußischen Provinzen, zu dessen Bezirk so verschiedenartige Gebiete wie etwa Rheinland und Schlesien ge= hören. So hat es denn auch nicht ganz an Schwankungen in seiner Haltung gefehlt. Bereits 1883 hatte er die Statuten des Johanneums anerkannt, 1890 (Mon. f. Inn. Miss. 1891 Beil. S. 8) glaubte er die Zulässigkeit der Zuziehung von Nichtgeistlichen bei einer außerordentlichen, neben der organisierten Amtstätigkeit her= gehenden Verkündigung nicht verneinen zu dürfen, aber nur als Aushilfe. Die Behörden sollen nur anregend, beratend, wachend wirken. Geistgesalbte Menschen aus der Gemeinde seien bei gewisser Vorbildung nicht zu hindern. Über die Prüfung und Vorprobezeit müsse die Behörde Kunde haben. Göttliche Legitimation durch Früchte müsse erwartet werden. Die Evangelisten müßten ein be= stimmtes Berufsgebiet haben, zur Reisepredigt dürften nur die Erprobtesten verwendet werden. Nirgends dürften sie ohne Zu= stimmung des Geistlichen und des Gemeindekirchenrats arbeiten.

Sektiererische oder im Bekenntnis zweifelhafte Leute dürfte die Geistlichkeit niemals zulassen. Bei der Verhandlung mit dem Generalsynodalrat ergab sich freilich eine weit weniger günstige Stimmung.

1897 erschien dann ein ausführlicher Erlaß, auf den wohl die gleich zu erwähnenden Verhandlungen der Eisenacher Kirchenkonferenz Einfluß ausgeübt hatten. Jetzt wurde Evangelisation beschrieben als reichere, außerordentliche Wortverkündigung und Einführung außerordentlicher Mithilfe in Hinblick auf die Entfremdung wie auf das Bedürfnis der Geförderteren. Sie wurde als notwendig anerkannt, dagegen die beides betreibende freie Evangelisation als schädlich wirkend bezeichnet.

Der Oberkirchenrat will erstens für diejenigen Bezirke und Gemeinden, wo das Bedürfnis vermehrter Wortverkündigung besteht, ohne daß durch Vermehrung der geistlichen Kräfte diesem Bedürfnis abgeholfen werden kann, einer evangelisatorischen Tätigkeit durch kirchliche Organe die Wege bahnen, zweitens den engeren Anschluß der freien Evangelisation an die Kirche vermitteln. Dabei ist I. eine gewisse Freiheit zu lassen. II. Berufene Träger sind zunächst die Gemeindegeistlichen, dann andere zeitweilig zu entbehrende Geistliche. III. Laienkräfte sind schon wegen des Vorurteils vieler Entfremdeter gegen die Geistlichen nicht zurückzuweisen. Ihr schlichtes Zeugnis persönlichen Glaubens, nicht im öffentlichen Gottesdienst, ist nicht gegen C. A. 14. IV. Die Evangelisation ist statthaft **nur**, wo Bedürfnis vorliegt, nie gegen den Willen des Gemeindekirchenrats. V.—IX. enthalten praktische Vorschläge. Nachdem die Generalsynode diese Gesichtspunkte anerkannt hat, wird den Provinzial-Konsistorien anheim gegeben, dem wichtigen Gegenstande gleichfalls Fürsorge zuteil werden zu lassen, insbesondere dafür einzutreten, daß für jeden General-Superintendentur-Bezirk durch den zuständigen General-Superintendenten ein aus demselben, aus Mitgliedern des Konsistoriums und des Provinzialsynodal-Vorstandes, auch erfahrenen Geistlichen und sonstigen Vertrauensmännern bestehender Ausschuß gebildet werde. Indem dann dessen Befugnisse dargelegt werden, gibt der Oberkirchenrat einen Vorschlag zur praktischen Ausgestaltung der kirchlichen Evangelisation.

Die **Generalsynode** stellte sich freundlich zu diesen Vorschlägen, tat damit aber den **Führern der Gemeinschaftsbewegung** nicht Genüge. In scharfen Artikeln wandten sich Lepsius im „Reich Christi" und Dammann in „Licht und Leben" gegen die geplante Verkirchlichung der Evangelisation. Letzterer bezeichnete die Beschlüsse der Generalsynode als ein „Ja — aber ..." Er meinte, die Evangelisation müsse nun „sehen, wie sie mit ihrer Schwester, der Gemeinschaftspflege, ohne die organisierte Landeskirche fertig wird, und sich an solche Pastoren und Presbyterien wenden, denen es wirklich und ernstlich um die Erweckung und

Bekehrung von Seelen zu tun ist." Diese Stellung ist charakteristisch für den Umschwung, der seit den ersten Tagen Christliebs eingetreten war, der, worauf Dammann sich sogar von seinem alten Waffengefährten Kühn-Siegen aufmerksam machen lassen mußte, seinerseits das Wort von der „Angliederung der Evangelisation an die organisierte Kirche" geprägt hatte. Es handelte sich jetzt eben nicht mehr um Evangelisation und Gemeinschaftspflege, wie Lepsius richtig in seinem Artikel ausführte, sondern „um eine neue und doch alte Geistesrichtung der evangelischen*) Kirche, die sich ihre eigene Art zu wirken geschaffen hat". Deswegen sei eine kirchliche Einordnung unmöglich, denn „Geistesbewegungen lassen sich nicht regulieren", „bei Geisteswirkungen kommt es nicht so sehr auf die Quantität als auf die Qualität der Wortverkündigung an", „viel Gebet selbst mit etwas Heterodoxie leistet mehr als wenig Gebet mit viel Orthodoxie". Endlich pflegen Geistesbewegungen „so innig und unlöslich mit eigenartigem Verständnis der alten und doch immer neuen Wahrheit verbunden zu sein, daß sie mit allem, was ihnen in Lehre und Praxis eigentümlich ist, gewürdigt sein wollen, ehe man von ihnen lernen oder ihre Betätigungen nachahmen kann".

Er hatte darin recht, die Gemeinschaftsbewegung war längst eine besondere Bewegung mit eigenem Kirchenideal und Frömmigkeitsideal geworden. Aber er ahnte nicht, daß er selbst bald mit einer starken Richtung in dieser Bewegung in Gegensatz kommen und von ihr ausgeschlossen werden würde.

War es eben wegen solcher Verschiedenheiten in der ganzen Bewegung schon für den preußischen Oberkirchenrat schwierig, eine feste Stellung zu gewinnen, so war es für die **Eisenacher Kirchenkonferenz**, die sich 1896 mit der Evangelisation beschäftigte, schier unmöglich, zu einer einheitlichen Anschauung zu kommen.

Posen, Ostpreußen (soweit es dort landeskirchliche Evangelisation gab), das reformierte Konsistorium des Elsaß, Königreich Sachsen hatten sich günstig ausgesprochen, Großherzogtum Sachsen und Hamburg günstigen Einfluß auf einzelne zugegeben, Kiel wenigstens für große Gemeinden, wenn der Pastor selbst darum gebeten habe. Wenigstens keinen nachweisbaren Schaden schrieben der Evangelisation zu: Pommern, Berlin, Magdeburg. Über Schrenk hatten sich Württemberg, Darmstadt, Frankfurt, über Kaiser Kassel günstig ausgesprochen. Schädliche Wirkungen berichteten Hamburg, Wiesbaden, Kassel, Königsberg, Danzig, Stettin, Großherzogtum Sachsen, Pfalz, Münster, Rheinprovinz. Ganz ablehnend stand Hannover.

---

*) Richtiger „der Kirche", denn sie geht auf vorreformatorische Gedanken zurück.

Burk sprach sich prinzipiell für Evangelisation, in praxi für einen modus vivendi mit der vorhandenen aus. Sie entspricht nach ihm einem aus den sozialen Verhältnissen hervorgehenden Bedürfnis (Th. 1), widerspricht, richtig eingerichtet, weder Schrift noch Bekenntnis, noch der kirchlichen Ordnung (2). Sie ist kirchlich einzugliedern (3). Zur vorhandenen Evangelisation ist, so lange sie nicht auf sektiererische Wege gerät, ein möglichst freundliches Verhältnis zu erhalten (4).

Zahn stellte sich durchaus auf Wicherns Standpunkt, er wich von Burk darum nur ab, indem er, diesem entgegen, die Evangelisation geradezu als Arbeit der Inneren Mission faßte.

In der Debatte ergab sich ziemliche Uneinigkeit, so beschloß man: „Konferenz glaubt mit Hinblick auf die zwischen einzelnen Kirchengebieten vorhandene Verschiedenheit der Bedürfnisse und die Entwicklung der Evangelisationstätigkeit für jetzt davon absehen zu sollen, die inne zu haltenden Grundsätze im einzelnen auszuführen," wozu als Zusatz angenommen wurde: „indem sie lediglich auf den in jedem Falle zu befolgenden Satz des reformatorischen Bekenntnisses verweist, daß niemand das Wort Gottes öffentlich verkündigen soll ohne ordentlichen Beruf." Ein Versuch Teichmüllers, diese schroffe Fassung noch zu mildern, wurde mit geringer Majorität abgelehnt.

Eine Besprechung der gesamten Gemeinschaftsbewegung erfolgte in dieser Periode noch nicht.

Drittes Kapitel.

Die Arbeiten der Gemeinschaftsbewegung.

Die Verschiedenartigkeit der Bewegung, die eine Klärung der Anschauungen über dieselbe so sehr erschwerte, wurde dadurch noch vermehrt, daß auch die von der Gemeinschaftsbewegung veranstalteten Arbeiten zumeist wieder in Gemeinschaftspflege irgendwelcher Form gipfelten. Zugleich barg diese Entwicklung den Keim von inneren Reibungen in sich, wenn nun die ursprünglich als Objekt der Arbeit der Gemeinschaften angesehenen Leute, jetzt untereinander gemeinschaftsartig zusammengeschlossen, Gemeinschaft pflegten, ja wohl gar — dem Evangelisationscharakter der Bewegung entsprechend — als „Bekehrte" nun ihrerseits Subjekte besonderer Evangelisationstätigkeit wurden, wie die geretteten Trinker im Blauen Kreuz oder die Jugend im J.-B. Damit entstanden Spezialarbeitsgemeinschaften, deren Interessen nicht immer mit denen der „Gemeinschaft" am Orte identisch waren.

Begünstigt wurde diese Entwicklung durch die große Fülle der Arbeiten, auch Spezialarbeiten, in der Bewegung, die alle aus ihr hervorgingen, aber zum wenigsten nicht organisch mit ihr verbunden waren, vielmehr z. T. sich reichlich so früh festorganisierten wie die Bewegung selbst.

Alle diese Arbeit an Außenstehenden trägt Evangelisations-charakter. Wir sehen dabei zunächst auf die im eigenen Lande.

1. Die Arbeit im eigenen Lande (Innerkirchliche Evangelisation)*).

Die wichtigeren Evangelisationen haben wir bereits an den einzelnen Orten erwähnt. Hier handelt es sich noch um eine kurze Übersicht über die Arbeiter der Evangelisation, die Arbeitsmittel, einige besondere Veranstaltungen zur Rettung und Bewahrung, sowie um die eigenartigen Arbeiten unter Angehörigen bestimmter Stände durch Standesgenossen.

a) Die Berufsarbeiter der Gemeinschaftsbewegung.

(Schrenk — Dannert und Franz — Kaiser, Eßler, Amstein und Hauser, Rubanowitsch — Die theologisch gebildeten Evangelisten Lohmann, Dammann, Paul und S. Keller — Evangelisten und Gemeinschaftspfleger — Wilde Evangelisten — Evangelistinnen.)

Der erste und bedeutendste blieb Schrenk, der mit staunens-werter Rüstigkeit weiter arbeitete, dabei immer besonnener und kirchlicher werdend. Lange Zeit blieb er auch der einzige freie Evangelist. Der Gedanke der ersten Gnadauer, daß die Gabe der Evangelisation so stark vorhanden sei, daß sie von selbst zur Be-tätigung dränge und die Kirche zur Anerkennung zwinge, beruhte augenscheinlich auf Irrtum. Vielmehr mußte Bührmann noch 1896 in Gnadau klagen, daß er keine Hilfe in der Evangelisation fände. Aus dem doch als Evangelistenschule geplanten Johanneum ging zunächst überhaupt kein Evangelist hervor. 1894 berief dann das Komitee des Johanneums den früheren Zögling H. Dannert, damals Stadtmissionar in Reutlingen, nach Barmen in seinen eigenen Dienst, nachdem ihm ein Freund der Sache für die beiden ersten Jahre je 1000 Mark zur Verfügung gestellt hatte. Dannert evangelisierte 1894/95 hauptsächlich in Westdeutschland (z. B. Denk-lingen, Dhünn, Derschlag, Dortmund, Holpe, Barmen, Langenberg,

*) Die „innerkirchliche Evangelisation“ als Arbeit der Gemeinschafts-bewegung zu bezeichnen, erscheint mir unmißverständlicher als darunter die ganze Bewegung selbst zu fassen, wie Bunke in seinen verdienstvollen Jahres-übersichten im Kirchl. Jahrb. tut.

Werne, Dillenburg und Kassel) in der Regel je 14 Tage an einem Orte. 1895/96 arbeitete er wiederum mehrfach in Barmen, ferner z. B. in Erndtebrück, Clafeld, Waldbroel, Gevelsberg, aber auch in Gernsbach, Kolmar und in Berlin. Daß er für das ganze Jahr 1897 vom hessischen Brüderrat berufen wurde, ist erwähnt. 1898 wurde er dann unabhängiger Evangelist. Der Jahresbericht des Johanneums schrieb: „Er hat für seinen besonderen Beruf diese freie Stellung vorgezogen ... Doch sei ausdrücklich bemerkt, daß er im allgemeinen Verband der Brüder des Johanneums verblieben und in Liebe und Treue mit dem Mutterhause verbunden ist." 1900 folgte ihm Franz (s. o. S. 141), der auch ausdrücklich erklärte, „nur im Rahmen der Landeskirche" arbeiten zu wollen.

Außer ihnen widmete sich auch der aus dem Verbande ausgeschiedene ehemalige Zögling G. Kaiser der freien Evangelisation, der zeitweilig Leiter des Allianzhauses war, später in Heidelberg wohnte.

Den Basler Missionar Eßler haben wir unter anderem bei den Anfängen der Arbeit in Schlesien erwähnt. Eßler wohnte später in Heidelberg.

Von ehemaligen Chrischonabrüdern wurden freie Evangelisten Amstein und Markus Hauser in Zürich, allianzfreundlich und Vertreter der neueren Heiligungsbewegung, der eine Geistestaufe ganz nach Finneys Muster erlebte und infolgedessen zeitweise die Gabe des Fernsehens hatte († 12. Dezember 1900 im Alter von 52 Jahren)*). Er gab eine eigene Zeitschrift „Hoffnungsstrahlen" heraus.

Aus den Neukirchener Anstalten war hervorgegangen Joh. Rubanowitsch, ein im 18. Jahre bekehrter Israelit aus Reval**). Von seiner Evangelisationsarbeit in Schlesien haben wir bereits berichtet. Ende der neunziger Jahre wohnte er in Schwelm. Seine eigentliche Bedeutung gewann er jedoch erst als Leiter der Hamburger Gemeinschaft, worauf wir unten genauer eingehen müssen.

Einen klein wenig anderen Typus der Evangelisation vertreten, wie gezeigt, die darum nur uneigentlich hierher zu rechnenden alten Evangelisten des Reichsbrüderbundes, besonders Seitz und Blaich.

Dazu kamen dann allmählich theologisch gebildete Evangelisten. E. Lohmann gab, wie wir sahen, sein Pfarramt in Frankfurt auf und lebte in Schildesche, später Freienwalde. Lepsius

---

*) Mit der Entrückung konnte er sich anfänglich gar nicht befreunden, bis ihn Gott durch Geistesleitung dazu führte (Ein Hoffnungsleben S. 67 ff.).

**) Er war 1896 30 Jahre alt.

zog nach Berlin. Auch von Dammanns Ausscheiden aus dem Pfarramte (1897) haben wir bereits gesprochen. Er blieb bis April 1899 in Essen wohnen, dann zog er nach Eisenach. Doch scheint er als freier Evangelist nicht so viel gewirkt zu haben wie als Pfarrer. Schrieb doch „Israels Hoffnung" (1909 Nr. 2): „Wäre es vielleicht besser gewesen, Br. Dammann wäre in Essen geblieben? Hat er sich in seiner Führung getäuscht?"

Bereits seit Anfang der neunziger Jahre hatte neben seinem Pfarramt evangelisiert P. Paul in Ravenstein, dessen große Bedeutung für die Bewegung in ganz Ostdeutschland wir schon oben angedeutet haben. 1899 schied auch er aus dem Pfarrdienste aus und wurde freier Evangelist in Steglitz.

Der bedeutendste dieser theologischen Evangelisten wurde dann aber bald Samuel Keller, ein Mann, der sich freilich dem Rahmen der Gemeinschaftsbewegung nicht ohne weiteres einfügte. Nicht mit Unrecht nannte er sich später einmal („Auf dein Wort" 1908 Nr. 12) einen „Einspänner", wie ja überhaupt bei sovielen Deutschrussen ein starker Individualismus sich findet*). 1890 aus Rußland nach Deutschland gekommen, war er zunächst Generalsekretär der Sittlichkeitsvereine in Berlin, 1892 Pastor in Düsseldorf geworden. Aus der Gemeinschaftsbewegung heraus wurde ihm der Gedanke nahegelegt, ganz Evangelist zu werden. Er zögerte aber noch, zumal die Sicherstellung des Unterhalts seiner Familie zweifelhaft erschien. Als er Oktober 1897 in London evangelisierte, bat er sich von Gott einen Erfolg als Zeichen aus, ob er der an ihn ergangenen Anregung folgen solle. Auch ein weiteres erbetenes Zeichen traf ein. Dennoch zauderte er bis zum nächsten Jahre, wo im März Joh. Müller nach Düsseldorf kam und ihm zuredete. Da entschloß er sich und gab sein Pfarramt auf.

Immerhin war also auch gegen Ende unserer Periode die

---

*) Geboren 1856 in Petersburg. Sein Vater war ein schweizerischer Bauernsohn aus Siblingen (Schaffhausen), der als Lehrer nach Rußland gekommen war. Er hielt treu zur Landeskirche, der „Mutter", kannte aber auch die „heimlich in allen Denominationen und Kirchen vertretene wirkliche Gemeinde Jesu Christi, die eigentliche Brautgemeinde Jesu" (Auf dein Wort 1907 Nr. 7). Der Vater war reformiert, puritanisch streng, die Mutter lutherisch. Samuel verlebte seine Jugend auf Oesel. Hugo Hahn und Missionar Zimmer haben ihn beeinflußt. Er wurde Hilfsprediger in Petersburg, dann kam er zu den deutschen Bauern in der russischen Steppe. Dort wurde er seines Heiles gewiß und hatte bald darauf eine Erweckung, in die bald die Baptisten hineinkamen. Er wurde 1883 in die Krim versetzt, wo dann 1890 eine Erweckung entstand. Da er politisch verdächtigt wurde, ging er nach Deutschland.

Zahl der eigentlichen Evangelisten nicht gerade groß. Inzwischen aber hatte, vielleicht mit infolge dieses Mangels, zugleich befördert durch den traditionellen Sprachgebrauch der Chrischona und der Reichsbrüder, eine allgemeine Verschiebung im Gebrauch dieses Namens begonnen, an der, wie gezeigt, auch das Johanneum nach Christliebs Tode sich beteiligte: Die nicht bzw. halb theologisch ausgebildeten Berufsarbeiter fingen in ziemlichem Umfange an, sich zur Unterscheidung von den Pastoren Evangelisten zu nennen. So stellten die Brüderräte „Evangelisten" an, die eigentlich Gemeinschaftspfleger waren, wie Schrenk richtig hervorhebt*). Größer noch wurde diese Begriffsverwirrung, wenn auch die an einzelnen Gemeinschaften und von ihnen festangestellten, selbständigen Gemeinschaftspfleger sich so nannten. Dadurch wurde besonders auch die Stellungnahme der Landeskirche erschwert. Zu den wenigen wirklich speziell evangelistisch begabten Männern hätte sich verhältnismäßig leicht ein befriedigendes Verhältnis finden lassen, etwa durch ordentliche Berufung im einzelnen Falle, gegenüber den fälschlich sogenannten Pflegern einer Einzelgemeinschaft mußte sie dagegen auf einer ganz anderen Basis gesucht werden, vor allem, wenn es sich um die selbständigen Leiter der Einzelgemeinschaft handelte, wie in Schlesien. Dadurch, daß diese alle unter dem Sammelnamen Evangelisten zusammengefaßt wurden, war eine klare Stellung der kirchlichen Organe äußerst erschwert.

Viel trugen dazu natürlich auch die sogenannten „wilden" Evangelisten bei, die nicht nur wie die oben genannten Männer frei von jeder festen Anstellung waren, sondern auch ohne Komitees, ohne persönliche feste Beziehung zur organisierten Gemeinschaftsbewegung und erst recht ohne Rücksicht auf die kirchliche Ordnung arbeiteten. Von diesen gänzlich unkontrollierbaren Männern tauchten denn auch manche, Meteoren gleich, für einige Zeit auf, um dann wieder zu verschwinden, ja, es gab vereinzelt auch recht zweifelhafte Elemente darunter. Vor allem aber gehörten dazu solche, die in Lehrfragen entweder ganz ihren eigenen Weg gingen oder auch von einer Denomination zur anderen wechselten. Sie entziehen sich daher naturgemäß nur zu leicht der Geschichtsforschung. Diese wird ihrer fast nur habhaft in dem Momente ihres Lebens, wo sie mit der organisierten Bewegung freundlich oder auch gegnerisch

*) „Pilgerleben und Pilgerarbeit" S. 215: „Wenn man einen Bruder Evangelist nennt, der in eine Gegend kommt, Versammlungen hält, die Erweckten sammelt und sie bleibend in seiner Pflege behält, so ist für mich dieser Bruder kein Evangelist, sondern Gemeinschaftspfleger, das Ziel seiner Arbeit ist von der ersten Stunde an Gemeinschaftspflege."

zusammentreffen. In gewisser Weise gehörte zu diesen Einspännern auch P. Witt-Kiel, von dem wir oben sprachen, besonders aber der mehrfach erwähnte P. Idel aus Velbert und derjenige, der an Idel und Fries die Wiedertaufe vollzog, J. H. Wallfisch. 1896 stand er mit Paul in Verbindung und gab mit diesem zusammen ein Liederbuch heraus. Er war damals „Prediger" in Görlitz und nannte sich Dr. mus. 1897 war er in Barmen, 1898 veröffentlichte auch er einen Widerruf seiner bisherigen Tätigkeit, dann verschwindet sein Name wieder aus den Gemeinschaftszeitschriften. Am schlimmsten war es freilich, wenn es gar zu Reklame folgender Art kam: „Der kleinste Evangelist der Welt, Prediger G. Keizer, ca. 82 cm groß, 27 Jahr alt, von Friesland-Holland hält, so der Herr will und wir leben, folgende Vorträge in Barmen, Altenvörde, Elberfeld" usw.*).

Allmählich fingen auch Frauen an als Evangelistinnen aufzutreten. Die bedeutendste und wohl auch erste war Adeline Gräfin Schimmelmann**). Sie hatte sich bekehrt, als sie Hofdame der Kaiserin Augusta war. Als dann im Februar 1886 P. Funcke in Berlin einen Vortrag hielt über die christliche Arbeit der Frauen und Jungfrauen höherer Stände, wurde sie gepackt und begann eine völlig freie Arbeit unter den Ostseefischern, deren Nöte sie bei einem Erholungsaufenthalt auf Rügen kennen lernte, mit zwei Heimen in Göhren und auf der Greifswalder Oie. Später arbeitete sie auch in Berlin unter den Ärmsten und baute ihr Werk zu einer Internationalen Mission aus. Auch hielt sie an den verschiedensten Orten Missionsversammlungen. Sie lebte ganz für ihr Werk und steckte ihr ganzes Vermögen hinein. Drei Jungen nahm sie als Adoptivsöhne an. Ihre Verwandten (vergl. den Bericht in „Adeline Gräfin Schimmelmann, Streiflichter aus meinem Leben") haben nach ihrer Erzählung versucht, sie in Kopenhagen in eine Irrenanstalt sperren zu lassen und sie überhaupt schlecht behandelt. Ihr Mut und ihre Tatkraft ist entschieden bewundernswert. Andererseits blieb auch sie Einspännerin. Sie war berührt von der Gemeinschaftsbewegung, Sankeys Lieder waren ihr besonders lieb, aber sie schloß sich doch der Bewegung nicht wirklich an. Sie wollte, wie sie auch wohl behauptete, lutherisch sein, entwickelte aber eigene, nicht gerade sehr klare Lehr-

---

*) Siehe auch die Klage über wilde Evangelisten Oktober 1901 (o. S. 117).

**) Geb. 19. Juli 1854 in Ahrensburg (Holstein). Ihr Vater scheint ein lutherisch-kirchlicher Mann gewesen und sie demgemäß erzogen worden zu sein. Sie selbst schildert sich als ein äußerst wildes Kind. Mit 18 Jahren wurde sie Hofdame.

ansichten, die nicht immer frei von Spielerei blieben (z. B. a. a. O. S. 67 über 1. Kor. 11, 10) *). Den Arzt verwarf sie, wenigstens für ihre eigene Person, „weil ich Christum als meinen Arzt angenommen" (a. a. O. S. 91), legte auch Kranken die Hände auf. Von ihrem Glauben und Gottes Durchhilfe erzählte sie auf eine Weise, von der Bunke mit Recht sagt, sie mache „den ungeheuerlichsten Heiligenlegenden Konkurrenz". An scharfen Urteilen über kirchliche Arbeit ließ sie es nicht fehlen, z. B. über die „christlichen Brüder" **) und über die Diakonissenanstalten ***). Dagegen trat ihre eigene Person in allem stark in den Vordergrund.

Freilich wollte man auf altpietistischer Seite von dem öffentlichen Reden der Frauen in gemischten Versammlungen nichts wissen, stand auch dem öffentlichen Beten derselben skeptisch gegenüber (z. B. Phil. 1895 Nr. 9). Greiner in Worms veröffentlichte 1897 einen Vortrag „Die Aufgabe der Frauen oder die biblischen Grenzen für dieselben in der Tätigkeit des Reiches Gottes", den Philadelphia sehr zustimmend besprach.

Vielfach wirkten die Evangelisten nicht nur durchs gesprochene, sondern auch durchs geschriebene Wort, ja, gaben eigene Zeitschriften heraus. Überhaupt wuchs mit der Erstarkung der Bewegung die Zahl ihrer Zeitschriften immer schneller. Das führt uns auf die Arbeitsmittel der Bewegung.

b) Die Arbeitsmittel der Gemeinschaftsbewegung.

(Zeitschriften — Predigten — Traktatgesellschaften — Liederbücher und Sängerbündnisse — Erholungsheime.)

Das bedeutendste Blatt — auch dem Inhalt nach — war Philadelphia, von dem wir oben (s. S. 101) schon ausführlicher berichtet haben. Es trug wesentlich das Gepräge seines Schriftleiters Dietrich und suchte vor allem auf seine Weise gründ-

---

*) Bunke nennt (Kirchl. Jahrb. 1903) ihre Rederei nicht mit Unrecht „weibliches Geschwätz".

**) „Man muß nämlich wissen, daß einige ‚Brüderanstalten' in Deutschland verzogene Pflanzen von Schulmeisterweisheit statt lebendigen Christentums ziehen."

***) „Es gibt nur einen Weg, auf welchem einer vornehmen Dame erlaubt ist, wirklich christliche Arbeit zu tun. Setzt euch eine weiße Haube auf und stellt euer geistiges Leben und eure Individualität unter die absolute Herrschaft — nicht Christi — sondern eines Diakonissenhauspastors, und die einzige Sphäre, die christlichen Damen persönliche, direkte Arbeit erlaubt, steht euch offen. Da ich keinen Ruf in mir fühlte, meinen Mitmenschen unter so sklavischen Bedingungen zu dienen" usw. a. a. O. S. 72.

licher, klarer Erkenntnis zu dienen. Schwärmereien und Unbesonnenheiten wurden zurückgewiesen, aber freilich niemals so, daß man „Brüdern" wirklich entgegengetreten wäre. Bei aller Sicherheit der eigenen Stellung war man doch immer bereit, die „Brüder" als solche anzuerkennen, so schon bei den Artikeln über die Entrückung 1892. Das nahm aber den treugemeinten Warnungen vor Schwärmerei nur gar zu leicht den Stachel, an denen Dietrich es sonst keineswegs fehlen ließ. Auch zur Bescheidenheit mahnte er, so z. B. 1901 Nr. 2, als er in einem Konferenzbericht gelesen hatte: „Die ganze Konferenz stand unter der direkten Leitung des Geistes Gottes, und beständig spürte man die Gegenwart des Allerhöchsten .... Wir sahen niemand als Jesum allein." Dietrich schrieb nüchtern: „Ich gestehe: solche Berichte stoßen mich ab und lassen mich schlimme Folgen fürchten. Bescheidener wäre besser."

Von dem raschen Anwachsen der Leserzahl des Blattes haben wir oben bereits erzählt, ebenso davon, daß es später allmählich mehr und mehr zurückgedrängt wurde, vor allem durch das Aufkommen der besonderen Organe für kleinere Gebiete oder spezielle Gemeinschaften. Auch diese Zeitschriften sind an ihrer Stelle aufgeführt. Hier kann es sich nur um diejenigen handeln, die mehr oder weniger der Gesamtbewegung dienen wollten. „Gemeinschaftsblatt" und „Stadtmissionar" (s. o. S. 36) blieben Erbauungsblätter. Die „Friedenshalle" vermochte keine Bedeutung zu erlangen, daher wurde sie inhaltlich mit dem „Gemeinschaftsfreund" verschmolzen.

Bedeutend mehr Einfluß gewann Dammanns „Licht und Leben"*) seit 1889. Die mir vorliegenden Jahrgänge (seit 1898) zeigen in dieser Periode manchen heftigen Angriff gegen die Kirche und manch begeistertes Wort für Allianz. „Wer ein Gegner der Allianz ist, der muß auch ein Gegner der Evangelisation sein." „Zuerst müssen die Leute für diesen Christus gewonnen werden und dann erst für eine Kirche**)." C. A. VII bedeutete ihm „Allianzboden", die Anschauung von der Taufwiedergeburt und der Erlangung der Vergebung im Abendmahl nannnte er „römischen Sauerteig" und „seelenmörderische Irrlehre". Andererseits erklärte er aber festhalten zu wollen an dem „innerhalb der Landeskirche" und am Bekenntnis der Reformationskirchen.

Ebenso scharf trat anfangs gegen die Landeskirche Lepsius in seinem seit 1898 erscheinenden „Reich Christi" auf (s. o. S. 224).

---

*) Von hier ab zitiert L. u. L.

**) Eine vollständig ungeschichtlich gedachte Alternative.

Zugleich sollte dies Blatt aber auch speziell theologische Fragen erörtern.

E. Lohmann hatte in seiner Frankfurter Zeit die Monatsschrift „Der Freiwillige" gegründet. Später übernahm sie P. E. Bowinckel. Als dieser aber infolge seiner Erfahrungen kirchenfreundlicher wurde, erfuhr das Blatt von 1900 bis 1902 nicht weniger als 2800 Abbestellungen*).

Pauls „Heiligung" (seit Oktober 1898) behandelte ihrem Namen entsprechend vor allem die Heiligungslehre im Sinne ihres Verfassers: Völligen Sieg über die Sünde durch rein passiv gedachtes „Bleiben in Jesu" nach einem einmaligen Glaubensakt der völligen Übergabe. Daß die „Sabbathklänge" unter Modersohn ein bedeutungsvolles Organ der radikalen Strömung der Bewegung wurden, ist erwähnt.

Ein Blatt speziell für die Jugend bildete seit 1899 „Wehr und Waffe für die Jugend" (H. v. Redern).

Rein Evangelisationsblätter waren Lohmanns „Für Alle" (seit 1892), sowie das von Jhloff ins Leben gerufene „Nimm und lies" (s. o.). Daneben erschienen dann auch bald je länger je mehr Evangelisationsblätter verschiedener unbekannter Verfasser, die zum Teil wohl nur ein kurzes Leben fristeten. Aus dieser Periode nenne ich nur die „Lebens- und Liebes-Stimme", 1. April 1899 begründet von Kalkkuhl in Rheydt, und „Komm heim!" von O. Fleig (Freiburg) seit 1901.

Gewissermaßen auch ein Evangelisationsblatt bildete die sonntägliche Predigt, die unter dem Titel „Frohe Botschaft" seit dem 1. Advent 1895 von Keller, Dammann, Michaelis, Wittekindt u. a. herausgegeben wurde. 1901 kam dazu eine besondere Predigtsammlung „Dein Reich komme", herausgegeben von dem rührigen Verlag des schleswig-holsteinischen Vereins.

Bernstorff sagt in der Vorrede: „Wir unterschätzen nicht den Wert älterer Predigtbücher, wie diejenigen von L. Harms, Hofacker, G. Knak, die ihren bleibenden Wert behalten. Aber mit der Geistesbewegung, die der Herr in den letzten Jahrzehnten unserem deutschen Vaterlande geschenkt hat, sind neue Aufgaben und neue Gaben verbunden. Auch hier verlangt der neue Wein neue Schläuche . . . So senden wir dieses Buch aus, mit dem

---

*) Er schrieb unter anderem darüber: „Aus einem Kreis erhielt ich von einer Leserin die Abbestellung des Blattes unter Motivierung im Blick auf mich; sie spricht im Namen von mehreren: ‚Es tritt uns mehr und mehr entgegen, daß das Aus-Gott-geboren-sein nicht erlebt ist, kein Erfülltsein mit dem Geiste Gottes, daher auch kein geistliches Richten geistlicher Tatsachen, ein Suchen, menschliches Urteil neben biblisches zu stellen.'"

herzlichen Wunsche, daß es nicht nur ein lieber Gast in manchen Christenhäusern sein möge, sondern daß die geistgesalbten Zeugnisse auch dazu beitragen mögen, zur Gemeinde Gottes solche hinzuzutun, die da selig werden." An Verfassern weist die Sammlung unter anderen auf: Haarbeck, Paul, Blazejewski, Herbst, Witt-Havetoft, Dammann, Keller, Hahn, Fischer-Essen, Vowinckel, Eichhorn, Krawielitzki, Brockes, Lepsius, Klein-Lichtenrade, Wittekindt, H. Coerper, Stockmayer, Girkon, Röschmann, E. Lohmann, Hauser, Simsa, Modersohn, Niemann, Urbschat, Lüdecke.

Erwähnt werden müssen hier auch die verschiedenen Traktatgesellschaften, die auf dem Boden der Gemeinschaftsbewegung entstanden, als älteste der Lichtenthaler „Christliche Kolportageverein" des bei der Oxforder Bewegung genannten Freiherrn v. Gemmingen, die „Deutsche evangelische Buch- und Traktatgesellschaft", sowie seit 1898/9 die Eisenbahn-Traktat-Mission.

Neben das geschriebene Wort traten die Noten. Dabei blieb es bei den neuen Sammlungen dasselbe wie bei den in der ersten Glut der Heiligungsbewegung entstandenen. Die englischen bzw. nach englischer Art gedichteten und gesungenen Lieder bildeten den Kern, nur daß die Übersetzungen hier und da ein wenig besser wurden. Das eigentliche Gesangbuch der Gemeinschaftsbewegung wurden die „Reichslieder", von deren Entstehung wir oben (s. S. 166) berichtet haben. Daß viele Choräle nach dem Maßstabe Röschmannscher Dogmatik dabei verstümmelt wurden, ist erwähnt. Im übrigen sind, soweit ich sehen kann*), von den 303 Liedern der ersten Auflagen nicht weniger als 87 Lieder englischen Ursprungs, und zwar stammen davon allein 73 aus Sankeys Gospel Hymns fast sämtlich auch die Melodie dorther entnehmend. Bei weiteren 14 steht es mir nicht fest, ob sie aus dem Englischen übersetzt oder nur nach englischer Weise gedichtet sind, und 20 sind, soviel ich sehe, aus der Bewegung in Deutschland und der Schweiz hervorgegangen. Die übrigen 182 sind älteren deutschen Ursprungs, darunter rund 80 Choräle, die übrigen mehr den geistlichen Volksliedern angehörend. Hier ist die Grenze naturgemäß fließend. Bevorzugt sind die pietistischen Dichter Woltersdorf, Tersteegen und Hiller. Der Prozentsatz der englischen Lieder wird noch höher, wenn man die Festlieder ausscheidet, die — bezeichnenderweise — fast alle deutsch sind. Unsern deutschen Weihnachtsliedern, unsern Osterchorälen hatte selbst für die so englandfreundlichen Ohren der Gemeinschaftsleute die dorther kommende Strömung nichts an die Seite zu setzen. Der Vermittler der englischen Lieder war auch

*) Da die Feststellung teilweise nur durch Rückübersetzung möglich war, so blieb sie in einigen Fällen unsicher.

hier meist Gebhardt bzw. Kübler. Ersterer ist bei 59, letzterer bei 16 Liedern als Verfasser angegeben.

Der bei der 28. Auflage der Textausgabe (6. Notenausgabe) 1901 hinzugefügte Nachtrag von 150 Liedern brachte erfreulicherweise nur 17 sicher englische Lieder hinzu (9 aus den Gospel Hymns), 5, bei denen es mir nicht sicher ist, ob sie übersetzt oder nachgedichtet sind, und 7 in der Bewegung entstandene, die übrigen waren meist Choräle, so daß die Ausgabe dieses Anhangs geradezu als eine Erstarkung des deutschen Bewußtseins in der Bewegung bezeichnet werden muß*).

Trotz der großen Verbreitung der Reichslieder entstanden neben ihnen doch noch andere Sammlungen. So gab der Brüderrat von Posen und Westpreußen einen Anhang heraus. Von den darin anfänglich enthaltenen 149 Liedern waren**) 11 englische, darunter 8 aus den Gospel Hymns, und 8, bei denen ich nicht feststellen kann, ob sie direkt übersetzt oder nur englischen Vorbildern nachgedichtet sind. Das Charakteristikum dieses Anhangs sind aber die (mindestens) 33 Lieder, deren Verfasser zur deutschen Gemeinschaftsbewegung gehören, besonders Fr. Traub, Caroline Rhiem und Paul. Von den übrigen stammen über 40 aus der pietistischen Zeit. Ihr gehören auch die meisten der 11 Nachtragslieder an, die nach der Erweiterung der Reichslieder hinzugefügt wurden.

Schlesien stellte sogar eine völlig eigene Sammlung her, „Die Reichsharfe.“ In der mir vorliegenden 2. Notenausgabe von 1907 sind von den 500 Liedern nicht weniger als 112 englischen Ursprungs (davon 76 aus den Gospel Hymns), bei weiteren 37 ist mir der englische Ursprung unsicher; sonst sind sie der deutschen Bewegung zuzuzählen, der außerdem noch 46 andere angehören.

Ebenso bezeichnend wie für diese ostdeutschen Sammlungen die starke Berücksichtigung der neuen, sei es englischen oder deutschen, Lieder ist für die von der Evangelischen Gesellschaft in Elberfeld herausgegebene „Singet dem Herrn!“ die Bevorzugung des deutschen Kirchenliedes. Sind unter den 260 Liedern der 4. Auflage (1902) doch nur 22 sicher englischen Ursprungs, davon 17 aus den Gospel Hymns, dazu kommt noch 1 von Gebhardt und 5—6 sonst aus der neueren Bewegung stammende. So ist auch dieses Liederheft ein Denkmal des bewußt kirchlichen Sinnes der Gesellschaft und des rheinisch-westfälischen Altpietismus.

Erwähnt werden müssen hier auch die „Vereinslieder des

---

*) Vgl. die interessanten Angaben in „L. u. L.“ 1907 Nr. 11 u. 12.

**) Immer mit der oben erwähnten Einschränkung des Urteils.

Blauen Kreuzes", die Lieder „zur Ehre des Erretters", zumal aus ihnen viele in die anderen Sammlungen übergegangen sind. Ihr Schöpfer war Bovet selbst (s. u.), die Dichterin von 49 der 322 Lieder der ersten Auflagen Johanna Meyer, die aber z. T. nur Bovets Gedanken in poetische Form brachte, vielfach nach englischen bzw. französischen Vorlagen. Neben ihr tritt auch Dora Rappard verhältnismäßig häufig auf (12 Lieder). Sicher englischen Ursprungs sind außerdem gut 50. Dazu kommen dann noch 23 Lieder mit ganz speziellem Blaukreuzgepräge, von denen einige leider stark ans Abgeschmackte streifen.

Kleinere Auszüge aus den größeren Sammlungen waren z. B. die „Evangelisationslieder" (Spittlers Verlag), die 1896, und die (68) „Lieder für Konferenzen", die 1900 von der Philadelphia herausgegeben wurden. Daneben entstanden — den „wilden" Evangelisationsblättchen entsprechend — Privatsammlungen, wie z. B. „Der Zionssänger. Eine Sammlung von 108 neuen Jesus-Liedern", die Paul und Wallfisch 1896 herausgaben. Die meisten der recht schwachen Reimereien in diesem Büchlein sind von Paul, einige wenige von Fürstenau, die Melodieen durchweg von Wallfisch. Einzelnes ist geradezu geschmacklos (z. B. „Ich leide Pein")*).

Wie die Liedersammlungen allmählich etwas mehr Rücksicht auf das kirchliche Lied nahmen, so machte sich auch dem „Christlichen Sängerbunde" gegenüber jetzt bemerkbar, daß eine

---

*) 1. Bedenke, was zum Frieden dient,
Triff für dein Herz die rechte Wahl!
Ist deine Sünde nicht gesühnt,
So bringt sie dich zum Ort der Qual.
Du könntest stehn am Kreuzesstamme
Und selig sein durch Jesu Blut,
Doch klagst du dann in ew'ger Glut:
„Ich leide Pein in dieser Flamme
(„dumpf und hohl" schreibt die Melodie vor),
Ich leide Pein."

4. Bedenk zu dieser deiner Zeit
Dein Heil und suche Jesum Christ!
Ach, schaffe deine Seligkeit,
Solange es noch möglich ist!
Du wirst vom Tod schnell hingenommen;
Den Leib legt man ins Grab hinein
Und setzt ihm einen Leichenstein:
Doch wohin bist du selbst gekommen? —
Du leidest Pein.

organisierte innerkirchliche Bewegung entstanden war, die bewußt auf dem Boden der Landeskirche stehen wollte. Kniepkamp (s. o. S. 36) trat 1898 aus, um sich an der Gründung des „Evangelischen Sängerbundes" zu beteiligen, der nur die Gemeinschaftschöre innerhalb der Landeskirche sammeln wollte. Den Vorstand desselben bildeten P. Kissing-Barmen (Vors.), Krafft, Herbst, Schrenk, Dammann, die Lehrer Kniepkamp und Horath und Buchh. Schaffnit. Als Organ wurde „Singet dem Herrn" ins Leben gerufen. Die meisten Führer der Philadelphiabewegung unterschrieben den Aufruf (s. L. u. L. 1898 S. 420). Der „Christliche Sängerbund" erlitt dadurch einen großen Verlust (allein seine westdeutsche Vereinigung gab 1000 ab). Doch zählte er 1902 schon 641 Vereine mit 14 786 Sängern.

Unterschieden waren beide Verbände zunächst nur durch die kirchliche Stellung. Beide stellten nicht das künstlerische, sondern das religiöse Interesse voran. Darum verbreiteten beide auch die englisch-amerikanischen Lieder, obwohl Gebhardt selbst im „Sängergruß" zugab, daß bei der „stets mächtiger anschwellenden Hochflut von Liederpublikationen" der Amerikaner „die eigentliche Musik oft bedauerlich zu kurz komme". „Denn wie es in den amerikanischen Wäldern keine Drosseln und Nachtigallen gebe, so stehe auch der geistliche Gesang, was den Kunstwert betreffe, auf sehr niederer Stufe jenseits des Ozeans. Indessen vertrete dort erfreulicherweise das religiöse Lied das Volkslied" (Die Entwicklung des Christlichen Sängerbundes S. 23). Gebhardt war 1892—96 selbst Vorsitzender des Christlichen Sängerbundes.

Wie mit dem Gesang, so bestand auch, wie wir bereits bei einzelnen Evangelisten sahen, von Anfang an ein gewisser Zusammenhang zwischen Evangelisation und Krankenheilung. Vielfach heilten die Evangelisten, umgekehrt dienten aber auch die Heilanstalten bzw. Erholungsheime der Evangelisation. Namentlich bei den Reichsbrüdern war beides aufs engste verbunden.

Das Urbild der Erholungsheime der Gemeinschaftsbewegung ist wohl in Blumhardts Bad Boll zu suchen, dazu kam dann Dorothea Trudel*) in Männedorf, von deren Einfluß unter anderen

*) Geb. 27. Okt. 1813, † 20. Sept. 1862. Aus pietistischem Hause (schon die Mutter lehnte den Arzt ab und verbot der Tochter das Tanzen, selbst mit anderen Mädchen). Dorothea wurde leidend, verwachsen. Mit 22 Jahren bekehrte sie sich. 1840 starb die Mutter, und sie kam zu einem Onkel nach Männedorf. Nachdem sie längere Zeit Herrnhuter Versammlungen besucht hatte, kam sie 1850 zu einer neuen darbystischen Versammlung nach Zürich. Hier wurde sie nicht zum Brotbrechen zugelassen mit

auf Schrenk oben die Rede war, sowie die Villa Seckendorf in Cannstatt.

In der eigentlichen Gemeinschaftsbewegung entstand dann außer den beiden genannten Häusern des Reichsbrüderbundes in Pr. Bahnau und Teichwolframsdorf das 1900 von Edel gegründete „Pilgerheim" bei Brieg*); durch Jellinghaus entstanden 1902 die „Gnadenheime" in Lichtenrade (für „sich nach Stille Sehnende") und in Soislieden bei Mansbach aus Geld, das Jellinghaus 1901 zu seinem Geburtstag übergeben war; in Elmshorn wurde 1899 ein Kur- und Erholungsheim Bethanien gegründet (L. u. L. 1899 Nr. 12). Interessant ist, wie in diesen Gründungen die Kontemplation des katholischen Klosterlebens in anderer Form zu erreichen gesucht wird, entsprechend der anti-„weltlichen" Tendenz der ganzen Bewegung.

c) Besondere Veranstaltungen zur Rettung und Bewahrung.

(Pella — Das Blaue Kreuz — Das Weiße Kreuz — Waisenanstalten — Bethesda — Sonntagsschulen, Kinderbündnisse und Kinderbekehrung — Der J. B. f. E. C. — Die Chr. V. j. M.)

Etwas anderer Art als die erwähnten Erholungsheime war das Zufluchtsheim Pella**) bei Lüben, das hauptsächlich der

der Frage: „Haben Sie den heiligen Geist empfangen?" In der Zeit kam sie zur wahren Bekehrung, in einen „Zustand des Friedens, des Glücks, der Glückseligkeit, der Entzückung; ich lebte in einer anderen Welt, in einer innigen, ununterbrochenen Gemeinschaft mit Gott, das irdische Leben fortzusetzen schien mir fast unmöglich, und ich fühlte mich wie verwandelt. Nach Verlauf von drei Wochen war ich noch so eingenommen von dem Vergnügen in meinem inneren Leben, daß ich Gott bitten mußte, die Lebhaftigkeit dieser Eindrücke zu verringern, um mich in den Stand zu setzen, mein Tagewerk zu beschicken". Vier Arbeiter ihres Neffen heilte sie durch Handauflegen, bald auch einige andere, die sie aufforderten, Kranke ins Haus zu nehmen. Bald kam ein zweites Haus dazu. Sie wollte ihre Patienten zur Befreiung von der Sünde führen und betonte, daß „die wahrhaft umgewandelten Herzen eine überströmende Ausgießung des heiligen Geistes erleben müßten". Die Andachten in ihrem Hause leitete sie selbst, anfangs las sie aus Hofacker und Kolb, später sprach sie selbst. Den Text fand sie durch Ziehen. Überhaupt spielte das Sprücheziehen in ihrem Leben eine große Rolle. 1860 kam Samuel Zeller nach Männedorf, der vier Jahre früher selbst dort Heilung gefunden hatte, und der 1862 ihr Nachfolger wurde.

*) Edel und Eßler wurden durch Handauflegung „zu diesem Dienst eingesegnet".

**) Eröffnet am 1. April 1902 durch Regehly. Es „bietet für Männer und Jünglinge eine Zufluchtsstätte, wohin sie sich aus mancherlei schwierigen

Trinkerrettung dienen sollte (s. o.). Trinkerrettung wurde bald — und wie wir sahen, vor allem im Osten — eine besonders von den Gemeinschaftsleuten betriebene Arbeit. Die eigentliche Veranstaltung dafür wurde das Blaue Kreuz*), das in Deutschland fast ganz Gemeinschaftssache wurde. v. Knobelsdorff, der langjährige Vorstand, wirkte von Anfang an in Gnadau mit. Er war am 6. Oktober 1887 eingetreten.**) Im September 1888

---

oder verfehlten Lebensverhältnissen zurückziehen können, um unter dem Segen eines geregelten Familien- und Anstaltslebens und unter dem Einfluß des Wortes Gottes ihren verlorenen und gottentfremdeten Zustand zu erkennen und den Weg zu Jesu . . . zu finden . . . Da sehr häufig der Trunk die Ursache des verfehlten Lebens ist, so wird völlige Enthaltsamkeit von allen geistigen Getränken von allen Hausgenossen beobachtet." Der Aufenthalt war auf 1/2—2 Jahre berechnet.

*) Gegründet 21. September 1877 in Genf von Rochat, dann in der deutschen Schweiz vor allem von Bovet befördert. Von ihm stammen die grundlegenden, durchaus demokratisch gehaltenen Statuten. Wer das Gelübde unterschreibt: „Ich verpflichte mich mit Gottes Hilfe, mich von heute an für . . . aller berauschenden Getränke zu enthalten, Abendmahlsgenuß und ärztliche Vorschriften ausgenommen", wird zunächst Anhänger des Vereins. Wer das Versprechen drei Monate hält und dann die Verpflichtung für ein ganzes Jahr übernimmt, wird Mitglied mit allen Rechten und Pflichten. Anfangs trug man ein Blaues Band, 1881 kam Rochat auf das Blaue Kreuz, 1883 nahm der „Schweizerische Verein vom Blauen Kreuz" diesen Namen an. 1893 entstanden die „Lieder zur Ehre des Erretters". Bovet (geb. 19. Januar 1843, † 11. Mai 1903) war ausgeprägter Pietist in bewußter Einseitigkeit. Seine Bekehrung verzeichnete er am 28. Juli 1860. Am 8. Oktober 1868, am Tage nach seiner Ordination, erhielt er „eine Geistestaufe, die sein ganzes Wesen über sich hinaushob, und die ihn mit der Fülle jenes Friedens erfüllte, der höher ist als alle Vernunft". Mit deutschen Pietisten war er schon früh zusammengekommen, so mit Blumhardt. Vor allem aber wirkte Dorothea Trudel auf ihn ein, in deren Hause auch sein Beinleiden sich etwas besserte. Mindestens ebenso stark beeinflußte ihn aber englische Art. G. Müller lernte er kennen, und 1874 nahm er mit „bleibendem Segen" an der Oxforder Konferenz teil. Auch in Brighton war er im folgenden Jahre, wurde hier jedoch enttäuscht, mit um so größerem Interesse hörte er in London Moody.

**) Curt von Knobelsdorff, geb. 31. Januar 1839, verheiratet seit 1861 mit Ulrike von Thümmler, war Offizier wie sein Vater und machte die Kriege von 1866 und 1870 mit. Die ersten Eindrücke von der modernen Bewegung empfing er 1875 in Heinrichsbad, als ihm eine Missionarsfrau auf die Frage nach ihren Witwenpensionsverhältnissen antwortete: „Da sorgt der Herr dafür." Eine Urlaubsreise nach Amerika brachte weitere Berührungen und machte ihn zum Allianzmann. 1880 nahm er an den Glaubensversammlungen in Stuttgart teil. Ein Besuch Baedekers legte ihm

kam er nach Berlin, wo damit die Arbeit begann. 1889 kam Beschnidt*) (s. o. S. 174) zu ihm. Frl. v. Blücher und Pred. Rohrbach unterstützten Knobelsdorffs Wirken dort. 1890 ward auf Chrischona durch Bovet auch P. Fischer fürs Blaue Kreuz gewonnen, der damals in Herborn, dann in Barmen und später in Essen stand. Barmen, wo ca. 1888 Polnick die ersten Anfänge der Blaukreuzarbeit ins Leben rief**), wurde bald ein Hauptort der Bewegung, vor allem auch durch die Lehrer W. Goebel und Klingholz. Ein Westbund bildete sich. 1892 wurde hier beim westdeutschen Bundesfest der deutsche Hauptverein gegründet. Damals waren es 48 Vereine mit 1320 Mitgliedern, davon 384 ehemalige Trinker. Außer dem Westbund bildeten sich der Nordbund (unter Röschmann als erstem Leiter), der Nordostbund (unter Bluth), der Südostbund (zuerst unter dem 1890 eingetretenen P. Hahn-Leipe, später unter Regehly), der Südbund und der mitteldeutsche Bund. Als Monatsblatt erschien „Der Herr mein Panier." 1899 zählte man in Deutschland 133 Vereine mit 6070 Mitgliedern,

---

zuerst die Abstinenz nahe. Doch gab er dieselbe nach 1½ Jahren wegen der Schwierigkeiten, sie in seinem Stande durchzuführen, wieder auf, jedoch mit gebrochenem Gewissen. Auf der einen Seite geriet er jetzt in immer stärkeres Trinken, auf der anderen hielt er die Beziehungen zu Männern wie Rappard, Seitz, Stockmayer aufrecht. Die Folge waren schwere innere Kämpfe, die schließlich dazu führten, daß er in einer — in seiner Biographie nicht ganz klaren — Katastrophe körperlich zusammenbrach, im Lazareth sich bekehrte und (durchaus freiwillig, nicht etwa dazu aufgefordert) seinen Abschied nahm (Juli 1887). 1888 nahm er ¾ Jahr in Chrischona am Unterricht teil. Von da ab lebte er fürs Blaue Kreuz, das seiner begeisterten, energischen — wenn auch etwas einseitigen und von Schärfen nicht ganz freien — Werbearbeit außerordentlich viel zu danken hat. — Knobelsdorff war kein Theologe. Er vertrat einfach die landläufige Dogmatik der Gemeinschaftsbewegung, die Heilsgewißheit durch die dem bereits Gläubigen zuteil werdende Versiegelung, das „Siegesleben", die Geistesleitung, vor allem auch die Heilung durch den Glauben. Er gebrauchte bei keiner Krankheit einen Arzt. Vor allem war er unbedingter Anhänger der Verbalinspiration und Gegner alles dessen, was er unter Bibelkritik verstand. † 24. Januar 1904.

*) Beschnidt, geb. 3. Januar 1852, war Buchhalter in einem Kohlengeschäft, kam durch einen Aufruf Knobelsdorffs mit diesem zusammen, besuchte ein halbes Jahr seine Versammlungen, bekehrte sich und unterschrieb am 1. Oktober 1889 das Blaukreuz-Gelübde. Dann wurde er Leiter des Trinkerasyls Eichhof bei Bielefeld, ging aber nach zwei Jahren (1892) als Hospitant nach Chrischona auf sieben Monate. Wie er 1894 mit Röschmann bekannt wurde und dann in Hamburg arbeitete, ist erzählt.

**) Die ersten organisierten deutschen Vereine bestanden 1888 in Hagen, Mülheim und Elberfeld.

darunter 1781 gerettete Trinker, die 1900 auf 175 Vereine mit 9248 Mitgliedern und Anhängern (2590 Trinker) und am 1. September 1903 auf 264 Vereine mit 13 344 Mitgliedern und Anhängern (3523 Trinker)*) angewachsen waren. Diese Verdoppelung in vier Jahren ist um so bemerkenswerter, als inzwischen eine Spaltung eingetreten war.

Der Deutsche Hauptverein nämlich stand, Knobelsdorffs Allianzstellung entsprechend, wie der internationale „auch in kirchlicher Hinsicht auf neutralem Boden", und diese Neutralität sollte möglichst auch in den Ortsvereinen gelten. So schlossen sich allmählich die kirchlich Gesinnten zu eigenen Verbänden zusammen. Namentlich in Schleswig-Holstein wollten viele Pastoren wegen ihres Gegensatzes zu Röschmann nicht dem Nordbund sich anschließen. 1896 wurde auch der schleswig-holsteinische Provinzialverband neben dem Nordbund anerkannt. Das gab aber auch Schwierigkeiten, weil nun hier und da an einem Orte ein zum Nordbund und ein zum Provinzialverband gehöriger Verein waren. 1899 hob daher die deutsche Hauptversammlung die Unabhängigkeit des Provinzialverbandes auf. Inzwischen bildeten sich kirchliche Verbände auch in Westfalen, Hannover und Pommern. Verständigungsversuche scheiterten, der Zentralvorstand erklärte, daß die Bundesleitung bei der bisherigen Praxis bleiben werde. So entstand 1901 aus den genannten Verbänden mit Hamburger und westpreußischen Vereinen der „Bund kirchlicher Blau-Kreuz-Vereine". Im Deutschen Hauptverein aber war man der Meinung, daß der Herr durch die Beharrung auf dem alten Wege „das Werk vor Verflachung gnädig bewahrt hatte".

So ruhte das Werk des Hauptvereins jetzt fast völlig auf den Schultern der Gemeinschaftsleute. Doch gab es auch, namentlich im Westen und dem weinbauenden Süden, manche Kreise, die dem Blauen Kreuz fernblieben, während im Osten, wie wir sahen, Gemeinschaftsmann und Blaukreuzler fast identisch wurde. Je eifriger aber Blaukreuzarbeit von den Gemeinschaftsleuten betrieben wurde, desto näher lag die Gefahr, daß zwischen der „Gemeinschaft" und dem „Blaukreuzverein", die beide ihre Mitglieder stark in Anspruch nahmen, eine gewisse Konkurrenz entstand, mochte sie auch in dieser Periode frischen allseitigen Vorwärtsdringens noch nicht so zum Vorschein kommen.

Sehr viel weniger lag diese Gefahr vor beim Weißen

*) Der internationale Bund hatte 1902 800 Ortsvereine mit ca. 30 000 Mitgliedern.

Kreuz*), dessen Vereine keine feste eigene Organisation bedeuteten. Sie schlossen sich (s. o.) auch offiziell dem Deutschen Verbande an; v. Rothkirch hatte von Anfang an in Gnadau mitgearbeitet.

Die Arbeit des Weißen Kreuzes ist vielfach nur ein Zweig der allgemeinen Arbeit an der Jugend. Auch dem Blauen Kreuz sucht man die Jugend zuzuführen durch besondere „Hoffnungsbündnisse". Überhaupt richtete die Gemeinschaftsbewegung ihr Augenmerk schon früh auf die Jugend, war doch Jugendpflege stets ein vom Pietismus nicht minder wie vom Methodismus betriebenes Werk.

Spezielle Erziehungsanstalten wurden zwar nicht neu errichtet, wohl aber zwei Waisenanstalten, einmal das Elisabethheim in Havetoft durch den dortigen P. Witt (gegründet 1888, durchschnittlich 46 Kinder) und die Waisenhäuser der Gräfin Pfeil in Hausdorf (gegründet 1885).

Dazu kam in Schlesien das Krüppelheim Bethesda. 1898 wurde auf der Konferenz in Gnadenberg angeregt, „man möchte innerhalb der Gemeinschaftsbewegung auch ein praktisches Liebeswerk treiben und den Herrn um ein solches bitten". Als nun P. Thiemann-Marklissa einige Wochen später vom Vereinsgeistlichen für Innere Mission auf eine Anfrage wegen Unterbringung eines Krüppelkindes den Rat erhielt, in Marklissa ein Krüppelheim zu gründen, und diesen Brief in der Gemeinschaft vorlas, erhielt er am 30. November von einem Dienstmädchen 40 Mk. als Grundstein. Die Gaben mehrten sich. Ein Gebetsbund dafür bildete sich, bald hatte man 1200 Mk., und am 1. Juli 1900 eröffnete man in einer Mietswohnung die Anstalt. 1901 hatte man schon 7 Pfleglinge und kaufte ein Haus zu 11700 Mk., das am 1. Juli bezogen wurde. Die Zahl der Pfleglinge stieg auf 15, 1902: 20.

Im übrigen betrieb man die Kinderpflege vor allem durch Sonntagsschulen, fast jede Gemeinschaft in den Städten rief eine solche ins Leben, ja, manche Gemeinschaftsarbeit hat geradezu mit einer Sonntagsschule begonnen. Wie man in diesen Kreisen der Verkirchlichung der „Sonntagsschule", dem „Kindergottesdienst", gegenüber stand, haben wir bei Bernstorff (s. o. S. 168) gesehen. Gewissermaßen eine Ergänzung der Sonntagsschule bildete die Kinderbundsarbeit**) des Jugendbundes, die sehr bald nach

---

*) Begann 1883 in England, in Deutschland 1890 durch Landmesser Töllner und 12 Mitglieder des Ch. V. J. M. in Berlin. 1900 bestanden 230 Zweigvereine mit ca. 18000 Mitgliedern.

**) Der erste Kinderbund gegründet 27. März 1884 in Jowa. 1898 zählte man insgesamt 12282, 1902: 16376 Kindergemeinschaften.

dem Aufkommen des Jugendbundes auch in Deutschland begonnen wurde. Einheitlicher und energischer wurde auf diesem Gebiete jedoch erst in der nächsten Periode vorgegangen. Das Ziel dieser Arbeit war die Kinder„bekehrung".

Das Gelübde lautet: „Meinem Herrn Jesus Christus gelobe ich im Vertrauen auf Seine Kraft: Es soll mein ernstes Bestreben sein, stets alles das zu tun, was ihm wohlgefällt. Ich will jeden Tag Gottes Wort lesen und beten und nach bestem Wissen und Gewissen so leben, daß ich meinem Heiland nur Freude mache und ihn nicht betrübe. Jede Versammlung des Bundes will ich, wenn ich kann, besuchen, und an derselben mich beteiligen."

Gegen das Bedenken, daß das Hinarbeiten auf Kinderbekehrung so unpädagogisch wie möglich ist, erwidert man (Bilder aus dem Jugendbund in aller Welt S. 269): „... wer es einmal gesehen hat, wie wunderbar es ist, wenn der Herr an Kindern arbeitet und sie zu sich ruft, wie einst den Samuel, und wenn er Erweckungen unter Kindern schenkt, wie wir es erleben durften, wie dann die Kleinen strahlenden Angesichts sich Jesus weihen und er sich aus ihrem Munde ein Lob — eine Macht — zurichtet, da vergehen die Bedenken."

Der „Jugendbund für entschiedenes Christentum" (J.B.f.E.C.), dessen Ausfluß die Kinderbundsarbeit ist, ist selbst amerikanischen Ursprungs*). Stöcker machte nach seiner Amerikareise in seiner DEKZ zuerst darauf aufmerksam. Gleichzeitig fiel dem damaligen Vereinssekretär beim Vorständeverband der deutschen Jungfrauenvereine, Blecher, eine Schrift des Vorsitzenden des deutschen Jugendbundes in den Vereinigten Staaten in die Hände. Als Kandidat in Westfalen beschäftigte er sich weiter damit, und Stöcker veröffentlichte 1894 auch seinen Artikel in der DEKZ, was eine Zeitschriftendebatte zur Folge hatte. Gleichzeitig wurde Stöcker von dem Baseler Missionar Götz gebeten, sich der Sache anzunehmen, nachdem schon vorher die Reform. Kirchenzeitung und Hackmann in einem Artikel in der Christlichen

---

*) Die erste „Christian-Endeavour-Society" entstand am 2. Februar 1881 in der Kongregationalistengemeinde P. Clarks in Portland (Maine) mit 20 Mitgliedern, nach einem Jahre waren es 145, 1883 auf der 2. Konferenz waren es 56 Vereine mit 2870 Mitgliedern. 1894 wurde auf der Bostoner Konferenz (50 000 Delegierte) eine Welt-Union gegründet. Boston wurde Zentrale. 1901 zählte man in 61 427 Vereinen 3 200 000 Mitglieder. Das Abzeichen hat man 1888 auf der Chicagoer Konferenz angenommen. Als Weltbundblatt erschien Christian Endeavour World. Die erste Weltkonferenz in Europa fand 1900 in London statt, wo ca. 30 Delegierte aus Deutschland waren.

Welt darauf hingewiesen hatten. Dazu kam ein Besuch P. Clarks in mehreren deutschen Städten, meist in Verbindung mit dem Christlichen Verein Junger Männer*).

Reformierte Pastoren riefen dann zuerst einen J.B. ins Leben, Hobbing in Salzuflen am 7. Oktober und Heilmann in Göttingen am 21. November 1894. Am 14. bis 16. Oktober 1895 fand in Kassel die I. Konferenz statt (19 Teilnehmer, darunter Blecher, Ziemendorff, Hobbing, Heilmann, Neufville, Holzapfel, Wittekindt). Hier wurde das amerikanische Gelübde übernommen, erfreulicherweise unter Hinzufügung der unten gesperrt gedruckten Worte:

„Meinem Herrn Jesu Christo gelobe ich im Vertrauen auf seine Kraft: Es soll mein ernstes Bestreben sein, allezeit zu tun, was meinem Herrn und Heiland wohlgefällt, und einen wahrhaft christlichen Wandel besonders in Erfüllung aller täglichen Berufspflichten zu führen. 2. Ich will es mir zur Regel meines Lebens machen, jeden Tag zu beten und Gottes Wort zu lesen, die Gemeinde, der ich angehöre, nach Kräften zu unterstützen und ihre regelmäßigen Gottesdienste zu besuchen. 3. Als tätiges Mitglied will ich alle Pflichten gegen den Bund gewissenhaft erfüllen. 4. In den Gebetsversammlungen immer anwesend sein und an denselben nicht nur durch Gesang, sondern auch in anderer Weise tätigen Anteil nehmen. 5. Es sollen mich nur solche Gründe vom Besuch der regelmäßigen Gottesdienste und Gebetsversammlungen abhalten können, die ich vor meinem Herrn mit gutem Gewissen verantworten kann. 6. Sollte ich bei einer monatlichen Weihestunde einmal nicht anwesend sein können, so will ich, wenn irgend möglich, einen Spruch heiliger Schrift einsenden, der beim Aufruf meines Namens verlesen werden soll."

Als Name wurde J.B. für E.C. festgesetzt, in den Ausschuß wurden Blecher (damals Windheim), Winter-Kassel, Hobbing, Paul und P. Stieglitz-Berlin gewählt. Über die Trennung von „Brüdern und Schwestern" beschloß man:

„Die Stellungnahme zu dieser Frage bleibt dem Ermessen der einzelnen Leitung anheimgestellt nach Maßgabe der betreffenden Verhältnisse und Anschauungen." Wo beide aufgenommen werden, sind sie völlig gleichgestellt, die Leitung wechselt dann.

Zählte man 1895 acht Jugendgemeinschaften, so waren bei der II. Konferenz in Berlin allein neun persönlich vertreten, und siebzehn gab es im ganzen. Blecher trat von nun an ganz in den Dienst der J.B.-Sache. Januar 1897 wurde die „Jugend-

*) Interessant ist Dammanns Haltung, anfänglich Gegner (1896 Nr. 3), rät er dann „prüfet alles und das Beste behaltet" (1896 Nr. 6) und tritt dann mehr und mehr dafür ein.

Hilfe" ins Leben gerufen, redigiert zuerst von Hobbing, dann von Paul, 1900 von Brockes, seit 1901 von Blecher. Auf der III. Konferenz 1897 wurde Paul Vorsitzender, nachdem Brockes die Stelle einige Zeit versehen hatte, Girkon wurde zugewählt. Es sprachen Blazejewski, Regehly und Hobbing. Der Osten fing also an, eine vorwiegende Rolle zu spielen. Man zählte 42 Jugendgemeinschaften, 1898 bei der IV. Konferenz sogar schon 71 mit 2000 Mitgliedern; Hahn, damals Berlin, kam in den Ausschuß.

War auf den bisherigen Konferenzen meist über Fragen der Notwendigkeit und der Organisation des J.B. gesprochen, so lautete das Thema der V. (wie ihre Vorgängerinnen in Berlin): „Werdet voll Geistes!" Stachelhaus-Görlitz, Wurlitzer-Leipzig und Brockes sprachen. Brockes kam wieder in den Vorstand (112 Gemeinschaften). Auf der VI. Jahreskonferenz 1900 sprach Brockes über: „Die Krisis im Leben des Bekehrten" (138 Gemeinschaften). Im Januar des folgenden Jahres wurden über 1700 Unterschriften zu der Verpflichtung gesammelt: „Ich will drei Monate lang jeden Tag Gott um eine große Erweckung bitten." Das Generalthema der VII. Konferenz lautete: „Der Weg des Glaubens" (172 Gemeinschaften mit 2678 Mitgliedern). Man beschloß einen Reisesekretär anzustellen. Im Mai 1902 trat R. Volkmann diese Stelle an. Im August 1902 gab es 222 Jugendgemeinschaften; die Auflage der „Jugendhilfe" betrug 5600; den Vorstand bildeten Blecher, Brockes, Girkon, Hahn, Frl. v. Hahn-Wiesbaden, Horst, Kaul, Paul, Fabrikant William Schneider-Auerhammer, Stieglitz, Winter.

Inzwischen waren auch Provinzialkonferenzen entstanden, zuerst in Hessen (I. am 28. August 1898 in Hersfeld), in Schlesien, wo Romann-Liegnitz schon 1894 für die Sache eingetreten war, nach seinem Tode besonders Regehly (I. schlesische am 23. Januar 1899 in Lüben, II. 1900 ebendort, III. 1901 in Breslau, IV. 1902 in Görlitz), in Sachsen, wo besonders der genannte W. Schneider das Werk förderte (I. 23. Juni 1901 in Reichenbach). Hier schlossen sich 34 Jugendgemeinschaften zu einem Verbande zusammen (Vors. Schneider, Schriftführer Kleemann). Im Rheinland griff Kissing-Barmen das Werk 1898 an, dann vor allem Kaul in Beeck von seiner „Siegeshalle" aus. In Beeck fand 1900 die I. rheinische Konferenz statt (II. niederrheinische 1901 in Tersteegensruh, III. 1902 in Düsseldorf). In Pommern waren die uns bekannten Gemeinschaftspastoren Paul, Meyer, Schwartz, Gädtke, Bluth auch die Führer des J.B. (I. Konferenz 1900 in Stargard). Langsam nur ging es in Süddeutschland, wo die Altpietisten bei ihren bewährten Jünglingsvereinen beharren wollten. Ruprecht förderte jedoch in seiner Heidelberger Zeit die Sache so weit, daß am 12. Mai 1901 dort die I. süddeutsche Konferenz gehalten werden konnte (die I. Württemberger 1902 in Fellbach). Im Nordwesten betrieben Dolman und Coerper die Sache (I. norddeutsche Konferenz am 28. Mai 1901 in Wandsbek). In Nassau, wo in Wiesbaden schon 1895 eine Jugendgemeinschaft entstand, fand die I. Konferenz doch erst 1902 statt. In Westfalen entstand in diesem Jahre in Bielefeld ein Kreisverband, dessen Schriftführer Frau P. Köhler-Schildesche wurde, in Ostpreußen bildete sich im gleichen Jahre ein Provinzialverband.

Bezeichnend für diese ganze Entwicklung ist, daß meist solche Männer die Führung hatten, die nicht erst durch die Schule des Altpietismus gegangen waren, sondern ganz der neuen Bewegung angehörten, während die rein altpietistischen Kreise vielfach abwartend standen.

Die Aufnahme neuer Gemeinschaften wurde 1901 von der Anerkennung und Annahme folgender Punkte abhängig gemacht: 1. Das Gelübde, welches bekehrte Leute voraussetzt, 2. Weihestunde, 3. Gebetsversammlung und Bibelbesprechung, 4. die Arbeit in Komiteen (wenn entsprechende Mitgliederzahl vorhanden ist), 5. Treue gegen die eigene Kirchengemeinschaft, 6. entschlossene Allianzgesinnung.

Damit sind die Hauptstücke des Jugendbundes gegeben: Gebetsversammlung, Weihestunde, Mitarbeit und Gelübde.

Schweigt jemand in der Gebetsversammlung längere Zeit, so wird ihm eine Karte zur Unterschrift vorgelegt, in der er auf seine Verpflichtung hingewiesen wird. Wer sich weigert, ist entlassen. In den Weihestunden wird das Gelübde bestätigt. Sie sind die „Krone des Endeavourtums". Hier weihen die jungen Christen stets aufs neue ihr Leben dem Herrn (Schriftverlesung, Gebete und Gesänge, dann: „Ja, ein solcher Heiland, wie wir ihn haben, ist es wahrlich wert, daß wir seinen Namen verklären auf Erden." Ps. 23. Gebet, Gesang, Verlesung der Liste. Entweder ist das „hier" schon die Antwort auf den Aufruf oder ein kurzes Gebet, Spruch usw. wird hinzugefügt). Ohne Entschuldigung Fehlende werden gestrichen.

Zur Kirche wollte der J.B. prinzipiell sich freundlich stellen, wie denn nach seiner Behauptung § 27 der Verfassung sein Charakteristikum ist.

Der Bund steht mit der Gemeinde in gliedlicher Verbindung und richtet sein Augenmerk auf deren wahre Förderung. Der Pastor ist darum zwar nicht Leiter, aber stets Mitglied des Vorstandes (cf. Grundsätze des Deutschen Jugendbundes 3 und 2: Der Bund ist keine von der Kirche unabhängige Gemeinschaft. Er steht mit ganzer Treue zu derjenigen Kirchengemeinschaft, welcher die betreffende Gemeinde angehört). Aber freilich (4): „Wenn auch hier oder da die einzelnen Jugendgemeinschaften durch ihre Verbindung mit der Ortsgemeinde verschiedenen Kirchengemeinschaften angehören, so sind sie doch eins in Christus und pflegen diese Einigkeit im Geist." (Vgl. oben P. 5 u. 6 der Aufnahmebedingungen).

Man wird nicht sagen können, daß die Vereinigung beider Seiten sehr klar ist, zumal wenn man bedenkt, daß die in Betracht kommenden Sekten doch nur auf Kosten der Landeskirche sich ausdehnen. Die Betonung, daß im Wahlspruch: „Für Christus und die Kirche!" Christus an erster Stelle steht, ändert an der Unklarheit ebensowenig wie die Behauptung, daß nicht etwa die Unterschiede verwischt werden sollen, sondern nur „die Widerhaken an den Zäunen um die einzelnen Kirchengemeinschaften" nicht gepflegt und die Bruderhand über die Zäune gereicht werden soll. Das geschehe dadurch, „daß wir Christus selbst als das Einigende etwa auf Konferenzen und bei jeder Begegnung im Leben betonen". „Jeder, der bei Mitgliedern anderer Kirchengemeinschaften Christus selbst und sein volles Heil betont hat, wird innerlich Segen davon haben. Wer dagegen Lehrunterschiede betont, hat regelmäßig im tiefsten Grunde seinem alten Menschen Futter gegeben." Immerhin konnte 1902 berichtet werden, daß von 136 Gemeinschaften in 82 Fällen der Pastor freundschaftlich stünde. Andererseits fehlte das Selbstbewußtsein nicht: „In der Landeskirche bildet der Jugendbund oft das Zentrum, vielleicht das einzige des geistlichen Lebens" (Sieben Jahre J. B. f. E. C. in Deutschland S. 101). Wo Paul und von ihm beeinflußte ostdeutsche Führer so viel Einfluß besaßen, war es im übrigen nur natürlich, daß der „Christus in uns", die „völlige Hingabe" an den „völligen Erlöser" auch im J.B. stark betont wurde.

War so der J.B. von Anfang an ein echtes Kind der deutschen Gemeinschaftsbewegung, so lag doch bei seiner straffen Organisation die Möglichkeit der Reibung zwischen J.B. und Gemeinschaft vor, namentlich als die Mitglieder der ersten Jahre älter wurden, aber doch über die Zeit der „Jugend" hinaus Mitglieder des J.B. blieben und nicht ohne weiteres mit einem bestimmten Alter aus diesem austraten, um nur noch der Gemeinschaft des Ortes zu dienen. Um zwischen den Verbänden des J.B. und der Gemeinschaften wenigstens Fühlung herzustellen, beschloß man 1901:

„Da jetzt vielfach Provinzial-Verbände der Jugendgemeinschaften für E.C. sich bilden, so legen wir denselben ans Herz, auf jede Weise dahin zu wirken, daß das Verhältnis zu den Gemeinschaftsverbänden der betreffenden Provinzen oder Landesteile durchaus brüderlich gestaltet werde. Zu dem Zwecke empfehlen wir, daß die Provinzial-Verbände wenigstens ein Mitglied des Vorstandes der Gemeinschaften des betreffenden Landesteiles oder der Provinz als Mitglied wählen unter der Bedingung, daß die letzteren auch ein Mitglied des J.B.=Verbandes in der betreffenden Provinz in ihre Mitte aufnehmen."

Zu den Christlichen Vereinen Junger Männer scheint man durchweg gute, hier und da sogar organisatorische Beziehungen gehabt zu haben, hier und da, namentlich im Anfang auch zu den Vertretern einiger Jünglingsbündnisse (z. B. in Sachsen); doch bedeutete vielfach der J.B. eine Gegengründung gegen die bestehenden Jünglingsvereine, namentlich soweit diese nicht den vielfach ihnen ursprünglichen streng pietistischen Charakter beibehalten hatten und „verweltlicht" *) waren. Der Chr.V.J.M. stand auch in diesem Stücke durchaus auf der Seite des J.B. Im übrigen ist das, was die Chr.V.J.M. auch von den durchaus altpietistischen Jünglingsvereinen unterscheidet, offenbar der alte Unterschied von Methodismus und Pietismus, moderner organisierter Bewegung und alter deutscher Gemeinschaft. Das ergibt sich schon aus der Definition v. Hassells, der die Chr. V. J. M. bestimmt als „Vereine, welche in täglich geöffneten Räumlichkeiten arbeiten, Sekretäre als ständige Mitarbeiter haben, Missionscharakter tragen und ihre Mitglieder zur Mitarbeit heranziehen". Dazu kommt ihr Allianz=

*) Interessant sind in dieser Beziehung die Verhandlungen der Jünglingsvereinskonferenz in Elbing 1898. Der Referent (S. Boehmer=Marienwerder) wertete die Endeavour=Bewegung als eine bedeutsame Lebensäußerung der evangelischen Kirche Nordamerikas, an der für Deutschland abzulehnen sei „einerseits der Sauerteig des Methodismus (der sich besonders bei den Gebetsversammlungen geltend macht), andererseits die amerikanische Ungebundenheit des Verkehrs zwischen der männlichen und weiblichen Jugend", obwohl gerade dies beides vielleicht besonders zur Ausbreitung beigetragen habe. Doch liege die eigentliche Kraft in der Entschiedenheit ihres christlichen Charakters. Von den Jünglingsvereinen unterscheide sie sich dadurch, daß sie direkt auf Erweckung und Bekehrung ausgehe. Ersteren, denen teilweise wirklich der rechte christliche Ernst gemangelt habe, müsse die Tätigkeit des J.B. ein Weckruf werden, zu ernsterer Verwertung des Vereinsgelöbnisses, Einrichtung von Gebets= und Bibelbesprechungs=Versammlungen und engerer Gemeinschaft der erweckten Vereinsmitglieder. Übrigens habe der J.B. auch noch neben den älteren Vereinen Platz. — Die Vertreter des J.B. waren für dies wohlwollende Referat sehr dankbar und machten den Jünglingsvereinen des Ostens Äußerlichkeit zum Vorwurf, während deren Vertreter sich dagegen verwahrten, als ob im J.B. der Glaube, in den Jünglingsvereinen nur das Spiel gepflegt werde, und auf die unevangelische Engherzigkeit im J.B. hinwiesen. — Vgl. auch die Bemerkung einiger J.B.=Mitglieder gegen einen Pastor, „der in seinem weltlichen Verein allerlei Theaterstücke usw. duldete". „Wir wären jetzt keine Komödianten mehr, wir hätten mit dem Herrn lange genug Komödie gespielt" (Bilder aus dem J.B. für E.C. in aller Welt S. 103).

charakter. Ihr Ursprungsort war London. Die Gründung der ersten Young Men Christian Association durch George Williams fällt in die Jahre 1843/4. Nach Deutschland kamen, wie oben berichtet, die C. V. J. M. von Amerika, wo die Vereine besonders seit dem Bürgerkriege die Evangelisationstendenz angenommen hatten.

Die weitere Ausbreitung der C. V. J. M. zu verfolgen, würde zu weit führen. Ähnlich wie diese auf der Grenze stehen zwischen der Arbeit an der Jugend und der Arbeit von Standesgenossen aneinander, ist es der Fall mit der Christlichen Studentenvereinigung, die das Eindringen der Gemeinschaftsbewegung in die akademischen Kreise darstellt.

d) Die Arbeiten unter Angehörigen bestimmter Stände durch Standesgenossen.

α) Die Gemeinschaftsbewegung und die Akademiker.

(Die Enstehung und Entwicklung der D. C. S. V. — D. C. S. V. und christliche Verbindungen — Die Richtungen in der D. C. S. V. — Der S. f. M. — Die Schülerbibelkränzchen.)

Auf den 6. bis 9. August 1890 beriefen zuerst einige Führer der Gemeinschaftsbewegung wie Pückler, v. Rothkirch, Graf Lüttichau, Toellner und Mitglieder der Studentenabteilung des C. V. J. M. auf Anregung W. v. Starks, der die IV. Konferenz in Northfield (s. u.) 1889 mitgemacht hatte, eine Studentenkonferenz nach Niesky. Hier wurde bei Anwesenheit von 20 Studenten (18 Theologen) unter Lüttichaus Vorsitz beschlossen, daß jeder der Teilnehmer bis zur nächsten Konferenz an seiner Universität kleinere oder größere Gemeinschaften zu biblischer Besprechung usw. in aller Stille sammeln sollte. Das geschah denn auch im W.-S. 1890/91 an verschiedenen Universitäten. Am 12. November 1890 schlossen sich fünf Studenten in Berlin zu einem Kränzchen zusammen, aus dem am 21. Januar, nachdem die Zahl der regelmäßigen Teilnehmer auf 12 gewachsen war, ein zweites sich bildete. Zweimal hielten beide gemeinsame Zusammenkünfte auch mit dem Charlottenburger Kränzchen, das ebenfalls zu Anfang des Semesters entstanden war. In Greifswald waren die Besucher der Nieskyer Konferenz meist aktive Studenten gewesen, die weniger an der Gründung eines besonderes Kreises interessiert waren; so traten erst gegen Ende des Semesters drei Freunde zusammen, während in Halle schon im November die Gründung stattfand (durchschnittlich ca. 10). Der Heidelberger Kreis stieg von zwei, die Mitte

Dezember zusammentraten, auf sechs; in Königsberg schlossen sich am Schlusse des Semesters sechs zusammen. Das schon seit ca. 10 Jahren in Bonn ursprünglich unter Christliebs Pflege bestehende Kränzchen knüpfte Beziehungen an, desgleichen die beiden Tübinger Bibelkreise. Hier hatte sich im Anfang der achtziger Jahre ein Bibelkränzchen gebildet, das sehr bald korporativen Charakter annahm, d. h. keine Verbindungsstudenten aufnahm*). 1889 hatte man sich wegen wachsender Zahl geteilt in „Bibelkränzchen" und „Bibelfreunde" (W.-S. 1890/91 15 und 13 Mitglieder). Im Gegensatz zu den Tübingern wollte die Konferenz keine eigentliche Organisation, vor allem wollte man nicht korporativ werden**). Auch auf der II. Konferenz in Niesky (7. bis 10. August 1891), wo ein Komitee (Pückler, Lüttichau, Rothkirch und Brockes [damals Kandidat]) eingesetzt wurde, wurde ausdrücklich in § 7 der „Satzungen der Studentenkonferenz" bestimmt: „Die Konferenz ist Selbstzweck", d. h. man wollte die Mitglieder nicht auf bestimmte Veranstaltungen an den Universitäten verpflichten, und noch im Vorwort zum Bericht über die dritte Konferenz heißt es: „Die Konferenzen sollen weder eine neue Verbindung, noch ein bestimmtes neues Missionswerk begründen, sondern alle gläubigen Studenten ermuntern zu christlicher Wirksamkeit, in welcher Form sich dieselbe auch äußern möge". Auf dieser Konferenz (vom 12. bis 15. August 1892 in Frankfurt a. M.) sprach unter anderen Röschmann. Auch 1893 und 1894 tagte man dort. Auf der IV. (wo Lohmann und Hudson Taylor waren) wurde über Bibelkritik verhandelt; auch gründeten 27 Teilnehmer einen „Gebetsbund", der aber nicht lange bestanden hat. Nach der V., von 70 Studenten, auch von Röschmann, Lohmann und Paul besuchten Konferenz stellte man einen Generalsekretär an, richtete in Berlin, wo im W.-S. 1894/5 allein sieben Kränzchen bestanden, und für das auch der Sekretär vor allem da war, ein „Studentenheim" ein und gründete auf Anregung Clarks, der ja damals für die J. B.-Sache in Deutschland wirkte (s. o. S. 245), einen „christlichen Studentenbund" ganz nach dem Muster des J. B. mit einem weiteren Kreis „noch weniger

*) Hier trug das Ganze auch sonst mehr studentischen Charakter, z. B. der „Leseabend" am Sonnabend, bei dem allerdings Trink- und Kneiplieder ausgeschlossen waren, im übrigen kein Lied gesungen wurde, gegen das auch nur einer Einspruch erhob.

**) Ausdrücklich wurde ausgesprochen: „Aus allen möglichen Vereinigungen und Verbindungen mögen sich Studenten zu christlichen Gemeinschaften zusammenfinden, die Selbständigkeit der einzelnen Verbindungen wird dadurch nicht geschädigt werden" (s. den gut orientierenden Artikel im „Schwarzburgbund" 1898 Nr. 10).

entschlossener Kommilitonen" neben den aktiven Mitgliedern. Doch sollte auch dieser Bund nicht korporativ sein. Glücklicherweise sah man die Verkehrtheit eines solchen Schrittes an deutschen Universitäten bald ein, wie der Generalsekretär bei der VI. Konferenz selbst erklärte. Auf dieser (in Großalmerode, ca. 90 Teilnehmer) gründete man die „Deutsche christliche Studentenvereinigung" (D. C. S. V.) „zur Vertiefung christlichen Lebens durch gemeinsames Gebet und Bibelbesprechung und Anregung christlichen Werks unter den Mitgliedern und übrigen Kommilitonen" *).

Es folgte trotz dieser Organisation eine Zeit scheinbaren Rükganges. Zwar war ein neuer Generalsekretär gewählt, aber dieser war kaum ein Semester in Tätigkeit und beschränkte sich auf Berlin. Vom August 1895 bis November 1897 fehlte der Reisesekretär. So waren 1896 in Großalmerode nur 45 Studenten erschienen. 1897 fiel die Konferenz sogar ganz aus. Es fand nur eine erweiterte Komiteesitzung in Dinglingen statt. Aber damit begann die Reorganisation. Der neue Generalsekretär, der seit Oktober 1896 in Berlin tätig gewesen war, dann ein Semester in England und Amerika sich aufgehalten hatte, cand. min. H. Witt **) begann seit November 1897 die Universitäten zu bereisen, ein eigenes Blatt („Mitteilungen") wurde herausgegeben, Lokalkonferenzen und Ferienzusammenkünfte eingerichtet, sowie ein Gebetstag für Studenten. Im S.-S. 1898 war die D. C. S. V. an

---

*) § 1 der Verfassung lautet: Die D. C. S. V. setzt sich zusammen aus denjenigen Christlichen Studenten-Vereinigungen der einzelnen Universitäten und Hochschulen, welche im Zusammenhang stehen mit der „Allgemeinen Deutschen Christlichen Studenten-Konferenz" zur Vertiefung christlichen Lebens und Anregung christlichen Werkes unter der Studentenschaft. Sie steht durchaus auf der Schrift als auf Gottes Wort und bekennt sich zu Jesu Christo als Herrn und Gott. Ihr Ziel ist, nicht nur ihre Mitglieder, sondern so viele Studenten als möglich in persönliche Berührung mit dem Heiland zu bringen und sie zur Mitarbeit für ihn zu bewegen. § 2. Die Gesamtleitung der D. C. S. V. liegt in der Hand eines Vorstandes. Derselbe besteht neben den von den Studentenkreisen zu erwählenden sechs studentischen Vorstandsmitgliedern, 2 S. f. M.-ern, 2 A. F.-en noch aus etwa zwölf bewährten älteren Freunden der Studentensache, welche auf unbestimmte Zeit gewählt sind. Der Vorstand hat das Recht, entstehende Lücken durch Kooptation solcher Männer zu ergänzen, die der Studentensache besonders dienen können . . .

**) Ihm folgte 1899 v. Oertzen für Norddeutschland, Heim für Süddeutschland (seit W.-S. 1900/01 für ganz Deutschland), 1902 v. Peinen (neben ihm zeitweise für Berlin v. Gerdtell).

18 deutschen Universitäten (bzw. Hochschulen) vertreten. In Tübingen bildete sich damals der vierte Bibelkreis*), auch Stuttgart, Marburg und Gießen, Halle und Greifswald hatten blühende Bibelkränzchen. Auf der VIII. Konferenz in Eisenach, das nun für drei Jahre Konferenzort wurde, waren ca. 120 Anwesende (8. bis 12. August 1898). Prof. Schäder sprach über „Heilsgewißheit", außer ihm redeten E. Lohmann, M. Hauser, P. Wächter-Frankfurt, Prediger Mann-Kolmar. Die Diskussionen drehten sich, wie es in einem Bericht heißt, „meist mehr um den erbaulichen als den wissenschaftlich-begrifflichen Gehalt der betreffenden Themata". 1899 (7. bis 11. August, 140 Studenten und 12 ältere Freunde) sprachen Prof. Müller-Erlangen über den „Beginn des göttlichen Lebens im Menschen", Stockmayer: „Wodurch wird das göttliche Leben im Menschen gefördert?" Die Besprechung des Müllerschen Vortrages wurde so geführt, daß zunächst Stockmayer „aus seiner Lebensgeschichte den Beginn göttlichen Lebens erzählte . . . und nach ihm noch eine Reihe von Studenten in schlichter, einfacher, aber in dieser Offenheit die Herzen mächtig anfassenden Weise Gottes Weg zu ihrem Herzen schilderten. Die ganze Versammlung gab sich dem überwältigenden Eindruck dieses Vormittags voll und ganz hin, und ein Ausdruck davon war, daß sie gemeinsam die Kniee beugten vor Gott in Anbetung seiner Wunderwege." 1900 waren es wieder ca. 140. 1901 siedelte man mit der Konferenz nach Wernigerode über (ca. 200).

Schon 1899 bestanden die Kränzchen an 24 Universitäten und Hochschulen, 1901 waren es 25 Kreise mit 300 Studenten. Speziellere Konferenzen wurden für Süddeutschland eingerichtet. Die III. fand vom 9. bis 11. Oktober 1899 in Stuttgart statt (ca. 100 Besucher, Referenten: Prof. Uphues-Halle und P. Wächter).

Zu dem 1895 in Wadstena gegründeten Weltbunde christlicher Studenten, dessen Generalsekretär John R. Mott wurde, hatte man von Anfang an Beziehungen, war doch die Gründung auf der deutschen Konferenz des Jahres vorbereitet.

Interessant ist das Verhältnis zu den alten christlichen „Verbindungen", dem Wingolf und dem Schwarzburgbunde. Namentlich auf den beiden Nieskyer Konferenzen gab es lebhafte Auseinandersetzungen mit den offiziellen Vertretern des Wingolf. 1890 suchte man geradezu die Konferenz für den Win-

*) Doch schlossen sich „Bibelkränzchen" und „Bibelfreunde" nicht der D. C. S. V. an, sondern behielten die altpietistische, dabei geschlossene Art, verschmolzen sich auch wieder. Der dritte und der durch Absplitterung entstandene vierte Kreis gehörten zur D. C. S. V.

golf zu gewinnen. 1891 glaubte der Wingolf schon zu der Entstehung einer Art neuen christlichen Verbindung Stellung nehmen zu müssen.

„Daß der Wingolf einer von ihm vermuteten neuen christlichen Verbindung, die vielleicht den Anspruch erhob, christlicher zu sein oder ihm etwa die ernsteren Mitglieder zu entziehen drohte, nicht gleichgültig zusah, konnte vielleicht von manchen nicht gebilligt werden, mußte aber doch verständlich erscheinen („Herrnhut" 1891 Nr. 35).

Später scheinen offizielle Berührungen nicht mehr vorgekommen zu sein. Einzelne Wingolfiten sowohl wie Schwarzburgbündler haben stets der D.C.S.V. angehört, die ja nicht korporativ sein wollte. Eine Schwierigkeit lag aber in den Fragen, in denen die Bibelkränzchen sich von den genannten Verbindungen prinzipiell geschieden wußten, nämlich in der Frage nach der Berechtigung des spezifisch „Studentischen" für den Christen, vor allem, soweit darunter das historisch gewordene Verbindungsleben usw. zu verstehen ist.

Schon auf der zweiten Konferenz gab es „heiße, bei aller Anregung aufregende Tage", besonders bei der Besprechung des Referates von Direktor Bauer-Niesky über „Die christliche Pflege der Geselligkeit" *). Einige hatten dagegen „ernste Bedenken, daß so das Dringen auf Bekehrung und Bruch mit allem Sündlichen abgeschwächt würde", und trotz des Vermittlungsversuches des Bischofs Wunderling war „das letzte Wort, das auf der Konferenz gesprochen wurde, eine entschiedene Absage selbst an die Vermittelnden". Bei solcher Stellung zum wenigsten der Führer war es für Korporationsstudenten immerhin nicht ganz leicht, sich zu den Bibelkränzchen zu halten, hatte man doch gerade in den farbentragenden christlichen Verbindungen leicht das Gefühl, daß man sie in jenen Kreisen eben wegen ihrer studentischen Sitten als wenigstens noch nicht entschieden genug ansehe **). Andererseits konnte es natürlich gar nicht ausbleiben, daß auch in den Bibelkränzchen immer wieder

---

*) Augenscheinlich ganz in dem echte christliche Fröhlichkeit mit echtem christlichen Ernst in köstlicher Frische verbindenden wahrhaft pädagogischen Geiste gehalten, dem H. A. Krüger in seinem Gottfried Kämpfer ein so ehrenvolles Denkmal gesetzt hat.

**) Vgl. dazu die Debatte über den Wingolf in „L. u. L." 1901 u. 1902, die deutlich zeigt, daß man in Dammanns Kreisen für den Wert alles dieses Studentischen, des „Kneiplebens" usw., einfach kein Verständnis hatte. Verstieg sich doch ein P. E. in B., ohne daß Dammann etwas dazu gesagt hätte, zu dem Satze: „Können Sie nun den Herrn Jesum, den menschgewordenen Gottessohn, den Sünderheiland der Welt, auf einer ‚Wingolfskneipe' als Präsidium denken?"

das Studentische Eingang suchte. Auch hier blieb die Bibel nicht das einzige Band. Regelmäßige gemeinsame Ausflüge, gesellige Abende u. dgl. sollten sehr bald dazu dienen, die Mitglieder einander auch rein menschlich näher zu bringen. Damit war aber von vornherein die Möglichkeit ähnlicher Kämpfe gegeben, wie sie die Gründung der ersten christlichen Verbindung (Uttenruthia-Erlangen) begleitet haben.

Aber noch ein anderer Anlaß zur Ausbildung gegensätzlicher Anschauungen innerhalb der D.C.S.V. lag in der Frage nach dem Verhältnis des Studentischen zum Christlichen, sofern in ersterem auch gerade das „Streben", das „Sichauseinandersetzen", das Kämpfen und Suchen liegt, während das Christliche, wie es die Gründer der D. C. S. V. meinten, wonach sogar „Evangelisation", Arbeit an Fernstehenden nicht nur eingeschlossen, sondern besonders in den Vordergrund gestellt werden sollte, ein „Haben", ein wenigstens in gewissem Sinne „Fertigsein" voraussetzt. Hier besonders lag der Keim späterer Schwierigkeiten. Der Grund war wohl vor allem der, daß die Gründer eben keine Studenten mehr waren. So war auch die Konferenz ursprünglich mehr eine Evangelisation für als eine Vertreterversammlung von Studenten. Das wurde aber allmählich anders, je mehr die Studenten ihre Sache selbst in die Hand nahmen, besonders also seit 1897. Je mehr aber die Studenten in der D.C.S.V. selbst mitbestimmend wurden, desto mehr mußte auch das Studentische im Sinne des Suchens und Arbeitens mehr an sich selbst als an den anderen sich geltend machen. So gingen schon bald zwei Strömungen nebeneinander her, die eine, die Evangelisation an den anderen Studenten in den Vordergrund stellte, die andere, die nur persönliche Erbauung im Bibelkränzchen suchte, im übrigen aber „Student" sein wollte (vgl. auch die Beobachtung des Berichterstatters der „Chronik der christlichen Welt" 1901).

Wie diese Auseinandersetzungen sich im einzelnen Kränzchen vollzogen, wird schwer festzustellen sein. Vielfach ging es wohl wie in Darmstadt, wo Ende der neunziger Jahre ein V.D.St.-er*) ein Bibelkränzchen anfing, das sich nur aus wenigen Personen — meist V.D.St.-er und Wingolfiten — zusammensetzte. Die Leitung ging bald an einen über, der schon vorher im C. V. J. M. gearbeitet hatte und ganz auf dem Boden der Gemeinschaftsbewegung stand. V.D.St.-er und Wingolfiten bis auf einen schieden aus. Von den wenigen Zurückbleibenden verließen bald mehrere Darmstadt, dafür traten solche ein, „die zwar mit christlichen Kreisen Fühlung

*) „Verein deutscher Studenten".

hatten, die aber zu einer klaren persönlichen Stellung noch nicht gekommen waren". Der Leiter stand schließlich fast allein und bat v. Gerdtell um seinen Besuch, der bewirkte, daß „ein Teil der Kreismitglieder . . . sich zu einer freudigen Glaubensstellung durchrangen, einige Fernstehende gewonnen wurden, ein kleiner Teil dagegen sich vom Kreise zurückzog".

In organische Verbindung mit der D.C.S.V. trat 1898 der Studentenbund für Mission (S.f.M.). Er stammt aus England=Amerika*). Noch auf der Konferenz in Liverpool gründeten deutsche Deputierte den freiwilligen Studenten=Missionsbund, seit März 1896 S.f.M. für Deutschland.

Die Statuten der ersten Konferenz (Halle, 28. März 1896, 14 Mitglieder) lauteten: „§ 1. Der S. f. M. ist ein Gebets= und Werbebund für die Mission. § 2. Mitglied kann jeder Student werden, der, auf dem Grunde der Schrift stehend, im Glauben an Jesum Christum als an seinen Gott und Herrn, an der Verwirklichung des Missionsbefehls mitarbeiten

*) 1884 begann in England mit den „sieben Männern für Christum" (fünf Studenten aus Cambridge, darunter Stanley Smith, Studd und Cecil Polhill, zwei Offiziere), die, zum Teil von Moody bekehrt, in die China=Inland=Mission auszogen, vorher aber noch an vielen Orten Reden hielten, besonders in Edinburg, eine große Studentenbewegung. Infolge deren berief dann 1886 Moody und der C.V.J.M. in Amerika eine Studentenkonferenz nach Mt. Hermon (Northfield, Mass.), die von 251 Delegierten besucht war. Während derselben fanden sich schließlich 100 „volunteers", die eine Karte unterschrieben: „Ich bin willig und trage Verlangen (I am desirous), wenn Gott es erlaubt, Missionar zu werden." Vier Männer bereisten nun die Hochschulen Nordamerikas, besonders R. Wilder. So entstand die große Student volunteers Movement for foreign Mission. Nach einem Jahre hatten 2200 Studenten die Karte unterzeichnet. 1889 bildete man einen Ausschuß und stellte Reisesekretäre an. 1891 hielt man die 1. internationale Studentenmissionskonferenz in Cleveland (besucht allein von 600 Volunteers). 1892 wurde die Karte geändert: „Es ist meine Absicht, wenn Gott" usw. Im gleichen Jahre gab man den „Student volunteer" heraus. 1894 war in Detroit die 2. Konferenz (1325 Teilnehmer), 1898 wieder in Cleveland die 3. (2214 Teilnehmer, davon 1700 Studenten). Jetzt zählte man 4000 Volunteers mit der Losung: „Evangelisation der Welt in dieser Generation." Die Rückwirkung auf die englische Bewegung war 1889/90 die Organisation der Students Foreign Missionary Union, die aber nach dem Besuche Wilders in Keswick (1891) 1892 zur Student Volunteer Missionary Union wurde, die, bedeutend aggressiver, auch die Karte übernahm. Sie zählte 1896: 1038 Volunteers. In diesem Jahre fand vom 1. bis 5. Januar die große Konferenz in Liverpool statt, wo auch 21 deutsche Deputierte waren und ebenfalls die „Evangelisation der Welt" Losung war. Die zweite große internationale Konferenz fand 1900 in London statt.

will. § 3. Diese Verwirklichung erstrebt er, indem er sich vor dem Herrn die Frage stellt, ob er selbst Missionar werden soll, und indem er andere für das Missionswerk zu gewinnen sucht. § 4. Diejenigen, welche sich vor Gott darüber klar geworden sind, daß der Ruf des Herrn an sie ergangen ist, und fest entschlossen sind, in die Mission zu gehen, tun das kund, indem sie ihre Namen in die Liste der zukünftigen Missionare des Bundes eintragen." Dieser Paragraph wurde auf der zweiten Konferenz (Großalmerode, 10. August 1896) gestrichen. Dafür heißt § 1: S. f. M. will Studenten, die als Freiwillige ihr Leben dem Herrn für die Mission geweiht haben, zusammenschließen zur Gemeinschaft des Gebets, des Werbens und der Vorbereitung für die Mission. § 2. . . . Gott und Herrn die Erklärung abgibt: „Es ist mein Vorsatz, wenn Gott es zuläßt, Missionar zu werden."

Die I. allgemeine Studentenkonferenz des S. f. M. fand April 1897 statt, die II. 1901 (19.—22. April) in Halle.

Als eine Vorstufe gewissermaßen für die D. C. S. V. sind die — allerdings schon etwas älteren — **Bibelkränzchen für höhere Lehranstalten** anzusehen. Oktober 1883 entstand das erste in Elberfeld; dann folgte Berlin, September 1884 Mörs, 1886 Barmen. 1887 gab es schon 10. Ein westdeutsches Komitee und Reisesekretariat wurde eingerichtet. 1901 gab es in 40 Städten 70 Kränzchen, Komitees in Westdeutschland, Berlin, Mecklenburg und Sachsen. Ein enger Zusammenhang mit der D. C. S. V. bestand schon bald dadurch, daß anfangs die ersten Sekretäre der letzteren 1894 und 1895 die Schüler-Kränzchen-Sekretäre c. min. Mockert und c. min. Kohler waren.

Eine ähnliche Verbindung, wie sie in der Akademikerbewegung zwischen Evangelisation unter den Standesgenossen und Mission unter den Heiden bestand, entwickelte sich auch in der Lehrerwelt, soweit die Gemeinschaftsbewegung sie beeinflußte.

β) Die Gemeinschaftsbewegung und die Lehrer.

Die auf Gemeinschaftsboden stehenden Lehrer haben überhaupt die ersten „Berufsgemeinschaften" gebildet, und zwar stammt der „Verein evangelischer Lehrer in Württemberg" sogar aus der Zeit vor 1875. Dietrich hat ihn 1865 mit drei Freunden als „Verein christlicher Lehrgehilfen" gegründet. 1870 zählte er 90 Mitglieder, ward erweitert und nahm den obigen Namen an*). 1893 zählte er über 500 Mitglieder. An seiner Jahresversammlung am 16. Oktober 1902 beteiligten sich 220 Lehrer und 20 Lehrerinnen.

Als der zweitälteste entstand 1888 der „Gemeinschaftsverein

*) Organ: „Der Lehrerbote".

für Lehrer und Lehrerinnen in Schleswig-Holstein". Sein Gründer war Lehrer Witt, der ihn mit sechs Mitgliedern in Glückstadt ins Leben rief*). Der Verein richtete Pfingst- und Weihnachtskonferenzen ein und organisierte sich seit Pfingsten 1900 in mehreren Bibelkränzchen. Dann gestaltete er sich zur „Norddeutschen Lehrergemeinschaft" um.

Anfang der neunziger Jahre fand sich in Barmen ebenfalls ein kleiner Kreis zusammen. Hier gab es zwar schon längst Lehrer-Bibelkränzchen. Die neue Gemeinschaft aber unterschied sich dadurch, daß in ihr „ganz scharf zwischen ‚bekehrt' und ‚unbekehrt' unterschieden wurde". Herbst 1895 fand eine vorberatende Besprechung statt, in deren Berufungsschreiben die eingeladen wurden, „die nicht nur äußerlich auf dem Boden des positiven Bekenntnisses stehen, sondern die es im eigenen Leben und am eigenen Herzen erfahren haben, was Joh. 3, 3 und 5 geschrieben steht", und an der sich 35 Lehrer beteiligten. Ostern 1896 war die Konferenz bereits von 90 Lehrern besucht. Anfangs waren die Lehrerinnen ausgeschlossen. Erst später nahmen sie teil. Von der Existenz anderer Lehrergemeinschaften wußte man zunächst nichts, knüpfte aber später mit ihnen Beziehungen an. 1898 wurde der Name „Gemeinschaft gläubiger Lehrer Westdeutschlands zur Förderung und Vertiefung des christlichen Lebens" angenommen. Über Rheinland und Westfalen, Lippe, Waldeck und Hessen-Nassau dehnte sich die Gemeinschaft aus, ohne eigentlichen Vorstand und feste Statuten. In letzterem Lande bildete sich für Kurhessen eine eigene Zweiggemeinschaft (1901 in Treysa erste Konferenz). Die Hauptkonferenz tagte Ostern in Barmen, im Herbst auch an anderen Orten (Hammerhütte, Duisburg, Elberfeld). 1902 zählte die Gemeinschaft ca. 300 Mitglieder.

Nach dem Muster der genannten entstand die Ostdeutsche Lehrergemeinschaft, die zuerst am 4. und 5. April 1899 mit 16 Mitgliedern in Schneidemühl tagte. Bei der zweiten Versammlung, Weihnachten 1899 in Schneidemühl, beschloß man auch Lehrerinnen und Lehrerfrauen einzuladen. So fanden von da ab Pfingst- und Weihnachtsversammlungen der „Gemeinschaft gläubiger Lehrer, Lehrerinnen und Lehrerfrauen Ostdeutschlands" statt, 1900 beide in Neustettin, 1901 in Stolp, die VII. (19.—21. Mai 1902 in Bromberg) zählte vierzig Besucher.

Dazu kam dann noch die Schlesische Lehrergemeinschaft, die Oktober 1902 ihre V. Versammlung in Breslau hielt, und die

---

*) Heinrich Witt, geb. 1820, gest. 20. Februar 1890, der Schwiegervater Röschmanns (s. o. S. 165).

Sächsische, so daß 1900 schon sechs Lehrergemeinschaften bestanden.

Aus der Schlesischen ging 1902 der „Lehrer- und Lehrerinnen-Missionsverein“ hervor.

γ) Die Gemeinschaftsbewegung unter Beamten und Kaufleuten.

(Die christlichen Postbeamten — Die christlichen Eisenbahner — Die gläubigen Kaufleute.)

Ganz aus der neueren Bewegung wuchsen die Gemeinschaften christlicher Postbeamten hervor.

Eine Baronin Langenau hat die Arbeit in Berlin und Hamburg unter den Briefboten Anfang der neunziger Jahre begonnen. Ein besonderes Blatt „Der Briefbote“ wurde dazu ins Leben gerufen *). „Da die Dame deutsche Art und auch die Verhältnisse bei der deutschen Reichsverwaltung zu wenig kannte, machte die Arbeit keine Fortschritte“ (Christliche Post 1910 Nr. 6). Da nahm sich Frl. v. Blücher der Sache an. Sie bat R. Schultz, der damals in Blankenburg war, den „Briefboten“ zu übernehmen. Schultz behielt auch später die Redaktion bei. „In Gemeinschaft mit Frl. v. Blücher und den Sekretärinnen der International Postal Telegraph and Telephone Christian Association in London“, Miß Hale und Miß Edmonstone, wurde so in der Stille gearbeitet, zunächst nur an Briefträgern. 1898 muß das Blatt freilich schon „Die Christliche Post“ geheißen haben. Damals nämlich sollte von anderer Seite durch einen Aufruf in „L. u. L.“ (1898 Nr. 17) ein neuer Anfang gemacht werden, worauf in einer Zuschrift aufmerksam gemacht wurde, daß „Die Christliche Post“ bereits bestehe und die Zentralstelle des Christlichen Postvereins sich in Berlin bei Frl. v. Blücher befinde. Es kam dann eine Einigung zustande, und seit dem 1. April 1899 konnte „Die Christliche Post“ von Schultz monatlich herausgegeben werden. Die Konferenz der

*) Dieses scheint der wirkliche Titel gewesen zu sein, nicht „Postbote“, wie die 2. Aufl. dieses Buches angab, noch „Der Briefträger“, wie „Auf der Warte“ 1908 Nr. 29 angibt. Überhaupt sind die Angaben über die Postarbeit, die ich an verschiedenen Orten zerstreut gefunden habe, einander völlig widersprechend. Die eben genannte Stelle nennt „etwa 1890“ als Anfang der „Christlichen Post“. „Die Christliche Post“ selbst 1910 Nr. 6 behauptet, der Anfang der Arbeit sei 1895 gemacht. Die Änderung des Titels sei zugleich mit der Umwandlung in ein Monatsblatt 1898 nach der oben erwähnten Vereinigung erfolgt. Aber in „Licht und Leben“ 1898 Nr. 26 wird bereits vorher die Vierteljahrsschrift „Christliche Post“ genannt. Letztere rechnet 1910 als 17. Jahrgang.

gläubigen Post- und Telegraphenbeamten fand weiter ihr Heim bei Frl. v. Blücher.

Die erste Anregung für eine Sammlung der Eisenbahner rührte von der Harzkonferenz des Jahres 1900 her, auf der öfters für die Eisenbahner gebetet wurde. Auf der Heimfahrt saßen P. Paul und die Eisenbahnsekretäre Friese und Sandrock zusammen. „Da können wir hier im Eisenbahnwagen gleich die erste Eisenbahnerversammlung abhalten!" Sandrock nannte noch Häfer in Erfurt und schlug diese Stadt als Konferenzort vor. So fand im Oktober 1900 die „I. Konferenz gläubiger Eisenbahner" in Erfurt statt mit ca. 25 Teilnehmern.

Später wurden die Hauptversammlungen in den Juli verlegt (die zweite 15.—17. Juli 1901). Auch Bezirkskonferenzen bildeten sich bald, so in Schlesien. 1902 entstand die eigene Monatsschrift „Weg und Ziel".

Der Verband „gläubiger Kaufleute und Fabrikanten" verdankt seine Entstehung wiederum der Anregung Pauls. Dieser sollte am Reformationsfeste 1901 in Ratibor einen Vortrag halten über: „Der wahre und der falsche Glaube." Der uns von Brieg her bekannte Kaufmann Bild begleitete ihn. In der Bahn kam die Rede auf die Berufsgemeinschaften, und Paul fragte, wie es mit den Kaufleuten stünde. Bild meinte, die Sache läge in der Luft. So berieten die beiden. Als Mittelpunkt wurde Berlin, als Zeitpunkt Mitte Februar, wo die Bilanz gemacht sei, ins Auge gefaßt, als Thema „Die Pflichten im Beruf, gegen unsere Standesgenossen und persönliche Berufspflichten" und als Redner Bandfabrikant Rosenkranz und Pätzoldt (s. o. S. 219). Die beiden stimmten zu. Bild wurde zum Leiter ausersehen, und am 18. und 19. Februar 1902 fand die I. Konferenz statt, an der 30 Besucher teilnahmen. Bernstorff und Pückler sowie Frl. v. Blücher waren außer Paul die Förderer des Unternehmens.

Als Programm wurde aufgestellt:

1. Brüderliche Stärkung untereinander angesichts so vieler gemeinsamer Berufsfragen und Gefahren.
2. Weckung und Pflege der besonderen Gaben des Berufs zum Besten des Reiches Gottes in der Allgemeinheit.
3. Besondere Missionsaufgaben an den noch ferner stehenden Berufsgenossen.

Organ wurde „Der gläubige Kaufmann." *)

---

*) Nicht so ganz ohne weiteres zur Gemeinschaftsbewegung zu zählen ist der „Christliche Kellnerbund" (s. u.).

d) Die pastoralen Gemeinschaftskonferenzen und der Frauenmissionsbund.

Besondere Bedeutung hatten natürlich die pastoralen Gemeinschaftskonferenzen. Etwas Derartiges hat es nach dem Bericht E. Lohmanns in Gnadau 1890 (Verh. S. 158) im Rheinlande damals schon gegeben. Doch scheint die Sache wieder eingeschlafen zu sein, da die jetzt als „erste" rheinische bezeichnete erst 1905 abgehalten ist. Ebenso behauptet Lohmann in diesem Berichte, in Schleswig sei ähnliches im Werke. Auch hier hat die erste pastorale Gemeinschaftskonferenz erst 1904 stattgefunden. Dagegen fällt in unsere Periode die erste pastorale Gemeinschaftskonferenz im Johannisstift in Plötzensee (10. bis 12. April 1901). Sie beruhte auf der Anregung von Pirscher und Philipps, anwesend waren etwa 100 Pastoren, darunter die Generalsuperintendenten Braun und Dryander, die Hofprediger Stöcker und Ohly, ferner Burckhardt, Israel, S. Braune (Königsberg, Neumark). Ihr folgte eine Konferenz in Ostpreußen. Etwas älter scheint die schlesische zu sein, die alle zwei Jahre, meist in Liegnitz, stattfand, eingerichtet von P. lic. de le Roi und Konsistorialrat Streetz.

Abgesehen von diesen pastoralen Gemeinschaftskonferenzen, deren einer Zweck ja natürlich war, die Vertreter des geistlichen Amts mit der ganzen Bewegung bekannt zu machen, zeigte sich in diesen Berufsgemeinschaften die Einwirkung der sozialen Zeitströmung. Ganz besonders zeigte sich diese Einwirkung bei den Frauen, wo offenbar durch die allgemeine Frauenbewegung ausgelöste Gedanken wirksam wurden. Allerdings zeigten sich diese Erscheinungen erst stärker in der folgenden Periode, auch knüpften sie sich mehr an die Berufsarbeiterinnen als an die Gemeinschaftsarbeit unter den Frauen. Als eine besondere Arbeit trat diese 1900 auf, und zwar in Verbindung mit Bestrebungen für äußere Mission. Es bildete sich der „Frauen-Missions-Gebets- und Arbeitsbund".

Sein erster Aufruf besagte:

„Alle Frauenarbeit, deren Ziel die Rettung der Seelen, die Erkenntnis der seligmachenden Kraft Jesu und der Herrlichkeit eines Lebens in Seinem Dienst ist, soll Gegenstand unserer Fürbitte und unseres warmen Interesses sein. Unser Gebetsbund soll bitten: 1. um die Vertiefung des Glaubenslebens in unseren gläubigen Frauenkreisen, 2. um Gewinnung gleichgültiger oder bisher untätig gebliebener Frauen für den Herrn und seine Reichssache, 3. um Arbeiterinnen in seine Ernte."

Der Bund zählte 1901 bereits 700 Mitglieder. Vorsitzende wurde Frau v. Bethmann-Hollweg, Sekretärin Frl. Karol. Rhiem. Außerdem standen Frl. v. Kardorff, Gräfin El. Waldersee, Frl.

Wasserzug und Frl. v. Redern an der Spitze. Die ganze Gründung stand in enger Beziehung zu E. Lohmann und dem noch zu besprechenden Bibelhaus in der Malche. Was die Seite der Äußeren Mission anging, so sollte der Bund keine neue Missionsgesellschaft sein. Die Missionarinnen desselben sollten „gehen, wohin sie gerufen werden im Anschluß an jede Gesellschaft, die ihrer bedarf". Frauen-Missionskonferenzen, anfangs kleinerer Art (z. B. 6. September 1901 im Bibelhaus) wurden bald eingerichtet.

So finden wir bei den Frauen dieselbe Verbindung zwischen der Arbeit an den Standesgenossen und der Heidenmission wie bei Lehrern und Studenten. Überhaupt ist die Heidenmission ein besonderes Anliegen wie schon des alten Pietismus und des Methodismus, so auch der modernen Gemeinschaftsbewegung.

2. Die Arbeit in fremden Ländern.

(Heidenmission — Fürsorge für die Armenier — Judenmission.)

Die nicht an den Verband angeschlossenen altpietistischen Gemeinschaften sind nach wie vor eifrige Missionsleute und wohl größtenteils bei den ihnen gewissermaßen „angestammten" Gesellschaften geblieben, Württemberg, Baden, Pfalz und Elsaß bei Basel, die älteren rheinischen und westfälischen Kreise bei Barmen, die Litauer bei Goßner und Berlin I. Die Gemeinschaften der neueren Bewegung dagegen bevorzugten meist die sogenannten „Glaubensmissionen", die, wie wir oben bei Röschmann (s. S. 166) schon sahen, ihrem eigenen Standpunkt mehr entsprachen.

Das Vorbild aller derselben war hauptsächlich die englische China Inland Mission (gegr. 1865 durch Hudson Taylor), doch ist zu beachten, daß bereits in der ersten Zeit der darbystischen Bewegung Groves als solcher Glaubensmissionar nach Mesopotamien zog. Von den anderen Missionsgesellschaften abweichend war die C. J. M. interdenominationell, suchte die Qualifikation für den Missionsdienst überwiegend in der geistlichen Ausrüstung, nicht in schulmäßiger Vorbildung*) und stellte vor allem auch

---

*) Vgl. Behauptungen wie folgende: Besondere Gabe für Sprachen sei nicht nötig, besonders starke Konstitution auch nicht, „Gott macht die Schwachen stark". Pflichten zu Hause seien nicht unbedingt bindend, ebenso nicht das Geschäft. „Man braucht nicht auf einen besonderen Ruf zu warten." Der sei im Befehl des Herrn enthalten. Vielmehr sei ein besonderer Ruf nötig, hier zu bleiben (Aus „Sage nicht", einem die C. J. M. empfehlenden Büchlein.)

Frauen in die Missionspredigt. „Glaubensmission“ wollte sie sein, sofern niemals Menschen direkt um Missionsbeiträge gebeten werden, auch die Missionare kein festes Gehalt beziehen, sondern lediglich von dem abhängen sollten, was Gott darreicht. In der Erwartung der baldigen Wiederkunft Jesu, bzw. um diese zu beschleunigen, sollte möglichst schnell der ganzen Welt das Evangelium gepredigt werden (Evangelisation, nicht Christianisierung; möglichst viele Evangelisten).

In Deutschland war die Neukirchener Mission die erste „Glaubensmission“ gewesen. Es folgte aus den Kreisen der durch Franson (s. o. S. 151) 1889 im Wuppertal Erweckten, angeregt durch Hudson Taylors China's Millions, die China-Allianz-Mission in Barmen*). Ein fünfgliederiges Komitee wurde gebildet aus Gliedern der „freien Gemeinde“, der Landeskirche, der „Versammlung“ und der Baptisten. Die eigentliche Seele des Ganzen wurde Polnick. Charakteristisch war für die Mission das „vierfältige Evangelium“ (Erlösung, Heiligung, Heilung und Wiederkunft).

Von dem deutschen Zweige der China-Inland-Mission haben wir schon oben erzählt. P. Witt rief sie 1897 als Kieler Zweig der C. J. M. ins Leben. Später kam es jedoch zu Streitigkeiten. Die Mission wurde als Deutsche China-Inland-Mission nach Hamburg verlegt. Coerper übernahm die Leitung und siedelte 1902 mit ihr nach Liebenzell über**). Witt blieb in Kiel als Leiter einer Kieler China-Mission und ging selbst nach Pakhoi, wo man 1901 zwei Missionare und einige unverheiratete Damen in der Arbeit hatte (Organ: Er kommt).

Endlich entstand 1900 noch die „Sudan-Pionier-Mission“ unter dem Vorsitze von Ziemendorff-Wiesbaden (Schriftführer Dammann***). Die Anregung kam ebenfalls von England durch Missionar Kumm, den Schwiegersohn des stark darbystischen Grattan Guinneß, dessen Missionsgründung Warneck (Abriß einer Geschichte der protestantischen Missionen, 5. Aufl. S. 100) charakterisiert:

---

*) Am 5. Oktober 1890 Aussendung der ersten drei Missionare. Organ: „Der Chinabote“ seit 1893. 1899 Einn.: 22347,72 Mk. Die Ausgaben richteten sich grundsätzlich nach den Einnahmen. Interessant ist die Mahnung im Chinaboten 1900 (April) zu beten 1. um Ausgießung des Geistes über unsere ganze Mission; 2. um 20 Arbeiter für Kiangsi innerhalb 3 Jahren; 3. um eingeborene Evangelisten; 4. um 5 Hauptstationen in Kiangsi usw. 1901: 17 Missionare. Die Mission arbeitete im engen Anschluß an die englische C.J.M.

**) 1901: 5 Brüder, 4 Schwestern in Vorbereitung, 4 draußen, 2 daheim. Einn.: 18652,65 Mk. Organ: Chinas Millionen (seit 1900).

***) Erste Abordnung 1900 in Kassel. Organ: Der Sudan-Pionier.

„Ganz in den Bahnen der C. J. M., nur um einige Grade weniger nüchtern und mit stärkerer Betonung der baldigen Wiederkunft Jesu.“ Kumm und Guinneß hatten zuerst mit Chrischona verhandelt, diese hatte aber abgelehnt.

Dazu wurden noch direkt einige englische „Glaubensmissionen“ von den Gemeinschaftsleuten unterstützt, so die North-African-Mission*) und die Kurku-Mission in Indien**).

Dadurch, daß diese neuen Missionen nun in die Heimatgebiete der alten Gesellschaften eindrangen, entstanden für diese manche Verluste, so in Schleswig-Holstein, wo die C. J. M. „Herzen und Hände der angestammten Breklumer Mission entwendet“ hat, und in der Lausitz, wo sie der Leipziger Konkurrenz machte (ALK 1900 S. 667). Doch näherten sich die Gemeinschaften nach dem Bruch mit Witt-Kiel augenscheinlich mehr Breklum, das sie nun mehr und mehr als zu sich gehörig betrachteten. Auch in Sachsen hielt man der im allgemeinen kirchlichen Entwicklung der Gemeinschaften entsprechend zumeist an Leipzig fest, ebenso Pommern (die ländlichen Gebiete) und Provinz Sachsen an Berlin I, in Posen dagegen nur die Reichsbrüder, während die neueren Gemeinschaften mit Westpreußen zusammen sich zur C. J. M. hielten und den Unterhalt des von Chrischona ausgebildeten, von der C. J. M. ausgesandten Miss. Traub übernahmen. In Brandenburg und Schlesien unterstützte man die drei Berliner Gesellschaften, aber auch C. J. M. und die Sudan-Pionier-Mission, die natürlich vor allem in Hessen-Nassau Freunde gewann.

Nach den Armeniermetzeleien nahmen sich 1896 ganz besonders die Gemeinschaftsfreunde der Unterstützung der Waisen und Notleidenden an, wozu auch wohl die Beziehungen zu England-Amerika mitwirkten. Am 2. Februar 1896 wurde der „Deutsche Hilfsbund für christliches Liebeswerk im Orient“ gegründet durch E. Lohmann, damals in Frankfurt a. M. Ein eigenes Blatt, zunächst „Auf der Warte“ als Beilage zu Lohmanns „Freiwilligem“ 1897, seit 1899 „Mitteilungen aus dem Orient“ (später „Sonnenaufgang“ genannt) wurde herausgegeben. P. J. Lohmann wurde Sekretär des Hilfsbundes.

---

*) Entstanden durch Anregungen Guinneß' 1881 aus einer Kabylenmission; 1899 ca. 20 Stationen mit über 80 Missionaren, meist Fräuleins.

**) 1872 hatte ein Amerikaner, Norton, als Freimissionar unter den Kurkus in Zentralindien zu arbeiten begonnen; nachdem er 1889 aus Gesundheitsrücksichten zurückgekehrt war, entstand 1892 in London ein Komitee als interdenominationelle Glaubensmission, nur Bekehrte aussendend. Die Missionare waren vielfach Deutsche, Leiterin eine Mrs. Baxter.

Lepsius andererseits rief, nachdem er selbst Kleinasien im Frühjahr 1896 bereist hatte, unter Aufgabe seines Pfarramtes*), einen Berliner Hilfsbund für Armenien ins Leben, den er später in eine „Deutsche Orientmission" umwandelte („Der Christliche Orient" seit 1900).

Brockes wurde Vorsteher des Waisenhauses in Bebek.

Endlich ist noch zu erwähnen, daß, besonders aus eschatologischen Gründen, auch das Werk der Judenmission viel Anklang in der Bewegung fand, namentlich (s. o. S. 176) das Missionshaus Dolmans in Wandsbek „Bethel".

Unwillkürlich erhebt sich bei dieser vielleicht nicht einmal vollständigen Übersicht über die auf dem Boden der Gemeinschaftsbewegung schon in den ersten Jahren nach dem Entstehen einer wirklichen organisierten Bewegung in Angriff genommenen Arbeiten die Frage, woher die Arbeitskräfte stammten. Eine Übersicht über die Ausbildungsanstalten mag sie beantworten.

3. Die Ausbildungsanstalten der Gemeinschaftsbewegung.

a) Für männliche Berufsarbeiter.

(Jellinghaus' Bibelschule — Bibelkurse — Neukirchen — Chrischona — Johanneum).

Die Entstehung der ersten Ausbildungsanstalten für Evangelisten, Gemeinschaftsleiter usw. haben wir schon berichtet. Hier ist nur ihre Entwicklung in dieser Periode in ihrer Wechselbeziehung zur organisierten Bewegung nachgetragen.

Jellinghaus hat seine Bibelschule in gewohnter Weise bis zu seiner Pensionierung in Gütergotz, wie oben geschildert, gehalten. 1894 wurde er wegen eines Nervenleidens pensioniert, erholte sich aber so weit, daß er an verschiedenen Orten längere Bibelschulen und kürzere Bibelkurse halten konnte, z. B. in Hamburg (Winter 1894/95, 1896), Blankenburg, Kassel, Breslau, Wiesbaden, Wernigerode, Dortmund, Stuttgart u. a. Dazu begann er seit 1898 in Berlin vom 3. Januar bis 31. März Bibelschule zu halten. Daraus entwickelte sich ein ständiges „Brüderheim" seit Ostern 1899 und ein „Schwesternheim". Seit 1899 gab er auch „Mitteilungen aus der Bibelschule und der Evangelisationsarbeit ihrer Mitglieder" als Organ eines Bibelschul-

*) Weil ihm ein halbjährlicher Urlaub für seine Zwecke verweigert war.

bundes heraus. 1902 nahmen 66 Brüder und 47 Schwestern teil. Im ganzen waren damals schon rund 300 Bibelschüler und 80 Bibelschülerinnen durch seinen Unterricht gegangen.

Der Gedanke längerer oder kürzerer Bibelkurse wurde jetzt aber auch anderweitig durchgeführt, in Württemberg nach Jellinghaus' Weise drei Monate lang bereits 1892 von P. Langbein (damals Würtingen, später Dettingen). Meist nahm man jedoch nur 8 bis 14 Tage. Diese kürzeren Bibelkurse wurden schon bald z. B. auch vom Blauen Kreuz eingerichtet, besonders gern an Orten, wo eine Anstalt war, wie Chrischona, Blankenburg, Teichwolframsdorf, Hausdorf, Brieg (die Brieger Woche, s. o. S. 220).

In Neukirchen überwog auch ferner die Evangelistenschule die Missionsschule. 1903 standen 25 bis dahin ausgezogenen Missionaren 46 Evangelisten gegenüber. Daß die Arbeit derselben teilweise geradezu in freikirchlichem Dienste, teilweise wenigstens in nicht sehr kirchlicher Haltung geschah, ist erwähnt.

Die Pilgermissionsanstalt zu St. Chrischona nahm in dieser Zeit eine neue Arbeit der Heidenmission auf in dem 1895 begründeten Chrischonazweig der China-Inland-Mission. Evangelisten, die direkt im Verbande der Pilgermission arbeiteten, gab es 1902 im ganzen über 50; in Deutschland fanden wir sie vor allem in Hessen und Ost- und Westpreußen, sowie vereinzelt in Baden, Württemberg und der Rheinprovinz. Über die prinzipielle Stellung der Chrischona zur Landeskirche sagte Rappard im Bericht von 1900: Man denke nicht daran, eine Chrischonakirche zu gründen. Man wolle nur „nach dem Wort und unter der Leitung des Herrn durch die Verkündigung des Evangeliums Menschen zu Jesu, ihrem Heiland, führen und die zu ihm Gebrachten in Gemeinschaften sammeln und pflegen". Diese Tätigkeit sei begreiflicherweise verschieden „je nach dem Charakter des Arbeiters und der Verhältnisse, unter denen er wirkt. An manchen Orten sind die Gemeinschaftsleute auch die fleißigsten Besucher des landeskirchlichen Gottesdienstes. Wo die Vertreter der Landeskirche den biblischen Boden verlassen haben und einen anderen Christus verkündigen, bleiben die Gemeinschaftsmitglieder von solchen Gottesdiensten fern und behelfen sich mit allen Gnadenmitteln nach Apostelgeschichte 2, 42, wozu noch Taufe, Beerdigung und Einsegnung der Ehe kommen."

Wenn wir auch gern zugeben, daß diese Ausführung zunächst die Schweiz im Auge hatte, so redete doch Rappard allgemein von den Stationen der Pilgermission. Dazu kam die stark donatistische

Wertung der Gemeinschaften*). Da war es doch nicht verwunderlich, wenn die Evangelisten der Chrischona auch in Deutschland der Landeskirche nach wie vor teilweise recht gleichgültig gegenüberstanden.

Besser auf deutsche Verhältnisse zugeschnitten war doch das Johanneum, dessen Entwicklung seit 1893 hier noch nachzutragen ist. 1893 traten für Pfleiderer und cand. Kirchberg die Kandidaten Christlieb (Sohn des Professors) und Bröckermann ein, 1895 folgten ihnen P. W. Haarbeck, Bruder des Inspektors, damals Pastor in Haiger, und cand. Conrad, der 1898 nach Nümbrecht ging. Sein Nachfolger, cand. Buddeberg, blieb bis 1901, worauf P. Aschoff eintrat.

Die Zahl der ausgesandten Brüder stieg von 12 (1893) auf 26 (1896) und 57 (1901). In letzterem Jahre waren 32 Brüder (darunter 8 Gäste) in der Anstalt. Das Defizit war seit einigen Jahren gedeckt, der Etat belief sich auf 21 000 Mk. Außerdem war die Anstalt eingetragener Verein geworden.

Wie spät und wie wenige wirkliche Evangelisten aus dem Johanneum hervorgingen, ist angedeutet, ebenso die dadurch begünstigte Verschiebung des Begriffs „Evangelist“. Sie zeigt sich auch darin, daß man nicht nur die Evangelisation (diese mit vollem Recht), sondern eben auch die beim Johanneum weit vorwiegende Gemeinschaftspflege im Jahresbericht von 1899 mit dem bekannten Wichernschen Worte von der Straßenpredigt zu decken sucht.

Das hindert aber im übrigen nicht, daß die Jahresberichte Haarbecks sich durch ruhige, nüchterne Klarheit auszeichnen, die er offenbar auch seinen Zöglingen mitzugeben suchte.

Drei Punkte hebt er bei deren Aufnahme und Erziehung (1898) hervor: „1. Die Brüder des Johanneums sollen gründlich bekehrt sein und die Gemeinschaft des Todes und der Auferstehung Christi aus eigener Erfahrung kennen. Mit ungebrochenen und ungeheiligten Menschen kann im Reiche Gottes nichts ausgerichtet werden. Die hl. Schrift soll in erster Linie

---

*) Vgl. Jahresbericht 1899: „Die Gemeinschaftspflege ist die Verwirklichung der Bildung der ecclesia, der Versammlung der Herausgerufenen . . . In dieser Sammlung und Pflege der zum Leben gerufenen Christen fühlen wir uns verbunden mit allen, die im Auftrage des Hauptes der Kirche mithelfen. Wir danken Gott für das, was in unseren Landeskirchen und Volkskirchen geschieht. Wie viele treue und geehrte Brüder haben wir darinnen, die es noch besser wissen als wir, daß die empirische, geschichtlich gewordene Volkskirche nicht die Gemeinschaft der Heiligen ist, die aber in diesem großen Rahmen dankbar bleiben, um dem ganzen Volk das herrliche Evangelium zu predigen und die Gemeinde Jesu daraus zu rufen und zu bilden.“

diese Wirkung hervorbringen, und das Anstaltsleben bietet Gegenheit genug zur Übung darin.

2. Das Johanneum gibt seinen Zöglingen in den drei Jahren eine biblische Bildung, welche bei irgend normaler Begabung genügt, um sich in verschiedenen Verhältnissen zurechtzufinden und allerlei ungesunden Strömungen gegenüber die biblische Wahrheit nüchtern zu vertreten . . .

3. Was die kirchliche Stellung unseres Hauses betrifft, so weiß jeder, der uns kennt, wie innig wir mit den Gemeinden des Wuppertales verbunden sind. Wir wollen ebenso treue Gemeindeglieder als lebendige Glieder am Leibe Christi sein."

Im 2. Punkte hat freilich Haarbeck sich doch wohl getäuscht und die Gefahr theologischer Halbbildung zu niedrig eingeschätzt, wie später besonders die Pfingstbewegung lehren sollte, wo eine ganze Reihe Zöglinge keineswegs „allerlei ungesunden Strömungen gegenüber die biblische Wahrheit nüchtern" vertrat. Aber die Lehrer des Johanneums haben in der Tat den nüchternen Flügel der Bewegung stets vertreten.

Ebenso blieb die Leitung entsprechend Punkt 3 stets gut kirchlich *). Ausdrücklich wird anerkannt, daß nicht überall alle Evangelisten, besonders die sogen. „wilden", auf die Ordnungen der Kirche gebührend Rücksicht genommen hätten und die Kirche nicht ohne Grund mißtrauisch sei. Freilich hat das nicht hindern können, daß auch die vom Johanneum Ausgesandten nicht alle wirklich kirchlich blieben.

Doch ist zu bedenken, daß der Einfluß des Mutterhauses auf sie, nachdem ihnen vom Komitee beim Abgange ein Arbeitsgebiet zugewiesen war, nicht mehr groß war. Sie durften nur während der ersten zehn Jahre keinen Stellenwechsel ohne Zustimmung des Johanneumsvorstandes vornehmen, und soweit möglich sollten die auswärtigen Brüder alle zwei Jahre zu einer Konferenz zusammenkommen.

b) Für weibliche Berufsarbeiter.

(Kinderheil — Magdalenenstift — Miechowitz — Elim-Hamburg — Das Bibelhaus — Wandsburg.)

Größer als die Zahl der Ausbildungsanstalten für männliche Berufsarbeiter wurde bald die der Schwesternhäuser. Einige ältere Diakonissenhäuser gingen ganz in das neue Fahrwasser ein, so außer Bern, dessen deutsche Station Ems ein Stützpunkt der Bewegung in Nassau wurde, besonders Kinderheil-Stettin seit Oktober 1901 unter P. Fabianke. Die Anstalt war, wie es scheint,

*) Die Bedingung des Abendmahlsgenusses in der Landeskirche scheint für die Aufnahme gefallen zu sein.

sehr zurückgegangen. Da bekehrten sich einige Schwestern infolge von Evangelisationsvorträgen in Stettin, allmählich folgten ihnen fast sämtliche Schwestern. Es entstanden heftige Kämpfe. Aber „ein ‚Beirat' von Gotteskindern aus der Provinz nahm sich der bedrängten Schwestern an" (Mitteilungen des Pomm. Gemeinschaftsvereins Nr. 12)*). Die Anstalt wurde eingetragener Verein, einige Schwestern traten aus, satzungsmäßig wurde festgelegt, daß nur „bekehrte" Schwestern aufgenommen werden sollten (1903 ca. 50 Schwestern).

Noch heftigere Stürme, die erst in der nächsten Periode überwunden wurden, gab es im Magdalenenstift Berlin, dessen Vorstandsvorsitzende die bereits bei Schlesien erwähnte Gräfin Pfeil war. Am 1. April 1898 wurde P. Hahn-Leipe, „ein wahrhaft gläubiger Geistlicher" (L. u. L. 1898 Nr. 9), hier Anstaltsgeistlicher, bald darauf Cäcilie Petersen, ebenfalls Anhängerin der Gemeinschaftsbewegung, Oberin. Gleichzeitig fand eine durchgreifende Reorganisation nach innen und außen statt. Eine Anzahl älterer Schwestern, die die neuen Wege nicht mitgehen wollte, trat aus. 1901 wurde das Stift nach Teltow verlegt.

Aber auch neue Diakonissenhäuser entstanden, zuerst ganz in der Stille um 1890 in Miechowitz in Oberschlesien unter Eva v. Tiele-Winkler, der „Friedenshort"**) für Alte und Schwache und Kinder. 1891, als schon das zweite Haus „Schwalbennest" eingeweiht wurde, wurden die vier ersten Schwestern eingekleidet.

Das zweite Gemeinschaftsschwesternhaus wurde in Hamburg ins Leben gerufen durch Röschmann, der, wie wir sahen, schon bei Beginn seiner dortigen Arbeit Gründungsgedanken hegte. Nachdem die zuerst bei ihm Angemeldeten, wie dort erzählt, einer früheren Altonaerin, die damals ein kleines Siechenhaus leitete, übergeben waren, hatte er Herbst 1893 eine eigene Siechenpflege unter der Oberschwester Christiane Kock begonnen, 1894 das neuerbaute „Siechenhaus Elim", Frickestraße 22, mit 8 Schwestern bezogen. 1900 trat eine zweite Oberschwester als Vertreterin des Hauses nach außen hinzu. Man unterschied Vorprobeschwestern, Probeschwestern, „welche wohl eingekleidet sind, sich aber noch in der Bedenkzeit befinden, ob sie nicht doch am Ende für einen anderen

---

*) Vor Fabianke scheint Golz zu diesem „Beirat" gehört zu haben, der einen Aufruf in „L. u. L." 1901 veröffentlichte: „Seelsorge und Leitung im Hause ist eine entschieden gläubige; es herrscht Evangelisationsgeist und Versammlungsfreiheit in demselben."

**) Die Arbeit ist bis 1906 so in aller Stille vor sich gegangen, daß sie mir in den früheren Auflagen unbekannt geblieben war.

Beruf sich besser eigneten als für den Diakonissenberuf, oder ob sie überhaupt mit unseren Ordnungen und Verhältnissen für ihr Leben zufrieden sein können," und eingesegnete Schwestern, „welche sich voll und ganz entschieden haben, nun in diesem Beruf ihr Leben lang dem Heiland zu dienen".

Auch das Bibelhaus in der Malche bei Freienwalde ist bereits erwähnt. E. Lohmann hatte 1898 im „Freiwilligen" einen Artikel „Leere Plätze" geschrieben, auf die Notstände unter den Frauen Chinas und Indiens, die Waisenhäuser im Orient usw. hingewiesen: „Wir sollten ein Haus haben, in dem solche Töchter, die willig sind, dem Herrn daheim oder in der Ferne zu dienen, sich speziell für solchen Beruf vorbereiten könnten." „Das Haus soll ein rechtes ‚Bibelhaus' sein. Außer einer Bibel soll nicht viel Gepäck mitgebracht werden." Bereits im Herbst des Jahres begann der erste Kursus mit 8 Teilnehmerinnen unter der Leitung von Frau v. Hochstetter und Frl. Wasserzug in einer Mietswohnung in Freienwalde. Die Meldungen wuchsen. So wurde bereits im Herbst 1900 das Bibelhaus in der Malche eingeweiht und der neue (3.) Kursus mit 30 Schwestern begonnen*). Das Werk war „ein auf Glauben hin ohne Mittel und gesicherte Einnahmen angefangenes Werk". Als unbedingt vor Eintritt in den Dienst zu erreichendes Ziel sollte gelten: „daß das Vertrauen der Schwester auf sich selbst durch Gottes Geist vernichtet und ein

---

*) I. Wir nehmen in unser Bibelhaus auf: 1. Schwestern, die sich in einem zehnmonatlichen Kursus auf den Dienst der äußeren Mission vorbereiten wollen. Anfang des Kursus in der ersten Hälfte des September; 2. Schwestern, die sich in einem fünfmonatlichen Kursus für den Dienst der inneren Mission ausbilden lassen wollen. Anfang des Kursus im Februar und September; 3. Hospitantinnen, die vorübergehend auf Wochen oder Monate dem Unterricht oder einzelnen Bibelkursen beiwohnen möchten. II. Während der Monate Juli und August bleibt das Haus geschlossen. Die übrigen Ferien, mit Ausnahme der Weihnachtsferien, werden benutzt teils zur Erlernung der Krankenpflege in einem Krankenhause, teils um in Berlin oder in Dörfern praktisch in der inneren Mission zu arbeiten. Zu Weihnachten dürfen die Schwestern nach Hause oder zu Verwandten gehen. III. Wer sich gründlicher in der Krankenpflege ausbilden will, dem wird nach Vollendung des Bibelhaus-Kursus Gelegenheit dazu verschafft. IV. Ist noch kein Ruf des Herrn für ein besonderes Arbeitsfeld vorhanden, so sollten sich die Schwestern dem Rat der vereinigten Leitung des Bibelhauses unterwerfen. V. Unterricht wird erteilt in folgenden Fächern: Bibelkunde, Bibellehre, Leben Jesu, Bibelauslegung, Missionsgeschichte, heidnische Religionen, Geschichte der alten Völker zum Verständnis der Propheten, Englisch und Musik. Wenn nötig, wird auch Elementarunterricht erteilt. Von Zeit zu Zeit werden von auswärtigen Brüdern Bibelkurse gehalten.

völliges einfältiges Vertrauen auf Gott um Christi willen erwachsen ist, beruhend auf der Gewißheit der Vergebung der Sünden und auf der aufrichtigen Hingabe an Gott." Die Ausgebildeten können sich ihr Arbeitsfeld frei suchen, doch können sie sich auch vom Bibelhaus die Arbeit anweisen lassen. Das sind dann die eigentlichen Bibelhausschwestern.

Die bedeutendste Anstalt aber wurde das Gemeinschaftsschwesternhaus. Bei der Danziger Gemeinschaftskonferenz 1899 hatte „der Herr in wunderbarer Weise in stiller, heiliger Stunde den Brüdern Blazejewski, Girkon und Paul aus Anlaß einer brieflichen Anfrage von Bruder Krawielitzki seinen Willen und Auftrag zur Gründung eines Diakonissenhauses für die Gemeinschaftskreise" gezeigt*). Blazejewski gründete es am 20. Oktober 1899 mit vier Schwestern in seiner Gemeinde Borken bei Bartenstein (s. o. S. 213) April 1900 waren es sechs Schwestern. Nach einem halben Jahre starb er aber. Nach einigen Wochen stillen Wartens wurde es seiner Witwe klar, daß sie „dem Herrn auch fernerhin für diese Arbeit zur Verfügung zu stehen habe". So verlegte sie es November 1900 mit acht Schwestern nach Vandsburg in Westpreußen, Krawielitzki wurde der Leiter.

Als Gesichtspunkte galten bei der Gründung: „Die Schwestern sollen eine sorgsame Ausbildung erhalten, welche in gewissem Sinn der eines Diakonissenhauses entspricht. Hauptsache dabei ist biblische Gründung, geistliche Vertiefung, praktische Hingabe nnd selbstverleugnende Arbeit in allem Dienst für Leib und Seele. Es handelt sich darum, daß jede Schwester selbständig für ihre Person in der Führung des Herrn dienen lerne. 2. Die Schwestern sollen in allererster Linie für Seelengewinnung und Seelenpflege erzogen werden. Die Ausbildung in Krankenpflege (für welche nach genügender Vorbereitung mit Rücksicht auf alle Anforderungen unserer Zeit gründlich in einem größeren Krankenhause gesorgt wird), sowie die Ausübung derselben sind demnach diesem Gesichtspunkte unterstellt. 3. Die ausgebildeten Schwestern können je nach ihrer Berufung und Führung a) entweder in den Gemeinschaften als Diakonissen usw., b) oder in der Mission, c) oder in sonstiger Diakonissenarbeit (Kinderschule, Privatpflege usw.) dem Herrn dienen. 4. Es werden nur bekehrte Mädchen aufgenommen. 5. Die Arbeit und die Unterhaltung der Arbeiter geht aus dem Glauben; Schulden werden nicht gemacht. 6. Hauseltern und Schwestern bilden eine Familie. 7. Das

---

*) Eine Dame wollte für einen wohltätigen Zweck testieren und hatte Paul gefragt. Das fiel diesem ein, als er mit Girkon, Blazejewski und einem vierten von der Diakonissensache sprach, die Krawielitzki durch eine Anfrage wegen einiger Mädchen angeregt hatte. Paul sagte: „Du bist da, Vermögen ist da, Mädchen sind da", und so machte Blazejewski sich mit „von Gott gegebenen" Mitteln auf die Reise nach Bern, um die Frage zu studieren.

Haus dient auch, soweit es erforderlich und möglich ist, als ‚Erholungsheim‘ für andere Personen.“

Der Vorstand bestand aus Herrn und Frau v. Alten, Lehrer Bartz und den Pastoren Edelhoff, Girkon-Budwethen, Girkon-Mülheim, Krawielitzki, Lettau, Niemann und Paul.

Weiter ausgeführt sind jene Richtlinien im Vrdb. 1903 Nr. 37 f. 1. „Es sollen nur Mädchen aufgenommen werden, welche sich für den Herrn entschieden haben.“ Wir dürften nicht wagen, „uns eine Gemeinschaftsarbeit zu nennen, solange wir noch Unbekehrte aufnehmen würden. Das ist ja gerade der Unterschied zwischen einer biblischen Gemeinschaft und einem beliebigen religiösen Verein, daß in ersterer nur Raum für Gotteskinder sein soll“. 2. „Nur im eigenen Leben und Willen zerbrochene Schwestern sollen ausgesandt werden.“ 3. „Das Ganze wird als Glaubensarbeit geführt, so daß man Sammlungen usw. bei Mischvolk und Welt vermeidet und vom Herrn im gläubigen Gebet alle Notdurft erwartet und erbittet. Man will nur dem Herrn und Seinen Kindern von dem Werk sagen“ ... Bezeichnend ist folgender Satz: „Nun, verstanden haben wir eigentlich nichts von der Diakonissenarbeit, man hat uns auch fast nirgends helfen und anweisen wollen, aber wir haben uns einfältig nach des Herrn Wort gerichtet, und er hat sich zu seinem Wort bekannt.“

Schon Blazejewski hatte den Familiencharakter der Anstalt erklärt: „Kindesrecht und Kindespflicht auf der einen, Elternrecht und Elternpflicht auf der anderen Seite.“ Über das Gebet führte er aus: „Unsere Kraft liegt . . . im Gebet, natürlich auch im gemeinschaftlichen Gebet. Es liegt uns nichts daran, ein Monopol im Gebet zu haben . . . Uns ist erst wohl, wenn möglichst viele beten. Weil wir eine Familie sind, sehen wir nicht ein, warum sie nicht auch alle beten sollten.“ Damit Seelenrettung wirklich allen voran stehen könnte, sollten die Schwestern nicht so streng an Pastoren und Komitees gebunden werden. Die Schwester darf vielmehr „auch Versammlungen besuchen, selbständig arbeiten, mit Kranken beten und Bibel lesen, Frauenvereine leiten, Versammlungen mit Frauen und Mädchen halten usw. Sollten die Frauen etwa sagen: ‚Schwester, das war so schön, nächstens bringe ich meinen Mann mit‘, so wollen wir auch nicht nein sagen.“

Daß man kein Krankenhaus baute, obwohl man doch auch an Krankenpflege dachte, lag z. T. an der Arztfrage. Denn „wenn wir biblisch zu Werke gehen und biblische Freiheit walten lassen wollen, so werden wir z. B. unter unseren Schwestern, vielleicht auch unter den Patienten solche haben, die von ihrem Heiland die Heilung durch den Glauben erwarten.“ Da gelte es, einen Arzt zu finden, der das verstehe, auch den Schwestern das Zeugnisablegen vor den Kranken nicht verwehre. So war man froh, daß zunächst Ems sich zur Ausbildung anbot, dann aber ein Abkommen mit der Charité-Berlin und Friedrichshain-Berlin getroffen wurde, so daß nun am Anfang praktische Tätigkeit und Hausarbeit nebst 14 Lehrstunden stand, dann ein dreimonatiger Lehrkursus mit wöchentlich ca. 33 Stunden, schließlich die Ausbildung in der Krankenpflege in den genannten Anstalten folgte. 1902 zählte man 39 Schwestern.

Diese Schwesternhausgründungen bedeuteten offenbar eine starke Kritik an den bestehenden Diakonissenanstalten (vgl. Blazejewskis Wort von den „Leichenkammern" o. S. 211.) Damit stehen wir aber vor der Frage: Wie entwickelte sich das Verhältnis zwischen Gemeinschaftsbewegung und Innerer Mission überhaupt, mit der erstere ja so viele Berührungspunkte hatte, damit aber auch zu der der Inneren Mission so nahestehenden Kirchlich-sozialen Konferenz, zumal wir Stöcker am Anfang der Bewegung beteiligt sahen und in dieser sehr häufig soziale Motive als wirksam erkannten. Dem steht dann gegenüber die Berührung mit den Sekten.

Viertes Kapitel.

Die Gemeinschaftsbewegung in ihrer Beziehung zu verwandten Strömungen bis zum Jahre 1902.

1. Gemeinschaftsbewegung und Innere Mission.

Die Berührungen in den einzelnen Landesteilen haben wir bereits erwähnt. Die Verschiedenartigkeit derselben machte, ähnlich wie bei den Kirchenregierungen, eine einheitliche Stellungnahme äußerst schwierig. Bereits auf dem Kongreß in Kassel 1888 kam die Sache zur Sprache. Oberkonsistorialrat Sell-Kassel sprach mit ausdrücklicher Beziehung auf die I. Gnadauer Konferenz über „Die christliche Laientätigkeit im Reiche Gottes, ihre Notwendigkeit und ihre Schranken". Er sah im Allgemeinen Priestertum gut lutherisch zunächst ein religiöses Prinzip, aus dem allerdings die gleiche Berechtigung aller zum Amt fließe, das aber um der Ordnung willen einem besonderen Pfarramt übertragen ist. Das in den Laienkreisen erwachende Bedürfnis „nach persönlicher Erweisung christlicher Liebe mit der Tat" sei zu betätigen zunächst in der Familie und im irdischen Beruf, dann im kirchlichen Gemeindeamt. „Ergänzend, helfend, beratend, ausführend unter der Mitverantwortlichkeit des geistlichen Amtes" könne das Laienelement, „soweit es diesen Aufgaben gewachsen ist", auch an einem Zweige der eigentlichen pastoralen Aufgaben beteiligt werden. Speziell das Recht der Privat-Erbauungsgemeinschaften erkannte er an, bezüglich des von Gnadau geforderten Evangelistenamtes lehnte er die Berufung auf Eph. 4, 11 ab. Über die Sache selbst wollte er kein abschließendes Urteil fällen. Doch sei der Gedanke nicht neu (er erinnerte an Wichern). Schrenks Wirksamkeit wurde anerkannt, gewarnt vor der Laienhaftigkeit der Vorbildung für die geplanten Evangelisten. Mit Recht gab er zu bedenken: „Ist man aber mißtrauisch gegen die gegenwärtige wissenschaftliche Theologie, so ist doch nur zu schließen, daß, wenn etwa die ganze Theologie, die man den Evangelisten vorenthält, nichts taugt, die halbe noch weniger taugt." Eine wesentlich neue Organisation sei nicht nötig, sondern nur eine „bewußte Zusammenfassung aller hilfsbereiten Kräfte und Organe der Innern Mission zu einer geordneten Gemeindepflege".

In der Diskussion bemerkte v. Oertzen, er wolle „weiter nichts sein als nur ein Helfer des geordneten Lehramts der Kirche, welcher hinter den Zäunen die vielen Versprengten zusammensucht. Das ist ein Bedürfnis und dazu ist gerade ein Laie sehr oft geeigneter als selbst ein hochgelehrter Theologe". An die Kirchenordnung wolle man sich so viel wie nur möglich halten. Bernstorff berief sich für das göttliche Recht der Laienpredigt auf die jeweils von Gott gegebene Gabe des Wortes, für ihre Legitimation auf durch sie bewirkte Bekehrungen. Die Grenze liege darin, daß man das „öffentliche Lehramt der Kirche" nicht begehre. Sells Thesen wurden mit erheblicher Majorität angenommen.

Dann veröffentlichte der Zentralausschuß in den „Fliegenden Blättern" (1889 Nr. 8) 16 Thesen über die Evangelisationsfrage. Die J. M. habe stets mit ihrer Liebestätigkeit auch das Zeugnis von Christo verbunden, um „dadurch die der Kirche Entfremdeten wiederzugewinnen" (1. 2). Der Notstand sei aber gegenwärtig so groß, daß er Evangelisation erfordere, d. h. außerordentliche, nicht an das örtliche Pfarramt, sowie an Ort und Form des ordentlichen Gemeindegottesdienstes gebundene, je nach der Verschiedenheit der Verhältnisse in freier Weise zu gestaltende öffentliche Verkündigung des göttlichen Wortes (3. 4), an deren Stelle aber grundsätzlich sobald als möglich die Wirksamkeit der organisierten Kirche zu treten hat (5). Eine Anerkennung des Rechtes der Evangelisation werde der Kirche ermöglichen, allem sektiererischen Treiben unter diesem Namen entgegenzutreten (6). Gesunde Evangelisation muß sich dem Organismus der Kirche einzugliedern suchen (7), daher sie in der Regel nicht ohne Zustimmung der kirchlichen Organe arbeiten darf. „Wo bei außerordentlichen Notständen der Einrichtung einer solchen kirchlichen Evangelisation unüberwindliche Hindernisse entgegenstehen, muß die Frage, ob ein Eingreifen derselben in irgendeiner Form berechtigt ist, dem christlichen Gewissen überlassen bleiben." Doch ist wenigstens zu fordern, daß nicht eine andere als eine kirchlich anerkannte Stelle der Innern Mission dieselbe einrichte und leite (8). Der Evangelist muß fest und klar im Bekenntnis der Kirche stehen, genügende Durchbildung, Nüchternheit und im besonderen Maße die Gabe volkstümlicher, erwecklicher Rede besitzen (9). Vor allem Geistliche, aber auch Laien sind dazu zu berufen (10). Etwaige Evangelistenschulen, deren Erfolg abzuwarten bleibt, müssen kirchlich anerkannt sein und unter kirchlicher Aufsicht stehen. „Die Leiter derselben werden sich vor allen Dingen bestreben müssen, der mit der Anstaltsausbildung verbundenen Gefahr theologischer Halbbildung, eines falschen besonderen Standesbewußtseins und des geistlichen Hochmutes entgegenzuwirken" (11). Das Pfarramt hat die Evangelisation zu beaufsichtigen, vor allem jede Einmischung in die pfarramtliche Seelsorge zurückzuweisen (12). Wegen der hohen Anforderungen und großen Versuchungen ist Ausübung der Evangelisation in vorübergehendem Auftrage der Form eines ständigen Amtes vorzuziehen (13). Zu unterscheiden von der Evangelisation ist die „aushelfende Darbietung des Schriftworts" in den Häusern, an den Krankenbetten, in christlichen Vereinen sowie in Bibelstunden und Erbauungsversammlungen, wie sie zur Sammlung und Stärkung der gläubigen Kreise in den Gemeinden erwünscht und vielfach Bedürfnis ist (14) und sich am besten mit einem Beruf christlicher Liebestätigkeit oder mit dem Schuldienst verbindet in möglichstem Anschluß ans Pfarramt (15. 16). Auf der Novemberkonferenz des Jahres wurde diesen Thesen durchweg zugestimmt und die Unterschiedenheit der Stadtmission vom Evangelistenamt noch besonders hervorgehoben.

1899 in Straßburg verhandelte man aufs neue über „Evangelisation und Innere Mission", entschieden auf der einen Seite noch wohlwollender. Der Referent (Wurster) bezeichnete Evangelisation („die außerordentliche erweckliche Verkündigung des Evangeliums innerhalb eines äußerlich der evangelischen Kirche zugehörigen Kreises mit dem doppelten Zweck, die Kirchenfremden wieder zu gewinnen und laue Glieder der Kirche zu beleben" [1]) als unentbehrlich (2) und von der Innern Mission wenigstens als direkte Arbeit nicht herzhaft und zeitig genug in Angriff genommen (3). Andererseits konnte man jetzt auf zehnjährige Beobachtung zurücksehen, und so konstatierte Wurster, daß zwar Verlangen nach Evangelisation vielfach vorhanden, aber die gänzlich Entfremdeten weit weniger erreicht seien, als gehofft, daß es nichts geschadet habe, wenn der Evangelist Pastor sei, daß methodistische Strömungen mehr und mehr aufkämen, Fragen wie die Berufung des Evangelisten, Stellung zum Amt notwendig Regelung erheischten und daß ohne Pflege der Gewonnenen der Erfolg fraglich geblieben sei (4). Völlige Verkirchlichung hielt er für unmöglich (5), für wünschenswert die Angliederung an die bestehenden Verbände der Innern Mission (6. 7). Dann gab er noch einige Vorschläge für die äußere Ordnung (8), forderte vom Evangelisten Vermeidung des Scheins, als wolle er ein bestimmtes außerordentliches Bekehrungsziel erreichen, Anknüpfung an Taufe und kirchliche Unterweisung und Verständigung mit den innerkirchlichen Gemeinschaftskreisen (9).

Auf der folgenden Novemberkonferenz 1900 wurde festgestellt, daß im allgemeinen die Thesen von 1888 noch zuträfen. Betont wurde noch, daß die Innere Mission neben der freien Evangelisation keineswegs überflüssig sei (1), daß die Evangelisation aber als ein Mittel zur Weckung geistlichen Lebens bei den gegenwärtigen großen Notständen anzuerkennen sei (2). Wo daher kirchliche Evangelisation sei, sei sie von der Innern Mission zu unterstützen (3), wo noch nicht, haben etwa die Landesvereine die Übernahme zu erwägen, jedoch nicht ohne Verständigung mit der Kirche und möglichst auch unter Verständigung mit den Leitern der freien Evangelisation (4). Hinzugefügt wird, daß die unkirchliche Evangelisation vielfach von ungesunden Gemeinschaften ausgehe, weswegen gesunde kirchliche Gemeinschaftspflege nötig sei, wofür die etwa außer den Geistlichen dazu noch nötigen Diakonen die Innere Mission beschaffen müsse.

So hatte man jetzt erkannt, daß historisch Evangelisation und Gemeinschaftspflege nicht mehr zu trennen seien. Damit aber fing man auch an einzusehen, daß es sich in Evangelisation und Gemeinschaftspflege nicht um bloße Arbeitsmethoden handelte, die die bestehenden Verbände einfach übernehmen könnten, sondern um eine ganz bestimmt ausgeprägte Bewegung, zu der es nur noch Stellung zu nehmen gelte.

So lautete denn nun ein Thema des Eisenacher Kongresses (1901): „Die Aufgabe der christlichen Gemeinschaften gegenüber der Kirche und ihrer Innern Mission.“ Hier stand die Kirche und „ihre“ Innere Mission der Gemeinschaftsbewegung gegenüber. Der Referent (S. Streetz-Koischwitz) bekannte, selbst von P. Smith berührt worden zu sein, forderte aber von den Gemeinschaften Arbeit nicht nur für das Reich Gottes, sondern für die Landeskirche (4), nicht bloß in Theorie, sondern auch in praxi (5). Gar prinzipielle Gleichgültigkeit sei gegen Gottes Ordnung und brüderliche Liebe (7). Scharf wurde es getadelt, wenn der Pastor vor seinen Gemeindegliedern herabgesetzt werde, man sich von der Volkskirche absondere und sie zu ersetzen suche (8. 9). Die Lehre der Kirche solle die Gemeinschaftsbewegung nicht antasten oder als unvollständig verdächtigen, ohne die sie doch dem Subjektivismus anheimfalle (10—13). Für die Arbeiten der Innern Mission forderte er, wenn er auch die Gefahr der Verweltlichung hier und da bei ihr anerkannte, von den Gemeinschaftsleuten Anerkennung und Mitarbeit (14—20).

Im ganzen stimmte man ihm zu. Offenbar war man an der Hoffnung irre geworden, zu einer Einordnung der Bewegung in die Innere Mission zu kommen. Nicht wenig hatte dazu augenscheinlich die Gründung des Gemeinschaftsschwesternhauses beigetragen und die darin liegende, von Blazejewski gegen Königsberg auch offen ausgesprochene Behauptung, daß Leiter und Schwestern der übrigen Häuser wenigstens zum großen Teile „unbekehrt seien".

2. Gemeinschaftsbewegung und Kirchlich-soziale Konferenz.

Ähnlich entwickelte sich die Beziehung der Gemeinschaftsbewegung zu den Kreisen der Kirchlich-sozialen Konferenz, die ja, auf Wichernsche Gedanken sich stützend, auch in enger Berührung zur Inneren Mission stand, nur daß von seiten der Kirchlich-sozialen Konferenz noch stärkere Anstrengungen gemacht wurden zu einer Einigung mit der Gemeinschaftsbewegung bzw. zu einer Heranziehung derselben zu kirchlich-sozialer Mitarbeit. Dabei ging man auch hier von der Anschauung aus, daß es sich nur um die Arbeitsmethode der Evangelisation und Gemeinschaftspflege handle. So hatte es ja auch Stöcker gemeint, als er durch die Berufung Schlümbachs der Massen-Evangelisation in Deutschland den Weg bahnte, und über seine Beurteilung der Gemeinschaftspflege schreibt seine Biographie: „Der Gedanke an sich war ein gut lutherischer, von Luther nur nicht durchgeführt, temporum ratione habita. Wenn die Konkurrenz mit kirchlichen Ordnungen und Sitten vermieden wurde, durfte die Pflege christlicher Gemeinschaft jedem Stadtmissionar zur Pflicht gemacht werden."

So stellte sich denn auch die freie Kirchlich-soziale Konferenz von Anfang an sehr freundlich zur Bewegung. Schon auf der ersten Konferenz (1897 in Kassel) wurde anerkannt, daß die Gemeinschaftsleute notwendig zur Mitarbeit herangezogen werden müßten. Eine (die 2.) der fünf damals gebildeten Kommissionen wurde ausdrücklich für Gemeinschaftspflege und Evangelisation bestimmt und Dammann ihr Leiter. Er veröffentlichte einen Arbeitsplan der Kommission (L. u. L. 1898 Nr. 6), der ihr unter anderm die Aufgabe zuwies, das Recht der ecclesiolae in ecclesia und der Evangelisation nachzuweisen. 1898 wurde in den damals beschlossenen Richtlinien festgesetzt:

1. Wir sehen in dem Gemeinschaftsleben, sonderlich unter den vorhandenen kirchlichen Verhältnissen, einen der gewiesenen Wege, gläubige, in der Schrift gegründete Persönlichkeiten heranzubilden, die in gegenseitiger Stärkung und Erbauung ihr Christentum vertiefen.

2. Ebenso ist uns die Evangelisation eines der unserer Kirche gegebenen Mittel, persönlich-christliches Leben zu wecken und die evangelische deutsche Christenheit mit den Lebenskräften des Evangeliums zu durchdringen.

3. Der freie Anschluß der Gemeinschafts- und Evangelisationsbewegung an die bestehende Kirche ist ein Segen für beide und die Bedingung ihrer gesunden Entwicklung und Erstarkung, um den gemeinsamen Kampf gegen die antichristlichen Mächte der Zeit wirksam zu führen.

Auf der IV. Konferenz (1899 Berlin), wo Bochterle und Krieg über die Bedeutung der Gemeinschaftspflege sprachen, wurde als Resolution angenommen:

„Die Konferenz spricht es als ihre Überzeugung aus, daß das Gemeinschaftsleben in hervorragendem Maße geeignet ist, zur Herausbildung christlicher Persönlichkeiten zu dienen, daß es aber auch berufen ist, je mehr es dem Wort und Willen des Heilandes folgt, desto lebendigere Teilnahme am Wohl und Wehe der Gemeinde und der Kirche zu beweisen und zu betätigen. Sie bittet die Pfarrer, an dem Gemeinschaftsleben herzlichen Anteil zu nehmen, und wo ein Widerstreit vorhanden ist, an der Überwindung desselben brüderlich zu helfen. Sie richtet an die Gemeinschaften die Bitte, die christliche Arbeit an der Volkskirche und dem Volksleben, sowie die Evangelisation an den Entkirchlichten und Entchristlichten nirgends aus dem Auge zu lassen."

Aber man fand augenscheinlich nicht viel Gegenliebe. Vor allem lag den Altpietisten mit ihrer stillen Zurückgezogenheit und der Sorge für die Einzelseele der soziale Gedanke gar nicht und mindestens ebensowenig denen, die die, wie wir sahen, schon in dieser Periode auftauchenden darbystischen Gedanken von der Aussonderung der Brautgemeinde vertraten. Aber überhaupt bestand doch die eigentliche Kraft der Gemeinschaftsbewegung in ihrer Konzentrierung auf das rein Religiöse. So waren es nur wenige Führer, die sich an der Sache beteiligten, wie Krieg, Coerper-Barmen und andere, auch Dietrich, obwohl er Stöckers politischen Gedanken fern stand. Dagegen sprach der badische Verein offen seine „lebhaften Bedenken“ aus, wenn die Gemeinschaften von der Kirchlich-sozialen Konferenz für die Zwecke des christlichen Sozialismus in Anspruch genommen werden sollten (Eben-Ezer S. 62). Die Leitung des Vereins in Rheinhessen lehnte solche Mitarbeit, wenigstens soweit sie politischen Einschlag hätte, schroff ab: „Laßt die Toten ihre Toten begraben.“ Wie scharf manche ostdeutsche Führer die soziale Arbeit verdammten, haben wir bei Blazejewski (s. o. S. 212) gesehen.

So stand im ganzen genommen die Gemeinschaftsbewegung der Kirchlich-sozialen Konferenz trotz deren Entgegenkommen nur kühl gegenüber. Auch die V. Konferenz (1900 Erfurt) brachte nicht weiter. Wohl hielt Stockmayer dort einen Vortrag (Einzelschuld und Gesamtschuld, Einzelwirken und Gesamtwirken), aber er sprach auch hier von der „Geistesgemeinde“, die ausgeboren werden sollte, und Michaelis glaubte (in der Debatte), daß die Wege beider „auch fernerhin nebeneinander hergehen werden“. Stöcker freilich wollte nicht bloß, „daß wir sagen: ‚Wir sind auf zwei Wegen und wollen uns gegenseitig anerkennen‘, denn das tun wir jetzt schon, sondern, daß wir die gegenseitigen Beziehungen stärken und für und miteinander beten“. Aber Stockmayer erklärte doch im Schlußwort: „Daß wir ja in vielem noch nicht zusammenstimmen, das weiß ich“, wenn er auch hinzufügte: „Aber doch meine ich: Die Linien müssen nicht immer parallel sein, sondern wir sind dazu da, daß die Linien einmal sich neigen. Wenn sie nur irgend einmal sich neigen im Winkel, wenn nur die Geister sich berühren in ihm, dem Herrn!“

Sachlich war man sich kaum näher gekommen, nur persönlich hatten Männer wie Stockmayer freundliche Eindrücke bekommen, wohl nicht zum wenigsten durch Stöckers energisches Eintreten „für die vollkommene Selbständigkeit der Gemeinschafts- und Evangelisationsbewegung“.

So hat er auch ein anderes Mal behauptet: „Die Gemeinschaftspflege ist uns geradezu die Rettung der Kirche,“ und 1901 in Stuttgart: „Man kann wohl die Form bemängeln, aber man kann die Sache selbst nicht verwerfen wollen. Ich kann nicht begreifen, daß fromme Leute prinzipiell gegen die Gemeinschaftspflege und Evangelisation sind.“

Hier in Stuttgart sprach P. Heim über „Die Gemeinschaftsbewegung eine Verwirklichung von Gedanken Luthers“. Andererseits mußte Stöcker schon 1900 klagen über den „Kleinglauben“, der die Brautgemeinde sammelt und darauf wartet, daß sie in die Luft gerückt werde. Gerade das Erstarken dieser Richtung sollte der Kirchlich-sozialen Konferenz in den nächsten Jahren noch scharfe Absagen bringen. Aber auch im Hinblick auf das Ganze der Bewegung war es reichlich optimistisch, wenn Bunke (im Kirchl. Jahrb. 1901) die „Wichernsche Strömung“, die ihren Ausdruck in den Verhandlungen der Kirchlich-sozialen Konferenz gefunden, wenn auch als „schwächste und bisher wohl nur unter Pastoren und in älteren Gemeinschaftskreisen wirksame“, so doch als besondere Strömung in der Gemeinschaftsbewegung betrachten wollte neben der Gnadauer und der Blankenburger. Die Wichernschen und Stöckerschen Gedanken waren vielmehr der Gemeinschafts bewegung mit Ausnahme einzelner Führer fremd geblieben.

Viel näher verwandt fühlte man sich den verschiedenen englisch-amerikanischen Denominationen.

3. Die Beziehungen der Gemeinschaften zu den Sekten.

a) Die Evangelische Allianz.

Die Evangelische Allianz*) beharrte auch in Deutschland auf ihrem alten Standpunkte, nur ein Bund gläubiger evangelischer Individuen zu sein auf Grund der neun Allianzartikel. Allerdings tragen diese selbst eine englisch-dissenterische Färbung reformierten Christentums und machen es begreiflich, daß man lutherischerseits sich ziemlich ablehnend verhielt. Dagegen waren namentlich die selbst von England her beeinflußten Führer der Gemeinschaftsbewegung auch die geborenen Allianzleute. Daß Christlieb Gründer eines westdeutschen Zweiges wurde, ist gesagt. Sein Nachfolger wurde Dammann. In Süddeutschland trat Kaiser an die Spitze, in Hamburg v. Oertzen, in Berlin v. Bernstorff. Allmählich hatten sich sechs Zweige in Deutschland gebildet, der Berliner, westdeutsche, süddeutsche, mitteldeutsche, Hamburger und sächsische (Prov.). Bernstorff besonders scheint auf eine Einigung hingewirkt zu haben. 1894 tagte in Berlin die I. nationale deutsche Allianzversammlung. Auf der II. (Kassel 1896) kam es zum Zusammenschluß im „Deutschen Zweig der Evangelischen Allianz“ mit fünf Abteilungen, da eine Einigung mit den Mitteldeutschen (s. u.) nicht

*) Gegründet 1845 (vorbereitende Versammlung in Liverpool) bzw. 1846 (konstituierende Versammlung in London, Aufstellung der neun Allianzartikel). Große internationale Allianzversammlungen fanden statt in London (1851), Paris (1855), die berühmteste in Berlin (1857), Genf (1861), Amsterdam (1867), New York (1873), Basel (1879), Kopenhagen (1884 s. o. S. 83), Florenz (1891), London (1896). In Deutschland bestanden ursprünglich ein norddeutscher und ein süddeutscher Zweig. Organ war seit 1859 die NEK.

gelang. Die fünf Komitees bildeten dann einen Zehnerausschuß, dessen Vorsitzender Bernstorff wurde. Die deutsche Allianzkonferenz wurde wiederholt 1898 in Essen, 1900 in Heidelberg. Die Einzelabteilungen veranstalteten ebenfalls Konferenzen (I. norddeutsche 1898 in Blankenese, II. 1900 ebendort, süddeutsche z. B. in Heidelberg und Frankfurt, westdeutsche in Hammerhütte, 1902 in Duisburg)*).

Diese Konferenzen wollten nichts sein als Stätten, an denen die „Gläubigen" aus der Landeskirche, nicht bloß, wenn auch in der Hauptsache, Gemeinschaftsleute, „Gemeinschaft" pflegen wollten mit den Gläubigen der Sekten**), ohne daß die Gliedschaft des einzelnen in seiner Kirche dadurch alteriert würde. Eine besondere Lehranschauung sollten sie nicht vertreten und haben es auch wohl (abgesehen von dem bereits erwähnten reformierten Gesamttypus) nicht getan. Anders gestaltete sich dagegen die Entwicklung jenes „mitteldeutschen" Zweiges, der Blankenburger Allianz.

b) Blankenburg.

(Anna v. Weling und die Anfänge der Arbeit — Die ersten Konferenzen — Die Arbeiten Blankenburgs — Jellinghaus und die Konferenzen von 1892 bis 1897 — Der Blankenburger Zweig der Allianz — Die XIV. und XV. Konferenz — Anna v. Welings Tod — Die XVI. und XVII. Konferenz.)

Die Arbeit in Blankenburg ward begonnen durch die von englischem Christentum stark beeinflußte Anna von Weling***).

---

*) Der Plan, 1902 eine internationale Konferenz in Hamburg abzuhalten, scheiterte an der Erregung der Deutschen und Schweizer über das Verhalten der englischen Christen im Burenkrieg.

**) Daß freilich die volle Anerkennung der Sektenglieder gerade auf landeskirchlichem Boden deswegen so schwierig war, weil diese doch nur aus Mitgliedern der Landeskirche, und oft genug den Angeregtesten, sich rekrutieren, hat zu mancherlei Debatten auf den internationalen Konferenzen (z. B. 1879) geführt. Bernstorff sagt (Lebensbild S. 111): „Ein sich gegenseitig Abwendigmachen der Gläubigen ist nicht nur überhaupt unrecht, sondern wird auch von der Evangelischen Allianz aufs schärfste verurteilt. An Unbekehrten darf man aber doch arbeiten, und wenn diese Methodisten oder Baptisten werden, ist es doch zehnmal besser, als wenn sie unbekehrte Glieder der Landeskirche bleiben."

***) Geb. 21. März 1837 in Neuwied. Ihre Mutter war eine fromme Schottin, die nach dem frühen Tode des Vaters ihre Tochter äußerst streng, aber auch fromm erzog. Frühzeitig wurde sie angehalten, die Bibel zu lesen und aus dem Herzen zu beten. Unterrichtet wurde sie mit Carmen Sylva zusammen. Später lebte sie mit ihrer Mutter am Hofe in Hannover Auf einer Reise zu ihren Verwandten in Schottland hörte sie Reg. Radcliffe

Im Jahre 1886 erwarb sie in Blankenburg ein bescheidenes Haus „für den Dienst des Herrn", namentlich „den Namen Jesu zu verherrlichen durch Aufnahme elternloser Kinder und durch Verkündigung des Evangeliums an die Verlorenen". Außerdem bildete sich das Haus als Erholungsheim aus.

Wichtiger wurde aber die auch im Jahre 1886 begonnene Konferenz. Anna v. Weling hatte schon lange den Wunsch, einmal Glieder verschiedener Denominationen auf ein paar Tage zu Gebet und Betrachtung des Wortes Gottes zu vereinigen. Auf die erste Einladung schlugen alle ab, einer mit der Hinzufügung: „Ja, wenn es im Spätsommer wäre!" So wurde nochmals eingeladen, und 28 Glieder verschiedener Denominationen vereinigten sich zur ersten Blankenburger Allianzkonferenz, drei Tage, im kleinen Versammlungssaal des alten Hauses; auf alten Schulbänken ohne Lehnen sitzend, unterhielt man sich über christliches Leben, seine Erlangung und Hindernisse, die Scheidung von der Welt und das Kommen des Herrn. Anwesend waren unter anderen Baedeker, der sich zu den open brethren zählte, Gebhardt nebst Frau aus der Methodistenkirche, Dr. Ziemann und der mehrfach genannte Büttner-Kelbra. Baedeker war schon vorher mit Anna v. Weling befreundet gewesen. Er wurde eine Hauptstütze der Konferenz. Auf 21 Konferenzen hat er nur dreimal gefehlt. Er verschaffte ihr auch viel Unterstützung aus England.

So trat von vornherein das englisch-dissenterische Element in Blankenburg stark hervor. Doch war die Konferenz zunächst nur, nach Jellinghaus' Worten, „ein herzliches Beisammensein ohne bestimmte klare Lehre und bewußte Ziele". Aber sie wuchs langsam. 1888 waren 45 Personen versammelt. Jetzt wurde das Konferenzhaus mit Saal erbaut und bei der vierten von 60 Teilnehmern besuchten Konferenz eröffnet.

„Unter einer geistgesalbten Rede dieses Zeugen brach sie zusammen und kam zu einer gründlichen Bekehrung, mit der auch sofort eine völlige Hingabe an den Herrn verbunden war. Es war ihr von vornherein selbstverständlich, daß sie nun auch im Reiche Gottes mitzuarbeiten und etwas für den Herrn zu tun habe." Als ihre Mutter 1870 starb, pflegte sie aufopferungsvoll Verwundete. Um einen derselben unterstützen zu können, fing sie an, unter dem Pseudonym Hans Tharau zu schriftstellern. Durch diese Verbindung kam sie auch in dessen Heimat Branderoda in Thüringen, wo sie zunächst Kranke pflegte, dann eine Kleinkinderschule einrichtete. Leider wußte man nichts Besseres zu tun, als sie wegen „Ruhestörung und Hausfriedensbruch" zu verklagen! Sie ging nach Weißenfels, wo sie auch Versammlungen hielt und eine Sonntagsschule einrichtete, und nach einem Jahr glaubte sie den Ruf des Herrn nach Blankenburg zu erkennen.

Inzwischen hatten sich nämlich auch Frl. v. Welings Arbeiten trotz mancher zum Teil höchst gehässiger (Einwerfen der Fenster) und törichter (Verbot des Besuchs der Sonntagsschule für die Kinder unter Strafandrohung!) Gegenmaßregeln ausgedehnt, eine Mütterversammlung (1887/88) und wöchentliche Gebetsstunden entstanden, dazu kam 1889 der erste Besuch auf dem Thüringer Walde, der zur Folge hatte, daß für die dortige Evangelisation ein eigener Evangelist angestellt wurde. 1890 wurde G. Kaiser Mitarbeiter Frl. v. Welings, der im Mai die erste Versammlung in Katzhütte hielt. Es folgten Versammlungen in Mellenbach, Lichte, Neuhaus, Cursdorf und Lichtenhain. Die Evangelisten Ort, Grabowsky und seit 1899 Penzold, in Oberweißbach stationiert, setzten die Arbeit dann fort.

1890 begann Frl. v. Weling mit Kaiser zusammen auch die Herausgabe des „Evangelischen Allianzblattes". 1891 und in den folgenden Jahren wirkte man unter den Bahnarbeitern. Da die Kinderschar immer mehr wuchs, mußte noch ein drittes Haus, das „Heim", erbaut werden, das im Mai 1893 bezogen wurde. Es folgte im Herbst die Gründung des kleinen Evangelisationsblattes „Der Thüringer Evangelist", später „Für Dich, ein Evangelist aus Thüringen" genannt.

In diesen Jahren erhielt auch die Konferenz ein bestimmtes Gepräge. Seit der VII. Konferenz (1892: 70 Personen) beteiligte sich Jellinghaus als Redner und sorgte dafür, daß die „heilistische" Lehre dort klar und bestimmt vorgetragen wurde. 1894 schaffte er mit R. Schultz zusammen, der damals Kaisers Nachfolger wurde und ja, wie wir sahen, Jellinghaus' Heiligungslehre in schärffster Form vertrat, die freie Diskussion ab, nur die vorher bestimmten Brüder redeten. v. Knobelsdorff wurde Präsident, Baedeker Leiter der Gebetsstunden. 1895 hielt Jellinghaus auch einen später wiederholten Bibelkursus. Die Besucherzahl der Konferenz stieg nun schnell (1895: 84, 1896: 170, 1897: ca. 300). Aber die starke Beteiligung des englischen Elements konnte — und wollte vielleicht — auch er nicht zurückdrängen. An der Konferenz 1895 nahm zuerst der Generalsekretär der Londoner Allianz, Mr. Arnold, teil, von 1896 an kamen auch Hudson Taylor und Moore, seit 1897 auch F. B. Meyer als Vertreter der Keswick-Lehre und -Konferenz nach Blankenburg. 1897 beteiligte sich auch Stockmayer zum ersten Male.

Die starke Berührung mit England war es wohl vor allem, die zur Bildung eines besonderen Blankenburger Zweiges der Evangelischen Allianz trieb, der sich außer dem ganz bestimmten damals in Blankenburg ausgeprägten Lehrtypus auch dadurch noch von den übrigen deutschen Zweigen unterschied, daß er außerdeutsche Mitglieder aufnahm. Die Bildung des Zweiges reichte bis in die Zeit der Gründung des Allianzblattes zurück. Damals bildete sich ein Komitee, dem Büttner, Janssen, Kaiser und v. Knobelsdorff, seit 1895 noch die hessischen Pastoren Siebert-Wehrda, Reinhold-Röhrda und Arnold-Eschwege angehörten. Ein engerer Ausschuß übernahm 1896 die Leitung. „Unter dem Namen ‚Mitteldeutscher Zweig der Evangelischen Allianz' (s. o. S. 280) hoffte man sich anderen deutschen Zweigen der Evangelischen Allianz organisch einfügen zu können, allein die entschieden christliche Stellung der eigentlichen Leiter des Blankenburger Zweiges der Evangelischen Allianz, infolge deren sie konfessionelle und nationale Bevorzugungen unter Gotteskindern nicht anerkennen konnten," ließ das Bestreben scheitern. Sein engerer Ausschuß löste sich auf.

Die eigentliche Konstituierung des Blankenburger Zweiges, der dann direkt, neben dem inzwischen, wie wir sahen, geeinten deutschen Zweige, sich dem Londoner Komitee anschloß, erfolgte auf der XIII. Allianzkonferenz 1898. Diese war von ca. 500 Personen besucht und wurde zuerst in der neuen „Allianzhalle" abgehalten, die man gebaut hatte, nachdem 1897 die Konferenz wegen des starken Besuches in der städtischen Fröbelhalle hatte gehalten werden müssen. Baedeker sowie Allianzfreunde aus Rußland und England hatten reichlich beigesteuert. So waren auf dieser Konferenz auch besonders viele Konferenzbesucher aus anderen Ländern und aus 14 verschiedenen Denominationen erschienen. Viele traten dem Blankenburger Zweige bei. Freiherr v. Thümmler auf Selka bei Nöbdenitz (S.-A.) wurde Vorsitzender. Das Komitee des Zweiges stand in beständiger enger Fühlung mit Frl. v. Weling und Baedeker. Mit dem Konferenzkomitee, bestehend aus den Vertretern des Hauses und den Rednern, bestand eine Verbindung dadurch, daß der Vorsitzende des Zweiges demselben angehörte.

Die XIV. Konferenz war noch stärker besucht. Sie war ein ganz besonderer Anziehungspunkt für viele geworden, die sie z. T. über Gnadau stellten.

So schrieb ein Blatt: „Was trieb man denn in Blankenburg? Zum großen Teil waren es dieselben Männer hier wie in Gnadau. Aber während sie in Gnadau zusammenkamen als kampfesmutige Helden, kamen sie hierher als stille Schüler, nicht zum Debattieren, sondern sich zu Jesu Füßen zu setzen, wie Maria tat. Hier ließen sie sich strafen vom Geiste Gottes, hier ließen sie sich füllen mit Kraft aus der Höhe. Von wem ging hier der stille Segensstrom aus — von irgendwelchem besonderen Menschen? Nein, von Jesus selbst, und die Werkzeuge, die er dazu brauchte, waren aus allen Völkern, Zungen und Sprachen."

Ob bei dieser Überschätzung, vor der Keller im „Reich Christi" kräftig warnte, nicht auch die Ausländerei der Deutschen mitspielte? Jedenfalls waren auf dieser Konferenz auch besonders viel englische Redner.

Dann aber brach der Burenkrieg aus und kühlte doch auch in den sonst so englandfreundlichen Gemeinschaftskreisen die Stimmung recht ab, und als nun einer der Redner von Blankenburg, Darlow-Sarjeant, in London für einen Evangelisationsfeldzug nach Deutschland warb, da schrieb die Philadelphia geradezu, daß sie das für Unrecht halte. Die englischen Christen hätten genug vor der eigenen Tür zu kehren. „Oder wollen die englischen Christen sich Jameson und Chamberlain zu Vorbildern nehmen?" Aber auch direkt in Blankenburger Kreisen war die Englandfreundschaft zurückgegangen. Auf der XV. Konferenz 1900 trat das englische Element mehr zurück. Die deutschen Redner traten mehr in den Vordergrund: v. Knobelsdorff und v. Viebahn, Stockmayer, Lepsius, Jellinghaus, Paul u. a. Mehr als 200 landeskirchliche Pastoren waren unter den über 1000 Anwesenden. Allerdings hatte man auch in den leitenden Kreisen das Gefühl, daß „diesmal die Zahl derer größer war als zuvor, deren Herzen noch nicht genügend zubereitet waren, um all das zu fassen und in sich aufzunehmen, was in den ernsten Stunden geredet wurde." So unterließ man — bezeichnenderweise — die gemeinsame Abendmahlsfeier.

Frl. v. Weling hatte diese Konferenz nicht mehr mit erlebt. Als sie am 4. Mai 1900 starb, lagen die Eigentumsverhältnisse und Erbansprüche äußerst schwierig. Ein Kuratorium sollte gebildet werden, doch nahmen die meisten der von Frl. v. Weling Gewünschten nicht an. Dann wurden Janssen und Mascher (Baptist) hinzugewählt. Ersterer übernahm den Vorsitz des Kuratoriums, das, zu einer G. m. b. H. umgeformt, die Erbansprüche vertrat, das Besitztum der Erblasserin käuflich erwarb und also seitdem der nominelle Eigentümer des Evangelischen Allianzhauses in Blankenburg ist. Da man aber gern alle Freunde des Hauses möglichst nahe an dasselbe heranziehen wollte, so wurden in der Komiteesitzung bei der Konferenz 1900 die vielen anwesenden Freunde des Hauses, „unter ihnen eine Reihe landeskirchlicher Pastoren mit bekannten Namen", zu einem Brüderrat unter v. Zastrow vereinigt, der die Freunde des Hauses zusammenhalten und die Fragen desselben und seiner Arbeiten brüderlich mitberaten sollte. Der Brüderrat löste sich aus eigenem Antriebe 1902 wieder auf.

Die Konferenz von 1901 zeigte einen kleinen Rückgang (900 Besucher). Das Englische trat wieder (z. B. in englischen Bibelstunden) stärker in den Vordergrund. Es kam zu Unebenheiten, bei denen auch die Frage des Gebets für die Buren eine Rolle spielte. 1902 wurde noch eine besondere Pfingstkonferenz von Jellinghaus in Blankenburg eingerichtet mit Ströter, Lüdecke und Schultz zusammen. Bei der Allianzkonferenz des Jahres gab es Störung dadurch, daß Baptisten trotz der „Allianz" es nicht lassen konnten, ein Flugblatt gegen die Landeskirche zu verteilen, das auf sie Offb. 18, 4 anwandte.

Fünftes Kapitel.

Rückblick.

So war die moderne Gemeinschaftsbewegung zu einer mächtigen Bewegung geworden. Längst handelte es sich nicht mehr bloß darum, Gemeinschaftspflege und Evangelisation als Arbeitsmethoden in die Organisation der Kirche einzufügen. Darum hatte es sich vielleicht nur einem Manne gehandelt, der freilich zeitweise allgemein als Führer anerkannt war, Christlieb. Zwar war auch er nicht unberührt von pietistischen und methodistischen *) Gedanken, ich erinnere nur an seine Beurteilung der evangelistischen „Gabe" **), aber wir haben auch seine Vorsicht gegenüber dem englischen Christentum gesehen, und daß er sich über die Schwächen des Pietismus und Methodismus keineswegs täuschte ***). Er war eben wirklicher Theologe †) und hatte daher Verständnis für die organisierte Kirche und ihre Aufgaben und wollte ihrem Betriebe nur die im Pietismus und Methodismus gesehenen und geschätzten Arbeitsformen einfügen ††).

Zeigte sich aber schon bei ihm hier und da der pietistische Grundzug, so waren seine Freunde, mit denen er die Gnadauer Konferenz ins Leben rief, erst recht durchaus pietistisch bzw. methodistisch gestimmt †††). Selbst bei einem Manne wie v. Oertzen lag doch wohl die Sache mehr so, daß die pietistisch-methodistische Grundbestimmtheit durch Wichernsche kirchliche Innere Mission

---

*) Wenn ich im folgenden von Methodismus rede, so meine ich das im weitesten Sinne: Englisch-dissenterisches Christentum, soweit es irgendwie vom Methodismus beeinflußt ist, also z. B. auch Leute wie Moody, Smith usw., die nicht im engeren Sinne Methodisten sind.

) S. o. S. 90. *) S. o. S. 82 f. †) S. o. S. 82 Anm.

††) S. o. S. 83 f. 89. 90. 225.

†††) Man vgl. übrigens das Verhältnis des Vaters des Pietismus Spener, zum eigentlichen Pietismus.

und die praktische Erfahrung modifiziert war, als umgekehrt *). Dazu kam, daß ihm die theologische Durchbildung fehlte, um zu einer klaren, geschlossenen Anschauung zu kommen und das Pietistisch-Methodistische in sich, geschweige denn in seinen Mitführern zu überwinden.

Darum hatte Bunke recht, wenn er den schwersten Mangel der Bewegung darin sah, daß sie nach Christliebs Tode keinen wirklich bedeutenden theologischen Führer mehr hatte. Aber eine Selbsttäuschung war es, wenn man in Stöckers Kreisen gleichzeitig immer noch daran festhielt, daß es sich doch nur um die Stellung zu einer neuen Arbeitsmethode handle **) und daher den Widerspruch dagegen nicht verstehen konnte ***). Erst recht war es Selbsttäuschung, wenn man in diesen Kreisen trotz aller Absagen immer noch meinte, weil man selbst dieser neuen Arbeitsmethode zustimmte, gehöre man auch zur Gemeinschaftsbewegung, ja wohl gar dieselbe beeinflussen zu können glaubte †), während in Wirklichkeit nur wenige (wie Graebenteich u. a.) in der Bewegung überhaupt Verständnis für die sozialen Fragen hatten. Im Grunde sahen die konfessionellen Lutheraner der Gemeinschaftsbewegung gegenüber viel klarer, mochten sie auch hier und da übers Ziel hinausschießen ††).

Sie erkannten richtig, was auf Gemeinschaftsseite wohl Lepsius und Dammann zuerst klar aussprachen †††), daß es sich handle nicht um Evangelisation und Gemeinschaftspflege, sondern um eine „bestimmte Geistesrichtung" mit eigenartigem Verständnis der Wahrheit.

Dies Verständnis der Wahrheit war aber in diesem Falle das des Pietismus und Methodismus in eigenartiger Verschmelzung. Deutlich haben wir oben gesehen, wie gerade durch den Zusammenfluß beider Geistesrichtungen die moderne Gemeinschaftsbewegung entstand. Zuerst waren es einzelne Führer, die, aus dem Pietismus stammend, durch Vermittlung der Oxforder Bewegung die methodistischen Gedanken aufnahmen und dadurch ihren Pietismus mehr oder weniger modifizierten, wie Jellinghaus §),

---

*) S. o. S. 58. 99, pietistisch ist seine Anschauung von den neutestamentlichen Ämtern (S. 91), den Gemeinschaften als Gemeinden des Herrn (S. 92) u. a., dagegen vgl. seine Schätzung der Landeskirche (S. 60. 99), der Bekenntnisse (S. 58) und die Betonung des Sakramentscharakters der Taufe S. 102).

) S. o. S. 278 f. *) S. o. S. 279. †) S. o. S. 280.
††) S. o. S. 173. †††) S. o. S. 225. §) S. o. S. 28 f.

Dietrich *), auch Schrenk **). Dazu kamen andere, deren religiöses Leben von seinem Erwachen an unter englisch-amerikanischem Einfluß stand, wie Bernstorff ***), Reuter †), de Neufville ††). Dann drang durch sie der methodistische Einfluß auch in die bestehenden Gemeinschaftskreise ein, ja, dieser Zusammenfluß deutsch-pietistischen und englisch-methodistischen Wesens wurde so bestimmend für die Bewegung, daß man diejenigen altpietistischen Kreise, die letzteres ablehnten, wie etwa die Hahnianer und Kukatianer, gar nicht zur eigentlichen Gemeinschaftsbewegung hinzuzählen kann.

Die übrigen aber wurden, wie wir sahen, sehr verschieden stark von der englischen Strömung beeinflußt. Im allgemeinen aber mußten wir ein Vordringen derselben konstatieren, selbst in Württemberg †††), mehr noch in Südwestdeutschland §), erst recht im Rheinland §§) und in Westfalen §§§). Dabei kam es mancherwärts sogar zu ziemlich scharfen Gegensätzen, wie in Minden-Ravensberg [a]), in Nassau [b]), am Niederrhein [c]) und in Ostpreußen [d]). Wir sahen auch, wie ältere Anstalten, Gesellschaften und Vereine, wiederum in verschiedener Stärke, die methodistischen Antriebe aufnahmen, wie Chrischona [e]) und sehr viel weniger die Evangelische Gesellschaft in Elberfeld [f]). Vor allem deutlich zeigte die Entwicklung in Schleswig-Holstein von v. Oertzen bis Röschmann und Bernstorff das Vordringen des englischen Christentumstypus [g]).

In anderen Gegenden dagegen, wo die moderne Bewegung ohne stärkere Vorbereitung durch ältere pietistische Gemeinschaften einsetzte, kam es sehr auf die Person des Führers an, welche Strömung vorwog. So sahen wir in Sachsen [h]) durch Dietrichs Einfluß die altpietistische Art die Oberhand erlangen, während anderwärts, wo so ungeschichtlich denkende Männer wie etwa Paul und Blazejewski die Führung hatten, als vermeintlich interdenominational und international [i]) in Wahrheit nur methodistisches Christentum gefördert wurde, ja, es kam vor, daß eine Strömung der modernen Bewegung, die mehr altpietistische Art an sich trug, von einer mehr methodistischen abgelöst wurde, wie in Pommern [k]).

Namentlich die theologisch halbgebildeten berufsmäßigen Ge-

---

*) S. o. S. 72. 75 f. **) S. o. S. 80. ***) S. o. S. 167.
†) S. o. S. 179. ††) S. o. S. 66.
†††) Anstellung von Berufsarbeitern (S. 130), Aufkommen der Evangelisation (S. 130), von Philadelphiakonferenzen (S. 130) usw.
§) S. o. S. 134. §§) S. o. S. 150 ff. §§§) S. o. S. 157 ff.
[a]) S. o. S. 160. [b]) S. o. S. 143 f. [c]) S. o. S. 153 f.
[d]) S. o. S. 215 f. [e]) S. o. S. 38 f. [f]) S. o. S. 65. 145.
[g]) S. o. S. 58 ff. 164 ff. [h]) S. o. S. 187. [i]) S. o. S. 210 ff.
[k]) S. o. S. 47 f. 195 ff.

meinschaftspfleger waren Hauptträger der letzteren Richtung, wobei sich die interessante Tatsache ergab, daß dieselben Männer mehr in altpietistischer Weise arbeiteten, wenn sie unter fester altpietistischer Leitung standen, stark methodistisch, wenn sie selbständige Leiter einer Gemeinschaft waren*).

Dadurch und durch die damit eng verknüpften Stammes- und Temperaments-, Alters- und Bildungsunterschiede ergab sich eine gar große Verschiedenheit in der modernen Gemeinschaftsbewegung. Schon in dem nur uneigentlich hinzugehörenden Altpietismus welch ein Unterschied zwischen den zurückgezogenen, stark chiliastisch interessierten, grübelnden Schwaben und etwa den reformierten, hauptsächlich mit Kirchenfragen (Abendmahl usw.) beschäftigten Siegerländern, den mystischen Schülern Tersteegens und den vermeintlich konfessionell lutherischen Kukatianern! Wie bunt wird es dann erst in der modernen Bewegung! Welche Verschiedenheit etwa zwischen den Dietrich folgenden Sachsen und den in Schlesien herrschenden Gemeinschaftspflegern, der biblisch-unionistischen Elberfelder Gesellschaft mit ihrer mehr altpietistischen Botenarbeit und der viel stärker auf die methodistischen Antriebe eingegangenen, infolge ihres schweizerisch-reformierten Ursprunges für Allianz begeisterten, subjektivistisch-independentischen Chrischona oder den Glaubensheilung und Dämonologie so stark in den Vordergrund rückenden Reichsbrüdern!

Vor allem war die Stellung zur Landeskirche verschieden. Von den pietätvoll an der Geschichte ihrer heimischen Kirche und ihren Gottesmännern hängenden Schwaben Dietrich und Schrenk oder dem kirchlichen Theologen Christlieb bis hin zu dem geschichtslosen Enthusiasmus eines Blazejewski oder gar Witt finden sich alle Übergänge. Welche Nuancen z. B. von dem unklaren, aber auch in kirchlichen Dingen aus vollstem Herzen patriotischen preußischen Adligen Pückler zu dem den Wert der Volkskirche mit dem scharfen Blicke des Praktikers der Innern Mission erkennenden v. Oertzen und dann dem bei allem Patriotismus doch mehr kosmopolitischen Diplomaten Bernstorff und seinem vermeintlich internationalen Christentum, Nuancen, die bis in einzelne Brüderräte hineingehen, wie in Posen-Westpreußen, zwischen dem mehr altpietistischen Birschel-Posen und Krawielitzki-Westpreußen!

Daneben die Unterschiede in der Frage der Heiligung von

---

*) Vgl. die Chrischonabrüder in Baden u. a. mit denen in Ostpreußen und Hessen (S. 137), die Johanneumsbrüder in Nassau (S. 143) und Schlesien (S. 222), z. T. dieselben Männer.

den altpietistisch Gerichteten, die des Christen Kampf, höchstens etwas mehr den Fortschritt darin betonen als das „Armesünder-christentum“, bis zu dem Lehrer der passiven Heiligung, Paul, mit den verschiedenen Übergängen dazwischen, je nach der mehr oder minder klaren Begründung der Möglichkeit eines „Siegeslebens“. Schier Gegensätze sahen wir bei der Frage des Geistesempfanges, nicht minder, wenn man den Mystiker Stockmayer neben den aller Mystik abholden Lepsius stellt, an die „Glaubensmissionare“, die einst auf Knobelsdorff entscheidenden Eindruck machten, denkt und daneben an Keller, den bei seinem Entschluß, freier Evangelist zu werden, die Frage der Sicherstellung seiner Familie bewegt, an die kirchlich-sozial Interessierten und an die all solches Wirken als „weltlich“ Verabscheuenden, an die Theologen Lepsius, Keller, Jellinghaus und die aller Theologie Abholden wie Dammann, an die stille, ruhige Arbeit der Elberfelder und anderer und die wild-erregten Szenen in Großalmerode und in Ostdeutschland.

Wir sahen sogar, wie hier und da in diesen Gegensätzen einmal ein kräftiges Wort gegen die andere Seite fiel, namentlich in dem Gegensatze „Englisch“ und „Deutsch“ *), ja, daß sich „Landeskirchlich“ und „Allianz“ schon in dieser Periode um bestimmte Mittelpunkte zu kristallisieren anfingen. Aber von zwei oder gar mehr einigermaßen gesonderten Strömungen in der Bewegung kann man noch kaum reden.

Noch überwog das Bewußtsein der Einheit. Auch nach den widersprechendsten Debattereden ward in Gnadau die „Einigkeit“ aller immer wieder konstatiert**), und selbst die Radikalsten ließ man in Gnadau reden***). Dies Bewußtsein der Einheit trotz aller etwaiger Lehrdifferenzen war geradezu ein Kennzeichen der Bewegung, ein Kennzeichen freilich, das sie zugleich in die Reihe der enthusiastischen Bewegungen einreiht. Denn dies Einheitsbewußtsein war im Grunde nichts anderes als die Gewißheit, daß alle, die da in Gnadau oder Blankenburg oder in den einzelnen Gemeinschaften durchs ganze deutsche Land zusammenkamen, Gotteskinder seien und daher Brüder, mochten sie auch in manchen Lehranschauungen voneinander abweichen. Ganz deutlich klingen da donatistische Gedanken nach, das alte Verlangen, die eine wahre Kirche sichtbar darzustellen, mochte das Ziel auch auf evangelischem Boden nicht mehr die Gemeinde der Reinen, Sündlosen,

---

*) vgl. Pücklers Worte 1901 (s. o. S. 115) und Dietrichs Beurteilung des englischen Evangelisationsfeldzuges (s. o. S. 285).

**) S. o. S. 104, 122.

***) Wie z. B. Witt s. o. S. 123.

sondern der Gläubigen sein. Teilweise wird es ganz kraß ausgesprochen: Die Gemeinschaften sind die Gotteskinder, wer gegen Gemeinschaft ist, ist eo ipso unbekehrt*), und aufs heftigste eifert man gegen „gemischte" Anstalten**). Anderwärts ist es mehr eine naive Gleichsetzung von Gemeinschaften und Gemeinde des Herrn oder Volk Gottes***). Deutlich sieht man bei einzelnen, wie z. B. bei Pückler, eine Entwicklung: anfangs Aufnahme aller, die mit Ernst Christen sein wollen, allerdings mit dem Zugeständnis, daß die Hauptsache solcher Sammlung der Kern der wirklich Bekehrten, das „Allerheiligste" sei†), später aber auch nur Aufnahme von wirklich Bekehrten††). Selbst so gut landeskirchlich Gesinnte wie Schrenk erhoffen die Organisation des Leibes Christi†††), und allen, mögen sie noch so ehrlich kirchenfreundlich sein, ist in der Kirche die Hauptsache die Sammlung der Bekehrten.

Die scharfe Scheidung zwischen „Bekehrten" und „Unbekehrten" ist die Grundanschauung der ganzen Bewegung, wie es Hobbing einmal richtig in dem Versuch einer Definition derselben ausführt (Reformation 1904 Nr. 2). Kein anderer Unterschied ist so groß. Daher gehören alle Bekehrten zusammen als Brüder, und darum steht auch dem besonnensten Altpietisten der extremste, ja exzentrische Gemeinschaftsmann näher als etwa der Lutheraner, der prinzipielle Bedenken gegen die Gemeinschaftsbewegung hat und die Möglichkeit scharfer Unterscheidung zwischen Bekehrten und Unbekehrten unter den als Kindern Getauften leugnet§). Darum gilt es Allianz zu pflegen mit allen Kindern Gottes, während die Teilnahme „Unbekehrter" am Abendmahl Störung bedeutet.

Das ist natürlich nur möglich, wenn die Bekehrten als solche erkennbar sind, und das sind sie nach durchgängiger Anschauung. Denn ausdrücklich wurde, wie wir sahen, in Gnadau 1896§§) von der großen Mehrheit festgestellt, daß die Bekehrung ein einmaliger, abgeschlossener, für jeden als Anfang der Gottes-

*) S. o. Blazejewski S. 212. **) S. o. S. 211.
***) S. o. S. 92, 98 u. f. †) S. o. S. 56, 95, 100, 188.
††) S. o. S. 189. †††) S. o. S. 95.

§) Als krasses Beispiel habe ich es selbst auf einer Konferenz erlebt, daß vor mir ein Führer im Deutschen Verbande Uhlhorn das Leben aus Gott abstritt, weil er gegen Gebetsgemeinschaften gewesen sei, während in öffentlicher Versammlung am nächsten Tage von einem Bruder, der einen als Beichtgeheimnis anvertrauten Ehebruch ausgeplaudert hatte, vom Redner ausdrücklich gesagt wurde: Es war ein Bruder.

§§) S. o. S. 122.

kindschaft notwendig zu erlebender Vorgang sei*), dessen Abschluß das innere unmittelbare Zeugnis des heiligen Geistes über die Annahme bei Gott sei**), so daß jeder wissen kann, bzw. muß, ob er bekehrt ist.

Aber auch äußerlich erkennbar ist es, denn die Bekehrung besteht vor allem auch in der Abkehr von der Welt, zeigt sich wenigstens vor allem darin. Dabei wird aber unter „Welt" in der alten Weise dualistischer Mystik vielfach das natürliche Leben in mehr oder minder weiter Ausdehnung verstanden, vor allem aller Genuß***); auch für den irdischen Beruf geht vielfach die rechte Wertung verloren neben dem „etwas für den Herrn tun" †), und das vermeintlich unmittelbare Wirken Gottes wird derartig hoch über das göttliche Wirken durch natürliche Mittel und Verhältnisse gestellt, daß letzteres fast gar nicht mehr als göttlich anerkannt wird ††). Wurde auch die Grenze von den einzelnen sehr verschieden eng gezogen †††), war vielfach die Theorie bedeutend besser als die Praxis, so war doch zum mindesten stimmungsmäßig für alle die Gemeinschaft der Bekehrten die Schar derer, die sich von der Welt abgewandt haben.

So sind es ganz offenbar die alten im Pietismus und Methodismus wirksamen enthusiastischen und donatistischen Gedanken, die die Grundstimmung der Bewegung beherrschen und die Einheit der Kinder Gottes über alle Lehrstreitigkeiten triumphieren lassen, und es steckt in dieser Grundstimmung wie stets in den enthusiastischen Bewegungen eine hinreißende Gewalt. Es ist ein Stück wahren, echten Christenlebens, diese *φιλαδελφία*, die über alle Mauern und Zäune hinweg die lebendigen Christen zusammentreibt, aber darin, daß das nur auf Kosten der verstandesmäßigen Klarheit und Geschlossenheit möglich ist, birgt sich die große Gefahr, daß

---

*) Vgl. die plötzlichen Bekehrungen Reuters (S. 179), Toni v. Blüchers (S. 54), Blazejewskis (S. 210) u. a.

**) S. o. S. 122.

***) Z. B. Rauchen (S. 80, 153, 175), Theater, Tanz (selbst im Familienkreise) (S. 124, 175), weltliche Vereine (S. 69) u. a.

†) S. z. B. bei Frl. Stülcken (S. 173), Reuter (S. 179), Frl. v. Blücher (S. 54). Ausdrücklich wird es für die norddeutschen Gemeinschaften zugegeben von Bornhak (Reformation 1902 Nr. 23).

††) Z. B. Glaubensheilung (S. 80, 152, 213), Glaubensanstalten (S. 263 u. f.), Verwerfung von Lebensversicherungen (S. 152), von Kommentaren (S. 116), Präparation zur Predigt (S. 126) und sonstige Geistesleitung (S. 125).

†††) Vgl. die Verwerfung des Alkohols im Osten gegenüber dem weinbauenden Süden und Westen.

auch gegen im Grunde als falsch Erkanntes nicht eingeschritten wird, weil die Träger desselben „Brüder" sind.

Als solche von den älteren Gnadauer Führern selbst abgelehnte Anschauungen sahen wir auftauchen die Ansicht von verschiedenen, zwei, ja drei fest abgegrenzten Stufen im Christenleben mit ihren plötzlichen Durchbrüchen, Überströmungen und „Geistestaufen", wobei den einen als letzte Stufe die „Erlösung des Leibes" erschien*), die anderen dem „nur Wiedergeborenen" den Geistesbesitz absprachen und die Notwendigkeit des Angetanwerdens mit Kraft aus der Höhe betonten**), noch andere gar der katholischen Rechtfertigungslehre bedenklich sich näherten***) und vielfach in ans Zauberhafte grenzenden Ausdrücken vom Blute Jesu geredet wurde†). Neben diesen aus der englisch-amerikanischen Heiligungsbewegung stammenden Gedanken††) waren es vor allem darbystische†††) Anschauungen, die hier und da vordrangen, vor allem die Lehre von der Entrückung, gleichviel ob man nun lehrte, daß alle wirklich Gläubigen die Brautgemeinde bildeten, die vor der großen Trübsal entrückt werde, oder ob man hoffte auf die Erstlingsschar derer, die „Überwinder" geworden, den „männlichen Sohn", der als eine Auswahl der Entrückung teilhaftig werde§). Dazu kam die darbystisch gedachte Allianz, die nicht mehr nur eine brüderliche Gesinnung gegen „Bekehrte" in anderen Denominationen fordert, sondern „Gemeinschaft" mit ihnen auf Konferenzen, ja in Gemeinschaften und in der Arbeit.

Wohl wehrte man solche Gedanken ab§§), aber das Bewußtsein der Einheit mit den Brüdern brach aller solcher Abwehr die Spitze ab; man ließ die „Brüder" ihre Sonderanschauungen mündlich und schriftlich weiter verbreiten, man wehrte vor allem nicht dem Strom der englisch-amerikanischen Literatur, der sich wie eine Flutwelle über die Gemeinschaftsbewegung ergoß und jene Gedanken verbreitete, ja man sang selbst die englischen Lieder mit, die in mystischen Ausdrücken von der freimachenden Blutskraft Jesu redeten.

---

*) S. o. S. 119, 196.

**) Vgl. die Verhandlungen der 2. und 4. Gnadauer Konferenz (s. o. S. 100, 104).

***) Z. B. Büttner (S. 103).

†) Z. B. Stockmayer (S. 120), Paul (S. 123).

††) Vgl. meine Schrift: Zur Geschichte der Heiligungsbewegung. 1. Heft.

†††) im Sinne des ursprünglichen Darbysmus der open brethren.

§) S. o. S. 102, Stockmayer (S. 120, 124), Witt (S. 123).

§§) So Dietrich die Entrückung (s. o. S. 102), die darbystische Allianz (vgl. Dietrich und Brockes, a. a. O. S. 23).

Freilich es war das nicht immer nur Brüderlichkeit, sondern leider auch vielfach eigene Unklarheit. Selbst ein Schrenk sprach in mindestens mißverständlichen Ausdrücken vom Geistesbesitz *), von der Reinigung durch das Blut Jesu **) und der Organisation des Leibes Christi durch den Geist ***), auch ein Haarbeck schied die Frage nach der Erreichbarkeit der Vollkommenheit einfach aus, statt sie abzulehnen †), und Wittekindt redete seinerseits von der „Brautgemeinde" ††). Ja, Lepsius, der Gegner aller Mystik, meinte über Luthers Erklärung des dritten Artikels hinauskommen zu müssen und vertrat die Anschauungen der amerikanischen Heiligungsbewegung, die doch z. T. zurückgingen — auf katholische Mystik †††).

Bei solcher Unklarheit der Führer war es nicht zu verwundern, daß Leute mit weniger nüchternem Blick für die Praxis oder weniger theologischer Bildung gerade die radikaleren Gedanken konsequent weiterführten, und man hatte auf Seiten der Gemäßigten keine wirklich scharfe Abwehrwaffe.

Darum endete man eigentlich stets bei Kompromissen §). Die Folge war aber natürlich das Vordringen der radikaleren Anschauungen §§). Vor allem war es der Osten, in dem die schärferen Töne Wiederhall fanden §§§). Immerhin war die Gefahr für die Gesamtbewegung noch nicht groß, solange es sich mehr um die Privatmeinungen und Lieblingstheorien einzelner zu handeln schien. Schlimmer wurde es, wenn bedeutende Mittelpunkte ganz von solchen Anschauungen beherrscht wurden und größere geschlossene Kreise sich bildeten, die dieselben vertraten. Das war der Fall in der nächsten Periode der Gemeinschaftsbewegung, die wir daher im Gegensatze zu der Periode des einheitlichen Fortschreitens die Zeit des Auftauchens neuer Mittelpunkte und Bewegungen nennen.

---

*) S. o. S. 92. **) S. o. S. 78. ***) S. o. S. 95.

†) S. o. S. 121. ††) S. o. S. 124. †††) S. o. S. 104, 123.

§) S. o. S. 104 f., 122, 124.

§§) Vgl. das Wachsen Blankenburgs, die Entstehung der Tersteegensruher Konferenz, die Entwicklung im J.B. (S. 246 ff.).

§§§) Vgl. Blazejewski, die Gründung des Gemeinschaftsschwesternhauses, Schlesien und Westpreußen.

Vierter Teil.

Das Auftauchen neuer Strömungen und Mittelpunkte in der Gemeinschaftsbewegung (1902—1905).

Erstes Kapitel.

Der Kampf um die wissenschaftliche Theologie und die Gruppe der Eisenacher.

Zuerst waren es die wissenschaftlich und kirchlich interessierten Theologen, die zu einer Sondergruppe innerhalb der Bewegung sich zusammenschlossen. Daß es wirklich eine Sondergruppe wurde, die sogar nur noch wenig mit der übrigen Bewegung zusammenhing, lag an den Kämpfen, die um ihre Führer sich entspannen, und die im Grunde Kämpfe gegen die wissenschaftliche Theologie waren.

1. Der Wiedergeburtsstreit.

Im Jahre 1901 entspann sich ein Zeitschriftenkrieg zwischen Lepsius im „Reich Christi" und Jellinghaus in den „Mitteilungen aus der Bibelschule" auf der einen, Pückler im „Michaelsboten", sowie Brockes in der „Philadelphia" auf der anderen Seite. Lepsius, dessen Abneigung gegen alle Mystik wir bereits hervorhoben, und Jellinghaus faßten das Verhältnis zwischen Gott und Mensch streng als ein rein persönliches, daher war ihnen die Wiedergeburt nichts als das „Zum-Glauben-Kommen". Der Sünder ist nun Gotteskind, gerecht usw. in der im Glauben zustande kommenden und bestehenden Gemeinschaft mit Gott, ohne daß in ihm irgendwie eine substantielle Änderung vorginge. Die Gegner vertraten dagegen die sogenannte physiologische Wiedergeburt. Nach ihnen bewirkt der heilige Geist im Menschen bei der Wiedergeburt eine substantielle Neuschöpfung, es entsteht nun in ihm eine wesenhafte „neue Natur".

Auf Lepsius' Seite trat der sächsisch-anhaltinische Brüderrat und bat das Komitee, es möge in geeigneter Weise zum Ausdruck bringen, daß die Privatmeinung einzelner leitender Brüder nicht als die allgemeine Lehre innerhalb der Gemeinschaftsbewegung zu betrachten sei, und dahin wirken, daß solche Brüder, wie Dr. Lepsius und P. Jellinghaus, deren Lehrauffassung von irgend einer Seite angegriffen würde, von autoritativer Stelle nicht der Verdächtigung bezüglich ihrer Glaubensstellung vor den Gemeinschaftskreisen preisgegeben würden. Das Komitee erklärte darauf, „daß der Vorstand in dem vom Grafen Pückler in seinem ersten Artikel ausgesprochenen Standpunkt nichts Schriftwidriges gefunden" habe. Im übrigen suchte man einer klaren Entscheidung auszuweichen. Der sächsisch-anhaltinische Brüderrat scheint sich dabei beruhigt zu haben. Lepsius erklärte, er werde sich fernhalten, bis die Vertretung der Brüderräte ihr „unüberlegtes Votum, das sie für die schriftwidrige Lehre von der physiologischen Wiedergeburt abgegeben" habe, rückgängig gemacht habe.

Damit war Lepsius in eine Sonderstellung gedrängt. Andererseits handelte es sich nicht nur um Lepsius' Person. Mit Recht sagte später Rubanowitsch (Was sagt die Schrift 1904 S. 123): „Auf einer Seite standen gläubige Laien, auf der anderen gläubige Theologen." Freilich wenn er meinte: „Es fand sich unter den Laien keiner, der die Fähigkeit besessen hätte, die Sache zu vertreten, und so verlief die Besprechung im Sande," so war das nicht ganz richtig. Vielmehr hatte sich deutlich gezeigt, daß unter den Führern der Bewegung eine starke Abneigung gegen jede Theologie herrschte, die der in der Bewegung dominierenden massiven Laientheologie widersprach, eine Abneigung freilich, die z. T. auch auf eigener Verständnislosigkeit für theologisches Denken beruhte*). Noch viel schärfer mußte die Abneigung werden, wenn es sich einmal um die theologische Arbeit an der Bibel selbst handelte, die ja auch in kirchlichen Laienkreisen meist auf wenig Verständnis stößt. Der Zusammenstoß kam bald, und zwar war es wieder Lepsius, der ihn hervorrief.

---

*) Z. B. bei Rubanowitsch, der die Behauptung der Theologen: „Wir haben alles im Glauben, und zwar nur im Glauben," kommentierte: „Aber das sind ja alles Ideale. Ich bitte euch selbst entscheiden zu wollen nach Joh. 6, 53. Damit lehrt Christus, daß die Seinen Leben haben nicht nur im Glauben, nicht in der Idee, sondern sie haben auch Leben in sich selbst."

2. Der Streit um die Verbalinspiration.

Lepsius hatte in seinem „Reich Christi“ zu Anfang des 6. Jahrgangs (1903) in einem Artikel „Laboremus“ der Wellhausenschen Anschauung vom Alten Testamente den Krieg erklärt und es als eine Aufgabe für die nächsten Jahrgänge bezeichnet, den Turm jener Hypothese „stockwerkweise wieder abzutragen“. Im gleichen Hefte machte er den „Versuch einer Wiederherstellung des ursprünglichen Textes“ von 1. Mos. 1—11. Es war ein ziemlich kühnes Hypothesengebäude, das er noch dazu zunächst ohne ausführliche Begründung veröffentlichte.

Es war offenbar, daß das einschlagen mußte. War doch Lepsius' Theologie schon durch den Wiedergeburtsstreit vielen verdächtig geworden. Diesmal aber handelte es sich um die theologische Arbeit an der Bibel, von der, wie sich nachher zeigte, selbst die Führer der Bewegung kaum etwas kannten. Mit Recht hatte Lepsius in jenem Laboremus-Artikel selbst das Urteil gefällt, „daß in der gesamten Gemeinschaftsbewegung, mit verschwindenden Ausnahmen, theologisch nicht gearbeitet wird“. „Die Gemeinschaftsbewegung selbst bedarf jetzt, wo ihre enthusiastische Periode den Höhepunkt überschritten hat, einer starken biblischen Theologie, um nicht an einem schlimmen theologischen Dilettantismus und seinen praktischen Folgen zugrunde zu gehen.“

So war es denn auch keineswegs die wissenschaftliche Schwäche der Lepsiusschen Position, die Anstoß erregte. Die ist — bezeichnenderweise — überhaupt nicht zur Sprache gekommen, sondern nur das auffallende Ergebnis seiner Textverbesserung, daß Naema zu einer Schwester Kains und Abels wird, der die Brüder, ihre Gunst zu gewinnen, die 1. Mose 4 genannten Gaben bringen. Das genügte, um ohne weitere Prüfung seine Untersuchung mit dem Ausdruck der Empörung: „Das Abelopfer zu einer Liebesgeschichte gestempelt!“ abzutun und ihn als einen Theologen zu denunzieren, der „trotz seiner energischen Bloßstellung der Bibelkritik doch nicht ganz auf Seite der positiven Theologen treten wolle, die gleich der Gemeinschaftsbewegung auf dem festen Grunde der Apostel und Propheten stehen bleiben wollen.“ Diese Verdächtigung Lepsius' erfolgte in einer „ein Gemeinschaftsmitglied“ unterzeichneten Zuschrift an die „Warte“ (1903 Nr. 16), die von der Gräfin Waldersee herrührte und wohl von E. Lohmann veranlaßt war, der vor allen durch das Bibelhaus und den Frauenmissionsbund zu diesen vornehmen Damenkreisen Beziehungen hatte. Jedenfalls war er es, der die Aufnahme dieses Artikels in der von ihm mit Bernstorff gegründeten „Warte“ gegen den Wunsch der Schriftleiterin Frl. v. Redern durchsetzte und die Aufnahme einer Erwiderung ablehnte. Auch Modersohn veröffentlichte denselben Artikel in erweiterter Form. Daß gerade an dieser Stelle solcher Anstoß genommen wurde, lag wohl einmal daran, daß dadurch Hebr. 11, 4 gewissermaßen in der Luft stand, und andererseits daran, daß Abels Opfer in Gemeinschaftskreisen, wohl mit unter dem Einfluß der darbystischen Bibelauslegung, ganz besonders als „typisch" galt *).

Auch Ströter **), der in einem von Lobeserhebungen strotzenden Briefe an Lepsius dessen Vorstoß gegen die liberale Theologie beglückwünscht hatte, nahm zunächst nur an der Verbesserung von 1. Mos. 4 im Hinblick auf Hebr. 11,4 Anstoß, während er in einem gleichzeitigen Artikel in der deutsch-amerikanischen Zeitschrift für Theologie und Kirche Lepsius sogar ohne jede Einschränkung pries. Auf der Tersteegensruher Konferenz des Jahres dagegen vom 12. bis 15. Mai, an der er sowie Rappard, Stockmayer, Lohmann, Modersohn, Girkon und Vetter sich beteiligten, nahm er teil an der Beratung der Genannten über eine „Erklärung" gegen Lepsius, die dann von ihm und v. Viebahn nach Berlin gebracht wurde. Hier wurde sie nach manchen Hindernissen ***) von Lohmann, Paul, v. Viebahn und Ströter endgültig redigiert, doch zogen schließlich Ströter, Girkon, Modersohn, Paul und Vetter ihre Namen zurück. Die dann in der „Warte" veröffentlichte Erklärung lautete:

„Die Unterzeichneten fühlen sich gedrungen, folgendes Zeugnis abzulegen: 1. Wir stehen zu der göttlichen Inspiration und Autorität sämtlicher von Gott gegebenen Schriften Alten und Neuen Testamentes: ‚Suchet nun in dem Buch des Herrn und leset, es wird nicht an einem derselben fehlen, man vermißt nicht dieses noch das. Denn er ist es, der durch meinen Mund gebietet, und sein Geist ist es, der zusammenbringt,' Jes. 34, 16. 2. Obwohl wir dem Herrn dankbar sind für jede Arbeit, welche tatsächlich dazu dient,

---

*) So hatte es auch in naiver Laienauslegung Gräfin Waldersee selbst in ihren „Vorbildern im Alten Bunde" behandelt.

**) Ströter, von Haus aus Deutscher, war Professor an einem methodistischen Seminar in Amerika. 1900 war er aus der „Our Hope" Judenmission, die er mit Gaeberlein zusammen betrieb, zurückgetreten. Schon damals vertrat er einseitig die „nationalen Aussichten" Israels. Er war nach Deutschland gekommen, um Vorträge über Judenmission zu halten, war dann aber vorwiegend evangelistisch tätig und nahm an der Harzkonferenz, Tersteegensruh u. a. teil. Zur Zeit der Veröffentlichung des Laboremus-Artikels war er wieder in Amerika.

***) Lepsius selbst hatte sich zu der Sitzung ungeladen hinzugefunden und schildert in humorvoller, z. T. allerdings auch scharf satirischer Weise diese Verhandlung wie die ganzen Vorgänge im „Reich Christi" 1904 Nr. 1.

den ursprünglichen Bibeltext durch Handschriftenvergleichung festzustellen, verwerfen wir jeden wissenschaftlichen Versuch auf diesem Gebiet, durch welchen das göttliche Ansehen irgendeines Teils der gottgegebenen Schriften Alten oder Neuen Testamentes geschwächt oder untergraben wird, als einen Eingriff in die unantastbare Zusammengehörigkeit, in die organische Einheit der gesamten Schriftoffenbarung. Denn: ‚Die heiligen Menschen Gottes haben geredet, getrieben von dem heiligen Geist', 2. Petr. 1, 21. 3. Wir wollen dem geschriebenen Worte gegenüber keine andere Stellung einnehmen als die, welche Jesus Christus, unser Herr, eingenommen hat, und sprechen demgemäß unsere Überzeugung dahin aus, daß in der Gemeinde des Herrn nur solche als Lehrer und Führer angesehen werden können, die sich unter das Wort des Meisters beugen: ‚Die Schrift kann nicht gebrochen werden', Joh. 10, 35. 4. Wir anerkennen gern die Dienste, welche eine gläubige Schrift- und Quellenforschung als Magd des Herrn dem Haushalt des Glaubens zu leisten vermag, weisen aber jeden Versuch der Wissenschaft, sich zur Herrin aufzuwerfen, auf das bestimmteste zurück, indem wir uns anbetend beugen unter das Wort des Herrn Jesu: ‚Ich preise dich, Vater und Herr Himmels und der Erde, daß du solches den Weisen und Klugen verborgen hast und hast es den Unmündigen geoffenbaret,' Matth. 11, 25."

Lepsius erklärte dagegen: „Wer meine Artikel in diesem Jahrgang gelesen hat, kennt meine Stellung zur Schrift und weiß, daß meine ganze Absicht in diesem Blatte darauf gerichtet ist, die Wahrheit und Herrlichkeit der Schrift gegen alle Verächter derselben zu verteidigen und zu Ehren zu bringen. Mit großen Worten ist hierbei freilich nichts ausgerichtet. Man muß die Einwände, die gegen die Wahrheit und Zuverlässigkeit der geschichtlichen Überlieferung der Schrift erhoben werden, kennen und widerlegen. Wer hierin etwas vermag und dazu mithilft, daß das Ansehen der heiligen Schrift in unserem Volke wiederhergestellt wird, wird der Gemeinde des Herrn einen Dienst erweisen und wird mich an seiner Seite finden. Wem es aber darum zu tun ist, als ‚Führer und Lehrer in der Gemeinde des Herrn angesehen zu werden', kann meinetwegen unbesorgt sein, er wird mir auf seinem Wege nicht begegnen. Matth. 23, 8. 10."

Jene Erklärung genügte Rubanowitsch nicht. Vor allem war er nicht damit zufrieden, daß Lepsius' Name nicht genannt war. Darum rief ihn Stockmayer nach Blankenburg zur Konferenz, aber nicht zum Reden, sondern nur zur Aussprache. Immerhin war schon das Thema der XVIII. Allianz-Konferenz (24.—28. August 1903): „Unsere Verantwortung gegenüber der neutestamentlichen Offenbarung nach Hebr. 1—4" offenbar im Hinblick auf Lepsius gewählt, und so gestaltete sich denn der erste Tag geradezu zum Gerichtstag für Lepsius. Stockmayer verglich ihn am Morgen mit Ussa und Achan, v. Viebahn und etwas weniger scharf Ströter folgten, Rubanowitsch aber überbot alle drei, indem er sagte: „Als dieser Punkt von Dr. Lepsius heute von jemand mit heißer Liebe und tiefem, heiligem Ernste und offenkundiger Herzensbewegung berührt wurde, ging ein unzufriedenes Rauschen durch die Versammlung. Das fürchte ich nicht. Was mich beben macht, ist, daß es im Volke Gottes möglich ist, solche Herzensbewegungen zu haben . . . Es ist doch tatsächlich Gewissenssache jedes Gotteskindes, die Sünde eines Bruders zu bezeichnen und auszusprechen.“ Er erinnerte dann an 2. Thess. 3, 6 und betonte: „Bedenken wir wohl, daß niemand dies Gebot umgehen kann: ‚Wir gebieten euch, daß ihr euch entziehet!‘ Alle Toleranz hat da keine Bedeutung.“ Als darauf große Unruhe entstand, Proteste sich hören ließen und mit den Füßen gescharrt wurde, rief er*): „Diejenigen, welche jetzt mit den Füßen scharren, haben entweder niemals eine Erfahrung von Jesus in ihrem Herzen gemacht, oder sie sind parteiisch, oder sie kennen nicht die Anfechtungen Satans.“ Knobelsdorff aber nannte diese Tagung später „eine herrliche Konferenz“.

Da die Verhandlungen gedruckt wurden, schwieg auch Lepsius nicht und veröffentlichte eine in glänzender Dialektik geschriebene Verteidigung. Rubanowitsch antwortete in einer Artikelserie in seinem Blatte, die an haarspaltender Konsequenzmacherei Unglaubliches leistete und Lepsius' Sarkasmus, nur ohne Lepsius' Geist, nachzuahmen suchte. Sachlich drückte er aber nur die Meinung der Mehrzahl aus, wenn er „öffentliche Kritik an der heiligen Schrift ohne Verletzung und Schädigung wirklich erlöster Seelen heute für nicht möglich“ erklärte und Luthers freie Stellung zu manchen Büchern des Kanons „Sünde“ nannte. Lohmann, der bei dem ganzen Kampfe augenscheinlich stark die treibende Kraft gewesen ist, hatte schon bald nach der Blankenburger Konferenz in der „Warte“ noch einen scharfen Artikel gegen die „Bibelkritik“ veröffentlicht: „Ob die einen sagen: Die Bibel ist ein Haufen Irrtum mit ein wenig Wahrheit, oder die anderen sagen: Die Bibel ist im allgemeinen wahr, aber es ist doch ein wenig Irrtum darin, macht mir keinen Unterschied.“ Gröber sagte es Vetter in „Die Bibel, das Schwert des Geistes“, wo er sich, ohne die geringste Sachkenntnis der theologischen Fragen, zu Sätzen verstieg, wie: „Durch die Bibelkritik ist eine neue Religion eingeführt worden, die ebensowenig Christentum ist, wie der Mond die Sonne ist . . . Dieser Religion fehlt jeder sittliche Charakter, jede ernste Ehrlichkeit, jedes Ideal.“ „Die Bibelkritik hat angefangen im Paradiese. Der erste Bibelkritiker war der Teufel selbst.“ Die Bibelkritiker seien „Teufelskinder“ und „Satansschüler“, ihr Betragen völlig

---

*) So nach seiner eigenen Wiedergabe („Was sagt die Schrift?“ I, Nr. 32), wo er sich zugleich bitter beschwert und Lepsius der Unwahrheit beschuldigt, weil jener nur den ersten Teil (bis „gemacht“) zitiert. Wie ist dann das zu bezeichnen, daß dieser Satz in dem gedruckten Protokoll — überhaupt fehlt?

geringschätzend, gemein und gottlos. Ja, er gab ihnen so ungefähr die ganze Demoralisierung des Volkes schuld.

Nur Jellinghaus trat für den angegriffenen Freund und Mittheologen ein, vertrat auch in seinen „Mitteilungen" die rechte evangelische Anschauung, wonach der Glaube an Christus zum rechten Vertrauen auf die Schrift bringt, nicht aber seinerseits — wie Rubanowitsch und Vetter ausführten, nach denen mit der Verbalinspiration auch die Versöhnung und die Gottessohnschaft Christi falle — auf der Annahme einer Theorie über Inspiration beruht. Außer Jellinghaus regte sich aber von den eigentlichen Führern der Bewegung niemand. Hier wollte man zum Teil unter Verzicht auf die theologischen Fragen, zum Teil aus Unkenntnis derselben, unbedingt festhalten an der Verbalinspiration, wie Wittekindt schon 1902 in Gnadau konstatiert hatte: „Wir Gnadauer stehen ungebrochen zum ganzen Worte Gottes!" In dieser Beziehung war kein Unterschied zwischen Gnadauern und Blankenburgern. Hier galt von allen, was Stockmayer in Blankenburg unter Zustimmung aller Anwesenden Jellinghaus erwiderte, als er auf die Widersprüche hinwies, die zwischen den gesicherten Ergebnissen der Geschichtsforschung und der biblischen Chronologie bestehen, daß er nämlich in solchem Falle nicht der Geschichtsforschung, sondern der Bibel glauben würde. So regte auch von denen keiner eine Hand für Lepsius, die sonst die Theologie und ihre Arbeit wohl zu schätzen verstanden, wie Dietrich, Haarbeck u. a. Selbst der Lepsius sonst nahestehende Dammann bedauerte zwar den Bruch der Blankenburger mit Lepsius, hielt aber die Gefahr für naheliegend, daß Lepsius die Schrift meistere (L. u. L. 1903 S. 600).

Recht hatte er freilich damit, daß Lepsius mitschuldig an der Erregung war. Seine bedauerliche Unvorsichtigkeit, seinen doch recht subjektiven Textverbesserungsversuch ohne jede Anmerkung zu veröffentlichen und seine — wenn auch glänzende — Ironie konnte wohl auch die an sich nicht wissenschaftsfeindlichen, aber in einer falschen Inspirationslehre erzogenen und durch Ausschreitungen der Bibelkritik argwöhnisch gemachten einfachen Laien der Gemeinschaften von ihm abwenden. Schlimm war aber, daß dadurch die in der Bewegung sowieso weit verbreitete argwöhnische, um nicht zu sagen, feindselige Stimmung gegen die wissenschaftliche Theologie stark vermehrt wurde.

Das wurde aber verhängnisvoll für eine Gründung, deren Aufgabe gerade die Annäherung der kirchlichen Theologie und der Gemeinschaftsbewegung sein sollte, die Eisenacher Konferenz.

3. Die Eisenacher.

(Kellers Kritik der Bewegung — Die erste Eisenacher Konferenz — Die zweite Konferenz und das Abrücken der Gemeinschaftsleute — Die dritte Konferenz und der Eisenacher Verband — Die vierte Konferenz und der Eisenacher Bund — Die Isolierung Eisenachs).

Hatte Lepsius durch die eben geschilderten Streitigkeiten bei vielen Gemeinschaftschristen Anstoß erregt, so weckte **Keller** den Zorn vieler durch seine „Sieben Bitten an die Gemeinschaftsbewegung". Sie lauteten im wesentlichen:

1. Bitte, seid vorsichtig mit dem Gebrauch der Worte „Bekehrung", „bekehrt", „unbekehrt" und „Welt", besonders bei jungen, unreifen Menschen oder gar Kindern wird viel mit solchen Worten gesündigt. 2. Werdet weise und wahr in der Arbeit an anderen! 3. Schafft die Schablonen ab! 4. Vergeßt nicht den Naturzusammenhang! 5. Tut alles, was an euch ist, damit die Verleumdung keine Nahrung finde, als lehre man bei euch die Sündlosigkeit. 6. Richtet nicht neue Zäune auf mit verschiedenen Mitteldingen! 7. Laßt uns ganz wahr sein in unserem religiösen Leben und Reden!

Diese, wie aus dem Bisherigen hervorgeht, nur zu berechtigte Mahnung erweckte einen wahren Sturm von Entrüstung. Interessant ist in dieser Beziehung der Briefkasten von „L. u. L." 1902. Dammann hatte die sieben Bitten abgedruckt, mit sehr vorsichtigen Bemerkungen. Keller wolle nur brüderlich raten. Er selbst finde aber viel Beherzigenswertes darin. Eine Unzahl Briefe ging darauf ein. Das Gelindeste war, daß sie „unnötig" seien, daß die Gemeinschaften auf die Unterscheidung von „bekehrt" und „unbekehrt" ebensowenig verzichten könnten wie auf die Absonderung von der Welt. Selbst Engelbert-Wattenscheid, der meinte, die Gemeinschaften hätten viel aus den Bitten zu lernen, schränkte sie doch in seinen Ausführungen fast auf ein Minimum ein. Eine geradezu verhängnisvolle Selbsttäuschung war es, wenn er die vierte Bitte nicht „für etwas gar so Wichtiges" hielt und die fünfte als viel zu ängstlich abtat. Andere, namentlich Laien, schrieben äußerst scharf und bitter und persönlich. Man hat den Eindruck, als ob Dammann selbst durch diese Fehde zu einer etwas anderen Beurteilung der Gemeinschaftsbewegung und andererseits der Kirche gekommen wäre. Die Folge war, daß er nun selbst von manchen Gemeinschaftsleuten in Briefen scharf angegriffen wurde, weil er „wiederholte Angriffe auf Gemeinschaften und deren Glieder" veröffentlicht habe.

Klar ging daraus hervor, daß die große Menge der Gemeinschaftsleute eine Kritik, wohl gar in der Öffentlichkeit, sich nicht gefallen lassen wollten, wie Keller in seinen sieben Bitten sie geübt hatte. Noch mehr ward ihm freilich sein im Herbst 1902 erschienener Roman „Menschwerdung" verübelt, in dem er gegenüber dualistischer Übergeistlichkeit die lutherische Würdigung des natürlichen Lebens betonte und das Überschlagen der ersteren in oft recht fleischliche Gedanken zeichnete.

Lepsius und Keller waren aber nun die Väter der Eisenacher Konferenz. Sie gewannen zunächst Jellinghaus und Zeller-Magdeburg, sodann auch einige Professoren der Theologie, Cremer, Kähler und Schlatter. Ehe aber die Konferenz ins Leben trat, war der Wiedergeburtsstreit in vollem Gange, hatten Kellers sieben Bitten so viel Staub aufgewirbelt, und die notwendige Folge war, daß weite Kreise einer Einrichtung mit Mißtrauen begegneten, an deren Spitze Keller und Lepsius standen. Sie fühlten, daß auch in dieser Neugründung eine gewisse Kritik der Bewegung lag; hat doch in der Tat Lepsius sie ins Leben gerufen unter anderem gegenüber dem „falschen, in vielen Gemeinschaftskreisen gepflegten Heiligkeitsideal der Weltflucht" (Reformation 1903 Nr. 18).

Dadurch aber wurde es der Konferenz unmöglich, die ihr eigentlich gesetzte Aufgabe, eine Annäherung zwischen kirchlicher Theologie und Gemeinschaftsbewegung herbeizuführen, zu lösen. Immerhin befand sich außer den Genannten unter den Unterzeichnern der Einladung neben kirchlichen Theologen wie v. Bodelschwingh, Bornhäuser, Bunke, Ecke, Fries, Funcke, Hennig, Hering, Kögel, Kropatscheck, Kuhlo, Lütgert, Merensky, K. Müller-Erlangen, Nathusius, Philipps, Riggenbach, Scheffen, Schreiber-Barmen und Schreiber-Bremen, Warneck u. a., sowie mehreren Theologen der Brüdergemeinde auch eine ganze Reihe Gemeinschaftsführer, außer Lepsius, Keller und Jellinghaus mit dem ihm befreundeten Klein-Lichtenrade vor allem die der Kirchlich-sozialen Konferenz nahestehenden Dammann, Graebenteich, Krieg, mehrere aus der Provinz Sachsen, zu deren Brüderrat Lepsius ja gehört hatte, wie Behrens-Oschersleben, Donndorf, Fischer, Geiling, Lüdecke, Reinert-Klostermansfeld, Simša, eine Reihe Schlesier, die wir später als besondere Gruppe wieder treffen werden: Ebeling, Heinatsch, v. d. Nahmer, v. d. Oelsnitz, von Treskow, altpietistisch Gerichtete wie Birschel, Coerper-Barmen, eine Anzahl Hannoveraner, die von der Konferenz eine Beeinflussung der Gemeinschaften in kirchlichem Sinne erhoffte, aber doch auch Blecher, Berg, Claus-Baden, Dolman, v. Engel, Fischer-Essen, Holzapfel, Horst, de le Roi, Sartorius, Schenkheld, v. Tiele-Winkler, Witt-Havetoft, Wolck und Ziemendorff, ja sogar Männer wie Regehly, Wüsten und Ströter. Anwesend waren noch Hommel und Stöcker, aber auch Stockmayer. Dieser sowie Dammann, Jellinghaus, Keller und Lepsius, Hommel, Kähler, Schlatter und Buchner sprachen, Zeller leitete. Daß man trotz dieser Zusammensetzung auch in den offiziellen Gnadauer Kreisen einen Riß fürchtete, zeigte die von Haarbeck überbrachte Botschaft: „Der Vorstand der Gnadauer Konferenz beschließt: es möge der Eisenacher Konferenz die dringende Bitte ausgesprochen werden, daß auch von ihrer Seite der Gnadauer Konferenz die brüderliche Stellung gewahrt und Sorge getragen werde, daß jeglicher Riß innerhalb der deutschen Gemeinschaftskreise vermieden bleibt" (Eis. Verh. S. 43). Andererseits sprach Zeller in der Einleitung seine Bedenken über die Entwicklung der Gemeinschaftsbewegung aus: Die Gemeinschaftsleute seien vielfach zu selbstbewußt, bei ihnen werde das innere Leben an äußeren Merkmalen gemessen, das Ganze sei vielfach zu englisch gefärbt und sie verachteten die Theologie.

Übrigens wäre es fast zum Bruch innerhalb der Konferenz selbst gekommen, und zwar an der Frage nach der Bekehrung, speziell ob dieselbe ein Werk menschlichen Willens oder allein Gottes sei. Kam man hier in der Debatte nicht zur Einigung, so mußte die Frage nach der Taufwiedergeburt wegen der entstehenden Unruhe sogar sofort vom Vorsitzenden ausgeschieden werden.

Immerhin hatte man die Empfindung, daß die Teilnehmer von kirchlich-theologischer und Gemeinschaftsseite sich näher gekommen waren, und so wurde beschlossen, die Konferenz zu wiederholen. Jellinghaus, Keller, Lepsius und Zeller bildeten den Ausschuß. Daß freilich auch manche Gemeinschaftsleute von der Konferenz enttäuscht waren, geht selbst aus Dammanns Bericht (L. u. L. 1902 Nr. 23) hervor.

Bis zur nächsten Konferenz aber war der Inspirationsstreit entbrannt, hatte Keller seine „Menschwerdung" geschrieben, und so schwenkten viele ab, wie Ströter, der nach der ersten Eisenacher Konferenz gemeint hatte, daß derselben „für immer Sitz und Stimme im Familienkreise der Konferenzen" gesichert sei, im Verlaufe des Inspirationsstreites aber Lepsius erklärte, in der Öffentlichkeit nicht mehr Seite an Seite mit ihm kämpfen zu können, wenn er ihm auch persönlich in jenen Tagen um vieles näher gerückt sei, ein Verhalten, das Lepsius nicht mit Unrecht mit des Petrus Verhalten in Antiochien in Parallele stellte.

Die II. Konferenz fand vom 8. bis 10. Juni 1903 statt, von etwa 170 Laien, 120 Pastoren und 50 Kandidaten besucht. Die Zahl der sie besuchenden Gemeinschaftsleute war stark zurückgegangen, nur Jellinghaus und Ziemendorff waren von den Führern erschienen.

Am ersten Tage sprach Lütgert über die Lehre von der Rechtfertigung durch den Glauben, Zeller über Rechtfertigung und Heiligung in ihrer Einheit und Unterschiedenheit, Warneck: Was lernen wir für die Heidenmission aus der Geschichte der Ausbreitung des Christentums in den ersten drei Jahrhunderten? Am zweiten Tage war theologische Konferenz („Der gegenwärtige Stand der Theologie" von Kähler, „Die geschichtlichen Grundlagen der christlichen Weltanschauung"). Im Schlußwort nahm Zeller in ruhiger, klarer Weise Partei für den damals so heftig angegriffenen Lepsius.

Damit war das Schicksal Eisenachs besiegelt: Hatte man anfangs — vielleicht — hoffen können, daß die größere Masse der Bewegung durch Eisenach gesund theologisch beeinflußt werden könnte, jetzt wandte sich die Masse der Gemeinschaftschristen von Lepsius, Keller und Eisenach ab, und der Einfluß dieser Konferenz wurde auf kleine Kreise der Bewegung beschränkt.

Der „Brüderbote" gab entschieden nur der Meinung der Mehrzahl Ausdruck, wenn er nach der zweiten Konferenz mit Rücksicht auf jene Worte Zellers schrieb: „Da wissen wir, was wir von der Eisenacher Konferenz zu halten und zu erwarten haben."

Daran änderte der Umstand nichts, daß namentlich Keller eine große Schar Anhänger um sich sammelte. Die von ihm Oktober 1902 begonnene Monatsschrift „Auf dein Wort" erreichte in einem Jahre 6000 Abonnenten. Mochte sie auch vielfach — namentlich wohl in gebildeten Kreisen — in der eigentlichen Gemeinschaftsbewegung gelesen werden, eigentlichen Einfluß auf die Bewegung als solche hatte auch Keller jetzt nicht mehr. Interessant ist übrigens seine Notiz, daß er als freier Evangelist niemals pekuniäre Schwierigkeiten gehabt habe als gerade 1903. Ob das mit jener Abwendung der Gemeinschaftskreise zusammengehangen hat?

Ein immerhin wohl etwas voreiliger Schritt auf der III. Konferenz (25.—28. Mai 1904, 308 Teilnehmer, 150 Theologen, 54 Laien, 104 Frauen; Vorträge: Bowinckel über Vergebung der Sünden, Lepsius über Auferstehung des Fleisches u. a.) mußte den Deutschen Verband mindestens stark befremden, jedenfalls den Riß, statt ihn zu schließen, erweitern. Man beschloß nämlich, alle auf dem Boden der Reformationskirche arbeitenden kirchlichen Konferenzen und Gemeinschaftsorganisationen möglichst zu tatkräftigem Zusammenschluß zu bringen als „Eisenacher Verband für kirchliche Evangelisation und für Pflege kirchlicher Gemeinschaft und evangelischen Lebens". Der Deutsche Verband beantwortete das mit einer Erklärung des Sinnes, daß er selbst bereits die Zusammenfassung der deutschen innerkirchlichen Gemeinschaftsbewegung sei, der Begründung des Eisenacher Verbandes aber völlig fernstehe. Das Allianzblatt konnte nicht mit Unrecht konstatieren, daß dies alles darauf hinweise, daß „Gnadau und Eisenach nicht miteinander und füreinander" seien.

Aus dem Eisenacher Verbande in dem damals geplanten Sinne ist zunächst nichts geworden. Wohl bildeten sich in jenem Jahre zwei schlesische kirchliche Verbände (s. u.), schlossen sich aber nicht an Eisenach an. Mit einer kleinen Frontveränderung konstituierte man dagegen 1905 auf der IV. Konferenz den „Eisenacher Bund", als „eine Glaubens- und Arbeitsgemeinschaft, die dem Evangelium von dem Sohne Gottes dienen und die Sache seines Reiches mit allen Kräften fördern will".

Der Bund „vertritt die Überzeugung, daß in der evangelischen Kirche zu Recht besteht allein das Evangelium des Neuen Testamentes und der Reformation: Die frohe Botschaft von dem eingeborenen Sohne Gottes, der gestorben ist zur Versöhnung für unsere Sünden, der auferstanden ist und lebt und bei uns ist alle Tage, in welchem wir, allein durch den Glauben und nicht durch die Werke, Gerechtigkeit und Leben haben. Dem Versuch der neuesten Theologie, das Evangelium des Neuen Testamentes umzukehren, aus Kirche und Schule zu verdrängen und dafür ein anderes Evangelium einzuführen, das doch kein Evangelium ist, werden wir bis aufs Blut widerstehen."

Diese Wendung gegen die moderne Theologie war die neue Seite dieser Bestrebungen. Wenn es dagegen weiter heißt: „Der Kirche werden wir Treue halten und sie nicht verlassen; es sei denn, daß sie selbst den Sohn Gottes verleugnet," so war das gegen die radikalen Strömungen in der Gemeinschaftsbewegung gerichtet. Diese beiden Seiten spricht auch das an die Presse versandte Programm aus, wo es von dem bisherigen Verhalten der Konferenz heißt: „Darum hat es auch die Eisenacher Konferenz nicht daran fehlen lassen, sowohl den Sektengeist des sogenannten Allianzchristentums und die Irrlehren radikaler Gemeinschaftsleute als auch die zerstörenden Einflüsse der modernen Theologie zu bekämpfen." Unter den 31 Unterzeichnern waren nur zwei Nichttheologen; der eine war der Führer jener schlesischen kirchlichen Gemeinschaftsleute, v. d. Oelsnitz, von denen unten noch zu reden sein wird.

Es war vorauszusehen, daß die große Menge der Gemeinschaftsbewegung nicht dieser Fahne folgen würde. Am schärfsten sprach sich naturgemäß das Allianzblatt aus, aber selbst Philadelphia schrieb: „Wir versprechen uns nicht viel von der beabsichtigten Bekämpfung ‚des sogenannten Allianzchristentums', der ‚Irrlehren radikaler Gemeinschaftsleute' und ‚der zerstörenden Einflüsse der modernen Theologie' durch den Bund. Die Fruchtbarkeit des Bundes wird vielmehr von seiner positiven Arbeit in Gemeinschaftspflege und Evangelisation abhängen, gleichviel, ob diese Arbeit durch die in erster Linie dazu berufenen Geistlichen oder durch besondere Berufsarbeiter oder durch einfache Gemeindeglieder geschieht. Übrigens wollen wir uns über jede wirkliche und bleibende Frucht der Arbeit des Eisenacher Bundes von Herzen freuen und des Apostelwortes eingedenk sein: ‚Seid fleißig zu halten die Einigkeit im Geist durch das Band des Friedens.'" Bernstorff dagegen „rügte" es als „unbrüderlich", wenn die zerstörenden Einflüsse der liberalen Theologie und das sogenannte Allianzchristentum nebeneinandergestellt würden. Gegen die liberale Theologie sollten alle Christen eins sein. Die anderen Gegner seien „Gläubige, mit denen man in einzelnen Dingen nicht übereinstimmt. Das ist uns selbstverständlich erlaubt — aber auch dann sollten Ausdrücke wie Sektengeist vermieden und die Auseinandersetzung über Meinungsverschiedenheiten in einer Weise geführt werden, daß die Anerkennung der christlichen Gemeinschaft doch fühlbar bleibt" (Gemfr. 1905 Nr. 35); noch schärfer fast konstatierte er die Trennung in „Auf der Warte" (1905 Nr. 33): Die alten Gnadauer, die die Einladung zur ersten Eisenacher Konferenz unterschrieben hätten, hätten das offenbar aus Unkenntnis getan. „Der Einfluß des Bundes auf die Gemeinschaftsbewegung wird übrigens gar nicht in die Wagschale fallen, wenn überhaupt von einem solchen die Rede wird sein können."

Damit war der Riß vollendet. Der hauptsächlich durch die Frage der Verbalinspiration entbrannte Streit um die Theologie hatte mit der Absprengung der wirklich theologisch Interessierten von der eigentlichen Bewegung geendet, die Abneigung gegen wissenschaftliche Theologie hatte gesiegt. Zugleich hatte sich aber gerade im Verlauf des Inspirationsstreites gezeigt, daß in weiten Kreisen es nicht etwa nur der auch unter kirchlichen Laien verbreitete Argwohn gegen die Kritik in der Theologie war, der sie sich gegen Lepsius wenden ließ, sondern prinzipielle Abneigung gegen alle Theologie infolge Einflusses von darbystischer Seite. Diese Entwicklung, die ebenfalls zur Entstehung eines besonderen Mittelpunktes und eines besonderen Flügels der Bewegung führte, gilt es nun zu betrachten.

Zweites Kapitel.

Blankenburg als Mittelpunkt einer darbystischen Richtung.

1. Die Vermittler des Darbysmus für Blankenburg.

Daß der „Vater" der Allianzkonferenz, Baedeker, zu den open brethren*) gehörte, ist bereits erwähnt, ebenso, daß Stockmayer darbystische Gedanken in seiner Lehre von der Überwinderschar der Brautgemeinde wiedergab. Auch an jenem Gerichtstage über Lepsius führte er im zweiten Teile seiner Rede seine Lieblingsidee von der „Geburt des männlichen Sohnes" wieder aus**). Ebenso echt darbystisch war seine Stellung zur Theologie. Hat er es doch ausgesprochen: „Alle Theologie ist Gift, ich würde meinen Sohn niemals Theologie studieren lassen." Schier noch schärfer vertrat diese Theologiefeindschaft Rubanowitsch, der in seinem Blatte den Gedanken durchführte, daß alle Theologie vom Satan stamme, und daß darum auch die Theologie der von ihm sonst anerkannten Gottesmänner, wie Luther, Sünde sei, die ihnen vergeben werden müsse. Im übrigen war Rubanowitsch, wie wir später sehen werden, allerdings nicht ohne weiteres dem darbystischen Flügel einzuordnen, sondern ging in seiner Theologie ganz eigene, manchmal recht seltsame Wege. Dagegen war ja v. Viebahn offiziell Darbyst im engeren Sinne, der diese Stellung und seine Geringschätzung der Landeskirche damals auch offen zum Ausdruck brachte (s. Kirchl. Jahrb. 1903 S. 241). Dieser Freund Knobelsdorffs scheint besonders die Entwicklung Blankenburgs beeinflußt zu haben. Dazu war nun Ströter gekommen, der die darbystischen Grundgedanken von der Entrückung der Brautgemeinde später noch in besonderer Ausbildung weiterführen sollte. Ganz nach Darby (s. o. S. 12) lehrte er, daß „Israels Verheißungen für die Zukunft" (L. u. L. 1904 Nr. 8 ff.) nicht auf dem mosaischen Bund mit Bedingungen, sondern auf dem Gnadenbunde unbedingter

---

*) Darbysmus ist im folgenden, wie hier nochmals betont sei, stets in diesem allgemeinen Sinne gemeint.

**) Wenn er sie aus dem Druck zurückzog, weil die Ausführungen beanstandet seien, so bezog sich das augenscheinlich auf seine spezielle Ausbildung des Gedankens von der Entrückung einer Auswahl statt aller lebendig Gläubigen. In dieser letzteren Form wurde die darbystische Entrückungslehre ganz offen in Blankenburg verkündigt.

Verheißungen mit Abraham beruhten. Diese Verheißungen sind durchaus irdischer Art und werden noch einmal erfüllt werden. Mit Nebukadnezar sind aber die Zeiten der Heiden eingetreten. Gott hat selbst ihnen die irdische Herrschaft übertragen. Das oberste Regiment ist damit aber dem Teufel zugewiesen*). Das gilt noch heute trotz christlicher Obrigkeit**).

Scharf von allem Irdischen geschieden ist dagegen die Gemeinde aus den Heiden, die dazwischengekommen ist nach der Verwerfung Israels, nachdem dieses seinen Messias und die Reichspredigt des Geistes durch die Steinigung des Stephanus abgewiesen hatte. Seit der Zeit tritt an die Stelle der „Reichspredigt" die „Heilspredigt" und das „Geheimnis des Leibes Christi", der scharf zu scheiden ist von Israel und seinen Verheißungen, der auch nicht Braut***) genannt werden darf, weil dieser Titel Israel gehöre. Der Leib Christi hat nur himmlische Verheißungen. Ihn zu bauen ist unsere Aufgabe, nicht Reichs-Gottes-Zustände auf Erden herbeizuführen. Alle solche Versuche scheitern. Daher sind noch alle Kirchen mit der Zeit korrupt geworden, nicht nur die Staatskirche, auch die freikirchlichen Kirchensysteme haben alle die erste Liebe verlassen. Wenn der „Leib" ausgestaltet und entrückt ist, wird Israel die Erfüllung aller irdischen Verheißungen erleben und sich bekehren†).

Man braucht nur einen Blick auf unsere Ausführung über den Darbysmus zu werfen (oben S. 12 ff.), um die völlige Übereinstimmung zu erkennen. Wo Männer wie Viebahn, Ströter, Stockmayer und Baedeker die Führung hatten, da herrschte der Darbysmus. Er sollte aber um so dauernder zur Herrschaft ge-

---

*) „Selbst diese Obrigkeit ist von Gott verordnet." „Jede Bestrebung, die darauf abzielt, sich dem zu entziehen, bedeutet dasselbe, als wenn ein Untertan sich anschickt, sich der Obrigkeit zu entziehen." — Übrigens ist das Reich des Teufels in der Luft, wo es gewissermaßen „eine Isolierschicht zwischen Himmel und Erde" ist und „die Passage hemmt" bis zum tausendjährigen Reich.

**) „Gewiß, es bleibt ein Unterschied, ob man in einem christlichen oder in einem heidnischen Lande lebt . . . Dennoch — die Feindschaft gegen das Kreuz ist unverändert geblieben." „Ihrem Charakter und Wesen nach bleiben die großen Weltreiche Bestien." „Solange das gegenwärtige Zeitalter dauert, haben wir so wenig christliche Staaten im eigentlichen Sinne, als es christliche Löwen, Bären und Tiger gibt."

***) Hier liegt der Anfang der Abweichung Ströters von den übrigen darbystisch Gerichteten, die gern von der Brautgemeinde reden.

†) Und zwar nach Str.'s Meinung alle, auch die Verstorbenen, auferweckt, aber mit sterblichen Leibern, wobei Str. ganz ernsthaft erörtert, ob für diese Millionen in Palästina Platz wäre (L. u. L. 1904 S. 294)!

langen, als am 1. Juli 1903, also kurz vor jener bedeutungsvollen Konferenz, Bernhard Kühn*) seine Stellung als Sekretär am Allianzhause und als Schriftleiter des Allianzblattes angetreten hatte, der ebenfalls durchaus darbystisch dachte. Er bezeichnete es auf der Konferenz in seiner Antrittsrede als seinen Wunsch, „daß die ganze Gemeinde Jesu eine Mitgekreuzigte werde". „Und wenn auch zunächst nur eine kleine Erstlingsschar, eine Auswahl, ein Philadelphia, dahin kommt, auf der einen Seite in der innigsten Lebensverbindung mit dem Haupt im Himmel und untereinander zu stehen, auf der anderen Seite auf einer Art Isolierschemel zu sitzen, den ihr die von Gott und Christo abgefallene Welt und Weltkirche errichten — so wird doch ihre Verwandlung und Entrückung weltbewegende Ereignisse nach sich ziehen. An diesem Philadelphia ein wenig mitbauen zu dürfen, das ist mir eine große

*) Geb. 1863. Streng kirchlich erzogen, aber scheinbar ohne Verständnis für den augenscheinlich begabten, früh kritisch beobachtenden Knaben. Leider hat es offenbar auch sein Pastor nicht verstanden, auf die Fragen und Zweifel, die ihn bewegten, einzugehen: Sein Jugendleben war entbehrungsreich. Vom 15. bis 20. Jahre in einer Zeitungsexpedition mit Buchhandlung beschäftigt, las er viel und geriet immer tiefer in Zweifel, aber nicht in grobe Sünden, was er — allerdings ohne es einzugestehen — wohl nicht zum wenigsten der kirchlichen Erziehung verdankte, ebenso wie, daß er stets ein ehrlicher Sucher blieb; aber er geriet, zwanzigjährig und leidend, in völlige Verzweiflung, wo nur der Gedanke an die Eltern und der Zweifel an der Berechtigung seiner Zweifel ihn vor dem äußersten zurückhielt. Nach zweijährigem Kampfe trieb es ihn zum Studium der Bibel, die nun, lange nicht mehr gelesen, ihn als etwas Neues fesselte. Er glaubte. Bald darauf lernte er einen „wahren Christen" kennen und dann noch mehrere, die aus einer früheren kleinen Erweckung im „schwarzen Muldental" stammten, sowie einen jungen Pastor, von dem er „damals die Überzeugung hatte, daß er wohl bekehrt sein mochte". Während Kühn in Wahrheit schon damals ein gläubiger Christ war, rechnet er selbst „die Stunde seiner Geburt von oben" erst von dem bald darauf folgenden Augenblick, wo gelegentlich eines Missionsfestes bei der Schilderung der Bekehrung eines afrikanischen Häuptlings es ihm plötzlich war, „als öffnete sich über mir der Himmel; da kam etwas Neues über mich, blitzartig mich durchstrahlend. Eine Glaubensgewißheit, ein Glaubens- und Bekennermut, eine neue himmlische Lebenswärme, eine unsagbare Glückseligkeit und Freude, ein Friede kam über mich — wie ein Strom. Ich mußte meine ganze Selbstbeherrschung zusammennehmen, um nicht laut aufzuschreien und der ganzen Versammlung zuzurufen: ‚Jesus lebt! Jesus ist mein!'' (Aus den Wogen des Zweifels auf den Fels des Glaubens.) Diese Entwicklung erklärt seinen scharf antikirchlichen Standpunkt. Die Entrückungslehre trat ihm erst um 1890 entgegen. Anfangs ihr Gegner, ward er durch Schriften von Macneil, Stockmayer, Bullinger, Ströter u. a. dafür gewonnen (Zurück zur ersten Liebe! S. 141).

Freude, und deshalb danke ich Gott, daß er mich nach Blankenburg gerufen hat."

2. Die Entwicklung des darbystischen Blankenburg (bis 1905).

(Die Wirkungen der Konferenz von 1903 — Die Wirksamkeit des Allianzblattes.)

Zieht man alle bisher erwähnten Umstände in Betracht, so wird es nicht zuviel gesagt sein: Für Blankenburg bedeutete jene Konferenz nicht nur die Ausscheidung jeder Bibelkritik, sondern den Sieg des Darbysmus. Damals reichten ca. zwanzig landeskirchliche Pastoren einen Protest ein, Kamlah, der Vorsitzende des sächsisch-anhaltinischen Brüderrats, der sich zu Lepsius' Verteidigung zum Wort meldete, wurde nicht zugelassen*). Jellinghaus vermied es am zweiten Tage auf die Sache zurückzukommen, um die Konferenz nicht ganz in Streit ausklingen zu lassen. Aber in der Gesellschaft „Allianzhaus" beantragte er später, daran festzuhalten, daß die Grenzen der Allianz weder verengert noch erweitert werden sollten, und als dieser Antrag angenommen war, daß niemand zum Konferenzkomitee gehören und die Versammlungen mit leiten dürfe, der nicht der Evangelischen Allianz beigetreten sei und ihre neun Punkte, namentlich Punkt neun (Fortdauer des Predigtamtes) unterschrieben habe. Dieser Antrag, der deutlich gegen den Darbysmus gerichtet war, wurde abgelehnt. Jellinghaus trat darum aus dem Konferenzkomitee, wenn auch nicht aus der Gesellschaft Allianzhaus**), aus. Damit war das letzte Hindernis für das Hineinfluten des Darbysmus beseitigt.

Vom darbystischen Standpunkte Kühns aus war es daher nicht unrichtig, wenn er diese Konferenz später als besonders segensreich feierte: „Ich bin dessen gewiß, daß die Gnadenwirkungen, die Gott in Blankenburg 1904 und besonders 1905 gegeben hat, daß die Segensströme, die sich von da aus über ganz Deutschland ergossen haben, nicht gekommen wären, wenn sich damals die führenden Leiter aus menschlichen Rücksichten matt erwiesen, wenn sie am Tage der Schlacht gefehlt hätten" (Allbl. 1906 Nr. 18).

---

*) Formell ist das entschuldigt durch die Ordnung der Konferenz, wonach nur die vorher bestimmten Redner sprechen. Aber dann durften diese Redner auch kein Ketzergericht ohne Verteidigung halten, und wie kam es dann, daß Rubanowitsch vom Vorsitzenden aufgefordert wurde?

**) Vors. damals Janssen, Sekr. Kühn; Vors. des Blankenburger Zweiges damals: v. Thümmler, Schatzm. Janssen, Sekretäre Mascher und Kühn.

Von der Konferenz von 1905 werden wir weiter unten noch zu sprechen haben, die von 1904 war, mochten auch manche landeskirchliche Pastoren fehlen, und auch Jellinghaus und F. B. Meyer fernbleiben, von 800 bis 900 Personen besucht. Die Leitung hatte an des verstorbenen v. Knobelsdorff Stelle sein Schwager, Baron v. Thümmler, von dem es heißt: „Der Herr hatte den neuen Leiter fühlbar zu seinem schweren, viel Weisheit und Gnade erfordernden Amt ausgerüstet, seine Leitung wird allen Teilnehmern in wohltuender Erinnerung bleiben." Die Londoner Allianz war vertreten durch Brook und Hogben, Hauptredner waren Stockmayer, Ströter und v. Viebahn, der z. B. sagte: „Gott ist auf dem Plane, um innerhalb der Namenchristenheit das Köstliche vom Gemeinen zu scheiden (Jer. 15, 19)". Baedeker, Krawielitzki, Modersohn und Kaul waren auch dort. 350 eingezeichnete Mitglieder hatte der Blankenburger Zweig 1903 erhalten. Die Schulden nahmen ab, wenn auch 1904 noch 24000 Mk. auf dem Hause ruhten. Offenbar hatte Blankenburg mit seiner Verkündigung darbystischer Gedanken und Ideale weithin Widerhall gefunden. „Die Gemeinde Gottes ermannt sich," schrieb Kühn*). Er selbst trug fortan durch sein energisches, manchmal fast leidenschaftliches Eintreten für die darbystischen Gedanken im Allianzblatt (zit. Allbl.) nicht wenig zur Ausbreitung bei. Der Grundgedanke ist die rein atomistische Auffassung der Gemeinde als der Summe der einzelnen, als solche erkennbaren Kinder Gottes (z. B. Zurück zur ersten Liebe S. 41, 67, 68). Darum ist es „unbiblisch und unlogisch", „eine unsichtbare und eine sichtbare Gemeinde zu unterscheiden". Insofern „jedes Glied dieser Gemeinde eine sichtbare, leibhaftige, persönliche Erscheinung ist und überdies als solche zu Christo und den Seinigen sich in Wort und Tat bekennt", ist die Gemeinde „eine sichtbare, sie ist sein Leib" (a. a. O. S. 68). Darum sind es auch die Kinder Gottes ihrem Herrn, der Welt und sich selbst schuldig, „an allen ihren Orten sich möglichst zusammenzuschließen und also lokale Gemeinden oder Gemeinschaften zu bilden" (S. 15), um so die „wahre Gemeinde Gottes nach Möglichkeit zur Dar-

*) Allbl. 1904 Nr. 19. „Die Kinder Gottes kehren in Scharen zu biblischer Lehre und zu biblischem Leben zurück. Betonung bewußter Bekehrung, klarere Scheidung von Welt und Weltgeist, Loslösung von falschen Religionssystemen und menschlichen Autoritäten, Betonung und Darstellung der Einheit des Leibes Christi kennzeichnen die gegenwärtige Erweckungs-, Gemeinschafts- und Evangelisationsbewegung und unterscheiden sie von ähnlichen Bewegungen früherer Zeiten. Die Folge davon ist das Offenbarwerden apostolischer Gaben und Kräfte."

stellung zu bringen" *). Dazu ist vor allem nötig Absonderung von den Weltkindern, vor allem in Missions- und Evangelisationsbestrebungen, aber auch in allem, „was man in der Sprache des Herkommens ‚gottesdienstliche Handlungen‘ nennt. Dazu gehört insonderheit das heilige Abendmahl oder Brotbrechen" (S. 8). Dabei zeigt er allen Formen und „Systemen" gegenüber, durch die ja seit Anfang der heilige Geist betrübt ist, den echt darbystischen Indifferentismus. Wie die Kinder Gottes jene lokalen Gemeinschaften bilden, das „muß bei den gegenwärtig in Lehre und Praxis noch herrschenden Verschiedenheiten und bei den mancherlei noch bestehenden, im Worte Gottes nicht gebotenen Formen und Namen der Erkenntnis und dem Gewissen des Einzelnen überlassen bleiben" (S. 15). „Bilderstürmer" dürfe man nicht werden. „Wir können die geschichtlich gewordenen Kirchen weder reformieren, noch dürfen wir sie einreißen. Wir sind Gottes gehorsame Kinder, wir sind aber nicht berufen, seine Gerichtsvollzieher zu sein" (S. 38). Da aber die Gemeinde sich ja von allem „Weltlichen" aufs schärfste absondern soll, so wird dieser Indifferentismus zu manchmal fast fanatischem Angriff gegen „die Vertreter des Staats- und Weltkirchentums" und die „Volkskirche" **).

Wieweit die Pflicht des Bibelchristen, das „was nach seiner

*) S. Allbl. 1904/5 S. 151 und 177, vgl. S. 13: „Wo in Jesu Namen auch nur zwei oder drei Gläubige sich versammeln, da kommt seine Gemeinde zur sichtbaren Darstellung."

**) „Die eine große Gefahr, der gewiß schon manche Kinder Gottes ganz oder teilweise erlegen sind, besteht darin, daß sich Kinder Gottes durch die Lockungen und Anerkennungen kluger Kirchenmänner betören und verleiten lassen, in ihren Evangelisations- und Gemeinschaftsbestrebungen mit unbekehrten, wenn auch ‚rechtgläubigen Geistlichen‘ ein widergöttliches Bündnis, einen von Gott nie gewollten Arbeitsvertrag einzugehen . . . Eine andere Gefahr nach dieser Seite hin besteht darin, daß man sich durch Drohungen und allerhand durch die Vertreter des offiziellen Kirchentums in Szene gesetzte Polizeimaßregeln und Schikanen einschüchtern und arbeitsmüde machen läßt" (Allbl. 1906 Nr. 6), ferner in einem Aufsatz zur Schulfrage (a. a. O. Nr. 8): „Besser gar kein Religionsunterricht als ein solcher! Was soll dann aber werden? Dann werden wie zu der Zeit, da es weder eine Staats- oder Papstkirche, noch eine ‚christliche Schule‘ gab, die lebendigen Christen noch mehr Ursache und Antrieb und auch noch mehr offene Türen haben, das Licht des Evangeliums hineinleuchten zu lassen in die Finsternisse des Volkslebens. Heute kommen die das Volk nach biblischer Methode evangelisierenden Gemeinden und Gemeinschaften der Gläubigen an ganze Stände des Volks gar nicht heran, weil die Landeskirche für die Erwachsenen und die ‚christliche Schule‘ für die Kinder das Staatsmonopol ‚christlicher Predigt‘ und ‚christlicher Erziehung‘ in der Hand haben. Sobald aber die

Erkenntnis gegen das Wort und den Geist der Wahrheit ist", nicht mitzumachen, geht, zeigt folgende Ausführung (Allbl. 1906 Nr. 10):

„Was der Herr nicht seiner Gemeinde ausdrücklich befohlen hat, wird auch seiner Gemeinde und der armen Welt nichts nützen, es wird nur schaden" *). Zu diesem, was über das, was in der ersten Christengemeinde gebräuchlich war, hinausgeht und „von Menschen, zum Teil von recht fragwürdigen Menschen," hinzugefügt ist, gehört die „sogenannte kirchliche Trauung" **), die also ein wahrer Christ nicht begehren darf, daran ändert die Hinzufügung nichts: „Bei der auch in Gläubigenkreisen hier und da noch herrschenden, wir möchten sagen römisch-katholischen Unkenntnis ist es wohl denkbar, daß ein Kind Gottes lauter vor seinem Gott stehen kann, nämlich dann, wenn es in gutem Glauben und deshalb mit gutem Gewissen und reinem Herzen an den mancherlei gottesdienstlichen Formen seiner Kirchgemeinde teilnimmt, auch wenn dieselben nicht schriftgemäß sind. Es kann dabei ein in solchen Dingen noch nicht klarsehendes Gotteskind in solchen Stunden kirchlichen Gottesdienstes als ein dem Vater im Himmel angenehmer Anbeter im

---

Verstaatlichung der Kirche und die Verkirchlichung der Schule wegfallen, wird ganzen Berufs- und Brotständen aus der Hand genommen, was den meisten ihrer Angehörigen nach göttlichem Recht nicht zusteht: Die Verkündigung des Evangeliums." Zu einer Beratung der Berliner Synoden über das Verhalten der Geistlichen gegen die Sekten machte das Blatt die Anmerkung: „Es ist für den Kampf, den die Landeskirche gegen die Gläubigen führt, wie für sie selbst, sehr kennzeichnend, daß sie immer nur darauf achtet, wie die Kinder Gottes zur Landeskirche stehen, nicht wie sie zum Herrn und seinem Worte stehen. Hier kommt das Satanische (d. h. Selbstische) bei diesem Kampf so recht zum Vorschein" (1906 Nr. 25). Davon daß auf einer Gemeinschaftskonferenz beantragt war, bei einer kirchlichen Behörde darum nachzusuchen, daß dieselbe ihnen das Abendmahl freigebe, wurde gesagt: „Woher kommt diese große Schwachheit, in der man bei der Welt und ihrer Kirche um etwas bittet, was der Herr den Seinen nicht nur erlaubt, sondern befohlen hat" (1906 Nr. 26; vgl. auch 1906 Nr. 29, 30). Die Gründung der Volkskirche durch Luther war ein „aufs Fleisch säen" (a. a. O. 1905 S. 94). „Die protestantischen Staatskirchen geben dem Kaiser auch, was Gottes ist" (a. a. O. S. 151), das Volk wird „durch die staatskirchliche Darstellung und Verkündigung Christi, von rühmlichen Ausnahmen natürlich abgesehen, vom Kreuz und Gekreuzigten mehr weggeführt als hingeführt".

*) Nur um die wunderliche Inkonsequenz solcher Stellung zu beleuchten, sei erwähnt, daß bei diesem Prinzip das Blaue Kreuz entschieden als schädlich angesehen werden muß, denn der Herr hat ja selbst Wein getrunken.

**) Natürlich ebenso Konfirmation und Beerdigung.

Geist und in der Wahrheit erfunden werden." Das heißt ja nichts anderes, als für einen an Erkenntnis noch nicht gereiften Christen ist Teilnahme an kirchlichen Gottesdiensten und Handlungen nicht Sünde, dagegen für den auf der Höhe der Erkenntnis, wie das Allianzblatt sie besitzt, stehenden ist es Sünde. Ebenso ist es für diese Kreise Sünde, das Abendmahl in der Landeskirche zu feiern, einerseits wegen der Teilnahme Unwürdiger, sodann wegen der Austeilung durch nach ihrer Meinung Unbekehrte (a. a. O. Nr. 23). Freilich, er forderte nicht geradezu zum Austritt auf: „Fern sei es von uns, etwa jemanden zum Austritt aus irgendeiner Kirche bereden zu wollen", bei obigen Ausführungen gegen die Landeskirche ist aber die Bemerkung nicht mehr mißzuverstehen: „Ein jeder Schritt der Scheidung und Loslösung von der Welt muß, wenn er von Gott beglaubigt werden soll, vom Geist Gottes auf Grund des Wortes Gottes gewirkt werden. Es gibt nicht nur ein sündiges Bleiben in den großen Kirchen, es gibt auch ein sündiges Verlassen derselben. Wir wissen auch, daß es manchen Kindern Gottes vielmehr Opfer und größeres Kreuz als den anderen verursachen würde, von der Weltkirche sich ganz zurückzuziehen, und die Kraft zu solchen Opfern ist nicht gleich vorhanden. Wir wissen auch, daß bei den einzelnen vorerst noch manche durch jahrhundertlange Sitten festgelegte Anschauungen zu überwinden sind. Deshalb wissen wir uns in Hochachtung und Liebe mit vielen Geschwistern im Herrn verbunden, die unseres Wissens in guter Meinung an manchem festhalten, das wir als nicht schriftgemäß und schriftwidrig erkannt haben." Das besagt doch einfach, wer einen gewissen Erkenntnisgrad erreicht hat, muß gewissenshalber aus der Landeskirche austreten und sich auf die Gemeinschaft der Gläubigen, etwa eine Allianzgemeinschaft, beschränken. Das ist aber, zum mindesten zwischen den Zeilen, eine direkte Aufforderung zum Austritt an solche geförderte Christen, und somit grenzte es doch stark an Jesuitismus, wenn Kühn (1905 S. 171) in einem offenen Brief an Pfarrer Lamerdin schrieb: „Übrigens habe ich im Allianzblatt noch mit keinem Satz zum Austritt aus der Staatskirche und zum Eintritt in ‚eine Allianzgemeinde' aufgefordert. ‚Allianzgemeinden' gibt es für mich überhaupt nicht (aber biblisch geordnete Gemeinschaften. Anm. d. Verf.). Sie tun gut, wenn Sie mit solchen Begriffen klarer und wahrer umgehen lernen." *)

*) War es übrigens auch keine ausdrückliche Aufforderung zum Austritt, wenn es heißt (1905 Nr. 3): „Dürfen Kinder Gottes durch freiwillige Steuern und sonst dazu beitragen, daß offenbar von Gott nicht berufene

So arbeitete man in Blankenburg an der Herausbildung der „Überwinder", auf deren „Vollendung" droben Christus „wartet", daß er den „Männlichen", wenn er geboren sei, entrücke (so Kühn selbst in Allbl. 1903/4 Nr. 18)*). Das waren ausgesprochen Stockmayers Gedanken**).

Drittes Kapitel.

Die Entstehung einer geschlossenen Sondergruppe im Deutschen Verbande.

1. Das Auftreten einer neuen Heiligungstheorie.

So war Blankenburg ein Mittelpunkt für die darbystisch gerichteten Gemeinschaftsleute geworden. Hinter ihm standen vor allem „kirchenfreie" Kreise, d. h. solche, die mit den obigen Ausführungen Kühns Ernst machten und das Band mit der Landeskirche auch äußerlich, wenn auch nicht immer rechtlich, durch Austritt, sondern vor allem faktisch durch Fallenlassen aller Rücksichtnahme zerschnitten. Diese Kreise standen ja neben dem Deutschen Verbande, der offiziell „landeskirchlich" sein wollte, und scheiden zum Teil aus unserer Betrachtung hier ganz aus***). Aber auch innerhalb des Deutschen Verbandes bildete sich in diesen Jahren ein geschlossener darbystischer Flügel, dessen Entstehung jetzt zu verfolgen sein wird.

Dabei begab sich hier das Merkwürdige, daß sich mit darbystischen Anschauungen von der Kirche echt methodistische Heiligungstheorieen verbanden. Paul hatte ja stets die radikalere Strömung der „Heilisten" vertreten, aber immer noch in der Anknüpfung an Boardman-Smithsche Gedanken, wonach die böse Lust keineswegs ausgerottet werde, sondern nur durch den „Christus in uns" im Todeszustande erhalten wird. Da aber hierbei nach Paul der

---

Männer (Unbekehrte, Irrlehrer, Christusleugner) unter Gebrauch des Namens Gottes feierlich als Prediger und Seelsorger eingesetzt werden? Sollten nicht auch auf religiösem Gebiet die Kinder Gottes ablassen, sich an fremden Sünden zu beteiligen?"

*) Vgl. Nr. 24.

**) Andererseits wurden die oben angeführten Ausführungen Ströters über Israels Verheißungen mit begeisterter Zustimmung abgedruckt.

***) Z. B. die „freien Gemeinschaften" besonders in Westdeutschland (Organ: Der Gärtner).

Gläubige sich rein passiv verhält, so war es nur ein Schritt zu der Behauptung, daß die böse Lust selbst hinweggenommen sei. Diesen tat er in der Öffentlichkeit im Aprilheft seiner „Heiligung" 1904, „Jesus wird!" überschrieben. Es war für ihn die Frage, ob er Jesu zutraue, daß er sein neuer Adam ganz und voll sein werde in jedem und allem, ihm so alles sein werde, daß er fortan von ihm belebt — nicht mehr sündigen werde. „Und dann ertönte in meinem Innern die Stimme des Glaubens: „Jesus wird!" „Alle meine bisherigen Anschauungen lagen damit auf einmal zertrümmert; denn zugleich mit diesem Glauben an meinen neuen Adam sah und fühlte ich mich von jedem Hang zur Sünde erlöst." „Wohl traten allerlei Proben an mich heran, aber ich lebte in seliger Neuheit des Lebens. Es war mir so, als gingen alle diese Dinge mich gar nichts an." „Der Heiland wurde mir in einer viel tieferen Weise ‚wirklich' und ‚gegenwärtig' als je zuvor. Das Nahesein des Vaters erfüllte meinen Horizont: und dies alles ist seit jener Zeit ununterbrochen mein Heil geblieben. Es hat keine Befleckung weder durch Gedanken noch durch Hinreißung des Temperaments seitdem bei mir stattgefunden; es ist weder bei Tag noch bei Nacht etwas Störendes zwischen den Herrn und mich getreten." Dabei wollte er aber keine „Sündlosigkeit" lehren. „Wir müssen durchaus zwischen ‚Nichtsündigen' und ‚Sündlosigkeit' unterscheiden. Unter ‚Sündlosigkeit' versteht man einen Zustand, der das Sündigen zur Unmöglichkeit macht. In einen solchen Zustand werden wir durch die Erlösung nicht versetzt." Solange der Mensch im sterblichen Leibe ist, „bleibt die Möglichkeit der Sünde vorhanden". So war Paul seiner Meinung nach seiner früheren Behauptung treu geblieben: „Lehrt jemand eine sündlose Vollkommenheit, so lehrt er etwas Unbiblisches und Gefährliches" *).

Aber eine praktische Freiheit von aller Sünde, auch der „innewohnenden", lehrte er, damit zum Ausgangspunkte der ganzen Heiligungsbewegung, der Vollkommenheitslehre Wesleys, zurücklenkend. Keller hatte mit der fünften seiner Bitten an die Gemeinschaftsbewegung tiefer gesehen, als selbst mitten in der Bewegung stehende Männer wie Engelbert damals meinten.

Pauls Ansehen mußte die Annahme seiner Lehre im Osten erleichtern. Hier aber fand nun auch der Darbysmus Eingang.

---

*) Gegen Bunke (Kirchl. Jahrb. 1905 S. 223).

2. Die Brüderräte Ostdeutschlands unter der Einwirkung darbystischer und Paulscher Gedanken.

a) Die Entwicklung in Schlesien.

(Edels Gedanken über die Kirche — Die Organisation der Einzelgemeinschaften — Die Stellung zur Kirche — Oberschlesien — Mittelschlesien — Niederschlesien — Oberlausitz — Die Gesamtorganisation und die Spaltung.)

Daß auch innerhalb des Deutschen Verbandes einzelne Führer darbystische Gedanken, speziell die Entrückungslehre, vertraten, haben wir gesehen, ebenso daß besonders die jungen Gemeinschaften des Ostens zu solchen radikaleren Anschauungen neigten. Daß darbystische Neigungen zur Herrschaft kamen, zeigte sich in Schlesien 1902.

In diesem Jahre erschien eine Schrift des bedeutendsten schlesischen Evangelisten „Gedanken über die Entwicklung und Vollendung der Kirche", die ein durchaus darbystisch orientiertes Lehrsystem, man möchte sagen, kirchengeschichtsphilosophischer Art, wenn auch in spezieller Ausprägung bietet:

Als neutestamentlicher Tempel und als Wohnung Gottes vereinigt die Kirche, ihrem alttestamentlichen Vorbilde oder himmlischen Urbilde entsprechend (Ebr. 8, 5), in sich drei Grundgestalten: den Vorhof, umfassend die Knechte, d. i. die große Menge des Volkes, die am Äußerlichen hängt, das Heiligtum, aus den Kindern bestehend, nämlich jener engeren Schar, die dem Herzen und Zentrum des Tempels näher steht und darum mehr von seinem Geiste in sich aufgenommen hat, nicht mehr unter dem Gesetz, sondern unter der Vergebungsgnade, und das Allerheiligste, die Freunde Gottes oder Braut Jesu, wo Arbeit und Gebet eines geworden ist in der liebenden Anbetung. Die erste Periode der Kirchengeschichte bringt das Sinken der Kirche aus dem Allerheiligsten in den Vorhof. Die apostolische Kirche nämlich war die Periode des Allerheiligsten. Obgleich sich auch schon am Pfingsttage um dieses Allerheiligste ein Heiligtum bildete, an das sich nach und nach noch ein Vorhof anschloß, so herrschte doch, solange jene Väter lebten und die Leitung hatten, das Leben und der Charakter des Allerheiligsten vor. Dann aber folgte keine geradlinige Entwicklung, nach der „jene drei Grundformen der Kirche von Anfang an durch das Vorherrschen des Allerheiligsten in gottgewollter Einheit zusammengefaßt und von diesem aus durch den heiligen Geist stets genährt und verklärt ihrer Vollendung entgegengeführt wären". Man wurde laß im Darbringen des Opfers des eigenen Lebens und im Gebet um Kraft dafür, man brachte nicht alle seelische Natur und Eigenart mit ihren besonderen Neigungen und Meinungen auf den Altar. Kurz gesagt, die Gemeinde betrübte den Geist, der sie zu ihrem göttlichen Ziele führen sollte, und so wurde für die Kirche Christi eine ähnliche Geschichtsentwicklung nötig, wie sie ihre größere Parallele hat in der Geschichte der Weltentwicklung nach dem Sündenfall, ihre kleinere an der Geschichte des aus Ägypten ausgezogenen Volkes. So folgte die Periode des Heiligtums in der nachapostolischen Kirche und die katholische Priesterkirche als die Kirche des Vorhofs, die seit Konstantin Weltkirche in dem ungöttlichen Sinne geworden ist, wonach sie die Welt als natürliche und sündige in sich selber mit aufnahm und dadurch selbst verweltlichte.

Mit der Reformation hat die zweite große Periode, das Aufsteigen der Kirche aus dem Vorhof in das Allerheiligste, begonnen. Die Lehrreformation der Reformatoren hat zwar das Heiligtum wieder geöffnet, aber mit der Verkündigung der freien Gnade in Christo Jesu war noch nicht die ganze Aufgabe gelöst und ist auch von der Kirche der Reformation seither nicht zum Ziel geführt, die ihrerseits im großen und ganzen in den Vorhof äußerlichen Kirchen- und Glaubentums zurückgesunken ist. Gelöst wird sie durch die Lebensreformation der Gemeinschaftsbewegung, als deren Vorläufer Pietismus, Methodismus usw. gelten. Ihre Aufgabe ist Weckung bewußten Glaubens- und Geisteslebens in den einzelnen Menschen, die Sammlung der lebendigen Glieder der Kirche zu Kirchlein in der Kirche und die Erziehung der Gläubigen zum göttlichen Ziel. Dann wird nach den Gesetzen der Entwicklung geistlichen Lebens sich am Ende innerhalb der verschiedenen Kirchenkörper eine kleinere oder größere Schar herausschälen, deren Wesen und Leben wieder den Charakter des Allerheiligsten aufweist. Die meisten freilich bleiben im Vorhof, wenige gelangen ins Heiligtum, noch weniger aus dem Stande der zugerechneten Gerechtigkeit durch wahre Wiedergeburt aus Gott in den Stand der wesenhaften Gerechtigkeit, von einer Adoptiv-Kindschaft zu der wahren und wesenhaften durch eine tatsächliche Geburt hervorgebrachten Gotteskindschaft. Dies allein ist die geistleibliche Liebesinwohnung des Vaters und Sohnes im heiligen Geist, die Vorbedingung der ersten Auferstehung. Diese Überwinderschar wird vor Beginn der großen Trübsal entrückt auf den verheißenen Thron. Das zurückgebliebene Heiligtum wird von Gott in der Wüste verwahrt, bis der Zorn vorübergehe, und der Vorhof fällt der Zerstörungswut des Teufels anheim. Seine Bewohner gehen zum Teil durch die Bluttaufe in das Heiligtum ein. Der Vorhof selbst zerfällt und verbrennt im Gericht.

Freilich wurde nun wohl kaum dieses ganze, ziemlich komplizierte Kirchengeschichtssystem Gemeingut der schlesischen Gemeinschaftsbewegung, zumal es auch keineswegs sehr klar ist, namentlich in bezug auf den Vorhof, wenn derselbe einerseits als Kirche, andererseits als Welt angesehen wird, von der doch sonst strengste Absonderung gefordert wird. Dagegen gewannen die darbystischen Grundgedanken weitgehendsten Einfluß, wohl meist nach dem etwas einfacheren Schema: Die erste Gemeinde, die als Brautgemeinde die Wiederkunft Christi und die Entrückung erleben sollte, hat den heiligen Geist betrübt und ist vom Plane Gottes abgefallen, und zwar vor allem durch eigene Verfassungs- und Lehrpläne der Menschen. Darum ist die Aufgabe für die Jetztzeit, die Brautgemeinde herzurichten, d. h. die Bekehrten einfach zu sammeln und sie dahinzuführen, daß unter ihnen sich allmählich die geheiligten Brautseelen herausbilden, die dann entrückt werden.

Ein Zeichen des Aufkommens dieser Gedanken war die ebenfalls 1902 einsetzende feste Organisation der Einzelgemeinschaften. So wurden am 11. Juli 1902 die Satzungen der Brieger Gemeinschaft festgelegt und am 3. September die „Christliche Gemeinschaft in Brieg, Bez. Breslau, eingetragener Verein" gebildet.

Als Aufnahmebedingungen wurden hier unterschrieben: „Durch die göttliche Gnade mit hinzugetan zu der einen wahren Kirche, d. h. zur Gemeinschaft aller Heiligen und Geliebten Gottes, bekenne ich mich zu den hier folgenden Richtlinien für mein Glaubensleben: 1. Ich anerkenne die Göttlichkeit der Heiligen Schrift und unterstelle ihr mein inneres und äußeres Leben in völligem Gehorsam. 2. Ich glaube, daß Jesus, als das Lamm Gottes, die Sünden der Welt getragen und durch sein teures vergossenes Blut die verlorenen Sünder am Kreuze mit Gott versöhnt hat, so daß jeder Glaubende einen freien Zugang zur Gnade und ein Recht auf die Gottes-Kindschaft hat (Joh. 1, 12). 3. Ich bezeuge, daß ich persönlich, durch den Glauben an die geschehene Erlösung, Vergebung meiner Sünden, Frieden mit Gott und Zugang zu dieser Gnade erlangt habe. Durch diesen Glauben und das Zeugnis des Heiligen Geistes (Röm. 8, 16) weiß ich mich nun als Sein teuer erkauftes Eigentum. 4. Durch diese Tat hat mich die Gnade Gottes hinzugefügt zu der herrlichen Gemeinschaft aller Kinder Gottes, deren ewige Einheit in dem verherrlichten und verklärten Haupt Jesus Christus mir eine wichtige Wahrheit ist. In Demut meine Brüder höher achtend als mich selbst, will ich mich üben in der Selbstverleugnung, die nie Liebe für sich beansprucht, sondern nur Liebe übt (Phil. 2, 3—4; 2. Kor. 5, 14). Ich will fleißig sein, zu halten die Einigkeit im Geiste mit allen Kindern Gottes, damit nie durch mein Verschulden das Band der Bruderliebe zerrissen werde. 5. Als Sein lebendiges Glied stelle ich mich, mein Leben, Hab und Gut, ganz Jesus, meinem Haupt, zur Verfügung, daß Er es durch mich gebrauche zur Ausbreitung Seines Reiches. Ich will nicht mehr für mich selber leben, sondern das Kommen dieses Reiches soll mein höchstes Interesse, und seine Förderung nach Vermögen meine Dankespflicht sein (2. Kor. 5, 14—17). 6. Als Glied der Gemeinde Gottes soll mein Leben nicht nur vor Gott, sondern auch vor dem Volke Gottes offenbar sein in Wort und Wandel. Ich bin bereit, wo es nötig ist, meine Fehler vor dem mir nahestehenden Bruder — auf seinen Rat auch vor der ganzen Gemeinschaft — zu bekennen und für Zurechtweisung und Ermahnung dankbar zu sein. Was dem Leben in Jesu Nachfolge hinderlich ist, will ich meiden, hingegen durch Treue im Gebet und Bibellesen mein inneres Leben fördern. Ohne vor Gottes Augen bestehenden Grund will ich die Gebets- und Gemeinschaftsstunden nie versäumen, vielmehr mich mit dem mir von Gott geschenkten Pfund in den Dienst zur Auferbauung des Leibes Christi stellen im Sinne von Eph. 4, 12—13.

7. Ich unterstelle mich im Gehorsam gegen die Heilige Schrift der von der Gemeinschaft nach Matth. 18, 15—17 geübten Zucht und verspreche, nach 2. Thess. 3, 6 keinen Verkehr zu pflegen mit ausgeschiedenen Gemeinschaftsgliedern."

1903 folgte Striegau mit folgenden Richtlinien, die von 84 Geschwistern unterschrieben wurden:

„1. Ich anerkenne die Göttlichkeit der heiligen Schrift und deren volle Hinlänglichkeit als Richtschnur unseres Glaubens und Wandels. 2. Ich glaube, daß Jesus als das Lamm Gottes die Sünden der ganzen Welt getragen und die verlorene Menschheit am Kreuze durch sein teures Blut mit Gott versöhnt hat. Ich bezeuge, daß ich persönlich durch den Glauben an diese Versöhnung Frieden mit Gott und das ewige Leben erlangt habe. 3. Ich will meinem Erlöser in Zeit und Ewigkeit angehören, ihm leben und ihm dienen. Ich anerkenne, daß Unversöhnlichkeit und Beharrenwollen in wissentlichen Sünden mich von der Gemeinschaft der Heiligen ausschließt auf Grund von Matth. 18, 15 ff."

Andere Gemeinschaften hatten auch die Frage: „Wollen Sie auch mit ihren Gaben an Zeit, Geld, Kraft und Wissen dem Aufbau des Reiches Gottes in der Gemeinschaft dienen?" Bis 1904 waren alle größeren Gemeinschaften so organisiert, darunter außer Brieg und Striegau auch Görlitz, Lüben und Liegnitz.

Natürlich ist ein keineswegs zu übersehender Grund für die feste Organisation die Erlangung der Rechtsfähigkeit, namentlich um eigene Häuser zu erwerben. Die darbystischen Gedanken zeigen sich aber im Inhalt der Satzungen, z. B. im Eingang sowie in § 4 und § 7 der Brieger Satzung und dem Gedanken der Auferbauung des Leibes Christi, mindestens ebenso in dem, was auf der anderen Seite fehlt: Irgendwelche Verpflichtung gegenüber Landeskirche und Pfarramt übernimmt das eingeschriebene, „bekehrte" Mitglied nicht mehr.

Die zum mindesten gleichgültige Stellung zur Landeskirche war also nicht gebessert, sondern vielmehr jetzt auch prinzipiell begründet. Allerdings darf nicht verschwiegen werden, daß auch von kirchlicher Seite entschieden Mißgriffe gemacht sind, mögen auch die Schilderungen über „Christenverfolgung in Schlesien im Jahre 1902" einseitig übertrieben sein (s. L. u. L. 1902 Nr. 28 u. 33). Immerhin, sind die Dinge wahr, die Edel (Gemb. 1905 Nr. 11) berichtet, und es ist kein Grund, sie zu bezweifeln, so sind solche Fehlgriffe aufs schärfste zu verurteilen*). Namentlich in Oberschlesien scheint dergleichen vorgekommen zu sein.

*) In einer Stadt ist beim Hauptgottesdienst durch öffentliche Ankündigung verboten worden, die Bibel mit in die Kirche zu bringen, sonst

Hier nahm die Bewegung plötzlich einen bedeutenden Aufschwung. 1902 kam Lohe (Joh.-Br.) nach Neustadt, Friemel (1. August) nach Löwen. Er arbeitete auch in Oppeln und siedelte 1903 ganz dahin über. Von Brieg aus wurde Ohlau bedient*). Im überwiegend polnisch-katholischen Industriebezirk begann man Winter 1901/2, und es entstanden kleine Versammlungen in Dorotheendorf, Karf, Lipine, Kattowitz und Königshütte. Hier wurde, nachdem eine „Freundin des Reiches Gottes" für den Anfang das Gehalt garantiert hatte, H. Holzmann am 14. Juli 1902 angestellt. Viel zur Förderung der Arbeit in Oberschlesien trug M. Urban bei, der ja 1902 hierher als Reiseprediger berufen war. Er hielt auf Wunsch der kleinen Gemeinschaft in Kattowitz Anfang Juli 13 Vorträge, die immer stärker besucht wurden. 120 Personen erklärten zum Schluß ihre Zugehörigkeit zu der zu bildenden Versammlung. Aus den Kindern, für die er auch Versammlungen hielt, wurde ein großer Kinderbund gebildet. Urban verlegte 1903 seinen Sitz nach Kattowitz, wo schon am 17. Juli 1904 ein Gemeinschaftshaus eingerichtet werden konnte. Von dort aus wurde am 1. September 1903 die Arbeit in Kreuzburg angeregt, wo 1904 Bohnke (vom Johanneum) stationiert wurde. Bis 1904 waren weitere Versammlungen in Bismarckhütte, Zabrze, Laurahütte, Schwientochlowitz, Gleiwitz und Beuthen entstanden. Im Juli 1904 feierte man die erste oberschlesische Gemeinschaftskonferenz. In der Grafschaft Glatz fand in Neurode 1903 die erste Konferenz statt. Diese starke Entwicklung Oberschlesiens, wo Edel eine dominierende Stellung einnahm, bedeutete zugleich eine Stärkung für den Darbysmus in Schlesien. Daß in Brieg der Flug nicht gerade niedrig ging, zeigt Regehlys Bemerkung über die Brieger Bibelwoche von 1904 in Gnadau (Verh. S. 117): „Einer der hervorragendsten Teilnehmer hatte Freudigkeit gewonnen, die Woche mit den ökumenischen Konzilen zu vergleichen, in bezug auf Geist und Methode."

Regehly selbst neigte immer mehr den darbystischen Gedanken und Pauls neuer Lehre zu. Dabei wurde er neben Edel mehr und mehr das Haupt der schlesischen Gemeinschaften. Durch seine Arbeit entstand etwa 1902 in Breslau neben der älteren „Christ-

---

hätten die Gemeindeältesten den Auftrag, die Betreffenden hinauszuführen. Selbst ehrenrührige Verleumdungen wurden verbreitet. Ein Pastor sagte, daß man kein Ehrgefühl besitzen müsse, wenn man ruhig noch in die Kirche gehen könne, in der man fast jeden Sonntag als Irrlehrer gebrandmarkt werde.

*) Evangelisation von Viebahn (Juni 1903). Aus dem kleinen Häuflein wurde eine „blühende Gemeinschaftsarbeit." Konferenz am 15. Januar 1905.

lichen landeskirchlichen Gemeinschaft" unter Buchborn*) ein „Bund für entschiedenes Christentum (Gemeinschaft innerhalb der Landeskirche)", der am 29. März 1904 seine „Evangeliumshalle" einweihte. Um diese Arbeit besser betreiben zu können, legte Regehly zum 1. November sein Pfarramt nieder und zog nach Breslau. In Striegau zählte Ruprechts**) Gemeinschaft 1904 70 Eingeschriebene, 150—200 Besucher, ihre Filiale war Peilau-Gnadenfrei. In Schweidnitz evangelisierte Viebahn 1904***).

Innerhalb des mittelschlesischen Zweiges schlossen sich 1904 die Gemeinschaften auf dem rechten Oderufer um Öls enger zusammen und stellten einen eigenen Evangelisten an†). Die I. Konferenz des mittelschlesischen Zweiges fand am 24. Mai 1904 in Strehlen statt (II. Karfreitag 1905 in Breslau). Der Vorsitzende, P. Ebeling, stand bedeutend kirchlicher als Regehly, so daß hier der neuen darbystischen eine freilich in der Minorität befindliche Richtung der älteren Gnadauer Art gegenüberstand.

Ähnlich war es in Niederschlesien, wo ja Regehly selbst an der Spitze stand, während andere die Wendung zum Darbysmus nicht mitmachten. Lüben und Liegnitz blieben die Hauptstützpunkte. An ersterem Orte fanden mehrfach „niederschlesische" Konferenzen statt (1903 in Haynau), 1904 wurde hier Weiffenbach zur Hilfe in der Gemeinschaftspflege und als Blaukreuzagent für Niederschlesien unter Handauflegung eingeführt; in Liegnitz wurde am 14. August 1904 ein großes Haus eingeweiht. Im allgemeinen ging die Arbeit in diesem Teile aber nur langsam voran. In der Grünberger Gegend war aus Brockes' Zeiten wenig geblieben. Ab und zu diente hier 1904 Schulz-Tirschtiegel††), der ja vom Niederschlesischen Zweige angestellt war; auch zu kleinen Konferenzen kam es in Grünberg (II. 1904 Huhn, Weiffenbach). In den Heidegegenden machten die weiten Wege und die große Armut intensive Arbeit unmöglich, so daß allerlei Schwierigkeiten in dortigen Gemeinschaften entstanden. In die Hirschberger Gegend drang man etwas weiter ein, als von April 1903 bis Oktober 1905 das zu Hirschberg gehörige Pfarrvikariat Kunnersdorf durch P. Joh. Urban besetzt war. Anfang 1903 wurde in Lüben ein

*) Als er 1904 nach Leipzig ging, Kubisch.

**) Er ging März 1905 nach Magdeburg.

***) „Augenscheinlich haben die Bewohner . . . in diesen Tagen das Evangelium zum ersten Male in so klarer und einfacher Weise gehört" (Gottestaten).

†) Konferenz in Öls 7. Dez. 1904.

††) Er arbeitete in Posen, Brandenburg und Schlesien. 1903 rief er auch regelmäßige Konferenzen ins Leben (1. und 2. Dezember).

mehrtägiger Lehr= und Instruktionskursus für Leiter (nicht Evangelisten) veranstaltet.

Auch in der Oberlausitz ging es nur langsam voran. Die Konferenzen des Oberlausitzer Zweiges fanden auch weiterhin in Görlitz*) statt, wobei die von 1904 sich fast völlig der neuen Paulschen Heiligungslehre zuwandte.

Waren so in der schlesischen Bewegung recht radikale Gedanken herrschend geworden, so hatte der Vorsitzende des Gesamtbrüderrates v. d. Oelsnitz, der einst in seiner Schrift „Auf zur Evangelisation" so schwere Vorwürfe gegen die Kirche erhoben hatte, mehr und mehr doch den Wert der kirchlichen Organisation erkannt, beteiligte sich auch an der Eisenacher Konferenz, wie wir sahen. Aber er vermochte die gar gewaltig angeschwollene Bewegung (man zählte 1904 100—150 größere und kleinere Gemeinschaften) nicht mit sich zu ziehen. Seine Teilnahme in Eisenach konnte ihn den Radikaleren nur verdächtig machen. Vor allem zeigten sich die berufsmäßigen Gemeinschaftspfleger den von Edel und Regehly ausgehenden Einflüssen zugänglich, und ihrer waren es Anfang 1904 in ganz Schlesien schon 20, meist Johanneumsbrüder**), zu denen allein 1904 bis zur Gnadauer Konferenz noch 3 getreten waren, während man auf 7 weitere hoffte***). Auch der vom Provinzialverein für Innere Mission zur Pflege der Gemeinschaften angestellte Geistliche konnte die antikirchliche Entwicklung nicht aufhalten, zumal nach Schmidts Weggang eine längere Vakanz eintrat. 1904 folgte Peters. Die VIII. schlesische Konferenz fand in Liegnitz statt (15.—18. September 1902, „Des Christen Wettlauf"), die IX. in Breslau (28. Sept. bis 1. Okt. 1903, „Die Fülle der Erlösung in Christo"), desgleichen die X. (26.—29. Sept. 1904, „Vollkommenheit"). Schon die Themata zeigen, daß die Heiligungsfrage hier die Gemüter bewegte.

Als die X. Konferenz stattfand, war aber der Bruch zwischen Gemäßigten und Radikalen schon eingetreten. Was dazu führte, war einmal die Berufung v. Viebahns zu leitendem Anteil an der Brieger Bibelwoche, gegen die v. d. Oelsnitz protestierte, sodann ist von einer Seite im Brüderrate†) ein Wort gefallen, das

---

*) Hier trat neben Wüsten 1903 der Johanneumsbruder Schröer.

**) 1904 kam auch ein Chrischonabruder, Hermes, dorthin.

***) Man hatte seit Ende 1903 um 10 neue Brüder gebetet. Im Herbst 1904 waren schon 7 angestellt.

†) In diesem war inzwischen gegen die Aufzählung o. S. 217 die Verschiebung eingetreten, daß P. Müller ausgeschieden, P. Huhn=Baudach eingetreten war. Dann trat zunächst v. d. Oelsnitz schon Anfang 1904 aus, Eisenbahnsekretär Leuchtmann ein.

zum mindesten dem Sinne nach hieß: „Wir erwarten von der Kirche nichts mehr“ (Wacht 1904 Nr. 37).

Die Berichtigung besagte allerdings: „Eine solche Erklärung ist von der ‚Leitung‘ unserer Bewegung niemals und nirgends abgegeben worden. Jene Behauptung beruht auf einem durch Hörensagen kolportierten, ungenauen Bericht über eine gelegentliche Äußerung eines keineswegs in der ‚Leitung‘ stehenden Mitgliedes des Brüderrates. Der Sinn derselben war ein ganz anderer, als jene Zuschrift glauben machen will. Ich stehe nicht an, zu erklären, daß wir vom Herrn noch viel für das Reich Gottes im allgemeinen und für unsere Kirche im besonderen erwarten, falls dieselbe bereit ist, auf die Gedanken unseres Gottes, die er mit ihr hat, einzugehen, und daß wir es daher für ein schweres Unrecht halten, unserer Kirche den Rücken zu kehren.“ Daß man aber wirklich noch etwas von der Kirche erwarte, war damit nicht gesagt; auch erklärte der kirchliche Verband dagegen: „In der am 24. Mai 1904 in Strehlen abgehaltenen Versammlung von Abgesandten aller mittelschlesischen Gemeinschaften erklärte ein Mitglied des schlesischen Brüderrats ausdrücklich nicht als seine Überzeugung, sondern auch als die von andern Mitgliedern des Brüderrats: ‚Von der evangelischen Kirche erwarten wir nichts mehr.‘ Bald nach jener Versammlung fand zwischen uns als Deputierten des mittelschlesischen Zweiges des schlesischen Gemeinschaftsbundes und den leitenden Persönlichkeiten des Brüderrates eine ganz offizielle Besprechung gerade über die Frage statt, wie sich diese Persönlichkeiten zu der obigen Äußerung stellten. Wir haben aus allem, was gesagt wurde, nur Zustimmung zu obiger Äußerung herausgehört, jedenfalls ist sie von keiner Seite desavouiert worden, auch von Herrn P. Regehly nicht. Bei dieser Besprechung eben sind wir zu der Überzeugung gekommen, daß es sich mit innerer Wahrhaftigkeit schwerlich verträgt, der evangelischen Kirche gegenüber eine so abweisende Stellung einzunehmen und dann doch nach außen das ‚innerhalb der Landeskirche‘ zu betonen.“

So kam es am 20. September 1904 unter Ebeling zur Gründung eines „Verbandes Kirchlicher Gemeinschaften in Mittelschlesien“, dem sich alsbald die Gemeinschaften Camenz (P. v. Treskow), Charlottenbrunn, Habelschwerdt (P. Müller), Schweidnitz, Strehlen und Waldenburg anschlossen. Am 3. Januar 1905 ward ein eigener Berufsarbeiter in Waldenburg angestellt. 1905 wurden in den genannten Orten außer Charlottenbrunn Konferenzen gehalten.

Die Statuten lauten: „§ 1. Um den einigen Mittelpunkt Jesus Christus, der dazu gestorben ist, daß er die zerstreuten Kinder Gottes zusammenbrächte, wollen wir diejenigen Glieder der christlichen Gemeinde, welche mit Ernst Christen sein wollen, sammeln und enger zusammenschließen. § 2. Wir wissen uns eins in der Unterordnung unter das Wort Gottes im Alten und Neuen Testament und in der Zustimmung zu den Bekenntnissen der evangelischen Kirche. § 3. Wir wollen im Verbande uns brüderlich näher treten, uns gegenseitig Handreichung tun und durch Versammlungen, Konferenzen, Teeabende, Evangelisationen, Schriftenverteilung u. a. für das Reich unseres Herrn Jesu Christi werben und uns besonders die Arbeit an der Jugend und in der Heidenmission angelegen sein lassen. § 4. Dem Verbande können angehören: 1. Gemeinschaften, welche einen von ihnen selbst festzusetzenden Teil der Kollekte bei jeder Versammlung oder einen feststehenden Jahresbeitrag dem Verbande überweisen. Letzterer verpflichtet sich dafür, jeder Gemeinschaft nach ihren Wünschen und seinen Kräften zu dienen. Der Antrag auf Aufnahme in den Verband ist an den Brüderrat zu richten, der die Entscheidung trifft. 2. Einzelne Brüder und Schwestern, die sich verpflichten, an den Versammlungen des Verbandes nach Möglichkeit teilzunehmen, desselben durch Fürbitte zu gedenken und ihn mit einer jährlichen Gabe zu unterstützen. § 5. Wie die dem Verbande angehörigen Gemeinschaften ihre Angelegenheiten ordnen, bleibt ihnen selbst überlassen. § 6. Der Verband veranstaltet: 1. in den verschiedenen Teilen Mittelschlesiens Bezirkskonferenzen; 2. in jedem Jahre eine allgemeine Konferenz. Mit ihr ist die Delegierten-Versammlung verbunden, zu der jede Gemeinschaft ein Mitglied entsendet. Sie wählt einen Brüderrat — als Vorstand des Verbandes — auf vier Jahre und ordnet die Angelegenheiten des Verbandes."

Noch Ende 1904 folgte Niederschlesien nach. Als Grundsätze wurden bekannt gegeben:

Die Gemeinschaft der Gläubigen.

Wir wollen die Gemeinschaft der Gläubigen pflegen, wie es Gottes Wort fordert. Wir sehen in dieser Pflege christlicher Gemeinschaft ein Mittel, durch welches der Herr unseren Gemeinden, unserer Kirche, unserem Volke Licht und Salz zubereiten will. Wir sind aber weit entfernt von der Auffassung, als ob nur innerhalb der Gemeinschaft Gläubige, außerhalb derselben nur Ungläubige seien.

Unsere Stellung zur Bibel.

Hat die Bibel auch ebenso wie der Sohn Gottes Knechtsgestalt, so halten wir doch mit kindlichem Glauben daran fest: „Hier redet Gott!" Wir nehmen mit diesem Bekenntnis ebensowenig wie Luther eine „gebrochene Stellung zur Schrift" ein.

Unsere Stellung zur Kirche.

Wir erwarten noch viel für die Kirche der Reformation und betonen als Aufgabe der Gemeinschaften, dem Herrn Jesu Christo in seinem Werke, welches er an unserer Kirche und durch unsere Kirche will, in freier Liebesarbeit zu dienen.

Unsere Stellung zur Lehre.

Mit den Vätern der Reformation erkennen wir als Ursache des Friedens mit Gott die Rechtfertigung des Sünders aus Gnade allein durch den Glauben. — Wir jagen nach der „Heiligung", ohne welche niemand den Herrn schauen wird, wagen aber nicht von uns zu behaupten, je ein höheres Ziel erreichen zu können, als die Apostel erlangt haben.

Unser Ziel.

Indem wir uns eins wissen in der Unterordnung unter das Wort Gottes im Alten und Neuen Testament und in der Zustimmung zu den Bekenntnissen der evangelischen Kirche, wollen wir diejenigen Glieder der christlichen Gemeinde, welche „mit Ernst Christen sein wollen", um den einigen Mittelpunkt, unseren Herrn Jesum Christum, sammeln und enger zusammenschließen.

Den mittelschlesischen gleichlautende Satzungen wurden angenommen.

Die Grundsätze spiegeln deutlich den Grund der Trennung wieder: der darbystische Donatismus, dem die Zugehörigkeit zur Gemeinschaft Zugehörigkeit zur Brautgemeinde wird, die schroffe Verbalinspirationslehre, der darbystische Indifferentismus gegenüber der Landeskirche und die Paulsche Heiligungslehre haben es den kirchlich Gesinnten unmöglich gemacht, im schlesischen Gemeinschaftsbunde zu bleiben. Die Praxis der kirchlichen Verbände skizzierte v. d. Oelsnitz dahin, daß ein Evangelist nie an einen Ort gehen solle, wo er kirchlicherseits verschlossene Türen finde; wenn der Pastor nicht wolle, solle man lieber einstweilen Abstand nehmen und lieber ihn bitten, nur wenn er gar nicht wolle und die Arbeit doch dort dringend nötig sei, solle man sie ohne Pastor aufnehmen (Wacht 1905 Nr. 15).

Eine größere Schwächung scheint die Absplitterung übrigens dem alten Gemeinschaftsbunde nicht gebracht zu haben, zählte man doch 1905 insgesamt 83 Gemeinschaften (wohl ohne gelegentliche „Versammlungen"), darunter Brieg mit 250, Breslau mit 200, Görlitz, Kattowitz und Königshütte mit je 100 Mitgliedern und 17 Evangelisten. Schon daraus geht aber hervor, daß das Übergewicht Oberschlesiens und der Evangelisten nur gestärkt war, im Sinne der darbystischen Richtung und der Paulschen Heiligungstheorie.

b) Pommern.

(Die Gesamtorganisation — Die Entwicklung im einzelnen — Die Organisation der Einzelgemeinschaften und die Kirche.)

In Pommern traten in dieser Zeit die letzten Führer der älteren Bewegung zurück. Nachdem die Eintragung ins Vereinsregister abgelehnt war, reorganisierte man am 1. Februar 1903 den „Gemeinschaftsbund für Pommern" auf Grund neuer

Statuten, während der Name „Pommerscher Brüderbund" auf eine Gesellschaft m. b. H. (26 Mitglieder) überging, die gleichzeitig geschaffen wurde. Ein neuer Brüderrat wurde gewählt, die P.P. Bluth, Eiter, Fabianke, Karge, Meyer, Evangelisten Gehrmann, Golz, Kotz, Kubisch, Lehnhardt, Rappe, Spieker, cand. Kausch, Schuhmacher Liedke-Stolp, Kehler-Stettin, Dallmann-Stargard, Lehrer Radke und Schwerdtfeger und die Bauern Kumm und Lenz. Kell legte sein Amt nieder. Meyer und Fabianke hatten jetzt die Führung, ersterer stark von Paul beeinflußt, beide bildeten mit Bluth, den beiden Lehrern und Bauern den Vorstand. Eiter schied schon 1904 aus (scheinbar auch aus der Bewegung). Ein Kaufmann Fischer-Demmin trat an seine Stelle. Eine gemeinsame Bundeskasse wurde eingerichtet, für die die bisherigen Bezirkskassen nur Sammelstellen bleiben sollten. Dadurch wurde die Einheitlichkeit stärker. Das Übergewicht einzelner Bezirke wurde gebrochen durch den Beschluß (1905), daß der Brüderrat nur aus 18 Personen bestehen solle*). Jede Gegend solle nur durch einen Bruder vertreten sein. Wenn man gleichzeitig beschloß, daß nur ein Drittel der 18 Evangelisten sein sollten, so war das ein Zeichen, wie sehr deren Bedeutung gewachsen war. Gab es doch 1903 schon 10, 1904 13 Evangelisten**) bei ca. 80 Gemeinschaften, während allerdings der Philadelphiaarbeiter in diesem Jahre abberufen wurde. Offenbar aber fürchteten manche das Überwiegen ihres Einflusses, ja, einige wollten von Berufsevangelisten überhaupt nichts wissen. Tatsächlich erfolgte 1905 auch eine von Meyer sehr beklagte Einschränkung. Golz ging nach Holstein, die beiden Kandidaten wurden ordiniert, auch Völker und Warstat gingen. Dafür kam nur Janz nach Stolp.

Hier war am 29. November 1903 unter Beteiligung auch von kirchlicher Seite ein Haus eingeweiht, 1904 in Bublitz und in Sydow, letzteres auf den Namen des Brüderbundes eingetragen, auf den auch das schon 1896 erbaute Haus in Altheide und das Stargarder jetzt eingetragen wurden. In Brietzig wirkte, übrigens ohne Anschluß an den Brüderbund, Lehrer em. Fürstenau. Auch

---

*) So bildeten jetzt den Vorstand sechs Glieder (die obengenannten außer Bluth), den Brüderrat außerdem noch Lehnhardt, Rappe, Kreling, Warstat, Kotz, Gehrmann, Liedke, Dettbarn-Pirbstow, Stapelfeldt-Gr. Poplow, Kropplin-Neuschönwalde, Bugs-Pasewalk, Fischer-Demmin.

**) Soviel ich sehe: Kreling-Pyritz, Gebert-Schlawe (1904), F. Hoff-Köslin, Warstat-Kolberg (1904), Steinborn-Dramburg (1904), Lehnhardt-Grabow, Rappe-Stargard, Golz und Schwarz-Stolp, Gehrmann-Bublitz, Kotz-Demmin, Völker-Freienwalde und Krüger-Stettin, wo auch cand. Kausch arbeitete, wie cand. Schulz in Stolpmünde.

Konferenzen fanden hier statt. In Vorpommern konnte man in Pasewalk Konferenz abhalten. Doch blieb man auf wenige Punkte beschränkt. Eine kleine neue Gemeinschaft bildete sich infolge einer Evangelisation Meyers in Stralsund. Erst 1904 konnte man Kotz fest in Demmin stationieren.

Stärkeren Aufschwung nahm die Bewegung im südöstlichen Hinterpommern, wo die Glaubenskonferenzen in Neustettin (III. 1903, „Christliche Freiheit", Redner: Dolman, Meyer, Huhn; IV. 9., 10. Febr. 1904: 2. Tim. 1, 7, Krawielitzki und Niemann) von großer Bedeutung wurden.

Die Stettiner Konferenzen traten zurück. Nach der VII. (2., 3. September 1902) scheint die nächste erst Januar 1905 veranstaltet zu sein. Sie war auch nur für Stettin selbst berechnet. Hier arbeiteten zwar 1904 drei Brüder (Fabianke, Kausch, Krüger), aber die Raumfrage war noch nicht gelöst. Zeitweise wurde die Aula des Gymnasiums benutzt.

In Stargard ging es weiter durch Schwierigkeiten. Wenn freilich Rappe später (Reichskalender 1911) behauptet, dieselben seien dadurch entstanden, daß er der „unbiblischen Heiligungslehre" Pauls entgegengetreten sei, so möchte doch wohl diese seine „biblisch nüchterne" Stellung rückwärts eingetragen sein. Die „völlige Heiligung" lehrte Paul ja erst seit 1904. Wohl aber wurde Lieberenz, der ja zeitweilig die Gemeinschaft geleitet hatte, jetzt Darbyst, und der Brüderrat mußte die ihm ausgestellte Legitimation widerrufen, da er auf Grund derselben in den Gemeinschaften für den Darbysmus Propaganda machte. Überhaupt scheint der Darbysmus im Sinne der „exklusiven" Brüder den Gemeinschaften immer noch Not gemacht zu haben, nur daß man nicht merkte, wie man selbst in darbystischen Bahnen (im weiteren Sinne) wandelte, auch Rappe, der 1903 die Gemeinschaft organisierte, freilich infolge der Streitigkeiten nur mit 25 Mitgliedern. Bereits am 5. Juli 1903 hatte sich Neustettin organisiert, zwei Tage später Kolberg, dann Pyritz und am 1. Oktober Köslin, nachdem dort ein eigener Evangelist angestellt war (Fr. Hoff); „innerhalb der organisierten Gemeinschaft kann der Herr seine Glieder mehr und besser reinigen. Alle Glieder haben sich vor dem Herrn heilig verpflichtet, sich gegenseitig in Liebe auf jeden Fehler aufmerksam zu machen und sich auch alles sagen zu lassen und abzustellen, was der heilige Geist aufdeckt. Das ist Selbstreinigung nach 1. Joh. 3, 3." Die Organisation wurde als „biblisch" und „gottgewollt" von den „Mitteilungen" empfohlen. 1904 sprach man auf der Stundenhalterkonferenz in Schivelbein über „Unsere Versammlung im Namen Jesu". Eine Allianzkonferenz „zur Vertiefung des Glaubenslebens“ entstand ausgehend von den methodistischen „Vereinigten Brüdern in Christo“ in Gollnow 1903. Außerdem war es nur natürlich, daß gerade in Pommern Pauls Lehre vom reinen Herzen Anklang fand, sprach er doch sehr häufig hier und fast stets über diese neuen Gedanken, so 1904 in Ravenstein und auf einer längeren Evangelisation in Stolp. 1905 evangelisierte er in Stralsund. Auch auf der III. Gemeinschaftspastorenkonferenz ward die neue Lehre verhandelt, wie Meyer, augenscheinlich ihr zustimmend, berichtet.

Gleichwohl scheint das Verhältnis zur Landeskirche nicht besonders unfreundlich geworden zu sein. In Köslin z. B. stand P. Zahn freundlich zur organisierten Gemeinschaft und überwies ihr 1904 das Grundstück „Herberge zur Heimat“, das dann der Brüderbund zwecks Hausbau übernahm. Die Provinzialsynode beschloß:

„Ihre dankbare Anerkennung auszusprechen für alle gegen das Vordringen sektiererischer Bestrebungen in der Provinz getane Arbeit, aufmerksam zu machen auf die Gefahren, welche insbesondere den Gemeinschaften und Evangelisationsbestrebungen durch das Eindringen baptistischer und methodistischer Strömungen drohen; darauf hinzuweisen, daß . . . es darauf ankommt, durch unentwegtes Festhalten am Worte der Schrift das Bedürfnis nach gewissem und klaren Glauben und reicher Erkenntnis der göttlichen Wahrheit zu pflegen, zu befriedigen und zu stärken und endlich an die Bedeutung der Kirche als die Gemeinschaft der Erlösten zu erinnern, deren Bestand nicht abhängig ist von dem verschiedenen Stande des vorhandenen Glaubens, aber deren Pflicht es ist, nach einerlei Glauben und Erkenntnis des Sohnes Gottes zu streben und deren Segen die Vergewisserung des Glaubens in der Gemeinschaft mit dem dreieinigen Gott und Herrn unseres Heiles ist.“

Namentlich Gen.-Sup. Poetter trat für die Bewegung ein (abgegangen 1904), beteiligte sich auch ebenso wie der Konsistorialpräsident am Jahresfest des Stettiner Evangelisationsvereins. Andererseits fehlten trotz aller Allianz und aller „biblischen“ Organisation in den „Mitteilungen“ durchaus nicht wirklich pietätvolle Töne, wie in dem Artikel „Über unser Bleiben in der Kirche trotz der eingeführten Ordnungen in unsern Gemeinschaften“ (Nr. 13).

c) Ostpreußen.

(Die gescheiterte Verständigung mit der Kirche — Die Organisation der Einzelgemeinschaften und die Königsberger Konferenz — Entwicklung der organisierten Bewegung.)

In Ostpreußen gewann der Brüderrat mehr und mehr an Einfluß. Am 14. April 1903 wurden in Tilsit Statuten des

„Ostpreußischen Gemeinschaftsbundes“ statt der früheren „Christlichen Vereinigung“ zwecks Eintragung ins Vereinsregister angenommen und der Brüderrat neu gewählt*). Eine besonders überragende Persönlichkeit scheint hier seit Blazejewskis Tode nicht mehr an der Spitze gestanden zu haben. Dagegen wurden Blazejewskis Anschauungen in darbystischer und antilandeskirchlicher Weise fortgeführt. Wohl wurde noch einmal ein Verständigungsversuch angebahnt: Am 10. September 1903 trat im Konsistorium die kirchliche Evangelisations-Kommission mit dem Brüderrat zur Verhandlung zusammen. Es nahmen teil Gen.-Sup. Braun, Konsistorialrat Eschenbach, Präsident v. d. Trenck, S. Gubdas, P. Dembowski und P. Rousselle, vom Brüderrat v. Below, J. Hoff, Miss. Urbschat, P. Edelhoff, P. Giere, P. Urbschat, Hoff-Bladiau, Nachtigal und Morszeck. Man einigte sich über die Bildung einer gemeinsamen Aufsichtskommission, in die aus dem Brüderrat v. Below, Giere, Hoff II und die beiden Urbschat gewählt wurden.

Als Richtlinien wurden bestimmt: 1. Jeder Evangelist und Gemeinschaftspfleger ist Gehilfe des geistlichen Amtes, nicht gegen, nicht über, sondern Hand in Hand mit demselben. 2. Es wird hinfort kein Evangelist angestellt ohne Mitwirkung der Aufsichtskommission. Dieselbe schlichtet auch etwaige Differenzen. 3. Von Wortverkündigung und Gemeinschaftspflege ist auszuschließen, wer ungesunde Formen für Bekehrung, Wiedergeburt und Seligkeit aufstellt. 4. Im Prinzip wird die Zulassung der Laienpredigt als evangelisches Recht angesehen. 5. Darum gilt im Prinzip Seßhaftigkeit der Laienevangelisten und Pfleger. 6. Neben tüchtigen Erweckungspredigern des geistlichen Standes können aus dem Kreise der Pfleger von der Aufsichtskommission bewährte und begabte Kräfte ausgewählt werden für besondere Predigt- und Besuchsreisen. 7. Ständiges Reisen ohne stetige Pflege eines besonderen Kreises wird in der Regel nicht gestattet. 8. Die baren Auslagen für Reise und Unterhalt für die von der Kommission ausgesandten Evangelisten werden aus der Kasse der Evangelisationskommission und aus Beiträgen der Gemeinschaften bestritten. 9. Die Aufsichtskommission übernimmt es, dafür Sorge zu tragen, daß seitens des geistlichen Amts jede Bekämpfung des Gemeinschaftsbundes unterbleibt und nach Möglichkeit den Evangelisten und Gemeinschaftspastoren Eingang in die Gemeinden gewährt wird.

Darauf fand am 28. Oktober Generalversammlung des ostpreußischen Gemeinschaftsbundes statt, in der Nr. 3 der Tagesordnung lautete: „Änderung der Satzungen behufs Erzielung einer Übereinstimmung mit den Vereinbarungen, welche zwischen der kirchlichen Evangelisationskommission und dem Brüderrat getroffen

---

*) Hinzugekommen ist damals (oder schon früher) noch Nachtigal.

sind." Die Generalversammlung erklärte aber die getroffenen Vereinbarungen für unannehmbar. Namentlich P. 1 hatte Anstoß erregt. Einzelne Gemeinschaften sollen ihren Eintritt in den Gemeinschaftsbund geradezu von der Ablehnung dieses Punktes abhängig gemacht haben, da ein Evangelist in seiner Tätigkeit von dem jeweiligen Träger des geistlichen Amtes unabhängig sein müsse. So wurde nicht nur beschlossen, die Vereinbarungen abzulehnen, sondern auch weiterhin keine neue anzustreben.

Noch vergrößert mußte aber die Spaltung zwischen Kirche und Gemeinschaft werden, als man auch hier, gleichzeitig mit Schlesien, erkannte, „daß unsere Gemeinschaften durchaus nicht den apostolischen Gemeinden entsprächen, so daß z. B. eine wirkliche Kirchenzucht, wie sie Matthäus 18 vom Herrn geboten ist, einfach nicht durchzuführen wäre," und darum engere Kreise gebildet wurden aus denen, die „selbst Zeugnis ablegen konnten von der Erneuerung ihres Herzens und bereit waren, fortan nur dem Herrn zu leben und sich auch Fehler sagen zu lassen". Diese engeren Kreise kamen auch hier monatlich zur Aussprache und zum Gebet zusammen. Ja, man nahm es in Ostpreußen nicht einmal äußerlich mit dem „innerhalb der Landeskirche" genau, namentlich auf der Königsberger Konferenz, zu der vom Brüderrat „jedermann, der Gottes Wort lieb hat", eingeladen wurde mit dem Bemerken, daß irgendwelche Partei- oder Sonderinteressen nicht verfolgt würden. Auf der VI. (27. bis 30. Oktober 1903, „Unser Verhältnis zum heiligen Geist") sprachen nicht nur Krawielitzki, Paul und Stockmayer, sondern auch v. Viebahn, ja, für die VII. (25. bis 28. Oktober 1904, „Die überschwängliche Erkenntnis Christi") war dieser sogar für die Leitung in Aussicht genommen. Doch berief man dann v. Thümmler. Hauptredner war wieder Paul, der seine neue Heiligungslehre vortrug. Im übrigen verlief die Konferenz „unter den aufgehobenen Segenshänden Gottes nach dem Programm".

Eine Folge dieser Konferenz war es, daß am 26. Januar 1905 „mehrere Brüder" zu neuer Gemeinschaftsarbeit in Königsberg zusammentraten, nachdem der Brüderrat drei Tage vorher zugestimmt hatte*). Der Saal der freireligiösen Gemeinde (Freystraße) wurde gemietet. Evangelist Vasel (vorher in Hessen, Chrischonabruder) wurde zur Evangelisation berufen und am 4. März 1905 die „Christliche Gemeinschaft innerhalb der Landeskirche,

*) „Die neue Gemeinschaft will lediglich den heiligen Tempel Christi bauen helfen und wünscht allen anderen Gemeinschaften der Kinder Gottes in Königsberg aus Herzensgrund Segen und Gedeihen".

Zweigverein des ostpreußischen Gemeinschaftsbundes" gegründet. Im Sinne der Gemeinschaftsbewegung wirkte außerdem der Stadtmissionar Janz, der seit Herbst 1904 ein Heim für Heimatlose, Zoar, einrichtete.

So arbeitete der Brüderrat nun in Königsberg neben der älteren Gemeinschaft der Reichsbrüder, ebenfalls (seit 1902) in Osterode, wo 1903 ein eigener Evangelist*) vom Brüderrat angestellt und April 1905 ein Grundstück gekauft und ein Vereinshaus für 10000 Mk. gebaut wurde. Doch scheint dadurch das freundschaftliche Verhältnis nicht beeinträchtigt worden zu sein. Vielmehr gehörte Blaich seit Oktober 1902 sogar als Ehrenmitglied dem Brüderrat an bis zu seinem Tode (19. August 1903). Selbst die Beziehungen der Reichsbrüder zu den Chrischonabrüdern wurden besser. Denn gelegentlich der Brüderkonferenz der letzteren am 29.—31. Mai 1904 in Heiligenbeil, an der Motzkus, Schmidt, Wisotzky, Dodschuweit, Nachtigal, Kraunus und Kmitta teilnahmen, ging man am Nachmittage nach Pr. Bahnau und besiegelte dadurch die „gute und liebevolle" Stellung zu den Reichsbrüdern.

Der genannte Dodschuweit stand seit 1902 in Memel neben Wisotzky speziell für Schmelz**). In Rastenburg konnten 1904 Kraunus und Kmitta ein neues Vereinshaus für den alten Saal in Kraunus' Hause, der zu klein geworden war, einweihen. Im übrigen schien es zeitweise, als ginge der Verein für Innere Mission mehr und mehr im Gemeinschaftsbund auf; nur die Brüderkonferenzen, wie die erwähnte in Heiligenbeil (Nov. 1903 in Rastenburg, Nov. 1904 in Elbing) vereinigten noch die im Verband der Chrischona arbeitenden Brüder in Ost- und Westpreußen besonders.

Auch einige vereinzelt entstandene Gemeinschaften schlossen sich dem Brüderrat an. So hatte in Pilkallen ein Zimmergeselle Lehmann Blaukreuzarbeit begonnen; 1904 wurde dort ein Saal gebaut***), der 1905 vom Gemeinschaftsbund übernommen wurde.

---

*) Anfangs Kubisch, nach dessen Weggang nach Breslau 1904 Schulte. Außerdem ist 1903 noch ein Evangelist angestellt, (soviel ich sehe, in Heinrichswalde (Wagner).

**) Insgesamt waren 1904 also Chrischonabrüder in Ostpreußen: Wisotzky-Memel; Nachtigal-Heiligenbeil; Kmitta (und Kraunus)-Rastenburg, Dodschuweit-Schmelz (und Szidat-Tilsit), Dedeleit-Szibben fehlt 1904 im Verzeichnis (aus dem Chrischonaverbande geschieden?).

***) Ebenso war es, für Ostpreußen charakteristisch, das Blaue Kreuz, das in Lötzen und Lyck 1904 Vereinshäuser baute; auch das vom Besitzer Szillat 1903 in Schmalleningken erbaute sollte dem Blaukreuz dienen.

Sogar ein altpietistischer Gemeinschaftskreis schloß sich 1903 wenigstens teilweise dem Brüderrat an, die Meldiener. Für sie wurde am 20. Oktober 1904 eine Konferenz in Goldap eingerichtet (II. 28. Oktober 1905: „Die Aufgabe des Gottesvolkes in unserer Zeit").

Im gleichen Jahre wurde die Konferenz in der Hauptstadt Masurens, Lyck, begonnen (II. 29. Oktober 1905, „Die Kraft des Blutes Christi").

Bereits 1902 hatte man dagegen eine Konferenz „zur Pflege und Förderung des christlichen Lebens" in Tilsit eingerichtet, wohl um damit auch in Litauen Eingang zu finden (25., 26. Okt. 1902, II. 23.—25. Oktober 1903, „Des Christen Stellung zur Welt", III. 21.—23. Oktober 1904, „Die große Barmherzigkeit Gottes").

So bekam auch die ostpreußische Gemeinschaftsbewegung, abgesehen von den älteren Litauern und den Kukatianern, allmählich ein klein wenig mehr einheitliches Gepräge, zugleich aber das Gepräge der darbystischen Strömung und der Paulschen Heiligungstheorie, namentlich je mehr der auf beides offenbar begeistert eingegangene, noch jugendliche P. Edelhoff die Führung bekam. In seiner Gemeinde Eichmedien baute er schon 1902 einen Versammlungssaal an. Da er ihm aber vom Gemeindekirchenrat zu anderer als kirchlicher Benutzung nicht freigegeben wurde, auch die Schule ihm nicht für die Gemeinschaft überlassen wurde, baute er ein eigenes Haus. Ein besonderer Bibelkursus für Reichsgottesarbeiter wurde Januar 1905 vom Brüderrat in Pr. Bahnau abgehalten. Auch hier beschränkte man sich nicht auf die Landeskirche, sondern zwei Mennoniten und zwei Heilsarmeeoffiziere nahmen teil.

d) Posen und Westpreußen.

(Der Zerfall des posen-westpreußischen Brüderrats und die Neubildung in Posen — Die Entwicklung der organisierten Bewegung in Posen — Der neue westpreußische Brüderrat — Krawielitzki und die Herrschaft des Darbysmus — Die Stellung der Landeskirche.)

Darbystische Gedanken von Kirche und Welt und methodistische Lehren von der Heiligung kamen auch in Posen und Westpreußen zur Geltung. Birschel, der Vorsitzende des Brüderrates von Posen-Westpreußen, war zwar selbst ein echter Gnadauer älteren Schlages, kirchlich, seine Herkunft aus rheinischem Altpietismus nicht verleugnend, aber sein Einfluß soll schon in den letzten Jahren der vorigen Periode mehr und mehr zurückgedrängt sein (Kirchl. Jahrb. 1905 S. 233). Ende 1902 trat er zurück, der bisherige

Brüderrat für Posen-Westpreußen zerfiel. Versuche zur Neubildung eines posenschen Brüderrates und Gemeinschaftsbundes mißlangen zunächst. „Manche kirchlich freier gerichteten Kreise hatten den Eindruck, als ob die wohlwollende Stellung der Posener Kirchenbehörde eine zu große kirchliche Gebundenheit des früheren Brüderrates zur Folge gehabt hätte." Doch kam es Juni 1903 bei der X. Nakeler Konferenz zum Zusammenschluß. Ein Posenscher Gemeinschaftsbund wurde gebildet. Ein Ausschuß aus vier Laien und zwei Pastoren wurde eingesetzt, Birschel nahm zwar noch am weiteren Brüderrat teil, starb aber am 7. Januar 1904. Den Vorsitz erhielt P. Schmolke-Libau, Sohn eines Führers der Reichsbrüder. Er war zwar auch seinerseits kirchlich gesonnen, aber die neben ihm hervortretenden Pastoren Schenk-Lindenwald und Lassahn-Mrotschen neigten der radikaleren Richtung zu. Immerhin blieb das Verhältnis zwischen Gemeinschaftsbewegung und Landeskirche noch freundlich, zumal Gen.-Sup. Hesekiel und Konsistorialpräsident Balan den Gemeinschaftsleuten nach wie vor entgegenkamen.

Die Hauptkonferenz blieb die Nakeler (die XI. 7. bis 9. Juni 1904, „Nach Jesu Bild von einer Klarheit zur anderen"). Auf der XII. (29.—31. Mai 1905, „Zu Jesu Füßen") wurde beschlossen, möglichst einen Reisebruder anzustellen und von jeder Gemeinschaft 10 Mk. für die Brüderratskasse einzufordern. Diesem Zusammenhange dienten auch die Vertreterversammlungen des Bundes (Oktober 1903 in Nakel, Juli 1904 in Bromberg) und die Brüderkonferenzen (z. B. in Nakel, März 1904, Libau, Dezember 1904). Andere Gemeinschaftskonferenzen fanden statt in Samotschin (I. 30. November bis 2. Dezember 1904, „Jesus Christus der völlige Erlöser", ca. 450 Teilnehmer), das unter Großmann eine Stütze der Bewegung im Westen wurde, und in Bromberg (I. 8., 9. Februar 1904, II. 13.—15. Februar 1905) im Osten, wo 1903 die Gemeinschaft fast zerfallen war. Des Restes, der sich von der bisherigen Leitung lossagte, nahm sich der Brüderrat an. 1. November 1903 stellte er Menge als Evangelisten an, der dann den „Landeskirchlichen Gemeinschaftsverein" organisierte, wohl im Sinne der schlesischen „Organisation". Ende 1903 wurden außerdem zwei Johanneums-Brüder in Gnesen (Schröter) und Rogasen (Schienbein) angestellt*). Am 1. April

---

*) Für 1904 sind mir insgesamt an Evangelisten des posenschen Brüderrates bekannt geworden: Magdanz (Bielawy), Schienbein (Rogasen), Schröter (Gnesen), Menge (Bromberg), Großmann (Samotschin), Zimmermann (Mrotschen).

1905 faßte man auch in der Stadt Posen Fuß, wo ja bis dahin nur die Reichsbrüder arbeiteten, jetzt aber zehn aus der Gemeinschaft Posen-St. Lazarus Ausgetretene den Brüderrat anriefen. Großmann zog dorthin, nachdem der Brüderrat „Freudigkeit und Weisung vom Herrn" dazu erhalten hatte. Bereits am 3. Juli 1905 konnte er die dortige Gemeinschaft mit 27 Seelen ebenfalls fest „organisieren" *).

In Westpreußen hatte man schon früher ablehnender zur Landeskirche gestanden als in Posen. Durch die Trennung von Posen wurde hier die Bewegung einheitlicher. Man gründete alsbald einen „Christlichen Gemeinschaftsbund für Westpreußen".

Er bezweckt: In voller Selbständigkeit auf Grund der heiligen Schrift ohne jede Parteibestrebung innerhalb unserer evangelischen Landeskirche wahres, lebendiges Christentum zu wecken, zu pflegen und zu fördern. — Um dieses Ziel zu erreichen, werden Evangelisations- und Gemeinschaftsversammlungen, Bibel- und Gebetsstunden, Jugendbund- und Blaukreuzversammlungen, Gemeinschaftskonferenzen, Familien- und Teeabende sowie Kindergottesdienste usw. veranstaltet und abgehalten. — Außerdem werden Bibeln, Testamente und religiöse Schriften verbreitet, Haus- und Krankenbesuche gemacht, um Notleidenden, soviel es möglich ist, mit Rat und Tat zu helfen. (§ 3.) Die Arbeit des Gemeinschaftsbundes soll, so weit dies irgend möglich ist, in enger Fühlung mit der kirchenamtlichen Verkündigung des Evangeliums erfolgen. Während des Hauptgottesdienstes am Sonntagvormittag werden keine Versammlungen abgehalten. (§ 4.) Die Verwaltung des Bundes liegt in den Händen des Brüderrates . . . (§ 9.) Mitglied des Gemeinschaftsbundes kann ohne Unterschied von Stand und Person jeder werden, welcher sich für den Herrn entschieden hat, seinen Glauben durch Wort und Wandel bezeugt und sich mit diesen Satzungen einverstanden erklärt. (§ 10.) Als Organ dienen dem Bunde der „Gemeinschaftsbote", soweit es sich um Angelegenheiten der vereinigten Brüderräte handelt, die „Gottestaten".

Als Brüderrat konstituierten sich folgende Brüder: Böttcher-Ellerwald, Böttcher-Tiergarth, Dörflinger-Jeschewo, Götz-Wollewitz, Hoff-Graudenz, Hoff-Vandsburg, Herrmann-Graudenz, Krawielitzki-Vandsburg, Krey-Neu-Klunkwitz, Lange-Jeschewo, Motzkus-Elbing, Natter-Zempelburg, Niemann-Ohra, Ruschke-Graudenz, Schmidt-Marienwerder, Santowski-Vandsburg, Schliep-Zempelburg, Steinborn-Danzig, Urbschat-Strasburg, Wolff-Danzig, Walter-Elbing, Wiechert-Pr. Stargard und Zielke-Zempelburg. Den Vorstand bildeten Krawielitzki, Niemann und Lange, Beisitzer O. Hoff und

*) Schon auf einer Nakeler Brüderkonferenz 1902 wurde übrigens über Organisation eifrig verhandelt.

Wolff. Aus den Namen geht schon hervor, daß dem neuen westpreußischen Gemeinschaftsbunde außer dem schon früher angeschlossenen Zionspilgerbunde*) auch der Verein für Innere Mission in Ost- und Westpreußen, soweit er letzterer Provinz angehörte, beigetreten war**). Dadurch wuchs mit einem Male die Zahl der Berufsarbeiter sehr stark. Unter den genannten Brüderratsmitgliedern sind neben fünf Pastoren, soviel ich sehe, nicht weniger als zwölf Evangelisten (sechs andere Brüder, darunter wenigstens ein Lehrer [Krey]), von denen freilich J. Hoff damals schon als Reisesekretär der vereinigten ostdeutschen Brüderräte (s. u.) angestellt war. Für Westpreußen stellte man im Herbst 1903 zwei neue Brüder an (Beier und Herholz), so daß man 1904 zwölf Evangelisten und einen Reisebruder (Beier) zählte. 1905 gehörten dem Brüderrat vier Pastoren, elf Evangelisten***) und sechs andere Brüder an, und 35 Gemeinschaften waren angeschlossen. Sieben Vereinshäuser waren vorhanden, außer Vandsburg z. B. in Thorn†), Elbing, Pr. Stargard, Marienwerder und Zempelburg, dazu eine Anzahl Säle. Allein 1903 wurden neue Säle bzw. Häuser eingeweiht in Briesen, Zempelburg, Löbau, Strasburg und Fichthorst (bei Elbing), an diesem Orte gegen heftigen Widerstand der Orts- und Kirchenbehörde, 1904 in Pr. Stargard. In Briesen war der Saalbau, wie in Zempelburg das Haus, die Frucht einer Erweckung. Er gehörte anfangs einem Bruder, später dem Brüderrat. In Löbau war durch eine Schwester „Leben geweckt", 1903 wurde hier Herholz angestellt; auch in Konitz entstand eine Gemeinschaft. Im Osten wurde ein besonderer Stützpunkt Strasburg, wo ca. 1902 Urbschat eine Gemeinschaft gründete, besonders das Blaue Kreuz pflegte und einen Saal baute. Als er 1905 Reisesekretär des J.B. wurde, trat Herholz an seine Stelle. In Danzig arbeitete seit Herbst 1904 im Saal der landeskirchlichen Gemeinschaft, Heil. Geistgasse, Evg. Beier. Zur dortigen Konferenz, die früher von einem

---

*) Sein Leiter gründete 1904 mit Bernstorff zusammen eine Kassuben- und eine Dienstbotenmission.

**) 1903: Motzkus und Walter in Elbing, Schmidt in Marienwerder Daß sie in ihren Kreisen mit baptistischen Neigungen zu kämpfen hatten, zeigt der Ausschluß des Br. Dörfer, der sich hatte wiedertaufen lassen, 1903.

***) Im ganzen sind mir für 1905 an Evangelisten in Westpreußen bekannt geworden: Motzkus und sein Gehilfe Hilbert in Elbing und Schmidt-Marienwerder, Herrmann-Graudenz, Dörflinger-Thorn, Schliep-Zempelburg, O. Hoff und Volkmann-Vandsburg, Wiechert-Stargard, Herholz-Strasburg, Beier, Aumann, durchweg Chrischonabrüder.

†) Hier stand 1903 Missionsarbeiter Pätzold, 1905 Dörflinger.

freien Komitee einberufen wurde, wurde jetzt vom Brüderrat eingeladen (VI. 1.—5. Februar 1904, VII. 31. Januar bis 3. Februar 1905, „Fleisch oder Geist"), doch trug sie auch weiterhin Allianzcharakter*). Für Gemeinschaftsleiter (nicht Berufsevangelisten) wurde ein besonderer Kursus in praktischer Anleitung zum Dienst in den Gemeinschaften vom Brüderrat in Vandsburg veranstaltet.

Ob auch gerade die große Zahl der mehr oder minder selbständigen Evangelisten in Westpreußen das Eindringen der darbystischen Ideen gefördert hat? Jedenfalls war es vor allem P. Krawielitzki selbst, der die Leitung in diesem Sinne führte. Oder war es nicht echt darbystisch gedacht, wenn er z. B. schrieb: „Der Pharisäer Irrweg war, daß sie des heiligen Gottes Sache zu einer menschlichen Parteisache machten . . . Auf demselben Irrweg ist es dahin gekommen, daß wir heutzutage Kirchen und Freikirchen haben, statt einer durch den heiligen Geist gebildeten und geleiteten Gemeinde des Herrn" **). Dementsprechend fällt er die schärfsten Urteile über die Landeskirche***), und vor allem die Arbeit der Pastoren wird völlig mißachtet†). Der Grund ist die

---

*) Sonstige Konferenzen fanden statt in Elbing (21. Oktober 1903), in Graudenz (Nov. 1904), in Marienwerder (die erste 16.—18. Nov. 1904).

**) Prakt. Nachfolge S. 74.

***) „So (wie einst die Juden) haben noch heute die immerhin nicht unbeträchtlichen Scharen eifriger Kirchgänger und Kirchendiener ihrer großen Mehrzahl nach alles, was man von Christentum, christlicher Wissenschaft, christlicher Beredtsamkeit und christlichen Liebeswerken nur haben kann. Aber eins fehlt, wenn man die Kirchen und Gemeinden, ihre Hirten und Vertreter im großen und ganzen anschaut: der lebendige Jesus als Erretter von allen Sünden. Sein Platz ist leer, und an seiner Stelle steht bei den meisten Kirche, Amt, Sakrament, Bekenntnis, Partei" (S. 8), oder: „Auch die kirchlichen Organe wären und sind bereit, die Evangelisation zu dulden oder zu begünstigen unter der einen Bedingung, daß dieselbe kirchlich gebunden wird, so daß alle Arbeit einfach der Kirche zugute komme. Der eigentliche Zweck ist ihnen die Kirche, das Evangelium das bloße Mittel, und Bekehrungen oder das Zeugnis davon nimmt man ebenfalls mit in den Kauf, wenn dadurch die Kirche gefüllter, die Kollekten reicher, der Zudrang zu den Anstalten der Inneren Mission größer, das Ansehen der Pastoren und kirchlichen Machthaber weittragender, mit einem Worte, wenn das Himmelreich von dieser Welt wäre und für die kirchliche Organisation dieser Welt sich fruchtbar machen ließe" (S. 14).

†) Einen neuen Pastor anzustellen koste wenigstens 1500 Mk., wofür ungefähr zwei Evangelisten erhalten werden könnten. Ein einziger Evangelist pflege sich aber viel bemerkbarer zu machen als ein Pastor. „Wo ein Pastor zu arbeiten beginnt, entsteht doch meist nicht viel mehr als ein neuer Gemeindekirchenrat, neue Akten und Kirchenbücher, eine mehr oder

unbedingte Unwirksamkeit der Verkündigung eines „Unbekehrten" *), eine Position, die er zu ganz gefährlichen (selbst für die Heilsgewißheit der Kinder Gottes) Konsequenzen durchführt **), während auch er die lutherische Position ausdrücklich ablehnt ***). Unbekehrt sind ihm aber eo ipso alle, die sich nicht zur „Gemeinschaft" halten †). So ist natürlich die Gemeinschaftsbewegung das einzig Lebendige in der Kirche ††).

Aber die bisherige Art der Gemeinschaften hat nicht genügt. Viele Bekehrungen waren nicht entschieden †††). Es fehlte bisher

---

minder schöne Kirche und ein Pfarrhaus mit den daraus folgenden allgemein bekannten Ergebnissen. Was sonst noch etwa erreicht wird, ist sehr verschieden und richtet sich ganz danach, ob der betreffende Geistliche ein Mann der Inneren oder Äußeren Mission ist und dementsprechend eine Anzahl Hausbesuche macht, Vereine gründet, Feste feiert usw., oder ob er sich nur mit dem Notwendigsten der Geschäftsordnung begnügt . . . Ein Evangelist hat gewöhnlich beim Beginn seiner Arbeit alles und alle gegen sich. Aber nach wenigen Jahren werden in der Stille eine Zahl von Versammlungen, Gemeinschaften, Mithelfern vorhanden sein, mit denen man sich . . . ganz gut könnte sehen lassen" (S. 62 f.).

*) Man könnte „eher Telegraphen- und Telephonleitungen aus Holz oder Glas anlegen oder mit einem Zwirnfaden einen Eichbaum umsägen, als erwarten, daß Gott zur Errettung und zum Dienst an Seelen sich unbekehrter Leute als seiner geordneten Werkzeuge bedienen werde!" (a. a. O. S. 67).

**) „Kennst du vielleicht auch solche Brüder und Schwestern . . . bedeutende oder unbedeutende Reichsgottesarbeiter, bei denen das (Empfindlichkeiten usw.) vorzukommen pflegt? — Reichsgottesarbeiter?! — Zeugen?! Man faßt sich an die Stirn . . . Können das Knechte Christi sein? . . . Nimmermehr! . . . „Aber," sagt man, „es bekehren sich doch Leute bei ihnen und durch sie?" Mag sein, die Bekehrungen sind auch danach . . . Wer noch so fleischlich ist, . . . kann Gott nicht gefallen, und durch ihn erweckte Seelen werden kaum je von Gott geboren sein, sondern von dem Willen des Fleisches" (a. a. O. S. 45).

***) a. a. O. S. 60.

†) „Gibt es an einem Orte Leute, welche bekehrt zu sein behaupten und doch nicht unter sich (also nicht etwa im Gottesdienst!) regelmäßig . . . um den Herrn und sein Wort sich versammeln, so glaube man ihnen nicht." Es fehlt dann „das vom Herrn gegebene Kennzeichen für wahre Bekehrung" (S. 22). „Darum gibt es keine Bekehrte an einem Ort, wenn keine Gemeinschaft da ist untereinander in Gebet, Ermahnung, Bibelbesprechung usw." (ebendort).

††) „Aus tiefem Dunkel und Abfall vom Evangelium geht es wieder immer mehr hinein in das Licht und die Klarheit der Apostelzeit" (S. 59).

†††) „So meint ein großer Teil der ‚Bekehrten' heutzutage eine ausreichende sichere Behausung zu haben in seiner ‚Bekehrung'. Dahinein ver-

„an wahrhaft biblischen Gemeinschaften", „am Zusammenschließen der wahren Glieder am Leibe Christi in den biblischen Linien" *). Es müssen daher jetzt organisierte „biblische Gemeinschaften" hergestellt werden, in denen die entschieden Bekehrten besonders zusammengeschlossen werden. Biblisch **) ist das, denn „die Apostel hatten nach der Apgsch. organisierte Gemeinschaften mit Ältesten usw."

Als biblische Aufgaben stellt Krawielitzki hin: 1. „Sie hielten zusammen" (nach Apgsch. 2, 42), 2. „sie gaben sich hin", sie waren „eine große Gottesfamilie" (Apgsch. 2, 44—46). „Dieses ist in Wirklichkeit nur möglich, wo eine organisierte Gemeinschaft vorhanden ist. Da kann man es auch jedem Mitgliede zur heiligen Pflicht machen, wenigstens zunächst nach der Anweisung des Apostels Paulus, 1. Kor. 16, 2, wöchentlich nach Vermögen eine Gabe für den Herrn zurückzulegen", wobei an den alttestamentlichen Zehnten erinnert wird. „Heilige Pflicht ist es ferner, sich regelmäßig untereinander zu versammeln, wenigstens alle Woche einmal." Sehr zu empfehlen ist in jedem Monat eine geschlossene Mitgliederversammlung (der Herr nahm seine Jünger besonders). „Den Schluß bildet eine Weihestunde völliger Hingabe an das königliche Haupt." 3. „Sie übten Zucht."

Die Leitung der Gemeinschaft sollen nach ihm Älteste haben, die etwa ein besonders gegründeter Bruder den neu entstehenden Gemeinschaften zu ordnen hätte.

---

bergen sie sich und weisen knurrend die Zähne, wenn man ihnen einen Durchblick in die volle Freiheit durch das Blut Christi verschaffen möchte" (S. 33). „Wir haben in unsern Gemeinschaften und Versammlungskreisen leider viele, ach nur zu viele Seelen, die den heiligen Geist nicht haben. Nicht, daß sie keine Wirkungen des heiligen Geistes erfahren hätten, aber sie haben kein Pfingsten erlebt" (S. 39).

*) Krawielitzki in den „Gottestaten" Nr. 7. „Der Mißgriff früherer Zeiten war es, den Zusammenschluß auf Bekenntnisgleichheit in den Lehren über Taufe, Abendmahl usw. und auf Gottesdienstgleichheit in denselben Kirchenordnungen gründen zu wollen. Daraus sind die unzähligen Spaltungen und mehr oder weniger toten Kirchen und Freikirchen hervorgegangen. In unsern Tagen ist man sich klar geworden, daß nach der Schrift nur die enge Pforte entschiedener Bekehrung, . . . nur das Ziel der Zubereitung des Leibes Christi in immer engerer Abhängigkeit aller Glieder von dem erhöhten Haupte für den Zusammenschluß maßgebend sein darf. Aber leider sind die meisten Kreise, welche diese Grundsätze anerkennen, nur ungeordnete Versammlungen geblieben. Weder hat man in denselben abgegrenzt, wer solche biblischen Grundsätze für sein Leben als bindend angenommen hat, noch wagt man dieselben bei sich und anderen durchzuführen."

**) Zum „Biblischen" gehört auch die Einführung von Bibelschulen! Gibt doch Röm. 1—11 „wahrscheinlich" „den Lehrplan wieder", nach dem Paulus in Ephesus soeben „zwei Jahre lang den Gläubigen und Neubekehrten seine Bibelschule gehalten hat" (Prakt. Nachf. S. 19).

Zu diesen biblischen Gemeinden sollen „nur Leute gehören,... die Vergebung der Sünden erhalten und den heiligen Geist empfangen haben". „Nicht als ob alle in solch einer Gemeinschaft Aufgenommene sündlos wären; es fehlte auch in den Gemeinden der Apostel nicht an Schwachen, Trägen, Gefallenen usw., aber es waren Reinigungskräfte und Zuchtmittel da, zu stärken, zu ermuntern, zu heilen und auszuscheiden." So vertritt er ganz deutlich den alten donatistischen Gedanken der sichtbaren Gemeinde der Gläubigen, und zwar in der darbystischen Ausprägung. Denn „Zweck und Ziel der biblischen Gemeinschaft" ist ihm „Erbauung", aber nicht die Erbauung des Einzelnen, „sondern daß der Leib Christi erbauet werde" (Gottestaten Nr. 5); denn nur wenn diese Zubereitung des Leibes Christi durch den Geist geschehen ist, wird Jesus Christus als das erhöhte Haupt seines Leibes wiederkommen zur Entrückung desselben.

Die Herstellung solcher Gemeinschaften von nur Bekehrten ist ziemlich einfach: „Man braucht nur merken zu lassen, daß man keine anderen als bekehrte Mitglieder . . . haben will, und man darf sicher sein, daß sich dann auch keine anderen als Bekehrte melden" (Prakt. Nachf. S. 69). Auch sind ja die „Bekehrten" leicht zu erkennen*), einmal ist ja das Halten zur Gemeinschaft

*) Dafür beruft Krawielitzki sich sogar auf — die lutherischen Bekenntnisse: „Zum Überfluß geben sogar unsere Bekenntnisschriften uns noch einen Prüfstein an die Hand, ob jemand bekehrt und wiedergeboren ist oder nicht: „Die Exempel (von Kr. gesperrt!), wie an der Bekehrung Pauli und Augustini zu sehen (von Kr. gesperrt) ist." „Das ist ja mit klaren deutlichen, einfältigen Worten geredet, wie es zugeht, wenn ein Sünder recht sich bekehret, was die neue Geburt sei oder nicht sei." Und wenn uns künftig mal wieder einer deswegen ‚methodistisch' schilt, daß wir Bekehrte . . . zu unterscheiden uns herausnehmen wollen, dann müssen wir ihm schon bedauernd sagen: ‚Freund, du irrst, weil du die Schrift nicht kennst, noch die Kraft Gottes, Matth. 22, 29 und — auch nicht die Bekenntnisse!!' — Was ist denn nun das Kennzeichnende an den von unsern Bekenntnisschriften uns zum Exempel gestellten Bekehrungen Pauli und Augustini? Das deutliche Eingreifen des lebendigen Gottes und die Gabe seines heiligen Geistes! Wer damit aus Erfahrung Bescheid weiß, wird auch (freilich nicht ohne Irrtum . . .) Bekehrte und Unbekehrte zu unterscheiden verstehen." — In Wirklichkeit sollen an den angeführten — aus dem Zusammenhang gerissenen — Stellen (Apol. bei Müller S. 98, 63 d. u. 66 d.) die von ihnen selbst bzw. über sie berichteten Bekehrungen Pauli und Augustini nur beweisen, wie nach der Erfahrung dieser Männer, die auch die Katholiken als Autoritäten anerkennen, der Geist gegeben wird, nämlich durch Buße und Glauben, wie die Evangelischen, nicht durch Werke,

schon ein Kennzeichen, andererseits die scharfe Absonderung von der Welt, wobei vor allem auch die Enthaltung von den Mitteldingen in Betracht kommt. Aufs schärfste eifert Krawielitzki dagegen, daß mancherwärts neben der ursprünglichen Versammlung noch eine andere ‚landeskirchliche‘ Gemeinschaft gegründet sei, wo man auch die ‚Gebildeten‘ gewinnen und darum „nicht so ‚beschränkt und gesetzlich‘ die Vorzüge von Kunst, Wissenschaft und Kultur übersehen" wolle. Dadurch suche man Gotteskinder abzusplittern, die „durch weltliche Rücksichten und Gebundenheiten noch sehr empfänglich sind für ‚sogenannte evangelische Freiheit‘, d. h. Weltförmigkeit ohne Selbstverleugnung und ohne völlige Hingabe allein für Jesu Dienst und Nachfolge" (a. a. O. S. 16). Dagegen sei ausdrücklich betont, daß bei Krawielitzki über den irdischen Beruf sich durchaus lutherische Gedanken finden*). Es ist wohl nicht zum mindesten die Praxis des Diakonissenhausvorstehers, die ihn zu dieser Erkenntnis geführt hat.

Bei diesen Grundanschauungen des Führers war es natürlich kein Wunder, daß der Gedanke der Organisierung der Einzelgemeinschaften in Westpreußen schnelle Fortschritte machte, damit aber das Verhältnis zur Landeskirche noch unfreundlicher wurde, als es früher schon war (s. o. S. 206 f.). Kirchlicherseits versuchte man sich auch ferner freundlich zu stellen. Gen.-Sup. Döblin empfing die westpreußischen Evangelisten und versicherte, daß das Konsistorium nicht gegen die Bewegung sei. Die „Kirchlichkeit" der Gemeinschaftsbewegung aber bestand bei solchen Anschauungen im Grunde nur darin, daß man nicht austrat (a. a. O. S. 12). Für den Wert der Kirche hatte man kein Verständnis mehr. Denn Kirchen und Freikirchen „sind weiter nichts als geschichtlich gewordene rein menschliche Vereinigungen, welche als solche Achtung und Liebe verdienen können, aber keine Ewigkeitsgeltung haben. Man kann in jeder derselben ebensogut oder schlecht Jesu nachfolgen, wie sonst in einem menschlichen Beruf." Da war es eigentlich doch nur eine Inkonsequenz, wenn man die Darstellung des Leibes Christi in den organisierten Gemeinschaften auf die äußerlich zur Landeskirche Gehörigen beschränkte. Im Grunde war

---

wie die Sententiarii lehren. Von Erkennbarkeit der Bekehrten ist hier überhaupt nicht die Rede. Solche Behandlung der Bekenntnisse richtet sich selbst!

*) „Ganz gleich, ob du . . . Apostel durch Berufung oder Schornsteinfeger durch Berufung oder Wäscherin durch Berufung oder was sonst etwa durch Berufung bist: Stehst du richtig zu ihm, so kann dich nichts hindern, deine Aufgabe in deinem Beruf zu erfüllen, d. h. ihn zu verherrlichen" (a. a. O. S. 53).

das „innerhalb der Landeskirche“ zu einer inhaltlosen Formel geworden, und es berührt doch etwas seltsam, wenn als Beweis, „daß die westpreußischen Gemeinschaften gut kirchlich“ seien, der Umstand angeführt wird, „daß sie sich sämtlich landeskirchlich nennen und auch öffentlich, wie in Elbing, es groß und breit an die Front des Versammlungssaales schreiben, ‚Landeskirchliches Gemeinschaftshaus‘“.

e) Die Vereinigten ostdeutschen Brüderräte.

Die mehrfach zitierten „Gottestaten“, ein unregelmäßig erscheinendes Blatt, dessen Erscheinen „vom Herrn“, nicht „vom Kalender“ bestimmt wurde, waren aber nicht nur ein Privatunternehmen, sondern seit ihrer fünften Nummer offizielles Organ der vereinigten ostdeutschen Brüderräte, ihr Schriftleiter Krawielitzki damit in führender Stellung für den ganzen Osten. Der Zusammenschluß begann damit, daß die Brüderräte von Pommern, Schlesien, Ost- und Westpeußen*) am 1. Oktober 1902 J. Hoff-Graudenz als Reisesekretär für ihr gesamtes Gebiet anstellten. Am 11. Februar 1903 kam es dann in Vandsburg zum Zusammenschluß der „Vereinigten Brüderräte östlicher Provinzen“.

I. Grundlage. 1. Wir lassen als unerschütterliche Grundlage der Gemeinschaftsbewegung lediglich die heilige Schrift gelten und weisen jede Menschenweisheit und Kritik gegen dieselbe auf das entschiedenste zurück. 2. Wir sehen es als unsere Aufgabe an, die von uns geleiteten Gemeinschaften und deren Mitglieder zu einer klaren, festen Stellung und Gewißheit des vollen Heils in Christo zu führen, so daß die Einzelnen den völligen Erlöser am eigenen Herzen erfahren, in der Heiligung leben, sich der Umgestaltung in Sein Bild willig hingeben und so in den Stand gesetzt werden, in steter Bereitschaft den Herrn erwartend, einen schriftgemäßen Wandel führen zu können. 3. Diese Tätigkeit wollen wir zwar in voller Selbständigkeit und Freiheit, aber innerhalb unserer evangelischen Landeskirche und, soweit es möglich ist, mit enger Fühlung an die kirchenamtliche Verkündigung des Evangeliums treiben. — II. Richtlinien für die gemeinsame Arbeit. Auf dieser Grundlage vereinigen wir uns zu folgenden Beschlüssen: 1. Bei völliger Wahrung der Selbständigkeit jedes Brüderrates, der die Verantwortung für die Arbeit in seinem Gebiete behält, vereinigen wir uns zu einem gemeinsamen Vorgehen in solchen Fragen, die über die Grenzen der einzelnen Provinzen hinausgehen. 2. Wir bleiben aber auch als „Vereinigte ostdeutsche Brüderräte“ in dem großen deutschen Verbande für Evangelisation und Gemeinschaftspflege und wollen gern an dessen Bestrebungen nach Kräften mitarbeiten. 3. Wir stellen einen Reisesekretär an, welcher den Gedankenaustausch vermittelt, die Gemeinschaften besucht, Kon-

*) Posen war noch nicht wieder organisiert.

ferenzen vorbereitet und dergleichen, sowie einen oder mehre Kolporteure für die östlichen Provinzen. 4. Für die ähnlich dem Gemeinschafts-Schwesternhause angeregte Gründung eines Gemeinschafts-Brüderhauses bilden wir einen Gebetsbund, der auf einen deutlichen Wink und klare Weisungen vom Herrn für ein geeignetes Vorgehen wartet. 5. In vorkommenden Fällen der Unterdrückung wollen wir gegenseitig füreinander einstehen. 6. Zur Abwehr ungesunder Lehre und zum Fernhalten unlauterer Elemente wollen wir einander Handreichung tun. 7. Wir geben ein zwanglos erscheinendes Blatt, die „Gottestaten“, heraus. 8. Wir wollen uns alljährlich einmal zu einer Generalkonferenz vereinigen, die an verschiedenen Orten gehalten wird und zu einer gründlichen Verständigung und Vereinigung in allen unserem Osten eigentümlichen, gemeinsamen Fragen und Angelegenheiten dienen soll.

Vorsitzender des Ausschusses wurde Regehly, Schriftführer Krawielitzki, Kassierer Huhn-Baudach. Der posensche Brüderrat scheint alsbald nach seiner Neukonstituierung ebenfalls sich angeschlossen zu haben*). J. Hoff gab seinen Reisesekretärposten bereits nach einem Jahre wieder auf, aus Gesundheitsrücksichten, und zog nach Berlin (s. u.). Die Stelle blieb zunächst unbesetzt. Als Regehly 1904 sein Pfarramt niederlegte, sollte er sie provisorisch mit verwalten.

Ein weiteres Einigungsband und zugleich ein kräftiges Mittel zur Propaganda ihrer Ideen schufen sich die Vereinigten Brüderräte, indem sie den „Gemeinschaftsboten“ mit dem 1. Januar 1904 als „gemeinsames Heiligungsblatt für Kinder Gottes“ übernahmen. Auch die Brieger Bibelwoche erscheint 1904 als Veranstaltung der vereinigten Brüderräte.

Nach den obigen Ausführungen ist es ohne weiteres klar, daß dieser Zusammenschluß die Bildung eines geschlossenen darbystischen Flügels innerhalb der Gemeinschaftsbewegung bedeutete, der zugleich die Paulsche Heiligungslehre, größtenteils auch nach ihrer Weiterbildung von 1904 vertrat. Deutlich tritt die Betonung des „vollen Heils“ und der Eschatologie schon in den Satzungen hervor, ebenso wie der Nachklang des Lepsius-Streites, während andererseits jeder Hinweis auf die Bekenntnisse der Landeskirche fehlt. Auch die offiziellen Organe, „Gottestaten“ und „Gemeinschaftsbote“, zeigten deutlich genug die darbystischen Grundanschauungen. Einige Proben ergeben ohne weiteres die Übereinstimmung mit den oben von Edel und Krawielitzki angeführten Auslassungen. Der darbystische Indifferentismus prägt sich aus in dem Satze:

„Der Leib Christi muß aufgebauet werden, aber das kann nur durch den göttlichen Baumeister, durch den heiligen Geist geschehen . . . Weil die

---

*) Anfang 1904 gehörte er jedenfalls schon dazu (s. Gemb. 1904 Nr. 8).

Menschen dem heiligen Geiste nicht Raum gemacht haben, sondern mithelfen und mitwirken wollten nach ihren eigenen Plänen zur Auferbauung des Leibes Christi, so sind leider daraus in bester Absicht die vielen Kirchen und Freikirchen entstanden . . . Bis dahin (Wiederkunft Christi) haben wir weder den Beruf, eine neue Kirchengemeinde zu gründen, noch die Erlaubnis, die Zertrümmerung einer alten anzustreben" (Gottestaten Nr. 9).

Den Leib des Herrn zu sammeln, dienen vielmehr die „biblischen" Gemeinschaften, für die man Älteste nach biblischer Weise einsetzt. Dadurch wird eine Nebenorganisation neben der Kirchengemeinde ohne organische Verbindung beider geschaffen, die übrige Gemeinde bleibt nur Missionsfeld. Indem aber zugleich auf der einen Seite Allianz, auf der anderen Seite schroffste Scheidung von den „Unbekehrten" *) gefordert wird, wird im Grunde die Kirchengemeinde, ja auch die Bekenntniskirche zerstört **).

---

*) S. die beiden „biblischen Grundwahrheiten": „Volle Entschiedenheit in klarer Scheidung von der Welt als Gotteskind durch die Errettung von den Sünden, nicht aber durch besondere Lehren über Taufe, Abendmahl usw. oder durch verschiedene Bekenntnisse und Gottesdienstordnungen" und „Innige Gemeinschaft der Kinder Gottes in festem Zusammenschluß zu gegenseitiger Zucht und gemeinsamem Dienst, damit der Herr auf solche Weise sich seinen Leib zubereiten kann" (Gemb. 1904 Nr. 9), oder wie Edel auf der Brieger Bibelwoche sagte: „Welt und Kinder Gottes müssen unterschieden, die Einheit der letzteren muß auch sichtbar dargestellt werden."

**) Einfach unverständlich wird das „landeskirchlich" im Namen bei einem Satze wie der, daß eine biblische Gemeinschaft „so weit" sei, „jedes Gotteskind einzuschließen, aber so eng, jeden Unbekehrten auszuschließen." (Gottest. Nr. 9.) Man vgl. Seitenhiebe wie: „Den meisten Widerstand in der Ausbreitung der biblischen Gemeinschaftsidee finden wir natürlich beim geistlichen Amt" (Gottest. Nr. 5), oder die bitteren und ungerechten Ausführungen, wie: „Leider ist dieser Charakterzug (Imitation) durch die Verweltlichung der Kirche auch in das Gebiet des Christentums eingedrungen. Der heilige Geist schenkte vor reichlich 100 Jahren der Gemeinde Gottes wieder den Blick für ihre Missionsaufgabe. Was geschieht heute nicht alles unter der Marke Mission! Gott gab auch den Gedanken der inneren Mission, um die Seelen unserer entchristlichten Volksmassen wieder zu Jesus zu bekehren. Was hat man aus der inneren Mission gemacht? — Der Jammer auf dem Gebiet ist so offenbar für jeden bekehrten Menschen, daß es nicht Not tut, ihn zu beschreiben. Gott legte in das Herz seiner Kinder das biblische Verlangen nach Gemeinschaft mit anderen Gotteskindern nach dem Vorbild der ersten Christen. Die heutige christliche Welt läßt außer der sonntäglichen Predigt an einem Wochentag-Abend noch eine ‚Bibelstunde' abhalten, um sich die Gemeinschaftsfreunde fernzuhalten mit der Bemerkung: „Wir haben in der Kirche unsere Gemeinschaft." Gott rüstete einige Zeugen aus mit der Evangelistengabe, durch die der Gemeinde reiche

An Selbstbewußtsein fehlt es natürlich demgegenüber nicht*). Die Scheidung von der Welt besteht vor allem auch in Enthaltung von den Mitteldingen, entsprechend dem oben Gesagten hier im Osten vor allem von Alkohol und Tabak**).

Für Paul trat man energisch ein***). Gegenüber den Angriffen auf ihn fragt man: „Was hat Br. Paul denn getan?" „Nun, er hat bezeugt, daß ihm der Herr seit einigen Monaten in besonderer Weise die Gnade ununterbrochenen Bleibens in ihm geschenkt hat. Ist das sehr schlimm?" Die Gegnerschaft wird auf Unglauben zurückgeführt†).

Daß in der Praxis der ostdeutschen Gemeinschaftsleute Gefühl,

---

Segnungen zuflossen. Die Menschen imitierten mit ‚vermehrter Wortverkündigung'. Der Geist drängte einige heilige Männer, sich durch Blau-Kreuz-Arbeit der armen Opfer der Trunksucht anzunehmen, und zwar allein auf dem Boden des Wortes und des Blutes. Die menschliche Imitation hiervon heißt ‚kirchliches blaues Kreuz', als ob jenes Werk Gottes ein antikirchliches wäre!" (Edel im Gemb. 1904 Nr. 8.)

*) Stößt sie (die Kirche) dieses (Kirchlein i. e. die Gemeinschaftsbewegung) von sich, so muß sie im Unkraut ersticken und eine Behausung aller unreinen und hochmütigen Geister werden" (a. a. O. Nr. 15).

**) „Auch das Rauchen, das wohl immer zuerst Unwohlsein oder Erbrechen zur Folge hat und bei vielen dauernd schädlich wirkt, möchte ich zu den verwerflichen ‚Mitteldingen' rechnen, jedenfalls auch den Modedienst und das Modernisieren" (Gottest. Nr. 7).

***) „In den Kreisen der Gotteskinder, ja sogar bis unter das Mischvolk und die Welt hat es in letzter Zeit eine hoffentlich nachhaltige Bewegung und Erregung gegeben durch ein Zeugnis unseres bekannten und gesegneten Br. P. Paul.".

†) „Was hat nicht alles überwunden werden müssen, bis die Botschaft vom Siege in Christo, vom vollen Heil in weiteren Kreisen durchgeschlagen hat . . .! Jetzt wird es doch schon seit Jahren auf Konferenzen und in Versammlungen fast ohne Widerspruch bezeugt, daß . . . völlige Reinigung, ja bleibende Bewahrung und Deckung unter dem Blute Christi unser Teil ist, daß der Arge uns nicht antasten kann, solange wir in Jesu bleiben, und daß die Kraft des Blutes bis in die Gedanken hinein von aller Befleckung löst . . . Da kommt auf einmal ein Bruder und bezeugt: . . . der Herr hat mir die Gnade ununterbrochenen Bleibens in ihm geschenkt . . . und was geschicht? Man will ihn steinigen!" Den Grund findet man darin, „daß jenes Zeugnis eben empfindlich den faulen Fleck bei uns Gotteskindern berührt . . . Wir haben uns vielfach die biblischen Wendungen vom völligen Heil . . . so schön zu eigen gemacht! . . . Aber dabei gestatten wir uns Ausnahmen, gelegentlich noch einmal, ja vielleicht recht häufig, z. B. die Geduld zu verlieren . . ., weil doch die allgemeinen Erfahrungen darüber nicht hinausgehen!" (Gottest. Nr. 10.)

Durchströmungen, Geistestaufen eine große Rolle spielten, ist leicht verständlich.

So beschreibt einer seine Bekehrung im Anschluß an das Lesen eines „Nun" überschriebenen Artikels: „Da durchzuckte mich der Gedanke: Jetzt soll dich nichts mehr abhalten. Ich stand auf, ging in meine Stube, fiel auf die Kniee und gelobte dem Herrn, daß ich mich jetzt zu ihm bekehren wolle." Ein paar Tage ringt er dann um Gewißheit: „Ich fiel auf die Kniee und betete, es half nichts; ich sank mit dem Angesichte in den Staub und rang mit Gott. Da verließ mich plötzlich die böse Macht, ich bekam Ruhe in mein Herz und wartete weiter, daß Jesus in mir geboren würde. Am Montag Abend verbrannte ich meinen liebsten Götzen, die Spielkarten . . . Dienstag Abend ging ich in mein Zimmer mit dem Gedanken: ‚Wenn ich auch nur zu Pfingsten die Gewißheit bekäme!' Ich nehme ein Gesangbuch und denke: ‚Möchtest du doch Glaubenslieder aufschlagen!' Wirklich, ich schlage Glaubenslieder auf und treffe das Lied: ‚Aus Gnaden soll ich selig werden.' Ich singe sämtliche Strophen. Freude erfaßt mich und die felsenfeste Gewißheit, daß, wenn ich jetzt die Bibel aufschlage, ich ein Wort treffe, welches mir sagt, daß ich ein Kind Gottes bin. Ich schlage auf und lese Röm. 8. Eine nie geahnte Freude erfüllte mich, ein nie geahnter Frieden strömte in mein Herz" (Gottest. Nr. 7).

Traub aber beschreibt eine Geistestaufe auf einer Eisenbahnfahrt: „Da kam plötzlich etwas Wunderbares über mich; ein Freudenquell sprudelte in mir wie ein mächtiger Springbrunnen, bis ich meinte, mein schwacher Leib könne solchen Drang nicht aushalten."

Derartige Zeugnisse bringen die „Gottestaten" vielfach, unter der Rubrik „Pniel". Überhaupt ist ihre ganze Ausstattung für lutherisch-kirchlichen Sinn schier sensationell zu nennen. Am bedenklichsten vielleicht sind die Berichte über Kinderbekehrungen, Kindergebetstunden, wo jedes Kind kurz betet, Stunden, wo man ihnen die Erkenntnis beibringt, daß „ihr Herz noch halb dem Heiland, halb der Welt" gehört, wo man sie — um nicht sofort auf „völlige Entscheidung" zu dringen, bittet, „diese Sache in der kommenden Woche im Gebet zu bewegen; die aber unter ihnen, welche es mit dem Christentum . . . ernst nehmen wollten, sollten den Herrn um volle Klarheit über ihren verlorenen Zustand bitten." Da kommt dann die Bekehrung. Während der einleitenden Worte „fing ein Knabe heftig an zu weinen. Das ergriff auch andere Kinder . . . Bald wurde diese Stimmung eine allgemeine. Alle Kinder befanden sich in tiefer Reue über ihre Sünden. Ich sagte ihnen . . . ‚Jesus will heute alle Schuld mit seinem Blut tilgen, wenn ihr ihn anruft.' Da fiel die ganze Schar auf ihre Kniee. Unter Weinen und Schluchzen betete ein Kind um das andere . . . Ich betete zuletzt um einen völligen Durchbruch zum fröhlichen Glauben. Der Sieg kam. Eins der Kinder fing an, dem Herrn zu danken und dann folgten andere" (Gottest. Nr. 10). Regehly aber berichtete selbst, daß eins seiner Kinder „mit 5 Jahren den Heiland ergriff und anfing, ihm mit Bewußtsein nachzufolgen und mit 9 Jahren zur klaren, jubelnden Heilsgewißheit durchdrang" (Nr. 14).

f) Die Reichsbrüder und die Altpietisten des Ostens.

Nur wenige Kreise hatten sich, wie wir sahen, dieser Anschauungen erwehrt, im Grunde nur die, die dann in Schlesien den Kirchlichen Verband bildeten. Die Reichsbrüder dagegen schlossen sich nicht so dagegen ab. Wohl stellten sie sich nach wie vor freundschaftlich zur Landeskirche. An ihren jetzt regelmäßig in Posen stattfindenden Konferenzen nahmen Vertreter des Konsistoriums teil, aber daneben beriefen sie z. B. als Redner 1904 (wo die Konferenz wegen Behinderung der Redner erst vom 7. bis 9. November stattfand) v. Viebahn. An ihrer jährlich in Bentschen stattfindenden Vertrauensmännerversammlung nahm Dezember 1903 Paul teil. Viel druckte der „Brüderbote" von Stockmayer und von Edel ab, auch die Konferenzreden von Königsberg brachte er, mit ihrer Hoffnung auf Ausgestaltung der Brautgemeinde, und bei der Brieger Bibelwoche waren die Brüder durch Leszcinski vertreten.

Es war wohl außer persönlichen Beziehungen vor allem die eigene starke Betonung der Eschatologie, die sie sich wenigstens den Ostdeutschen gegenüber nicht abschließen ließ. Allerdings traten sie den Vereinigten Brüderräten nicht bei. Vielmehr scheint sogar in Posen namentlich nach dem Beginn der Brüderratsarbeit in Stadt Posen das Verhältnis zum Gemeinschaftsbund etwas gespannter geworden zu sein. Doch war ja im allgemeinen ihr Arbeitsgebiet in dieser Provinz von dem des Brüderrates getrennt. Ihre Arbeit wuchs hier so, daß sie drei Evangelisten in Posen, Rawitsch und Bentschen anstellten. Daß in Ostpreußen trotz der Doppelarbeit in Königsberg und Osterode ein freundschaftliches Verhältnis sich herausbildete, haben wir erwähnt. 1904 schloß sich der Reichsbrüderbund auch dem Deutschen Verbande an; seine Eigenart schien er mehr und mehr aufzugeben, zumal jetzt verschiedene seiner alten Brüder starben, wie Blaich († 19. August 1903 im Alter von fast 83 Jahren) und Leistert († 11. Februar 1903 im Alter von 66 Jahren). Die Redaktion des „Brüderboten" übernahm Elser-Königsberg.

Schroff ablehnend verhielten sich nach wie vor gegen die ganze moderne Gemeinschaftsbewegung die alten litauischen Gemeinschaften, speziell der Ostpreußische Gebetsverein. Aufs schärfste kämpfte Kukat nicht nur gegen die Reichsbrüder, deren Eindringen er beklagen muß (Frdb. 1904 Nr. 25), sondern vor allem auch gegen die neueste Strömung mit ihren Allianzkonferenzen*).

Aber sein Eifern vermochte nicht zu verhindern, daß neue Gedanken auch in seinen Verein eindrangen. Auch hier trieben manche die „schnelle Bekehrung" (Frdb. 1904 Nr. 16), ja, es gab „Schwärmer", „die auf einigen (sic!) Bibelsprüchen mit der Vernunft fallen und denken, daß ein wiedergeborenes Gotteskind nicht kann verloren gehen" (Nr. 36). „Darum ist auch kein Wunder, daß solchen lustigen Glaubenschristen, die mit dem Teufel scherzen und spielen, mein Friedensbote nicht gefällt noch schmeckt, sondern haben immer etwas zu meistern und zu kritisieren" (Nr. 17). Ja, es kam zu Abfällen: „Hiermit machen wir den Vereinspredigern bekannt, daß Kapteina (Finsterdamm) von jetzt ab keinen Prediger annimmt von dem genannten Verein zum Predigen, nur den durch Konferenz ausgeschlossenen Prediger Paeyk", heißt es (Frdb. 1904 Nr. 13). Namentlich in Rheinland und Westfalen kam es zu Spaltungen. Großkopf schied definitiv aus, auch Patscha. Auch durch den wieder aufgenommenen Sylla (s. o. S. 216) entstand neue Trennung**). Sehr muß Kukat sich beschweren über „junge Pre-

---

*) „Man treibt Schafe und Schweine, Gänse und Hühner in einen Stall zusammen und will dadurch erzielen, daß Schweine, Gänse und Hühner mit den Schafen eine Herde werden." „Und wenngleich Allianzversammlungen veranstaltet werden und allerlei Rotten- und Sektenprediger zusammenkommen, so ist solches nur eine Heuchelei und keine Vereinigung des Glaubens und der Liebe, sondern jeder bleibt, was er ist, glaubt, was er geglaubt hat, und durch solche Verunreinigung wird nur das Blut des Neuen Testaments mit Füßen getreten, weil der Glaube und der Geist geschieden, der Aberglaube und der Leib vereinigt wird." So erregte es auch Kukats größten Zorn, als Tautorat-Ragnit ein Fest in der ihm dazu überlassenen Baptistenkapelle anzeigte (Frdb. 1904 Nr. 16).

**) 1905 erschien im Frdb. Nr. 39 eine Bekanntmachung des Vorstandes von Wanne, daß „die Versammlung von Bruder Neumann im Saal Wanne wegen unreine (sic!) Lehre bis auf weiteres aufgehoben" sei. Es erfolgte eine brüderliche Besprechung der Prediger und Vorstände aus Rheinland und Westfalen am 8. Oktober in Hüllen. 1. . . „nach längerem Auseinandersetzen (sic!) wird Bruder Neumann nicht der falschen Lehre begründet (sic!), sondern Bruder Neumann soll in der Predigt am Text bleiben. 2. Mit den Brüdern Libuda und Sylla wurde (da sie schon seit einigen Jahren gegen die Lehre im Gebetsverein und gegen Bruder Kukat immer auszusetzen hatten, besonders in der letzten Zeit richten die Brüder Uneinigkeit an . . .) weitläufig ausgesprochen. Die Brüder trennen sich mit uns, indem sie angeben, daß sie in der freien Gnade so erleuchtet sind, daß Bruder Kukat und wir alle gesetzliche Prediger sind, die nicht die Gnade verstehen und kennen."

diger, die nichts vom Gebet im Namen Jesu wissen und erfahren haben, mich und alte erfahrene Prediger verdächtigen und Trennungen im Gebetverein einzuführen suchen" (1905 Nr. 21). Geradezu wehmütig klingt seine Klage:

„Wie manche Stadt, wie mancher Verein, wie manche Poststation, wo ich weiß, daß Friedensboten verbreitet waren, haben jetzt abgenommen oder auch ganz aufgehört. Wo bleibt da die erste Liebe? Wo bleibt das Andenken an die Würde des heiligen Geistes und an den Schweiß meiner Arbeit und weiten Reisen? Alles kommt in Vergessenheit, als wäre nichts gewesen . . . Ich habe selbst solche Erfahrung gemacht, wo ich mich müde und schwitzig gegangen hatte und konnte keine Versammlung abhalten, weil sie aufgehört hatten, den Friedensboten zu halten. Und das konnte ich doch nicht wissen; zum Auswirtschaften taugt jeder Narr, ebenso auch die heilige Taufe zu verwerfen und zu verlästern brauchen wir keine großen Heiligen, dazu taugt ein jeder Sakramentsschwärmer" (1905 Nr. 2).

Kukat selbst aber blieb trotz allem derselbe, konservativ durch und durch, wie er's auch politisch war*), in strengster, starrer Gesetzlichkeit**), eine eigenartige, enge, aber immerhin kraftvolle Gestalt. Auf die ostdeutsche Gemeinschaftsbewegung übte er bei seiner schroffen Gegnerschaft natürlich keinen Einfluß. Zur Kirche wollte er seiner Behauptung nach eine freundliche Stellung, aber es blieb auch daneben bei seinen schroffen Urteilen über die Pastoren. Er befand sich eben im letzten Grunde doch auf demselben Boden des Protestes gegen die „verweltlichte" Kirche wie seine Gegner in der Gemeinschaftsbewegung.

Jene so oft von uns erwähnte Scheidung von aller „Welt" wurde ja nun aber besonders gefordert bei Heiraten, Freundschaften und bei Kompagniegeschäften, beim Zusammenarbeiten in Komitees und bei Anstalten Innerer und Äußerer Mission. Es waren das die Gedanken, die schon, wie wir sahen, Blazejewski ausgesprochen hatte und die zur Gründung des Vandsburger Schwesternhauses geführt hatten. Jetzt entfachten solche Ausführungen Pauls und der Plan eines Gemeinschafsbrüderhauses einen öffentlichen Streit

---

Von Sylla schreibt Kukat: „Als wir nach vielen Jahren ihn aufnahmen, so fängt er wieder an, dasselbige zu treiben und hat auch den Bruder Libuda mit demselbigen Geiste bezaubert, und ihre Anhänger schreiben nun Briefe, warum ich das Urteil der anderen Brüder angenommen und die Brüder Sylla und Libuda aus dem Friedensboten herausgesetzt habe."

*) „Wo das wahre Christentum fehlt, da fehlt auch die konservative Königstreue" (1904 Nr. 1).

**) Vgl. seine Strafrede über die Bärte (1905 Nr. 29).

der Ostdeutschen mit den Kreisen der Innern Mission und der Kirchlich-sozialen Konferenz.

Viertes Kapitel.

Der Streit um die „gemischten" Anstalten und die Gründungen der ostdeutschen Gemeinschaftskreise in Innerer und Äußerer Mission.

1. Die prinzipielle Auseinandersetzung.

Bereits in seiner „Praktischen Nachfolge" hatte Krawielitzki behauptet: „Es bedeutet Seelenmord, geistlichen Seelenmord, langsam aber sicher, wenn man erweckte Brüder und Schwestern in Anstalten sendet, die nicht ganz entschieden sind" (S. 71). „Wie ist es nur möglich, daß solche (Bekehrte) sich einfangen lassen für ‚gläubige' Arbeiten, Vereine, Anstalten, Ausbildungsstätten, welche auch Unbekehrte aufnehmen" (S. 68). „Aber auch Gotteskinder sind vielfach noch so unklar und unentschieden, daß sie mit einstimmen: man dürfe den alten, bewährten Gesellschaften und Anstalten, die ja leider nicht ganz entschieden . . . seien, seine Teilnahme doch nicht entziehen . . . Und damit tut man das furchtbarste Unrecht" (S. 70).

So forderten denn ja auch die Richtlinien der ostdeutschen Brüderräte die Gründung eines Gemeinschafts-Brüderhauses. Auf der VI. Königsberger Konferenz sprach dann Paul über biblische Diakonie und führte aus, wie etwa ein Jüngling vom Herrn zum Diakon berufen ins erste beste Brüderhaus gehe.

„Er tritt in eine Brüderschaft ein, wo die meisten unbekehrt sind; vielleicht ist er dort gar der einzige Bekehrte. Es haben mir Brüder gesagt, die in eine solche Anstalt eingetreten sind: ‚Als wir sagten, wir haben den Heiland lieb, da hat man uns ausgelacht; es waren da Raucher und Spieler und wir wurden bald auf die Seite gestellt' . . . Wenn wir lauter Diakonissen- und Diakonenhäuser hätten, die klar und bestimmt auf diesem Grundsatz ständen: wir nehmen nur gläubige Brüder und Schwestern auf, und zwar gläubig im Sinne von ‚bekehrt', es stünde besser um die Diakonissensache . . . Einst kam ich in ein Diakonissenhaus, ich freute mich recht, zu so vielen Kindern Gottes reden zu können; da spreche ich zu einer von Jesu — sie sieht mich an, als ob es bei mir im Oberstübchen nicht richtig wäre — gar kein Verständnis dafür, — und so fand ich es zu wiederholten Malen. Endlich bin ich aus all meinen Vorstellungen herausgekommen: sie wissen nichts von Jesu! Ihr Gläubigen, wo schickt ihr eure

Söhne und Töchter hin? Vielleicht dorthin, wo es heißt: nur nicht überspannte Frömmigkeit, nur nicht Schwärmerei, nur nicht ungesundes Christentum!" (Gemb. 1903 Nr. 51).

In einem „Offenen Brief an Herrn P. Paul" (Reformation 1904 Nr. 9) nannte Stöcker solches Richten „ein Ärgernis für die Gläubigen in der Kirche" und eine „unbegreifliche Vermessenheit", Pauls Erzählung von der Diakonisse müsse ein Irrtum sein, das Brüderhaus, wo über Jesu Liebe gelacht sei, solle er nennen und zugleich angeben, ob er ein unfehlbares Mittel habe, die Bekehrten herauszufinden.

Paul entgegnete, seine Äußerungen seien in einer „Diakonie-Versammlung" geschehen, zu welcher nur „Kinder Gottes" eingeladen waren, also nicht für die Öffentlichkeit bestimmt gewesen. In der Tat hätten in manchen Anstalten aus Gemeinschaften stammende Glieder den der Bewegung gegnerischen Geist derart empfunden, so daß er notwendig hätte darauf aufmerksam machen müssen, daß ein Bekehrter nicht mit Unbekehrten sich verbinden dürfe. Der Bekehrte könne an dem Siegel des Geistes von dem, der selbst den Geist habe, nach Joh. 14, 17 erkannt werden. So allgemein habe er das Urteil: „Sie wissen nichts von Jesu" nicht abgegeben. Die Nachschrift sei mangelhaft gewesen. Namen wollte er, um niemand bloßzustellen, nicht nennen.

Inzwischen hatte Krawielitzki (Gottestaten Nr. 8) konstatiert, daß „einer Anzahl von Seelen besonders aufs Herz gelegt" worden sei, „ganz entschiedene Ausbildungsstätten für den Dienst zur Seelenrettung daheim und in China zu erflehen". „Der Herr hat da nach vier Richtungen deutliche Winke gegeben", nämlich das Gemeinschafts-Schwesternhaus, ein Gemeinschafts-Brüderhaus für Deutschland, sowie je ein chinesisches Schwestern- und Brüderhaus.

„Das Wichtigste für diese vier Unternehmungen ist, daß sie ganz in den biblischen Linien teils begonnen, teils geplant und erbeten werden, nämlich: 1. daß nur Bekehrte zur Ausbildung oder Mitwirkung zugelassen; 2. nur dem Herrn völlig übergebene, im Eigenleben gebrochene Seelen in den Dienst gestellt werden sollen; 3. jede Arbeit als Glaubensarbeit ohne Sammlungen und menschliches Machen geführt werde; 4. Seelenrettung in erster Linie bei allem Dienst stehe; 5. dabei aber in allem Dienst nach außen die größte Tüchtigkeit erstrebt werden 6. und jede Arbeit als Mutterhaus eine wirklich biblische, apostolische Gemeinschaft darzustellen versuchen solle."

Als Beweis für das brennende Bedürfnis eines Gemeinschafts-Brüderhauses druckte er den Brief eines Stadtmissionars (wahrscheinlich ehemaligen Duisburger Diakons) ab, in dem es z. B. hieß:

„Viele tausend sogenannter Missionsarbeiter kranken an seichtem, halben, oberflächlichen Christentum und bringen sich und anderen, denen sie Leben bringen sollten, den sicheren Tod, da sie ein Spielball Satans sind." „In den meisten Anstalten der Äußeren wie auch der Inneren Mission werden die Brüder und Schwestern nicht biblisch erzogen. Natürlich stehen da die Anstalten der Inneren Mission am weitesten zurück. In diesen Anstalten ... pflegt man ein (es wird mir schwer, dies auszusprechen, aber es ist doch wahr) Antichristentum. Die Brüder und Schwestern ... finden nicht nur keine wahre geistliche Pflege, es wird ihnen gewöhnlich auch verwehrt, mit Gotteskindern Gemeinschaft zu haben, und wenn sie ... von dem, was sie in Jesu gefunden ... zeugen, dann bezeichnet man sie oft von seiten der Anstaltsleiter als überspannt, geistlich hochmütig und krankhaft ... Dazu kommt, daß man mit Vorliebe zum größten Teil unbekehrte junge Leute aufnimmt." „Als ich vor einigen Jahren ... bat, doch ... den Unbekehrten den Eintritt ... zu wehren, da erhob sich ein orkanartiger Sturm der Entrüstung gegen mich, und noch heute ... habe ich die Empfindung, man trägt mir das Wort noch nach."

Solche Urteile nannte Stöcker (Reformation 1904 Nr. 14) „wahnwitzig" und „eine Gewissenlosigkeit ohnegleichen", die nur möglich seien, „wenn der, welcher sie ausspricht, neben einer vollkommenen Unwissenheit über die Tatsachen von einem sinnlosen Haß gegen die Kirche erfüllt ist"; auch Pauls Antwort habe sein „gehässiges Richten" „weder begründet noch entschuldigt". Krawielitzki aber betonte nochmals (Gottestaten Nr. 9), daß Unbekehrte aufzunehmen unbiblisch sei, und druckte zwei weitere Briefe jenes N. N. und zwei von anderen Diakonen ab, von denen der eine als früherer Treysaer, der andere als Betheler von den betreffenden Leitern erkannt wurde, die beide nicht gerade ehrenvoll charakterisierten.

Auf Verhandlungen P. Philipps' im Auftrage der Brüderhausvorsteherkonferenz erklärte er jedoch am 17. April 1904:

„1. Es ist eine Tatsache, daß viele Anstalten .. zur Gemeinschaftsbewegung in praxi teils eine ablehnende, teils im besten Falle eine freundlich-reservierte Stellung eingenommen haben. 2. Diesem historischen Faktum liegt die innere Tatsache zugrunde, daß in der Geistesbewegung, welche Gott der Herr mit der Gemeinschaftsbewegung unserm Volke geschenkt hat, eine Reihe biblischer Wahrheiten ... ein Verständnis und eine Ausprägung gefunden haben, welche von der in vielen Anstalten prinzipiell geltenden oder praktisch zur Geltung gebrachten Auffassung abweicht. 3. Abgesehen davon besteht bezüglich der Bedingungen für die Aufnahme ... in vielen Anstalten der durchgreifende Unterschied, daß ich nach der heiligen Schrift zum Dienst des Herrn ... nur solche als berufen ansehen kann, welche durch den Herrn gerettet, sowie zur gewissen Erkenntnis ihres Gnadenstandes und zu einer entschlossenen, bewußten Nachfolge im Dienst des Herrn durchgedrungen sind. 4. Aus diesen prinzipiellen Verschiedenheiten hat sich endlich die Tatsache ergeben, daß junge Brüder und Schwestern aus unsern Kreisen in vielen Anstalten nicht in den Linien ihre geistliche

Pflege und Führung gefunden haben, welche wir nach der uns gewordenen Erkenntnis für die biblisch geforderten halten."

Nur diese Grundsätze habe er vertreten wollen. Wenn er darüber hinaus durch den Abdruck der Briefe ungewollt gekränkt habe, bedauere er das. Vor allem erkenne er an, daß auch in den nach anderen Grundsätzen arbeitenden Anstalten treue Jünger und Jüngerinnen Jesu seien. Ein Gemeinschafts-Brüderhaus solle kein Protest sein gegen die anderen Anstalten, sondern nur ermöglichen, daß die jungen Brüder Leitung und Pflege in den Linien fänden, die sie für richtig hielten. Philipps betonte dagegen, daß man nur zu einer bestimmten Richtung der neueren Bewegung eine reservierte Stellung habe, mit der älteren Bewegung dagegen in engerer Fühlung stehe, auch nicht sowohl die Sonderbestrebungen der nebenkirchlichen Gemeinschaftsbewegung bekämpfe als die innerkirchliche zu stärken wünsche. Die Brüderhäuser ergänzten sich meist aus solchen, welche schon von Jugend auf in der bewahrenden Gnade geblieben seien, vielfach ohne tiefere religiöse Erkenntnis, aber in um so treuerer Bewährung einer sittlich-religiösen Lebensführung. Gerade an den neuerweckten jungen Leuten habe man dagegen vielfach „eine innere Unruhe und Unfertigkeit, um nicht zu sagen: geistliche Nervosität" gefunden, die sie für die praktischen Aufgaben noch nicht brauchbar erscheinen ließ. Die Gründung eines Brüderhauses wolle man nicht als einen Protest gegen die alten Anstalten ansehen (Reformation Nr. 18).

Auch sonst bezeugten die Kreise der Innern Mission nach wie vor mehrfach, daß sie freundlich zur Bewegung ständen, wie z. B. der Bericht gerade über die Konferenz der deutschen Brüderhausvorsteher von 1904 sagt:

„Die Bewegung ist als eine von Gott gegebene zu begrüßen, der durch sie das geistliche Leben unserer Kirche neu befruchten will. Wenn sich hier und da, besonders im Anfang, mancherlei Kollisionen zwischen Gemeinschaft und kirchlichem Amt, oft auch in Laienkreisen eine ungesunde Überschätzung von Laienrede ergaben, so ist es Pflicht der Brüderanstalten, an ihrem Teile mitzuhelfen, daß der Segen dieser Geistesbewegung unserer Kirche erhalten bleibe und sie bereichere. Insonderheit wollen die Brüderanstalten den in den Gemeinschaftskreisen zum Leben erweckten jungen Männern die Möglichkeit bieten, sich in ihnen für den Dienst an der Gemeinde zu rüsten, in der Überzeugung, daß gerade die praktische Arbeit im Dienst an den Hilfsbedürftigen am ersten etwa vorhandenen Mangel an Nüchternheit überwinden helfen wird."

Inzwischen hatte die pastorale Gemeinschaftskonferenz in Plötzensee auf ein Referat Bunkes ihre Befürchtung ausgesprochen, daß zwischen der Kirche und weiten Kreisen der Bewegung eine unüberbrückbare Kluft entstehe, die wegwerfenden Urteile der darbystisch gefärbten Richtung über die Arbeit der Kirche zurückgewiesen, die Amtsbrüder gebeten, auf persönliche Heilsgewißheit und Heiligung hinzuwirken, die Anstalten aber, sich nicht erbittern zu lassen, und schließlich die kirchenfreundlichen Kreise aufgefordert, den Krankheitserscheinungen in ihrer Mitte zu wehren. Stöcker endlich griff noch einmal zum Wort, um einerseits die neue Heiligungslehre Pauls abzuweisen, andererseits zu erklären, daß er von den Erklärungen Krawielitzkis keineswegs befriedigt sei.

Augenscheinlich war man auch in Stöckers Kreisen über diese Entwicklung innerhalb der Gemeinschaftsbewegung tief enttäuscht. Auf der Kirchlich-sozialen Konferenz 1904 wurde als Resolution beschlossen:

„Die zur neunten Generalversammlung der freien Kirchlich-sozialen Konferenz in Hagen Versammelten äußern ihren tiefen Schmerz über den Riß, der gegenwärtig durch das deutsche Gemeinschaftsleben hindurchgeht und die Kinder Gottes noch mehr zu entzweien droht. Wir sehen in einem christlichen Gemeinschaftsleben, das in Christo seinen Grund und im Evangelium seinen Ausdruck erkennt, eine große Gabe des lebendigen Gottes an unsere Kirche. Aber wir sind zugleich der Überzeugung, daß das Gemeinschaftsleben nur dann für das Reich Gottes und die Gemeinschaften von Segen sein kann, wenn der lebendige Christus allein, der Gekreuzigte und Auferstandene, der Mittelpunkt dieser christlichen Bewegung bleibt, nicht Nebendinge als entscheidend für das Seelenheil betrachtet werden, und wenn die in der Gemeinschaftsbewegung Stehenden die Kirche der Reformation als die dem deutschen Volke von Gott gewiesene Stätte zur Herausbildung christlicher Persönlichkeiten ansehen. Wir bitten Gott inbrünstig, daß er die Gläubigen in den Gemeinschaftskreisen und die Gläubigen in der Kirche versöhne und im brüderlichen Geiste vereinige."

Schon diese Fassung zeigt aber zugleich, daß man auch in diesen Kreisen nach wie vor die bisherige wohlwollende Stellung beibehalten wollte, ja, als in der Kommissionssitzung derselben Konferenz bei dem Referate von Coerper-Barmen über „gesundes und krankes Gemeinschaftsleben" P. Wolff (Halle) forderte, daß der Pastor unter allen Umständen Leiter der Gemeinschaft sein müsse, wurde diese Forderung allseitig bekämpft.

Dabei hatte auch die kirchlich-soziale Arbeit gerade aus dem Osten Absagen erhalten, die deutlich genug waren, so z. B. von E. Lohmann*), hatte doch Girkon-Mülheim, der ja dem Osten ent-

*) Die Bewegung in sozialpolitische Bahnen abzulenken, sei eine „Versuchung". „Der gesunde Sinn der Gemeinschaftskreise erkannte, daß die Bewegung sich selber das Grab grübe, wenn sie so ihre Aufgabe verkannte ... Der Weg, den diese christlich-evangelisch-kirchlich-national-liberal-sozialen

stammte, geradezu behauptet: „Soll ein Christ wählen? Ich sage: (nein! Denn er wird doch niemals einen Christen in den Reichs- oder Landtag bringen, da die Christen immer in der Minorität sind, oder sie müssen eben mit der Welt zusammengehen. Darum lassen wir das! Soll sich ein Christ wählen lassen? Ich sage: nein! Denn dann muß er auch von der Welt gewählt werden, da die Christen ihn allein nicht durchbringen. Er muß ihr also Konzessionen machen, das darf er nicht. Darum sitzt auch in den Parlamenten kein wahrer Christ."

2. Die ostdeutschen Schwesternhäuser.

Vandsburg — Magdeburg — Der Streit im Magdalenenstift — Kinderheil — Bibelhaus — Miechowitz.)

Die Folge dieser prinzipiellen Stellungnahme zu allen „gemischten" Anstalten und Arbeiten war, daß man sich immer mehr auf die eigenen Anstalten zurückzog bzw. deren neue gründete. Zwar das Brüderhaus einzurichten, hatte man nicht Freudigkeit, ehe nicht die Gemeinschaften ihre Ehrenschuld gegen das Schwesternhaus voll erkannt und abgetragen hätten (Gemb. 1905 Nr. 14). Dieses aber war in beständigem Wachstum. Oktober 1902—03 traten 40 neue Schwestern ein, 11 neue Arbeitsfelder (Herbst 1902: 8) wurden besetzt und 17 (Herbst 1902: 12) neue Schwestern ausgesandt, während die Gesamtzahl der Schwestern 75 betrug. Allein im November kamen 10 Schwestern hinzu, und die Zahl der Stationen stieg auf 21. Blieb die Steigung auch nicht immer derart rapide, so betrug sie doch für 1903/04 insgesamt 50; im Winter 1904/05 wurden 9 neue Stationen mit 9 Schwestern, am 1. April 1905 7 weitere mit 19 Schwestern besetzt, allerdings einige andere aufgegeben. Halbjährlich sandte man jetzt Schwestern auf dreiviertel Jahre in Berliner Krankenhäuser. Weihnachten 1904 hatte man in Vandsburg eine Kleinkinderschule eröffnet.

Bei diesem Wachstum wurde der Raum zu enge. Bereits 1903 hatte man ein neues Grundstück gekauft, und Ende 1904 beschloß man ernstlich zu bauen. Andererseits schien das starke Wachstum auch die „apostolische Gemeinschaft" zu gefährden. Daher faßte man gleichzeitig ins Auge, „daß ein neuer Mittelpunkt für die Aus-

---

Bestrebungen zurückgelegt haben, das Schicksal ihrer Führer läßt deutlich erkennen, wie recht bereits 1888 die leitenden Männer der Evangelisationsbewegung, wie Professor Christlieb, Baron v. Oertzen usw. mit ihrem vorausschauenden Blicke hatten" (Warte 1903 Nr. 38).

bildung in enger Verbindung mit dem bisherigen zu schaffen sein würde, sofern die Gesamtzahl der Schwestern zweihundert übersteigt."

Eine Station, auf der sich das verwirklichen ließ, ging inzwischen in die Hände Vandsburgs über, nämlich das 1888 *) gegründete Versorgungshaus für Erstgefallene in Marburg. Bereits seit 1902 arbeitete dort eine Schwester als Gehilfin der Hausmutter. Ende Mai 1904 **) ging es in den Besitz des Gemeinschaftsschwesternhauses über, und Herbst 1904 wurde die Arbeit ganz übernommen (mit gegen 30 Gefallenen und gegen 40 Kindern). 1. April 1905 waren hier 8 Schwestern.

Frau P. Blazejewski hatte schon im Herbst 1903 die Leitung des Mutterhauses niedergelegt und war nach Steglitz übergesiedelt.

Auch eine — wohl zu den sogenannten „wilden" zu zählende — Neugründung ist auf dem Gebiet der Schwesternhäuser für diese Periode zu verzeichnen, das am 1. Oktober 1904 eröffnete „christliche Schwesternheim" in Magdeburg, das ebenfalls nur „bekehrte" Schwestern aufnehmen wollte, aber alsbald wieder aus der Öffentlichkeit der Blätter verschwindet.

Zur definitiven Spaltung kam es im Magdalenenstift Teltow. Das Kuratorium war nicht einverstanden mit der Art P. Hahns und der Oberin zu arbeiten, es habe „namentlich, was Erweckung und Bekehrung, Gebetsgemeinschaft und Seelenarbeit anbelangt, lauter Gefahren gesehen." Nach der Darstellung des Kuratoriums bestand diese Arbeitsmethode aber unter anderem darin, daß man die gerade in Magdalenen- und ähnlichen Anstalten nicht unbekannten, zum Teil auf psychopathischer Veranlagung beruhenden Aufregungs- und Krampfzustände als Besessenheit wertete und meinte: „Wo keine Besessenen sind, da sind auch keine Bekehrten". Dieser „Besessenen" nahmen sich Oberin und Pastor besonders an, vor allem auch durch stundenlange Gebetskämpfe, sonderlich zur Nachtzeit. Daß dadurch die Erregung der Zöglinge gefährlich gesteigert und die Autorität von Pastor und Oberin in Frage gestellt wurde, ist klar. Da beide aber daran festhielten, kam es zu immer ernsteren Differenzen, die zur akuten Krisis führten wegen der Maßregelung der leitenden Schwester der Filiale Siloah durch den Hausvorstand, in der das Kuratorium eine Befugnisüberschreitung erblickte. Gräfin Pfeil, die auf der Seite Hahns stand, legte schon September 1902 den Vorsitz nieder. Im Dezember erklärte P. Hahn seinen Rücktritt, führte dann aber die Geschäfte weiter. Die

*) Von Frau P. Schüler-Ankersmitt. 1890 war das Haus gebaut, für die Kinder 1903 ein Mietshaus hinzugenommen.

**) Nach anderer Angabe 1. Dezember 1903.

Schwestern erklärten, daß der größere Teil der im Mutterhause Befindlichen bei etwaigem Ausscheiden der Oberin mit dieser gehen würde. Zur Einigung kam es nicht, das Kuratorium beschloß eine Satzungsänderung, die der Hausvorstand, zuletzt auch auf gerichtlichem Wege, anfocht. Andererseits zeigte die Revolte von 30 Mädchen im Sommer 1903 unter den Augen des Pastors, daß dessen Autorität stark im Schwinden war. Da beschloß die Oberin auszutreten und mit den meisten Schwestern das Stift zu verlassen. Auf privatem Wege erfuhr das Kuratorium davon, aber trotz des ausdrücklichen Versprechens, das sie, darüber zur Rede gestellt, abgab, bis zur Beschaffung einer anderen leitenden Schwester, mindestens aber bis zum 15. Dezember, zu bleiben, verließ sie am 2. November mit zunächst 14 von 26 Schwestern das Stift, letztere obwohl sie zu vierteljährlicher Kündigung verpflichtet waren. Da Kaiserswerth sofort 8 Schwestern sandte, ließ das Kuratorium auch die noch zurückgebliebenen 12 Schwestern Mitte November den Vorausgegangenen folgen. Die altgedienten Diakonissen der Außenstationen, die sich in Hahns und Cäcilie Petersens Leitung nicht hatten finden können (über 20), verblieben bei Teltow. P. Hahn war, besonders wegen seines Verhaltens bei den wegen Ausscheidens der Schwestern geführten Verhandlungen, zum 1. April 1904 gekündigt. Er mußte aber die Anstalt schon anfangs Januar verlassen, weil er eine Gehilfin zu bereden versucht hatte, ihren Dienst zu verlassen. Er wurde von der Kirchenbehörde nach Markt Alvensleben berufen. Die Ausgetretenen nahm Pückler in seinem Schlosse Schedlau auf. Am 1. Mai 1904 zogen sie in ein kleines Landhäuschen in Lichtenrade, der „Diakonissen-Verein Salem" in Lichtenrade entstand. Doch kam es zum Bau eines neuen Mutterhauses erst später*).

„Kinderheil" war jetzt ein Hauptstützpunkt der Gemeinschaftsarbeit in Stettin, das Bibelhaus für Lohmanns Arbeit, Miechowitz trat noch wenig hervor.

3. Die Ostdeutschen und die Äußere Mission.

(Liebenzell und die Ostdeutschen — Die Mission in Südost-Europa.)

Wie in der Innern, so wurde auch in der Äußern Mission die Trennung von den „gemischten" Anstalten im Osten immer

*) Über die ganzen Vorgänge vgl. den Bericht Hahns in „Auf der Warte" 1908 Nr. 36 f., die darauf erfolgte „Erklärung" des Kuratoriums und die Erklärungen Hahns und Krawielitzkis in „Auf der Warte" 1909 Nr. 1, 1910 Nr. 2.

stärker und der Anschluß an die nur „Bekehrte“ aufnehmenden Glaubensmissionen enger. Bereits auf der Königsberger Konferenz 1902 wurde ein junger Bruder, für dessen Unterhalt, nach dem Beispiel Westpreußens (s. o. S. 264), die „Christliche Vereinigung“ eintreten wollte, durch Coerper abgeordnet (Heinrichsohn). Die schlesischen Gemeinschaften übernahmen 1903 die Sorge für den aus ihren Kreisen hervorgegangenen Missionar Wiese und Schwester Charlotte Hoff (C. J. M., Liebenzell), die damals in Deutschland vielfach Versammlungen abhielt (z. B. in Pommern). Da Paul auch Vorsitzender des Liebenzeller Zweiges wurde, wurde Liebenzell immer mehr in die Interessen der ostdeutschen Darbysten hineingezogen. Andererseits gewannen natürlich durch die Ausdehnung der darbystischen Gedanken die auf demselben Boden stehenden „Glaubensmissionen“ an Terrain*).

Eine neue Arbeit begann man unter römischen und griechischen Katholiken in Südosteuropa, auf die man namentlich in Schlesien durch die geographische Lage hingewiesen wurde. Gelegentlich der IX. schlesischen Konferenz fand am 30. September 1903 die „erste grundlegende Beratung über die Evangelisation in den östlichen Ländern“ statt, zu der Bernstorff, v. Zastrow-Zemitz, P. von Andel-Königsberg bei Gießen, E. Lohmann, Regehly, Thießen-Hardesby und Th. Urban-Striegau**) einluden. Hier wurde der „Missionsbund für Südosteuropa“ gegründet unter dem Vorsitze von E. Lohmann***). Aus Mangel an Kräften konnte er

---

*) Die Liebenzeller Mission hatte 1905 14 Missionare (bzw. Missionarinnen) draußen, 20 in Vorbereitung, die China-Allianz-Mission in Barmen 1905 26 Ausgesandte. Die Sudan-Pionier-Mission sandte am 18. November 1904 die ersten 3 Boten aus (die englische Nordafrika-Mission zählte 1905 81 Sendlinge, 14 sich selbst unterhaltend).

**) Wie sein Bruder M. Urban Johanneumszögling, dann Verlagsbuchhändler in Striegau.

***) 1. Der „Missionsbund für Süd-Ost-Europa“ will die Evangelisation in den südöstlichen Ländern Europas anregen und fördern. 2. Der Missionsbund bindet sich nicht an irgendeine kirchliche Richtung, sondern steht auf dem Boden der evangelischen Allianz. 3. Er unterstützt nur solche Missionsbestrebungen, die in biblischer, nüchterner Weise auf Bekehrung und Heiligung hinzielen. 4. Der Missionsbund will helfen, daß das reine Evangelium jeder Nationalität mündlich und schriftlich in ihrer Muttersprache gebracht werde. 5. Dafür sollen möglichst einheimische Evangelisten herangebildet werden, sowie andere beschäftigte Gläubige durch Bibelkurse u. dgl. zur Mitarbeit angeleitet werden. 6. Das Arbeitsfeld besteht aus folgenden Gebieten: Gruppe a) (wo schon Arbeiten bestehen): Deutsche, Tschechen, Polen, Slovaken, Magyaren, Bulgaren. Gruppe b) (wo noch begonnen werden soll): Ruthenen, Slovenen, Rumänier, Serben, Kroaten u. a., Zigeuner,

zunächst keine intensive Arbeit tun, unterstützte aber das bald darauf entstehende „Missionsseminar" in Kattowitz. Ein schlesischer Pole nämlich von der russischen Grenze, ein Deutscher aus Slavonien, ein in Bukarest geborener Ungar und ein Pole aus Österr.-Schlesien kamen im Sommer 1904 zur Kattowitzer Gemeinschaft, mit der Bitte, ihnen zu missionarischer Ausbildung zu verhelfen. Bald machte sich feste Anleitung und geregelter Unterricht nötig, den vor allem M. Urban und Holzmann-Königshütte erteilten, so daß im Winter 1904/05 ein geregelter Missionskursus in Gang kam.

„1. Das Seminar steht auf dem Boden der Bibel und soll dazu dienen, für die Völker Südost-Europas Missionsarbeiter vorzubilden, anzuleiten und zu entsenden als Reiseprediger, Evangelisten, Missionare, Stundenhalter, Kolporteure und Helfer aller Art.

2. Die Zöglinge müssen so viel Deutsch verstehen, daß sie dem Unterricht folgen können. Deutsche Zöglinge sollen, wenn möglich, eine der fremden Sprachen Südost-Europas beherrschen.

4. Die Zöglinge müssen entschieden bekehrt und vom Herrn berufen sein zur Reichsgottesarbeit. Es ist hierbei gleich, welchem kirchlichen Bekenntnis sie angehören, da das Seminar auf Allianzboden steht. Auf Alter, Begabung und Schulbildung wird nicht in erster Linie Gewicht gelegt.

6. Die Schulung geschieht auf dreierlei Weise: a) durch täglichen Unterricht nach geordnetem Stundenplan in allerlei Fächern, Sprachen und Übungen, insonderheit Bibelkunde, mündliche und schriftliche Textauslegung, praktische Theologie, Kirchen- und Missionsgeschichte, Geographie, Musik und Krankenpflege; b) durch Haus- und Gartenarbeit, wobei Willigkeit, Gehorsam, Geschick und Gesundheit heilsam erprobt und ein Gegengewicht zur geistigen Arbeit gegeben wird; c) durch Teilnahme an allerlei Reichsgottesarbeit. Unsere große vielseitige Gemeinschaftsarbeit und der ganze geistlich verwahrloste Industriebezirk bieten da viel Gelegenheit zum Lernen und Missionieren. Die ganze Ausbildung soll weniger theoretisch, um so mehr aber praktisch sein und sich der Veranlagung und Bestimmung des

---

Albanesen, Türken, Tartaren u. a. 7. Wer mit vorstehenden Grundsätzen einverstanden ist und einen Jahresbeitrag von 1 Mk. an bezahlt, kann Mitglied des Missionsbundes werden. 8. Die Mitglieder sollen nicht nur durch Beiträge, sondern vor allem durch treue Fürbitte und je nach Verhältnissen und Fähigkeiten auch auf andere Weise mithelfen (z. B. durch Vorträge und Werbeversammlungen, durch Reisen in die Missionsgebiete, durch Vermittelung von Gaben usw.) 9. Die Geber können selbst bestimmen, für welchen Zweig der Mission ihre Beiträge verwendet werden sollen; andernfalls beschließt das Komitee über die Verwendung der Gelder. 10. Ein vierteljährliches Quittungsblatt erteilt darüber sowie über die Fortschritte der Arbeit Bericht. Es wird allen Mitgliedern unentgeltlich zugesandt. Soweit die Berichte für die Öffentlichkeit geeignet erscheinen, sollen sie in möglichst vielen christlichen Blättern abgedruckt werden.

Einzelnen möglichst anpassen. Davon hängt auch Dauer und Wiederholung des Schulungskursus ab.

8. Hinsichtlich der Aussendung und des Unterhaltes der ausgebildeten Zöglinge steht die Anstalt auf Glaubensboden, d. h. sie erwartet Führung und Versorgung vom Herrn. Das Seminar kann keine anderen Garantien übernehmen, als die uns vom Herrn gegebenen. (Luc. 22, 35.) Der Eintritt in die direkte Missionsarbeit kann je nach Wunsch und Zweckmäßigkeit erfolgen: a) nach eigenem Ermessen und für eigene Verantwortung, oder b) durch Aussendung und unter Leitung durch das Seminar, in der Regel dann in Verbindung mit dem Missionsbunde . . .

9. Das Missionsseminar ist zunächst ein Arbeitszweig der Christlichen Gemeinschaft zu Kattowitz und steht in enger Fühlung mit dem Missionsbund für Südost-Europa . . ."

Auch diese ganze Entwicklung zeigt, wie sehr der Gedanke an Allianz im darbystischen Sinne im Osten herrschend geworden war. Wie stand man aber zu Blankenburg?

Fünftes Kapitel.

Blankenburg und die Ostdeutschen.

Eine gewisse Verbindung lag bei beider darbystischen Richtung ja von vornherein nahe. Daß Krawielitzki 1904 an der Konferenz teilnahm, ist erwähnt. Seit Mai 1904 erscheint sein Name auch als Mitarbeiter statt Jellinghaus auf dem Kopfe des Allianzblattes. Sein Artikel über die Organisation engerer Gemeinschaften wurde zustimmend gebracht und diese Absichten als eine „Vorwärtsbewegung" gerühmt, als bedeutsame Zeichen der Rückkehr der Kinder Gottes zur ersten Liebe (Allbl. 1903/04 S. 107, 1904/05 S. 21)*). Die „Brüder im Osten" wurden in Schutz genommen gegen „eine Presse, deren Leiter und Hintermänner es nicht vertragen können, daß die Kinder Gottes der verschiedenen Denominationen sich nicht mehr von konfessionellen Schranken und Schlagworten einengen und leiten lassen, sondern sich die Hand reichen, um in den Linien des Pfingstgeistes sich zusammenzuschließen", von der jene „hart befehdet, fast möchten wir sagen, denunziert worden" seien. „Ganz besonders hat es jene Presse auf die entschiedenen schlesischen Brüder abgesehen." „Im Mittelpunkt der biblisch gerichteten Gemeinschaftsbewegung Schlesiens" stehe Brieg und sein Leiter Edel, dessen Pilger-

*) „Wahrheit in der Liebe" veröffentlichte Vorschläge zur Gemeinschaftsorganisation, die mit der schlesischen völlig übereinstimmten.

heim als „auf biblischem Allianzboden" stehend empfohlen wird (Allbl. 1904/05 Nr. 15), während es von den kirchlichen Verbänden heißt: „Wir erleben nun tatsächlich das von langer Hand vorbereitete Schauspiel, daß innerhalb ein und derselben Landeskirche sich zwei Lager von Gemeinschaftsleuten gegenüberstehen, daß eine „kirchliche Gemeinschaftspflege" organisiert wird, welche der „freien landeskirchlichen Gemeinschaftspflege", die mit viel Opferwilligkeit und großem Segen arbeitet, den Rang ablaufen soll. Eins ist gewiß: Ein jedes Werk, das aus Gott ist, wird bestehen. Alles Menschenwerk wird wie Stoppel und Spreu verbrennen" (a. a. O. Nr. 8). Über die Brieger Bibelwoche aber berichtete Kühn selbst: „Sichtlich gebrauchte der Herr die Konferenz in Brieg, seine Gemeinde zu reinigen und zu klären und manche seiner Überwinder ihrer Vollendung näher zu bringen. Biblische Allianzgesinnung verband die Konferenzteilnehmer." Besonders im Streite gegen die Innere Mission und die Kirchlich-Sozialen trat Blankenburg für die Ostdeutschen ein. Über die Erklärung der pastoralen Gemeinschaftskonferenz urteilte es: „So bedauerlich an sich für jeden Reichsgottesfreund solcher Kampf auch sein mag — wir verzagen nicht. Alles dies wird zuletzt nur dazu dienen, die Allianz- und Gemeinschaftsbewegung zu reinigen und die Kinder Gottes durch alle etwa kommenden Scheidungen hindurch nur um so inniger und fester zu vereinigen" (a. a. O. Nr. 16). Krawielitzki und Paul hätten nur als „für die Ehre des Herrn sich verzehrende Gottesmänner" „den Finger auf wirklich vorhandene blutende Wunden im Anstalts- und Vereinsleben der Inneren Mission gelegt". Alle „christlich-" und „kirchlich-sozialen Bestrebungen" glichen doch im Grunde nur dem Turmbau zu Babel (a. a. O. Nr. 17)*). Die Worte der Philadelphia (s. u.) wurden abgedruckt und hinzugefügt, die Hauptgefahr für die Bewegung sei „Verkirchlichung" (1904/05 Nr. 5). Ja, das Allianzblatt hatte noch gewissermaßen als Nachklang des Streites der Ostdeutschen um die gemischten Anstalten eine Fehde mit Warneck über „die christlichen Gemeinschaften und die kirchlichen Missionen". Warneck hatte in einem Vortrag vom 28. Februar 1905 bei aller Anerkennung des Berechtigten an der Gemeinschaftsbewegung die Notwendigkeit der neuen Glaubensmissionen bestritten und gewünscht, die Gemeinschaftsleute möchten ihre Besonderheiten lassen, die „apart hohe Glaubens- und Heiligungsstufe", das „unbrüderliche" Urteilen über die Anstalten der Äußern und Innern Mission und die wesentlich evangelistische Arbeitsmethode der Wander-

*) Vgl. auch den heftigen Ausfall gegen die „gläubigen Kirchenreformer" (1904/05 Nr. 7).

predigt, um „möglichst schnell möglichst viele Menschen mit dem Evangelium zu erreichen". Demgegenüber betonte das Allianzblatt, allerdings in freundlicher Anerkennung Warnecks: „Wir Gemeinschaftsleute können mit gutem Gewissen keine Mission unterstützen, die nicht voll und ganz zu der in der Schrift gelehrten Bekehrung und Heiligung steht und nur Missionare aussendet, von deren Bekehrung und Wiedergeburt sie überzeugt ist." Nicht Richtgeist habe 1904 „einige reich gesegnete landeskirchliche Pastoren" zu ihrer scharfen öffentlichen Kritik getrieben. Das Unheil der Innern und Äußern Mission sei, daß sie sich mit der Kirche verbunden habe, ja selbst verkirchlicht sei. „Evangelisierung", nicht „Christianisierung" sei im übrigen jetzt die Aufgabe, und diese „fernländische Evangelisation der Welt nach denselben Grundsätzen" zu betreiben, „wie wir selbst die Evangelisation der Welt in der Heimat betreiben".

Ja, selbst die ostdeutschen Heiligungstheorieen fanden teilweise in Blankenburg Boden. Wenigstens wurde keineswegs gegen Pauls neue Lehre polemisiert, vielmehr die Frage als nicht geklärt bezeichnet, auch Artikel für Paul nicht abgewiesen und im allgemeinen zum Frieden gemahnt (1903/04 Nr. 22). Ausführungen Wesleys über „gänzliche Heiligung" wurden abgedruckt (a. a. O. Nr. 23), aber nachgewiesen, daß Paulus, Petrus und Johannes nicht sündlos gewesen seien. Rubanowitschs gegen Paul gerichtete Schrift „Sündlosigkeit im Leibe des Todes" las Kühn „mit gemischten Gefühlen".

Gleichwohl sind in dieser Periode die Ostdeutschen und die Blankenburger Kreise nicht einfach zu identifizieren, ganz abgesehen von den außerkirchlichen Kreisen, die sich um Blankenburg scharten. Der Unterschied ist vielleicht so zu bestimmen, daß wir in Blankenburg reinen Darbysmus *) mit seinem scharf ausgeprägten Independentismus vor uns haben, während bei den Ostdeutschen in die aus pietistischen und methodistischen Elementen erwachsene Gemeinschaftsbewegung der Darbysmus allmählich hineingedrungen war. Daher sind die Blankenburger die Konsequenteren. Hier warnt man bei aller Zustimmung zu „biblischen" Gemeinschaften doch auch vor Überschätzung der Organisation und hat gewisse Bedenken gegen „größere Verbände" (1904/05 Nr. 1).

Irgendwelcher organisatorischer Zusammenhang aber bestand in dieser Zeit zwischen Blankenburg und den Ostdeutschen noch gar nicht. Man hatte sogar in den Kreisen Blankenburgs den Plan

*) Nochmals sei betont, daß das im Sinne des ursprünglichen Darbysmus der open brethren gemeint ist.

eines eigenen „Allianzbrüderhauses“*), das keineswegs identisch sein sollte mit dem geplanten ostdeutschen Brüderhause. Doch gelangte der Plan zunächst nicht zur Ausführung.

Gegenüber den älteren Gnadauern aber bildeten Blankenburg und Ostdeutschland einen geschlossenen Flügel, der in den „vereinigten Brüderräten“ tief in den Deutschen Verband hineinreichte und daher diesen nötigte, Stellung zu nehmen zur darbystischen Frage.

Sechstes Kapitel.

Gnadau und die neuen Strömungen in der Gemeinschaftsbewegung.

1. Gnadau und der darbystische Osten.

(Der Kompromißbeschluß von 1903 — Die Vertrauensmännerkonferenz 1903 — Die Nachgiebigkeit der Gnadauer.)

Schon die Befürchtungen zentrifugaler Bestrebungen, wie wir sie 1901 und 1902 im Gnadauer Vorstande fanden (s. o. S. 117), richteten sich wohl vornehmlich gegen die ostdeutschen Gemeinschaftsführer. Als nun der Sonderzusammenschluß der ostdeutschen Brüderräte eintrat, verhandelte der Vorstand am 18. April 1903 darüber. Hier mußte sich der Vertreter des Ostens sagen lassen: „Ihr habt einen anderen Geist als wir.“ Dennoch suchte man die Einmütigkeit zu wahren und kam so zu einem Kompromiß:

„1. Der allgemeine Verband hat es nur mit den einzelnen Brüderräten der verschiedenen Provinzen zu tun und nicht mit speziellen Verbänden derselben. Privatzusammenschlüssen zur Erreichung bestimmter Zwecke steht jedoch nichts im Wege. Sie werden, wo es sich um energisches und konzentriertes Wirken handelt, mit Freuden begrüßt. 2. Die Brüderräte, die in ihrem Statut ihre Organe aufführen, sind gehalten, unter diesen auch das offizielle Anzeigenblatt des allgemeinen Verbandes aufzunehmen. 3. Die einzelnen zum allgemeinen Verbande gehörigen Brüder-

---

*) Als Richtlinien sollten eingehalten werden: „Schulden dürfen nicht gemacht werden . . . Nur vom Herrn berufene und von ihm bestätigte Brüder sollen als Zöglinge aufgenommen werden. Ziel der Ausbildung und Ausrüstung: tiefere Einführung in die Schrift, persönliche Durchheiligung und Fertigkeit in Wortverkündigung und Seelsorge. Das Allianz-Brüder-Haus soll der ganzen Gemeinde Gottes dienen: Konfessionelle und nationale Bevorzugungen und Einengungen bleiben ausgeschlossen. Entsendungen von Brüdern nach dürren Gegenden Deutschlands und außerdeutschen Ländern (besonders Rußland und Österreich-Ungarn) sind vornehmlich ins Auge zu fassen“ (Allianzblatt 1904 Nr. 13).

räte machen sich zur Pflicht, sowohl die allgemeinen Konferenzen des Verbandes, sowie auch die allgemeinen Vertrauensmännerkonferenzen zu beschicken. 4. Sie erkennen den vom Verband angestellten Verbandssekretär in seiner amtlichen Tätigkeit, eine nähere Verbindung mit den einzelnen Brüderräten und den einzelnen Gemeinschaften herzustellen, ausnahmslos für sich an."

Ein Verbandssekretär wurde dann am 1. Oktober 1903 in der Tat angestellt in der Person P. Wittekindts, der sein Pfarramt in Oberissigheim aufgab. Aber auf der Leiter- und Vertrauensmännerkonferenz am 14. und 15. Oktober trafen die Gegensätze wieder aufeinander. Schon in der Einladung schrieb Pückler:

„Es macht sich unter uns, teure Brüder, eine Unterströmung jüngerer Brüder bemerkbar, die, von frischer Tatkraft beseelt, zu einem großen Segenswerk sich berufen glauben. Wir freuen uns über ihr Vorangehen und über die Segnung ihres bisherigen Tuns. Aber wir wollen auch, teure Brüder, nicht unsere Besorgnis vor einer gewissen Gefahr verschweigen, die jede auch noch so subtile Spaltung in der Gemeinde Gottes notwendig erzeugt . . . Nicht sage ich solches, teure Freunde, um irgendeinen Bruder zu urteilen, sondern um uns die Tragweite der beabsichtigten Zusammenkunft klar vor Augen zu stellen und die Schwere der Verantwortung für jedermann, der nicht in Christi Sinn und Geist diesem vielleicht drohenden Zwiespalt so gegenübersteht, daß er von ganzem Herzen, um der Einheit der Glieder des Leibes Christi willen, so viel an ihm ist, ihn zu heilen bestrebt ist."

Das erste Thema lautete: „Wie können unsere Gemeinschaften entschieden und doch volkstümlich sein?" Man hatte, um die Ostdeutschen zu Worte kommen zu lassen, Krawielitzki das Referat übertragen. Er forderte natürlich organisierte Gemeinschaften mit engeren Kreisen, die „wirkliche Gemeinschaft" hätten und so „entschieden" seien, daß ein „Unbekehrter merke, er gehöre nicht hinein". J. Hoff berichtete von der praktischen Durchführung in Ostpreußen, Regehly und Edel konstatierten, daß sie auch „unvermittelt auf diese Praxis geführt" seien. Der Korreferent Dietrich betonte, daß man in bezug auf Mitteldinge auf dem Standpunkt der alten Pietisten bleiben wolle, daß man aber in Sachen der Enthaltsamkeit kein über Gottes Wort hinausgehendes Gesetz aufstellen und besonders andere nicht nach dem größeren oder geringeren Maß ihrer Enthaltsamkeit werten dürfe. Ging dies wohl vornehmlich gegen die in Ostdeutschland übliche Forderung der Abstinenz für den Bekehrten, so hatte Dietrich in bezug auf die Organisation stets betont: „Eine christliche Gemeinschaft darf zwar geschlossen, aber nicht für die übrigen Glieder der Kirchengemeinde verschlossen sein, dieselben müssen freien Zutritt zu ihr haben," so in der allerersten Nummer der Philadelphia gewissermaßen als Programmpunkt der Gnadauer. Es wurden denn auch von anderen älteren Gnadauern Bedenken erhoben: Der engere Kreis könne sich leicht für etwas Besonderes halten. Lieber solle sich der Gemeinschaftsleiter nur „mit einem Stab bewährter Brüder umgeben durch Beiwahl ohne öffentliche Verhandlung". Auch hier einigte man sich aber schließlich auf ein Kompromiß, „der Ausschuß dürfe nicht den Anspruch machen, allein die Gemeinde des Herrn in der betreffenden allgemeinen Gemeinschaft zu bilden", sondern solle nur arbeitender Ausschuß sein. Am zweiten Tage wurde über die (innere) Missionstätigkeit der Gemeinschaften gesprochen. Am Nachmittag stellte der neue Verbandssekretär sich den Brüdern vor. Pückler „drückte zum Schluß noch aufs nachdrücklichste den Wunsch aus, daß unsere Gemeinschaftsbewegung deutsch bleiben möge", besonders im Anschluß an den Bericht Blechers über die Jugendbund-Arbeit. Als Wüsten darüber in der schlesischen Brüderkonferenz berichtete, erklärte er im Gegenteil der Meinung zu sein, daß Gemeinschaft und J. B. „naturgemäß ganz eng miteinander verbunden" seien. Der J. B. sei „die Einrichtung, welche uns allein nach Zahl und Qualität den erwünschten Zuwachs für die Gemeinschaften garantiert. Es ist uns deshalb völlig unverständlich, wie ein ernster Gemeinschaftsmann ein Gegner des J. B. sein kann, — wie ein solcher, wenn er wirklich Kenntnis hat von dem J. B. und davon, wie seine Arbeit in Deutschland getrieben wird, denselben verwerfen kann, weil er ‚amerikanisch' ist" (Gemb. 1904 Nr. 1).

Dagegen heißt es im Philadelphia-Bericht zum Schluß: „Der Herr hat geholfen, uns vor Zertrennung bewahrt, den Eifer für des Herrn Sache neu angefacht." Bernstorff aber schrieb: „Es traten bei der Besprechung offenbar zwei Strömungen hervor, aber es war äußerst glaubenstärkend zu sehen, wie die beiderseitigen Ansichten in Liebe ausgesprochen wurden, ohne der Einigkeit Abbruch zu tun, und wie die Aussprache zur Klärung führte."

Tatsächlich war man aber auf die wirkliche prinzipielle Frage der Herausarbeitung der Brautgemeinde, wenigstens den Berichten nach, gar nicht eingegangen. Nicht Klärung, sondern eine Umgehung der Gegensätze war eingetreten. Während aber nachher die Ostdeutschen in den Berichten aufs schärfste ihre Position als die richtige gegenüber den älteren Gnadauern herausstellten, sprachen diese von der gewahrten Einmütigkeit und suchten die Unterschiede zu verwischen. So nahmen auch Haarbeck, Michaelis und Pückler an der Brieger Woche 1904 teil, neben v. Viebahn und Kühn.

Auch in einem Artikel in Philadelphia (1904 Nr. 3): „Wie wird eine Gemeinschaft rechtsfähig?" ging Dietrich auf die prinzipielle Frage nicht ein, sondern warnte nur vor übereilter Eintragung ins Vereinsregister. Bezüglich der Rechtsfähigkeit sei es viel einfacher, wenn der Deutsche Philadelphiaverein für die Gemeinschaften eintrete. Für die aber, die „sich durchaus als eingetragener Verein konstituieren“ wollten, gab er eine Normalsatzung, deren prinzipielle Unterschiedenheit von den ostdeutschen zwar beim Vergleiche in die Augen springt, von ihm aber nicht irgendwie betont wurde, so z. B.

§ 1. Die Gemeinschaft ist eine freie Vereinigung evangelischer Christen zu dem Zwecke, innerhalb der kirchlichen Gemeinde christliches Leben zu wecken und zu pflegen. § 3. Die Gemeinschaft steht auf dem Bekenntnisgrunde der evangelischen Landeskirche und sucht derselben durch ihre Tätigkeit in freier Weise zu dienen. § 4. Mitglieder der Gemeinschaft können volljährige Männer, Frauen und Jungfrauen werden, die sich verpflichten, der evangelischen Lehre gemäß zu leben . . .

Ebenso trat man beim Streit um die gemischten Anstalten nicht dem zugrunde liegenden Darbysmus entgegen. Vielmehr machte Bernstorff, als er die Resolution der pastoralen Gemeinschaftskonferenz abdruckte (Auf der Warte 1904 Nr. 6, Gemfr. 1904 S. 147), dazu die Bemerkung, daß man zugeben könne, daß einzelne Brüder in ihrem Urteil zu schroff gewesen seien. „Daß aber mancher bekehrte Jüngling in unsern Brüderanstalten und Missionshäusern schwer über Mangel an Verständnis und Gemeinschaft geklagt hat, das ist doch oft zu unsern Ohren gekommen.“ „Die Wendungen, die in der Kundgebung gebraucht wurden — ‚wegwerfende Urteile‘, ‚darbystische Richtung‘, ‚unwahr und lieblos‘, ‚Ungerechtigkeit‘, ‚irrende Brüder‘ — scheinen uns ebenso ungerecht und lieblos zu sein wie die darin gerügten.“ Offiziell nahm Gnadau überhaupt keine Stellung, doch nahm Dietrich den Bericht über die Brüderhausvorsteher-Konferenz (s. o. S. 354) zum Anlaß, in der Philadelphia (1904 Nr. 10) auszuführen, daß eine frische innere Verbindung der Anstalten mit den Gemeinschaften verhältnismäßig selten sei infolge innerer Unterschiede.

„Die Gemeinschaftsleute haben oft zu wenig Verständnis für christliche Erziehung und meinen, mit der ‚Bekehrung‘ wäre alles getan. Die Anstaltsleute hinwiederum betreiben die ‚christliche Erziehung‘ oft nur äußerlich, zu wenig innerlich, und dringen nicht auf eine persönliche Stellungnahme zum Herrn, was doch die Hauptsache bei der Bekehrung ist. So sind auch manche Anstalten zu weltförmig, nach ihrer religiösen Seite zu steif kirchlich. Herzensgebet, vollends in Gegenwart von anderen und gar auf den Knieen, ist manchen Anstaltsleuten ein Stein des Anstoßens, daran sie sich ärgern. Ein gemeinsames Besprechen von Erfahrungen im Glaubensleben wird für höchst gefährlich, ein Reden über Gottes Wort für Sache nur der Geistlichen gehalten. Es fehlt in vielen Anstalten an der Seelsorge von Person zu Person, an der christlichen Entschiedenheit, an der Weltgeschiedenheit. Das aber ist den Gemeinschaftsleuten eine Hauptsache. Zu diesen inneren Unterschieden, die natürlich nicht bei allen Anstalten der Inneren Mission zutreffen, kommt noch, daß die Leiter dieser Anstalten im allgemeinen den Gemeinschaftskreisen persönlich ferne stehen. Sie nehmen oft gern Leute und noch lieber Geld von den Gemeinschaftskreisen, aber sie selbst sieht man selten oder nie bei den Gemeinschaftsversammlungen, ja, sie stehen oft nicht einmal in Berührung mit der Gemeinschaft ihres Orts. Wir wünschen auch nicht, daß sie kommen, solange sie nicht innerlich dazu getrieben sind. Als bloße Vertreter ihrer Anstalt sind sie von uns nicht begehrt; doch soll ihnen der Weg allezeit offenstehen. Es soll übrigens gar nicht in Abrede gezogen werden, daß die Schuld an den mangelhaften oder gar fehlenden Beziehungen beider Kreise auch an den Gemeinschaftskreisen liegen kann, indem diese zu schwärmerisch, zu engherzig, zu beschränkt sein können. Diese Mängel mancher Gemeinschaftskreise können nur dadurch beseitigt werden, daß Männer von Einsicht, Verstand und Bildung sich ihnen anschließen, nicht als Herren, die eine bevorzugte Stellung beanspruchen, sondern als schlichte Brüder, die auch das Lallen der Unmündigen zu würdigen wissen, die sich vom Weltwesen geschieden haben, die mit ganzem Herzen dem Herrn Jesu nachwandeln und auch gern neben dem geringsten Bruder sitzen. Das wäre eine Aufgabe der Inneren Mission, die mehr Frucht schaffen würde als manche andere Arbeit. Was hält viele davon ab? Ach, sie haben die Ehre bei Menschen noch lieber als die Ehre bei Gott. Sie wollen sich gern als Gemeinschafts*freunde* zeigen, aber Gemeinschafts*glieder* mögen sie nicht werden. Nun, wir nehmen auch mit ihrer Freundschaft vorlieb, sind sogar dankbar dafür, aber manchem von ihnen möchten wir zurufen: „Komm herein, du Gesegneter des Herrn, warum stehst du draußen?“

Bernstorff hatte offenbar das zugrunde liegende Problem nicht klar erfaßt, Dietrich bemühte sich Lob und Tadel gerecht zu verteilen und ein festeres Verhältnis zwischen den Gemeinschaften und Anstalten anzubahnen, wie denn auch zwischen manchen altpietistischen Kreisen und den Anstalten Innerer (z. B. Bielefeld und Minden-Ravensberg, Diakonissenhaus Speyer und der Pfälzer Verein für Innere Mission) und Äußerer Mission (s. o. S. 262) feste Beziehungen nach wie vor bestanden.

2. Gnadau und Blankenburg.

Etwas schärfere Töne als gegen die Ostdeutschen fand man gegen die konsequentere darbystische Richtung des Allianzblattes. Bei aller Anerkennung des von Blankenburg ausgegangenen Segens konstatierte Dietrich doch (Phil. 1904 Nr. 4) eine „fast feindselige Stimmung gegen die Landeskirchen“ beim Allianzblatt. Durch den Artikel „Eine Vorwärtsbewegung“ *) gehe die „frohe Erwartung,

*) Der gerade die ostdeutsche Bewegung pries. So warnte Dietrich in zarter Weise indirekt auch diese.

daß bald die noch in der Landeskirche stehenden Gläubigen sich zu rein biblischen, d. h. von der Volkskirche befreiten Gemeinschaften zusammenschließen werden". Aber die Geschichte lehre, daß jeder Versuch, eine solche kirchlich nicht gebundene Gemeinschaft zu bilden, gescheitert sei oder zu neuer Parteibildung geführt habe. „Auch die ‚rein biblischen' Darbysten haben ein festes Lehrsystem, eine bestimmte Auslegung der Schrift", so sei auch das moderne Allianzstreben „eine neue Partei, eine neue Form des Christentums". Gegen dies „neue Allianzchristentum" mit seinem geplanten Allianz-Brüderhaus habe er schwere Bedenken. Doch schwächte er auch hier zum Schluß die Schärfe wieder ab: „Wir überlassen es aber selbstverständlich dem Urteil und dem Gewissen eines jeden unserer Leser, welche Stellung ein jedes zu dieser neuen Strömung einzunehmen hat."*)

3. Gnadau und die Paulsche Heiligungstheorie.

Nicht anders erging es mit der neuen Paulschen Heiligungslehre. Unter dem Titel „Zwei Abwege" warnte Dietrich (1904 Nr. 5) gleich nach Erscheinen der Paulschen Ausführungen vor denen, die „zu hoch fliegen" und „halten sich schon für vollkommen geheiligt und über alle Sünde erhaben". In großem Ernst erinnerte er an das Vorhandensein des Fleisches, „solange der Leib lebt". „Das Fleisch bekehrt sich nicht, es bleibt immer, was es ist: ein unreiner, vergifteter Brunnen." Aber indem er denen, die „sich über den Kampf mit Fleisch und Blut erhaben dünken", so entgegentrat, als ob dieselben auch die Versuchlichkeit und die Notwendigkeit der Wachsamkeit leugneten, nahm er seinen Ausführungen etwas das Treffende, und das um so mehr, als er gleichzeitig das Armesünder-Christentum des Altpietismus bekämpfte und mit diesem Kampf den Artikel abschloß.

Beides, Allianzchristentum und Paulsche Heiligungslehre, kam dann auf der Gnadauer Konferenz zur Sprache.

4. Die Gnadauer Konferenz von 1904.

Über die Besucherzahl der IX. Konferenz (24. bis 26. Mai 1904) gehen die Schätzungen etwas auseinander; Chron. d. Chr. W.

*) Auch zu einem Streit zwischen Allbl. und Phil. über die Entrückung kam es infolge einer ablehnenden Rezension Dietrichs über die Schrift von Rheinland „Das Kommen des Herrn für die Seinen" (Allbl. 1904/05 Nr. 12 u. 13, Phil. 1905 Nr. 3).

rechnet 370 Teilnehmer, wovon die kleinere Hälfte Damen, Wacht im ganzen 300; beide konstatieren, daß aus dem Westen verhältnismäßig wenig Besucher dort waren.

Aus Pücklers Einleitungsrede klang etwas wie Resignation: „Ich sprach heute, als ich in den Saal ging, einen jungen Freund, und er sagte mit Recht: ‚Wo sind denn die Erweckungen in Deutschland? Wo wird denn wirklich geerntet?‘ Ich weiß es auch nicht, meine Freunde.“ Unser Volk stehe heute tiefer als vor 30 oder 20 Jahren. „O bittet! Wenn wir alles andere vergessen und uns niederwerfen und Seines Kleides Saum berühren und Ihn bitten, daß Seine Gnadenflut komme, daß in das ganze Gemeinschaftswerk ein Lebenshauch komme und wahrhafte Segens- und Heilkräfte auf unser ganzes Volk ausgehen, so wird der Herr Kräfte geben. Wir sind Patrioten; ich würde mich schämen, wenn das Christentum mich aufhören ließe, Patriot zu sein. Wenn jetzt Brüder das nicht für biblisch halten, so berufe ich mich auf Paulus und auf Christus, wie Er zu Seinem Volk gestanden hat. Der Zustand unseres Volkes ist eine Schmach, ein Hohn für ein evangelisches Volk.“ „Wir wissen, daß nicht ganze Völker sich bekehren, aber das Volk muß merken, daß ein Prophet unter ihnen sei.“ „Wenn Sie das deutsche Volk nicht auf Ihr Herz nehmen, so sind Sie nicht geschickt, an unserem Volke zu arbeiten.“ „Bitten Sie für unser armes Volk.“

Am ersten Haupttage hielt Regehly-Lüben die Morgenandacht über Joh. 11, 51. 52, die Einheit der Kinder Gottes, worauf P. Keller-Döbeln sprach über „Das ewige Reich unseres Herrn Jesu Christi“. Er stellte an der Hand von Kol. 1, 12—14 fünf Punkte auf: 1. bei den Reichsgenossen darf der kräftige Grundzug einer innigen Dankbarkeit nie fehlen, 2. sie sollen stark sein in dem Herrn, 3. Überwinder durch Jesus, 4. von Liebe als der Luft seines Reiches erfüllt, 5. und in der Gewißheit des Heils. In der Debatte gab Michaelis einen Überblick über die Geschichte des Reiches, Büttner betonte die Realität des Reiches. Dietrich wünschte mehr Reichsgewißheit und Reichshoffnung, Lohse betonte die Liebe, besonders Geben, Vergeben, Nachgeben; Haarbeck forderte Reichssinn und Reichsinteresse und warnte vor „Reichsverdrossenheit“. Bernstorff wies auf das Umfassende des Reichsgedankens: „Kein Gedanke ist mir schrecklicher als der, daß unsere Gemeinschaftsbewegung ein Parteiname, eine Parteisache werden könne.“ v. Rothkirch: Nur unter dem Kreuz gelange man ins Reich; Stockmayer: Das ewige Reich bereite sich zu momentan in der Gemeinde. „Wir glauben an die Einheit der Kinder Gottes und aller Glieder des Leibes ohne allen Unterschied.“

Nach einer Pause kam das Ereignis der Konferenz, der Vortrag Pauls, „Unsere Aufgabe im Reiche Christi ist Glauben“, 1. wie bist du gestellt, 2. wie bist du gewiesen. Anknüpfend an das mittelalterliche Gottesurteil, das den Mann im Zweikampf der Frau gegenüber in eine Grube stellte, so daß er nur die Arme bewegen konnte, behauptete er, das sei die Stellung vieler Gläubigen der Sünde gegenüber. „Als ich wiedergeboren war, da war mein Bedürfnis genau das: Ich wollte von jeder Sünde frei sein. Ich glaube nicht, daß ich einem Wiedergeborenen begegnen kann, der nicht dasselbe Bedürfnis hat. Wir haben als Kinder Gottes das Bedürfnis nach einem ungetrübten Frieden, von jeder Sünde befreit zu sein, nie mehr zu sündigen. Ich kann gar nicht anders arbeiten als Evangelist, als wenn Seelen sich bekehren wollten, ihnen die Frage vorlegen, wenn sie sagten: Wir wollen den Heiland sehen: Wollt ihr auch jeder Sünde entsagen? Der ganzen Sünde entsagen, von der ganzen Sünde lösen lassen? Da ist es mir vorgekommen, daß manchmal die Seelen gesagt haben: Das möchte ich schon, aber wie kann ich das? Das kann ich nicht. Aber nun eine ganz verfängliche Frage: Mein lieber Herr Evangelist, Sie sagten jetzt hier zu mir: Ich soll der ganzen Sünde entsagen. Wird mich Jesus denn auch von jeder Sünde freimachen. Bitte, sagen Sie es mir doch: Hat Jesus Sie von jeder Sünde freigemacht? Wenn man dann sagen müßte: Ja, ja, meine liebe Seele, in der Bibel steht es wohl, aber ich selber kann dir darüber nichts sagen! Nein, Gott sei ewig Dank. Der Heiland hat eine vollkommene Erlösung gebracht. Sieh in die Bibel! Lies Röm. 5! Habt ihr das Recht, da einen Abstrich zu machen, da zu sagen, Jesus hat nicht ein vollkommenes Werk getan? Wir haben kein Recht; Er hat ein vollkommenes Werk getan. Und wenn das einer bis dahin noch nicht gesehen hat, dann hat der Feind verstanden, ihm das Erlösungswerk zu verdunkeln und ihn ein bißchen in die Grube zu stellen. Und seht, ich danke meinem Gott aufs innigste dafür, daß es ihm gefallen hat nach seiner großen Barmherzigkeit, mir hier die Augen zu öffnen, daß ich gesehen habe: Jesus hat uns befreit von der innewohnenden Sünde, von der ganzen Sünde, und ich habe das Recht zu tun wie Ebr. 12: Lege ab! Du kannst es und du darfst es. Denn Jesus hat dich davon erlöst. „Kommet her zu Mir alle, die ihr mühselig und beladen seid; wirklich, ich werde euch zur Ruhe bringen,“ d. h. Jesus ist der Mann, bei dem man seine Last los wird, derjenige, der die ganze Sünde, die ganze innewohnende Sünde hinwegtut. Es wurde heute schon Luther erwähnt. Was sagt Luther im zweiten Artikel vom Reiche: „Daß ich unter Ihm lebe und Ihm diene in ewiger Gerechtigkeit, Unschuld und Seligkeit." Ich unterschreibe das. Nur daß man nicht denken soll, das soll erst beginnen, wenn man seinen Leib ausgezogen hat. Es gibt etliche, die betrachten den Tod als Erlöser. Nein! Jesus ist der Erlöser! Wieder andere betrachten den Tod, wenn nicht in erster, so doch gewissermaßen in zweiter Linie als Erlöser. Nein! Der Tod ist der letzte Feind, der abgetan wird. Jesus ist der Erlöser. In deiner Bibel steht geschrieben: Mit einem Opfer hat Er in Ewigkeit vollendet, die geheiligt werden. Der Tod kann bringen Ablösung von dem sterblichen Leibe, nie Ablösung von Sünde. Denn die Sünde ist nicht eine Sache, die im Leibe steckt, die wohnt im Menschen, im Herzen und, wie Paulus aufzeigt, in den Gliedern, aber nur deswegen, weil der Mensch als Unerlöster eben nicht frei werden kann. Es muß sich da zeigen lassen, daß die ganze Sünde durch unseren Jesus hingerichtet ist. Der Fürst dieser Welt ist gerichtet. Diese Stelle Röm. 5 kann doch bloß den Sinn haben „als wirkliche Gerechte", nicht den Sinn, daß ich durch Adam ein wirklicher Sünder, aber nicht durch Jesus ein wirklicher Gerechter geworden bin, nein — dem Herrn sei Dank! — wirkliche Gerechte durch Jesus, von denen die ganze Sünde hinweggenommen ist. Allerdings, unsere Aufgabe in diesem Reiche ist Glauben. Ich habe es gefunden, daß es ein Grundsatz in der heiligen Schrift ist: Dir geschehe, wie du geglaubt hast. Jetzt sagen etliche: Ja, warum erfährt man das nicht? — Die Sache ist sehr einfach: Wir erfahren die Wahrheit immer nur so weit, als wir auf die Wahrheit den Glaubensfuß gesetzt haben. Indem du den Glaubensfuß auf eine Wahrheit setzest, wird die Verheißung, die an Josua gegeben worden ist, dir zuteil. Gott sagt: Jede Stelle Landes, worauf du deinen Fuß setzest, die habe ich dir gegeben. Möchte der teure, hochgelobte Herr geben, daß hier viele Brüder und Schwestern, die den Fuß noch nicht auf diesen kostbaren Grund ihres Glaubens gesetzt haben, ihn darauf setzen und eingehen in die unaussprechliche Seligkeit, die dann herauskommt, wenn man nicht mehr verklagt wird von der Sünde. Ich hab's satt bekommen. Wenn man wie ich vierzehn Jahre mit heißer Sehnsucht danach ausgeschaut hat: Gibt es eine völlige Erlösung? Gibt es, daß man, ununterbrochen — darum handelt es sich — durch Jesus bewahrt gehalten, wandern kann, und daß es nicht mehr dem Feinde gelingen darf, uns da- und dorthin zu reißen. Da stehen die Worte: Bleibet in Mir! Gibt es ein ununterbrochenes Bleiben in Jesu? Und wenn ja, dann ist das Geheimnis gelöst; denn ihr wißt: Wer in Ihm bleibet, der sündigt nicht. Was ist unsere Stellung? Darauf bist du gestellt: Bleibet in Mir! Wie legt man die leicht umstrickende

Sünde ab? Da ist das Geheimnis: Bleibet in Mir und Ich in euch! Ich möchte euch bitten, laßt euch diese Wahrheit nicht verdunkeln; ich habe sie aufleuchten sehen schon früher, aber ich hatte sie nicht im Glauben erfaßt. Aber ich habe mir gesagt: „Das muß es geben! Die Erlösung muß völlig sein." „Ich hatte in meiner Bibel gelesen: Der alte Mensch werde mitgekreuzigt. Danach aber machte ich die Erfahrung: Er regt sich wieder. Dann kam der Augenblick, wo der Geist Gottes mir zeigte: Ich sollte, indem ich Jesum anschaute, Ihm das Vertrauen schenken, daß Er mein zweiter Adam sein werde, daß ich den alten nicht wieder zu sehen bekäme. Ich tat das im Glauben, und das Ergebnis war: Ich habe ihn seitdem nicht wiedergesehen."

Vor der Besprechung betonte Michaelis sofort, daß wohl nur wenige „das von Br. Paul Gesagte als das Resultat auch ihrer inneren Führung bestätigen" könnten. Büttner ging nicht auf Pauls Theorie ein, sondern betonte nur allgemein, daß nach der Vergebung erst die ganze Herrlichkeit der Heiligung komme. Dietrich dagegen gestand, daß er seinen alten Menschen jedenfalls noch hie und da sähe, obwohl er mehr als vierzig Jahre nicht eine Zeit gehabt habe, wo er fern vom Herrn gewesen. Er lasse es ganz dahingestellt, ja glaube, daß Paul seinen alten Menschen nicht mehr gesehen habe. „Die Frage ist, ob andere ihn auch nicht gesehen haben. Manche glauben wohl, ihn gesehen zu haben." P. Proß-Treschklingen (Baden) meinte, daß in dem Maße, als und zu der Zeit, wo man solche Glaubensstellung einnehme, werde der Sieg auch da sein. Witt-Havetoft aber befürchtete von Pauls Lehre einen Schatten für die Konferenz. Sie stelle die Lehre von der zugerechneten Gerechtigkeit Christi in den Hintergrund. Gerade in Schleswig-Holstein habe man mit der Sündlosigkeitslehre zu kämpfen. „Wenn der liebe P. Paul gesagt hat, daß er seit einiger Zeit nicht mehr gesündigt habe und nicht mehr sündige, so kommt es darauf an, was man sündigen nennt. Ob er so voll Liebe gegen Gott und gegen Jesum und so voll Dankbarkeit immerdar gewesen ist, wie er hätte sein sollen, das bezweifle ich doch sehr." Er ging so weit, Paul zu wünschen, daß er einmal einen tiefen Fall tue. (Bewegung.) Haarbeck berief sich auf den consensus fidelium. Er habe noch keinen gefunden, der Pauls bereits literarisch ausgesprochene Ansicht billigte. Das Ausbreiten der innersten Erfahrungen berühre peinlich und sei doch wohl Temperamentsfehler. Pauls Satz: „Ich stehe vor Gott wie Adam vor dem Sündenfall" sei zwar prinzipiell richtig, aber die ganze Darstellung sei 1. einseitig, 2. dürfen absolut von Gott und Christo gebrauchte Ausdrücke nicht ohne weiteres auf uns angewendet werden, und 3. sei auch nach der Schrift ein Unterschied zwischen Prinzip und Praxis. Es bleibe ein Kampf. Regehly dagegen hatte dasselbe Bedürfnis wie Paul und freute sich dessen Erfahrung. „Nicht ein Schatten, sondern ein helles Licht ist auf die Konferenz gefallen. In diesem Lichte erkennen wir freilich erst unsere eigene Dunkelheit.“ Er tadelte Witts Wunsch, vertraute aber dem Herrn, daß er auch ihm dasselbe wie Paul schenken werde. Er danke Paul, daß er öffentlich dies Zeugnis abgelegt. Keller=Döbeln sprach auch sein Entsetzen aus über Witts Wort, aber konstatierte zugleich, daß er selbst seit seiner Bekehrung seinen alten Menschen immer deutlicher gesehen habe. Dagegen behauptete Edelhoff sogar, er habe nur eine logische Rede gehört, nämlich die Pauls*). Eine Anzahl von Brüdern habe sich sehr über den Vortrag gefreut. Da Erregung spürbar wurde, vereinigte man sich zum Gebet, dann machte Paul persönlich die Bemerkung, daß er Witt jetzt nur noch lieber habe; übrigens habe er sofort, als er zum Vortrag aufgefordert worden sei, Pückler geschrieben, daß er eine tiefere Heilserfahrung gemacht habe, ob er auch auf seinen Vortrag verzichten wolle. Persönlich zu zeugen, sei für ihn Gottes Befehl. Nach Pückler hat Gnadau stets auf dem Standpunkt gestanden, daß der Gläubige Sünde in sich hat; doch werde niemand die Möglichkeit eines ununterbrochenen Bleibens in Jesu geleugnet haben. Der Irrtum Pauls liege darin, zu behaupten, daß er keine Sünde in sich habe, wenn er auch besondere Gnade habe, in Jesu zu bleiben. Meyer=Ravenstein dagegen bat, daß sie dem, was Paul erlebt, auch nachstreben möchten von Herzen. Bernstorff hat den entschiedenen Eindruck gehabt, daß kein Schatten dadurch auf die Konferenz falle. Sein Standpunkt ist: Wir sollen dem Ziel der Vollkommenheit nachjagen. „Das Ziel wird erreicht; ich will nicht weiter danach fragen: wann? ob hier oder droben. Ich will diesem Ziel nachjagen.“ P. Gerß=Eydtkuhnen fragte, was unter Bleiben in Jesu hier verstanden würde. Das sei doch eigentlich identisch mit Kind Gottes sein. Stockmayer unterschied daraufhin Bleiben in Jesu und bewußtes Bleiben in Jesu. Kinder Gottes sind in Jesu, aber das bewußte Bleiben in ihm kann unterbrochen werden. Exegetisch behauptete er, die Schrift kenne keinen „alten Menschen“ als Prinzip der Sünde in uns, als etwas in uns Gegenwärtiges. Er sei dankbar den Brüdern, „die den Mut haben, auch wenn sie es nicht korrekt ausdrückten, daß sie einen frischen Lebenshauch in unsere Reihen bringen“. „Die Formulierung ist nie korrekt, sie korrigiert sich erst mit der Erfahrung, aber wenn es aufrichtig ist, steht Gott dazu.“

---

*) „Br. Edelhoff ist noch jung“, bemerkte Philadelphia dazu.

„Was uns auch in der Formulierung nicht paßt, laßt uns doch sehen, ob wir nicht von dem und jenem etwas mitnehmen können um Jesu willen, daß es von Rechtfertigung in Heiligung und von Heiligung in Erlösung gehe.“ Michaelis meinte: Die Bibel stelle wohl das vollkommene Ziel vor Augen, konstatiere aber an keiner Stelle, daß ein Mensch es erreicht habe. Paul besprach zum Schluß noch ein paar Bibelstellen, wobei er versuchte, das „Sünde haben“, 1. Joh. 1, 8, anders zu deuten. Übrigens bleibe die Möglichkeit der Sünde, auch wenn wir vom Hang zur Sünde gereinigt seien, weil der Satan noch da sei.

Bei den Abendberichten erzählte Evangelist Paulsen-Berlin von einem Pastor aus Galizien. „Ich fragte ihn nach einem dortigen Evangelisten. Er sagte: ‚So weit wie der sind wir nicht‘. Da merkte ich, daß er demütig sei und sagte ihm: ‚Nun, Sie können bei uns reden.‘“ Im Gespräch habe er auch gesagt: „Vergebung der Sünden habe ich, aber das, was so überspringt, fehlt mir“. Da seien sie niedergekniet zum Beten und später habe er einen Brief bekommen: „In den ersten Tagen war's anders; in der Gebetswoche kam das Überspringende.“

Haarbeck betonte das Recht des Gnadauer Prinzips „gegenüber der neuen Allianz“, von der jetzt viel die Rede sei. „Nach meinem Urteil ist sie nahezu das Gegenteil von der alten Allianz. Diese erkannte nämlich alles Bestehende, soweit es dieselbe Stellung zu Christus und zur Bibel hatte, an und vereinigte es. Die neue Allianz erkennt eigentlich nichts an, sondern hat neben allem, was bisher allianzmäßig verbunden war, etwas Neues errichtet, und darin dominiert die Richtung, die sich von der alten Allianz selbst ausgeschlossen hatte*). Durch diesen zwiefachen Gebrauch des Namens ‚Allianz‘ ist eine große Verwirrung entstanden . . . Wir Gnadauer sind im alten Sinne Allianzleute, aber im neuen Sinne können wir es nicht sein.“

Andererseits konstatierte er, daß bezüglich Pauls „keine volle Harmonie“ herrsche, sondern Differenzen zutage getreten seien. „Wir wollen aber die Bitte und Hoffnung aussprechen, daß das Gesprochene nur dienen möge zur gegenseitigen Befruchtung, daß es aber nie zu einem Anlaß der Trennung und Spaltung werde.“

Am 26. Mai hielt Edel die Morgenandacht über Apgsch. 1, 14; 2, 1, „zu einem Leib getauft“. Um Pfingsten zu erleben, müsse man einmütig sein 1. auf dem Boden der Erlösung. „Über den auf dem Naturboden eines gemeinsamen Bekenntnisses oder Verfassung stehenden Teilkirchen des Vorhofes, die alle ein Gemisch von wiedergeborenen und unwiedergeborenen Menschen

*) Nämlich der Darbysmus.

sind, erhebt sich wachstümlich das Heiligtum Gottes aller Gotteskinder, die, weit entfernt, ihre Teilkirchen zu verachten, vielmehr deren Salz und brauchbarste Glieder sind." „Aber ... die Einigkeit mit allen Gotteskindern muß uns weit über die Einigkeit mit den Gliedern unserer Teilkirche gehen, wenn selbige nicht wiedergeboren sind." „Auf alle die Teilkirchen, die auf diesem Punkt nicht Buße tun, wird der erwartete Spätregen nicht fallen." 2. gelte es eins zu sein im Bewußtsein der Armut und Kraftlosigkeit. „Wiedergeborensein und die Pfingstfülle empfangen haben sind sehr verschiedene Dinge."

Das dritte Referat „Unser Werk im Reich ist Dienen" von P. Schmolke-Libau (Posen) führte etwa aus: Nur Erlöste können dienen. Man muß sich still und in Einfalt einen Dienst vom Herrn anweisen lassen. (Gott will übrigens keinen Neuling in seinem Dienst, erst muß derselbe in der Stille seine Lektionen praktisch lernen.) Er wies auf Jesu Dienst hin, auch als er vor seinem öffentlichen Auftreten als Zimmermann gearbeitet. „Wenn zwei Engel vom Himmel gesandt würden, der eine, um Gemeinden zu gründen ... und ein anderer ... in den Straßen zu kehren, dann hätten beide, so wunderbar das auch klingt, doch denselben Dienst." „Du kannst in deiner Familie, in deinem Beruf, bei deiner Arbeit, in deiner Stellung bleiben; brauchst nicht zu denken, o, jetzt muß ich wohl ein Evangelist, ein Lehrer, ein Diakon, eine Diakonisse, ein Pastor werden, um dem Herrn zu dienen: ich fühle in mir den Beruf dazu." „Eine gläubige Mutter, der es ganzer Ernst ist, in den täglichen Berufsgeschäften den Herrn durch treue Nachfolge zu verherrlichen, ist ebenso eine treue Dienerin Jesu wie eine gläubige Diakonisse." Es komme nur darauf an, dem Herrn Schritt vor Schritt nachzufolgen. Zwei Gefahren seien auf diesem Wege: Menschengefälligkeit und Furcht.

Danach folgte die Berichtsversammlung, in der zunächst Pückler Gott die Ehre gab für den Fortschritt der Arbeit, aber auch für die Segnungen, die „Gott der Gemeinschaftsbewegung dadurch gegeben hat, daß Er auch Verschiedenes in einem Geiste einte". „Es ist ja von Anfang an unsere Absicht gewesen, daß jede Provinz, jeder Kreis in seiner Arbeit frei sein sollte; es sollte von einer Zentralisation keine Rede sein in dem Sinne, daß von einer Zentrale alles geleitet würde." „Möchte der heilige Geist es in uns wirken, daß wir die Einigkeit im Geist festhalten ... und es wissen, daß der Hauptdienst ist die ‚Philadelphia, die Bruderliebe'. Manche Kreise reden von alten Gemeinschaften, als ob sie tot wären, während sie doch noch viel von ihnen lernen könnten; und diese wiederum reden von den jüngeren Gemeinschaften als von Schwärmern und Stürmern, die alles übertrieben.

Das laßt uns nicht tun; sondern wir wollen sagen: es hat beides sein Recht." Das deutsche Gemeinschaftswesen ist jetzt „in einiger, schöner Fahrt begriffen". „Was wollen wir weiter tun?" An der Hand von Hes. 47 führte er aus, daß die Gemeinschaftsbewegung auch einmal ihre Segnungen den Heiden zugänglich machen solle, daß sie tiefer werden müsse, wozu aber eschatologische Beschäftigung noch nicht genüge. „Gemeinschaftswesen ist Reaktion des lebendigen Christentums gegen das Kirchentum." Eine kleine Gefahr scheine ihm darin zu bestehen, daß man ein bißchen lehrhaft werde und ein bißchen stark theologisiere. „Wenn ein Gemeinschaftsmann seine Bibel kennt und seinen Jesus aus der Bibel . . ., so hat er ganz genug."

Scharwächter, der über Sachsen berichtete, erwähnte das störende Eindringen anderer Brüder dort, „gewiß in bester Absicht, etwa unter dem Namen, die rechte Allianz zu vertreten. In Wahrheit aber werben sie öffentlich oder privat, mündlich oder schriftlich für eine eigene Partei und stiften Unfrieden". „Der Brüderrat Sachsens steht unverändert auf dem in früheren Jahren festgelegten Gnadauer Programm und hat keinen Grund, das ‚landeskirchlich' zu streichen oder es zum Deckmantel anderer Gesinnung zu machen." „Wir tragen darum keinerlei Gelüste, diese Kirche zu zerbrechen — es ist noch ein großer Segen darin. — Sollte aber nach dem Urteile bedeutender Kirchenmänner die Zeit der Landeskirche bald vorüber sein, so wird der Herr in seiner Macht die Wege weisen. Unsere Aufgabe ist nicht, zu zerreißen, sondern zu bauen. In dem Zusammengehen und Zusammenarbeiten mit den gläubigen Geistlichen der Landeskirche sehen wir eine Garantie für eine gesunde Weiterentwicklung. Die Geschichte der christlichen Kirche bezeugt genugsam, wohin selbstgewählte Trennung führt." Witt bat wegen seiner Bemerkung über Paul um Verzeihung, und Wittekindt berichtete über seine Reisen. Im allgemeinen sei in den Gemeinschaften Kraft, manche aber seien, wie die Kirche, „ein gemischter Haufen", manche ständen still, weil sie nicht arbeiteten. Kirchlich seien die Gemeinschaften im Osten im großen und ganzen. „Die Leute denken absolut an keine Separation." Sie fürchteten nur die Herrschaft des Pastors.

Offenbar hatte der Verbandssekretär die durch die Entwicklung im Osten drohende Krise entweder nicht erkannt, oder er war selbst nicht unberührt geblieben von den dort aufgekeimten Gedanken.

Aber auch, wo man die ostdeutschen Gedanken bewußt ablehnte, wollte man doch möglichst entgegenkommen. Während Paul, Edel, Regehly scharf und bestimmt ihre Ansicht aussprechen, sucht man von der anderen Seite immer wieder zu überbrücken und die Einmütigkeit festzuhalten. So schließt das Komitee an die

Debatte über die Heiligung in den Verhandlungen (S. 69) die Bemerkung: „Einig war man sich darin, daß das ununterbrochene Bleiben in Jesu das für das Christenleben zu erstrebende Ziel sei. Dagegen wurde die Behauptung des Herrn P. Paul von der Hinwegnahme der Sündennatur im Menschen von der Mehrheit der Redner ausdrücklich abgelehnt." Deutlicher schrieb Philadelphia: „Gewiß war diese Debatte höchst anregend. Die brüderliche Liebe wurde nicht verletzt, aber die Meinungsverschiedenheit nicht ausgeglichen. Ganz auf P. Pauls Seite schienen die Gemeinschaftspastoren des östlichen Bundes: Regehly, Krawielitzki, Edelhoff und Meyer, zu stehen. Bei einer späteren Besprechung der Angelegenheit im engeren Kreis der Vorstände zeigte sich's, daß alle anderen die Stellung Pauls zum mindesten bedenklich fanden." Andere Berichte konstatieren sogar: „Wenn die Kraft und Inbrunst, mit der das Amen zum Schluß jeder Rede erklang, ein Zeichen für die innere Stellung der Teilnehmer war, so wurde die Stimmung für Paul immer wärmer und siegreicher." So bemängelte auch im Briefkasten des „Gemeinschaftsfreund" jemand die Berichterstattung. Die Mehrheit habe anerkannt, daß solche Stufe der Heiligung wohl zu erlangen sei. Bernstorffs Antwort zeigt das ganze Streben mancher Gnadauer, soweit wie möglich entgegenzukommen. Pauls Referat sei ein mächtiger Antrieb zur Heiligung gewesen. Ungetrübte Gemeinschaft mit Jesu sei selbstverständlich das Sehnen aller Gläubigen. Auch sollte nicht für unmöglich erklärt werden, was die Schrift gebietet. Keiner aber hätte eine gleiche Erfahrung bezeugen können wie Paul, und dessen Folgerungen schienen doch über das Ziel hinauszugehen. Es bleibe abzuwarten, ob Paul bei seinem Standpunkt bleibe.

Die Folge solchen Entgegenkommens war aber natürlich nur um so festeres Beharren der Ostdeutschen bei Paul, wie wir oben schon sahen.

Nur der Gegensatz zu Blankenburg scheint damals wirklich etwas schärfer geworden zu sein. Haarbeck wurde wegen seiner deutlichen Worte auf der Konferenz vom Allianzblatt angegriffen, worauf er richtig als das Neue feststellte: 1. eine unfreundliche Stellung zur Landeskirche; 2. das Vorhandensein organisierter und arbeitender Allianzgemeinschaften; 3. die Aufnahme und Anerkennung des darbystischen Elements, das sich von der alten Allianz selbst ausgeschlossen habe, wogegen die Redaktion diese drei Punkte zu rechtfertigen suchte als ganz in den ursprünglichen Allianzbahnen sich bewegend. Aber er hat nicht verhindern können, daß die ostdeutschen Johanneumsbrüder dieser Allianz mit Begeisterung folgten.

Siebentes Kapitel.

Reichsgottesarbeiter und Zeitschriften als Träger der neuen Ideen.

1. Die Brüder der älteren Anstalten.

(Johanneum — Chrischona und Neukirchen — Jellinghaus' Bibelschule.)

Daß Haarbeck nicht allzu optimistisch die Entwicklung ansah, zeigt seine Klage im Jahresbericht 1902/3 über die viele Uneinigkeit und Zersplitterung auch in den Gemeinschaften, die mancherlei „Konkurrenzgemeinschaften", „wobei auch die Stellung zur Kirche und zu den Sakramenten eine große Rolle spielt". 1904 warnte er bei aller Anerkennung: „Es geht durch den Osten unseres Vaterlandes eine mächtige Geistesbewegung, die sich nicht nur mit unwiderstehlicher Gewalt von Ort zu Ort ausbreitet, sondern auch mit heiligem Ernst und Eifer in alle Tiefen des Wortes und in alle Höhen des göttlichen Ratschlusses fast stürmisch hineindringen will. Wir können von dem Ernst und der Hingabe unserer Brüder im Osten viel lernen, wenn wir auch in der Bewegung manches sehen, was uns über die Grenzen der biblischen Lehre hinauszugehen scheint, und auf der anderen Seite zuweilen die Liebe vermissen, welche alle Gegner anerkennt, die auf der Seite des Herrn stehen." Aber er sah darin doch nur Kinderkrankheiten. Leben sei da, und eine gegenseitige Beeinflussung des Ostens und des Westens werde zur gesunden Entwicklung beider Teile beitragen. Für seine Person und als Leiter der Anstalt blieb er selbst gut landeskirchlich. Als 1904 (30. Juli) zu einem Neubau der Grundstein gelegt werden mußte*), hieß es in der eingemauerten Urkunde:

„Wir stehen auf dem Boden der in der heiligen Schrift uns gegebenen Offenbarung Gottes. Wir stehen treu zum apostolischen Glaubensbekenntnis und zu den reformatorischen Bekenntnisschriften. Wir erkennen es als unsere Aufgabe, nur auf dem Boden und im Rahmen unserer Landeskirche dem Evangelium zu dienen."

Konnte aber Haarbeck die ausgesandten Johanneumsbrüder nicht vor dem Eingehen auf darbystische und Paulsche Gedanken be-

---

*) März 1904 waren im ganzen bereits 79 Brüder ausgesandt, beim Jahresfest desselben Jahres (13. November) 86, im Hause waren 26 Zöglinge und 7 Gäste. Der Neubau wurde am 18. Juni 1905 eingeweiht. Für Aschoff kam 1904 W. Haarbeck jun.

wahren, so war dies bei Chrischona erst recht nicht der Fall, wo man ja von vornherein auf Allianzboden stand*), und ebensowenig in Neukirchen, wo man ja selbst darbystischen Tendenzen huldigte.

Jellinghaus dagegen wandte sich energisch gegen den Darbysmus. Es scheint auch, daß er teilweise noch auf seine entlassenen Schüler in mäßigendem Sinne eingewirkt hat, obwohl er mit seiner Schule auch auf dem Boden der Allianz stand. Er wollte nichts wissen von der Absonderung von der „Welt" und den abgeschlossenen Gemeinschaften von „Geheiligten", schrieb auch sehr vernünftige Worte über falsche Stellung zu den Naturordnungen. Wie weit aber seine Schüler ihm wirklich folgten, zumal wenn sie später etwa noch andere Anstalten besuchten, läßt sich nicht feststellen.

Er erweiterte jetzt seine Arbeit zu einem „Bibelschulseminar für Gläubige aus den protestantischen und orientalischen Kirchen", das mit einem Bulgaren, einem persischen Nestorianer, einem Armenier, zwei Esthen und einigen Deutschen Oktober 1903 in Berlin begonnen, am 1. April 1904 nach Lichtenrade in ein eigenes Haus verlegt wurde. Es wollte weniger ein Evangelistenseminar mit mehrjährigem Kursus sein, als im Zusammenhang mit der Bibelschule teils auf dieselbe vorbereiten (die Ausländer), teils vertiefen.

Jellinghaus hatte dabei an Verbindung mit Lepsius' Deutscher Orientmission gedacht. War es doch auf die Anregung des im Dienste der Orientmission stehenden Stefanowitsch eingerichtet. Lepsius erklärte aber, die Ziele des Seminars seien zu niedrig. Er werde ein eigenes mehrklassiges Stundistenseminar an anderem Orte errichten. Doch wurde wegen fehlender Mittel zunächst beschlossen, eine Anzahl Stundisten in Jellinghaus' Seminar zu geben, das in diesem Teil daher „Proseminar" betitelt wurde. Lepsius aber bestand schon im September 1904 darauf, daß das Bibelschulseminar auch als Proseminar nicht genüge, und die von der Orientmission unterhaltenen Stundisten wurden Jellinghaus entzogen. Dadurch scheint es zum Bruch zwischen beiden gekommen zu sein. Jellinghaus trat aus der Gründung des einst so tapfer von ihm verteidigten Freundes aus und legte sein Amt als stellvertretender Vorsitzender der Orientmission**) nieder. Die Bibelschule hielt

---

*) In Deutschland arbeiteten 1904 im Verbande der Pilgermission 20 Brüder.

**) Diese war inzwischen E. V. geworden und hatte den bisherigen Untertitel „Deutscher Hilfsbund für Armenien" aufgegeben.

Jellinghaus nach wie vor von Januar bis März in Berlin. 1905 beteiligten sich 46 Brüder und 27 Schwestern. Das „Gnadenheim" wurde zunächst nur als Evangelisationshalle und Kaffeeküche benutzt. P. Klein nahm sich der verschiedenen Arbeiten Jellinghaus' helfend an. Seit 1905 unterstützte ihn sein Sohn Dr. phil. Jellinghaus.

2. Der neue Stand der „Reichsgottesarbeiter".

(Allgemeines — Die Vereinigung der Reichsgottesarbeiter.)

Wenn wir in dem Bisherigen oft genug darauf haben hinweisen müssen, wie gerade die nicht theologisch ausgebildeten Berufsarbeiter vor allem in selbständiger Stellung den neuen Ideen dienstbar wurden, auch wenn die Leiter ihrer Ausbildung andere Anschauungen vertraten, so soll hier doch ausdrücklich hervorgehoben werden, daß nicht etwa den einzelnen Gemeinschaftspflegern diese Entwicklung zum Vorwurf zu machen ist, sondern vielmehr dem System der theologischen Halbbildung. Diese Männer mit ihrer halben theologischen Ausrüstung waren einfach nicht imstande, in dem wahrhaften Strudel aller möglichen sich als „biblisch" ausgebenden Meinungen, die auf sie einstürmten, sich zurechtzufinden, und gerade je eifriger sie es, etwa als Pfleger einer selbständigen Gemeinschaft, damit nahmen, ihrer ihnen, wie sie meinten, anvertrauten Herde d i e „biblische" Wahrheit zu verkünden, desto mehr mußten sie in Verwirrung geraten*). Ganz naturgemäß folgten dann viele der radikalen Strömung, als der scheinbar konsequentesten, und waren widerstandslos gegen neue scheinbare Geistesbewegungen. So rächte es sich, daß man aus dem religiösen Grundsatz der Reformatoren vom allgemeinen Priestertum eine Verfassungsmaxime vom Lehrrecht aller Christen gemacht hatte.

Vor allem aber durch die Organisation der Einzelgemeinschaften wurde dieser Stand der Reichsgottesarbeiter zu einem ganz besonders bedeutungsvollen Faktor in der Bewegung, der die Gedanken, für die seine Mehrheit eintrat, zur größten Geltung bringen konnte. Wurden doch die Gemeinschaften von manchen Führern, wie Krawielitzki (s. o. S. 338) angewiesen, von diesen von Gott berufenen Evangelisten mehr zu erwarten als von den von der kirchlichen Obrigkeit eingesetzten Pastoren. Dazu kam der überaus schnelle

---

*) Viel später erzählt Seher einmal, daß ihn ein junger Reichsgottesarbeiter konsultierte, der zu gleicher Zeit Nietzsche und Paul (!) las und bei diesen Kämpfen schwer nervös geworden war.

Wechsel der Gemeinschaftspfleger, vom Westen in den Osten und umgekehrt, der zur schnellen Verbreitung neuer Ideen beitrug*).

Besonders bedeutungsvoll wurde aber für die Entwicklung dieses besonderen Standes der Zusammenschluß zu einem Verbande. Gelegentlich der Harzkonferenz 1903 hatten sich viele Reichsgottesarbeiter zu einer Vorbesprechung zusammengefunden. Auf einer weiteren Konferenz in Kassel am 27. und 28. Oktober 1903 wurde dann die „Vereinigung der Reichsgottesarbeiter in Deutschland" ins Leben gerufen.

Nach den Satzungen bezweckt sie „auf Grund der heiligen Schrift Vertiefung des Glaubenslebens und der Erkenntnis, gegenseitige Anregung für die Arbeit und Dienen in schwierigen Lebens- und Berufslagen" (§ 2).

§ 3. Dieser Zweck soll erreicht werden: 1. durch Abhaltung von Konferenzen, 2. durch Gründung einer freiwilligen Unterstützungskasse, welche durch besonderes Statut geregelt wird, 3. durch Herausgabe eines Vereinsorgans.

§ 4. Mitglied kann jeder Reichsgottesarbeiter werden, der öffentlich am Worte dient**), sich nicht im Pfarramt oder irdischen Beruf befindet und in der erlösenden Kraft des Blutes Christi steht . . .

Zum Vorstand wurden gewählt: A. Dallmeyer-Kassel, Ihloff, A. Meister-Kassel, L. Winter, H. Dallmeyer-Langendreer***) und der mehrfach genannte J. Hoff. Mit dem 1. Januar 1904 rief man ein eigenes Monatsblatt, „Der Reichsgottesarbeiter", ins Leben. Bezirksverbände wurden eingerichtet. Natürlich waren die Anschauungen, die hier zu Worte kamen, sehr verschieden; neben Edel schrieb hier A. Dallmeyer, der gut landeskirchlich sein wollte. Welcher Geist aber in manchen Bezirksverbänden herrschte, zeigt die Bezirkskonferenz für Brandenburg am 4. und 5. Mai 1904. Hier wurde über die „brennende Frage" der Organisation der Einzelgemeinschaften verhandelt und diese geradezu als ein Grundpfeiler aller Gemeinschaft proklamiert†). Doch trat auch das Organ

---

*) Zugleich freilich ein Hindernis für die Anpassung der Bewegung an den Stammescharakter.

**) Diese Bezeichnung zeigt, daß man sich jetzt — in offenbarem Gegensatz zu Christliebs Gedanken — ausgesprochen das publice docere zusprach, das die C. A. vom „ordentlichen Beruf" abhängig macht.

***) Bruder von August, Johanneumszögling.

†) „Die Gotteskinder gehören zusammen und haben das Recht, sich geschlossen zu versammeln. Sie sollen ein Volk sein und nichts Unreines anrühren. Solche können untereinander wahre Herzensgemeinschaft haben. Diese fest zusammenzuschließen ist nach der Schrift unsere Pflicht." Die Grenze finde sich, „indem man den einzelnen Zeugnis ablegen läßt. Die Befürchtung, daß sich Unlautere anschließen können, ist haltlos. Diese

des Gesamtverbandes energisch für die Gemeinschaftsorganisation als biblisch und gottgewollt ein und wurde vom Allianzblatt dafür belobt (1904/5 Nr. 3).

3. Die weiblichen Berufsarbeiter.

Wohl noch mehr wurden die weiblichen Berufsarbeiter Träger der neuesten Ideen. Das ergibt sich schon aus dem über die Schwesternhäuser Gesagten, zumal jetzt mehr und mehr die Frauen auch anfingen, evangelistisch aufzutreten (z. B. Bibelhausschwestern, auch Ch. Hoff, s. o. S. 359).

Die Gräfin Schimmelmann freilich, die seit 1903 ein eigenes Blatt, „Leuchtturm", herausgab, wollte von Blankenburg und seinem Darbysmus nichts wissen und schrieb einen Artikel dagegen, den das Allianzblatt als „Gewäsch" bezeichnete. Bei ihrer wunderlichen Einspännerart kam sie aber für die Gesamtbewegung wenig in Betracht.

4. Freie Evangelisten und Zeitschriften.

(Die Zeltmission — Schrenk und ältere Evangelisten — Licht und Leben — Die Warte — Wahrheit in der Liebe — Kranz.)

Neue freie Evangelisten sind sonst, soweit ich sehe, in dieser Periode nicht aufgetreten, wenigstens nicht solche aus den größeren Brüderschaften oder aus dem Pfarramt, mit Ausnahme der Zeltmission. Sie war eine Gründung des bei Oberhessen erwähnten Jakob Vetter*). Schon auf Chrischona hatte er in einer Vision

---

werden gar bald offenbar zu ihrer eigenen Schmach." „Wir versündigen uns, wenn wir Unwiedergeborene so behandeln, als wären sie wiedergeboren" (Gemb. 1904 Nr. 25).

*) Vetter stammte aus dem Wormser Gemeinschaftskreise. Schon als Knabe erhielt er bei seinem ersten Besuche einer Pietistenversammlung die innere Gewißheit, daß Gott ihn zu seinem Dienst erwählt habe. 1893 trat er in Chrischona ein. Hier ging sein altpietistisches Christentum „in die Brüche". Von dem „Klageton" des Armesünderchristentums kam er zunächst auf das Streben nach Heiligung auf dem Wege der Asketen der alten und mittelalterlichen Kirche, wobei er körperlich zusammenbrach. Als er erkannte, daß er auf diesem Wege nicht weiter käme, hörte er die Worte: „In meinen Wunden ist Heil!" und fand so die „volle Erlösung" der Oxfordlehre, aber sein Lungenleiden datierte von jener Zeit. Als Rappard mitten in den schwersten Lungenblutungen ihn vor die Wahl stellte, ob er sich in ärztliche Behandlung oder in Jesu Hände geben wolle, entschied er sich für das letztere.

ein großes Zelt mit genauer Einrichtung gesehen und gehört: „Das ist ein Ort, in welchem du die Massen des Volks unterbringst und einen gemeinsamen Boden für alle Kinder Gottes bereiten kannst." Während seiner Arbeit in Hessen fing er an, den Herrn um Gaben für ein Zelt zu bitten. Ende 1898 hatte er 200, 1900 2650 und 1902 12 000 Mk. Das Zelt konnte gebaut werden (2000 Personen fassend) *). Mit Stockmayer besprach er die Richtlinien:

1. Das Haupt der Zeltmission ist Christus. — Diesem gegenüber fühlt sie sich verpflichtet, den ganzen Rat Gottes (Apgesch. 20, 27) zu verkündigen, und nichts zu verschweigen von dem, was zur Errettung der Sünder und zur Vollendung der Heiligen nottut. Wir predigen Christum, der uns gemacht ist von Gott zur Weisheit, Gerechtigkeit, Heiligung und Erlösung.

2. Sie steht auf dem Boden der ganzen heiligen Schrift, die sie als alleinige Autorität in Lehre und Leben anerkennt.

3. Sie fordert von jedem Menschen eine persönliche, gänzliche Willensentscheidung für Jesum sowie Bruch mit Sünde und Welt. Sie glaubt an die ewige Verdammnis derer, die Jesum nicht annehmen.

4. Sie dient keiner bestimmten Konfession oder Benennung, noch will sie ein bestimmtes, kirchenpolitisches Programm stützen. Sie will in voller Gewissensfreiheit, ohne Rücksicht auf Menschen nach der biblischen Erkenntnis Gott dienen.

5. Sie arbeitet mit allen Gemeinschaften an der Rettung der Welt und an der Zusammenfassung dessen, was auf Erden ist, unter das Haupt Jesus Christus (Eph. 1, 10). Sie hält dafür, daß alle Gläubigen Mitarbeiter in der Evangelisation sind, welchen besonderen evangelischen Richtungen sie auch angehören mögen. Sie anerkennt die Einheit des Leibes Christi und reicht jedem Kinde Gottes, das mit Gott in Lebensverbindung steht, die Bruderhand.

6. Die Zeltmission nimmt gerne Einladungen zur Evangelisationsarbeit an. Bisher ist sie vom Herrn geleitet worden, nur da zu arbeiten, wo die Gesamtheit der Gläubigen die Einladung ergehen ließ. Hingegen ist es nicht ausgeschlossen, daß sie auch da arbeiten wird, wo nur einige der Gläubigen sie rufen, ja sogar, wo gar keine Einladung ergeht. Doch müssen wir für diese beiden besonderen Fälle göttliche Weisung haben.

7. Sie anerkennt die Einladungen als vom Herrn kommend, wenn folgende Bedingungen erfüllt werden: Man wünscht Evangelisation, damit Gott verherrlicht, Sünder gerettet und die Kinder Gottes tiefer in das verborgene Leben Gottes eingeführt werden. Man unternimmt die Arbeit in Gemeinschaft mit allen Kindern Gottes, die willig sind, die Welt zu retten. Man überläßt den Neubekehrten, welcher Gemeinschaft sie sich anschließen wollen. Man sorgt für einen geeigneten Platz zum Aufstellen des Zeltes und ist bereit, alles zu tun, daß die Evangelisationsarbeit vom Geiste Gottes legitimiert wird.

---

*) Die Angabe in früheren Auflagen: 9000 ist irrig gewesen.

8. Die Publikation der Versammlungen nimmt die Zeltmission selbst in die Hände, damit eine einheitliche Regelung der Angelegenheit geschaffen wird . . .

9. Die Zeltmission ist in der Aufbringung der in ihrer Eigenart nicht geringen Mittel vom Herrn abhängig. Sie erläßt keine Bittgesuche, sondern möchte die Kraft, die die Herzen für dieses Werk bewegen kann, allein bei dem Haupte suchen. Sie garantiert deshalb keinem Arbeiter unserer Mission ein bestimmtes Gehalt, vielmehr soll jeder ihrer Brüder so zum Herrn stehen, daß er seinen Unterhalt von ihm erbitten und empfangen kann . . .

Bereits 1901 hatte Vetter im Siegerland gelegentlich einer Evangelisation, deren Folge eine große Erweckung war, sieben Bergleute gefunden, die es als „Gottes Willen" erkannten, „daß sie ihren Beruf, Haus und alles, was sie hatten, verlassen sollten und das arme Leben Jesu*) erwählen und im Zelte als Leviten dienen". Im Herbst des Jahres traf er in Elbing zuerst mit Paul zusammen (auch mit Krawielitzki, Girkon u. a.), der ihm hier ein Freund wurde. „Alle Vorurteile, die ich bis dahin bezüglich seiner Heiligungslehre hatte, schwanden." Paul sagte ihm, daß Gott auch ihm schon ins Herz gegeben habe, in einem Zelte in Deutschland zu evangelisieren. So verbanden sich beide.

Am 27. April 1902 wurde das Zelt in Tersteegensruh eingeweiht. Stockmayer hielt die Festpredigt, auch Paul, Girkon und Lohmann sprachen, „und zwischenhinein wurden wir Zeltevangelisten, P. Paul und ich, unter Gebet und Handauflegung für diesen Dienst dem Herrn empfohlen. Ebenso die anderen uns zur Seite stehenden Brüder". Im ersten Jahre arbeitete man in Schönebeck (s. o. S. 125), Barmen, Köln, wo die Katholiken Störungen erregten und ein Sturm das Zelt während einer Gebetstunde umriß**), und Velbert, im zweiten in Velbert, Mülheim, wo auch große Kinderversammlungen, von 800—1000 Kindern besucht, gehalten wurden, Siegen, wo am 11. September 1903 das Zelt wieder vom Sturm zum Umsturz gebracht wurde.

Das Siegerland wurde damals Mittelpunkt der Arbeit, indem in Clafeld das Erholungshaus der Zeltmission entstand, „Patmos",

*) So wirkten bei Vetter die katholischen Gedanken der von ihm so eifrig studierten „Altväter" nach.

**) Die dortige — nebenkirchliche (s. o. S. 149) — Stadtmission schrieb dazu: „Gott der Herr ließ den Einsturz zu, jedoch nicht, um die Zeltmission zu vertreiben, sondern zu prüfen, ob sie Mut und Glauben genug habe, innerhalb 24 Stunden das Zelt wieder ersetzen zu lassen angesichts der Feinde . . . Aber obschon die kleinen Reparaturen bald erledigt waren, dem Wiederaufbau absolut nichts im Wege lag . . ., zog die Zeltmission ab zum Triumph der Feinde."

das am 2. Oktober 1904 eingeweiht wurde. Bollinger wurde Hausvater*).

1903 trat der ja ebenfalls in Hessen stationierte Henrichs von Chrischona mit in die Arbeit. 1904 arbeitete Paul mit dem Zelt im Osten, unterstützt von Beller und Kaul-Beeck, die ebenfalls „vom Herrn den Auftrag erhalten" hatten, ein Zelt zu bauen und bereits 8000 Mk. gesammelt hatten; 4000 Mk. Gaben kamen hinzu, und so konnte das zweite Zelt gebaut werden, das am 30. April 1905 eingeweiht wurde und mit Henrichs und Vetter im Westen zu arbeiten bestimmt war.

Vetter war bei Beginn der Arbeit noch jung, und sein Eifer und stürmisches Temperament riß ihn zu Maßlosigkeiten fort, nicht bloß in seiner Arbeit, wo er trotz seines Leidens sich die größte Arbeitslast zumutete, sondern auch in seinem Urteilen. Die Predigtmethode „nach dem Prinzip des memorierten Manuskripts" verwarf er. „Die Predigt für Volksmassen verlangt große Linien. Sie muß freskoartig sein, daß die Hauptgedanken wie gehämmert im Gedächtnis des Hörers festgelegt werden." Dazu müsse der Prediger frei, ohne Manuskript, sein. Auch die auf Chrischona gelernte Art abzulegen und ganz einfach zu sprechen, habe ihm der Geist gezeigt. In Wirklichkeit ist offenbar Finney sein Lehrmeister gewesen. Von ihm hat er entschieden vieles für den äußeren Aufbau der Reden gelernt, durch die — oft nur vermeintliche — Logik einer Reihe von Gründen, überhaupt stark durch Beeinflussung des Intellekts zu wirken u. dergl. Selbst Lieblingsausdrücke wie „Rebell" (vom Sünder) hat er von Finney übernommen. Dementsprechend betont er die plötzlichen Bekehrungen**). Daher legten denn auch seine Evangelisationsreden den stärksten Ton auf das „Jetzt", die unmittelbare Entscheidung. In den Kinderversammlungen (s. o.) wurde versucht, auch die Kinder zur „Bekehrung" zu bringen***). Nachversammlungen wurden selbstverständlich gehalten.

---

*) Geb. 1873 in Beringen (Schweiz). In Amerika geschah seine „Bekehrung" als „ein zarter Übergang aus dem Tode ins Leben." Mitglied der Moody-Kirche. 1896—1900 in Chrischona, dann in Oberhessen (s. o. S. 137). Er war stark von Amerika beeinflußt, für amerikanische Sonntagsheiligung, Vertreter der plötzlichen Geistestaufe, überhaupt starker Mystiker, besonders in der sogenannten Geistesleitung (auch Gegner der Kommentare), Glaubensheilung, hatte Kämpfe mit Dämonen. Anhänger der Verbalinspiration.

**) „Bekehrung ist nicht ein allmähliches Werk, Buße ist nicht ein Zustand, sondern ein Akt, den der Sünder sofort, wenn der Geist Gottes ihn beruft, zu vollbringen hat" (Freie Gnade S. 83).

***) Überhaupt verstand er, wenigstens damals, nicht gerade viel Pädagogik. Lobt er es doch, daß Eltern ihre siebenjährige Tochter die Offen-

Zu einer solchen (Juni 1903 in Mülheim) wurden eingeladen: „1. Die Kinder Gottes, die sich entschieden haben für Christum und sein Heil. 2. Die Neubekehrten, die in diesen Tagen zum Frieden gelangt sind . . . und 3. die, die jetzt sich entscheiden wollen . . ."

Im übrigen war er, wie sich schon aus dem oben Gesagten ergibt, von Paul und Stockmayer beeinflußt, einmal in der Frage der Allianz, der Einheit des Leibes Christi *), wobei er, wie Stockmayer, auf eine „Erstlingsschar" hoffte, die den Tod überwinde (Freie Gnade S. 141), andererseits in der Heiligungslehre. Er vertrat Pauls Drei-Stufen-Theorie über Durchheiligung und Vollendung und sprach in Stockmayers mystischer Ausdrucksweise vom Blute Christi, in dem man nicht nur Vergebung finde, sondern auch „Reinigung von inneren Befleckungen" (und zwar plötzliche **) und fortlaufende Reinigung), und das der „Geist den Auserwählten zur Erlösung ihres Leibes offenbart". Denn in ihm „liegt die Lebensmacht, jede Krankheit und Todeskraft zu zerstören und das Leibesleben mit Auferstehungskraft zu füllen". „Leute, die ihr Element in den Lebensgebieten und Lebenstiefen von Golgatha gefunden haben, überlassen ihre Leiber zur unmittelbaren Pflege ihrem Gott und wollen nicht in Menschenhände fallen" (Der heilige Geist und das Blut Jesu S. 21). Dagegen nahm er Pauls neue Lehre vom „reinen Herzen" nicht unbedingt an: „Ich leugne nicht die Erlösung von der Sündennatur, aber ich kann sie auch nicht lehren. Denn ich fühle meine Sündennatur noch oft." Daß auch direkt katholische Einflüsse nicht fehlten, ist erwähnt (vergl. auch seine Zitate von Mad. de Guyon usw.). Als heftigen, maßlosen Verteidiger der Verbalinspiration haben wir ihn gelegentlich des Lepsiusstreites schon kennen gelernt. Die mehr kirchlich gerichteten Gemeinschaftsfreunde bzw. die kirchlichen Freunde der Bewegung waren ihm und seinen Freunden zum mindesten verdächtig ***), aber im Grunde auch die Altpietisten.

---

barung lesen lassen (dagegen keine Märchenbücher!), so daß sie ihn mit Fragen bestürmte: „Was verstehst du, Onkel, von dem Tier aus dem Abgrund? Was von der Hure? Was von dem Lamm, das redet wie ein Drache?"

*) Dieser findet sich zwar in allen Denominationen, aber kaum außerhalb der Gemeinschaften: „Die Gemeinschaft ist eure Mutter; liebet, ehret eure Mutter. Ohne Gemeinschaft gibt es überhaupt kein wahres Christentum. Die Gemeinschaftsfeinde sind meistens Antichristen."

**) Wobei noch wieder unterschieden wird zwischen Reinigung des Gewissens und des Herzens.

***) „Die ‚Wacht', die ‚Reformation', das ‚Reich Christi' und viele andere Sonntagsblätter mögen des Teufels Gift ebensowohl enthalten wie

Wie ganz anders wirkte ein Schrenk, der mit zunehmendem Alter immer kirchenfreundlicher wurde. Wohl hegte er noch seine alte Hoffnung der Einheit der Gläubigen, wohl betrachtete er die Volkskirche nicht als „die vom Herrn gewollte Kirchenform". Aber er sah nüchtern, daß die vorhandenen „Ansätze zur Vereinigung der Gläubigen" die Sonderinteressen keineswegs aufgehoben hatten, und erkannte klar: „Brechen wir den Einfluß unserer evangelischen Kirche auf unser Volksleben, so geht unser Volk zugrunde." Neben der Rettung einzelner Menschen stehe der Gesichtspunkt der „Stärkung und Belebung der Kirche als staatserhaltender und volkserneuernder Macht. Alle unsere gläubigen Kreise haben einen begrenzten Einfluß auf unser Volk. Auf das ganze Volk hat nur die Kirche Einfluß, vornehmlich durch die Arbeit an der Jugend" (Frohe Botschaft 1903).

Aber wirklich entgegen trat auch er der neuen Strömung nicht, andere dagegen waren noch unklarer*). Charakteristisch dafür ist Dammanns „Licht und Leben"**). Es bringt die radikalen Ausführungen Ströters (s. o. S. 308) und zugleich Artikel von Kähler, tritt für Eisenach ein und empfiehlt Pauls „Taufe und Geistestaufe", schreibt nüchtern über Glaubensheilung und befördert das Entstehen des Standes der nicht theologisch gebildeten Gemeinschaftsleiter durch Ausführungen wie: „Hat der Laie den Geist Gottes, so wird dieser Geist ihn in alle Wahrheit leiten. Theologisches Studium ist gut, aber nicht notwendig für Leitung von Versammlungen. Gott ist es, der da Gaben verleiht" (L. u. L. 1902 S. 103), ja, er ließ auf die Briefkastenfrage, ob alle, die der Vergebung gewiß seien, entrückt würden, oder nur die, die den Herrn sehnlichst erwarteten (1903 Nr. 23), Edels (!) Antwort folgen (Nr. 27), daß nur das Allerheiligste entrückt werde; Dammann selbst glaubte das auch, doch seien die Stellen nicht so klar, daß man daraus einen festen Schluß ziehen könne. Die Entrückung selbst aber bezweifelte selbst ein Dammann nicht.

Nimmt man auch nur noch den einen Umstand hinzu, daß

---

irgendeine Romanzeitschrift, nur daß es vielleicht besser verborgen und mit der Schrift überkleidet ist" (Gruß aus der Zeltmission). Diese Äußerung nahm er übrigens später zurück.

*) Selbst ein Keller gab doch gegenüber Pauls Heiligung zu, daß eine zweite Stufe, ein neues Pfingsten, eine besondere Versiegelung des heiligen Geistes jahrelang nach der ersten Bekehrung vorkomme, es sei aber meist ein Zeichen vorangegangenen Rückfalls (Auf dein Wort 1904/05 Nr. 1).

**) Das Eigentum an der Zeitschrift ging 1905 auf die Evangelische Gesellschaft in Elberfeld über.

selbst Philadelphia eine geradezu begeisterte Rezension von Ströters „Judenfrage“ brachte, so ist es wohl kaum zu viel gesagt, daß selbst altpietistisch bzw. von älteren Gnadauern geleitete Zeitschriften dem Vordringen des Darbysmus keinen wirklichen Damm entgegensetzten, vor allem, weil man, was von „Brüdern“ stammte, immer doch mehr oder weniger empfahl.

Eine neue Zeitschriftgründung*) dieser Periode war „Die Warte“. 1902 taten sich Bernstorff, E. Lohmann, Frl. v. Redern und Verlagsbuchhändler Pittius zusammen, ein Blatt zu gründen, das über die gesamte Arbeit Innerer und Äußerer Mission im Sinne der Gemeinschaftsbewegung berichten sollte. Frl. v. Redern übernahm die Schriftleitung, Bernstorff unterstützte, opferfreudig wie stets, Lohmann war wohl der eigentliche spiritus rector. Wie Lohmann es im Lepsiusstreit benutzte, und wie er gegen christlich-soziale Bestrebungen sich stellte, ist mitgeteilt. Da der Verleger anders stand, kam es 1904 zur Trennung. Die bisherigen Herausgeber ließen nun ein Blatt „Auf der Warte“ erscheinen, der Verleger gab die „Wacht“ heraus, die unter P. Stuhrmann etwa den Standpunkt der Eisenacher einnahm, z. B. für die kirchlichen Schlesier kämpfte und vom Allianzblatt und anderen aufs heftigste angegriffen wurde (s. o. S. 361). Sie fand infolgedessen in der Bewegung kaum Eingang.

Der darbystische Flügel bekam dagegen außer in seinen drei offiziellen Organen (einerseits „Allianzblatt“, andererseits „Gottestaten“ und „Gemeinschaftsbote“) eine neue literarische Vertretung durch den Kandidaten Warns, der seit Mai 1904 „Wahrheit in der Liebe“, Hefte zum Verständnis der Gemeinschaftsbewegung, herausgab. Er wohnte damals in Schildesche, wo wir ihm noch begegnen werden. In seinem Blatte suchte er wirklich historisch zu arbeiten, freilich sehr einseitig. Im Grunde war ihm stets bei den kleinen Oppositionsparteien (Waldenser, Katharer, Täufer, pietistische Separatisten) das Leben, bei der Großkirche der Tod**). Er selbst stand ganz auf reformiertem Boden, und zwar vertrat er eine independentische, darbystisch gefärbte Richtung.

Zu erwähnen ist hier auch noch als literarischer Vertreter der

---

*) Natürlich fehlte es auch in dieser Periode nicht an „wilden“ Evangelisationsblättern.

**) Von den evangelischen Kirchen kommt die lutherische Kirche als Staatskirche am schlechtesten weg, leider oft direkt parteilich, wenn z. B. 1906 H. 4 die Verfolgung der Kryptokalvinisten in schwärzesten Farben geschildert, die gewaltsame Kalvinisierung lutherischer Länder gar nicht erwähnt wird.

letzteren der Missionar Kranz des Allgemeinen Evangelisch-protestantischen Missionsvereins. Weil er „Ritschl durch Beck innerlich überwunden" hatte, beantragte er 1903, daß der Verein in § 1 seiner Satzungen den Zusatz mache: „. . . und bekennt sich zu Jesu als dem auferstandenen, erhöhten und lebendig-persönlich fortwirkenden Herrn". Da das abgelehnt wurde, trat er aus, um (wie bisher) auf eigene Kosten zu arbeiten. Er forderte die rechte sichtbare Kirche als sichtbare Gemeinschaft von Gläubigen. Die deutsche Gemeinschaftsbewegung werde uns wieder zum rechten Verständnis des biblischen Kirchenbegriffs verhelfen. Doch verlangte er zunächst noch, daß sich die Gemeinde der wahrhaft Gläubigen innerhalb der Landeskirche organisieren sollte.

Bei diesem so allseitigen energischen Auftreten der darbystisch Gerichteten und der nur halb abwehrenden Stellung der Gnadauer Führer, die immer wieder auf Kompromisse eingingen, war es kein Wunder, daß die Radikalen vorwärts drangen, wenn sie es auch nirgend so wie im Osten zu geschlossenen Verbänden brachten.

Achtes Kapitel.

Die Entwicklung der einzelnen Gebiete und das Vordringen der darbystischen Richtung.

1. Der Philadelphiaverein.

War schon 1902 der Philadelphiaverein nur noch eine Arbeitsorganisation neben anderen, so ging sein Arbeitsbetrieb jetzt noch weiter zurück. Brockes ging bereits am 15. November 1902 ans Diakonissenhaus in Bern, P. Bührmann trat 1. April 1903 in die Dienste des märkischen Brüderrates, am 1. Oktober des Jahres wurde Kühlwein vom Württemberger Gemeinschaftsverein nach Ulm berufen. Der Januar 1903 im Verzeichnis neu erscheinende Bachinger in Wörnitzostheim bei Nördlingen ist bereits 1904 wieder verschwunden. Auch Kohn-Leipzig schied aus dem Dienste des Vereins, Januar 1905 auch Riedel-Hohndorf. Neu trat Januar 1904 Steger in Ansbach ein. Mit den sonstigen Änderungen (an Stelle des 7. Oktober 1903 gestorbenen Horst-Graz trat R. Urban, an Heß' Stelle in Thal erst Hüglin, dann Gester, Fräulein Dora Dietrich wurde durch Sekretär Weis ersetzt, Bursche ging von Dramburg [Pommern] nach Staßfurt [Pr. Sachsen]), ergibt sich am 1. Januar 1905 ein Bestand von dreizehn Angestellten, nämlich Bornhak für die Buchhandlung, Weis für die Geschäftsstelle des

Vereins, Ackermann-Wiesbaden, Bursche-Staßfurt, Gester-Thal, Merz-Blankenburg, Kretschmar-Großschönau, Kusch-Liegnitz, Ohler-Neunkirchen, Volk-Heidelberg, Will-Zweibrücken, Steger-Ansbach, Urban-Graz.

Nur durch diese Einschränkung, indem man namentlich die Stelle des theologischen Mitarbeiters Dietrichs und des evangelistischen Reisepredigers nicht wieder besetzte, war es möglich, die Ausgaben so herunterzudrücken (1903: 32049,34 Mk., 1904: 32297,24 Mk.), daß das Defizit verringert werden konnte, zumal die Einnahmen in diesen beiden Jahren noch einmal stiegen (auf 35419,76 Mk.). Aber wehmütig klingt doch Dietrichs Klage (Phil. 1903 S. 174): „Ich weiß wohl, jeder Gemeinschaftskreis hat jetzt seine eigene Arbeit, die Geldmittel beansprucht; aber man sollte diejenige Stelle, von der doch wohl die erste und am meisten Anregung zur Gemeinschaftsbewegung ausging, nicht im Stiche lassen.“

Philadelphia hielt sich auf einer Auflagenhöhe von knapp 6000. Für den verstorbenen Birschel trat Kaufmann Elsässer-Kornthal ein.

2. Die nach älterer Gnadauer Art fest organisierten Landesteile.

a) Sachsen und Thüringen*).

(Die Stellung des Brüderrats — Ausdehnung der Arbeit — Die darbystisch Gerichteten — Die Stellung der Kirche — Thüringen.)

In einem Gebiete wenigstens war es nur ein erfreuliches Zeichen, daß der Philadelphiaverein seine Arbeit mehr und mehr abgeben konnte, nämlich in Sachsen. Hier bedeutete es nur ein Erstarken der unter dem Brüderrat zusammengefaßten Bewegung, die im übrigen in Dietrichs Bahnen weiter ging. Wir haben schon bemerkt, daß Scharwächter-Leipzig, übrigens von Haus aus Westfale, 1904 in Gnadau kräftig gegen die Allianzströmung auftrat. Er war 1903 Leyns Nachfolger im Vorsitz geworden, Stellvertreter wurde Kleemann-Chemnitz. Seine freundliche Stellung zur Kirche zeigte Scharwächter auch in Leipzig selbst, wo er für die Konferenz vom 30. und 31. Oktober 1904 neben Reuter und P. Saul Ihmels als Redner berief, und nicht minder bei den Hauptkonferenzen der landeskirchlichen Gemeinschaft. Die II. (2. und 3. August 1903) fand in Dresden statt. Etwa 1000 Besucher nahmen teil. 88 Gemeinschaften waren bei der Vertrauensmännerversammlung vertreten. Aber auch fünf Mitglieder der Kirchen-

*) Mit Ausnahme des an Hessen angeschlossenen Teiles.

behörde besuchten die Konferenz und S. Dibelius begrüßte die Versammlung mit dem Hinweis auf Spener und Zinzendorf. Bedenken gebe es wohl heute wie damals. „Wenn aber das Wort ‚landeskirchlich‘ allezeit als heilsame Schranke recht beachtet wird, so möchten wohl in der Hauptsache die Bedenken sich heben.“ Scharwächter bezeichnete es demgegenüber als Wunsch auch der Gemeinschaft, daß die Kirche und sie miteinandergehen. „Soweit ich die Gemeinschaftssache in Sachsen überschauen kann, haben wir zurzeit wohl das Recht, das Wort ‚landeskirchlich‘ für uns in Anspruch zu nehmen. Der Brüderrat hat in diesem Sinne gearbeitet, und sein Bestreben ist auch fernerhin, seinen Einfluß in dieser Richtung geltendzumachen, auf daß die Gemeinschaftsbewegung der Kirche zum Segen gereichen möge.“ 1904 wurden zwei Hauptkonferenzen gehalten, Ostern in Reichenbach für den Westen, in Zittau (9. Oktober) für den Osten. In diesem Jahre waren bereits 120 Gemeinschaften dem Brüderrat angeschlossen. Immermehr erstarkte die Bewegung. 1903 wurden die ersten Brüder vom Brüderrat angestellt, und zwar gleich sechs; die Philadelphiaarbeiter wurden allmählich von ihm übernommen; Kretschmar war 1905 der letzte neben acht vom Brüderrat angestellten. 1904 wurde der „Gemeinschaftsverein“ als eingetragener Verein gegründet.

Der Hauptsitz der Gemeinschaften blieb die Südwestecke. Hier tauchten zu der großen Zahl von Konferenzen noch neue auf, wie Klingenthal und Neumark. Aus Chemnitz ging 1. Oktober 1903 Kühlwein weg, Stolpmann vom Johanneum trat an seine Stelle. In Plauen wurde 1904 der Johanneumsbruder Brück angestellt, in Reichenbach Schröter (Gnesen), nach Leipzig kam Buchborn.

Auch in Dresden wurde ein Johanneumsbruder angestellt (1903 Berger)*). Hier wurde eine gewisse Organisation eingeführt. Mitglied sollte jeder werden können, der entschieden Stellung genommen für Jesus, den Sünderheiland, und seinen Glauben durch Wandel und Wort bezeugt. Die Zahl stieg auf einige hundert Seelen. Im allgemeinen aber blieben die sächsischen Gemeinschaften für jeden offen.

Das Verhältnis zum Jugendbund wurde dadurch ein ziemlich festes, daß eine Personalunion zwischen der Leitung des sächsisch-thüringischen J. B.-Verbandes und dem Brüderrat bestand. Fester noch wurde es dadurch, daß 1904 die Hauptkonferenz in Reichenbach zuerst in Gemeinschaft mit dem J. B. gehalten wurde. Der Brüderrat

---

*) Seitz-Teichwolframsdorf stellte 1904 einen Johanneumsbruder als Helfer an (Schäfer).

stellte in Verbindung mit dem Vorstande des J. B.-Verbandes einen Bruder für die Pflege der Jugendbündnisse an.

Nicht so gut war offenbar die Stellung zu den auch allmählich zahlreicher werdenden Blaukreuzvereinen. Immerhin aber ergibt sich für Sachsen eine einigermaßen einheitliche Entwicklung, die bewußtermaßen auf dem Boden des Gnadauer Programmes blieb. Daß es an einer Unterströmung im Allianzsinne nicht ganz fehlte, zeigen Scharwächters Worte in Gnadau*). Einen gewissen Sammelplatz boten für sie nach wie vor die Zwickauer Herbstkonferenzen. Auf der V. (2. bis 5. Nov. 1903) sprachen unter anderen Stockmayer und Ströter. Aber sie gewann nicht recht Boden. Denn da der Brüderrat fest blieb, so konnte innerhalb der Organisation die darbystische Richtung nicht aufkommen. Ihr blieben nur die wenigen nichtangeschlossenen Gemeinschaften oder der ausgesprochene Übertritt zur Sekte der Darbysten, und es ist interessant, daß gerade vom Übertritt zu dieser Sekte die statistischen landeskirchlichen Mitteilungen für 1903 (Schott 1905 S. 116) eine starke Zunahme feststellen, speziell stark in Zwickau, Auerbach, Hohenstein-Ernsttal u. a., d. h. in den lebhaft angeregten Gegenden, wo auch die Gemeinschaftsbewegung arbeitete. Von ihr konstatieren die gleichen Mitteilungen, daß die Urteile über sie nach wie vor günstig lauteten. Auch später noch in den statistischen Mitteilungen für 1904 hieß es (Schott 1906 S. 125), daß die Gemeinschaften noch freundlich zur Kirche und zum geistlichen Amte ständen, wie auch die Geistlichen vielfach erfreulicherweise Fühlung mit ihnen unterhalten hätten. Nicht selten aber hielten auch die Gemeinschaftsleute sich gerade den für engere Kreise berechneten Nebengottesdiensten und Bibelstunden fern, hier und da zeigten sich sektiererische Neigungen; doch wurde vor allem die Tätigkeit des Brüderrates anerkannt.

Auch einige Gemeinschaften des östlichen Thüringens hatten sich dem Brüderrat angeschlossen. Der Westen knüpfte, wie wir sehen werden, mit Hessen-Nassau Verbindung an. Mühlhausen wurde Mittelpunkt der von zwei Boten betriebenen Arbeit der Evangelischen Gesellschaft. In Falken a. d. Werra wurde Ende 1904 noch ein Hilfsbote stationiert. In Eisenach gab Tietz

*) Sowie ein anläßlich meiner 1905 erschienenen Broschüre „Die gegenwärtige Krisis in der deutschen Gemeinschaftsbewegung" an mich gelangter Brief, nach dem manchen „arbeitenden" Laien der Brüderrat zu kirchlich war. Das scheint bei manchen Kreisen der Grund des Fernbleibens gewesen zu sein. Hier stand man zu Blankenburg.

1904 wegen der Arbeit am Hospiz die Gemeinschaftsarbeit auf. Ein Komitee unter Dammann betrieb sie weiter.

b) Brandenburg mit Berlin.

(St. Michael — Westend — Südost — Allianzgemeinschaft — Heilands- und Charlottenburger Gemeinschaft — Sarepta — Haus Gotteshülfe — Friedensgemeinschaft — Der kirchliche Evangelisationsausschuß — Kirchliche Evangelisationsbestrebungen in der Provinz — Der Frankfurter und Lohmanns Kreis — Kleinere Kreise — Der märkische Brüderrat.)

Ganz anders als in Sachsen lagen die Verhältnisse in Brandenburg. Speziell in Berlin gab es, wie wir sahen, keine einheitliche Organisation. Um so eher konnten darbystische Gedanken eindringen. Selbst Pücklers Michaelsgemeinschaft richtete seit 1. November 1903 besondere monatliche Versammlungen der wirklich Gläubigen ein. „Die Beurteilung, wer gläubig sei, wird dabei in die Hände der Besucher selbst gelegt." Überhaupt wurde jetzt nur aufgenommen, wer nach eigener Aussage und nach einer dem nicht widersprechenden Überzeugung des Aufnehmenden Frieden mit Gott gefunden hat durch Jesum Christum. Die Mitgliederzahl stieg aber nur wenig (1904: 1570, nur ca. 200 mehr als 1900). Dabei breitete sich die Arbeit aus: NO Landsberger Allee (später Prenzlauer Allee) kam hinzu und Schmargendorf, dann 1903 Schöneberg und am 31. Januar 1904 Pankow*). Der Umsatz stieg 1903 auf ca. 41 000 Mk. Das alte Haus am Wedding wurde Oktober 1904 verkauft, um ein neues zu bauen. So zählte man Ende 1904 11 Gemeinschaften mit 12 Arbeitsplätzen, 8 Sonntagsschulen, dazu wie bisher Kaffeestuben, Herbergen und Zufluchtsheim. Die Zahl der Evangelisten stieg auf vier, dazu zwei Hausväter, vier andere Berufsarbeiter und zwei Schwestern. Die Auflage des „St. Michaelsboten" betrug 3000, die des „Kleinen St. Michaelsboten" 2600.

Auch Westend-Charlottenburg unter Bernstorff organisierte sich in der Weise, daß ein engerer Kreis zur Arbeit gebildet wurde aus denen, „die sich ihrer Rettung bewußt waren und sich berufen fühlten, unserer Gemeinschaft zu dienen und ihr mit Gebet und Flehen, mit Rat und Tat beizustehen, und die sich für die Evangelisation Westends und Charlottenburgs mit verantwortlich halten wollen". Monatlich kamen sie zusammen. Aus diesem weiteren Geschwisterkreis (damals ca. 100) wurde ein Ältestenkreis gewählt. Oktober 1903 wurde eine Filiale in der Holtzendorffstraße 3, März 1904 die in Halensee und April die in Nauen be-

*) Die Arbeit war November 1903 in einer Privatwohnung begonnen.

gründet, dazu kam noch eine Arbeit in Spandau. Ende 1904 waren die Ausgaben auf 20 026,74 Mk. gewachsen. Das Defizit betrug 1613,96 Mk. Drei Berufsarbeiter standen in der Arbeit, Dr. Wilke*) und die Brüder Otto und Jungmann.

Auch die andere Bernstorffsche Gemeinschaft in SO organisierte sich**). Zugleich verlegte sie ihre Arbeit, da die Halle am Kottbuser Ufer nicht weiter gemietet werden konnte, in den eigenen Saal, Lausitzerstraße 24. Die Zahl der eingeschriebenen Mitglieder betrug 1905 93, dazu 2 Probeglieder. Zu Knoll und einer Bibelhausschwester kam noch ein Bruder (Matern) besonders für die Jugendabteilung hinzu. Das Defizit betrug 1905: 3600 Mk. (1903: 5500 Mk.).

Bartsch baute für seine Evangelische Allianzgemeinschaft Charlottenburg ein eigenes Heim in der Schlüterstraße 55/6 (Grundsteinlegung 18. Juli 1903, Einweihung 2. Oktober 1904). An die Einweihung schloß sich eine Evangelisation Pauls. Im neuen Hause wurde ein Hospiz unter Leitung von Gräfin Wartensleben eröffnet, und ein bisher Knesebeckstraße 11 befindliches Schwesternheim Talitha Kumi wurde ebenfalls hineinverlegt (Vandsburger).

Die Heilandsgemeinschaft legte am 26. November 1904 ebenfalls den Grundstein zum eigenen Hause (NW Putlitzstr. 13***). Mit der Michaelsgemeinschaft unterhielt sie freundliche Beziehungen, ebenso wie die Charlottenburger Gemeinschaft in der Schillerstraße unter einem Geheimen Revisor aus dem Landwirtschaftsministerium.

Die Gemeinschaft „Sarepta“ gab am 1. August 1904 ihre Evangeliumshalle in der Friedrichstraße auf und zog nach Rixdorf, Berlinerstraße 97. Die dort durch Lohmann gegründete Gemeinschaft baute das Haus „Gotteshülfe“, eingeweiht am 18. Oktober 1903; ihre Leitung übernahm, als Engel 1904 nach Hausdorf ging, Prediger Evers.

Zeigen so hier und da die Berliner Gemeinschaften ein Eindringen darbystischer Ideen, so wurde nun 1903 außerdem durch J. Hoff, als er seinen Reisesekretärposten aufgab, eine neue Gemeinschaft gegründet, die „so recht eine Gemeinschaftszentrale im Osten von Berlin im Sinne unserer jetzigen Bewegung und in innigster

---

*) Sohn des „gläubigen P. Wilke“, 1903 aus dem Staatsdienst als Assessor ausgeschieden, verheiratete sich mit Frl. Licht (s. o. S. 190).

**) Solche, „die eine Herzenserfahrung mit ihrem Gott und Heiland gemacht haben, und deren Bestreben es ist, dem Herrn von ganzem Herzen nachzufolgen“.

***) Eingeweiht 7. April 1905.

Verbindung mit den östlichen Provinzen werden" sollte. Bei der Gründung dieser „Friedensgemeinschaft" ging nicht alles glatt. Hoff war privatim von den Vorsitzenden zweier Jugendgemeinschaften nach Berlin gerufen, in der Meinung, Hoff werde dieselben mitpflegen. Derselbe erklärte dann aber, er sei durchaus nicht für den J.-B. in Berlin da, sondern wolle eine Gemeinschaft gründen. Außerdem mutete er den beteiligten Jugendgemeinschaften zu, sich zu einem J.-B. zu verschmelzen, so daß allerlei Verwirrung entstand. Für die Hilfe bei dem Zustandekommen seiner Gemeinschaft dankte Hoff mit dem Hinzufügen: es wäre auch ohne euch gegangen. „Br. Hoff hätte bei seinem ersten Auftreten in Berlin etwas weiser handeln dürfen. Im Verlauf der Verhandlungen kam kein Vertrauen auf, zumal Br. Hoff seine Gemeinschaftsstunden zur Zeit legte, als die bestehenden Jugendgemeinschaften stets ihre Stunden hatten, was den Austritt aus dem J.-B. zur Folge hatte bei denen, die Glieder der Gemeinschaft werden wollten." Hoff verteidigte sich (Jugendhilfe 1904 S. 85): „In erster Linie dachte ich an die Gründung einer Gemeinschaft, dann auch an die Pflege des J.-B., zu welchem Zweck alle drei Jugend-Gemeinschaften zusammengezogen werden sollten. So hielt ich es für richtiger und praktischer. Daß nach der Entscheidung der meisten hiergegen von mir der Sonntagnachmittag auch mit Gemeinschaftsstunden belegt wurde, fanden wir nur für richtig. Die Friedensgemeinschaft gibt ihrem Leiter das Zeugnis, recht und weise gehandelt zu haben." Der „Gemeinschaftsbote" aber schrieb: „Die frische Geistesbewegung unserer östlichen Provinzen hat bereits das Herz des deutschen Vaterlandes, unsere Reichshauptstadt Berlin, erreicht und ergriffen. Durch wunderbare Führung des Herrn übernahm der frühere Reisesekretär Hoff dort im Osten von Berlin ein neues Arbeitsfeld." „Nur drei Brüder tragen sämtliche pekuniären Angelegenheiten für das Unternehmen". „Ein gläubiger Arzt hat ferner in der Friedenstraße ein prächtiges Haus errichtet." „Ein geräumiger Saal im Hinterhause, der sehr schön eingerichtet ist und auch eine prächtige Orgel enthält, bietet Raum zu Versammlungen. Im Vorderhause befindet sich in Verbindung mit der Gemeinschaftsarbeit ein alkoholfreies Restaurant."

Überhaupt trat hier das Geschäftliche sehr in den Vordergrund. Errichtete doch ein E. Krampen im Hause ein „Missions-Kaffee-Versandgeschäft" mit dem Zweck, „die Not und das Elend der Armen des Ostens zu lindern und die Gemeinschaftsarbeit zu fördern", verlegte es freilich schon nach einem halben Jahre nach Charlottenburg. Auch die Musik spielte (in Musikfesten u. dergl.) eine große Rolle.

Der Ausschuß für kirchliche Evangelisation berief 1903 Keller; sonst scheint er wenig hervorgetreten zu sein.

Ähnlich ging es mit den kirchlichen Bestrebungen in der Provinz. Die pastorale Gemeinschaftskonferenz in Plötzensee machte 1903 „Vorschläge für kirchliche Evangelisation und Gemeinschaftspflege". Sie forderte die Pastoren auf, sich zu täglicher Fürbitte und in Konferenzen zu brüderlicher Gemeinschaft zu vereinigen, nach Möglichkeit Bibelbesprechstunden einzuführen, „Laien, denen Gott die Gabe dazu verliehen, am Aufbau der Gemeinde Jesu Christi helfen zu lassen", doch nur, wenn dieselben „geistliche Erfahrung haben, in der Lehre gesund sind, treu zur Kirche stehen und in Verbindung mit dem kirchlichen Amte arbeiten". Etwaige Wünsche um geistliche Hilfe zur Erweckung der Gemeindeglieder wolle man vermitteln. Dabei wurde Verständigung der zeitweise als Evangelisten dienenden Amtsbrüder über die Hauptbegriffe der Heilsordnung für wünschenswert erklärt. Man brachte es aber, wie es scheint, nur zu einem Versuch von Kolportage mit seelsorgerlichem Gespräch und Hausversammlungen und zu einigen Evangelisationen des Stadtmissionsinspektors Abramowski und eines Stadtmissionars.

Auch der von der „Kirchlichen Konferenz der Neumark" gebildete Evangelisationsausschuß (s. o. S. 195) veranstaltete vereinzelt Evangelisationen. Auf der kurmärkischen Pastoralkonferenz 1904 trat Ohly wieder warm für die Gemeinschaften ein.

Gleichwohl vermochte man nicht, das Eindringen des darbystischen Flügels aufzuhalten. Bezeichnend dafür ist die Bezirkskonferenz der vereinigten Reichsgottesarbeiter in Brandenburg (s. o. S. 382) mit ihrer Begeisterung für den Organisationsgedanken.

Der Frankfurter Kreis schloß sich auch geradezu den vereinigten ostdeutschen Brüderräten an, zu dessen Ausschuß ja Huhn mit gehörte. In Frankfurt selbst wurde die Gemeinschaft, wie berichtet wird (Reformation 1904 Nr. 20), der Kirche immer mehr entfremdet. Hier fanden nach wie vor im Februar größere Konferenzen statt (IV. 1903, „Geist oder Fleisch"), auf der V. (1904) hat die Evangelisation nach dem Bericht in der „Reformation" höchst eindringliche, ja erregte Formen angenommen. Auf der VI. (1905) redeten bezeichnenderweise neben Heydorn Edel, Kaul und Regehly („Auf zum heiligen Kampf"). Hier wurde zu den Bollwerken Satans neben Unzucht usw. auch gerechnet „fromme, aber geistlose und unwahre Formen und Einrichtungen, die man als geschichtlich geworden noch besonders respektiert". Dabei war die „große, blühende Gemeinde" (!), wie die Frankfurter Gemeinschaft einmal genannt wird, so gewachsen, daß das Haus 1904 vergrößert werden mußte (Einweihung 25. September). Im gleichen Jahre stationierte dieser Kreis in Spremberg einen eigenen Evangelisten. Auch in Kottbus begann man die Arbeit. Anderwärts, wie in Zinnitz, war die Gutsherrschaft (v. Patow) Mittel- und Ausgangspunkt der Bewegung.

Beziehungen zu diesem Kreise unterhielt Lohmann, der im übrigen, trotz mancher radikaler Gedanken, sich den Ostdeutschen nicht anschloß, sondern mit seinem Kreise, dessen Mittelpunkt das Bibelhaus war, mehr für sich blieb.

In Betten wirkte mehr in kirchlichem Sinne P. Schlegelmilch, zugleich besonders fürs Blaue Kreuz. Im Herbst 1904 brachte er eine Konferenz in Finsterwalde zusammen.

Anknüpfung mit den Ostdeutschen fanden in dieser Zeit auch die Diasporagemeinschaften der Warthegegend mit ihrem Reiseprediger Pfenninger. Ihre Vertreter nahmen an der Konferenz in Tirschtiegel teil und erfuhren zu ihrem Erstaunen, daß in ihrem Regierungsbezirk Gemeinschaften und Konferenzen bestanden. Die Folge war die Einrichtung einer besonderen (jährlichen) Konferenz in Driesen (10. und 11. Mai 1904). Pfenninger arbeitete auch an den „Gottestaten" mit.

Da alle diese Gemeinschaftskreise sich dem märkischen Brüderrat nicht anschlossen, bildete dieser, unter Pücklers Leitung, nur sehr uneigentlich die Provinzialorganisation. Er dehnte in dieser Zeit seine Arbeit dadurch aus, daß er April 1903 Bührmann ganz in seinen Dienst berief und in Strausberg einen weiteren Evangelisten (Stachelhaus) anstellte. Besonders entwickelte sich die Arbeit in der Priegnitz. Die Perleberger Konferenz von 1904 war berufen von den drei Geistlichen und der Gemeinschaft. „Lieblich war die Einmütigkeit zwischen den Vertretern der Kirche und denen der Gemeinschaft." Der märkische Brüderrat wollte wirklich kirchlich arbeiten. Andererseits hatte man in Perleberg Beziehungen zur China-Allianzmission, und ob die nichttheologischen Berufsarbeiter des Verbandes nicht auch zu jener Reichsgottesarbeiterverbindung gehörten? Dazu führte Pückler, wie wir sahen, in seiner eigenen Gemeinschaft die Organisation ein und ebenso der gleichfalls zum Brüderrat gehörige Dr. Wilke. Andererseits gehörte auch P. Klein zum Brüderrate, durchaus landeskirchlich gesinnt. Die märkische Konferenz fand stets im Februar in Berlin statt. Ferner wurden z. B. in Wriezen (8. Mai 1904), Jüterbog (24. Januar 1904) und Jädikendorf (15. Mai 1904) Konferenzen gehalten.

c) Provinz Sachsen.

In der Provinz Sachsen ging die Bewegung nur langsam vorwärts. Einen eigenen Berufsarbeiter konnte man noch nicht anstellen, doch siedelte ja 1904 ein Philadelphiaarbeiter hierher über. Gegen Paulsche Heiligung und darbystische Entrückung wehrte man sich; offenbar ist gerade unter den sächsischen Brüderratsmitgliedern*) Jellinghaus' Einfluß groß gewesen. Auf der V. sächsisch-anhaltinischen Gemeinschaftskonferenz in Gnadau (2.—4. Juni 1903, „Die völlige Liebe Gottes in Christo") wurde es ausgesprochen: „Hütet euch vor allen Dingen (z. B. Geistestaufen, zweiter Bekehrung, besonderen Lehren über die Entrückung der Heiligen, besonderen Vollkommenheitslehren), welche Golgatha in den Hintergrund rücken," „die ‚völlige Liebe' ist nicht nach einer unrichtigen Vollkommenheitslehre unsere völlige Liebe, die zweite Stufe der Heiligkeit; sondern das normale Christentum ist das Ruhen in der völligen Liebe Gottes in Christo" (L. u. L. 1903 Nr. 31).

Die bedeutendsten Gemeinschaften bestanden 1904 in Magdeburg, Burg und Schönebeck, in Wernigerode und Staßfurt, in Erfurt sowie in Halle und Eilenburg. In Magdeburg ging es durch eine Krisis, die aber (Auf der Warte 1905 Nr. 48) durch die Anstellung Ruprechts (bisher Striegau, s. o.) als eigenen Leiters der „Christlichen Gemeinschaft innerhalb der Landeskirche", eingetr. Verein, beendet wurde, was freilich zugleich die Eintragung darbystischer Gedanken bedeutete. In Schönebeck gab es allerlei Konflikte. 1905 konnte ein Haus gebaut werden. In Staßfurt wurde 1904 der Philadelphiaarbeiter (Bursche) stationiert. In Wernigerode wurden alljährlich die ja auf Allianzboden stehenden Harzkonferenzen abgehalten (VI. 25.—28. Juli 1904). In Nordhausen wurde 1905 ein Haus gebaut. Im östlichen Teile wurde im gleichen Jahre in Bitterfeld gebaut. In Halle fanden für diesen Teil größere Konferenzen statt (III. 25.—27. Januar 1904). Im März 1905 evangelisierte hier Amstein. Die Folge war auch hier der Beschluß, einen neuen Saal zu bauen.

Die Erfurter Gemeinschaft nannte sich „Vereinigung für entschiedenes Christentum."

Sachsen gehörte ja zu den Provinzen, wo man eine kirchliche Evangelisation ins Leben gerufen hatte. Sie scheint in dieser Zeit zurückgegangen zu sein. Es blieb nur die evangelistische

---

*) Vorsitzender in dieser Zeit Kaufmann Behrens-Oschersleben, Stellvertreter P. Lüdecke-Staßfurt.

Ausgestaltung der Generalvisitationen und einige Vortragsreihen mehr apologetischer Art. Freundlich zur ganzen Frage stellte sich die Kirchliche Konferenz in Halberstadt am 31. Mai 1904.

d) Schleswig-Holstein, Mecklenburg und Hamburg.

(Kämpfe und Trennungen im Gemeinschaftsverein — Der Anschluß Mecklenburgs und die Ausdehnung der Arbeit — Stellung zur Kirche — **Der Kirchliche Verein für Evangelisation** — Nordschleswig — Rubanowitsch und die Philadelphia — Die Arbeiten in der Umgegend Hamburgs — Die Mission unter Strandgut — Konferenzen — Dolman und die Wandsbeker Konferenz.)

Zu schweren Kämpfen — auch über Lehrfragen — kam es in Schleswig-Holstein, allerdings nicht vom darbystischen Flügel her. Dessen Gefahr durchschaute man augenscheinlich nicht. Die Frage der Organisation wurde vielmehr auf dem Sommerfest 1904 beifällig besprochen und es für wünschenswert erklärt, „ohne den Geist hindern zu wollen, sich die Formen im einzelnen zu schaffen", „daß in jeder Gemeinschaft ein engerer Kreis von solchen sei, die ganzen und vollen Ernst mit der Hingabe an den Herrn machen". Doch wollte man für diese engeren Kreise noch keine Formen vorschlagen.

Schärfer trat man namentlich seitens älterer Brüder, wie Witt-Havetoft, wie wir sahen, der neuen Lehre Pauls entgegen. Das wurde verursacht durch die Kämpfe mit den dänischen „Sündlosen", die in dieser ganzen Zeit den Verein erschütterten. Auf dem Jahresfest 1904 wurde darüber verhandelt. Der schon mehrmals genannte Iversen-Sonderburg legte sein Sendbotenamt nieder und zog den größten Teil der Gemeinschaft mit sich. „Schweren Herzens" willigte beim Sommerfest der Vorstand sogar in den Verkauf des dortigen Hauses. Wie früher solle einmal im Monat ein Sendbote auf zwei Tage hinübergehen, den kleinen treugebliebenen Kreis zu besuchen und die Verbindung für günstigere Zeiten aufrechtzuerhalten. Der Verkauf kam jedoch nicht zustande. Fastnacht 1905 konnte von beginnender Klärung in Sonderburg berichtet werden. Ein eigener Sendbote, Stahl (bisher in Augsburg), war wieder dort stationiert (seit Januar). Noch ein anderer Bruder scheint zu den Sündlosen übergegangen zu sein (s. ALK 1904 S. 606).

Weniger prinzipieller Art scheint der Streit in Lübeck gewesen zu sein. Der Fastnacht 1905 von dort nach Eckernförde versetzte Clasen kündigte nämlich, anstatt der Versetzung zu folgen, und auch hier stand der größere Teil der Gemeinschaft zum Sendboten. Daß hier übrigens auch radikalere Tendenzen herrschten, scheint doch daraus hervorzugehen, daß Clasen fortab im Allianzblatte seine Versammlungen anzeigte*).

Aus welchen Gründen April 1905 Kühn-Höxter wieder aus der Arbeit schied, worauf der Gründer der Arbeit, Nölle (damals Vorstandsmitglied des Gemeinschaftsvereins), selbst die Arbeit versah, ist mir unbekannt. Das dortige Vereinshaus war schon 1903 auf Nölles Namen zurückübertragen.

In Kiel entstand eine Schwierigkeit durch die Rückkehr Witts aus China. Am 14. Januar 1905 beschloß der Verein, da ein Zusammenarbeiten unmöglich sei, ihn zu bitten, er möchte nicht nach Kiel zurückkehren. Da er es doch tat, erfolgte der Bruch.

Doch dehnte sich trotz allem das Werk des Vereins aus. Mecklenburg beantragte seinen Anschluß. Auf dem Herbstfest 1904 wurde das Nähere vereinbart. v. Tiele-Winkler trat als sein Vertreter in den Vorstand ein. Auch hier ging es vorwärts. Der Rostocker Gemeinschaftsverein konnte am 28. Mai 1905 ein eigenes Haus einweihen.

In Tiele-Winkler hatte man nun auch den Mann gefunden, um die seit Röschmanns Tode unbesetzte Vizepräsesstelle Fastnacht 1905 wieder zu besetzen. An Sendboten zählte man 1903 13, 1904 14, in Elmshorn, Ütersen (Sievers), Itzehoe (Edelhoff), Meldorf, Heide, Bredstedt (Jensen), Segeberg, Neumünster (Lindemann), Rendsburg (Brügmann), Sonderburg (Iversen), Sörupholz (Lohse), Lübeck (Clasen) und Höxter. Eine neue Arbeit wurde in Flensburg angefangen. Lindemann wurde im Sommer nach Heide versetzt. In Meldorf wurde außer dem Sendboten ein Kolporteur stationiert. Sievers**) sollte vom Oktober ab die Arbeit in Lauenburg beginnen (Mölln), und der von Eutin aus in Ostholstein arbeitende Bruder Schuchhardt wurde dem Verein angegliedert. So waren es trotz der oben erzählten Verluste Fastnacht 1905 15 Boten.

Auch die Häuser hatten sich vermehrt. 1903 kam Möllmark, 1904 Wilster hinzu, so daß 1905 neun Häuser dem Verein gehörten, sechs ihm zur Verfügung standen (hier scheint Kaltenkirchen ausgeschieden zu sein). Als nötig wurden damals bezeichnet Häuser in Flensburg, Heide und Kiel.

---

*) Bei der Anzeige der Einweihung seines neuen Lokals (31. Mai 1905) in der Wacht (1905 Nr. 25) war bemerkt: „Der bisherige Leiter des Gemeinschaftsvereins in Lübeck ist vom Herrn berufen, diese neue Arbeit fortzuführen."

**) Für ihn kam Golz aus Stolp, also ein Ostdeutscher!

Der Etat war auf 20220,12 Mk. angewachsen. Der Umsatz der Buchhandlung betrug 1904 114957,91 Mk., 32 Personen waren darin beschäftigt. Der „Gemeinschaftsfreund" verlor durch „Was sagt die Schrift?" und sank auf 1500 Exemplare, die „Kinderfreude" stieg auf 5405, „Nimm und lies" auf 85000. Von den Reichsliedern wurden 1904 gegen 60000 abgesetzt (damit im ganzen 570000!), vom Kalender 10000, vom Predigtbuch 1000. Der im Januar 1903 gegründete schleswig-holsteinische Traktatverein hatte Fastnacht 1904 schon über eine Million Seiten ausgegeben.

Außer den üblichen Festen, Jahresversammlung zu Fastnacht in Elmshorn, Sommerfest (wechselnd), Sendbotenkonferenz und Vorstandssitzung im Herbst (wechselnd, 1904 zuerst in Kiel), hat 1902 (1.—4. April) auch einmal eine schleswig-holsteinische Gemeinschaftskonferenz unter Bernstorff in Kiel stattgefunden, die aber nicht wiederholt zu sein scheint.

Die Stellung zur Kirche scheint sich noch mehr abgekühlt zu haben, was bei Bernstorffs unklarer Allianzstellung nicht sehr verwunderlich war. Rendtorff warf ihm auf der Gesamtsynode Schleswig-Holsteins nicht ganz mit Unrecht vor, daß er den Prinzipienfragen stets aus dem Wege gehe. Bernstorffs Antwort im „Gemeinschaftsfreund" zeigte nur die alte Unklarheit. Andererseits machte das Breklumer Sonntagsblatt darauf aufmerksam, daß es seines Wissens keine einzige kirchliche Arbeit gebe, die der Gemeinschaftsverein als solcher unterstütze. Dazu kam, daß ja Bernstorff nicht so direkt sich um die Leitung kümmern konnte wie v. Oertzen, so daß die Sendboten und besonders der Sekretär Jhloff naturgemäß sehr viel selbständiger wurden, woraus zum Teil auch die Absplitterungen sich wohl erklären.

Ganz im Gegensatz zum Gemeinschaftsverein kam der „Kirchliche Verein" auch in dieser Zeit nicht recht vorwärts. Immerhin konnte er 1904 zu seinem Berufsarbeiter Theilig einen zweiten (Lorenzen) anstellen. Dieser hatte auf der Westküste ca. 30 feste Stellen, wo er regelmäßig Bibelstunden hielt. Die Einnahme betrug 1904: 3145,71 Mk., Ausgabe 2839,10 Mk. Im Norden fand der Verein sehr viel mehr Eingang als in Holstein.

Der Kirchliche Verein für Innere Mission in Nordschleswig blieb für sich und hatte 1905 unter dem Vorsitze von P. Tonnesen (jetzt Hoptrup) 10 Laienprediger und 17 Missionshäuser. Nach einer Mitteilung in ALK 1904 S. 606 hat der Verein in seinen Kreisen eine „Missionsbank" („Privatbank Aktiengesellschaft" in Hadersleben) 1. Mai 1904 eröffnet. Nach Abzug von 10 Prozent für den Reservefonds und bis 6 Prozent Dividende fällt der Reingewinn an den Verein.

Auch die Bornholmer vermehrten ihre Evangelisten.

Am 7. September 1902 wurde in der Hamburger Philadelphia der uns schon bekannte Rubanowitsch durch Beschnidt und Bernstorff eingeführt, nachdem in der Zwischenzeit Lindemann und Deckert häufiger ausgeholfen hatten. Neu eingetreten war als Arbeiter der Kaufmann Stolte. Da aber Beschnidt immer schwächer wurde, mußte 1903 ein weiterer Bruder (Becker) angestellt werden. Beschnidt starb August 1904. Da andererseits der oben genannte Maschinist Petersen jetzt ganz Berufsarbeiter wurde, standen Ende 1904 sechs Brüder in der Arbeit*).

Rubanowitsch organisierte seine Gemeinschaft immer schärfer als Gemeinde. Er führte bald vierzehntägige Abendmahlsfeier sowie folgenden Anmeldeschein ein:

„Der heilige Geist sagt: Wer irgend das Brot ißt oder den Kelch des Herrn trinkt unwürdiglich, wird des Leibes und Blutes des Herrn schuldig sein (1. Kor. 11, 27), d. h. er hat seine (sic!) Hand angelegt, Jesum umzubringen. Ein solcher unwürdiglicher (sic!) Teilnehmer am heiligen Abendmahl würde durch den Genuß desselben ein Verbrechen am Leibe Christi begehen. Um solches zu verhüten, nehme sich der einzelne Zeit, bevor er zum Tische des Herrn kommt, vor Gott, dem Allwissenden, folgende Fragen mit Ruhe und Überlegung zu beantworten: 1. Ist alles in Ordnung zwischen dir und deinem Herrn, d. h. hast du deine erkannte Sünde verraten, einem Menschen Gottes bekannt und mit ihr gebrochen? 2. Ist alles in Ordnung zwischen dir und den Menschen, d. h. begangene Verfehlungen, Unfreundlichkeiten, Lieblosigkeiten, Unehrlichkeiten vor denjenigen demütig und aufrichtig bekannt, die es betraf, und sie um Verzeihung gebeten, und liegt nichts Neues wieder vor? 3. Darfst du obiges vor dem lebendigen Gott in Ruhe mit Ja beantworten?"

Seine Anschauungen vertrat er seit 1904 in einem eigenen Blatt „Was sagt die Schrift?" Dieselben gehen ihre durchaus eigenen Wege. Er ist offenbar nicht ganz unberührt von darbystisch-independentischen Einflüssen**), aber doch nicht eigentlich dem darbystischen Flügel zuzuzählen. Die schärfste Trennung von Gläubigen und Ungläubigen fordert auch er. Die Sichtbarkeit des Volkes Gottes steht ihm fest. Er weist zwar den Vorwurf ab, eine Gemeinde der Heiligen aufzurichten, will aber eine Gemeinde Bekehrter, nach Heiligung Strebender herstellen. Strengste Kirchenzucht soll diese Gemeinde erhalten, wobei er sogar behauptet: „Wenn jemand von einer Gemeinschaft, die es mit der Bibel genau nimmt,

---

*) Rubanowitsch, D. Witt, Stolte, Maack, Becker, Petersen.
**) Wohl durch seine Neukirchener Zeit vermittelt.

mit Recht ausgeschlossen ist, kann dieser keine Vergebung finden, bis die Gemeinschaft, die ihn ausgeschlossen hat, ihm Vergebung schenkt." Namentlich das Abendmahl ist nur für „Bekehrte", daher die Einführung des Anmeldescheins. Wer mit Unbekehrten „oder auch mit Bekehrten, die in Sünden leben und keine Buße tun" *), das Abendmahl feiert, tut ein Verbrechen. Wer daher keine Kinder Gottes an seinem Orte hat, soll das Abendmahl für sich bzw. als Hausvater in seiner Familie feiern. Selbstverständlich muß in der Gemeinschaft vor allem der Austeilende ein Kind Gottes sein, von einem anderen, namentlich aber von einem liberalen Pastor das Abendmahl zu nehmen, sei eine Verleugnung Jesu. Ob der Prediger ein Kind Gottes ist, erkennt man daran, ob Bekehrungen in seiner Gemeinde vorkommen. Dagegen trennt das Bekenntnis nicht. Er steht durchaus auf Allianzstandpunkt. So steht er natürlich der freilich in Hamburg stark zerrütteten Landeskirche ablehnend gegenüber. Austreten will er aber nicht, weil er als Glied der Kirche noch das Recht des Protestes habe, und wenn die Kirche auch Babel sei, so werde die Aufforderung auszugehen von ihr doch erst kurz vor dem Endgericht ergehen.

Abweichend vom darbystischen Flügel ist seine Anschauung von der Entrückung, die ihm erst nach der großen Trübsal als Entrückung aller Gläubigen einzutreten scheint. Eine Entrückung einer Auswahl kennt er zwar auch noch, aber die findet nach ihm im Himmel statt. Woher er diese Ansicht hat oder ob sie sein Eigentum ist, weiß ich nicht. Lutherisch denkt er über das Abendmahl, das er durchaus sakramental faßt, wobei er allerdings so weit geht, eine physische Wirkung des Leibes und Blutes Jesu stark zu betonen. Damit zusammenhängend vertritt er die Anschauung Bengels und Mich. Hahns von der Unvergänglichkeit des aus Jesu Körper ausgeschiedenen und von ihm als vergossenes in den Himmel getragenen Blutes.

Zur Absonderung von der Welt gehört auch ihm die Enthaltung von Mitteldingen (z. B. Spiel). Auf Grund von Apgsch. 15 verbietet Rubanowitsch aber auch strikte den Blutgenuß, auch in gekochtem Zustande. Für die „innere Stimme" tritt er ein.

Gegnerisch steht er den Sündlosen und der Paulschen Heiligung gegenüber. Die Sündenäußerungen können abgetan werden, aber die innewohnende Sünde, die Erbsünde, bleibt.

Seinen Ausführungen ist logische Schärfe niemals abzusprechen, aber er neigt zu Haarspaltereien, wie wir schon beim Lepsiusstreit

---

*) Man sieht wieder die Überschätzung des einmaligen abgeschlossenen Aktes der Bekehrung!

erwähnten, und bleibt häufig an Einzelheiten hängen, ohne das Ganze, Grundlegende recht zu erfassen. So kommt er manchmal zu Kunststücken und Wunderlichkeiten *).

Die Gemeinschaft und ihre Arbeit wuchs aber unter seiner energischen Leitung. Die Zahl der Besucher stieg auf 5—600 (1903), 6—700 (1904), die Abendmahlsgemeinschaft umfaßte 1903 700, 1904 1075. Manche gingen alle vierzehn Tage, die einzelne Feier wurde durchschnittlich von 200 Personen besucht. Wöchentlich wurden ca. 50 Versammlungen (inkl. Kinderstunden) gehalten. Die Opferwilligkeit war sehr groß, viele gaben den Zehnten. Die Einnahme betrug 1904 32790,97 Mk. gegen 24590,33 Mk. und 19329,55 Mk. in den Vorjahren, davon waren in den „Dankopferbüchsen" 10154 Mk. (gegen 8446 Mk. und 6346 Mk.), Liebesgaben 11518,61 Mk. (gegen 9200 Mk. und 6700 Mk.). Die Ausgaben betrugen 32628,63 Mk. (gegen 24179,79 Mk. und 17963,74 Mk.). Auf dem Hause ruhten 1904 99000 Mk. Hypotheken. „Was sagt die Schrift?" hatte 1904 1260 Abonnenten, „Nimm und lies!" ca. 9000. Das Blaue Kreuz zählte 504 Mitglieder (431) und Anhänger (73), gegen 485 (419 + 66) im Vorjahre. Von den 1904 neu übernommenen 431 Verpflichtungen waren 83 geblieben. Mehrere waren ausgeschieden, „welche sich unter dem Worte Gottes nicht wohl fühlten". Der Jugendbund zählte 214 Mitglieder. Auch einen Gesang- und Posaunenchor hatte man von nur „solchen, die wirklich zur Ehre des Herrn singen und blasen" können.

Das Siechenhaus Elim, das ja zugleich Diakonissenmutterhaus war, hatte 1904 28 Schwestern. Diese übernahmen 1902 auch die Kinderstunde in Lokstedt und bezogen 1904 auch die dortige Mietswohnung mit. An den übrigen Arbeitsstellen der Philadelphia Rothenburgsort, Hammerbrook, Uhlenhorst, sowie in Moorburg, Altona, Wandsbek und Trittau wurde weiter gearbeitet. Die Wandsbeker Gemeinschaft blieb dabei, namentlich pekuniär, selbständig und wurde nur durch die Brüder vom Holstenwall bedient.

*) Vgl. die Geburt des Antichrists als Sohn eines bösen Geistes und eines Weibes (1906 Nr. 4), die Erklärung, warum der Volksmund dem Satan einen Pferdefuß zuschreibt (1906 Nr. 1), und was das „Kopfzertreten" für ihn bedeutet (1906 Nr. 6), die Behauptung, Elia habe nach seinem Tode einen Brief an Joram, Josaphats Sohn, geschrieben (1905 Nr. 7 und 12), vor allem auch seine Ausführung über „Maße und Material des Neuen Jerusalems" (1906 Nr. 17), „In den Himmlischen Räumen" (Nr. 19), „Und vor dem Tor" (Nr. 20). Auch seine Ausführungen über die Dreieinigkeit (z. B. 1904 Nr. 14 und sonst) zeigen diese rabbinistische Art, sowie die über den heiligen Geist, wo er denselben als Person unterscheidet von seinem Wirken als Kraft im Gläubigen (1905 Nr. 49 ff.).

In **Harburg** konnte **Maack** am 14. Dezember 1902 einen Saal (150 Personen) einweihen, bald kam das Nebenhaus hinzu und in dessen Garten ein neuer Saal (3—400), eingeweiht am 11. Dezember 1904. Maack arbeitete auch in Fleestedt, wo Juni 1903 ein von hundert Personen besuchtes Missionsfest stattfand und seit Oktober 1903 alle drei Wochen Sonntags Versammlung abgehalten wurde, sowie in Schneverdingen, wo am 30. Oktober 1904 ein Vereinshaus eingeweiht wurde, außerdem in Hohewisch, Altenwerder und Geestemünde.

In der unter E. **Meyer** stehenden Christlichen Gemeinschaft Hamburg (Norderstraße) wurde die „**Mission unter Strandgut**" mehr und mehr die Hauptsache. Im Oktober 1902 kam zur Zufluchtsstätte in der Niedernstraße und der Kaffeehalle die „Arbeitsstätte für Männer", ein Heim für Arbeitslose, in der Norderstraße (anfangs 15 Betten, in den ersten 1¼ Jahren 60 Männer). Auch die Gemeinschaft zog am 1. Februar 1903 hierher, da der C. V. J. M. seine Räume selbst gebrauchte. Hausvater wurde der Siegerländer H. Laus, der auch einen J. B. ins Leben rief. Im Blaukreuzverein mußten in diesem Jahre 40 Mitglieder gestrichen werden. Er schmolz auf 45 zusammen. Der Versammlungssaal Niedernstraße 64 wurde ganz aufgegeben und das Haus, in dem die Kaffeehalle eingerichtet war, ganz übernommen, auch eine „Evangeliumshalle Adullam" darin eingerichtet. Der eine Hausvater (Oligschläger) war schon 1903 hier dem schweren Dienst erlegen, sein Nachfolger (Manowski) schied bereits nach einem Jahre wieder aus, dann kam 15. November 1904 Laus hierher und wurde in der Norderstraße durch den Missionskaufmann Wehler ersetzt. Auch ein Schwesternheim wurde Niedernstraße 113 eingerichtet, mit Bibelhausschwestern und Vandsburgerinnen besetzt, aber schon im Herbst 1904 verlegt und siedelte 1. April 1905 nach Billwärder über, wo unter dem Namen Jakobsbrunnen eine Zufluchtsstätte für obdachlose Frauen eingerichtet wurde. Es war eine große Summe aufopfernder, selbstloser Arbeit, die in all diesen Zweigen an den Verkommensten und Elendesten der Elenden geleistet wurde. Aber eine gewisse Unruhe in Änderungen und Neugründungen ist nicht zu verkennen*). Auch in der Organisation scheinen Änderungen eingetreten zu sein. 1903 unterzeichnet neben Meyer den Bericht ein Brüderrat, 1904 ein Beirat, der eingerichtet erscheint, um weitere Kreise zu interessieren. Denn dieser Betrieb erforderte hohe Summen. Die Gaben betrugen 1902 4278,80 Mk., 1903 17201,24

*) Auch eine Eisenbahnerversammlung hatte er einrichten wollen. Die Sache war aber nicht geglückt.

Mark, und trotzdem hatte man ein Defizit von 8817,55 Mk. 1904 stiegen die Gaben auf 18110,98 Mk. Der Senat erkannte die Wichtigkeit der Arbeit durch eine Beihilfe von 2000 Mk. an. So konnte das Defizit noch einmal gedeckt werden.

Bezeichnend für Meyers prinzipielle Unklarheit ist seine Betonung: „Unser Werk ist ein Glaubenswerk; es wird getragen von den Gebeten und Gaben der Kinder Gottes. Wir selbst sind geringe Leute, die nichts vermögen. Verbindungen mit der Welt gehen wir nicht ein." Trotz des „Glaubenswerks" bittet er aber sehr nachdrücklich um Gaben und ist überzeugt, daß sich Gottes „Kinder Anweisung geben lassen und nach Erscheinen dieses Büchleins viele Gaben eingehen werden zur Deckung des Defizits."

Daß er neuen radikalen Strömungen gegenüber keinen Widerstand leisten würde, war zu befürchten.

Die Hamburger Osterkonferenz wurde 1903 unter Bernstorff in gewohnter Weise wiederholt; doch bildete sich damals aus Gemeinschaftsleuten und Pastoren der Landeskirche ein Komitee für Evangelisation und Gemeinschaftspflege, das 1904 (5.—7. April) eine neue Hamburger Osterkonferenz abhielt, wo die Eisenacher Lepsius und Keller redeten.

Ein Mittelpunkt radikalerer Gedanken wurde dagegen die jährliche Allianzkonferenz in Wandsbek. Hier sprachen Pfingsten 1902 Dammann, Paul, Lohmann und Coerper. Seit 1902 kam zu der Konferenz auch eine Zeitschrift „Israels Hoffnung"*), die 1904 20000 Leser zählte und gratis verschickt wurde. Die monatlichen Ausgaben für Porto und Expedition beliefen sich damals schon auf ca. 1000 Mk. Das Blatt sollte im Sinne von Keswick ein Gemeinschaftsblatt sein für alle Gotteskinder zur Vertiefung des Glaubenslebens ohne Unterschied der Kirchengemeinschaft.

e) Das Gebiet des hessen-nassauischen Brüderrats.

(Die Stellung des Brüderrats — Entwicklung der Arbeit in Kurhessen und Anschluß von Meiningen — Die Entwicklung der Arbeit in Nassau und der Herborner Verein.)

In den alten Gnadauer Bahnen blieb der hessen-nassauische Brüderrat. Die Kasseler Konferenz (V. 14.—17. April 1903, Kol. 2, 9) wurde bei ihrer sechsten Tagung zum ersten Male

---

*) Dolman schreibt von dem Anfange: „Ich muß gestehen, daß ich zuerst gar nicht willig war, dem Herrn zu gehorchen. Ich habe mich länger als ein Jahr dagegen gesträubt. Immer wieder machte ich Einwände, als der Herr mir die Aufgabe nahelegte ... Dennoch empfand ich, daß der Herr einen Auftrag für mich hatte, und ich war nicht eher ruhig, bis ich gehorchte" (1906 Nr. 1).

als spezifisch „hessen-nassauische" gefeiert (25.—28. April 1905). Gleichwohl war sie stärker besucht als früher. Ausdrücklich wurde hier als „Gottes Ziel mit uns" (Thema) hingestellt Durchheiligung, nicht Hinwegnahme der Sündennatur. Freilich war man vorher sogar bereit gewesen, das eigene Monatsblatt, den „Gemeinschaftsboten für die landeskirchlichen Gemeinschaften der Provinz Hessen-Nassau", aufzugeben und dafür den ostdeutschen Gemeinschaftsboten, der „ganz unsern Gedanken durch seinen Inhalt entspricht und gesund biblische innere Förderung für Kinder Gottes" bringe, einzuführen (1904 Nr. 2). Er ist dann auch augenscheinlich von manchen gelesen. Aber man behielt schließlich doch den eigenen Gemeinschaftsboten 1904 in alter Form bei und vereinigte sich dann mit dem von Cürlis-Essen herausgegebenen „Unter dem Kreuz". Wittekindt war es scheinbar, der den ostdeutschen Gedanken nicht klar sich entgegenstellte*), namentlich nachdem er Sekretär des Deutschen Verbandes geworden war. Er blieb im Vorstande des Gemeinschaftsvereins. Schriftführer wurde Sartorius. Das Blatt redigierte Blackert-Kassel durchaus kirchenfreundlich. So brachte er z. B. 1904 einen längeren Artikel von Vowinckel über den „Richtgeist", der energisch für die Volkskirche eintrat und davor warnte, nur „Bekehrte" aufnehmen zu wollen. Die Kasse hatte 1903 ein Defizit von 300 Mk. Auf der Generalversammlung 1904 in Hersfeld konnte man verhandeln über die Besetzung neuer Arbeitsgebiete und engeren Zusammenschluß mit Nassau und Waldeck.

Von den Berufsarbeitern schied 1903 Harlos aus. Neben Heß-Hersfeld arbeitete Roth. Wiegand-Großalmerode versah 1905 16 Orte, Vogt (seit 1904 in Schmalkalden) 11, von denen 1904 5 neu hinzugekommen waren. Heß ging 1904 nach Meiningen. Für ihn trat zunächst Roth mit ein, der insbesondere auch in den Kreisen Ziegenhain und Homberg arbeiten sollte. 1905 siedelte er ganz nach Homberg über, und H. Fischer (Johanneum) trat an Heß' Stelle in Hersfeld.

Hatten schon früher von Schmalkalden aus Beziehungen zu Thüringen bestanden (aus Salzungen, Ohrdruf und anderen Orten nahm man z. B. an der Konferenz in Kleinschmalkalden 1903 teil, und Stötzer-Friedrichroda, sowie ein meiningischer Pfarrer redeten unter anderen), so trat nun die Gemeinschaft in Meiningen an den Verein heran mit der Bitte um Anschluß, der

---

*) Vgl. seine Ausführung über entschiedene Bekehrung (Wir wollen eine Gemeinschaft der Gläubigen, d. i. derer, die durch die enge Pforte hindurchgegangen sind) und über das „Siegesleben" (hess.-nass. Gemb. 1904 Nr. 7.)

auf der Mitgliederversammlung am 22. November 1904 beschlossen wurde.

In Kassel bildete sich Ostern 1903 eine zweite Gemeinschaft (Weserstraße) neben der bisherigen, die im Blaukreuzhaus Schillerstraße wohnte. Die Blaukreuzarbeit war 1896 begonnen und stand in dieser Zeit unter A. Dallmeyer*). In Großalmerode fand 1904 wieder eine Erweckung statt, so daß wochenlang mehrere Versammlungen gleichzeitig stattfanden, „bis tief in Mitternacht hinein", und am 12. Dezember ein Erweiterungsbau des Vereinshauses eingeweiht werden mußte.

Im Hersfeldischen traf man die Einrichtung, daß in den Wintermonaten die einzelnen Gemeinschaften Sonntags abwechselnd besucht wurden von dazu fähigen Brüdern. Hier bestanden Gemeinschaften in Hersfeld, Weiterode, Erdmannrode, Heimboldshausen, Kathus, Sorga, Niederaula, Wehrda, Rhina, Langenschwarz, Solms und Kruspis. In Hersfeld wurde der Raum zu klein, so daß man an einen Neubau denken mußte. In Sterbfritz war das vom Gemeinschaftsverein gebaute Haus bereits Oktober 1903 eingeweiht, bei welcher Gelegenheit Sartorius betonte, daß es „kein Ersatz für die Kirche, sondern eine Bereicherung des kirchlichen Lebens sein solle". Auch in Mansbach legte sich die Erregung; während des Prozesses, der in dieser Zeit durch das Kultusministerium zu Horst's Gunsten beendet wurde, kam die Gemeinde allmählich zu Horst. Am 28. August 1904 konnte er ein Vereinshaus einweihen, am 4. April 1905 wurde die erste Konferenz am Wochentage hier abgehalten. In den Kreisen Ziegenhain und Homberg drang die Bewegung erst spät vor. In Treysa wurde der Johanneumsbruder und frühere Sendbote, jetzt Verwalter des Hospitals in Treysa, Grabowsky der Begründer, in Michelsberg der Ortspfarrer. 1904 kam Homberg dazu. So feierte man am 9. November 1904 die erste Konferenz in Treysa, im Mai 1905 in Homberg, das in Roth nun einen Evangelisten erhielt (s. o.).

Eine speziell hessen-nassauische Einrichtung waren die Sommerfeste im Freien, z. B. 1903 in Obersuhl, Völkershausen, Eckelshausen, Treysa, Hofgeismar, Haindorf, Hohensolms, Dautphe, Niederorke, Gieselwerder, Schmalkalden, Oberkaufungen, Heimboldshausen, Hirzbach, Erdmannrode, 1904 in Heinebach, Hersfeld, Weiterode, Hirzbach, Kathus, Niederaula, Heimboldshausen, Erdmannrode und Mansbach.

In Nassau kamen zu den regelmäßigen Konferenzen in

---

*) Chrischonabruder, zuerst 1896 vom Verein für Innere Mission in der Pfalz angestellt (vgl. auch oben S. 382).

Katzenelnbogen, Diez und Weilburg 1903 solche in Bad Ems (März), Walsdorf und Nastätten (November) hinzu. Auch die Konferenz in Allendorf für den Dillkreis wurde wiederholt (z. B. 20. und 21. März 1905), ja in Dillenburg selbst wurde 1905 eine zweitägige Konferenz gehalten. Doch kam man dem Herborn-Dillenburger Verein nicht näher. Wohl aber gewann die neue Bewegung mehr Boden im Dillkreis, zumal Huth 1905 von Walsdorf nach Eibelshausen versetzt wurde.

Die vier Boten des Herborn-Dillenburger Vereins hielten 1903 über 800 Versammlungen, Triesch 212, Moll 273, Jahn (1903 für Friemel) 303 und Kritzler, der am 1. November nach fünfundzwanzigjähriger Tätigkeit in den Ruhestand trat, ca. 20.

In Wiesbaden fanden die großen Konferenzen zur Vertiefung des Glaubenslebens alljährlich im Oktober statt.

In Dautphe trat 1904 an Bohnkes Stelle, der Friemel nach Schlesien folgte, Hofmann.

f) Rückblick.

Schauen wir rückwärts, so sehen wir eine Entwicklung in doppelter Richtung: einmal erobert die organisierte Bewegung in den einzelnen Teilen immer mehr Terrain, andererseits dringen in ihr darbystische und Paulsche Gedanken vor, allerdings in verschiedener Stärke. Vielfach wurden sie bewußt abgelehnt (Sachsen), aber vielfach verharrte man auch in bedenklich unklarer Gemeinschaft mit den Brüdern jener Richtung und konnte sich zu klarer Herausarbeitung der trennenden Gedanken nicht entschließen.

Natürlich war die Lage dort, wo keine oder nur lose Organisation bisher war, noch viel schwieriger.

3. Die Entwicklung in den bisher lose oder gar nicht organisierten Landesteilen.

a) Bayern.

(Konferenzen — Allianzzentren — Stellung der Kirche.)

In Bayern vertrat Eichhorn den alten Gnadauer Standpunkt. Die Konferenzen in Mittel- und Unterfranken wurden in gewohnter Weise wiederholt. Neue wie in Neustadt a. d. Aisch (24. April 1904) kamen hinzu. Aber auch in Ingolstadt konnte Oktober 1902 eine Konferenz eingerichtet werden. Im ganzen wurden in Bayern allein vom Januar bis Juli 1905 fünfzehn

Konferenzen gehalten. Der Philadelphiaarbeiter in Ansbach ist erwähnt.

Aber daneben entstanden jetzt auch Allianzzentren. So bildete sich in Nürnberg 1902 neben der als ziemlich „ausgelebt" bezeichneten älteren Gemeinschaft eine neue Gemeinschaft jüngerer Leute, die sich „Bund der Freiwilligen" nannte und einen Johanneumsbruder anstellte (Th. Levi). Ein Mitglied der alten Gemeinschaft wurde Vorsitzender. Später nannte sie sich „landeskirchliche Gemeinschaft". Die neue Gemeinschaft bewirkte 1903 eine Evangelisation von Viebahns und vom 12.—14. Januar 1904 eine „Konferenz zur Vertiefung des Glaubenslebens" auf Allianzboden, der vom 31. Oktober bis 3. November 1904 eine Evangelische Allianzkonferenz folgte, die von ca. 800 Personen besucht war und als die jüngere Schwester der Zwickauer bezeichnet wurde, aber entschieden bedeutender als diese. Bernstorff, Stockmayer und Professor Müller-Erlangen sprachen neben Freikirchlern.

Das andere Allianzzentrum wurde der Kreis Mehls in Augsburg, der 1905 das Erholungshaus Hensoltshöhe bei Gunzenhausen einrichtete.

Andererseits stellten sich die Behörden zu den Eichhornschen Gemeinschaften allmählich günstiger. Das Oberkonsistorium stellte im Bescheid auf die Kirchenvisitationen und Berichte von 1903 fest:

„Die Pfarrer können und sollen nicht den Gemeinschaften sich so anschließen und zu Dienst stellen, daß sie die übrige Gemeinde darüber hintansetzen und vernachlässigen. Sie sollen aber ebensowenig die Gemeinschaften argwöhnisch und abweisend behandeln . . . Das Verhältnis zwischen Amt und Gemeinschaft ist durchaus Vertrauenssache und wird sich segensreich nur da entwickeln, wo das gegenseitige Vertrauen mit christlicher Offenheit bewahrt wird." Es wird meist berichtet, daß die Mitglieder der Gemeinschaft die fleißigsten Kirchgänger, die andächtigsten Kommunikanten, die freigiebigsten Spender in der Pfarrei sind.

b) Hannover.

(Anfänge einer organisierten Bewegung — Stadt Hannover — Osnabrück — Lüneburg — Reiherstieg — Uelsen.)

Auch in Hannover kam es noch nicht zu einer Organisation. Doch lud man 1905 wenigstens zu einer „kirchlichen Gemeinschaftskonferenz" nach Osterwald ein, die von ca. 100 Personen besucht war.

„1. Nicht um der modernen Theologie entgegenzutreten, nicht um Sekten zu überwinden, nicht um einen Anschauungskursus über Gemeinschaftssache zu geben, gedenken wir eine Gemeinschaftskonferenz zu berufen, sondern um dem Verlangen Rechnung zu tragen, daß Brüder und Schwestern in Christo sich in Gottes Wort vertiefen und Gebetsgemeinschaft pflegen wollen. 2. . . . Wir unterscheiden Bekehrte und Unbekehrte. Damit will ich nicht sagen, daß ich imstande wäre, Bekehrte an irgendeinem Merkmal zu erkennen, . . . sondern daß wirklich ein Unterschied zwischen Bekehrten und Unbekehrten besteht . . . Der Bekehrte ist vom Unglauben zum Glauben gekommen . . . Ich frage nicht, wann er dahin gekommen ist, sondern ob er dahin gekommen ist . . . 3. Es soll ferner . . . nicht geleugnet werden, daß es zahllose Stufen gibt von völlig Unbekehrten bis zur Bekehrung hin . . . 4. Zu Gemeinschaftskonferenzen gehört Gemeinschaftsübung. Es kann jemand ein gläubiger Christ sein, aber aus irgendwelchem Grunde jene Form nicht wollen oder wenigstens voller Bedenken sein. Würde aber eine Konferenz in der Mehrheit aus Bedenklichen bestehen, so müßte die Gemeinschaftsübung darunter leiden . . . 5. Eine ecclesiola in ecclesia wollen wir nicht, weder im kleinen noch im großen, aber wenn eine provinzielle Gemeinschaftskonferenz auf landeskirchlicher Grundlage zustandekommen soll, so ist die Voraussetzung dafür, daß an möglichst vielen Orten Ansätze zur Gemeinschaftsbildung in Bibel- und Bibelbesprechstunden vorhanden sind . . ."

Das war sehr maßvoll und entgegenkommend gesprochen. Aber man fühlte sich doch auch hier offenbar schon als besondere Gruppe (P. 4), und P. 1 sieht aus wie eine Absage an Eisenach, wohin, wie wir sahen, eine Anzahl Pastoren, die die Gemeinschaftsbewegung in kirchlichen Bahnen zu halten hofften, sich hielten. Nicht gerade sehr klar ist P. 5. Vor allem traten jetzt die späteren Führer der Bewegung in Hannover hervor. Osterwald war als Konferenzort gewählt, weil hier der ganz auf die moderne Bewegung eingegangene P. coll. Thimme stand. Neben ihm finden wir jetzt P. coll. Dr. Schmidt, seit 1904 in Reiherstieg, wo er mit Rubanowitsch in Berührung gekommen war. Dazu kamen von den früher Genannten besonders Graf Korff sowie auch Claus-Baden und Eckhardt-Osnabrück. Die mehr landeskirchlich gesonnenen Mitglieder des Brüderrats von 1902 traten allmählich in den Hintergrund.

In Stadt Hannover suchte man zwar zunächst noch die Beziehungen aufrechtzuerhalten. Die geringen Anfänge hier hatten sich 1902 etwas konsolidiert. 1904 mietete die „Landeskirchliche Gemeinschaft", geleitet von Kaufmann Rieper, einen Saal in der kleinen Pfahlstraße. Von Deckert-Elmshorn, Trappmann-Barmen und Ihloff-Neumünster wurde evangelisiert. Überhaupt unterhielt man rege Verbindung mit Schleswig-Holstein. Alle vier Wochen kam ein Sendbote von dort, abwechselnd Deckert, Thiesen, Edelhoff und Lindemann. Außerdem bildete sich aber in Stadt Hannover 1904 ein kirchliches Komitee für Evangelisation und Gemeinschaftspflege, das mit der Gemeinschaft abmachte, komiteeseitig die Berufung von Evangelisten zu übernehmen, während die Gemeinschaft selbständig solche nicht berufen, auch ihre Sonntagsschule zugunsten der bestehenden Kindergottesdienste aufgeben wollte. Das Komitee berief 1905 Keller auf zehn Tage. Die Gemeinschaft ließ zeitweise ihre Ansprachen und Bibelbesprechungen von Geistlichen der Stadt halten; man hoffte, sie in kirchlichen Bahnen zu erhalten.

In Osnabrück trat mit der von Eckhardt geleiteten Gemeinschaft der reformierte P. Langen in Verbindung. Man mietete einen eigenen Saal. 1904 wurde zum ersten Male Henrichs zur Evangelisation berufen.

In Lüneburg wurde von einigen Resten der früheren Gemeinschaft 1902 der damals in Leipzig tätige F. Lindemann berufen zur Übernahme des Blauen Kreuzes und Gründung eines J.B. Seinen Unterhalt sollte er durch den Betrieb einer Kaffeehalle gewinnen. Eine Organisation entstand nicht, und mit der Kirche suchte man zunächst Zusammenhang zu bewahren. Pastoren hielten die Bibelstunden. Allmählich drängte aber alles zur Gründung einer wirklichen Gemeinschaft mit ca. 40—50 Teilnehmern und eines J. B. von ca. 20 jungen Leuten.

In Wilhelmsburg-Reiherstieg entstanden durch P. Dr. Schmidt Anfänge einer Gemeinschaft.

Sonst ist mir von Neuanfängen in dieser Zeit nichts bekannt, außer der Arbeit der Evangelischen Gesellschaft, die in Uelsen (Gr. Bentheim) 1904 einen Boten stationierte.

c) Rheinland-Westfalen.

(Die Kämpfe in Minden-Ravensberg — Die Gesamtorganisation — Siegen — Das sonstige Westfalen — Die Arbeit der Evangelischen Gesellschaft — Die Buntscheckigkeit der Richtungen am Niederrhein und das Vordringen der darbystischen — Die Barmer Konferenz — Die rheinische Konferenz — Das Oberbergische, der Westerwald, das Nahegebiet und Wetzlar.)

In Minden-Ravensberg entfesselte das Eindringen der neuesten Strömung darbystischer Färbung heftige Kämpfe, deren Vorboten wir bereits oben (s. o. S. 160) erwähnt haben. Am interessantesten sind dabei die Vorgänge in Schildesche (s. Gottestaten Nr. 5):

„Das Ravensberger Land hat vor ca. 50 Jahren eine Erweckungszeit gehabt. Seitdem steht es in christlichen Kreisen allgemein im Rufe des Pietismus. Leider mit Unrecht . . . Warum hat jene Erweckung sich nicht weiter fortgepflanzt? Wie es scheint, hauptsächlich aus diesen Gründen: 1. Weil die Gläubigen bei der Rechtfertigung stehen blieben und nicht in die Heiligung geführt wurden; 2. weil sie in der Unselbständigkeit und Unmündigkeit erhalten wurden; 3. weil sie nicht zur Arbeit an anderen angeleitet wurden oder doch sie versäumten. Es ist auffallend, daß diese alten Gläubigen der jungen Erweckung, wie überhaupt der neueren Heiligungsbewegung, kühl, ja feindlich und verständnislos gegenüberstehen . . . Auch jetzt noch gibt es (in Schildesche) kirchliches Leben, ein zähes Festhalten an den ererbten kirchlichen Gewohnheiten, aber ohne geistliches Leben; auch gibt's viele „Klagechristen", die in der Erkenntnis ihres Elends stecken bleiben und diesen Zustand für normales Glaubensleben halten, daneben aber auch viele suchende Seelen." So sollte Kaul-Stockum evangelisieren. Das Presbyterium lehnte die Benutzung des kirchlichen Gemeindesaals „rundweg" ab. Kaul evangelisierte vom 11. bis 23. Januar 1903. „Der Herr segnete das Wort." „Nach einigen Tagen begannen wir mit Nachversammlungen. Kinder Gottes flehten zum Gnadenthron für die suchenden Seelen, während einige Brüder und Schwestern mit den Zurückgebliebenen insbesondere redeten und beteten. An jedem Abend kamen viele zum Frieden und wurden Jesu Eigentum . . . Als Bruder Kaul fort war, fuhren wir mit den Evangelisationsversammlungen im Gemeindehaus fort . . . In einigen Familien wiederholte sich buchstäblich Joh. 4, 53 . . . in anderen geht es jetzt nach Matth. 10, 34 ff. Überhaupt mit dem schönen Frieden in der Gemeinde ist es jetzt vorbei. Es rumort gewaltig in den Herzen, und der Teufel hat einen großen Zorn . . . Aus dem Gemeindehause wurden wir bald vertrieben. Das Presbyterium beschloß: 1. daß außer den Ortspfarrern ohne Erlaubnis des Presbyteriums keine fremden Redner im Gemeindehause reden dürften, 2. daß drei besonders tätigen Brüdern der Zutritt zum Gemeindehause verboten sei, 3. daß das öffentliche Beten nur den Pastoren gestattet sei. Man wollte damit den gläubigen Pfarrer seiner Stützen berauben und so die Bewegung lahm legen. Das ließ aber der Herr nicht zu. Eine Schwester öffnete ihr Haus für unsere Versammlungen. Auf der Tenne, in Gesellschaft der Kühe, der Hühner und der zu räuchernden Speckseiten dürfen wir uns versammeln . . . Jetzt halten sich an 200 zu unserer Gemeinschaft. Auch aus den Nachbargemeinden sind mehrere bekehrt worden . . . Überhaupt ist das ganze Land stundenweit in Aufregung über diese unerhörten Vorgänge in Schildesche . . . Wir sind nun gezwungen, ein Gemeinschaftshaus zu bauen . . . Die Mittel zum Bau erwarten wir vom Herrn."

Nüchtern angesehen heißt das alles doch nur: P. Köhler, der in der Verfassung der Volkskirche einen grellen Widerspruch zu „den in der heiligen Schrift geoffenbarten Grundzügen der christlichen Gemeinde" sah, der also für lutherische Anschauung gar kein Verständnis mehr besaß, der es mit seinem Gewissen nicht mehr vereinigen konnte, alle Kinder in der Landeskirche zu taufen, zu konfirmieren, zu trauen und allen, die kamen, das Abendmahl auszuteilen, der unterstützt wurde in der Gemeinschaftspflege von dem ganz independentischen Warns, beruft einen durchaus freikirchlich gerichteten Evangelisten, und da weigert das lutherische Presbyterium die kirchlichen Gebäude.

Mögen da auch andere Dinge mitgespielt haben, mag das Presbyterium sonst wirklich nicht immer das für das kirchliche Leben Nötige getan haben, indem es den von der Synode bereits 1898 ausgesprochenen Wunsch nach Errichtung einer dritten Pfarrstelle in der rasch anwachsenden Stadt nicht erfüllte (Wahrheit in der Liebe 1905 H. 3), in diesem Falle hat dasselbe jedenfalls ganz korrekt gehandelt. Am 7. Februar 1905 legte übrigens P. Köhler aus obigen Gewissensbedenken sein Amt nieder. Wir werden ihm und Warns als Lehrer an der Allianzbibelschule noch wieder begegnen.

Auch die Bielefelder Kreissynode nahm Stellung zu den Vorgängen und erklärte sie als „Unordnung", während die Synode Halle über eine Evangelisation in Wallenbrück, der Gemeinde eines Bruders von Jellinghaus, verhandelte, auch, wie es scheint, durchweg ablehnend.

Ob die Heftigkeit dieser Kämpfe teilweise auch darin begründet war, daß Michaelis-Bielefeld als Missionsinspektor (Berlin III) nach Berlin gezogen war und dadurch die Gemeinschaftsbewegung in Minden-Ravensberg seine ruhige, vermittelnde Leitung entbehrte?

Auch die Gesamtorganisation der Provinz, deren Leitung er von Berlin aus beibehielt, machte nicht rechte Fortschritte. Der angestellte Berufsarbeiter wurde von einem kleineren Kreise übernommen, und der Brüderrat blieb reines Konferenzkomitee. Die westfälische Konferenz tagte jedoch jetzt wieder halbjährlich, 1903 in Schwelm (21., 22. April) und Wetter a. R. (10., 11. Nov.), 1904 in Hammerhütte und Dortmund, Frühjahr 1905 in Gevelsberg (16., 17. Mai).

Fest in sich geschlossen blieb der Siegener Verein. Er besoldete Ende 1904 7 Brüder und besaß ca. 50 Vereinshäuser. Der „Evangelist aus dem Siegerland" wurde Juli 1904 in ein Wochenblatt umgewandelt (ca. 6000 Abonnenten). Erregung brachte hier die Zeltmission, die 1903 in Siegen arbeitete und ja 1904 sich ganz im Lande festsetzte. Nicht wenige ließen sich von dem Neuen hinreißen, namentlich, wie es scheint, junge Leute*). Aber selbst von Kühn-Siegen wurde gewarnt, erst recht von den nicht zu den Gemeinschaften haltenden Pastoren, worüber Vetter bemerkt:

---

*) Allein aus einem Dorf wurden 30 junge Leute „in zwei oder drei Tagen erweckt und kamen zu einer gründlichen Bekehrung." Von der Dankstunde schreibt Vetter: „So hat man es in Siegen vielleicht noch selten gehört!" Dies Urteil, auf altem Versammlungsboden gefällt, zeigt vielleicht mit am deutlichsten die souveräne Nichtachtung der Geschichte bei der darbystischen Richtung.

„Man sieht die Sünder lieber auf dem Tanzboden oder in Schlägereien als im Zelt, unter dem Worte Gottes."

Im übrigen Westfalen waren die Leiter der Bewegung meist ebenfalls mehr altpietistische Pastoren, die, z. T. wenigstens, von den darbystischen Ideen, z. B. von einer festen Organisation der Einzelgemeinschaft, gar nichts wissen wollten, wie z. B. Engelbert-Wattenscheid (L. u. L. 1902 Nr. 9), der das begründete: „Die Gemeinschaftskreise müssen nicht ein Kern in der Nußschale, sondern ein Sauerteig im Brotteig" sein. Er hielt sogar selbst die mehr und mehr in sich abgeschlossenen Gemeinschaften der Evangelischen Gesellschaft für bedenklich.

Diese verstärkte ihre Organisation in Westfalen mehr und mehr. In Mellbergen, wo sie ja einen Boten hatte, entstand 1904 ein Vereinshaus. Vor allem förderte sie aber ihre Arbeit im Industriebezirk. Hier kam z. B. 1904 in Westig ein Vereinshaus und Zweigverein hinzu, Kamen wurde 1904 mit einem Boten besetzt. Allein im Kohlenrevier war 1904 in Bochum, Herne, Eickel, Gelsenkirchen und Wattenscheid je ein Bote stationiert, insgesamt in Westfalen 16.

In Osterfeld konnte 1904 ebenfalls ein Zweigverein gegründet werden. Die Bedienung fand von Bergeborbeck in der Rheinprovinz statt. In dieser Provinz, ihrem Hauptarbeitsgebiet, hatte die Gesellschaft 1904 bereits 32 Boten. Die Gesamtzahl betrug 51 (außer Rheinland und Westfalen 2 in Thüringen, 1 in Lippe), die der Vereinshäuser 34, der an diese sich anlehnenden Zweigvereine 42. Die Einnahme der Betriebskasse belief sich 1904 auf 89186,49 Mk., die Ausgabe auf 89574,12 Mk.

Ihre Arbeit wurde in gewohnter altpietistischer Weise fortgeführt. Daß man gerade hier etwas ahnte von den bevorstehenden Stürmen, zeigt die Bemerkung Munz' im Jahresbericht 1904: „Endlich aber wird man sich kaum täuschen, wenn man für die Gemeinschaftssache eine ernste Krisis befürchtet."

Gerade im Rheinland gingen die Strömungen manchmal im engsten Raume nebeneinander her und durcheinander. War z. B. in Elberfeld der Hauptstützpunkt der Evangelischen Gesellschaft, so war zugleich in Barmen (außer dem Brüderverein) die China-Allianz-Mission Mittelpunkt der darbystischen Allianz. Hatte die Gesellschaft in Köln ihren Arbeiter, so stand daneben die freie Stadtmission Schröders, der auf seinem vierten Jahresfest 1903 neben Evg. Franz Paul als Festredner hatte, andererseits durch einen Hospizbetrieb seiner Stadtmission die pekuniäre Grundlage zu geben suchte. War in Essen ein Mittelpunkt der Gesellschaft und auch in Borbeck einer ihrer Arbeiter, ebenso in Marxloh, in dessen Gebiet 1904 sogar drei Vereinshäuser (Marxloh, Meiderich und das damals neuerbaute in Hamborn) sich befanden, sowie in Hiesfeld Zweigverein und Bote, so mußte doch von letzterem Orte 1904 berichtet werden, daß in der Umgegend „viele andere Strömungen" entgegenständen, in Beeck stand der freikirchlich gerichtete Kaul, und Mülheim mit Tersteegensruh wurde mehr und mehr ein Zentrum der modernen Allianzrichtung. In Beeck wurde 1903 durch Kaul ein eigenes Jugendheim gegründet. An der von ihm veranstalteten Missionskonferenz 1903 (26., 27. Februar) beteiligten sich China-Inland-Mission (London und Liebenzell), China-Allianz-Mission, Mohammedanermission-Berlin, sowie Dolman-Wandsbek. Als er 1905 Zeltmissionar wurde, folgte ihm Knippel in seinem Sinne. In Mülheim waren Modersohn und Girkon ganz auf die Gedanken des ostdeutschen Flügels eingegangen. Sie vertraten die Entrückung, und zwar wenigstens Girkon ausdrücklich die Entrückung einer Auswahl von solchen, die nicht nur bekehrt sind, sondern auch das „Bleiben in Jesu" erlangt haben*). Ebenso ausdrücklich trat Girkon 1904 für Pauls „Jesus wird" ein**), während Modersohn erst Anfang 1905, als Paul in Mülheim Versammlung hielt, auch für diese Weiterentwicklung der Heiligungstheorie gewonnen wurde.

Diese Anschauungen dominierten nun natürlich auf der Konferenz in Tersteegensruh, zu deren Komitee Girkon und Modersohn gehörten. 1902 war sie (29. April bis 2. Mai) von ca. 2000 Personen besucht, und die gleichzeitig in Düsseldorf tagende kirchlich-soziale Konferenz mußte es schmerzlich erfahren, daß Tersteegensruh für die rheinischen Pietisten stärkere Anziehungskraft bewies als der soziale Gedanke, zumal dort der scharfe Bekämpfer alles sozialen Wirkens, Ströter, sprach. Die Konferenz von 1903 (12. bis 15. Mai, „Unter dem Gesetz" und „unter der Gnade", einberufen von Stockmayer und E. Lohmann) haben wir schon beim Inspirationsstreit erwähnt. (1904, 31. Mai bis 3. Juni, „Das Hohepriestertum Christi", Stockmayer, Girkon, Henrichs u. a.).

Von geringerer Bedeutung scheinen die Düsseldorfer Versammlungen zur Vertiefung des Glaubenslebens geworden zu sein, wo 1905 (5.—8. März) Rubanowitsch, Stockmayer und Krawielitzki sprachen.

---

*) S. Girkons Auslegung von Matth. 25, 1 ff. in dem von Modersohn herausgegebenen „Martin Girkon, ein Fürst und ein Großer in Israel".

**) Er verteidigte auch das Reden von Frauen in gemischten Versammlungen (a. a. O. S. 157 ff.) Seine Stellung zum Staat, Wahlen usw. ist erwähnt (s. o. S. 356).

Eine Stärkung der Allianzströmung bedeutete natürlich auch hier das Auftreten der Zeltmission in Köln, Velbert und Mülheim (Ruhr). Von dem Aufruhr und Sturm in Köln ist erzählt. In Velbert konnte man nach vierzehn Tagen mit Nachversammlungen beginnen. Auch 1903 waren die Versammlungen gut besucht, „wir glauben, daß der Herr durch jene dreiwöchentliche Arbeit nochmals eine Beute bekommen hat". In Mülheim traten Girkon und Modersohn natürlich für die Zeltmission ein.

Gegenüber diesen Allianzströmungen rafften sich die Altpietisten und älteren Gnadauer, die Männer der Evang. Gesellschaft und des Johanneums, auf und gründeten mit Schrenk und Dannert und Pastoren wie Simsa die Konferenz zur Vertiefung des Glaubenslebens in Elberfeld-Barmen (31. Mai bis 3. Juni 1904). Der Besuch war so stark, daß das 1600 Menschen fassende Lokal mit einem anderen für 3000 vertauscht werden mußte. Es sprachen Keeser, Krafft, Dannert, Simsa, Schrenk*) und Herbst.

In den Tersteegensruher Kreisen vermerkte man die neue Konferenz teilweise sehr übel.

Neben diesen Konferenzen hatte die „Rheinische Gemeinschaftskonferenz" (4. Oktober 1903 zu Mettmann, 30. Oktober 1904 in Wermelskirchen) weniger Bedeutung.

Die oberbergische Konferenz fand (29. Dezember) 1904 in Nümbrecht statt. Hier arbeiteten 1904 vier Boten der Elberfelder in einer „großen Reihe lieblicher Gemeinschaften", ein neuer Zweigverein Oberbergen III-Heidberg war 1904 hinzugekommen.

Im Westerwald war 1904 die Zahl der Vereinshäuser auf sechs gestiegen, ebenso der Zweigvereine (neu: Leuscheid-Herchen).

Auch die jetzt zum Kreisverbande „Rhein-Hunsrück-Nahe" zusammengeschlossenen Gemeinschaften der Evang. Gesellschaft auf dem linken Ufer breiteten sich aus. Hier drang man auch ins Fürstentum Birkenfeld (nach Idar) vor.

Der Musterkreis aber gewissermaßen wurde mehr und mehr für die Gesellschaft der Kreis Wetzlar. Hier standen Sommer 1904 vier Boten, und sechs Vereinshäuser boten der Arbeit die feste Grundlage (neu in Aßlar), und die in Allendorf (neugebaut), Altenkirchen (übernommen) und Dutenhofen (übernommen) kamen noch gegen Ende des Jahres hinzu.

---

*) Über Geistesleitung, die er jetzt fast völlig mit „Gottes Führung" identifizierte. „Es ist nicht nötig, die Stimme des Geistes im besonderen Sinne zu hören." „Es gibt Christen, die halten für die Stimme Gottes, was im letzten Grunde die Nerven oder das Gehirn sind" (Licht und Leben 1904 Nr. 28).

d) Hessen-Darmstadt, Frankfurt und Pfalz.

(Die Chrischonabrüder in Oberhessen — Der Frankfurter Brüderrat — Die Pfalz.)

Im Kreise Wetzlar berührte sich ja (ebenso wie in St. Johann) die Arbeit der Gesellschaft mit den Chrischonabrüdern. Das Zentrum derselben verlegte sich mehr und mehr nach Gießen. Bollinger freilich mußte wegen geschwächter Gesundheit nach „Patmos" beurlaubt werden, während Herrmann an seine Stelle trat. Aber am 8. Oktober 1904 konnte das neue Vereinshaus eingeweiht werden, das nun ein fester Mittelpunkt der hessischen Gemeinschaften wurde, wo z. B. auch regelmäßig Bibelkurse und Konferenzen veranstaltet wurden. Lauterbach wurde als eigene Station aufgegeben. Der dort stationierte Wernher ersetzte Martin in Niederweisel, der 1903 nach Lich ging. In Friedberg fand Häcker Unterstützung an Professor Wurster, der auch auf Festen der Chrischonabrüder sprach. Im ganzen arbeiteten 1904 sieben Brüder in Hessen, nämlich in Lich Martin, Niederweisel Wernher, Gießen Herrmann und in Friedberg Häcker, dazu in Kurhessen Knipper in Marburg*), Schauffele in Bellnhausen und Härdle in Heinebach.

Die hessischen Chrischonabrüder beteiligten sich auch an der Entstehung eines neuen Brüderrats für Frankfurt a. M. und Umgegend. Gelegentlich einer Evangelisation F. B. Meyers in Frankfurt „Nord-Ost" wurde eine „Gemeinschaftskonferenz zur Vertiefung des Glaubenslebens für Hessen-Darmstadt, Frankfurt a. M. und umliegende Kreise" anberaumt, nachdem auf einer Vorbesprechung im November 1902 das Bedürfnis allseitig anerkannt war. Die Einladung unterschrieben unter anderen Stadtmiss. Rüscher-Darmstadt (Johanneumsbruder), P. Reeg-Offenbach, P. Eßlinger-Dexheim, Hausvater Egli-Mainz, J. Strub II-Nierstein, Haerdle-Lich, Sames III-Dorfgill, P. Veller-Eberstadt, Wittekindt, Ziemendorff, sowie aus Frankfurt P. Correvon, de Neufville, P. Paschen, P. Vowinckel, E. Zimmermann. Die Konferenz fand statt vom 17. bis 19. März 1903 („Mit Christo gestorben, auferstanden, zur Herrlichkeit"), und am 15. September bildete sich bei Gelegenheit des Jahresfestes von „Nord-Ost" ein Brüderrat für dies Gebiet, dem unter anderen angehörten: P. Widmann (für Darmstadt), Eßlinger (für Rheinhessen), Veller (für Oberhessen), Correvon (für Frankfurt) und Hahn aus Friedrichsdorf, wo in der alten Hugenottengemeinde sich Gemeinschaftsleben entfaltete. Die II. Konferenz folgte vom 23. bis

---

*) Fürs Land, neben dem Stadtmissionar Böhler, der ja unter selbständigem Komitee stand.

25. Februar 1904 („Jesus Christus und seine Gemeinde"), die III. (13. bis 15. März 1905 „Nachfolge Christi") war von ca. 300 Personen besucht.

Zu einer ähnlichen einigenden Konferenz verschiedener Gemeinschaftskreise kam es in St. Johann, wo am 22. bis 24. April 1905 die I. Konferenz für die Westpfalz, Saar usw. veranstaltet wurde, woran die pfälzischen Philadelphiakreise, die Elberfelder in St. Johann und die Chrischonaleute dort (1904 2 Brüder) teilnahmen.

Der Pfälzer „Verein für Innere Mission" hatte nach wie vor Schwierigkeiten mit den protestantenvereinlichen Geistlichen, die teilweise die Polizei anriefen. Andererseits scheinen freilich dort auch radikalere Neigungen aufgekommen zu sein. Wenigstens wurde Reiseprediger Ewald Mitarbeiter der „Gottestaten".

e) Elsaß und Baden.

Damit haben wir schon das Gebiet der geschlossenen altpietistischen Gemeinschaftskreise betreten, und, wie die obige Bemerkung zeigt, tauchten selbst hier schon Vorboten der radikalen Strömung auf. Im allgemeinen handelt es sich aber hier noch um das Vordringen der mehr methodistisch beeinflußten Gedanken der älteren Gnadauer in die rein altpietistischen Kreise.

Elsaß freilich blieb auch in dieser Zeit noch ziemlich abgeschlossen. Doch finden sich teilweise auch schon die Formen der modernen Bewegung, so z. B. eine Bibel- und Evangelisationswoche in Brumath Januar 1905.

In Baden entstand Ostern 1904 eine Badische Gemeinschaftskonferenz, die Pfingsten 1905 zum dritten Male veranstaltet wurde (Diedelsheim bei Bretten). Die Handschuchsheimer Gemeinschaft unter Volk und die Neckarauer unter Schneider*) waren Stützpunkte der Philadelphiabewegung im Norden, Freiburg im Süden. Hier wurde am 1. und 2. November 1904 eine Konferenz für das badische Oberland geschaffen, an der sich aber auch die Kreise des Vereins für Innere Mission A. B. stark beteiligten. P. Böhmerle hielt ein Referat, ebenso Greiner-Worms. Ersterer wurde Inspektor des Vereins und ging mit großer Tatkraft an den festeren Ausbau desselben, dabei energisch den bewährten altpietistischen Standpunkt

*) 1904 nahm Dietrich am Jahresfest der letzteren teil. Die Mitgliederzahl blieb gleich, ca. 200 Kinder besuchten die Sonntagsschule.

vertretend. Versammlungen des Vereins fanden 1904 in 400 Orten statt. 22 Reiseprediger standen in seinem Dienst*).

f) Württemberg.

Fast noch stärker machten sich die Gnadauer Gedanken jetzt in Württemberg geltend. Der Verein für Evangelisation berief Eug. Zimmermann, nachdem derselbe in Rutesheim evangelisiert hatte**), am 1. Oktober 1904 als ständigen Evangelisten mit dem Sitz in Kornthal.

Auch der altpietistische Brüderrat stellte mehr Berufsarbeiter an, so rief er am 1. Oktober 1903 Kühlwein von Chemnitz nach Ulm für das schwäbische Oberland. Auch besuchte Wittekindt als Reisesekretär des Deutschen Verbandes im Juli 1904 die Gemeinschaften und machte die Reutlinger Brüderkonferenz mit, auf der 80 Gemeinschaften vertreten waren. Auch durch die großen Philadelphiakonferenzen wurden die modernen Gedanken in den schwäbischen Altpietismus hineingetragen. 1902 wurde eine in Reutlingen gehalten, die in ihrer mehrtägigen Dauer für die Albleute etwas Neues war. Bornhak nannte sie mit Recht „einen Fortschritt der neueren Gemeinschaftsbewegung auf dem klassischen Boden des alten Gemeinschaftslebens".

Die Gesamtzahl der Gemeinschaften gibt die Kirchenbehörde (Schott 1904 S. 412) an auf 763 Gemeinschaften, ca. 350 altpietistische, ca. 350 Hahnianer und ca. 60 Pregizerianer. Die Albleute verloren am 4. März 1905 ihren Führer Kullen.

Charakteristisch für das nach wie vor freundliche Verhältnis von Kirche und Gemeinschaft ist der Bericht über die Diözesansynode der Gesamtkirchengemeinde Stuttgart von 1903, worin „der segensreiche Einfluß, der von unseren Gemeinschaften landauf, landab ausgeht, dankbar anerkannt" wurde. Das Eindringen der neuen Gedanken hatte daran anscheinend noch nichts geändert.

Darbystische Neigungen tauchen im allgemeinen noch nicht auf. Doch war mit der Verlegung der deutschen China-Inland-Mission nach Liebenzell ein Kristallisationspunkt dieser neuesten Richtung auch im Schwabenlande gegeben.

---

*) Das Jahresfest 1904 in Eppingen war von ca. 2000 Personen besucht.

**) Worauf dort ein dem Gemeinschaftsverein zugeschriebenes Haus gebaut wurde.

Neuntes Kapitel.

Die Spezialarbeiten als Sondergruppen.

(Blaues Kreuz und Gemeinschaftsbewegung — J. B. und Gemeinschaft — Ausbreitung des J. B. — Der darbystische Flügel und der J. B. — Die Gesamtorganisation des J. B. — Die Stellung der Zentrale zu den Richtungen.)

Schon dieser kurze Rundgang durch die verschiedenen Landesteile zeigt in der Gemeinschaftsbewegung dieser Jahre eine Reihe auseinanderstrebender Richtungen. Diese wird vermehrt durch die immer mehr erstarkenden, mehr oder weniger selbständigen Spezialarbeiten.

Namentlich zwischen Blaukreuzvereinen*) und Gemeinschaften zeigten sich mehr und mehr Schwierigkeiten. Den Gemeinschaften mußte daran liegen, die Ortsvereine sich jeweils als Spezial-Arbeitszweig einzuordnen, die Blaukreuzvereine fühlten sich selbst als Gemeinschaften und betonten im Zusammenhange mit Barmen ihre Selbständigkeit. Das geschah selbst da, wo sie erst aus den erstarkenden Gemeinschaften herauswuchsen, wie in Sachsen, natürlich erst recht dort, wo etwa gar das Blaue Kreuz das prius gewesen war. So wurde auf dem mitteldeutschen Bundesfest 1904 verhandelt über „unser Verhältnis zu den Gemeinschaften und anderen verwandten Vereinigungen", wobei die Überzeugung ausgesprochen wurde, daß man mit ihnen von einem Stamme sei und dasselbe Ziel habe. In Schleswig-Holstein andererseits wurde 1904 auf dem Sommerfeste betont, daß die Spezialarbeiten (Blaues Kreuz und J. B.) eingeordnet werden müßten. In einer längeren Artikelreihe besprach der Schriftführer des Hauptvereins von seinem Standpunkte aus die Schwierigkeiten (Auf der Warte 1904 Nr. 7 ff.):

Die Leiter des Blauen Kreuzes seien durchaus Gemeinschaftsleute, wie man denn auch, das zu betonen, Wittekindt zum zweiten Vorsitzenden gewählt habe. Andererseits sei das Blaue Kreuz ein notwendiges Salz für die Gemeinschaftskreise. Diese ließen es aber an solcher Anerkennung fehlen. Namentlich die Schwaben stünden fern: „1. Eine kleinere Zahl von Gläubigen glaubt berechtigte Bedenken gegen die Art und Weise des Blauen Kreuzes zu haben. 2. Ein großer Teil der gläubigen Leute hat sich

---

*) Der deutsche Hauptverein, dessen Vorsitzender an Knobelsdorffs Statt P. Fischer-Essen wurde (Schriftf. Lehrer Göbel-Barmen), zählte am 1. Sept. 1904 365 Ortsvereine, 12201 Mitglieder (darunter 4440 frühere Trinker), 4783 Anhänger und 409 jugendliche Mitglieder.

wohl nie ernstlich bemüht, die Grundsätze unserer Arbeit wirklich kennen zu lernen und urteilt darum ganz oberflächlich darüber. 3. Einzelne Blaukreuzvereine haben erst allerlei Wandlungen und Klärungen durchmachen müssen, bis sie das Endziel klar erkannten und verfolgten. Die Gläubigen, die ihnen gleich bei Beginn der Arbeit mit Mißtrauen begegneten, sind dadurch in ihrer Abneigung bestärkt worden." Der vierte Grund sei das Festhalten am Most.

Auch die Siegerländer wollten von besonderen Blaukreuzvereinen neben ihren Gemeinschaften und Jünglingsvereinen nicht viel wissen.

Anders stehe es mit den Ostdeutschen, die „wohl ausnahmslos mit ihrer Bekehrung den Gebrauch des Tabaks aufgeben und von den alkoholischen Getränken ganz oder doch fast ganz enthaltsam werden". Sie würden vielfach alle Blaukreuzler, aber sie hätten dann zum Teil nicht das rechte Verständnis für die spezielle Blaukreuzarbeit, auch litten unter den Gemeinschaftsstunden und Beiträgen die Blaukreuzarbeit und die Blaukreuzbeiträge.

Zu einer Lösung des Problems kam es nicht, auch nicht bezüglich des J. B. *), höchstens in Sachsen (s. o. S. 392), (IV. sächsische J. B.-Konferenz 4., 5. April 1904 in Reichenbach). Aber im allgemeinen war das Verhältnis von J. B. und Gemeinschaften „nicht immer ganz lieblich". Es kam vor, daß ein J. B. von Vertretern einer Gemeinschaft „erwürgt" wurde (vergl. die Gründung der Friedensgemeinschaft in Berlin). Auch in Pommern wurde über die Frage verhandelt. Man einigte sich auf der Seite des J. B. auf die Sätze:

„Wir haben nicht gegen, sondern für die Gemeinschaft Stellung zu nehmen. Wir wollen nicht über ihr stehen, sondern ihr dienen. Um unserer gedeihlichen Fortentwicklung willen ist unsere Stellung nicht in, sondern neben der Gemeinschaft. Unter allen Umständen halten wir fest an unserer bewährten Verfassung, da man nicht in allen Fällen verlangen kann, daß jedes J. B.-Mitglied auch zugleich Mitglied der Gemeinschaft sein muß" **).

Gerade den organisierten Gemeinschaften gegenüber forderte man von seiten des J. B., daß die Gemeinschaft nicht vergesse, „daß der J. B. bereits eine für die Jugend zugeschnittene, erprobte und geeignete Organisation besitzt, die er ohne Schaden für sein Bestehen nicht aufgeben darf". „J. B.-Mitgliedern sollte auf Wunsch die Aufnahme in die organisierte Gemeinschaft nicht versagt werden, wenn sie die vorgeschriebenen Bedingungen erfüllen." „Doch vermeide man alles, wodurch die jungen Seelen in Widerspruch mit

*) Das Weiße Kreuz kam wegen seiner losen Organisation hier nicht in Betracht, 1904: 279 Zweigvereine. Zweiter Kongreß 26., 27. Sept. 1904 in Stuttgart.

**) Der pommersche Brüderrat bedauerte diese Stellung sehr (Mitteilungen Nr. 11).

ihrem E. C.-Gelübde kommen." „Glaubt man dieses nicht zu können, so verweigere man unseren Mitgliedern die Aufnahme."

Demgegenüber fürchtete man auf seiten der Gemeinschaft, daß aus dem „neben" über kurz oder lang ein „gegen" werde. Man versuchte daher hier die Blaukreuz- und J.-B.-Arbeit den organisierten Gemeinschaften einzugliedern, wie etwa in Stargard:

„Die Zweigarbeiten stellen sich die Aufgabe, den in besonderer Weise gefährdeten . . . und in bestimmtem Lebensalter stehenden auf eine für sie geeignete Weise zu dienen. Der Mittelpunkt . . . ist die Gemeinschaft." „Die aktiven Mitglieder des Blauen Kreuzes sind zugleich Mitglieder der Gemeinschaft; sie haben nicht eher eine Verpflichtung auf ein Jahr übernommen, als sie das Bekenntnis ihrer wirklichen Bekehrung in der Gemeinschaft abgelegt haben," dasselbe gilt von den tätigen J. B.-Gliedern. Der Vorstand des Blauen Kreuzes besteht aus denjenigen Gliedern des Gemeinschaftsvorstandes, die Blaukreuzler sind.

Ein Ausgleich beider Interessen wurde nicht erreicht. Dabei war augenscheinlich gerade der Osten ein Hauptgebiet des J. B. In Pommern wurde 1903 ein Provinzialverband gegründet. Auf der VII. pommerschen Konferenz (23., 24. Mai 1904 in Neustettin) waren 18 Gemeinschaften vertreten, 27 bestanden *). Eine besondere hinterpommersche Konferenz wurde zuerst 1904 in Stolp gehalten. In Schlesien drang der J. B. mit der jungen Gemeinschaftsbewegung auch in Oberschlesien vor (I. oberschlesische Konferenz September 1904). In Ostpreußen fand die I. Provinzialverbandskonferenz am 14. April 1903 in Tilsit statt. Ein brandenburgischer Provinzialverband entstand am 2. Januar 1904.

Aber auch im Nordwesten drang man vor. Hatte man schon Juni 1903 die III. norddeutsche Konferenz in Wandsbek feiern können, so fand am 4. November 1904 hier die konstituierende Versammlung eines norddeutschen Verbandes statt. In Kurhessen wurde die Konferenz auf ganz Hessen-Nassau erweitert (XII. in Hersfeld Sept. 1904). Dagegen ging es im altpietistischen Württemberg wie überhaupt im Süden noch immer nicht recht voran. Immerhin konnte auf der III. württembergischen Konferenz in Fellbach (4. September 1904) die Gründung auch eines süddeutschen Verbandes beschlossen werden. Vorsitzender wurde Coerper-Liebenzell. In Augsburg entstand 1903 ein J. B.

So erscheint die Organisation des J. B. überall als Begleiterscheinung der jüngeren Strömung der Gemeinschaftsbewegung, und seine größten Förderer sind z. T. auch die Förderer

---

*) Die Jugendgemeinschaften der „Vereinigten Brüder" waren ausgetreten.

der darbystischen Richtung. Interessant ist in dieser Beziehung die Entwicklung in Rheinland-Westfalen. Hier zählte man auf der IV. Jahreskonferenz des Provinzialverbandes (16., 17. Mai 1903 in Tersteegensruh) 32 Gemeinschaften, mit ca. 470 tätigen, 350 freundschaftlichen und 50 Ehrenmitgliedern. Hier hatte man seit November 1902 einen eigenen Sekretär (Preis). Außer ihm gehörten zum Vorstande Girkon, Kaul, Frau P. Köhler-Schildesche u. a. Auf der erwähnten Konferenz sprach Paul über „Geistesleitung". Durch Kauls Evangelisation in Schildesche kam auch dort die J. B.-Sache voran. Dann aber scheint in diesem Provinzialverbande eine Gegenbewegung des Altpietismus bzw. der älteren Gnadauer eingesetzt zu haben. Auf der V. Konferenz (7., 8. Mai 1904 in Barmen) wurde über „unsere Stellung zu den landeskirchlichen und freien Gemeinschaften und untereinander" gesprochen. Hier wurde gewarnt vor den modernen „Allianzbestrebungen", diesbezügliche Worte Dammanns und Dietrichs wurden verlesen. Ein J. B., dessen Leiter sich kirchengegnerisch entwickelte, war freiwillig ausgetreten. Über Kaul wurde Beschwerde geführt. Zwar wurde festgestellt, daß er im J. B. keine Agitation für die Großtaufe getrieben habe, aber er habe doch „eine Entwicklung eingeleitet, daß dadurch kirchliche Einrichtungen von einzelnen weniger geachtet" würden. Die Folge war, daß Girkon und er aus dem Vorstande ausschieden. Allerdings wurde Köhler Vorsitzender. Es scheint fast, als habe hier auch die Zentralleitung eingewirkt. Wenigstens wurde beschlossen, keinen neuen Reisesekretär anzustellen (Preis war nach Werne gegangen). Das eigne Blatt „Aus der Arbeit" solle eingehen, statt dessen in der „Jugend-Hilfe" regelmäßig berichtet werden.

Der deutsche Verband wollte dafür seinen neuen Reisesekretär besonders im Westen arbeiten lassen. Volkmann war nämlich bereits nach einem Jahre wieder zurückgetreten (April 1903) und nach Vandsburg ans Schwesternhaus gegangen. Erst Ende 1904 fand man Ersatz in der Person Urbschats (Strasburg), der auch bei der Jahreskonferenz zusammen mit P. Müller-Suckow und Prediger Schaarschmidt-Berlin in den deutschen Verbands-Vorstand gewählt worden war. Inzwischen war der „Deutsche Verband des Jugendbundes für E. C." eingetragener Verein geworden (3. Juli 1903). Auf der IX. deutschen Konferenz (5.—8. Okt. 1903 in Berlin) wurden dann die Grundzüge einer Provinzialverfassung festgelegt. Es gab damals 242 Jugendgemeinschaften mit 6371 Mitgliedern, in 168 Jugendgemeinschaften, die die Fragebogen beantwortet hatten, waren 2491 tätige, 1367 freundschaftliche, 365 Ehren- und 425 auswärtige Mitglieder. 1904 (X. Konferenz 3. bis 6. Oktober in Berlin) waren nur 236 J. B.-Gemeinschaften im

Verzeichnis. Den Fragebogen hatten ausgefüllt 220 mit 3082 tätigen, 1813 freundschaftlichen und 493 Ehrenmitgliedern. Ein eigenes Kinderbundblatt wurde 1905 ins Leben gerufen*). 1903 beschloß man eine eigene Missionsarbeit in der deutschen Südsee zu beginnen und zwei Missionare auszusenden. Der erste Missionar wurde 1904 Hugenschmidt von Chrischona.

Schwierig war die Haltung des Zentralvorstandes bzw. des Schriftführers Blecher. Hervorgegangen war der J. B. aus der mehr methodistischen Richtung; allmählich war aber, wie wir sahen, eine ganze Reihe seiner Führer ins darbystische Lager übergegangen, dazu war der Vorsitzende Paul. Die Folge war ein gewisses Schwanken. Über Pauls Heiligungslehre schrieb Blecher ausweichend. Paul lehre keine Sündlosigkeit. „Fälle wie Pearsall Smith und Idel sollten jeden biblisch nüchtern machen" (Jugend-Hilfe 1904 Nr. 5). Auf der pommerschen Konferenz 1904 freilich wurde von einem „lieben Zeugen" (wohl Paul!) bei dem Thema „Völlige Durchheiligung" berichtet, „was der Herr in der letzten Zeit Großes an ihm getan habe", aber schon diese Form des Berichtes zeigt, daß die „Jugend-Hilfe" wenigstens keine Propaganda für Paul machen wollte. Ja, sie brachte sogar (1904 Nr. 12) eine „Warnung vor der Lehre von der Ausrottung der Sündennatur in den im höchsten Maße Geheiligten" von F. B. Meyer. Da aber Paul hierbei nicht genannt wurde, auch in seiner Stellung blieb, so gewann seine Anschauung dennoch viele Anhänger im J. B.

Ähnlich unentschlossen stand man in der Kirchenfrage. Schrenks Ausführung über Allianz und Landeskirche wurde abgedruckt. Wie im rheinisch-westfälischen Verbande wurde unklare Allianz, die einer „Arbeitsgemeinschaft ohne kirchliche Treue das Wort reden würde", abgelehnt, andererseits freilich erklärt, daß in dem Motto „Für Christus und die Kirche!" „die Gemeinde des Herrn" im Sinne der „einen heiligen christlichen Kirche" des III. Artikels gemeint sei, wovon das Allianzblatt mit Befriedigung Kenntnis nahm.

So vertrat die Jugend-Hilfe im allgemeinen stets die methodistische Strömung**), aber die Grundanschauung des gesamten J. B. war es nicht mehr, sondern derselbe zeigte genau dasselbe Durch-

---

*) Die Weltstatistik gab für 1904 an: 64758 Vereine mit 4000000 Mitgliedern. Christian Endeavour World hatte 1905 400000 Abonnenten. 18000 Kindergemeinschaften gab es 1905. Eine besondere Europäische Konferenz wurde 1904 zum ersten Male in London eingerichtet, wo auch ein Europäischer Verband mit einem Zentralbureau gegründet wurde.

**) Z. B. betont sie die politische Wahlpflicht und steht freundlich zum kirchlich-sozialen Gedanken (vgl. dagegen Girkon!).

einander der Richtungen wie die gesamte Gemeinschaftsbewegung dieser Jahre, das er in gewisser Weise durch seine Sonderorganisation noch vermehrte.

Zehntes Kapitel.

Die Berufsgemeinschaften.

(Die Entwicklung der D.C.S.V. — Gerdtells Studentenmission — S. f. M. — Christliche Techniker — Studentinnen, Frauenmissionsbund und Chr. V. für Frauen und Mädchen — Neue Berufsgemeinschaften — Weiterentwicklung der älteren — Die Sängerbündnisse — Die pastoralen Gemeinschaftskonferenzen.)

Diese zentrifugale Bewegung wurde außerdem noch dadurch verstärkt, daß die Bildung besonderer Berufsgemeinschaften stark zunahm. Die D.C.S.V. hielt ihre Konferenzen jetzt regelmäßig in Wernigerode ab (1903 die XIII. von 180, darunter ca. 120 Nichttheologen besucht). Auf der XIV. (6.—10. August 1904 ca. 190 Teilnehmer) kamen die alten Gegensätze wieder zur Sprache. Es sprach unter anderen Kähler, durch dessen Wahl man schon zeigte, daß man auch wirklich wissenschaftlich gegründete Theologie haben wollte. Auch der frühere Sekretär der D. C. S. V., Heim, vertrat in seiner Ansprache über den Zweck der Konferenz auch das Recht der Kritik Fernerstehender an der Bewegung. Andere Redner betonten das Recht und die Pflicht des Studenten, in dieser Zeit des Sammelns und Einnehmens sich eine möglichst vielseitige Bildung anzueignen. Pückler dagegen wollte die evangelisierende Tätigkeit an der Studentenwelt in den Vordergrund gestellt haben. Es scheint dabei zu ziemlichen Dissonanzen gekommen zu sein.

Derselbe Gegensatz zeigte sich z. B. auf einer Ferienzusammenkunft in Barmen (21. Sept. 1904). Goeters (damals Konviktsinspektor in Rheydt) hielt einen Vortrag über: „Welche Aufgaben haben wir als denkende Christen?“, der klar darauf hinauslief, „daß dem Christen eine theologische Aufgabe erwachse nach Maßgabe der natürlichen Befähigung und Ausbildung seines Geistes“. Dafür trat auch Simsa ein. Dagegen stellte Humburg in seinem Vortrage „Was tut uns not für unsere Arbeit?“ die Evangelisation unbedingt als Ziel der Arbeit in den Vordergrund, „Bekehrung von Studenten auf jede erlaubte Weise.“ Interessant ist auch ein Briefwechsel über das „christliche“ Prinzip. Zu Anfang des W.-S. 1904/05 hatte der Sekretär von Peinen darüber in den Mitteilungen geschrieben: „Ihr (der D. C. S. V.) Ziel ist Positives, nicht Negatives; sie macht sich nicht zum Herrn der Gewissen, schafft jedoch eine gemeinsame Arbeitsgrundlage, die unangetastet zu bleiben hat in ihrem Gebiet. Sie erkennt ihre Aufgabe in einem Zeugentum für Christum aus erfahrenem Glauben, nicht aus theologischem Erkennen." Die Grundlage solcher Arbeitsgemeinschaft sei in § 1 der Verfassung bezeichnet, Stellung auf der Schrift als Gottes Wort und Bekenntnis zu Jesu Christo als Herrn und Gott. Wer dazu nicht mit gutem Gewissen und freudigem Herzen Ja sagen könne, den wolle man nicht hinausweisen, vielmehr zu überzeugen suchen. Aber bis dahin könne ein solcher sich nicht als mitarbeitendes Glied ansehen. Gegenüber einem, der über diesen Paragraph der Verfassung Bedenken geäußert hatte als „eine äußerliche Festlegung eines äußerlichen Lehrgesetzes" und als berechtigte Grundlage „ein religiöses Erlebnis, das ‚zwischen den beiden Polen, Buße und Glaube an die Gnade in Christus' liege," gefordert hatte, betonte er dann, daß in der Tat die D. C. S. V. vielmehr dasjenige religiöse Erlebnis fordern müsse, welches dem Menschen die Gewißheit gebe, „daß Jesus Christus ist sein Herr und Gott, und daß die Schrift Gottes Wort ist". Ausdrücklich wurde ein Bekenntnis: „Wir haben in Jesus mehr als einen bloßen Menschen" und: „Aus der Schrift spricht Gott zu mir" als ungenügend abgelehnt. So blieb man also dabei, von dem einzelnen D. C. S. V.-er ein bewußtes Christentum ziemlich scharf formulierten Bekenntnisses zu fordern, und solche, die noch nicht dazu durchgedrungen, nur als Objekte der Arbeit in den Kreisen zu dulden*).

Doch ist zu bemerken, daß man auch in dieser Strömung der D. C. S. V. wenigstens z. T. (wie ja auch Pückler selbst) gegen das „Amerikanische" Bedenken hegte.

Im übrigen machte die Organisation weitere Fortschritte. 1904 zählte man insgesamt 650 Mitglieder. Die Altfreunde schlossen sich zu einem Verbande zusammen. Der Kassenbericht über das S.-S. 1904 balanciert mit ca. 2300 Mk., davon stammen freilich 1047,63 Mk. von „nichtstudentischen Freunden". Der Sekretärposten war ständig besetzt (von 1902 bis 1905 v. Peinen). In einzelnen Semestern war daneben noch ein Reisesekretär vorhanden, so W.-S. 1902/03 v. Gerdtell. Dieser war ein scharfer Vertreter des Evangelisationsgedankens**), der 1903/04 geradezu eine

---

*) Es wäre eine verlockende, hier aber zu weit führende Aufgabe, die Kämpfe der christlichen Verbindungen um das christliche Prinzip zu vergleichen, auf die wir schon oben (S. 255) hinwiesen und die ihre u. E. unübertroffene Lösung in den Thesen der Uttenruthia gefunden haben.

**) Kennzeichnend für ihn ist das jugendliche Absprechen über die Professoren der Theologie (in Blankenburg 1904): „Ich habe sie bewundert, aber

Studentenmission begann mit dem ganzen Apparat von Nachversammlungen usw. Er vertrat dabei die Allianzgedanken. Die Neugewonnenen wurden der jeweiligen Ortsgruppe der D. C. S. V. zugewiesen, „sofern der Stand des geistlichen Lebens dieses speziellen Kreises Hoffnung gewährt, daß die Neugewonnenen passende Pflege finden", sonst ein neuer zweiter Kreis gegründet (Allbl. 1904 Nr. 22).

Der Studentenbund für Mission zählte 1905 64 Mitglieder, von denen bereits 24 draußen waren. Die III. Studenten-Missionskonferenz fand vom 26. bis 30. April 1905 in Halle statt*).

An sonstigen der D. C. S. V. verwandten Bestrebungen hatten sich nicht nur die Bibelkränzchen vermehrt, es entstand auch neu der „Deutsche Christliche Techniker-Bund", am 3. Januar 1904 in Kassel gegründet als „ein Zusammenschluß von 1. Techniker-Kreisen von Technikern jeder Fachrichtung, 2. im Beruf stehenden Technikern jeglicher Berufszweige. Sein Glaubensgrund ist Jesus Christus, der Sohn Gottes und Erlöser der Welt; als Richtschnur läßt er nur die Bibel als das Wort Gottes gelten." Seit 1. April 1904 erschien „Das Fundament", Winke für praktisches Christentum. Der Bund sollte kein Verein sein, deshalb verpflichtete er zu keiner sonst üblichen Mitgliedschaft. Am 8. und 9. Oktober 1904 fand die I. Konferenz statt, 12. Februar 1905 in Dortmund eine II.; Bezirke bildeten sich, die auch ihrerseits Konferenzen einberiefen (zuerst im Westen).

An der D.C.S.V.-Konferenz von 1904 beteiligten sich auch zum ersten Male 10—15 Studentinnen, die damals auch anfingen, sich in Bibelkränzchen zu sammeln (Berlin und Halle).

Der Frauenmissionsbund entfaltete rege Tätigkeit in

---

ich habe auch gemerkt, daß sie selber keine persönliche Gewißheit über Gott und Jesus hatten." „Ich habe unter den Professoren der Theologie wohl manchen mit einer gewissen Wärme von Jesu reden hören, aber ich habe nie einen Professor erzählen hören, wie er von neuem geboren wurde, wie er zur Gewißheit, daß Gott lebt, und zur Gewißheit der Vergebung seiner Sünden kam. Ich habe nie einen positiven Professor meine Sünden auf dem Katheder mit Namen nennen hören, so daß ich aufgewacht wäre" usw. Danach scheint v. G. 1. in bedauerlicher Unklarheit über die Aufgabe theologischer Vorlesungen sich befunden und 2. nie Predigten theologischer Professoren im akademischen Gottesdienste gehört zu haben. Dafür entwickelte er, der sich auch hatte wiedertaufen lassen, eine eigene Theologie, die er auf der von ihm f. M. nach gewissermaßen wiederentdeckten apostolischen Weltanschauung aufbaute, die freilich alles andere als apostolisch war.

*) Die dritte internationale Konferenz 2. bis 6. Januar 1904 in Edinburg. Es gab damals 1418 Freiwillige, von denen 918 bereits hinausgezogen waren.

Frauenmissionskonferenzen, besonders in Rostock (I. 25.—27. Febr. 1902, II. 20.—22. Apr. 1903, III. 12.—15 Apr. 1904 ca. 80 Auswärtige, „eine junge Schwester erhielt hier den Ruf, in die Heidenwelt hinauszugehen“), in Thal (5.—8. Okt. 1903 46 Anwesende), Breslau (15., 16. Oktober 1903, Jes. 12,6; 5., 6. Oktober 1904, Hebr. 10,14), Danzig (22.—25. Oktober 1903), Frankfurt a. M. (31. Oktober bis 3. November 1904). 1904 hatte der Bund 24 Missionarinnen, davon 4 eigene, 12 in Vorbereitung, 1700 Mitglieder, 1905 schon über 2000.

Neu bildete sich der „Chr. V. für Frauen und Mädchen“. Derselbe entstand von Evangelisationsversammlungen für gebildete Frauen und Mädchen November 1903 in Berlin*). April 1904 folgte Hannover.

Die Zunahme aller dieser Frauengemeinschaften war so stark, daß man in Gemeinschaftskreisen schon fürchtete, die Frauen würden dadurch den eigentlichen Gemeinschaften entzogen werden, worauf der Frauenmissionsbund nochmals ausdrücklich erklärte, daß er etwaigen derartigen Bestrebungen bei seinen Mitgliedern geradezu entgegentreten würde (Gemb. 1904 Nr. 12). Wohl aber beförderte er dadurch, daß er Mitglieder aus den verschiedensten Denominationen zählte, den Allianzgedanken, zumal wenn die Mitglieder eines Ortes monatliche Gebetsvereinigungen bildeten.

Das taten auch die sonstigen Berufsgemeinschaften, die in dieser Zeit neu auftauchten, die „gläubigen deutschen Bäcker“ **), die „Vereinigung gläubiger Barbiere“ ***), der „Bund Christlicher

---

*) Grundlage: Der Verein steht auf dem Boden des Bekenntnisses der evangelischen Kirche zu dem Herrn Jesus Christus als Gottes Sohn und Heiland der Welt und hält das Wort Gottes für die unfehlbare Richtschnur des Glaubens und Lebens. Er unterscheidet „Eingeschriebene Mitglieder“ (Frauen und Mädchen, welche sich eines ehrbaren und sittlichen Lebenswandels befleißigen und sich den Regeln dieser Satzungen unterwerfen wollen), tätige (welche den Herrn Jesus Christus durch Wort und Wandel als ihren Herrn und Gott bekennen und sich dauernd an der Vereinsarbeit beteiligen), Ehren-, unterstützende und lebenslängliche Mitglieder.

**) I. Konferenz 16. bis 18. Juni 1903 in Berlin, auf der II. (14. bis 16. Juni 1904) waren ca. 90.

***) Entstanden Anfang 1904 durch Schumann-Herrnhut, Organ „Mitteilungen“. „Unsere Vereinigung will kein Verein sein mit festgelegten Statuten . . . sondern will sich in freien Grenzen bewegen,“ „konfessionelle Fragen sollen nicht erörtert werden, wir wollen und können Brüder sein aus allen Denominationen“. Konferenzen wurden nicht eingerichtet.

Polizeibeamter"*), der „Verband gläubiger Handlungsgehilfen"**), die „Vereinigung gläubiger (Kommunal-)Beamten Barmens" ***). Dazu kam noch eine Konferenz „gläubiger Wiesenbaumeister"†) in Hammerhütte und „gläubiger Fleischer" in Mülheim"††).

Die älteren Berufsgemeinschaften wuchsen. Die Konferenz der Postbeamten fand nach wie vor in Frl. v. Blüchers Saal statt, die „Christliche Post" hatte 1904 eine Auflage von 2600 Exemplaren. Die Hauptversammlungen der Eisenbahner wurden in Erfurt gehalten (V. 11.—13. Juli 1904). Neue Bezirkskonferenzen bildeten sich (z. B. 1903 in Berlin für Brandenburg). Die gläubigen Kaufleute Deutschlands kamen im Februar in Berlin zusammen (III. Konferenz 1904, „Der gesegnete Mann". IV. 1905, „Unser irdischer und himmlischer Beruf im Verhältnis zueinander"). Auch hier entstanden Bezirkskonferenzen, so für Rheinland und Westfalen im Herbst 1902 in Düsseldorf, (II. 1903 in Düsseldorf, III. 1904 in Essen), für die „beiden Hessenlande" (II. Februar 1904 in Frankfurt), für Süddeutschland und Schlesien. 1904 gehörten ca. 400 Kaufleute zur Vereinigung.

Besonders erstarkte die Organisation der Lehrergemeinschaften. Die westdeutsche†††) erhielt eine neue Zweiggemeinschaft in Frankfurt Pfingsten 1904. Die norddeutsche tagte Pfingsten

---

*) Anfänge im Herbst 1904. Jeder Polizeibeamte ist dem B.C.P.B. als Mitglied willkommen, welcher von Herzen glaubt und mit dem Munde bekennt, daß Jesus Christus sein Herr sei, und welcher entschlossen ist, ihm im Werk und Wandel nachzufolgen.

**) Erste Konferenz 5. Februar 1905 in Hagen von ca. 20 Personen. Begründet durch Heinr. Meinecke-Schalksmühle durch einen Aufruf in den „Sabbathklängen" (1905 Nr. 2). Die aufgestellten Thesen lauteten:

1. Sammlung von gläubigen und Heranziehung von dem wahren Heile noch fernstehenden angestellten Handlungsgehilfen, die keine Gelegenheit haben, sich den schon bestehenden ähnlichen Vereinen und Abteilungen anzuschließen.

2. Zweck der Vereinigung soll sein: Bewahrung, Stärkung und Förderung im christlichen Glaubensleben, unter besonderer Berücksichtigung des kaufmännischen Berufs. Dieser Zweck soll erreicht werden durch Konferenzen bzw. Gründung von Orts-Vereinigungen, und in diesem Falle durch größere Bezirks-Konferenzen.

3. Die Vereinigung will auch ein offenes Auge für das äußere Wohl und Wehe des Handlungsgehilfenstandes haben.

***) Organ: „Was wir wollen."

†) z. B. 29. Dez. 1904.

††) Schon 1903.

†††) Herbstkonferenzen 1903 in Essen, 1904 in Solingen (ca. 160).

1904 in Hamburg, wo zum ersten Male ein Mecklenburger teilnahm, Pfingsten 1905 in Lübeck, um den Anschluß von Mecklenburg zu bewirken. Lokalkonferenzen fanden in Itzehoe, Barmstedt, Elmshorn, Husum und Kiel vierteljährlich, in Neumünster und Hamburg-Altona monatlich statt. Die ostdeutsche Lehrergemeinschaft tagte 1903 in Lüben und Vandsburg, 1904 in Neu-Klunkwitz bei Laskowitz und Neustettin, die sächsische September 1903 zum neunten Male in Chemnitz (20 Teilnehmer). Neu entstand 1904 die mitteldeutsche und die badische. Der aus der schlesischen, die 1904 zum siebenten Male gehalten wurde, hervorgegangene „Lehrer- und Lehrerinnen-Missionsverein" hielt am 23. März 1905 seine erste öffentliche Versammlung.

Ausgesprochen dem Allianzgedanken diente ja der „Christliche Sängerbund deutscher Zunge", der 1904 691 Vereinigungen mit 15600 Mitgliedern (aber nicht nur in Deutschland) zählte. Interessant wäre zu wissen, wie der „Christliche" und der „Evangelische Sängerbund" sich auf die Gemeinschaftskreise verteilten. Es scheint, als habe der landeskirchliche Verband, dessen Organ „Singet dem Herrn" von der Evang. Gesellschaft herausgegeben wurde, in diesen mehr altpietistischen Kreisen seine Stütze gefunden, der Christliche Sängerbund dagegen außer in den freien Gemeinschaften besonders im Osten.

Wirkten so die Berufsgemeinschaften zum großen Teil im Allianzsinne, so wollten die pastoralen Gemeinschaftskonferenzen neben anderem der Herstellung freundlicher Beziehung zwischen Gemeinschaft und Kirche dienen, bestanden sie doch nicht bloß aus Gemeinschaftspastoren, sondern auch aus Freunden der Bewegung. Besonders die Versuche der Plötzenseer Konferenz in dieser Richtung sind erwähnt (s. o. S. 354 u. 397). Neben diese, die schlesische und ostpreußische traten jetzt solche in Posen *), in Württemberg **), in Pommern ***), in der Provinz Sachsen †), in Frankfurt a. M. ††) und in Schleswig-Holstein. Letztere entstand Sommer 1904 in Neumünster auf Anregung von P. Meyer-Wilster mit dem Zweck: 1. einander zu ermuntern, zu fördern und Schwierig-

---

*) Zuerst 1902 (? oder schon 1901?).

**) Zuerst Sept. 1902 in Schwäbisch Hall.

***) Zuerst 2. bis 4. September 1903 in Stargard. Poetter war anwesend, ferner Meyer, Pirscher, S. Matthes und S. Klar, im ganzen 82; auf der zweiten 7. bis 9. September 1904 war Gen.-S. Büchsel; Leiter: Matthes.

†) Zuerst 6. bis 7. April 1904 in Halle.

††) Zuerst November 1904.

keiten zu beraten, 2. um die Sache der Evangelisation und Gemeinschaftspflege durch selbständige Unternehmungen zu fördern, 3. um an ihrem Teile zu helfen, daß Friede im Lande werde zwischen denen, die für den Herrn arbeiten als Organe der Landeskirche, und denen, die es tun als Glieder freier Gemeinschaften.

Daß freilich letzteres auch den pastoralen Gemeinschaftskonferenzen noch nicht gelang, mußte nicht nur Plötzensee erfahren, wie wir sahen, sondern auch Pommern, wo die eigentlichen Gemeinschaftspastoren neben der pastoralen Gemeinschaftskonferenz eine besondere „Konferenz von Gemeinschaftspastoren mit Frauen" gründeten*), während über die pastorale Gemeinschaftskonferenz 1904 im Allianzblatt sehr scharf geurteilt wurde (1904/5 Nr. 1). Immerhin waren die pastoralen Gemeinschaftskonferenzen ein Zeichen dafür, daß man auf seiten vieler Pastoren bereit war, sich mit der Frage der Evangelisation und Gemeinschaftspflege ernsthaft auseinanderzusetzen und das Berechtigte daran selbst zu pflegen.

Das zeigt sich auch in der Stellung des altpreußischen Oberkirchenrats.

Elftes Kapitel.

Die Stellung des altpreußischen Oberkirchenrats und der Eisenacher Kirchenkonferenz zur Gemeinschaftsbewegung.

In seinen Mitteilungen an die Generalsynode konstatierte der Oberkirchenrat, daß das Mißtrauen sowohl mancher Geistlichen gegen die Bewegung wie dieser gegen die Kirche vielfach schwinde.

„In manchen Gemeinschaftskreisen tritt freilich immer noch Gegensatz gegen die Kirche und ihre Vertreter, ein hochmütiges Aburteilen über Andersdenkende, Neigung zu Irrlehren und separatistischen Gelüsten hervor; in der Mehrheit sind aber die Gemeinschaften zweifellos maßvoller in ihren Ansprüchen und für kirchliche Beeinflussung zugänglicher geworden."

Die preußische Generalsynode von 1903 beschloß darauf:

1. Synode nimmt mit Befriedigung davon Kenntnis, daß ihr Beschluß vom Jahre 1897 betr. Evangelisation und Gemeinschaftspflege in dem Erlaß des Evangelischen Oberkirchenrats seine Erledigung gefunden hat. 2. Sie hofft, daß bei Einhaltung der durch die Erfahrung der letzten fünf Jahre bewährten Grundsätze der mehrfach bezeugte Segen einer ge-

*) Zuerst Mai 1903.

sunden Evangelisation und Gemeinschaftspflege sich als nachhaltig erweist und ungesunde Elemente ausgeschaltet werden. 3. Sie ersucht den Oberkirchenrat, a) die Gemeindekirchenräte und Presbyterien zu veranlassen, ernstlich zu prüfen, ob nicht in ihren Gemeinden ein Bedürfnis nach Evangelisation vorhanden ist, und wenn es da ist, demselben durch Bitte um Veranstaltung kirchlicher Evangelisationen, sowie durch Darbietung kirchlicher Gemeindehäuser entgegenzukommen, b) die Pfarrer anzuregen, sorgfältig das Bedürfnis nach Evangelisation zu prüfen, die Veranstaltung derselben gegebenenfalls durch Vermittlung des Ausschusses zu veranlassen und die Pflege der lebendigen Christen sich angelegen sein zu lassen."

1904 verhandelte man dann ausdrücklich über die Gemeinschaftsbewegung auch in der Eisenacher Kirchenkonferenz. Deutlich spiegelte sich hier die Verschiedenheit der Bewegung in den einzelnen Landeskirchen wieder. Der Referent, v. Sandberger, hatte vorzugsweise die Württemberger im Auge. Das zeigt schon seine Beschreibung einer Gemeinschaft als einer „Vereinigung von Mitgliedern evangelischer Landeskirchen zum Zweck einer aus eigener Initiative hervorgegangenen und mit eigenen geistigen Kräften und Mitteln bestrittenen Erbauung, also nebenhergehend neben der von der Kirche geordneten öffentlichen gottesdienstlichen Erbauung, nicht gebunden weder an Organe der Kirche, noch an die der Kirche zur Verfügung stehenden Räume, aber eine Vereinigung, deren Mitglieder der Kirche im Grundsatz Treue halten und deren Erbauung auf Grund unseres evangelischen christlichen Glaubens steht und mit den Mitteln der kirchlichen Erbauung . . . gepflegt wird." Die ganze Bewegung zeige eine starke Wandlungsfähigkeit und bunte Mannigfaltigkeit.

„Während", sagt Sandberger in These 3, „die alten Gemeinschaften in der „Stille" eine an Gottes Wort und kirchlichen Glauben gebundene Vertiefung und Verinnerlichung ihres persönlichen Glaubenslebens suchen, ist der neueren Gemeinschaftsbewegung ein auf die Wirkung ins Große und auf die Menge gerichteter Ausbreitungssinn und ein tatkräftiger Organisationstrieb eigen, getragen und beseelt von einem stark ausgeprägten Subjektivismus, der sich besonders bekundet: 1) in einer bedenklichen Verschiebung des Verhältnisses von Wort und Geist, 2) in einer einseitigen Wertschätzung des Erlebnisses der Bekehrung und eben damit der Erfahrung und des Gefühls, 3) in einer von dem Begriffe des christlichen Heilsglaubens abweichenden Fassung des Glaubens einerseits als einer Heilkraft, andererseits als eines gesteigerten Erfahrungsbewußtseins, 4) in einem hochgespannten Heiligungs- und Vollkommenheitsbegriff, 5) teilweise in einer mit Vorliebe gepflegten Spannung der eschatologischen Erwartung. 4. Auch in der Stellung der Gemeinschaften zur Kirche finden weitgehende Unterschiede statt. Während die einen den ausgesprochenen Willen haben, innerhalb der Kirche zu bleiben und ihr in ihrer Weise zu dienen, sind andere gegen den Zerfall mit der Kirche wenig empfindlich, fühlen sich zur Rücksichtnahme auf Kirche und kirchliche Ordnung kaum verpflichtet und sprechen sogar die Erwartung aus, daß „bald die noch in den Landeskirchen stehenden Gläubigen sich zu den rein biblischen, d. h. von der Landeskirche befreiten Gemeinschaften zusammenschließen werden.“ 5. Unleugbar bestehen zwischen Gemeinschaften und Kirche tiefe prinzipielle Unterschiede, die den Keim von Mißverständnissen und Reibungen in sich schließen. Gleichwohl vermag die Kirche das Berechtigte und Segensreiche der Gemeinschaften anzuerkennen, ohne das Auge gegen die bedenklichen Abweichungen von dem objektiven Typus der christlichen Glaubens- und Lebensauffassung der Kirche zu verschließen. Sie wird deshalb der Gemeinschaftsbewegung nicht verurteilend und abwehrend entgegentreten, vielmehr ihrer selbständigen Entfaltung prüfend Raum gewähren und darauf Bedacht nehmen, in richtiger Würdigung ihrer Bedeutung sie in kirchlichen Bahnen zu erhalten und ihr als einem heilsamen Gliede in dem lebendigen Organismus der Kirche fördernde Verwertung zu geben. Die Kirche wird aber auch durch zweckentsprechende Erhöhung und Steigerung der Arbeit ihrer eigenen Organe das kirchlich-christliche Streben der Gemeinden zu heben bemüht sein. 6. Wenn die Kirche den Gemeinschaften Verständnis und Würdigung entgegenbringt, so darf sie ihrerseits auch die Erwartung aussprechen, daß die Gemeinschaften es sich zum Grundsatz machen, den Zusammenhang mit der Kirche festzuhalten, an ihren Glaubensschätzen sich zu nähren, an den Gottesdiensten und den Gnadenmitteln teilzunehmen, auf das kirchliche Amt und die kirchliche Ordnung gebührende Rücksicht zu nehmen, namentlich in Bestellung von Gemeinschaftssprechern und -leitern, auch von Reisepredigern, auf reife und erfahrene, besonnene und bewährte Männer Bedacht zu nehmen, die Jugend nicht der Kirche zu entziehen und zu entfremden und sich harter und verletzender Urteile, wie sie vielfach dem Mangel an geschichtlichem Verständnis entspringen, über die Kirche und ihre Ordnungen sich zu enthalten. 7. Das Pfarramt, dem in der Stellungnahme der Kirche zu den Gemeinschaften die schwierigste und entscheidendste Aufgabe zukommt, wird die kirchliche Ordnung seiner Gemeinde pflichttreu wahren, sich um ihre Förderung und Belebung durch Predigt, Jugendunterweisung, Seelsorge und, wo es die Verhältnisse gestatten oder erfordern, durch Vereinstätigkeit gewissenhaft bemühen, darin aber zugleich die innere Freiheit und Berechtigung gewinnen, die Entstehung und Bildung von Gemeinschaften in der Gemeinde frei von Vorurteil und ohne Hervorkehrung eines gesteigerten Amtsbegriffs mit wohlwollender Aufmerksamkeit zu beobachten, ihnen die innere Bewegungsfreiheit und Selbständigkeit zu gönnen, nach Umständen in persönliche Teilnahme und Mitarbeit einzutreten; dabei wird aber das Pfarramt sich bewußt bleiben, daß das Amt den Geistlichen an die Gemeinde und sie an ihn weist und daß sein Dienst unparteiisch allen Gemeindegenossen zugehört. 8. Bei ernstlichem, auf die große Hauptsache gerichteten Bemühen um gegenseitig richtiges Verhalten, wie evangelischer Glaube und christliche Liebe es eingeben, werden die Befürchtungen, daß die Gemeinschaftsbewegung „einen Beitrag zur Auflösung unserer Landeskirche liefere“, zu überwinden sein, und werden Kirche und Gemeinschaft zur Vertiefung und Stärkung des evangelischen Glaubenslebens in unseren Gemeinden in gemeinsamer redlicher Arbeit sich die Hand zu reichen vermögen.

Ein Bruch zwischen Kirche und Gemeinschaft wäre für beide Teile verhängnisvoll, sofern er die Kirche wertvoller geistlich angeregter Kräfte von lebendiger Frömmigkeit berauben, die Gemeinschaften aber durch den Verzicht auf den Zusammenhang mit der organisierten Kirche, in der sie ihre Wurzeln und ihre Heimat haben, auf den Weg einseitigen, erregten und verzehrenden Sektenbetriebes drängen würde."

Der Korreferent Moldenhauer ging näher auf die verschiedenen Formen der Bewegung ein und kam zu ähnlichen Ergebnissen, wie wir sie in der ersten Auflage dieser Schrift etwa niedergelegt hatten. Die Konferenz beschloß, sich mit der Sache noch näher zu beschäftigen auf einer außerordentlichen Tagung, Pfingsten 1905, wo schließlich folgende Resolution gefaßt wurde:

„1. Dem Gemeinschaftswesen aller Zeiten liegt das Bestreben von Gemeindegenossen zugrunde, durch eine gemeinsame selbständige Erbauung aus der heiligen Schrift das persönliche Glaubensleben zu innerer Gewißheit und zu kräftiger Betätigung zu entfalten und sich untereinander zu einer Gemeinschaft zusammenzuschließen, welche sich durch die Gleichheit christlicher Lebensauffassung und durch die Gemeinsamkeit christlichen Heilsbesitzes verbunden weiß. In diesem Streben nach enger brüderlicher Gemeinschaft ringen die Gemeinschaften um die Verwirklichung eines Ideals, das die Landeskirchen vermöge ihrer geschichtlich gewordenen Verhältnisse nicht ausreichend zur Darstellung zu bringen vermögen. 2. Die neuere Gemeinschaftsbewegung kann nicht als eine einheitliche betrachtet werden. Sie ist vielmehr eine vielgestaltige, je nachdem sie unter dem Einflusse des deutschen Pietismus an dem Charakter der deutsch-evangelischen Glaubens- und Frömmigkeitsweise festhält oder fremde, aus englischem und amerikanischem Boden stammende Motive in sich aufnimmt und zur Geltung bringt. Danach bestimmt sich die Auffassung des christlichen Glaubens und Lebens und die Stellung zur Kirche. 3. Im allgemeinen unterscheidet sich die neuere Gemeinschaftsbewegung formell von den älteren Gemeinschaftsbildungen wesentlich durch den stärkeren Ausbreitungstrieb und durch die lebhaftere, auf Zentralisation gerichtete Organisationskraft, wobei sie sich des modernen Mittels der Rechtsfähigkeit der Vereine zu bedienen weiß. Darin liegt die Gefahr, daß die Gemeinschaften trotz des noch vielseitig erklärten Willens, den Zusammenhang mit den Landeskirchen festhalten zu wollen, sich zu selbständigen Organisationen in und neben den Landeskirchen oder auch gegen sie ausgestalten. 4. Die Beobachtung der neuesten Vorgänge auf dem Gebiete des Gemeinschaftslebens zeigt, daß das in weiten Gebieten bewußt und entschieden hervortretende Bestreben, in den sogenannten „biblischen Gemeinschaften" die wahre Kirche oder „die Gemeinschaft der Heiligen" zu sichtbarer Darstellung zu bringen, den Bruch der Gemeinschaften mit den Landeskirchen befürchten läßt und in die heutige Gemeinschaftsbewegung selbst einen Zwiespalt und eine Scheidung hineinzutragen scheint. 5. In einem erheblichen Gebiete der Gemeinschaftsbewegung haben sich wesentliche und tiefgreifende Abweichungen von der „gesunden" Lehre des biblischen und kirchlichen Christentums in nachdrücklicher Weise herausgearbeitet: 1) eine bedenkliche Verschiebung des Verhältnisses zwischen Wort Gottes und heiligem Geist; 2) eine einseitige Betonung der zu bestimmter Zeit bewußt erlebten Bekehrung und eine Geringschätzung der heiligen Taufe, sowie eine irreführende Fassung des Glaubens; 3) eine die Bedeutung der Rechtfertigung verkennende Überspannung der Begriffe Heiligung und Vollkommenheit und damit eine ungerechte Beurteilung der christlichen Vereinsarbeit auf dem Gebiete der Inneren Mission; 4) eine ungesunde Steigerung eschatologischer Erwartungen. In alledem liegt unverkennbar die Gefahr einer von der evangelischen Kirche abgelehnten Schwarmgeisterei. 6. Aufgabe und Stellung der Kirche ist den verschiedenen Strömungen des Gemeinschaftslebens gegenüber eine verschiedene: 1) den auf das persönliche Erbauungsbedürfnis gerichteten, kirchlich gesinnten Gemeinschaftsbildungen wird sie in voller Würdigung ihrer segensreichen Arbeit mit positiver Förderung entgegenkommen und ihnen freie Bahn zu innerer Entwicklung gewähren; 2) den Gemeinschaftsbildungen gegenüber, die der kirchlichen Sonderbildung zuzustreben geneigt sind, wird sie wachsamen Auges und nüchtern beobachtend gegenüberstehen und mit Vermeidung persönlicher Polemik die Abweichungen von der gesunden evangelischen Heilslehre in Predigt und Unterricht ins Licht stellen und den Segen der geschichtlich gewordenen Kirche mit ihrem Dienste am Worte und mit ihren bewährten Ordnungen dem Verständnis der Gemeinden überzeugend aufschließen. 7. Je mehr die Kirche selbst eine teils entgegenkommende, teils ernst mahnende, aber ruhig zuwartende Haltung beobachtet, desto mehr darf sie die Erwartung hegen, daß die auf dem Boden der Kirche stehenden Gemeinschaften den Zusammenhang mit der Kirche treu und aufrichtig wahren durch Rücksichtnahme auf die Ordnungen und Zeiten der kirchlichen Gottesdienste, durch lebendige Teilnahme an der kirchlichen Wortverkündigung und Sakramentsverwaltung, durch Absehen von gesonderter Abendmahlsfeier, durch Auswahl von reifen und erfahrenen Männern zu Sprechern und Leitern der Gemeinschaften und zu Reisepredigern (Evangelisten) und durch Verständigung mit den Trägern des geistlichen Amts, in deren Gemeinden sie Gemeinschaften bilden wollen. Die der Kirche kühler und fremder gegenüberstehenden Gemeinschaften werden gegenüber einer weitherzigen, Geistliches geistlich beurteilenden Haltung der Kirche um so mehr das Gewicht der Verantwortung fühlen, die sie bei einem voreiligen und rücksichtslosen Zerreißen der Verbindung mit der Kirche auf sich nehmen. Tatsächlich und nachweisbar nehmen die Oberkirchenbehörden, soweit amtliche Kundgebungen vorliegen, gegenüber der Gemeinschaftsbewegung die Stellung bereitwilliger Anerkennung und Würdigung des in ihr liegenden Segens ein und bemühen sich, die Organe der Kirche selbst zu immer reicheren, den Bedürfnissen der Gemeinden und der Pflege des persönlichen Christenlebens dienenden Kraftbetätigung (Bibelstunden, biblische Besprechungen, Gemeindeabende, Vereinspflege) zu veranlassen. 8. Doch liegt in dieser ganzen Frage das Hauptgewicht für eine gedeihliche Gestaltung der Beziehungen zwischen Kirche und Gemeinschaft auf dem Pfarramt. In der Einzelgemeinde spielt sich die Bewegung ab. Die Ausgleichung drohender Konflikte und Gegensätze, die Möglichkeit einer positiven Mitarbeit der Geistlichen, ohne die Leitung beanspruchen zu wollen,

die Notwendigkeit mahnender und auch abweisender Belehrung, die vorurteilsfreie, weitherzige und doch innerlich klare und bestimmte Stellungnahme in jedem einzelnen, oft schwierigen Falle, die Wahrung des Rechts und der Bedeutung der Kirche ohne einen schroffen Amts- und Kirchenbegriff geltend zu machen, das Geschick, geeignete Mitglieder der Gemeinschaft zu tätiger Mitarbeit an den kirchlichen Aufgaben und zu den kirchlichen Vertretungskörpern heranzuziehen, die taktvolle Weisheit und die kluge Hirtentreue, die der Gesamtgemeinde und den Gemeinschaften gleichmäßig fördernd zu dienen versteht: das alles stellt an den Geistlichen hohe Anforderungen, deren erfolgreiche Erfüllung ihm aber auch eine tiefe innere Befriedigung gewährt und für die Gesamtkirche von segensreicher Bedeutung ist. Die Wichtigkeit der Unanfechtbarkeit der Amtsführung und der persönlichen Lebenshaltung wird sich hierbei der Geistliche selbst nicht verbergen.
9. Einen Bruch zwischen Kirche und Gemeinschaften zu vermeiden, sollte beiden Seiten ein überaus ernstes Anliegen sein. Eine Scheidung wäre verhängnisvoll, sofern sie die Kirche wertvoller, geistlich angeregter und tätiger Kräfte berauben, die Gemeinschaften aber durch den Verzicht auf den Zusammenhang mit der organisierten Kirche, in der sie ihre Wurzeln und ihre Heimat haben, auf den Weg einseitigen Sektenbetriebes drängen würde."

E. Lohmann bemerkte zu diesem Erlaß: „Es ist nicht opportun, mit Gewaltmaßregeln vorzugehen, aber aus dem Erlaß ist doch zu ersehen, daß man in der Gemeinschaftsbewegung die eigentliche Gefahr der Kirche erkennt," ein Zeichen, wie man wenigstens auf manchen Seiten der Bewegung trotz aller freundlichen Erlasse der Kirchenregierungen zäh am Mißtrauen festhielt, vor allem in den mehr oder minder stark darbystisch beeinflußten Kreisen.

Zwölftes Kapitel.

Rückblick.

Das ist nach dem Bisherigen offenbar das Charakteristikum dieser Periode der Gemeinschaftsbewegung, daß aus der Vielheit der Anschauungen, die wir in der ersten Periode konstatieren mußten, eine geschlossene Richtung sich herausentwickelte, die prinzipiell kirchenfeindlich oder gleichgültig stand. Die Grundanschauung war dabei, wie wir sahen, die darbystische, sei es als ausgesprochenes System, sei es mehr als Stimmung, wovon vereinzelte Andeutungen sich schon in der vorigen Periode gezeigt hatten. In dieser Richtung dachte man, wie gezeigt, ganz darbystisch über die „Entwicklung und Vollendung der Kirche" *) bis zur fast wörtlichen

---

*) Edel s. o. S. 318.

Übereinstimmung mit Darby*), vor allem galt hier die Anschauung von der Aussonderung der Brautgemeinde und ihrer Entrückung einfach als feststehender Satz**). Im Zusammenhang damit wurde hier die äußere Scheidung zwischen Bekehrten und Unbekehrten aufs strengste durchgeführt***) und die dualistische Stellung zur „Welt“ noch verschärft, wie in der Betonung der „Glaubens“-anstalten†) und der echt darbystischen Stellung zum Staate††).

Wir sahen, daß diese Richtung sich um Blankenburg als Mittelpunkt konzentrierte, andererseits den Osten des Deutschen Verbandes fast ganz eroberte, aber auch im Westen an vielen Punkten Fuß faßte. Dabei ergab sich zwischen dem ostdeutschen Flügel und Blankenburg trotz aller Berührung, die sich allmählich noch verstärkte, doch eine gewisse Unterschiedenheit, die sich dahin bestimmen ließ†††), daß die Ostdeutschen nicht ganz die Konsequenz der Blankenburger zogen§), nicht so stark independentisch beeinflußt waren§§) wie diese, und daß bei ihnen hinzukam die methodistische neue Heiligungslehre Pauls, der man in Blankenburg nur unsicher gegenüberstand.

Wie kam es zu der schnellen Ausbreitung dieser darbystischen Gedanken? Hingewiesen haben wir schon auf ihr vereinzeltes Vorhandensein in der früheren Periode sowie auf die persönliche Vermittlung von Männern wie Stockmayer, v. Viebahn, Baedeker und die ungehemmt einflutende englische Literatur. Im Osten kam hinzu, daß es sich in den Gemeinschaften dort meist um eine junge, geschichtslose Bewegung handelte, deren Führer, z. T. durch jähen Bruch in dieselbe hineingekommen, auch ihrerseits nicht an die Geschichte anknüpften§§§). Verstärkt wurde dieser Radikalismus durch den gerade hier*†) so starken Gegensatz zu Kirche und Amt, unter dem die Gemeinschaftsbewegung im Osten einsetzte und dem die darbystische Verwerfung des clergyman entgegenkam. Konnte doch auch mit gewissem Rechte der Darbysmus als die Konsequenz der in der Bewegung von vornherein wirksamen donatistischen und enthusiastischen

*) z. B. Ströter s. o. S. 308.
**) s. o. S. 308, 310, 316, 341.
***) z. B. im Streit um die Missionsanstalten.
†) s. z. B. o. S. 352, 361.
††) z. B. Ströter und Girkon.
†††) s. o. S. 363.
§) z. B. in ihrer Betonung des „landeskirchlich“.
§§) Vgl. ihre Verbände, Brüderräte usw.
§§§) z. B. Blazejewski u. Krawielitzki, vgl. auch o. S. 415.
*†) Vgl. z. B. Schlesien.

Elemente erscheinen, namentlich den „Evangelisten“, die von vornherein, wenn sie nicht fest geleitet wurden, der scheinbaren Konsequenz der radikaleren Richtung zuneigten, in der vorigen Periode der methodistischen, jetzt der darbystischen. Dabei spielte wohl freilich auch ein wenig das soziale Moment eine Rolle: der neue aufstrebende Stand, der sich auch schon als solcher zu fühlen begann*), wollte selbständig werden. Zu all diesem kam als Wegbereiter der darbystischen Gedanken ein immer mehr sich ausbreitender Pessimismus. Augenscheinlich war ja, was man von der neuen Bewegung, besonders von der Evangelisation erwartet hatte, nicht eingetreten. Die große Erweckung, die Wiedergewinnung der Massen war nicht gekommen**). Auf der anderen Seite hatte man sich auch in seiner donatistischen Anschauung getäuscht: Die „Bekehrten“ ließen es auch noch an manchem fehlen. So suchte man nun die „entschieden Bekehrten“ zu sammeln und das ganze Interesse auf diese Aussonderung der Brautgemeinde zu konzentrieren***).

Dabei hinderte freilich dieser Pessimismus nicht die intensive Arbeit an den Außenstehenden, vielmehr nahm, wie gezeigt, die Ausdehnung der Bewegung gerade im Osten stark zu. Nur die Theorie der Massenevangelisation trat zurück. Wohl aber hat vielleicht diese Stimmung beigetragen, das Vordringen des Darbysmus innerhalb der Bewegung auch außerhalb des geschlossenen ostdeutschen Flügels zu befördern und die Energie der Abwehr zu lähmen. Denn, wie wir sahen, schied nur eine kleine Schar, die Eisenacher, aus Gegensatz gegen die Radikalen aus der Bewegung aus. Die abgesplitterten schlesischen kirchlichen Verbände hielten mit dem Deutschen Verbande Fühlung. In Gnadau aber konnte man sich nicht entschließen, mit den Radikalen zu brechen, und beförderte dadurch nur deren Vordringen in die älteren Gnadauer Gebiete, ja sogar vereinzelt selbst in die altpietistischen hinein, in denen im übrigen noch der Verschmelzungsprozeß zwischen Pietismus und Methodismus zugunsten des letzteren fortschritt.

Aber der Hauptgrund für den Zusammenhalt der Bewegung trotz der jetzt ausgebildeten gegensätzlichen „Richtungen“ war nach

*) S. den Verband der Reichs-Gottes-Arbeiter.

**) Vgl. z. B. Pückler in Gnadau 1904 und Michaelsbote 1905 Nr. 1 mit Schrenks Anschauung (Betrachtungen über das hohepriesterliche Gebet, S. 16), der von „wunderlichen Frommen“ sprach, welche meinen, daß der Teufel doch die Hauptsache bekomme und für den Heiland der kleinste Teil abfalle, wobei er die Stellen, die von den „wenigen“ handeln, von dem „Generalstab, der dem Herrn vor allem am Herzen liege,“ auslegte.

***) Eine ähnliche Steigerung der donatistischen Sammlung der Bekehrten zeigt sich auch im alten Pietismus bei Ph. M. Hahn.

wie vor das Bewußtsein der Einheit der Kinder Gottes gegenüber der „Welt". Man wollte nicht lassen von den „Brüdern", um so mehr, da man immer noch hoffte, es nur mit einzelnen Ausartungen zu tun zu haben und zum Teil einfach nicht sehen wollte, daß man an einem Scheidewege stand *). Das freilich konnte nur der aufstrebenden radikalen Richtung förderlich sein, zumal wenn sie durch einen neuen Anstoß besondere Stoßkraft erhielt. Dieser kam wiederum von England her in der Erweckung von Wales.

---

*) So z. B. in einer Rezension Bernstorffs über meine Schrift „Die gegenwärtige Krisis usw.", wo er von einer Krisis nichts zu wissen behauptet.

Fünfter Teil.

Die Erweckung von 1905 und ihre Folgen.

Erstes Kapitel.

Die Erweckung von 1905.

1. Die Vorgeschichte der Erweckung.

a) Die Evangelisation von Torrey und Alexander und die Erweckung in Wales.

(Torrey und Alexander — Wales — Keswick und die Erweckung — Mrs. Penn Lewis.)

Schon seit Anfang des Jahrhunderts ging durch die Länder englischer Zunge eine tiefe Sehnsucht nach einem neuen revival. Auf der Keswick-Konvention 1902 wurde ein prayer circle for worldwide revival gegründet. Dann kamen die großen Evangelisationsreisen Torreys*) und Alexanders**), die 1902 in Australien begannen. 1903 arbeiteten sie in England, zuerst in Mildmay, dann in Edinburg, Glasgow, Aberdeen und Belfast. Nach einer dreimonatigen Ruhe in Amerika kamen sie September 1903 zurück und evangelisierten in Liverpool, Manchester, Dundee und anderen. Januar 1904 folgte die große „Mission" in Birmingham, wo sich 7700 Menschen bekehrten, Dublin und anderen Städten und Ende des Jahres drei Monate in London. „Es wird angenommen, daß nahezu 80 000 Menschen durch die Torrey-Alexander-Mission in England und anderen Ländern sich zur Annahme Jesu

*) R. A. Torrey, geb. 28. Jan. 1856 in Hoboken. Als Student der Universität Yale bekehrte er sich. In New Haven hörte er mit anderen Studenten Moody zuerst, der ihn, nachdem er einige Pfarreien verwaltet hatte, 1890 an sein neues Bibelinstitut berief (s. o.).

**) Charl. Alexander, geb. 1867, lernte früh Sankeys Lieder, studierte Musik, las Finneys Biographie und sonstige Schriften, ging in das Bibelinstitut, um in Gottes Dienst zu treten, und wurde so mit Torrey bekannt.

Christi bekannt haben." Torrey stand wie Moody auf dem Standpunkt der Denominationslosigkeit, vertrat die Verbalinspiration und die Finneysche Anschauung von der Geistestaufe, der Taufe mit Feuer*), die erst die Begabung mit Kraft zur Arbeit bildet.

Inzwischen hatte aber der Funke der Erweckung an anderer Stelle gezündet, in Wales. Hier war 1903 nach dem Muster von Keswick eine Konferenz in Llandrindod gegründet. Bereits auf der zweiten Konferenz konnte von Fortschritten der Erweckung berichtet werden**). Dann trat der Mann in die Bewegung ein, mit dessen Namen sie hauptsächlich verknüpft ist, Evan Roberts***). Wir können hier die Bewegung nicht im einzelnen verfolgen, möchten aber betonen, daß man bei der Beurteilung nicht vergessen darf, daß Wales schon viele Erweckungen erlebt hat, daß gleichwohl unter der Masse des Volkes eine religiöse Unwissenheit herrscht, wie wir Deutschen bei unseren Schulverhältnissen uns kaum vorzustellen vermögen, daß der keltische Stamm sehr leicht erregbar ist, sehr gern singt und Neigung zu Visionen und dergleichen hat (vergl. das zweite Gesicht der Schotten).

Daraus erklärt sich manches, was äußerlich an dieser Bewegung besonders auffiel: Weniger auffallend war noch, daß die Grenzen der Denominationen sich völlig verwischten†) und daß eine ganze Anzahl Versammlungen gehalten wurden, oft bis in die Nacht hinein; das sind auch sonst Begleiterscheinungen von englisch-amerikanischen revivals gewesen. Dagegen war charakteristisch für Wales, daß schier mehr gesungen††) wurde als gepredigt, und

*) Als er sich dieser Lehre geöffnet hatte, predigte er darüber und bat zum Schluß diejenigen, die sich nach solcher Taufe sehnten, in das eine Zimmer zu gehen, die, die gerettet werden wollten, in das andere (Torrey und Alexander S. 77).

**) Manche setzen den eigentlichen Anfang in eine Versammlung in New Quay Febr. 1904.

***) Geb. in Loughor, aufgewachsen in lebendigem Methodistenkreise, selbst sehr eifrig. Anfangs Bergmann, dann Schmied, dann im Seminar zu Newcastle Emlyn. Hierher kamen September 1904 vier junge Evangelistinnen aus New Quay. Von da ab trat Roberts in die Arbeit.

†) Das ist übrigens nicht so schwer, da es sich um lauter englische Dissenters und höchstens die ihnen nahestehende low church party der Anglikaner handelt. Diese Denominationen (verschiedene Methodisten, Baptisten, Kongregationalisten, Presbyterianer) sind alle reformiert und durchaus nicht in Bekenntnis und Grundzug ihrer Lehre so geschieden wie etwa Kalvinisten und Lutheraner.

††) z. B. „Krönt ihn", Diolch iddo, aber auch Alexanders Glory-Song und Tell mother, ein Zeichen, daß doch auch wohl die Torrey-Alexander-Mission hier nachwirkte.

daß besonders als Sängerinnen, aber auch als Evangelistinnen verhältnismäßig viele Frauen, besonders junge Mädchen auftraten. Eigenartig war auch ein hellseherisches Moment, das sich namentlich bei Evan Roberts zeigte, der wohl die Versammlung unterbrach mit Bemerkungen wie: „Es sind zwei da, die nicht im Frieden miteinander leben" und dergl. und dabei die Betreffenden auch näher bezeichnete*). Roberts behauptete dann, der Geist sage ihm das. Auch Gesichte hatte Roberts**), wie auch andere. In gewissen Zusammenhange damit stand die andererseits wohl auf die Keswicker Einflüsse zurückgehende äußerst starke Betonung des heiligen Geistes***). Der Geist leitete nicht nur Roberts in den erwähnten Äußerungen†), sondern auch bei den Versammlungen überließ man die Leitung dem heiligen Geiste, d. h. keine bestehende Ordnung wurde innegehalten, keine vorbereiteten Ansprachen gehalten, sondern jeder betete und sang, wie ihn seiner Meinung nach der Geist trieb. Dabei kam es fast stets dazu, daß mehrere gleichzeitig beteten, oft eine ganze Menge, daß dann dazwischen mitunter von anderen ein Lied angestimmt wurde usw. Die Gebete waren vorwiegend Lob- und Dankgebete, besonders für die erfahrene Geistestaufe, worunter verschiedenes, meist eine besondere Überströmung mit Geisteskraft verstanden wurde für die schon Gläubigen, sei es als Kraft zu einem Siegesleben oder vorwiegend als Kraft zur Arbeit für den Herrn, wie ja die beiden Anschauungen seit langem durcheinandergingen. Die Schar der Geistesgetauften aber bringt — das ist auch eine hier stark hervortretende Anschauung — eine gewisse „Geistesatmosphäre" mit (Penn Lewis a. a. O. S. 81), eine „mit Kräften Gottes erfüllte Atmosphäre", die „so wichtig für das Wirken des Geistes ist". Aus dieser Anschauung folgt die vom Banne, der auf der Versammlung liegt, so daß der Geist nicht wirken, die Geistestaufe nicht kommen könne, wenn jemand da ist, der noch unvergebene Sünde an sich trage. Daher stammte die Forderung des öffentlichen Be-

*) Keine Uhr, die Roberts trug, ging richtig.

**) So wurde er in einer Nacht im Frühjahr 1904 „hinweggerückt in einen weiten Raum ohne Genzen, ohne Zeit, in die Gemeinschaft Gottes" und erlebte diese Verzückung drei Monate lang täglich vier Stunden. Dabei sah er Gott von Angesicht zu Angesicht, und zwar, wie Roberts betonte, den persönlichen Gott als Gott Vater und als den heiligen Geist (Penn Lewis, Die verborgenen Quellen der Erweckung in Wales S. 44 und Stead, Die Erweckung in Wales S. 49 ff.).

***) Vgl. die vorige Anmerkung.

†) Es kam auch vor, daß er zu angesetzten Versammlungen nicht kam, weil es der Geist nicht zuließ.

kenntnisses einzelner bekannter Sünden, daher auch das so oft in diesen Erweckungsversammlungen gehörte: „Beuge mich, beuge sie," das übrigens im Welschen noch die Nebenbedeutung von Wegräumen des Widerstandes haben soll, der der gänzlichen Hingabe im Wege steht (Oehler, Die religiöse Bewegung in Wales, S. 70).

So forderte Roberts von denen, die s. Z. vor der Entscheidung standen: „1. Ist in deinem vergangenen Leben eine Sünde, die du nicht vor Gott bekannt hast? Dann falle alsbald auf deine Kniee. Du mußt mit deiner Vergangenheit im reinen sein. 2. Ist in deinem Leben etwas Zweifelhaftes, von dem du nicht weißt, ob es gut oder böse ist? Weg damit! Du darfst es nicht festhalten*). 3. Gehorche dem Geist. 4. Bekenne dich öffentlich zu Jesus!"

Sehr beliebt war, wie übrigens auch sonst bei Erweckungen, die sogenannte Prüfung der Versammlung (the test of the meeting). Da wurden die aufstehen geheißen, die Jesus lieben, oder die von jetzt ab täglich in der Bibel lesen, oder die täglich beten wollten oder dergleichen.

Ich führe diese Erscheinungen nicht an, als ob ich meinte, daß darin das Wesen dieser Erweckung sich erschöpfte, verkenne vielmehr gar nicht, daß es sich dabei vielfach tatsächlich um ein religiöses Erwachen handelt, und daß sich im sittlichen Leben vielfach nach den Berichten die besten Früchte gezeigt haben. Aber diese Erscheinungen waren das Neue an dieser Bewegung, im übrigen war es ein revival wie andere in England-Amerika auch; es scheint mitunter, wenn man die zum Teil enthusiastischen Berichte liest, als wüßten die Betreffenden nichts von Oxford und Brighton und den Berichten darüber.

Jedenfalls sah man in den Keswick-Kreisen in der Erweckung von Wales den Anfang des ersehnten worldwide revival, zumal bald Mitteilungen von dem Ausbruch der Bewegung in Norwegen**), in Schweden und in Indien hinzukamen. So brach auch auf der Keswick-Konferenz von 1905 (22. bis 31. Juli 1905) die Erweckung aus. 8000 Besucher waren zusammengeströmt, und 74 Versammlungen wurden gehalten außer den unprogrammäßigen in der Nacht und einigen im Freien.

Hier redete auch eine der am energischsten für das revival eintretenden Personen, deren Schriften auch in Deutschland viel

*) Hierzu wurde besonders das Rauchen gerechnet. Vgl. den Studenten, der mit Gott im Gebet um die Kraft rang, das Pfeifenrauchen aufzugeben (a. a. O. S. 65).

**) Hier knüpfte sie an den Namen des Seemanns Albert Lunde, der durchaus kirchlich wirkte.

gelesen wurden, Mrs. Penn-Lewis. Sie stammte selbst aus einer Predigerfamilie in Wales. Fromm aufgewachsen, hatte sie doch erst später, als sie bereits in England verheiratet war, das Zeugnis des Geistes erhalten und war durch Evan H. Hopkins für die Heiligungsbewegung und die Verkündigung des Siegeslebens gewonnen. In der Arbeit einer Schriftführerin der Young Women's Christian Association in Richmond begann sie sich zu sehnen nach der „Fülle des Geistes", um besser arbeiten zu können. Da flüsterte ihr der Geist Gottes zu „gekreuzigt". Sie erkannte das Geheimnis des Mitgekreuzigtseins und empfing nun die Salbung. Bald darauf wurde sie auch zu auswärtigen Evangelisationen berufen, in Schweden, Rußland, Dänemark, Amerika (1900) und Südindien (1903). Hierbei erlebte sie es in Schweden, daß viele gleichzeitig anfingen zu beten, „jeder in seiner Sprache, aber es gab dennoch keine Disharmonie" (Auf der Warte 1904 Nr. 15 u. 16).

Sie vertrat seither vor allem die Predigt vom „Mitgekreuzigtsein". Darunter verstand sie eine so wirkliche, lebendige, innige Vereinigung des Christen mit dem Herrn und seinem Tode durch den heiligen Geist, daß er an der Gleichheit seines Todes teilnimmt (Penn-Lewis, Das Kreuz auf Golgatha S. 40). Dadurch ist er einmal von der Herrschaft der Sünde erlöst, andererseits wird nun in ihm das Leben Christi offenbar. Zu einer noch tieferen Erlösung aber wird das Kreuz, wenn man erfährt, daß auch das „Ich" mitgekreuzigt wird. Im einzelnen kann das hier nicht weiter ausgeführt werden. Es war eine bestimmte Form der Keswicklehre, die auch von denselben Schwierigkeiten bedrückt wurde, wie diese, z. B. wenn trotz des in dem eben Skizzierten liegenden Quietismus eine „beständige Wahl des Willens" (a. a. O. S. 44, vergl. S. 88) gefordert wird. Gefährlich war aber, daß die zugrunde liegende Wahrheit christlichen Lebens in stark mystischen Sätzen beschrieben wurde, die leicht mißverstanden wurden, zumal andererseits nach englischer Art kurze, praktische Formeln gegeben wurden, durch deren Befolgung Oberflächliche zu einem — von ihnen unverstandenen — mystischen Erlebnis kommen zu können meinten*).

*) z. B. „Schaue auf Golgatha. Der Herr Jesus starb um deinetwillen und als dein Stellvertreter nahm er dich mit hinauf auf sein Kreuz. Bist du aufrichtig entschieden, jede erkannte Sünde fahren zu lassen, und willens, das Sterben mit Christo zu erfahren? Dann betrachte dich von diesem schmerzlichen Augenblick an als an das Kreuz geheftet mit deinem gekreuzigten Herrn. Vertraue auf den heiligen Geist und glaube an das Wort Gottes: ‚So lasset nun die Sünde nicht herrschen.'"

Diese Anschauungen verschmolzen sich mit der Erweckung. Wurde doch auch von dieser bezeugt: „Die Erweckung hat uns zum Kreuz auf Golgatha gebracht.“ Dem stand nicht entgegen, daß hier im Vordergrunde stand die Frage: „Habt ihr den heiligen Geist empfangen?“ Denn Geist und Kreuz gehören nach Penn Lewis zusammen: „Das Kreuz führt zum Geist, und der Geist führt wieder zurück zum Kreuz“ (a. a. O. S. 78), nur durch den Geistesempfang kommt man „in lebendige Gemeinschaft mit dem Tode Christi“, und jene tiefere Erfahrung des Mitgekreuzigtseins ist eben die eigentliche Geistestaufe. Vollends vertritt Penn Lewis jene Gedanken von der Geistesatmosphäre, und damit steht im Zusammenhange die Betonung der Dämonen und des Kampfes der Gläubigen mit ihnen. Erfährt doch der Geistgetaufte ganz anders als bisher die wirkliche Existenz der Mächte der Finsternis (S. 112)*).

b) Die Vorbereitung der Erweckung in Deutschland.

Diese Gedanken und Nachrichten wirkten nun auch nach Deutschland hinüber und trafen auf wohlvorbereiteten Boden. Sehnte man sich doch hier darnach, daß endlich, endlich die große Erweckung komme**). Auch der aufgekommene Pessimismus hatte diese Sehnsucht nicht ersticken können, er hatte sie nur zu der Hoffnung gestaltet, daß die erwartete Erweckung an den Kindern Gottes beginnen solle. Speziell in den darbystisch gerichteten Kreisen wartete man auf die letzte große Erweckung, ein neues Pfingsten, deren Resultat entsprechend dem ersten Pfingsten die Ausgestaltung der Brautgemeinde wäre und die in die Entrückung überginge. Fast bis zur Siedehitze war, die Erwartung durch die Blätter geschürt. „Um Mitternacht“ sei's, nahe bevor stände die Geburt des Männlichen, jener Überwinder, auf deren „Vollendung und Thronbesteigung droben Christus wartet“ (Allbl. 1903/4 Nr. 18, 19), man stehe am Vorabend großer Ereignisse (ebend.). Von der Pfingstfülle, der Fülle des heiligen Geistes, der Geistestaufe war, gepredigt, die die gläubige Gemeinde erleben kann, wenn sie nur ernstlich will***). Kein Wunder, daß man glaubte, jetzt endlich breche die ersehnte

---

*) Vgl. das Gesicht Roberts', wie die Kirche Christi den Fürsten der Finsternis besiegt (Oehler a. a. O. S. 36).

**) Vgl. z. B. den Licht und Leben-Gebetsbund um eine Erweckung in Deutschland 1903 und die pastorale Gemeinschaftskonferenz in Halle 1904, wo Lüdecke betonte, daß man eine Erweckung wirklich wollen müsse.

***) Vgl. Allbl. a. a. O. Nr. 18, Krawielitzki o. S. 340 u. 347, Edel s. o. S. 375.

Erweckung an, daß man Torrey feierte als den neuen Moody*), daß man jubelnd berichtete von den Gottestaten in Wales. Viel eher muß man sich wundern, daß der schwäbische Altpietismus eines Dietrich so viel innere Kraft besaß, daß er bei aller Freude doch nicht die Gefahren verkannte, die der Bewegung drohten (Phil. 1905 Nr. 5), und als nicht nachzuahmende, englische Äußerlichkeiten z. B. das öffentliche Reden der Frauen und Mädchen bezeichnete (Nr. 9).

Der darbystische Flügel dagegen sah hier seine Hoffnungen erfüllt. Er pries an der Torrey-Alexander-Mission wie an der Erweckung von Wales vor allem das Zusammengehen der Denominationen sowie die Betonung der Inspiration, um die ja gerade dieser Flügel so heftig gekämpft hatte (Allbl. 1904/5 Nr. 24). Ihm schien hier das neue Pfingsten zu sein. Das Reden der Frauen in gemischten Versammlungen kannte man ja längst, und alles, was sich — wie die Unordnung in den Versammlungen — auf Geistesleitung berief und noch dazu als ein Protest gegen geschichtlich gewordene Formen erschien, konnte in diesen Kreisen auf Zustimmung rechnen.

So folgte bald ein Bericht dem anderen von Roberts' Geistestaufe und den Zeichen in Wales, Torreys Schrift über die Geistestaufe wurde rühmend empfohlen (z. B. vom Allbl.), Artikel von Penn Lewis wurden gebracht, und bald kam die Frage: „Ist, was in Wales und an anderen Orten geschah, nicht auch bei uns möglich?" „Sollte Gott nicht auch einen Segen für Deutschland haben? Wir glauben ganz bestimmt, daß die Segenswellen der Erweckung auch über Deutschland gehen werden" (Isr. Hoffn. 1905 Nr. 4). Man begann Kärtchen zu verteilen mit der Aufschrift: „Wollen Sie dies zu Ihrer täglichen Bitte machen, bis die Antwort kommt? ‚O Herr, schenke uns eine Erweckung und fange an bei mir um Jesu willen'. Amen". Immer stärker wurde das Verlangen, ein Wales in Deutschland zu erleben. Und es kam.

2. Der Ausbruch der Erweckung in Deutschland.

a) Der Beginn im Westen.

Wenn ich die Sache richtig verfolgt habe, war es zuerst Mülheim, wo im März 1905 die Erweckung ausbrach, zuerst in Girkons, dann in Modersohns Saal, der inzwischen die Brieger Woche mitgemacht hatte und von dort zurückkehrte, „getauft mit der Kraft aus der Höhe".

*) Auch L. u. L. 1903 Nr. 7.

„Schon seit vielen Wochen," hieß es „Auf der Warte" 1905 Nr. 26, „als die ersten Nachrichten aus Wales kamen, wurde ein Sehnen bei den Gläubigen wach, Gott möchte auch in Deutschland und in Mülheim eine solche Erweckung schenken. Immer mehr und immer zielbewußter wurde um eine Erweckung gebetet. Besondere Nahrung und Anregung erhielt dieser Wunsch durch eine mehrtägige Wirksamkeit von Pastor Paul, die dazu diente, Kinder Gottes von der Notwendigkeit einer tieferen Reinigung zu überzeugen *). Alte Feindschaften und Zwistigkeiten wurden begraben, Beleidigungen wurden abgebeten, unrecht Gut zurückerstattet. Das war der Anfang. Von dieser Zeit im März an hörte das Feuer nicht auf, zu brennen **). In allen Versammlungen kamen Seelen zum Glauben. Zuweilen sogar unter erschütternden Umständen. Eines Abends waren zwei Betrunkene in den Saal gekommen, um die Versammlung zu stören. Sie unterbrachen denn auch oft durch lärmende oder spottende Zwischenrufe die Ansprachen oder die Gebete. Um so brünstiger flehte die Versammlung für sie. Und das Ende war, daß der eine herauslief, weil er es nicht mehr aushalten konnte, und der andere brach zusammen und ergab sich dem Herrn. — Das Verlangen nach Gebetsversammlungen wurde immer größer. Wir hatten Versammlungen, in denen Kinder Gottes sich tief beugten vor dem Herrn und ihre Sünden bekannten. Einmal gab es eine solche Versammlung sogar in der Kirche. Die Predigt ***) hatte gehandelt von dem heiligen Wege, auf dem kein Unreiner gehen dürfe; da gab es eine solche Bewegung, daß noch eine Gelegenheit zum Gebet gegeben werden mußte. Etwa 150 Seelen blieben zurück, um dem Herrn ihre Sünden zu bekennen und sich reinigen zu lassen durch sein Blut. Es war eine Stunde, über welche die Engel im Himmel sich freuten. Am Abend gab es eine ebensolche Stunde. Und sofort kamen Seelen in größerer Zahl wie je zuvor. Denn sobald Kinder Gottes tiefer ihre Sünden erkennen und ausliefern, gibt es eine Erweckung unter den Unbekehrten. Das Gericht muß anfangen am Hause Gottes. Wenn die Welt sieht, daß die Gläubigen anfangen, es genau zu nehmen, dann erschrickt sie und tut Buße. —

Aber noch stand ein Hindernis im Wege: die Zerspaltung in die verschiedenen Gemeinschaften. Auch das tat Gott hinweg. Als die Leiter der verschiedenen Gemeinschaften zu einer Besprechung zusammentraten, zeigte

---

*) In diesen Tagen wurden Modersohn und Girkon davon überzeugt, daß Gott „sogar bereit sei, zu erlösen von dem Hang und der Lust zur Sünde." (Martin Girkon S. 59).

**) „Waren die Gebetsstunden vorher oft nur gering besucht, so mußte man jetzt noch Gebetsstunden einlegen, um dem Bedürfnis danach zu entsprechen. Und wunderbar, in diesen Gebetsversammlungen ging es ungewollt fast genau so zu wie in Wales. Der Leiter, P. Girkon, trat mehr und mehr zurück, die Versammlung leitete sich selber, oder, richtiger gesagt, der heilige Geist nahm die Leitung in seine Hand" (Sechs Jahre in der Stadt Tersteegens S. 157).

***) Die erste nach Modersohns Rückkehr aus Brieg.

es sich, daß eine Einmütigkeit herrschte, wie nie zuvor. Alle*) begrüßten den Vorschlag, gemeinsame Gebetsstunden zu halten, mit großer Freude. Bis ins einzelne hinein herrschte volle Harmonie und Brüderlichkeit. Gott sorgte dafür, daß ein Saal zu haben war, den man mieten konnte für die ganze Zeit von Himmelfahrt bis Pfingsten, und so wurden denn diese Versammlungen gehalten, an denen sich die kirchlichen Gläubigen mit den Baptisten und den Gliedern der evangelischen Gemeinschaft und der Heilsarmee in Liebe zusammenfanden. Gleich vom ersten Abend an war der Saal überfüllt. Es waren an 1000 Personen zugegen. Der heilige Geist hatte Raum, zu wirken. Der Leiter der Versammlung trat ganz zurück. Man kann von dieser Versammlung, wie von den andern in den folgenden Tagen, sagen, wie von denen in Wales: der heilige Geist leitete sie. Der Geist des Gebets war reichlich ausgegossen. Aus der Mitte der Versammlung heraus wurden Lieder angestimmt oder Fürbitten vorgeschlagen. Am Schluß kamen etwa 20 Seelen zum Glauben. Und so ging es Abend für Abend, so daß die Zahl der Neubekehrten bald die Zahl 100 erreicht und überschritten hatte. Natürlich machte sich nun auch die Feindschaft auf, um das Werk zu hindern. Aber Gott trat selbst auf den Plan und machte alle Anschläge der Gegner, die das Werk aufhalten oder verbieten wollten, zunichte. Als der Saal zu klein wurde, um die große Zahl zu fassen, da sandte Gott gerade zur rechten Zeit das große neue Zelt der deutschen Zeltmission, damit die Versammlungen darin fortgesetzt werden könnten. So hoffen und glauben wir, daß wir auch in Mülheim am Anfang einer größeren Erweckung stehen. Aber wir beten nicht mehr um eine Erweckung, sondern um die Erweckung, nämlich um die Erweckung unseres ganzen Vaterlandes, ja der ganzen Erde." Wochenlang ging es so weiter. Über eine Versammlung am Peter Pauls-Tage berichtet dasselbe Blatt in Nr. 32. Endlich wollte die Zeltmission weiterziehen. Es wurde bestimmt, „wenn nicht noch eine besondere Kraftwelle komme, solle das Zelt abgebrochen werden. Die Kinder Gottes flehten dringlich um diese Kraftwelle. Und sie kam. An einem Sonntag abend offenbarte sich eine Geistesmacht, wie nie zuvor. Die Scharen derer, die Heil suchten, waren nicht mehr zu zählen. Aber es waren doch meistens Leute von außerhalb, welche nach Frieden mit Gott verlangten. Man wußte nun einmal, daß in Mülheim ein Feuer brenne, und da kamen von nah und fern friedesuchende Seelen hergereist, um hier Antwort auf ihre Fragen zu bekommen. Nicht mit Unrecht sagten darum die Brüder von der Zeltmission: „Die Erweckung hat aufgehört, eine speziell Mülheimer Erweckung zu sein, sie ist eine rheinisch-westfälische Erweckung geworden. Die suchenden Seelen von auswärts werden aber gerade so gut nach Ruhrort, als nach Mülheim kommen!" Dagegen war nicht viel zu sagen. Und so hat man denn das Zelt ziehen lassen. Aber es geschah, wie wir vorher befürchtet hatten: damit hatte die Erweckung ein vorzeitiges Ende gefunden. Wohl hielt man noch etliche Versammlungen in einem gemieteten Saale, aber auch damit hörte man bald auf."

*) Mit Ausnahme der „Versammlung", d. h. also der exklusiven Darbysten und des Präses des Vereinshauses, d. h. der kirchlich gerichteten Altpietisten.

Die Folgen der Erweckung waren: Eine monatliche Allianzgebetsstunde und die auf 3000 geschätzten Erweckten.

In der „Wacht" wurde dagegen ein Bericht veröffentlicht, der eine scharfe Kritik enthielt, in der behauptet wurde: „Eine große Anzahl älterer, erfahrener Christen meidet die Versammlungen im Zelte und verhält sich völlig ablehnend," und die in dem Satze gipfelte: „Wer das Wesen der Suggestion kennt, kann es hier beobachten, in welchem Maße man mit letzterer das religiöse Bedürfnis der großen Masse beherrschen kann. Es ist eine unerlaubte Freiheit, wenn man das alles für eine Wirkung des heiligen Geistes ausgibt." Dazu schrieb dagegen Girkon selbst: „Nur Ihre persönliche Bitte konnte mich bewegen, zu dem Schreiben: ‚Eine Erweckung in Mülheim a. d. Ruhr?' überhaupt noch etwas zu bemerken. Es widerstrebt mir im Innersten, die großen Taten Gottes, die seit Monaten hier geschehen sind, rechtfertigen zu sollen. Haben sich von Himmelfahrt bis jetzt 5000*) Seelen vor Gott gebeugt, ihre Sünden bekannt, ihre Meineide aufgedeckt, ja Morde sind eingestanden worden, Diebstähle, Betrügereien, Beleidigungen usw. sind wieder gut gemacht worden. Wenn der Einsender etwa von diesen Dingen, welche teilweise sogar durch Zeitungsnachrichten bekannt geworden sind, nichts weiß, so hat er keine Entschuldigung dafür, weil er, statt an der Aufrichtung der zusammengebrochenen Seelen sich mit zu beteiligen, als Kritiker ‚dabei gesessen' hat (Luk. 5, 17). Ich finde darum auch keine wirkliche Entschuldigung für ihn, wenn er dies alles, hier wie in Wales, wesentlich auf ‚Suggestion', also auf das Wirken einer dämonischen Macht, zurückführt, womit wir ‚das religiöse Bedürfnis der großen Masse beherrschen', und es für ‚unerlaubte Freiheit' erklärt, dies alles ‚für eine Wirkung des heiligen Geistes' auszugeben. Ob der Einsender, der doch einige Bibelkenntnis hat, gar nicht merkt, daß er dadurch auf eine Linie mit jenen kommt, welche die große, vom Herrn ausgehende Bewegung zu dämpfen suchten mit dem Wort: ‚Er treibt die Teufel aus durch Beelzebub?' Fürchtet er sich nicht, die nie zu vergebende Sünde der ‚Lästerung wider den Geist' zu begehen? (Matth. 12, 22—24 und 31—32). Wo eine so ernste Gefahr vorliegt — mit welcher heiligen Scheu sollte man doch da solchen Bewegungen gegenüberstehen und seine Urteile mindestens zurückhalten, wenn man selbst nicht voll und ganz mit kann!" „Wir stehen hier bei dieser Bewegung auf Allianzboden, da war jede besondere Lehre von selbst ausgeschlossen. Nur das will ich bemerken, daß die ganze Erweckung mit einer tieferen Beugung und

*) War Druckfehler statt 3000.

Reinigung der Kinder Gottes, wo mit alten Sachen aufgeräumt wurde, begonnen hat, und daß Gott hierzu gerade eine kurze Anwesenheit von Pastor Paul benutzt hat." Bei derartig kritikloser Stimmung der Führer mußte natürlich die Bewegung gerade in diesen Formen weitergehen.

Ebenfalls im März begann in Barmen v. Viebahn eine achttägige Evangelisation. „Man nimmt allgemein an, daß damals etwa 200 Seelen Frieden mit Gott gefunden haben." „Seitdem wurde bei vielen Gläubigen das Sehnen nach größeren Dingen immer lebendiger, und als es der Herr möglich machte, daß General v. Viebahn im Herbste wieder nach Barmen kommen konnte, da trat eine Anzahl Brüder aus allen entschieden christlichen Kreisen Barmens zusammen und bat in Einmütigkeit des Geistes den Herrn um seinen Segen für die Tage." Die Versammlungen fanden vom 15. bis 29. Oktober statt.

„In den Nachmittagsstunden behandelte Herr von Viebahn das Thema: ‚Betrübt nicht den heiligen Geist'". „Es ist mit uns durch tiefe Beugung und ernste Reinigung hindurchgegangen." „Besonders wichtig und köstlich ist uns auch der Gedanke an die Einigkeit des Volkes Gottes geworden." „Bruder v. Viebahn ermahnte immer wieder inständig zur Einmütigkeit, nicht im Sinne einer Kirche oder Denomination, sondern im Sinn und Geist der Schrift. Es wird keinem möglich sein, aus den 14 Tagen auch nur ein Wort oder nur eine Bemerkung anzuführen, durch welche sich beweisen ließe, daß er für eine bestimmte Gemeinschaft geworben habe." „Am Schlusse jeder Versammlung forderte der General alle die auf, die sich nun dem Herrn übergeben möchten, dieses durch Aufstehen von ihren Plätzen zu bekunden. Es war ergreifend, wie da 50, 100, 200 und mehr Menschen angesichts einer so großen Menschenmasse, worunter sich so viele Bekannte befanden, durch ihr Aufstehen ihren Willensentschluß bekundeten, hinfort dem Heiland nachzufolgen. Mit jeder einzelnen Seele wurde geredet, wofür ein Kreis von Geschwistern ausgewählt worden war. Es wurde den Seelen wunderbar leicht, Sünden zu bekennen und die Gnade anzunehmen. Es ist so, wie ein lieber Bruder sagte: Der heilige Geist wirkt jetzt in einer Viertelstunde mehr als sonst in einem Jahr." „Es mögen an die 2000 Seelen zu den Nachversammlungen zurückgeblieben sein." „Eine weitere köstliche Frucht dieser gesegneten 14 Tage ist eine wöchentliche Gebetsvereinigung aller der Kinder Gottes, die in Wahrheit auf dem Boden der Einheit der Kinder Gottes stehen." Ein paar Wochen später heißt es: „Über viele Kinder Gottes ist eine tiefe, bisher ungekannte Gottesfurcht gekommen. Es werden noch immerzu allerlei Dinge göttlich geordnet. Was kommt da nicht alles ans Licht von verborgenen schweren Sünden und allen Untreuen. Der heilige Reinigungsprozeß geht durch viele Beugungen und tiefe Demütigung. Nach der Reinigung von den bestimmten Sünden und Untreuen beginnt jetzt bei vielen Kindern Gottes das Reinigen von den Temperaments- und Wesenssünden." „Das Feuer greift durch Gottes Gnade um sich. Ein tiefes Sehnen geht durch die gläubigen Kreise des ganzen bergischen Landes. Da liegen dort in dem Bergstädtchen R. jetzt Abend für Abend die Gläubigen aus der ganzen Umgegend, die auf die Gedanken Gottes eingehen, vor dem Herrn und flehen ihn an um ihre Beugung, Reinigung und Einigung und um eine Erweckung der Kinder dieser Welt."

Im Allbl. 1906 Nr. 31 (29. Juli) schrieb der Berichterstatter: „Die Bewegung hat bis heute noch nicht aufgehört. Freilich so große Dinge als in den Oktobertagen haben wir bis jetzt nicht wieder erlebt. Aber doch sind seitdem noch viele hundert Seelen zum Glauben gekommen, und viele, viele Gläubige haben Ernst gemacht mit der Beugung und Reinigung, und manche von ihnen haben im Glauben die Geistestaufe empfangen." „Seit Pfingsten arbeitet nun die deutsche Zeltmission in Barmen." „Dadurch ist für Barmen eine neue Gnadenzeit angebrochen." „Wenn auch die Gnadenwirkungen — soweit Menschen sehen können — nicht den Umfang erreicht haben als bei den Stadthallenversammlungen, so haben doch Hunderte von Seelen die ausgestreckte Gnadenhand Gottes ergriffen." Vetter aber sah das „Geheimnis, daß auch dieses Jahr der wunderbare Herr die Zeltmission so segnet": 1. „in der Einheit der Kinder Gottes", 2. in ihrem Glaubensgebet, 3. in ihrem Gehorsam gegen den heiligen Geist und 4. in der klaren Wortverkündigung, in der das Kreuz Christi den ersten und letzten Platz einnimmt.

In **Witten** waren besonders die Pastoren Holtey-Weber, Modersohn und Simša der Anlaß der Erweckung. „Letzterer erzählte in einer Versammlung, wie er in Wales die Geistestaufe*) erlebt habe. Darauf standen nach Aufforderung 12 Seelen auf, um dadurch ihre Umkehr zu Gott zu bezeugen. Zur Nachversammlung jedoch war der 100 bis 150 Personen fassende Saal ganz gefüllt, und viele haben Frieden gefunden. Der Redner wollte die Versammlung schließen, da er zum Zuge eilen mußte, aber daran war nicht zu denken. Es fing auf einmal wieder eine Seele nach der anderen an zu beten, und viele Gläubige bekannten noch ihre Gebundenheiten. Eine Frau bat, der Herr möge sie losmachen vom Zeitungslesen, andere bekannten dasselbe und gelobten, jetzt

*) P. Simša hat mir jedoch mündlich erklärt, daß der obige Bericht („Was sagt die Schrift?" 1905 Nr. 51) in diesem Punkte irrig sei. Er habe jedenfalls von „Geistestaufe" nicht gesprochen. Doch berichtet auch der doch gewiß unverdächtige Zeuge Busch, daß Simša auf der III. Barmer Konferenz (s. u.) Mitteilungen gemacht habe „von den Erfahrungen derer, die in unseren Tagen in der Freude über jene Geistestaufe stehen". S. scheint sich danach doch mindestens unvorsichtig ausgedrückt zu haben.

die Bibel mehr zu lesen; andere bekannten ihren Zorn, andere ihre Eitelkeit, andere ihre Lauheit, andere ihre falsche Scham, andere ihre Untreue usw." „Ein anderer hat seine Pfeife verbrannt, mehrere andere haben der Zigarrenkiste für immer den Abschied gegeben. Da zieht einer seine Tabaksdose heraus schon früh morgens und wirft sie über den Zaun; der andere, der den Tabak (zum Kauen) lose in der Tasche getragen hat, wirft ihn von sich usw. Die Kinder Gottes aus den verschiedenen Gemeinschaften wollen sich zu Allianzversammlungen vereinigen."

In Gelsenkirchen war „viel Gebet vorangegangen, ehe die Segenswolke sich niederließ". Cäcilie Petersen hielt 14 Tage Versammlungen. „In den Nachversammlungen war der Geist der Buße besonders bemerkbar." „Das Loben und Zeugen in den Dankesversammlungen wollte nicht enden, und ein Halleluja um das andere wurde zu Gottes Thron emporgesandt. Unser Herz ist voll Anbetung, besonders, daß der Herr auch die Frauen dadurch legitimiert, an Zions Mauern bauen zu dürfen, was ja nach Neh. 3, 12 nicht unbiblisch ist."

Ende Juni entstand eine Erweckung in Kamen i. W. In Essen war es wiederum die Zeltmission, die großen Zulauf hervorrief. Über Hamm findet sich in „Auf der Warte" 1905 Nr. 51 folgender Erweckungsbericht, den wir um seines Stiles willen mitteilen:

„Hamm, November 1905. Bußtag-Totenfest. Viel Gebet und Flehen gen Himmel gestiegen! — viel Ringen und Zagen und Bangen: ‚Herr, wann willst du erhören!?' Und wenn dann Herzen erfaßt werden von dem Geiste, der da lebendig macht, — dann stehen Gotteskinder in zitternder Freude voll Staunen und Beben als Nichts davor. Auch in Hamm, Westf., gab der Herr an genannten Tagen gar herrliche Zeichen Seiner Gnade, und an 20 Seelen fanden nach den Versammlungen in Gebetsvereinigungen Frieden. Geisteswirken Gottes bewegten (sic!) die Herzen von Jungen und Alten. Sündenbekenntnis, verlangendes Fragen, freudige Hingabe! Beten wir weiter um Erweckung."

Namentlich wurde das Oberbergische ergriffen. „Durch die Kunde von der Erweckung in Wales wurden die Gläubigen gestärkt, Grösseres vom Herrn zu erwarten. Ein kräftiger Gebetsgeist war besonders auf der vorigen Herbstkonferenz in Derschlag zu verspüren. An manchen Orten konnte man beobachten, daß sich die Gläubigen beugten vor dem Herrn, ihr bisheriges Leben verurteilten, Hindernisse beseitigten, ihr Verhältnis zu den Geschwistern und anderen ordneten und sich dem Herrn zur Verfügung stellten, ehe die Erweckung an ihren Orten sichtbar hervorbrach und beim Beginn derselben." Evangelisationen fanden statt, die erste November 1905 in Lützingen bei Waldbröl und in Wülfringhausen bei Wiehl, „wo man unter anderem durch den Bericht eines Augenzeugen über den Segen in Wales tiefe Anregung empfangen hatte". „Nun folgten, veranlaßt durch einen überaus starken Hunger nach dem Wort und auf vieles Bitten, wohl an zwanzig und mehr Orten in unserer ganzen Gegend in Kirchen, Vereinshäusern usw. bis in den März dieses Jahres weitere Evangelisationen, die reich gesegnet waren und vielfach eine den Segen der anderen in den Herzen vertieften. Eine ganze Reihe auswärtiger Evangelisten, viele Ortspfarrer, Boten der Evangelischen Gesellschaft und des Brüdervereins, viele Brüder aus kirchlichen und freikirchlichen Kreisen wirkten an den meisten Orten in Einmütigkeit des Geistes zusammen, um der Gegend mit Wort und Gebet zu dienen. Gerade dieses einmütige Stehen vor dem Herrn ist dem Wachsen der Bewegung sehr förderlich gewesen." Auch hier waren von großem Einfluß die Nachversammlungen, denen viele Gemeinschaftsleute anfangs sehr skeptisch gegenüberstanden, die dann jedoch meist darauf eingingen und mitarbeiteten. „Der Schwerpunkt der Nachversammlungen lag in dem Gebet der versammelten Gläubigen." „Das Gebet der Frauen und Mädchen zeichnete sich durch natürliche Inbrunst aus, wenn es sich um Erziehung der Kinder und Rettung der Ehegatten handelte." Der Berichterstatter bemerkt jedoch dazu: „Sobald übrigens die Hochflut der Erweckung vorüber war, trat auch das Gebet der Frauen und Kinder in den allgemeinen Gebetsversammlungen wieder zurück." „Überall haben sich die Erweckten den bestehenden Gemeinschaften angeschlossen, an vielen Orten sind neue Gemeinschaften entstanden, der Bau von etwa sechs neuen Vereinshäusern ist geplant." Diese Schilderung eines landeskirchlichen Gemeinschaftspastoren (Licht und Leben 1906 Nr. 19 bis 22) empfängt freilich eine etwas andere Beleuchtung, wenn man folgende baptistische (Allianzblatt 1906 Nr. 12) dagegen hält. Da wird als Ausgang nur Wülfringhausen genannt, und man erfährt, daß die dortigen Baptisten die Bewegung veranlaßten („Die dortigen Geschwister, welche mit noch vielen aus der Umgegend eine Gemeinde gläubig getaufter Christen bilden, stellten sich in das Licht des Angesichtes Gottes und unter die Blutbesprengung Jesu Christi"). Augenscheinlich hat die Baptistengemeinde einen großen Zuwachs erfahren. „Auch unsere Baptistengemeinde in Derschlag hatte viele Segnungen aus der herrlichen Bewegung ernten dürfen. Als dann an verschiedenen Orten ihres Arbeitsgebietes ebenfalls das Netz des Evangeliums ausgeworfen wurde, folgten auch da Scharen dem Zuge des Geistes." „Auch unsere Nachbarn, die Geschwister der freien Gemeinde in Gummersbach, haben die Freude, daß ihre

Arbeit, in Liebe und Demut geschehen, gesegnet wurde durch die Errettung von über 70 Seelen." Etwas naiv wird hinzugesetzt: „Freilich ist der Boden dort durch jahrzehntelange Predigt liberaler Pfarrer für das Evangelium hart geworden, und unsere Geschwister dort haben keinen leichten Stand. Viel ausgiebiger wurde die Ernte des Geistes in denjenigen Gegenden unseres Oberbergischen, wo seit langen Jahren an Jesum Christum gläubige Pastoren und Gemeindeglieder das Wort verkündigt haben."

So zeigten die Ausbrüche der Erweckung in Rheinland-Westfalen die typische Signatur von Wales: Betonung der Allianz, Aufhören der Ordnung in den Gemeinschaften, Beten und Reden der Frauen usw. In den darbystischen Kreisen geht man zuerst darauf ein, aber auch andere lassen sich hineinziehen, wenn auch zum Teil anfangs widerstrebend, nur wenige Altpietisten halten sich fern. Die Folge aber ist eine bedeutende Stärkung der darbystischen Gedanken.

So ähnlich aber ging es überall in Deutschland.

b) Nordwest- und Mitteldeutschland.

In Hamburg war die Philadelphia der Ausgangspunkt.

„Am Sonntag, 14. Mai, durften wir den ersten Durchbruch des Geistes der Erweckung in unserer Mitte sehen. Es war gleich nach dem Bericht, den Bruder Witt am ersten Sonntag nach seiner Rückkehr aus Wales der Gemeinschaft am Holstenwall erstattet hatte. Als wir unsere Kniee miteinander beugten, erlebten wir die Gegenwart Gottes in so mächtiger Weise, daß tatsächlich in der nun folgenden uns noch vor der Acht-Uhr-Versammlung zur Verfügung stehenden halben Stunde wohl mehrere hundert Personen stets zu gleicher Zeit beteten. „Wie Stimmen großer Wasser" tönte es in unserer Mitte. Etwas Ähnliches hatte wohl niemand der Anwesenden bisher erlebt. Wie erbärmlich fühlt sich der Mensch in der nahen Gegenwart Gottes! Rührende Szenen spielten sich in dieser Versammlung ab. So war ein wohl zwölfjähriger Knabe mit seinem freidenkenden Vater in der Versammlung. Der Knabe war ganz in die Art seines Vaters geschlagen. In dieser Versammlung aber wurde er überwunden. Er schrie um Gnade, neben seinem gläubigen Onkel knieend. Als dieses dem Vater zu viel wurde und dieser den Knaben zum Mitkommen antrieb, schmiegte sich der Junge an seinen Onkel an, gleichsam bei ihm Schutz suchend. „Was soll ich noch mehr beten?" hatte er diesen gefragt. „O, ich bin immer so unartig gewesen!" — Was sonst keinem bei dem ruhigen Gange unserer Versammlungen eingefallen wäre, begann jetzt ein junger Mann das Lied: „Herr, du segnest ja so gerne!" Ein älterer Bruder ermahnte die betende Menge, ganzen Ernst zu machen und dem Herrn alles auszuliefern. Ein Jüngling kam vorn an die Kanzel gelaufen: „O, ich bin ja gar nicht bekehrt." — Er fand den Heiland, nachdem mit ihm gebetet war. Auch warf sich ein armes gefallenes Mädchen dem Heiland vor die Füße, bekannte ihre Sünden und fand bald darauf Frieden im Blute des Lammes. An Kritikern fehlte es auch nicht. Zwei Brüder wurden sich während dieser ernsten Vorgänge darüber einig, daß wohl nicht alle aufrichtig beteten. Wie lehrt einen dieses Vorkommnis, den Geist doch nie zu dämpfen; denn wie leicht geht man so eines Segens verlustig. Einen stillen Tadel mag der eine derselben sich aus dem Umstande zugezogen haben, daß sein eigener Bruder in dieser Versammlung den Heiland fand."

„Ganz anderer Art erwies sich die auf den folgenden Abend angesetzte Versammlung. Man hatte nicht damit gerechnet, daß der Satan darauf aus sein werde, Gottes Werk zu hindern. So war diese Versammlung nicht genügend dem Herrn gebracht worden. Was am Abend vorher durch den Geist Gottes gewirkt worden war, suchte man nun durch menschliche Anstrengungen zu erreichen. Dazu hatte sich die Kunde von der Versammlung des vorigen Abends schnell verbreitet, und es kamen manche, begierig, „etwas Neues zu sehen und zu hören". Gott hat auch an dem Abend gesegnet, aber wir sind überzeugt, daß u. a. auch der Geist der Neugierde den heiligen Geist gedämpft hat. Das brachte uns in tiefe Selbstprüfung und Demütigung vor Gott. In kleinerem Kreise hatten wir im Laufe des folgenden Tages eine wunderbare Begegnung mit Gott, was zur Folge hatte, daß am Dienstagabend der Geist Gottes in Macht unter uns war. Da fehlte alles Laute; vielmehr war das stille, sanfte Säuseln des Geistes der besondere Zug dieses Abends. Die Gläubigen schienen einem geheimen Zwang, ans Licht zu kommen und zu bekennen, nicht widerstehen zu können. Einer betete nach dem andern, und es geschah ein Ewigkeitswerk unter uns. Mitunter konnten auch einer oder zwei dem inneren Drange zum Gebet nicht widerstehen und beteten halblaut für sich, etwa: „Heiland, vergib mir doch meine Sünden!" usw. Nach den Stunden kamen dann Bekehrte und Unbekehrte, bekannten ihre Sünden und lieferten sich dem Heilande aus. Die nun folgenden Abendversammlungen und sonstigen Stunden waren besonders geistesmächtig. Fast jeden Abend kamen wir zum Gebet zusammen, und jedesmal gab es viele Bekenntnisse und Reinigungen."

Inzwischen kehrte Rubanowitsch aus Schlesien zurück. Alsbald begann auch das gleichzeitige laute Beten sowie das öffentliche Bekennen von Sünden, auch nach der Sonntagsschule von seiten der Kinder.

„Unter Schluchzen vieler kamen im Gebet bestimmte Sündenfälle ans Licht. Und der Herr schenkte es dann doch manchen Kindern, der Vergebung sofort sich bewußt zu werden. Einige Kinder kamen und fragten: ‚Dürfen wir auch mitbeten; wir haben aber schon ein neues Herz, wir wollen dann dafür danken!' Andere schon gläubig gewordene Kinder hatten dem Herrn doch noch gelegentlichen Ungehorsam und ähnliches zu bringen — ein Beweis dafür, daß die Berührung des Geistes Gottes bei ihnen keineswegs eine oberflächliche war."

„Am Sonntag, den 18. Juni, abends, folgten der Aufforderung, aufzustehen (dazu hatte der Herr dem Leiter bisher nie Erlaubnis gegeben) an solche, die sich retten lassen und mit der Sünde brechen wollten, wohl 80 Seelen.“ „Am Mittwoch, den 21. Juni, ging der Geist Gottes wieder einen Schritt weiter. Plötzlich in der Versammlung unterbrach jemand den Leiter in der Rede und sagte, der heilige Geist verlange von ihm, etwas zu bekennen, was dann auch gleich geschah. Selbstverständlich ließ der Leiter gern seine Ansprache fahren und folgte dem Wirken des Geistes. Diesem Bekennntnis folgten viele.“ Im Juli „legte der Herr den verschiedenen Geschwistern, sowie unabhängig von diesen dem Leiter selbst den Gedanken nahe, ob wir nicht Fühlung und Gemeinschaft mit den andern Kindern Gottes in Hamburg und Umgegend suchen sollten, damit der Herr den uns geschenkten Segen auch anderen Gemeinden Gottes mitteile, und daß der Herr noch mehr tue, nämlich uns wie ihnen Ströme des Segens herabsende. So folgten wir diesem Zuge des Geistes.“ Eine tägliche, gemeinsame Zusammenkunft zum Gebet für die Leiter und Berufsarbeiter und Berufsarbeiterinnen der verschiedenen Gemeinschaften entstand. „Es herrschte bald unter den sich regelmäßig Versammelnden herzliche Bruderliebe, so daß man fortan zielbewußt um eine Erweckung den Herrn anflehen konnte. Bald drängte der Geist aber weiter.“ Große gemeinsame öffentliche Abendversammlungen, zuerst für drei Abende der Woche, wurden festgesetzt. In den Versammlungen der Philadelphia ging die Bewegung weiter. Mitunter freilich lag auf der ganzen Versammlung ein Druck. „Eines Abends forderte der Leiter, vom Geiste Gottes dazu getrieben, auf, daß diejenigen, die durch ihr unbußfertiges Wesen das Wirken des Geistes Gottes bewußt hemmten, sich melden sollten. Da gab der Herr Gnade, daß Unversöhnlichkeit usw. ans Licht kam. Nun herrschte Freiheit in der Versammlung.“ „Eines Abends wies der Geist Gottes auf die Gebundenheit des Rauchens und Kauens hin.“ „Die Erweckung hat Zigarren, Rauch- und Kautabak und Pfeifen solchen entlockt, die dieser schmutzigen Gewohnheit immer mit Anstoß ihres Gewissens gefröhnt hatten.“

Die erste große Versammlung der vereinigten Gemeinschaften (900 Personen) fand am Montag, den 24. Juli, am Holstenwall statt, die zweite in der „Jerusalemskirche“, bei der „Gebetsfluten“ losbrachen.

„Wer kann den ausgegossenen Gebetsgeist eindämmen? Im Augenblick war der ganze Raum ein Gebetsmeer.“ „Mitte September jedoch war es, als dieser ungewöhnliche Segensstrom allmählich nachzulassen begann. Es stellten sich weniger Seelen offen auf des Heilands Seite, und in der Aussprache mit den Einzelnen merkte man, daß das Wirken des Geistes bei der Verkündigung des Wortes nicht mehr so augenblicklich und tiefgehend gewesen war als bisher. Wohl verlebten wir gesegnete Stunden des Beisammenseins, aber wir merkten es, der Gnadenregen war vorüber. Während sonst beim Niederknieen zum Gebet Hunderte mit einem Male beteten, trat an Stelle dessen nach und nach das gewohnte Einer-nach-dem-andern-Gebet. Nur zuweilen brach das laute gemeinsame Gebet wieder durch.“

Auch hier blieben als Frucht Allianzversammlungen. Bei den Glaubensversammlungen vom 16. bis 18. Oktober 1906 trat das gleichzeitige Gebet auch wieder auf, ebenso namentlich in der Schlußversammlung die öffentlichen Bekenntnisse.

Im übrigen waren hier in Nordwestdeutschland vor allem Dolman-Wandsbek und sein Blatt ein Wegbereiter der Erweckung.

„Der Herr hat es uns aufs Herz gelegt, für unsere diesjährige Konferenz das Thema ‚Die Persönlichkeit und das Wirken des heiligen Geistes‘ zu wählen“ . . . „Ich möchte jetzt diese lieben Geschwister und auch die anderen Leser von Israels Hoffnung dringend bitten, sich mit uns jeden Freitag auch in der Fürbitte zu vereinigen, daß der Herr alle seine Kinder, welche zur Konferenz kommen, Redner und Hörer, reichlich segne, und auch Deutschland eine Erweckung schenke“ (Isr. Hoffn. 1905 Nr. 3).

Er empfahl wöchentliche Gebetsvereinigungen möglichst auf Allianzboden für eine Erweckung. So brach denn auch auf der Pfingstkonferenz (13. bis 15. Juni 1905) nach einer Ansprache v. Viebahns „ein gewaltiger Gebetsgeist aus“.

„Der dritte Tag war der herrlichste des Festes.“ „Pastor Paul betonte, daß man aus der Quelle nie trinken kann, ohne sich vorher tief gebeugt zu haben, und bat die ganze Versammlung, jetzt auf die Kniee zu gehen und zu trinken. In dem Augenblicke ging eine gewaltige Bewegung durch den Saal, man hörte lautes Schluchzen, Beten, Bekennen, so daß man unwillkürlich an den Pfingsttag erinnert wurde.“ „Bisweilen versuchte einer der Leiter, wenn die Zeit zu schließen da war, dies durch Anstimmen eines Liedes zu tun. Aber kaum hörte der Gesang auf, so ging wieder das Schluchzen und die tiefen Seufzer der Gebete durch die in der Gegenwart des Herrn gebeugte Versammlung.“ „Es waren wohl 100 Seelen, die sich ihrem Heiland ergaben.“

In Elmshorn kam schon am zweiten Ostertage unter der Mitwirkung Dolmans der Geist des Gebets über die Versammlung, so daß man noch ungefähr eine Stunde im Gebet bleiben mußte. Danach blieben „noch Seelen zurück, die Vergebung der Sünden suchten. Es war klar, daß am folgenden Abend wieder Versammlung stattfinden mußte, und so kamen die Woche hindurch am Abend etwa 150 Seelen zusammen zum Beten, Loben und Danken. Die Gegenwart und das Wirken Gottes war überwältigend in den Versammlungen.“

In Itzehoe entstand die Erweckung durch Verlesen eines Berichts von Vetter über Wales, in Havetoft begann eine unter den Kindern des Heims.

August 1905 hatte Dolman 11000 Gebetskarten ausgesandt, Januar 1906 20000.

In Wernigerode auf der Harzkonferenz von 1905, wo unter anderen auch Girkon sprach, hat „Gott auf das ernste Flehen Seiner Kinder hin Seinen Geist ausgegossen über die Versammelten. An den ersten beiden Tagen wurde man tief, tief in den Staub gebeugt." „Mit elementarer Gewalt trieb der Geist Gottes, Sünden zu bekennen, sich zu versöhnen, einander abzubitten und mit allen Sünden aufzuräumen. Besonders köstlich war es, als am Morgen des zweiten Tages in besonderer Weise die Leitung der Versammlungen in des Herrn Hand gelegt wurde."

In Halle hielt man vom 9. bis 12. Oktober Glaubensversammlungen, wo Lüdecke, Seitz und Dolman über Bekehrung, Heiligung und Geistesfülle sprachen.

Am dritten Tage fiel plötzlich „der Gebetsgeist auf die Versammlung und machte sich Bahn in einem Strom von Gebeten, die den Saal durchfluteten". „Es war nichts Übertriebenes oder Gemachtes; man vernahm nicht mehr eines Einzelnen Stimme, es klang wie das Rauschen an den lebendigen Wasserbrunnen; ein zartes, inbrünstiges Beten, Loben und Danken aus vielen Herzen, das ineinander floß zu einer wundervollen Harmonie der Anbetung."

c) Der Osten und die Erweckung.

Daß der Osten begeistert auf die Erweckung eingehen würde, lag besonders nahe. Die Brieger Woche vom 1.—6. Mai 1905 ist denn auch für die Erweckung von besonderer Bedeutung gewesen. Bei dem dritten Referat: „Hat die erste Gemeinde den heiligen Geist betrübt oder nicht?" sagte Stockmayer: „Es kommt nicht sowohl darauf an, ob die erste Gemeinde den heiligen Geist betrübt hat, — es kommt darauf an, ob wir ihn betrübt haben." „Diese Worte warfen uns aufs Angesicht," berichtet Modersohn (Sechs Jahre in der Stadt Tersteegens S. 149). „Ein Bruder nach dem anderen demütigte sich vor Gott und bekannte, daß er den heiligen Geist betrübt habe." „Zuweilen standen wir auf, um das Bekenntnis dieses oder jenes Bruders zu hören, der sich gedrungen fühlte, öffentlich eine Sünde oder eine Gebundenheit herauszugeben." „So ging's durch Stunden hindurch." Die Folgen für Modersohns und Rubanowitsch' Gemeinschaft haben wir gesehen.

Seit Mitte Juli zog auch durch das Gemeinschaftsschwesternhaus in Vandsburg ein „wunderbares Geisteswehen". Der Andrang zu der Konferenz Ende des Jahres „war enorm". „Unter der Macht des Wortes wurde der Geist Gottes gewaltig wirksam zu Beugungen und Zerbrechungen."

„Der Höhepunkt der Konferenz war offenbar der Freitagabend. Man begann mit der geschäftlichen Mitteilung, daß noch zwei Zahlungstermine für den Anbau des Schwesternhauses bevorständen, der 1. Januar und 1. April, und daß der für diese Termine erforderliche Betrag sich auf 17000 Mk. belaufe. Keiner ahnte wohl, daß der Herr diese rein geschäftliche Mitteilung in Seine Hand nehmen würde, um durch sie ein wunderbares Geisteswehen zu offenbaren. Ein Bruder stand auf, um sein Portemonnaie für die Sache des Herrn abzugeben. Von diesem Bruder hat man nachher gesagt: ‚Der hat den andern die Tür aufgemacht.‘ Aber wie kamen nun auch diese andern, und wie regneten die Gaben! Goldstücke wurden auf die Plattform geworfen, Hundertmarkscheine reichte man her, und wer nicht Geld hatte, schrieb einen Schuldschein auf seinen Namen. So gab der Herr an dem einen Abend durch Seine zum großen Teil unbemittelten Kinder gegen 3000 Mk. Während die einen durch Gottes Geist sich zu solchem Geben bewegen ließen, überzeugte derselbe Geist andere, daß sie noch vom Geiz gebunden seien, und wirkte auch hier eine tiefe Lösung. Dazwischen kamen Geschwister auf die Plattform, um, gedrungen vom Geist, Bekenntnisse abzulegen. Da hebt jemand an, laut zu beten, und die ganze Versammlung sinkt nieder vor dem Herrn, um Ihn zu preisen; es ist ein Gebetssturm, der sich anhört wie Meeresbrausen, bis plötzlich wie mit einem Schlage tiefe Stille eintritt, und das Gebet eines Beters allein laut wird, das wieder mit einem hundertstimmigen Amen schließt. Und nun stimmt jemand ein Loblied an, und die ganze Versammlung erhebt sich und singt es stehend mit. Und das alles ohne menschliche Leitung in tiefer Ehrfurcht vor dem gegenwärtigen Herrn, von Seinem heiligen Geist bewegt.“

In Schlesien hatte man schon bald das Durcheinanderbeten zugelassen. Bald gab es in Regehlys Gemeinschaft in Breslau besondere „Heiligungsstunden“ und Gebetsgemeinschaft mit Geschwistern anderer Denominationen. Da kam die Breslauer Konferenz, zu der die meisten Erschienenen das Sehnen mitgebracht, außerordentlich vom Herrn gesegnet zu werden.

„Ist diese Erwartung erfüllt?“ „Nun, ich glaube, daß die wenigsten einen solchen Geisteskampf je erlebten, wie in jenen Tagen, persönlich und um sich. Dieser Kampf dauerte von Anfang bis Ende der Konferenz. Es ist mir bekannt, daß Seelen ungebrochen, durch den heiligen Geist nicht überwunden die Konferenz verließen, um desto unglücklicher als bisher zu sein. Groß aber war die Zahl derer, die gebeugt, gereinigt, mit dem heiligen Geist getauft wurden. Und von den Lippen dieser ‚Überwundenen‘ flossen Bekenntnisse, Bitten und Danksagungen ohne Zahl, so daß die meisten Versammlungen Gebetsversammlungen waren, die jeden Abend erst um Mitternacht ihr Ende erreichten. Wer aber in den ‚Seelsorge-Stunden‘ an den Seelen mitdienen durfte, der hat erst recht erfahren, wie groß die Macht und wie herrlich der Sieg Jesu und Seines Geistes war. Zwei durch den Geist geredete Worte: ‚Kannst du abdanken‘ und ‚Kannst du dich fallen lassen‘, haben in den Herzen mancher Geschwister in den wenigen Stunden das bewirkt, was wer weiß wie viele früheren Privatunterredungen und

Vorstandssitzungen nicht erreicht haben. In diesen Tagen wurden in sich zerrissene Gemeinschaftskreise geeinigt, uneins gewordene Leiter und Gemeinschaftsleiter in die Stellung zur echten, ungefärbten Bruderliebe zurückgeführt. Und schon hört man von etlichen Orten, daß nach der Rückkunft ihrer Delegierten Erweckungen ausgebrochen sind, oder der Geist des Gebets, der Beugung und Demütigung in denselben offenbar wird."

Ebenso ging es mit der Königsberger Konferenz.

Wie im Westen war auch im Osten mehrfach das Zelt der Träger der Erweckung, z. B. in Charlottenburg.

„Es beteten nicht einzelne, auch nicht viele, nein fast alle, alle jedenfalls, die beten konnten! Es waren ungezählte Gebete. Es waren auch keine gesprochene Gebete mehr, es waren zum Teil Schreie aus mit dämonischer Macht zugeschnürten Kehlen. Da war eine Frau, welche mit gellenden — man möchte fast sagen unartikulierten Lauten, aus welchen man keine menschliche Stimme mehr heraushörte, auf die Bank sprang und tobte . . . Es war rührend und großartig zugleich zu sehen, wieviel Kinder — besonders Knaben — sich bekehrten mit voller Klarheit über diesen Schritt, und es war wunderbar, zu hören, wie einer dieser Knaben, ein ungefähr zwölfjähriger, betete: ‚Lieber Heiland, errette auch viele andere Seelen.'"

Ähnliche Wirkungen hatte das Zelt vorher in Stettin hervorrufen wollen, aber mit verhängnisvollem Erfolge (s. u.). Aber man sah damals im Osten das Gefährliche dieser religiösen Hochspannung noch nicht ein. Im Gegenteil, hier wollte man die Erweckung. „Wie mächtig wird doch jetzt unser Sinnen und Denken auf die erwartete große Erweckung gerichtet!" (Gemb. 1905 Nr. 43). „Wir Gemeinschaftsleute lesen in unseren Tagen die Bibel und unsere Blätter ganz besonders unter dem Gesichtspunkt der großen Erweckungsbewegung, die wir von Gott erflehen und erwarten. Das ist wohl etwas einseitig, aber nur zum Guten, es wird die Bewegung desto gewisser herbeiführen" (Nr. 47). Ausdrücklich verteidigte Regehly sowohl das Durcheinanderbeten wie das öffentliche Beten von Frauen (Nr. 45). Hier hatte man sich schon völlig die Phrasen vom „Herausgeben jedes Bannes" (z. B. Gottestaten Nr. 11), von „Beugung", „Pfingsterfahrungen" und „Golgatha" im Sinne von Penn Lewis*) angeeignet. Hier wurde gemahnt „seinem Geiste Raum zu machen", denn die Ursache des gegenwärtigen Mangels an Siegesleben sei entweder das Fehlen des

*) S. unten Regehlys Worte in Gnadau 1906. Dazu vergleiche man die Bemerkung eines Gemeinschaftspastors, der sich mir gegenüber dahin aussprach, daß er — wie ich — viel Cremer zu verdanken habe; Cremer habe ihn aber doch nur bis zu einem gewissen Punkte führen können. Weiteres Licht habe ihm dann Mrs. Penn Lewis gegeben.

Geistes überhaupt: „Man stand wohl unter Geisteswirkungen, erfuhr Vergebung der Sünden, aber es kam zu keinem Durchbruch ins Geistesleben" ... oder „hatte man den Geist empfangen, so war man doch nicht gehorsam geblieben, und der Geist ward gedämpft" (Gottestaten Nr. 12). In Schlesien kam es auch zu Kindererweckungen, und auch dies verteidigten und verherrlichten die „Gottestaten" (Nr. 17).

Aber nicht bloß der Osten, die gesamte darbystische Richtung, auch soweit sie sich um Blankenburg scharte, lief mit vollen Segeln in das gleiche Fahrwasser ein. Das ist im Blick auf die spätere Entwicklung stark zu betonen.

d) Die Erweckung und Blankenburg.

Wir haben schon darauf hingewiesen, wie das Allianzblatt die Erweckung verherrlichte und von Viebahn sie verbreitete. Jetzt wurde Torrey zur Konferenz gerufen, und hier fand nun der wohl bedeutendste Ausbruch der Erweckung statt.

Der Bericht in „Auf der Warte" lautet: „Gottlob, unsere Glaubenskonferenzen haben aufgehört, eine Reihe von wohlgeordneten, programmmäßig erledigten Vorträgen und Referaten zu sein. Auch hier hielt man sich von Anfang an nicht an den Römerbrief, sondern ließ sich vom Geist leiten in der Botschaft, die für den Augenblick der Herr den Seinen zu geben hatte. So hörte man in diesem Jahre nicht so viele, in sich abgerundete Reden oder Bibelstunden, wie wohl sonst, aber die Frucht der Konferenz für den Einzelnen und mit des Herrn Hilfe auch für die Gesamtheit war eine größere als je, wie wir bestimmt hoffen dürfen. Gottes Volk hat viel erfahren und viel gelernt in letzter Zeit, und es will uns scheinen, als eile der Herr mehr denn sonst, die Reinigung und Ausreifung desselben zu befördern."

„Wenn wir die ganze Konferenz betrachten, so dürfen wir von einem fortschreitenden Segen rühmen, obgleich es erst viel Kampf gab, ehe er durchbrechen konnte. Man spürt ja das am deutlichsten in den Gebetsversammlungen; es fehlte da anfangs viel. Zerstreutheit, Oberflächlichkeit, Unklarheit, auch Widerstand gegen den Geist waren spürbar. Mittwoch abend, nach Schluß der Versammlung in der Konferenzhalle, legte es sich in der dann stattfindenden Gebetsstunde wie eine finstere Wolke auf die Teilnehmer, es schien, als sollte Satan Sieger bleiben, viele Kinder Gottes gingen betrübt von dannen, aber dann nach Mitternacht durften die wenigen zurückbleibenden Beter die Schlacht als gewonnen betrachten. Der Sieg kam am andern Morgen gleich in der Versammlung von Dr. Torrey zum Ausdruck, der im Anschluß an Apostelgeschichte 1, 4—8 über den heiligen Geist sprach." „Die Abendversammlung am Donnerstag war eine Fortsetzung, zum Teil eine Wiederholung des Morgens, doch herrschte tiefere Stille und anbetendere Stimmung im dicht besetzten Saal. Etliche Hundert blieben dann noch wieder zu einer Gebetsversammlung zurück, die aber diesmal kein Kampf, sondern nur Lob und Dank war; eine kleine Abschwächung brachten Fürbitten für verschiedene Reichsgottesarbeiten hinein, die in die Stimmung nicht ganz paßten, es wurde dadurch Kraft genommen, welches sich den an sich müden Leibern gleich fühlbar machte. Einen besonderen, herzerhebenden Impuls gab hier und jedesmal, wenn es gesungen wurde, das Herrlichkeitslied, wie auch das herrliche Lied: „Krönt ihn'." „Es war uns beim Singen des ersteren Liedes, als ob der Schleier, der uns von der unsichtbaren Herrlichkeit trennte, nur ein sehr dünner wäre, und als ob die Wolken jeden Augenblick zerreißen könnten, um uns den erwarteten und wiederkommenden König zu zeigen.

Aber wenn wir von den großen Augenblicken sprechen, müssen wir mit besonderem Dank auch der Morgenversammlung am Mittwoch im Rathaussaal gedenken, in der Herr von Tiele, Pfarrer Lohmann und P. Dolman leiteten. Letzterer sprach, und alles Scheinwesen, alle Unlauterkeit der Christen wurde den Kindern Gottes durch den Geist unter diesen Worten so zur Sünde gemacht, daß plötzlich ein Bekenntnis den Redner unterbrach und es dann wie ein entfesselter Strom von Tränen, Schluchzen, Flehen, Bekennen und Selbstanklagen durch die Anwesenden ging, aus dem allmählich Dank und Preis für empfangene Gnade emporstieg und der in einer tiefen, stillen Beugung der ganzen Versammlung endete. Viele blieben zurück, um sich noch besonders auszusprechen, und die Notwendigkeit, daß belastete Seelen Brüder und Schwestern brauchten, denen sie sich offenbaren konnten, führte zu der Praxis, daß die, welche bereit waren, ihren Geschwistern so zu dienen, mit rotem Band ein kleines Erkennungszeichen trugen; ein Mittel, welches sich in dem großen Kreis, die sich dem Namen und Angesicht nach unbekannt waren, als nützlich erwies."

Das Allianzblatt aber schrieb: „Der Herr hat Großes getan! Er hat die Gebete vieler Seiner Kinder erhört, ihre Erwartungen erfüllt, ihr Verlangen gestillt. Er hat mit einer Erweckung geantwortet, wie sie geistesmächtiger und tiefgehender wohl keiner der ca. 1400 Konferenzgäste erwartet hatte." Vom Donnerstagabend schreibt Edel: „Als ich in die Versammlung trat und still sitzend beten wollte, trieb es mich auf die Kniee, und ohne daß ich es zurückzuhalten vermochte, brach ich in einen Tränenstrom aus. Die Not der Versammlung, die unbeschreibliche Kraft- und Geistlosigkeit der Gemeinde Gottes beugte mich so darnieder, daß jedesmal, wenn ich zum Herrn aufsah und beten wollte, nur laute Schreie herauskamen, die man durch den ganzen Saal gehört hätte, wenn es nicht durch den tausendstimmigen Gesang der großen Versammlung übertönt worden wäre. Für diese mir unerklärliche, tiefe Bewegung, die ich nicht niederkämpfen konnte, hatte ich keine andere Erklärung als die, daß Gott im Begriff stehe, etwas Wunderbares zu tun. Und Er tat's. Nachdem Dr. Torrey in seiner einfachen, klaren Weise die in der Bibel niedergelegten Bedingungen für die Taufe mit dem heiligen Geiste dargelegt und gezeigt hatte, daß der Geist Christi in uns den Platz einnehmen will, den bisher das Ich und der eigene Wille und die Begierden des Menschen inne hatten, ließ er die sich erheben, die bereit seien, alles, auch das Liebste und Beste, daran zu geben, um von Gott alles zu empfangen. Viele Hundert Kinder Gottes erhoben sich im

Saal. Torrey betete nun, daß der heilige Geist herabfallen möchte auf alle Verlangenden. Nach kurzer, wunderbarer Stille forderte er auf, daß die, welche wirklich den heiligen Geist empfangen hätten, davon Zeugnis ablegen und dem Herrn danken sollten. Ich weiß nicht, was die Geschwister, die um mich her anfingen, den Herrn zu loben, erfahren haben — es werden wohl noch manche Zeugnis davon ablegen —; von mir kann ich nur sagen, daß ein wunderbarer, sanfter Feuerstrom von oben herab über mich kam, und es war mir, daß, wenn ich meine verdeckten Augen geöffnet hätte, würde ich eine Feuerflamme durch den ganzen Saal gesehen haben. Der Gebetskampf, der bisher noch in mir war, hörte auf, mein Hungern und Dürsten war gestillt — es wurde still in mir, — ich war von Stunde an ein glückliches Kind, das sich zwar noch nie unwürdiger und ohnmächtiger vorkam, aber auch noch nie so gelöst von aller Sünde, Furcht und Sorge. Und noch nie habe ich wie in diesem Augenblick verstanden, daß der heilige Geist in der Gestalt der Taube über uns kommt und nur in der tiefsten Stille, Einfalt und Demut unverscheucht bleibt."

Das Allianzblatt schrieb zum Schluß: „Beten, dienen, opfern wir weiter, damit bald der heißersehnte Tag anbricht, da der Herr in die Luft herniedersteigt, um Seine erlöste Gemeinde zu Sich emporzuheben in Seine sichtbare Gegenwart und Herrlichkeit." Als in der „Wacht" ein P. Friedrich eine Kritik dieser Vorgänge veröffentlichte, erhob sich große Entrüstung, und man war geneigt, ihn unter die „Spötter" einzurangieren, die am Pfingsttage sagten: „Sie sind voll süßen Weins."

3. Gnadau und die Erweckung.

a) Die Stellung der Gnadauer zu den darbystischen Freunden der Erweckung bis 1906.

(Die unklare Stellung der Gnadauer — Die Brieger Woche 1905 — Die Vertrauensmännerkonferenz von 1905 — Die Einladung zur Konferenz 1906.)

Wie stellte sich jetzt Gnadau? Die Gnadauer hatten es ja nicht leicht, gegenüber der ausbrechenden Erweckung Stellung zu nehmen. Eine Erweckung wünschten ja auch sie brennend. Aber andererseits sahen sie deutlich Gefahren, nicht nur Dietrich, auch z. B. Dammann, der sich des Eindrucks nicht erwehren konnte, als stände man bei uns in Gefahr, „die äußeren Formen der Erweckungsbewegung in Wales nachzuahmen" (L. u. L. 1905 Nr. 41). Dazu kam, daß die Erweckung überall eine bedeutende Stärkung der Allianzrichtung brachte, die man doch selbst nicht wollte, während man andererseits natürlich gerade in dieser Erweckungszeit die brüderliche Einmütigkeit erst recht festhalten wollte und sich fürchtete, durch Kritik am Geiste Gottes sich zu versündigen.

So kam man wieder zu unklaren Kompromissen. Interessant ist z. B. Dannerts Verhalten, der in einem besonderen

Büchlein (Im Strom vom Heiligtum oder — daneben) vollständig für die Erweckung und ihre Formen (Allianz S. 15, Nachversammlungen S. 30ff., öffentliches Beten von Frauen S. 36, Durcheinanderbeten S. 58, Lehre von der Geistestaufe S. 29) eintrat, wofür er volles Lob des Allianzblattes erntete, das freilich dennoch Anstoß nahm an seiner ganz vorsichtigen Kritik über „Wales in Hamburg" und „Wales in Mülheim". Selbst Haarbeck, der doch so die Gefahren der „neuen Allianz" erkannt hatte, konstatierte doch im Jahresbericht des Johanneums ohne kritischen Zusatz: „Verschiedene Brüder in allen Teilen Deutschlands haben in den letzten Monaten persönlich tiefere Reinigungen erfahren." „An manchen Orten sind Segenskräfte dadurch entbunden worden, daß die Kinder Gottes unter den verschiedenen Denominationen aufgehört haben, sich untereinander zu bekämpfen, und angefangen haben, sich zum Gebet in brüderlicher Liebe zu vereinigen."

So nahm er auch mit Michaelis und Rappard an der Brieger Woche teil. Allerdings vertraten sie dort die nüchternen Gedanken gegen Paul, Kühn und Stockmayer. Verkündete beim ersten Referat („Die Erlösung von der Sünde nach der Lehre der Schrift") Paul seine Lehre vom „reinen Herzen" *), so warnte Rappard als Korreferent davor, aus einer persönlichen Erfahrung eine Lehre zu machen. Michaelis mahnte, den Begriff der Sünde tiefer zu fassen. Aber auch Viebahn wollte nicht sagen: „Ich bin von der innewohnenden Sünde befreit." Hier standen also Gnadau und Blankenburg gegen den Osten. Beim zweiten Referat („Unsere Pflichten gegen die Gemeinde Gottes und die geschichtlich gewordenen Kirchen") erklärte der Referent Haarbeck die Pflichten gegen die Gemeinde Gottes für „geistlicher, nicht organisatorischer Art". „Ich glaube an die Gemeinde der Heiligen, aber die äußere Darstellung derselben ist unnötig und unmöglich. Die Landeskirche ist das große Ganze, an das wir uns gebunden fühlen." Kühn dagegen führte aus: „Die Gemeinde Gottes ist . . . die Gemeinschaft der Gläubigen, an die wir nicht nur glauben, die wir auch nach Möglichkeit darzustellen suchen." Die Pflichten gegen sie seien das erste, die Pflicht gegen die den geschichtlich gewordenen Kirchen „gliedlich angehörenden Weltkinder" sei „zeugen und leiden". „Einreißen" wollten dabei weder er noch v. Viebahn. In dem dritten Referat traten sich theologische Bildung, unterstützt von gründlicher Kenntnis

*) „Ist Jesus ein völliger Erlöser, so muß er uns auch von der innewohnenden Sünde reinigen. Auf die Vergebung der Sünden folgt Reinigung von der Sünde . . . Auf die Reinigung folgt Bewahrung. Wenn Lust und Hang zur Sünde weg sind, dann ist der Sieg da."

der Missionsarbeit und laienhaft darbystische Bibel- und Geschichtsauffassung entgegen in Michaelis und Viebahn. Ersterer zeigte, wie der relative Tiefstand der paulinischen Gemeinden gegenüber der Urgemeinde nicht durch ein inzwischen eingetretenes Betrüben des Geistes, sondern einfach aus ihrer Herkunft aus dem Heidentum sich erklärt. Viebahn behauptete: „Wenn die Gemeinde Gottes den Geist Gottes nicht betrübt hat, dann ist alles, was geschichtlich geworden ist, gottgewollt — und wer wollte das behaupten!"

Aber trotz dieser Gegensätze konstatierte Haarbeck nachher*): „Wir freuen uns, als evangelische Christen und Brüder in Christo auch bei verschiedener Auffassung auf dem gleichen Grunde des Glaubens und der Bruderliebe zu stehen und dasselbe Ziel zu verfolgen." Philadelphia aber berichtete, niemand habe Paul beigestimmt, „aber alle betonten die stets sieghafte Stellung des Gläubigen, sofern er in Christo Jesu ist und bleibt, der Sünde gegenüber. Auch vermaß sich niemand, die persönlichen Erfahrungen P. Pauls . . . anzuzweifeln oder zu kritisieren. So wurde bei ausgesprochener Meinungsverschiedenheit die brüderliche Liebe gewahrt." Beim zweiten Thema sei man darin einig gewesen: „Nicht einreißen, sondern aufbauen", und „Liebe zu allen Gliedern der Gemeinde Gottes". Der „Geist tiefer Beugung" sei in den Tagen so mächtig gewesen, „daß alle Teilnehmer davon tief durchdrungen waren. Wahrheit, Demut und Liebe haben durch Gottes gnädige Leitung den Sieg des Geistes Christi bezeugt." Von der anderen Seite aber schrieb das Allianzblatt: „Trotz der zuweilen zutage tretenden Verschiedenheiten der Auffassungen und Meinungen, die freimütig zur Aussprache kamen, nahm die Bruderliebe von Tag zu Tag zu. Auch die in manchen Fragen sich noch gegenüberstehenden Brüder fühlten und bekannten es, daß sie sich gerade durch solch offene Aussprache persönlich immer näher gekommen seien. Die verschiedenen ‚Flügel' der deutschen Gemeinschaftsbewegung waren vertreten, aber von der, von den Gegnern derselben so gern und eifrig behaupteten, weil vielleicht erwarteten, ‚Krisis' innerhalb der Gemeinschaftsbewegung war nichts wahrzunehmen."

Freilich die Gegensätze blieben. Als die Allianzbibelschule gegründet wurde (s. u.), schrieb Philadelphia, es müsse Bedenken erregen, daß dieselbe auf dem Prinzip einer Allianz ohne Rücksicht auf irgendeine Kirchengemeinschaft eingerichtet werden solle. „Eine solche Allianz gibt es in Wahrheit nicht, oder sie bildet sich zu einer neuen eigentümlichen Kirchengemeinschaft aus."

---

*) Im Vorwort zu Michaelis: Hat die erste Gemeinde den heiligen Geist betrübt?

Pückler aber führte in seinem Aufruf zur Vertrauensmänner-konferenz von 1905 (17., 18. Oktober) aus:

„Wie oft verliert sich unser Fuß, wenn wir Brüdern außerhalb unserer Kirche — wie an sich ganz recht — die Hand reichen, auf Gebiete, die uns unserm Ziel nicht näher bringen, während doch Gott wie ihnen, so auch uns bestimmte Werke zu tun gegeben hat. Und wem das Werk zu unbedeutend ist, den wahren Kindern Gottes innerhalb der großen deutschen Volkskirchen und allen anschlußbedürftigen Seelen Gemeinschaft zu bieten, und diese Gemeinschaft zu einem ‚Zentrum des Lichtes und Geistes aus Gott‘ zu einer ‚Brunnenstube eines neuen Lebens‘ und zum Hauptausgangspunkt des Angriffskrieges gegen Welt und Tod um uns zu gestalten; wem — sage ich — das nicht genügt, der trete zurück! Wem es aber das hohe, ihm gesteckte Ziel seines Lebens geworden, der jage ihm mit Selbstverleugnung und Hingabe, mit Arbeit und Gebet nach, und nicht mit jener unklaren Pflichterfüllung, die, während sie alle Richtungen beständig als gleichwertig erklärt (was ja mehr oder weniger richtig sein kann), es völlig unterläßt, in irgendeiner derselben ihr Leben wirklich einzusetzen."

Verhandelt wurde über „Stellung und Aufgabe des Weibes in der Gemeinde" und „Wie fördern wir die Bibelkenntnis in unseren Gemeinschaften?"

Das erste Thema war augenscheinlich durch die Begleiterscheinungen der Erweckung veranlaßt. Die verschiedenen Richtungen traten zutage, namentlich den zugelassenen Frauen mißfiel Michaelis' Referat. „Es kamen auch Verteidiger der predigenden Frauen zum Wort." „Es ist ja gewiß höchst dankenswert, daß in der Gemeinschaftsbewegung der Gegenwart so viele Frauen mittätig sind; aber die biblischen Schranken müssen eingehalten werden." „Ausnahmen, die Gott schafft, stoßen die Regel nicht um," schrieb Philadelphia. Als solche Ausnahme wollte Regehly dagegen auch das Reden der Frauen in gemischten Versammlungen zulassen und behauptete in seinem Bericht, man sei einig gewesen darüber, daß die Frauen auch in gemischten Gebetsversammlungen laut beten dürften (Gemb. 1905 Nr. 45). Offenbar war man auch hier wieder zu unklaren Kompromissen gekommen, die die Gegensätze nur verschleierten. Das Gefühl hatte auch wohl Dietrich. Er schrieb über die Besprechung des zweiten Themas: „Die Einmütigkeit, die sich bei dieser Besprechung kundgab, war sehr wohltuend" und zu der ganzen Konferenz: „Der Herr gebe, daß wir nicht nur von Beugung reden und um Beugung beten, sondern als Gebeugte in brüderlicher Liebe auch weiterhin zusammenhalten."

Pückler wurde wegen des Einladungsschreibens vom Allianzblatt angegriffen:

„Brüder! Meint nicht, daß sich euer Fuß verliert, wenn ihr Brüdern anderer Denominationen die Hand reicht zu gemeinsamen Arbeiten für den

Einen Herrn." „Geben wir . . . endlich alles konfessionelle Partei- und Eigenleben daran — es ist nicht vom heiligen Geist gewirkt. Scheuen wir uns bei aller Überzeugungstreue in dem uns etwa von anderen Brüdern noch Trennenden nicht länger, im Dienst des Einen Meisters auch zu gemeinsamen Reichsarbeiten allen Brüdern die Hand zu reichen. Bekennen wir uns so vor den Augen der uns umgebenden Welt zu allen Brüdern, zur ganzen, von Gott noch nicht geteilten Gemeinde der Heiligen" (1905 Nr. 23). Pückler antwortete im Michaelsboten (1905 Nr. 10) und betonte als Hauptschaden, daß so viele anderen Dingen mehr Wert beimäßen als der unscheinbaren und doch so sicher zum Ziele führenden örtlichen Gemeinschaftsarbeit. Früher hätten sie Überfluß namentlich an weiblichen Kräften gehabt. Jetzt hielten „manche Geschwister aus gebildeten Ständen es für weit fortgeschrittener, sich immer wieder neue und allerneueste Bewegungen aufzusuchen und darin sich zu betätigen".

Was Pückler von der siegreich vordringenden Allianzströmung zurückhielt, war offenbar vor allem die Erkenntnis, daß Blankenburg ein durch und durch undeutsches Christentum pflegte, das darum auch nicht imstande war, dem deutschen Volke zu helfen.

Aber selbst der so für englisches Christentum eingenommene Graf Bernstorff geriet in Fehde mit Kühn (Auf der Warte 1905 Nr. 30 und 33), weil Bernstorff für das Halten zur Landeskirche eintrat.

Pücklers Besorgnisse klangen auch in dem Einladungsschreiben zur Gnadauer Konferenz von 1906 wieder, wenn es konstatierte, dieser Konferenz sei „eine so weittragende Bedeutung für die deutschen Gemeinschaften beschieden, wie sonst keiner anderen".

„Wenn wir auch den Wert mancher Anregungen nicht verkennen wollen, die teils vom Auslande direkt, teils von denjenigen Geschwisterkreisen zu uns gelangten, welche die Verbindung mit demselben vornehmlich pflegen, so verbürgen doch Anregungen an sich schon so wenig organisches Wachstum und ruhige, gedeihliche Weiterentwicklung vorhandenen Lebens, daß sie vielmehr gewöhnlich dahin nicht führen, wenn nicht eine darauf gerichtete zielbewußte Arbeit einsetzt."

„Zu Anfang der vorigen Konferenz war der Mangel an Erweckungen unser erstes Thema, und wir beugten uns gemeinsam vor Gott, und ein heißes Flehen stieg zu ihm empor, uns solche zu bescheren. Nun läßt uns Gott hier und da einen Anfang sehen, und ein größeres Fragen danach macht sich kund. Sollten wir dem Fremden, was sich damit hier und da verbündet, eine solche Bedeutung zumessen, daß wir die Sache und das Streben nicht anerkennten? So wenig eine Methode den heiligen Geist jemals gebannt hat, so wenig schließt sie ihn aus; wenn nur die Liebe zu Gott und zu den Brüdern ihr Beweggrund ist und gebrochene Herzen sie handhaben. Es hieße äußeren Dingen ungebührlich Rechnung tragen, wenn sie zu einem Mißverstehen unter solchen führten, die nach denselben Heilsgütern von Herzen verlangen. Der Wind weht, wo er will, aber dennoch leitet seinen Lauf sein wunderbares eignes Wesen. Und wenn Gott so tausendfältig zeigt, wohin Er sich am liebsten kehrt, so hat Sein absolut wesensgleicher Geist die gleiche Hinneigung: Niedrigkeit, Lauterkeit, Wahrheit, Demut und Einfalt werden Ihn anziehen und ihr Gegenteil, auch in den frömmsten Gestaltungen, Ihn abstoßen.

Darum, teure und verehrte Geschwister, laßt uns im Hinblick auf diese Konferenz uns zu dem Herrn kehren, so recht von neuem, damit Er es sei und nicht wir, dann wird die Erweckung, von der wir reden, in unserer Mitte Platz greifen und der Geist, von dem wir handeln, uns selbst neu heimsuchen und Gott, dem wir dienen wollen, neu in uns alles, Wollen und Vollbringen, wirken zu Seinem Wohlgefallen!"

Ausdrücklich wird betont, daß diese Konferenz „die einzige allgemeine deutsche Gemeinschaftskonferenz" sei.

Diese Betonung des deutschen Christentums nannte das Allianzblatt einen „Fremdkörper im Leibe Christi" und behauptete: „Leider ist in Deutschland trotz der gegenwärtigen internationalen Erweckungsbewegung noch immer eine Strömung vorhanden, welche alle auf das Wort Gottes sich gründenden und deshalb über den denominationellen und nationalen Schranken stehenden Einheitsbestrebungen der Kinder Gottes als ‚fremde' Bestrebungen bezeichnet und behandelt und bemüht ist, dieses ‚fremde', dieses ‚ausländische Gewächs' entweder ganz beiseite zu schieben oder, weil das nicht mehr gelingt, nur als Bestrebungen zweiter Ordnung anzuerkennen und zu dulden. Man gebärdet sich in jenen stark national beeinflußten und beschränkten Kreisen so, als ob die ‚deutsche Bewegung', wie man die eigene Sache nennt, die eigentliche Arbeit getan habe, und als ob die Arbeit der mit dem Auslande in Verbindung stehenden und zusammenarbeitenden christlichen Kreise und Konferenzen Deutschlands nur so hinterher gekommen wäre. Wer aber die Geschichte der modernen Gemeinschafts-, Heiligungs- und Allianzbewegung auch nur ein wenig kennt, der weiß, daß die auf dem biblischen Boden der internationalen und interkonfessionellen Einheit der Kinder Gottes stehenden christlichen Kreise Deutschlands nicht im ‚fremden Fischteich' der ‚deutschen' Gemeinschaftsbewegung fischen, daß aber, dem Herrn sei Dank dafür, hoffnungsvolle und gesegnete Berührungspunkte und Personalunionen zwischen den beiden Richtungen vorhanden sind." Auch an der Bezeichnung Gnadaus als der einzigen allgemeinen deutschen Konferenz nahm man in Blankenburgs Kreisen Anstoß. Aber das Allianzblatt bat, „nicht etwa das Kampfgeschrei ‚Hie Gnadau! Hie Blankenburg!' aufkommen zu lassen. Das würde den heiligen Geist, der jetzt mächtig auf die Einigung aller aus der Welt Herausgerufenen hinarbeitet, sehr betrüben." „Wir sehen die Zeit hereinbrechen, da es weder ‚deutsche' noch ‚landeskirchliche' oder ‚freikirchliche' Konferenzen der Kinder Gottes gibt, wo es nur noch heißt ‚Konferenz der Gläubigen in . . .'" (Allbl. 1906 Nr. 21). Offenbar glaubte man hier infolge der Erweckungsbewegung den völligen Sieg der darbystischen Gedanken nahe.

So handelte es sich in Gnadau 1906 um eine schwerwiegende Entscheidung. Nicht mehr und nicht weniger als die Gnadauer Eigenart stand auf dem Spiele, und die Furcht mancher selbst unter den Führern, wie sie auch aus der angeführten Einladung heraus zu hören ist, ist begreiflich, daß Gnadau zwischen Blankenburg und Eisenach erdrückt werden würde.

b) Die Gnadauer Konferenz von 1906.

Die Konferenz war von ca. 500 Menschen besucht, wie es schien, ziemlich zu gleichen Teilen von Männern und Frauen. In der Begrüßungs-Versammlung sprachen Wittekindt und Pudmensky (von der Brüdergemeinde), Mockert-Nümbrecht berichtete über das Oberbergische, Stockmayer schloß.

Die nächsten Tage wurden je mit einer Gebetsvereinigung begonnen. Es folgte die Morgenandacht, am Mittwoch (6. Juni) von Coerper-Liebenzell über 1. Joh. 5, 21 gehalten. Das letzte Wort des Briefes sei besonders wichtig und gehe uns an. Als er längst alles glaubte, trat Gott mit der Frage an ihn heran: „Bin ich dein Gott? Hast du Abgötter?" Wenn das Bild „Ich" noch da sei, sei etwas nicht in Ordnung. Wenn hier in Gnadau ein Götzenzerstörungsfest geschehe, so würde das eine große Folge haben und das Volk Gottes die Gegenwart Gottes erfahren. Man solle sich fragen lassen: „Bin ich dein Gott? Kann ich mit allen meinen Gaben zu dir kommen?" Wenn das der Fall, wäre es die Grundlage der Erweckung. Er erinnerte an 1. Mos. 35 und rief aus: „O unter den Baum mit den Göttern, unter den Baum, der unter uns aufgerichtet ist."

Vor dem Referat betete einer aus der Versammlung: „Wir erwarten Wunder in diesen Tagen; mach uns bereit." Dann sprach Simsa über die Vorbedingungen einer Erweckung. Er las Apgsch. 2, 1 ff., 12 ff., 32 f., 36 ff. Das Thema sei genommen, weil Erweckungen da seien. Es sei herrliche Zeit, wo es zugehe, wie jetzt in Wales und manchen Orten Deutschlands. Das Herrlichste sei, daß so viele bekennen, in diesen Tagen die Gabe des Geistes empfangen zu haben. Das sei kein Überfließen von Gefühlen, sondern ein ständiges Bewußtsein der Nähe Gottes und Kraft zur Arbeit. Solche Zeit sei heilige, aber auch gefährliche Zeit. „Erweckung ist das Hineingebrachtwerden in den Pfingstzustand, die Vorbedingungen darum dieselben wie für den Empfang des Geistes." Da sehen wir aus Apostelg. 2, daß zuerst die Jünger des Geistes voll wurden, dann flossen sie über. Dazu, daß die Gläubigen den Geist erhalten, gehört dreierlei: 1. Zeugen seines Reichtums, 2. Empfangsbereitschaft seines Volkes, 3. der Empfang der Gabe. So zeige es Wales, das ein Anschauungsmittel von Gottes Reichtum sei. Der Herr gibt Zeugnis von seinem Reichtum durch einzelne. Zu der Empfangsbereitschaft gehöre zwar nicht solches Warten wie bei den Aposteln, weil der Geist da sei, aber ein Verlangen und Suchen müsse da sein. „Wer so sucht, wird durchsucht." Das sei die Buße der Gläubigen, dazu gehöre Gehorsam in allen Dingen, auch in theoretisch gleichgültigen (Rauchen). Auch die argen Gedanken müßten ans Licht. „Vielleicht ist hier ein Bruder oder Schwester, die arge Gedanken haben. Ihr werdet keinen Segen empfangen, wenn ihr nicht damit ans Licht kommt. Ich habe bereits mit zweien gesprochen und werde noch mit einem sprechen; fällt mir noch einer ein, so auch mit dem, gerade weil es mir schwer wird." „Hast du, Bruder, einen großen, dicken Amtsbegriff, du anderer Laienhochmut," so gelte es, sich zu beugen.

Da stand einer auf, unterbrach den Redner und bat **Bruder Ewald** und andere Brüder aus der Pfalz öffentlich um Verzeihung. Simša fuhr fort: Das Bekennen tue es nicht, man müsse zum Kreuz kommen. Dann kam er auf das einmütige Gebet und wies auf das Quecksilber, das sich nicht zu einer Masse vereine, sondern in getrennten Kügelchen bleibe, wenn Staub dabei sei. Zu solchem Staub rechnete er das „denominationale Fleisch". Vor allem gelte es, mit Ernst zu beten. Dann trete das dritte, der Empfang ein, der Gläubige wird voll, fließt über. Dann komme beim Eintritt der Erweckung viel auf die W e r k z e u g e an. Klare Seelenleitung sei nötig. Es herrsche viel Unklarheit über das Kreuz Christi, man müsse erst klar sein über Heilsgewißheit und Heiligung. Dem Werkmeister gelte es, Freiheit zu geben. Er erinnerte an den Pastor, der seine Rede bei sich behielt. Das Singen könnte freilich auch fleischlich sein. „Wenn der heilige Geist Nachversammlungen haben will, muß man sie halten." Freilich gebe es auch gemachte Nachversammlungen, jedes Volk habe seine eigene Art. „Der Herr bewahre uns und wird uns bewahren vor Nachmachen." Aber man solle mit dem Urteil nicht zu schnell bei der Hand sein. Nur eins stehe fest: „Der Geist Gottes tut nie etwas gegen das g e s c h r i e b e n e Wort." Bei den o f f e n e n T ü r e n müsse man achten auf die Zeichen der Zeit. Wer auf den Gedanken des Herrn eingeht, soll tun, was er kann (2. Petri 1, 5), in Arbeit, Evangelisation. Kurz:

Nimm im Glauben selbst die Gabe des Geistes, laß ihm die Freiheit und stelle dich ihm zur Verfügung.

In der Debatte fragte Michaelis: „Was habe ich dabei zu tun? Was bin ich meinem Gott schuldig, ganz abgesehen von Erweckungen in weiter Welt"? Wolle man hier zusammen sein, daß hernach etwas geschehe, so gelte es, die Zeit auszukaufen. „Was bin ich Gott schuldig an Vertrauen und Gehorsam?" Er wandte sich gegen die Kritiker mit ihrem „Photographieapparat", die gewissermaßen dasäßen, ein „Momentbild" der Gemeinde Gottes aufzunehmen. „Möchten die doch erschrecken und ihren Bleistift fallen lassen."

Es folgten Gebete, davon zwei um Einheit, eins war sehr persönlich. Dann betonte Stockmayer, man solle nicht singen und beten: „Laß"; die Zeit des Durchbruchs sei da, da Gott gegenwärtig, der alles getan habe. „Gott wartet auf uns," darum muß man nicht bitten: „Laß uns die Fenster öffnen," sondern sie selbst öffnen, und es auf die Realität eines offenen Himmels wagen. Statt: „Laß mich dich wirken lassen," solle man sprechen: „Ich lasse dich wirken."

Dietrich bat, man möge andere Brüder nicht darnach beurteilen, ob sie mit einem gingen. Es seien Klagen gehört über das Blaue Kreuz, daß man die nicht dazu Gehörigen als nicht durchgedrungen ansähe. „Laßt nicht nur dem heiligen Geiste, sondern auch dem Gewissen der Brüder Freiheit."

Pückler las einen Brief aus China vor, der als Vorbedingungen der Erweckung aufzählte: 1. Bekenne alle Sünden und tue sie ab. 2. Beseitige alles Zweifelhafte. 3. Übergib Leib und Seele völlig und unbedingt. 4. Gehorche unbedingt der Stimme des heiligen Geistes in deinem Gewissen. 5. Benutze jede Gelegenheit, Christum öffentlich zu bekennen. 6. Halte an am Gebet. Pückler selbst meinte, Erweckungen fehlten noch, wenigstens in seiner Umgebung. Berlin sei stinkend von Tod. Wo ein Wille ist, ist ein Weg. Wenn wir deutschen Christen glauben wollen, so muß es kommen. Wenn von hier aus etwas geschehen sei, weil hier ein Wille war, so werde noch mehr geschehen, wenn mehr Wille da sei. „Wenn wir wollen, muß es kommen."

Nach der Pause sprach Holzapfel über „Unsere Aufgaben in Beziehung auf Erweckung." Er las Jes. 55, 8 ff., 1. Thess. 5, 12 ff., Hebr. 5, 11 f. und berichtete, daß er selbst in Großalmerode eine Erweckung gehabt. Es sei Erweckungszeit, und man wisse heute, was Erweckung ist. Dennoch sei die Sachkenntnis noch sehr gering. Das sei die häufigste Ursache der Verhinderung oder Erstickung. Drei Faktoren gehören zur Erweckung,

Gott, der Sünder und Christen als Werkzeuge. Das Wort Gottes werde nur wirksam, wenn es verkündet werde, wie es wolle. Man müsse die Sünder überführen durch ihr Gewissen, verständlich und persönlich reden. Jeder Prediger, der nicht persönlich werde, täte seine Pflicht nicht. Rücksichtslos müsse man vorgehen.

Dieser Aufgabe vor der Erweckung stehe, wenn sie da sei, die gegenüber, ihr zum Durchbruch zu verhelfen. Da sei zunächst die Lokalfrage. Gotteshäuser seien nicht geeignet, wohl aber Vereinshäuser, auch Privathäuser und das Freie. Besondere Gebetsstunden für Männer, Frauen und Kinder*) seien nötig. Man solle keine Programme haben, sondern der Geistesleitung vertrauen. Übrigens seien alle Erweckungen, nicht bloß die in Wales, singende Erweckungen. Die Ansprachen sollen 1. aufmerksam machen auf jeglichen Bann, offenes Bekenntnis fordern. Sünden, die an Menschen begangen seien, seien vor Menschen zu bekennen, die an Gott begangenen vor Gott. 2. solle man betonen, daß vom Gefühl abzusehen sei. Nachher sei Gelegenheit zur Aussprache zu geben. Dabei könne es sehr spät werden. Wer aber nicht bereit sei, Zeit, Kraft, auch die Berufsarbeit dranzugeben, sei nicht geschickt. Zuerst kämen meist geringe Leute. Die Gebildeten seien verhältnismäßig verschlossen. Den Geist dürfe man nicht dämpfen und die vom Geist Getriebenen nicht beiseite schieben. Man solle sich auch nicht dreinreden lassen, was aus den häuslichen Verhältnissen werden solle, wenn bis 12 jede Nacht Versammlung sei. Der Welt sei nicht gestattet, mitzuhelfen, auch nicht der kirchlichen. Aber die suchenden Seelen solle man annehmen. Innere Einheit aller Denominationen sei nötig, ob auch äußeres Zusammengehen, fraglich. Er sei nicht Allianzmann in dem Sinne, daß er meine, ohne Rücksicht auf bestehende Verhältnisse müßten alle Zäune fallen. Gegenseitige Anerkennung und Liebe sei nötig, im übrigen im allgemeinen nur eine gemeinsame Gebetsstunde der Leiter.

Nach einer Erweckung sei folgendes die Aufgabe: Es sei nicht alles Gold; den Erweckten, aber noch nicht Bekehrten, sei volle Buße zu predigen. Neu Bekehrte dürften nicht Kinder bleiben. Bibelbesprechstunden seien einzurichten, nicht bloß einzelne Schriftwahrheiten ohne Zusammenhang durchzunehmen, z. B. Eschatologie, wodurch Geringschätzung des Berufs leicht eintrete. Zur Arbeit mache das Christentum nicht unfähig, im Gegenteil. Die Hoffnungen der neu Bekehrten dürften nicht zu hoch geschraubt werden, Zurück-

*) In unglaublicher Exegese begründet mit dem Wort: „Eurer und eurer Kinder ist diese Verheißung!“

haltende dagegen seien aufzurichten, auch der Nervenzustand zu berücksichtigen. Die Rückfälligen seien zur völligen Buße zu rufen.

Michaelis betonte, daß zur Pflege nötig sei, Jesum lieb zu haben. Es folgte Gebet und der Gesang von: „‚Komm . . . .‘ rufen brünstig alle.“ Büttner meinte, daß man auch beim besten Willen doch den Weg wissen müsse. Freilich hätten wir die Bibel, aber die läsen unsere Gemeinden nicht. Nach der Reformation sei ein steriles Konfessionschristentum eingerissen, die Lehre von der Taufwiedergeburt als katholisches Dogma wieder aufgekommen*). Die Gemeinden seien durch diese Lehre tot geworden. Er erzählte auch einmal wieder von seiner Bekehrung, als er als Student bei Vatke in große Zweifel geraten sei. Den dritten Artikel legte er aus, daß in (sic!) der Kirche die Gemeinde der Heiligen sei. Regehly konstatierte, Gottes Wille sei, Erweckungen zu geben. Ob bisher viel oder wenig davon in Deutschland vorhanden, sei gleichgültig (gegen Pückler s. o.). Gott habe auch den Weg gegeben: Golgatha. Vor den Erweckungen habe Gott das Kreuz mächtig gemacht, besonders durch Mrs. Penn-Lewis. Es seien keine neuen Gedanken von Wales her, sondern uns längst vom heiligen Geist gesagte, aber nur mit halbem Ohr gehörte. Bisher sei alles nur ein Sturm im Wasserglase gewesen. Welche Fehler gemacht seien, zeige die Bemerkung eines Bruders, seit er das Kreuz predige, schlüge es durch. Er habe die neue praktische Erfahrung vom Kreuz gemacht, mitgekreuzigt zu sein. „Wir sollen Zeugen sein von der Erlösung —. Der Redner wird unterbrochen durch das Gebet eines von mindestens hochgradiger Nervenerregung Befallenen: „O Herr hilf, o Herr komme herab, erbarme dich.“ Ein anderer betet: „Laß uns deine Gegenwart spüren! erhalte uns deine Leitung!

---

*) Hier kann ich doch eine historische Richtigstellung nicht unterlassen. Wir wollen wahrlich nicht alle Streiterei der lutherischen Orthodoxie rechtfertigen, aber das eine sollte nicht vergessen werden, daß diese harten, streitbaren Männer sowohl im Schmalkaldischen Kriege sich als Helden bewiesen haben, ganz anders als z. B. Melanchthon, wie daß ihre ebenso kampflustigen Nachfolger in aller Not des Dreißigjährigen Krieges unter den größten Gefahren und Mißhandlungen ihrem Gott und ihren Gemeinden die Treue gehalten haben, und wenn am Schluß des Krieges überhaupt noch evangelisches Leben vorhanden war, es diesem „sterilen Konfessionschristentum“ zu verdanken war. Zu der Bemerkung über das „später“ eingerissene Dogma von der Taufwiedergeburt verweise ich nur auf das vierte Hauptstück des kleinen Katechismus und dessen Anhang, das Taufbüchlein („Der dich, i. e. das Kind, anderweit geboren hat aus Wasser und Geist“). Die Überzeugung der Gemeinschaftsleute in allen Ehren, aber die Geschichte sollten sie nicht entstellen.

Segne uns mit Zerbrechung." Andere beten dazwischen: „Herr, mach du alle Seelen stille!" „Gib ihm freien Blick auf dein Kreuz!" Dazwischen wird ein Lied angestimmt, aber viel zu tief, ein anderer setzt höher ein. Eine Frau betet gegen den Aberglauben. Regehly liest Apgsch. 19, 18 f. Davon sei noch in den Gemeinschaften vorhanden. Es ist der Wille Gottes, jetzt eine weltumfassende Erweckung zu geben. Vor zwei Jahren war die Versammlung „vorpfingstlich". „Möchte es heute Pfingsten werden."

Kusch-Liegnitz meint, man bekomme die Erweckung nicht, wenn man nicht in Glaubensgehorsam handele. „Was er dir sagt, tu, ohne auf die Leitung und Umgebung zu achten." Da stimmte eine Frau an: „O heiliger Geist . . ."

Krawielitzki wünscht, daß man wirklich bußfertig werde und die Sehnsucht habe: „Schone mein nicht! Decke mir alles auf. Ich will alles aufgeben." Bernstorff will doch noch beten: „Laß mich das tun!" (s. o. Stockmayer). Eins der größten Hindernisse der Erweckung sei die Spaltung der Kinder Gottes. Auf der vorigen Konferenz sei eine tiefgehende Meinungsverschiedenheit zutage getreten, aber man habe sich nicht getrennt. Auch diesmal werde es keinen Riß geben. Die Allianz wolle nicht Zäune einreißen, wie Haarbeck meine. Zum Schluß betonte er: Gnadau stehe nicht in Opposition zu Blankenburg. Schultz-Wernigerode bemerkte, daß wir nicht bloß gebeugt, sondern gebrochen werden müßten. Dann fand zum Schluß Gebetsversammlung statt, in der jedoch das entstehende Durcheinanderbeten sofort vom Leiter abgeschnitten wurde.

Am Abend berichteten Dietrich und Wittekindt. Letzterer konstatierte seit der Erweckung in Wales überall ein Wachsen und ein Verlangen nach Erweckungen. Man sei erwacht zur gründlichen Bekehrung. Heilsgewißheit sei überall, jetzt sei man daran, sich zu reinigen und auf die Geistestaufe zu warten. Man betone die Heiligung durch den Glauben und die völlige Hingabe. Man bereite sich auf die Zukunft des Herrn. Die ganze Bewegung werde immer mehr eine gesunde Allianzbewegung, aber ohne Austrittsgedanken. Die Gegnerschaft richte sich überhaupt mehr gegen die Pastoren als gegen die Kirche. Man schnitte sich den Lebensfaden durch, wenn man mit der Kirche bräche. Man wolle nur die Prinzipien der Reformation durchführen, die Schrift zur alleinigen Richtschnur machen und die Rechtfertigung jeder persönlich erleben. Zwei Gefahren seien vorhanden, daß man die Volkstümlichkeit verliere und eine neue Kirche bilde. Man stehe vor großen Ereignissen, aber auch vor Kämpfen. Ferner sprachen Schlegelmilch, Haarbeck und Michaelis.

Die Morgenandacht am Donnerstag hielt Pastor Christiansen über Hiob 22, 23—30, in stark allegorisierender Auslegung.

Vor dem Referat Haarbecks über „Die Taufe mit dem heiligen Geist nach der Schrift" wurde gebetet. Büttner betete, daß man der göttlichen Natur möchte teilhaftig werden, ein anderer sagte: „Du wolltest gestern segnen und konntest nicht" *). Dann sprach Haarbeck: Er habe einen dreifachen Wunsch: Wer bewußt die Geistestaufe habe, möge neuen Segen empfangen; wer sie noch nicht habe, aber lauter sei, möge sie empfangen; wer nicht lauter sei, möge so unruhig werden, daß er auf dem Weg der Selbstliebe nicht mehr viel Schritte mache. Aus der Apostelgeschichte bewies er 1. daß „der Geist fiel auf sie", „mit dem Geist erfüllt", „mit dem Geist getauft sein" ein und dasselbe sei. Es sei kein Unterschied zwischen dem Geist der Kindschaft und dem Geist der Kraft oder Geistesgabe und Geistestaufe, ob wir im Geist oder der Geist in uns sei. Wir machen uns den Weg oft viel zu kompliziert. 2. bewies er, daß Bekehrung und Geistestaufe, vorsichtig ausgedrückt, wenigstens nahezu zusammenfalle. Die Bekehrung brauche eine Zeit, wenn sie auch nicht ein Prozeß, sondern ein Akt sei. 3. Einzelne Fälle des Geistesempfanges zeigen auffallende Erscheinungen, aber Tausende empfangen sie ohne solche Zeichen. Die Leser der Briefe gelten alle als Geistesgetaufte, auch die „fleischlich" genannten Korinther, und wenn es heiße: „Werdet voll Geistes," so sei das nichts anderes als das „von Tag zu Tage erneuert werden". Man könne nicht heute leben von dem, was man gestern empfangen. Es handele sich um stetigen Zufluß. Der Weg sei einfach: „Durch den Glauben." Glaube und Buße lassen sich aber nicht trennen. Wir dürfen jedenfalls nicht unsere Erfahrungen zum neuen Dogma machen, das kompliziert und nicht zu begreifen ist. Wo aufrichtige Beugung ist, da ist kein Grund zu warten. Es ist nicht eine Gabe, die man Gott mühsam abringen müßte. Er wartet vielmehr auf uns. Wir müssen darum beten. Wenn man aber den Geist hat, dann steht man nicht am Ende, sondern am Anfang. Dann kommen die Ermahnungen zu ihrem Recht.

Rappard las Matth. 3, 11 f.; Joh. 1,31 ff.; Agsch. 1, 4 ff. Solle man noch von Geistestaufe reden? Taufe sei Eintauchen. Der Herr tauche seine Jünger in den Geist. Vollwerden sei dasselbe, wobei er an einen eingetauchten Schwamm erinnerte. Es sei ein heiliger, zarter Geist, den man betrüben könne: Pückler

---

*) Geht wohl auf das Abschneiden des Durcheinanderbetens und das Nichtbefördern des Bekenntnisses.

möchte, daß gezeigt worden wäre, wie wir den Geist aufhalten. Wer die Geistestaufe habe, werde immer das Auseinanderfallen derselben mit der Bekehrung bezeugen. Er glaube eine plötzliche, alles verändernde Geistestaufe für den, der schon Heilsgewißheit habe. Vorher trete dann meist ein Zurückgehen der Segnungen ein. Dann: „Wir wollen lieber jetzt beten. Die Hindernisse müssen weg, aber wohl nicht hier öffentlich." Büttner betete um die Taufe mit Feuer, ein anderer, Gott möge verhüten, daß Leute ohne Auftrag hier den Mund auftäten. Mehrere fangen gleichzeitig an, schon entsteht ein ziemliches Durcheinander, da sagt Pückler: „Wir wollen einer nach dem andern beten nach der Regel Pauli." Ein Lied wird angestimmt. Stockmayer betont, das Wort Gottes müsse wieder auf den Plan. „Die Fülle könne man nie haben, aber das schwache, kleine Herz könne gefüllt werden." Pückler fragt, ob er ihn recht verstehe, daß die Nachfolge Christi der Weg sei, mehr Geist zu bekommen. Stockmayer antwortet, wenn man normal geboren sei, habe man Geist. Pückler: „Und wenn man mehr Geist haben will?" Stockmayer: Es gelte, mit der Gemeinde zusammenzuwachsen. Dietrich betont, daß Gott souverän sei im Verleihen des Geistes, er könne also auch einmal eine besondere Ausrüstung geben. Man solle sich freuen, wenn Brüder so etwas empfangen hätten, aber keine Schablone davon machen, auch die Geistestaufe nicht erbitten, um eine bessere Rolle zu spielen. Nicht der Geist werde gemessen, sondern unsere Fassungsfähigkeit. Das Überströmtwerden könne sehr bald ein Ende haben. Jeder solle mit denen, die die Geistestaufe empfangen haben, wetteifern in der Erweisung des Geistes. Stockmayer betonte noch, daß man an den heiligen Geist glauben solle in Zeiten besonderer Gefahr.

Darnach wurden die Berichte der Brüderräte erstattet. Nach Erledigung mehrerer derselben sagte Pückler: „Was ist seit 1890/94 alles geschehen!" „Euch geschehe nach eurem Glauben" (dreimal). Darauf wurde gebetet, eine Lehrerin betete für den Lehrerstand. Nach dem Rest der Berichte machte Pückler den Schluß: „Wir gehören mitten unter die Welt, ins Volk." Man solle auch den christlichen Pessimismus nicht vergessen. Es gebe Kreise, wo man so geistlich werde, daß man kein Herz mehr habe fürs deutsche Volk. Das sei nicht nach dem Beispiel Christi, Pauli und Moses. „Gott hat uns in erster Linie Deutschland befohlen." Hier sei ein Rettungswerk zu tun an einem ganzen Volke. Man dürfe sich nicht auf die eigenen Kreise verkapseln. Es sei ein herrliches Werk, Deutschland zu retten. „Wir müssen Deutschland retten." Man dürfe nicht so geistlich werden, daß man die äußeren Verhältnisse nicht sehe.

c) Gnadauer und darbystisch Gerichtete beim Erlöschen der Erweckung.

(Die Kompromisse von 1906 — Kranz' und Bernstorffs Gedanken über Allianz — Der zweite deutsche Gemeinschaftstag und die Konferenz von 1907.)

So hatte Gnadau den Radikalen eine schwere Enttäuschung gebracht. Die *Erweckung war nicht ausgebrochen*, vor allem deswegen nicht, weil die Ansätze dazu vom Präsidium jedesmal unterdrückt wurden, indem das Durcheinanderbeten abgeschnitten, die Bekenntnisse wenigstens nicht befördert wurden. Diese Enttäuschung klang nicht nur aus einigen Gebeten, sondern auch aus ostdeutschen Brüderratsberichten, wo im Gegensatz zu Haarbeck von Regehly konstatiert wurde, man habe 1905 in Breslau gesehen, was Geistestaufe sei, der Geist der Buße sei ausgegossen über den Osten. Aber war es wirklich *prinzipielle Klarheit*, die die Führer in Gnadau den Ausbruch der Erweckung verhindern ließ? Bei Haarbeck hatte ich den Eindruck, daß er gegenüber seinen Äußerungen im Jahresbericht (s. o. S. 466) sich zu größerer Klarheit durchgerungen und den neuen amerikanischen Begriff der Geistestaufe theologisch vernichtet hatte, wenn er sich auch sehr vorsichtig ausdrückte, um niemand zu verletzen. Bei Pückler, der ja doch selbst die Geistestaufe als Überströmung erwartete, war es wohl mehr das gesund deutsche Empfinden, das ihn die neue Form der Erweckung nicht wollen ließ.

Woran es aber allgemein zu fehlen schien, das war die klare Einsicht in den engen Zusammenhang zwischen der Erweckung und der darbystischen Richtung sowie der Paulschen Heiligung. So war allerdings durch Gnadaus Ablehnung die Flutwelle der Erweckung gebrochen. Überall ebbte sie nun schnell ab, wie ich das in meiner „Inneren Entwicklung der deutschen Gemeinschaftsbewegung in den Jahren 1906 und 1907" S. 1—8 ausführlich geschildert habe, wozu aber auch wohl der Umstand beitrug, daß eine derart dauernde Nervenanspannung, wie diese Erweckung sie zum Weiterfluten erforderte, einfach ausgeschlossen war. Aber es blieb überall der durch diese Flutwelle an allen Punkten weit vorgetragene Allianzgedanke. Der eigentliche Kampf der Richtungen war in Gnadau nicht ausgetragen. Daß man meinte, den Sieg errungen zu haben, war vielleicht die verhängnisvollste Selbsttäuschung der alten Gnadauer*). War man doch um so mehr

*) Vgl. Haarbecks Äußerung in meiner eben zitierten Schrift S. 7 und noch die Bemerkung in ALK im Bericht über die Konferenz von 1907: „Die

geneigt, im übrigen den darbystisch Gerichteten Zugeständnisse zu machen.

Schon bei der Konferenz selbst hatte sich das gezeigt.

Am Freitag fand eine geschlossene Versammlung legitimierter Gemeinschaftsvertreter statt, um über das Abendmahl zu verhandeln, der I. deutsche Gemeinschaftstag. Das Resultat war offenbar wieder ein Kompromiß zwischen den verschiedenen Richtungen:

„1. Es tritt zutage, daß die Abendmahlsfrage an vielen Orten den Gemeinschaften Not bereitet, und diese Not wurde allgemein anerkannt, wenngleich sie verschieden empfunden wird. 2. Um der Gefahr unweiser Selbsthilfe vorzubeugen, empfiehlt der Gemeinschaftstag den Geschwistern, wo eine Not besteht, folgende Wege: a) Man suche mit Pastoren, die der Gemeinschaft freundlich gesinnt sind, eine Vereinbarung zur Veranstaltung eigener Abendmahlsfeiern in der Kirche für die Gemeinschaft zu treffen. b) Man strebe seitens der Brüderräte an, mit ihren Konferenzen auch solche Abendmahlsfeiern zu verbinden, wie sie auf der Gnadauer Pfingstkonferenz üblich sind. 3. Zu einer befriedigenden Lösung der Abendmahlsfrage auf kirchlichem Boden wird der Vorstand des Deutschen Verbandes für Evangelische Gemeinschaftspflege und Evangelisation ersucht, durch Anträge an die Kirchenregierungen ähnliche Bestimmungen herbeizuführen, wie sie bereits in Dänemark bestehen, wodurch den Gemeinschaften eine größere Bewegungsfreiheit innerhalb der Kirche gewährt wird. 4. Es ist das Gebet und der Wille des Gemeinschaftstages, daß die Verschiedenheit der Praxis in der Abendmahlsfrage zu keinerlei Spaltungen innerhalb des Deutschen Verbandes führe, damit die Einheit des Leibes Christi nicht leide und unsere gemeinsame Arbeit nicht gehindert werde."

Dazu kam die Vorstandswahl. Am Nachmittag des Freitag war Vorstandssitzung, in der beschlossen wurde: 1. Ein Gemeinschaftsliederbuch herauszugeben, das weniger der Evangelisation und Erweckung als vielmehr der Erbauung der Gläubigen dienen soll; 2. das Präsidium für den Verband und die Gnadau-Schönebecker Konferenz auf weitere vier Jahre zu wählen. Gewählt wurde: Erster Vorsitzender: P. Michaelis, zweiter: P. Wittekindt, dritter: Graf Bernstorff. Hier war es offenbar Pücklers manchmal recht exzentrische Konferenzleitung, bei der man immer auf Überraschungen gefaßt sein mußte, die beseitigt werden sollte. Die Wahl des nüchternen und besonnenen Theologen Michaelis ist von

---

Frage der Geistestaufe, welche viele Gemüter lange Zeit beunruhigte, hat ihre Lösung nach 1. Thess. 5, 21 gefunden." Dabei trat da schon die Sehnsucht nach der Geistestaufe mit den Gaben stark hervor. Man wundert sich schier über solche Blindheit der Führer.

großem Segen für Gnadau gewesen. Wittekindt dagegen sah nicht die Gefahren der darbystischen Richtung, wie wir schon mehrfach konstatieren mußten. Jetzt stellte er sogar (s. o. S. 476) als Kennzeichen der Bewegung fest, was doch nur für jenen Flügel galt. Dietrich machte daher in seinem Bericht die Anmerkung: „Br. Wittekindt hat dabei vorwiegend den Osten und Norden Deutschlands und die neuere Gemeinschaftsbewegung im Auge", wie er auch zu Wittekindts Behauptung, man denke nicht an Separation, in einer Fußnote sagte: „Das scheint für diejenigen Kreise, die vom Blankenburger Allianzblatt beeinflußt sind, nicht zuzutreffen. Denn in diesem Blatt liegt der Kampf gegen die Landeskirche und ihre Ordnungen zutage."

Bernstorff aber hatte ja ausdrücklich erklärt, Gnadau stände nicht in Opposition zu Blankenburg. Verloren doch nach seiner Meinung „in Zeiten starker religiöser Bewegung die dogmatischen Unterschiede ihre Bedeutung" (Auf der Warte 1906 Nr. 44). Als nun der schon mehrfach genannte Missionar und P. a. D. Kranz eine durchaus darbystisch gedachte Gemeinschaftsordnung *) veröffent-

*) § 1: Diese Gemeinschaft von Gläubigen hat den Zweck, die von Luther in der „Deutschen Messe" ausgesprochenen Gedanken zu verwirklichen, nämlich alle, „so mit Ernst Christen sein wollen", zu einer biblischen Gemeinschaft zu vereinigen. § 4. Die Gemeinschaft steht freundschaftlich zur Landeskirche und erkennt das Gute, was in derselben geschieht, dankbar an; sie freut sich, daß Christus in der Landeskirche noch viel und reichlich gepredigt wird (Phil. 1, 18) und verlangt daher von ihren Mitgliedern keineswegs den Austritt aus der Landeskirche oder einer anderen Denomination. Aber die Gemeinschaft glaubt, daß es nicht nur das Recht, sondern auch die Pflicht aller wahrhaft Gläubigen an jedem Orte ist, freiwillig und unabhängig von den durch den Staat eingesetzten Konsistorien und unverworren mit den in der Landeskirche noch vorhandenen Ungläubigen . . . sich mit allen wahren Kindern Gottes an demselben Orte zu einer einheitlichen Gemeinschaft . . . zusammenzuschließen . . . § 5. Diese Gemeinschaft lehnt es ausdrücklich ab, eine Sekte oder christliche Partei im Sinne von 1. Kor. 1, 12 zu sein, sie steht vielmehr auf dem Boden der geistgewirkten Einheit aller Kinder Gottes und glaubt an die Einheit des Leibes Christi, d. i., der Summe aller Gläubigen . . . Die Gemeinsamkeit des Lebens in Christo, nicht die völlige Übereinstimmung in allen Punkten der Lehre und Schriftauslegung . . . bildet das einigende Band der Gemeinschaft. § 6. Stimmberechtigtes Mitglied kann jeder gläubige Christ werden, welcher vor Gottes Angesicht bekennt, „daß er auf Jesus Christus, den eingeborenen Sohn Gottes als auf seinen für ihn gekreuzigten, auferstandenen und lebendig gegenwärtigen Heiland und durch ihn auf Gott als seinen himmlischen Vater sein ganzes Vertrauen setzt, und daß er im Vertrauen auf Jesus Christus durch die von ihm dargereichte Kraft sich ernstlich bestreben

lichte, besprach ihn Bernstorff (Auf der Warte 1907 Nr. 5) sehr günstig*). Es war ihm nur nicht klar genug ausgedrückt, ob „nur Bekehrte Mitglieder sein können“. Das Ideal wäre ihm eine Verfassung, „die einerseits eine gewisse Weitherzigkeit in der Aufnahme ermöglichte, und andererseits einen Kern von wirklichen oder tätigen Mitgliedern ergäbe . . . die wirklich persönlich in der Heilsgewißheit stehen.“ Auch das Zeugnis der Frauen gesteht er zu; da die „Erfahrungen der letzten Jahrzehnte zeigen, daß Gebetsversammlungen wirklich nur da lebendig sind“, wo es zugelassen sei. Ja, selbst die Allianzstellung in § 4 und 5 nebst Freigabe der Taufform erscheint ihm als das Idealste. „Es gibt jedoch in Deutschland Verhältnisse, wo die Allianzgemeinschaft nicht recht durchführbar ist; für zulässig müssen wir es auch halten, daß eine Gemeinschaft bei aller brüderlichen Stellung zu Christen aller Denominationen doch ihre Mitgliedschaft an eine bestimmte Kirche bindet“. Ebenso hat nach ihm die Gemeinschaft das Recht der Abendmahlsfeier. Es sei bloß nicht in allen Fällen der Weisheit und Liebe entsprechend, davon Gebrauch zu machen. Dieselben Gedanken sprach er aus in einem Artikel „Allianz, Gemeinschaft, Erbauung des Leibes Christi“ (Auf der Warte 1907 Nr. 20.)

Diese unklaren Gedanken aber bildeten — nach seinem Tode — die Grundlage für den II. deutschen Gemeinschaftstag (24. Mai 1907), und, wie es hieß, hat man sich dort auf diese Ausführungen geeinigt. Im übrigen war die voraufgehende Kon-

---

will, dem Herrn in Werken, Worten und Gedanken, seinem Gewissen und seiner Erkenntnis von dem Willen Christi und der Schrift gemäß, wirklich gehorsam zu sein“, vorausgesetzt, daß sein Leben nach dem Urteil der Gemeinschaft mit solchem Bekenntnis nicht in offenbarem Widerspruche steht . . . § 7. . . . Es soll auch weiblichen Mitgliedern gestattet sein, in den Versammlungen laut zu beten und ein kurzes Zeugnis abzulegen (nur lange Lehrreden halten in der Versammlung sollen sie nicht) . . . Die Art der Taufe soll dem Gewissen und dem Grade der Schrifterkenntnis jedes einzelnen Mitgliedes überlassen bleiben . . . Das Recht der eigenen Abendmahlsfeier muß die Gemeinschaft sich vorbehalten. § 8. Die Gemeinschaft ordnet alle ihre Angelegenheiten selbständig . . . § 10. Sobald die Mittel der Gemeinschaft es erlauben, soll auf Vorschlag des Brüderrats durch Beschluß der Gemeinschaftsversammlung ein Bruder als Diener am Wort berufen... werden . . .

*) Anders wieder Dietrich, der meinte, solche Ordnung lasse sich auf die Dauer nicht mit der Zugehörigkeit zu einer Kirche vereinigen. „Diese Art von Gemeinschaft würde gewiß nicht zur Sammlung der Gläubigen, sondern nur zu einer Neubildung führen“ (Phil. 1907 Nr. 3). Auch warnte er nach wie vor vor der geschlossenen Organisation (Nr. 4).

ferenz (21.—23. Mai in Schönebeck), zum ersten Male nach einem Jahre wiederholt, weil „der rasche Schritt der Zeit und des Reiches Gottes in unsern Tagen ein häufigeres Zusammenkommen der Vertreter der deutschen Gemeinschaftsbewegung fordert", nicht von besonderer Bedeutung. Die Hauptreferate hielten Prof. D. K. Müller-Erlangen über „Die Herrlichkeit des Knechtes Gottes, des ewigen Sohnes" und E. Lohmann über „Die königliche Stellung der Kinder Gottes in dieser Welt". Die Besprechung des Müllerschen Vortrags blieb nach „Licht und Leben" nicht immer auf der Höhe. Zwei Gemeinschaftspfleger (H. Dallmeyer und Kusch) protestierten gegen die Ausführung Müllers, daß Jesus glauben mußte, ohne Erfolg zu sehen. Sie hatten augenscheinlich die feine theologische Durchführung des Referates nicht verstanden. Schrenk dagegen betonte besonders, was Müller gesagt hatte über die dreißigjährige Stille Jesu im Gegensatz zu „unserer Zeit der Agressivität, da auch der geringste Mensch ohne weiteres sein Licht leuchten lassen will, was noch kaum glimmt". Auch in der Besprechung des Lohmannschen Referates sprach er kernige Worte gegen eine falsche Heiligungslehre und einen seichten Sündenbegriff, gegen die, die anderen aus dem Arzeneinehmen ein Gewissen machen wollten, und die, die „die Welt dem Teufel überlassen". Pückler sprach sich wieder gegen die Ausländerei aus: „Je mehr eine Gemeinschaft auf dem Boden des Volkes und auch der Kirche stehen bleibt und unserer Eigenart entsprechend arbeitet, um so mehr wirkt sie aufs Ganze." Dietrich sagte ein ernstes Wort über die „ungestümen Eiferer, die durchaus Menschenfischer sein wollen und, weil sie im weiten Wasser der Welt nichts fangen, es im Fischkasten versuchen". Auch Michaelis warnte in der Eröffnungsansprache vor falschen Höhen und zuviel Gewichtlegen auf die Organisationsfrage. Dagegen betonte Regehly in seinem Bericht die Organisation als besonders wichtig und pries die Folgen der Erweckung; Edel sprach in der Phraseologie der Penn Lewis von der „Geistesatmosphäre" und der „vollen Kreuzesbotschaft".

Deutlich klafften für den scharfen Beobachter die Richtungen auseinander. Dabei ging man in der Nachgiebigkeit gegen die Radikalen so weit, daß man — gegen den sonstigen Gebrauch der Gnadauer Konferenz — den nicht zur Landeskirche gehörenden Ströter (sogar zweimal) reden ließ, der denn seine Gedanken von der Beschränkung der Arbeit auf die Vollbereitung derer, die jetzt ausgestaltet werden sollten nach Christi Ebenbild, vortrug. Ja man war so unvorsichtig (oder unklar), daß selbst ein Michaelis von der „Sammlung der Brautgemeinde“ und ihrer „Zubereitung mitten in der Welt“ sprach, was jedenfalls eine ganze Anzahl gar nicht anders als im darbystischen Sinne auffassen konnte. Nimmt man dazu den Beschluß, von jetzt ab die Blankenburger Konferenz durch Delegierte Gnadaus zu beschicken, so nimmt es einen kaum wunder, die Darbysten auf der ganzen Linie vorrücken zu sehen.

Zweites Kapitel.

Das siegreiche Vordringen der darbystischen Richtung infolge der Erweckung.

1. Der wachsende Einfluß Blankenburgs.

(Die Konferenz und direkte Arbeiten Blankenburgs — Blankenburg und der Osten.)

Vor allem wuchs der direkte Einfluß Blankenburgs. Die Zahl der Konferenzbesucher betrug 2000, die der Abonnenten des Allianzblattes, das vom 1. Januar 1906 an wöchentlich erschien, im Sommer 1907 3206, „Für dich“ hatte seine Auflage um 5000 erhöht. Eine neue große Konferenzhalle war 1906 gebaut*). Aus der Gesellschaft (m. b. H.) „Evangelisches Allianzhaus“ war Jellinghaus schon 1905 entfernt, der damit die letzte Beziehung zu Blankenburg verlor. 1907 wurden für Baedeker († 9. Oktober 1906) und Fräulein v. Blücher Kaufmann August Rudersdorf-Düsseldorf und Kühn hineingewählt.

Der Blankenburger Zweig wuchs um einen „Königsberger Zweig der Evangelischen Allianz“, zu dem 20 Reichsgottesarbeiter sich vereinigten mit dem Ziel, den Allianzgedanken zu verbreiten und gemeinsame Evangelisation zu treiben. Das Exekutivkomitee bestand aus Prediger Richter von der Evangelischen Gemeinschaft, Leszczinski und dem Baptisten Langenberg**).

War die direkte Arbeit Blankenburgs auf dem Thüringer Walde (Evangelist Penzold) auch nicht gerade sehr bedeutend — obwohl auch sie sich ausdehnte —, so war es dagegen von großer Tragweite, als man Ende 1905 „nach gewissenhafter Prüfung der an uns herangetretenen neuen Bedürfnisse und Aufgaben“ vor dem Herrn einig geworden war, in der „Arbeit für Seine Gemeinde einen Schritt vorwärts zu gehen“. Es wurde nämlich beschlossen,

*) An den Kosten fehlten im November 1906 noch 20000 Mk.
**) Bereits früher war in Nürnberg ein Zweigverein entstanden.

Modersohn nach Blankenburg zu berufen, um die Leitung der Arbeit zu übernehmen und im Winter Evangelisationsreisen auszuführen. Er sagte von sich selbst: „Wenn ich auch für meine Person nach wie vor Glied der Landeskirche bin, so freue ich mich doch von Herzen, daß ich auf diesen Boden der Einheit der Kinder Gottes treten und dem ganzen Volke Gottes dienen darf. Darum werde ich am liebsten dort dienen, wo mein Dienst von den vereinigten Kindern Gottes gewünscht und betend vorbereitet wird (Gemfr. 1906 Nr. 29)." Damit war ja zugleich die Verbindung mit dem darbystischen Flügel innerhalb der Landeskirche fester geknüpft, wie er sich besonders in den ostdeutschen Brüderräten verkörperte, zumal Modersohn jetzt auch ganz ausdrücklich die dort übliche Paulsche Heiligungslehre vertrat*), während das Allianzblatt ihr noch nicht rückhaltlos zustimmte**).

Waren schon auf der Konferenz von 1905 „zum ersten Male die leitenden Brüder der Gemeinschaftsbewegung in den östlichen Provinzen" anwesend, so erhielt jetzt das Allianzblatt als weitere Mitarbeiter unter anderen: Edel, Krawielitzki, Modersohn, Regehly, v. Viebahn, Warns, d. h. die Führer der darbystischen Richtung innerhalb des Deutschen Verbandes waren jetzt an der Herausgabe des Allianzblattes beteiligt***).

---

*) Er empfahl z. B. Pauls „Heiligung" und trat für Torreys Geistestaufe zum Zweck des Erlebens eines neuen Pfingstens ein (Sabbathklänge 1907 Nr. 20), ja druckte aus Pauls Heiligung „Rein durchs Blut" ab. Er war „tief davon überzeugt, daß wir von der Innewohnung der Sünde frei werden können und müssen" (Sabbathklänge 1906 Nr. 16), ja er lehrte geradezu eine wesenhafte Gerechtmachung und deutete „zurechnen" als „geben, zuwenden, zumessen". Die 5. Bitte bezog er auf das Mittragen der Gesamtschuld des Volkes Gottes. In einer Rezension einer Schrift gegen Paul führt er aus, daß dieselbe „zu sehr im Bann der herkömmlichen Dogmatik" stehe, „um die Lehre von der völligen Erlösung erfassen zu können. Den biblischen Beweis, daß eine ‚Sündennatur' auch im Wiedergeborenen vorhanden bleibe, halte ich nicht für erbracht" (ebend. 1907 Nr. 26). Daß er in seiner dualistischen Anschauung von der „Welt" derselbe geblieben war, zeigt seine Zurechnung der Konzerte zur Welt (1906 Nr. 29).

**) Zu einem ganz in Paulschen Bahnen gehenden Artikel von M. v. Brasch machte es die Anmerkung: „Wir bringen diesen Satz, wie den ganzen Artikel unverändert und unverkürzt zum Abdruck, wohl wissend, daß über das vorstehend Gesagte noch große Meinungsverschiedenheiten bestehen." Auch warnte es etwas später vor Überschätzung der „biblischen Organisation". Lieber formlos als geistlos, war seine Parole (Allbl. 1906 Nr. 29, 30). Vor allem war es gegen eine Wahl des „Predigers".

***) Vgl. auch die Anerkennung der Edelschen Schrift über das Abendmahl durchs Allianzblatt (1904/05 Nr. 22).

Modersohn aber wurde bald an die verschiedensten Orte, besonders im Osten, zur Evangelisation berufen.

Die etwaigen Abweichungen in der Heiligungs- und Organisationsfrage empfand man offenbar kaum mehr gegenüber dem, daß auf seiten des darbystischen Flügels innerhalb des Deutschen Verbandes das „innerhalb der Landeskirche" durch die Erweckung tatsächlich außer Kraft gesetzt war. So konnte Kühn jubeln, daß der Allianzgedanke im Westen, aber auch im Osten, besonders in Schlesien vordringe. „Bald wird auch der Süden Deutschlands noch mehr von der rechten Allianzgesinnung erfaßt werden, und dann werden auch die vorwiegend lutherischen Kirchengebiete des mittleren und nördlichen Deutschlands nicht länger mehr zurückbleiben" (1904/5 Nr. 20).

Auf jener Seite aber ließ man sich's gefallen, daß das Allianzblatt solche „Allianzgesinnung" in fast sich noch steigernder Schärfe bekundete *).

---

*) Z. B. schrieb es gegen einen Artikel der Reformation, der bedauert hatte, daß man „deutsch-evangelisches Christentum verengländern" wolle: „Dabei kann es ein Kind heraushören, daß man solches Mißtrauen selbst zu erregen . . . sucht. Die heilige Schrift aber, deren Kenner und Meister zu sein jene Kirchenmänner vorgeben, kennt weder ein ‚deutsch-evangelisches' noch ein ‚englisches' Christentum. Ganze Nationen in diesem Zeitalter der Herausrufung der Gemeinde aus den Nationen christianisieren zu wollen, abgegrenzte Kirchentümer (Volkskirchen) zu gründen und dieselben christlich oder evangelisch zu nennen — das sind Dinge, die mit dem wahren Christentum . . . nicht das mindeste zu tun haben. Daß das Kirchenmänner, denen man eine gewisse Kenntnis der Schrift des N. T.'s nicht absprechen kann, nicht einsehen können oder wollen — das ist uns eins der furchtbarsten Geheimnisse der Kirchengeschichte" (1907 Nr. 30, vgl. Nr. 5). „Je eher die Kinder Gottes sich von allem Unbiblischen, d. h. rein menschlich Gemachtem (‚geschichtlich Gewordenen') reinigen lassen, desto kräftiger kann sich ihr Heiligungs- und Siegesleben entfalten." „Wir denken nicht daran, irgendein geschichtlich gewordenes Irrtumssystem einzureißen oder gar Brüder und Schwestern, die durch die so sehr bindende Kraft der Gewohnheit und des Herkommens in mittelalterlichem Halbdunkel mehr oder weniger noch zurückgehalten werden, persönlich zu befehden" (1907 Nr. 1). „Durch die sogenannte ‚christliche Staatskirche' hat Satan die größte Verführungskunst entfaltet" (1907 Nr. 10). Allerdings warnte er auch: „Erwartet nicht alles Heil von den Freikirchen in ihrer heutigen Gestalt", in denen noch „enger Kirchengeist" stecke.

2. Arbeiter und Arbeitsmittel der Gemeinschaftsbewegung und der vordringende Darbysmus.

a) Die Berufsarbeiter.

(Zunahme der freien Evangelisten und der Reichsgottesarbeitervereinigung — Stellung zur Allianz — Die Zeltmissionen.)

So stand Blankenburg da, als Führerin eines großen Teiles der Bewegung. Mochten auch organisatorisch mit ihm nur wenige in Verbindung stehen, sein Einfluß reichte weit, und neben seinem eigenen Blatte, seinen „Evangelisten" und Veranstaltungen waren viele andere seine freiwilligen Helfer in der Verbreitung seiner Ideen, die durch die Erweckung für dieselben gewonnen wurden, vor allem unter den „freien" Evangelisten. Ihre Zahl mehrte sich jetzt schneller, weniger aus den Theologen. Hier schied Dammann durch sein zunehmendes Leiden aus, Wittekindt übernahm als Leiter der Gemeinschaft in Wernigerode eine feste Arbeit, wenn er auch daneben Evangelisationen hielt. Hinzu kam Michaelis, der am 1. Oktober 1906 sein Missionsinspektorat niederlegte und freier Evangelist wurde. Dagegen wurden mehrere nicht theologisch gebildete Gemeinschaftspfleger jetzt freie Evangelisten. Gleichzeitig mit Michaelis gab Heinrich Dallmeyer seinen Posten in Langendreer, wo er in Vereinsarbeit stand, auf und zog als freier Evangelist nach Kassel. R. Schultz gab die Arbeit in Wernigerode ab und wurde Evangelist in Magdeburg. Januar 1907 folgte Wrase-Eberswalde, der sich in Schneidemühl niederließ, und Juli 1907 Vogt-Schmalkalden. Zur selben Zeit, also schon vor dem Ausbruch des Zungenredens, faßte auch A. Dallmeyer den Entschluß, die Blaukreuz- und Gemeinschaftsarbeit in Kassel aufzugeben und zum 1. September freier Evangelist zu werden. Es ist leicht möglich, daß zu diesen fünf und den noch zu erwähnenden Zeltmissionen noch mehr kommen, die mir entgangen sind*).

Es liegt mir, wie ausdrücklich betont sei, sehr fern, zu leugnen, daß diese Männer fest überzeugt waren, Gottes Führung damit zu folgen, aber sollte nicht bei dieser plötzlichen Zunahme der freien Evangelisten auch der Selbständigkeitsdrang des jungen Standes der Reichsgottesarbeiter mitgewirkt haben, wie er m. E. schon mitgewirkt hatte bei der Verselbständigung der Einzelgemeinschaft?

*) Ich zähle hier nochmals alle mir für 1907 bekannten freien Evangelisten auf: Dammann, E. Lohmann, Paul, Wittekindt, Michaelis, Schrenk, Dannert, Franz, Kaiser, Eßler, seit 1907 in Freiburg, Amstein, H. und A. Dallmeyer, Schultz, Wrase, Vogt.

Gerade diese konnte ja auch wieder ein hartes Joch für den leitenden Bruder werden, der pekuniär von ihr abhing, gerade jetzt in der Erweckungszeit*).

Das starke Aufstreben des ganzen Standes zeigt die „Vereinigung der Reichsgottesarbeiter", die 1906 ca. 300 Mitglieder zählte**). Auf ihren Generalversammlungen wurden die wichtigen die Bewegung interessierenden Fragen besprochen, wie 1906 in Barmen die Spezialarbeiten und die Nachversammlungen. Diese Verhandlungen aus der Praxis heraus und die Standesorganisation mit ihren sozialen Motiven bewirkten dabei, daß manches enthusiastische Moment verschwand. So ward eine Sterbekasse eingerichtet, eine Unterstützungskasse geplant, was mit der soviel verkündigten darbystischen „Glaubensstellung" wenig stimmte. Predigtdispositionen und Vorträge über Redekunst wurden gegeben und zur fleißigen Präparation gemahnt. So schwand vor der nüchternen Praxis der alte Enthusiasmus, der sich im Augenblick das Wort „vom Herrn" geben ließ; aber man übersah freilich, daß man eben mit dieser immer schärferen Herausbildung eines besonderen Amtes des Dienstes am Wort neben dem Pfarramte immer mehr sich den Grund unter den Füßen wegzog, die Anschauung vom „Allgemeinen Priestertum" ***).

Natürlich waren im übrigen gar verschiedene Anschauungen in der Vereinigung vertreten. Hervorgehoben sei, daß der Briefkasten des „Reichsgottesarbeiter" von A. Dallmeyer durchweg recht nüchtern gehalten war†). Überhaupt wurde das Blatt ziemlich vorsichtig redigiert, wenn auch manchmal starke Entgleisungen uneingeschränkt durchliefen, wie die von Bierhaus über das Nichtbeschädigtwerden vom zweiten Tode, wobei er behauptete, es sei „zum öfteren vor-

---

*) Selbstverständlich sage ich nicht damit, daß es gerade bei einem der obengenannten Männer so gegangen sei, aber wie es manchmal gewesen ist, zeigt die Notiz (Allbl. 1907 Nr. 26): „Es steht mir ein Ort vor Augen, in dem man unbedingt auch eine Erweckung haben wollte, und weil sie nicht kam, so suchte man die Schuld bei dem angestellten Arbeiter. Es wurde ihm gekündigt, aber auch unter seinem Nachfolger kommt die erhoffte Erweckung nicht. Auch dieser Bruder wird gehen müssen." — Interessant sind auch die Stellengesuche in den Blättern, die vorwiegend sich auf möglichst selbständige Stellungen richten.

**) Bezirksverbände bestanden 1907 z. B. in Sachsen (Vors. Buchborn, IV. Konferenz 1907 in Chemnitz), Brandenburg, Rheinland-Westfalen und Schlesien.

***) Vgl. unten S. 510 Anm. Ruprechts Äußerung.

†) Er trat z. B. für Wahlpflicht der „Gläubigen" ein (1907 Nr. 1), vgl. damit die darbystischen Gedanken Ströters und Girkons!

gekommen, daß man Särge sehr frommer Gotteskinder geöffnet und keinen Leib gefunden hat. Wir stehen hier vor einem großen Geheimnis, wir können nur ahnen und wollen nichts behaupten" (1907 Nr. 5).

Es ist zugleich bezeichnend, daß diese Äußerung aus dem Osten stammte, wo die radikalen Ideen die herrschenden waren.

Von den neuen freien Evangelisten stand Wrase ausdrücklich auf dem Boden der Einheit der Kinder Gottes. Die beiden Dallmeyers gerieten in Brieg unter Pauls Einfluß und nahmen nun seine Heiligungslehre an und die Anschauung von der Geistestaufe*). Paul war natürlich der unermüdliche Herold wie seiner Heiligung, so auch der Entrückung und der anderen darbystischen Gedanken. Auch Eßler vertrat die Entrückung**).

Wie aber auch die auf dem älteren Gnadauer Standpunkte Stehenden wie Dannert und Dammann zum mindesten diese Gedanken nicht klar abwiesen, haben wir oben (S. 465, 388) schon gezeigt.

Begeisterte Träger derselben waren die Zeltmissionen, deren Wirkungskreis andererseits umgekehrt unter dem Einflusse der Erweckung sich schnell erweiterte. Dazu kam noch der Eintritt eines neuen, augenscheinlich tüchtigen Mitarbeiters, Fritz Binde***). Wie

---

*) Es ist eine gewisse Tragik, daß diese sonst nüchternen Männer, die erst hier in Brieg unter dem Einfluß des ganzen dortigen „idealen" Gemeinschaftslebens für diese Theorie gewonnen wurden, nun die ersten sein mußten, die sie konsequent durchführten in der Kasseler Zungenbewegung und daher heute, wo man in der Bewegung die Schwenkung vollzogen hat, leicht als die Sündenböcke hingestellt werden, vielleicht selbst von solchen, die jetzt gern ihre Mitschuld an der damaligen Entwicklung vergäßen. Um so mehr halte ich es für Pflicht der historischen Forschung, darauf hinzuweisen, daß m. E. die Geschichte der Brüder Dallmeyer nur zeigt, wie die nüchtern veranlagten Nordwestdeutschen (sie sind Holsteiner), wenn sie schwärmerisch werden, auch darin konsequent sind, und freilich andererseits auch, daß die Ausbildung der Brüder sie nicht in den Stand setzt, solche Bewegungen zu beurteilen. Darin liegt aber, daß Theologen, die ihre historisch-theologische Bildung so vergessen, daß sie sich ebenfalls hinreißen lassen, größere Schuld haben.

**) Seit wann, ist mir unbekannt.

***) Aufgewachsen in einem völlig kirchenfeindlichen Hause. Die Konfirmation war nicht ohne Eindruck auf ihn geblieben, der aber schnell vorüberging. Er wurde Freidenker und Sozialdemokrat und war mit 25 Jahren Schriftsteller und Redner. Angewidert von dem Parteitreiben wurde er Anarchist. Charakteristisch ist sein gewaltiger Bildungshunger, der ihn vom Materialismus zu Kant und dann zu Nietzsche trieb. Vollständig überarbeitet und durch innere Kämpfe zerrüttet, brach er zusammen. Die Ab-

sehr 1905 die beiden Zelte im Osten, vor allem aber das Westzelt an der Erweckungsbewegung beteiligt waren, haben wir gesehen. Beide Zelte bildeten den „Deutschen Zeltmissionsverband". Um der Verwaltung willen erwies es sich jedoch als nötig, für Ostdeutschland einen besonderen Zweigverband zu bilden. So entstand noch 1905 die „Deutsche Zeltmission Ost" als eingetragener Verein, die im Herbst des Jahres ein eigenes Haus in Stargard in Pommern kaufte. Für Kaul, der nach Liebenzell ging, kam Volkmann aus Vandsburg. Ein drittes Zelt, eigentlich für die Schweiz und Süddeutschland geplant, ging 1906 nach einer Arbeit in Frankfurt und Bochum nach Holland. Ein neues schweizerisches Zelt wurde am 5. August in Remismühle (Kanton Zürich) eingeweiht. Das Westzelt arbeitete 1906 in Düsseldorf, Barmen (s. o. S. 453) und Gelsenkirchen, das Ostzelt in Stargard und Berlin. Den Beschluß der Arbeit bildete, wie in den Vorjahren, die Zeltmissionskonferenz in Patmos (30. Sept. bis 4. Okt. 1906). Das Westzelt, in dem Binde arbeitete, wurde am 4. Mai 1907 vom Sturm völlig zerstört; dafür konnte auf einer Zeltmissionskonferenz vom 19. bis 23. Mai dieses Jahres in Calw im württembergischen Schwarzwald, auf der Rappard, v. Gemmingen, Edel, Zimmermann und Vetter sprachen, ein neues süddeutsches Zelt eingeweiht werden. Hier war die Familie des Fabrikanten Blank der Mittelpunkt der Zeltfreunde. Auch die „Zeltmission Ost" wurde durch ein weiteres Zelt vermehrt, da Großmann, dem Geld für ein Zelt anvertraut war, in die Zeltarbeit mit eintrat und am 16. Mai 1907 in Görlitz die „Zeltmission Immanuel" begann. Im ganzen zählte die Zeltfamilie 1907 47 Personen, der monatlich erscheinende „Gruß aus der Zeltmission" 12000 Abonnenten. Übrigens trieb der Selbständigkeitstrieb, der Großmann wohl schon zum freien Evangelisten gemacht hatte, ihn auch bald aus dem Zeltmissionsverbande wieder heraus. Er machte sich auf Pauls Rat als „Zeltmission-Zentrum" selbständig, wozu Vetter anmerkte: „Das tat mir sehr leid. Wo will das noch hinaus? Ich fürchte, daß es den Brüdern an dem feinen Takt der Unterordnung und an der Demut des liebevollen Tragens fehlt." Er übersah dabei, wie sehr er selbst es der Landeskirche gegenüber hatte daran fehlen lassen. Geradezu empörend war 1906 eine Bußtagspredigt von ihm, die dann noch als Flugblatt verbreitet wurde. Da hieß es unter anderem:

---

reißblätter des „Christlichen Hausfreundes" führten ihn zur Bibel zurück. G. Steinbergers Traktate gaben den Ausschlag. Er ging selbst nach Remismühle und wurde bald Evangelist, arbeitete zuerst in Waldeck (1903 in Wildungen) und kam 1906 zur Zeltmission.

„Von unsern tausend und abertausend Pastoren glauben noch nicht die Hälfte das, was sie predigen. Ja, der größte Teil von ihnen schmähen den heiligen Geist durch ihre schamlose Bibelkritik, die sie mit der größten Frechheit vor dem Forum des Volkes treiben . . . Die andere Hälfte . . . sind orthodox und konservativ bis auf die Knochen. Sie versuchen noch die biblischen Wahrheiten zu predigen — aber wie? . . . Da muß die Bibel beweisen, daß die Taufe die Wiedergeburt ist und daß man beim Abendmahl Sündenvergebung empfängt. Von Buße und Bekehrung, Glauben und Heiligung wissen diese Herren nichts . . . Gerade so schlimm ist es in der Mission . . . Viele Missionare leben wie türkische Paschas in Luxus und Überfluß . . . Vor sieben Jahren zog ein armer Missionar nach Afrika. Heute hat er ein Vermögen von 120000 Mk. durch Kuhhandel und anderen Handel. Von anderen hat man uns erzählt, daß sie auf ihren Stationen Kegelbahnen, Tennisplätze u. dgl. haben, um auch ein wenig Sport treiben zu können."

Als ihm daraufhin Anklagen zugingen, konstatierte er zwar, daß er alle Tatsachen belegen könne, gab aber zu, daß er etliche Bemerkungen jetzt nicht mehr machen könne und unterband den Vertrieb des Flugblattes*).

Henrichs und Binde scheinen übrigens Vetters Maßlosigkeiten, auch in seinem Arbeitsbetrieb, nicht ganz gebilligt zu haben. Jedenfalls blieb aber die Zeltmission auch nach Abflauen der Erweckung eine Hauptträgerin der Allianzgedanken und arbeitete so mit an der inneren Auflösung des Gnadauer Verbandes.

Außerdem entstand jetzt auch noch die „Allianz-Zeltmission" des Predigers Duprée in Essen**).

b) Die Ausbildungsanstalten.

(Neugründungen in Brüderhäusern — Die Schwesternhäuser und die Allianzdiakonissenkonferenz — Die älteren Brüderhäuser.)

So waren es viele Hilfskräfte, die daran arbeiteten, die darbystische Richtung zum Teil vermengt mit Paulschen Heiligungslehren in der deutschen Gemeinschaftsbewegung zum Siege zu führen, und es fehlte nicht an Nachwuchs.

Zwar die neue „Allianzbibelschule" sollte vor allem der Mission im Osten, besonders der Ausbildung von Lehrern für die

---

*) Sein Selbstbewußtsein zeigt sich auch in Ausdrücken wie: „Wir sind Leute, die man nicht versteht, gehaßt von der gottlosen Welt, verleumdet von den Pietisten, gefürchtet von der Kirche, aber geliebt und geachtet von der kleinen Herde."

**) Über ihre Arbeit vgl. meine Schrift „Die innere Entwicklung usw.". S. 10 f.

Stundisten dienen, doch arbeiteten einzelne Zöglinge auch in Deutschland. Die „Allianzbibelschule" war ein gewisses Gegenstück zu Jellinghaus' Bibelschule und wohl eine Modifikation des früher geplanten Allianzbrüderhauses, begonnen am 5. September 1905. Leiter wurden Köhler, früher Schildesche*), und Joh. Warns. Zum Komitee gehörten außer mehreren freikirchlichen Predigern Baedeker, Kaul, Kühn, v. Thümmler, v. Tiele-Winkler, v. Viebahn**). Gelehrt wurde: Exegese, Einleitung, Heilsgeschichte, „die Lehren der Bibel über Gott, den Menschen, die Sünde", biblische Geographie und Völkerkunde, Vorbilder und Verheißungen des Alten Testamentes, Vorbereitung zur Wortverkündigung und Seelenpflege, Kirchengeschichte („wie der Herr seine Gemeinde durch alle Jahrhunderte ... hindurch geführt hat"), Missionsgeschichte, Deutsch.

---

*) Der sich jetzt auch wiedertaufen ließ.

**) § 2. Die Allianz-Bibelschule steht auf dem Boden der heiligen Schrift, die sie als alleinige Regel- und Richtschnur des Glaubens und Lebens anerkennt. Der göttliche Ursprung, die Unantastbarkeit, die Autorität und allseitige Genügsamkeit der heiligen Schrift soll von jedem Lehrer der Anstalt anerkannt werden. § 3. Ihre Aufgabe ist, die Zöglinge in die Geschichten, die Verheißungen und die Lehren der Bibel im Sinne und Geiste der heiligen Schrift einzuführen. Ihr Ziel ist, die Schüler so auf den Boden der ganzen Schrift zu stellen, daß dieselben als gegründete Bibelchristen in ihrer Heimat dienen können, als Menschen, die in Wahrheit mit ihrem Gewissen nur gebunden sind an den gegenwärtigen Herrn und an Sein unantastbares Wort. § 4. Konfessionelle und nationale Unterschiede sind kein Hindernis bei der Aufnahme. Das Alter der Aufzunehmenden sollte der Regel nach nicht unter 20 und nicht über 35 Jahren sein. Der Kursus beginnt am 1. September und endet am 1. Juli. Das erste Vierteljahr dient als Probezeit. Sonderbestimmungen bleiben der Hausordnung vorbehalten. § 5. Die Leitung und Verwaltung der „Allianz-Bibelschule" in Steglitz untersteht einer freien Verbindung von Brüdern, die sich im Glauben an Christum und in den Grundlehren der heiligen Schrift eins wissen. Für Rußland steht ihnen ein beratendes Komitee zur Seite. Die ständigen Lehrer der Anstalt haben infolge ihrer Stellung beratende Stimme in allen Fragen der Organisation und Fortführung des Werkes. § 7 ... Es wird erwartet, daß der Bewerber 1. wahrhaft bekehrt ist, 2. hinreichende Beweise seines entschiedenen Christentums gegeben hat, 3. eine genügende Begabung besitzt, um für den Dienst des Evangeliums verwendbar zu erscheinen, 4. im Werke des Herrn irgendwie tätig gewesen ist. § 9. Die „Allianz-Bibelschule" ist für ihren Unterhalt vom Herrn abhängig. Die Mittel werden erhofft: 1. aus Zuwendungen von Freunden des Werkes aus allen gläubigen Kreisen, 2. aus Jahresbeiträgen von Mitgliedern und 3. aus Vergütungen bemittelter Schüler bzw. deren Freunden oder Gemeinschaften.

Am ersten Kursus nahmen 20 teil, der zweite begann am 1. September 1906 mit 26 Schülern. Gleichzeitig wurde die Schule nach Berlin (Speyererstr. 26) verlegt. Von den in den beiden ersten Kursen Ausgebildeten gingen drei in die Zeltmission, einer zu einer landeskirchlichen, mehrere zu freien Gemeinschaften bzw. Gemeinden.

Von der Bibelschule aus dienten die Brüder in verschiedenen Gemeinden und Gemeinschaften Berlins und Umgegend, auch in Küstrin, Soldin und Swinemünde. Vor allem stand man in enger Verbindung mit der „Christlichen Gemeinschaft" W, Hohenstaufenstraße 65. Als kurz vor den Maiversammlungen 1906 Toni v. Blücher starb, sprachen an ihrem Sarge Baedeker, mehrere freikirchliche Prediger und Köhler, wie das Allianzblatt eigens mitteilte, „im schlichten Rock". Köhler und Warns übernahmen dann völlig die Leitung der Gemeinschaft, in deren Räumen*) auch der Bibelschulunterricht zum Teil erteilt wurde.

Unter dem Eindruck der Erweckungsbewegung kam jetzt auch der Gedanke des Gemeinschaftsbrüderhauses im Osten zur Ausführung. Am 8. April 1906 wurde im Gemeinschaftsboten ein Aufruf veröffentlicht, in dem folgende Grundlinien aufgestellt wurden:

„1. Zweck und Ziel des Brüderhauses ist die Zubereitung von Brüdern für den Dienst im Reich Gottes. Wir erkennen, daß diese Zubereitung in erster Linie eine Ausrüstung durch den heiligen Geist sein muß, und daß die lehrhafte Seite der Zubereitung erst da Frucht bringen kann, wo jene Geistesausrüstung vorhanden ist. Daher finden nur bekehrte Brüder Aufnahme. 2. Es sollen in unserem Brüderhause Brüder für die verschiedensten Dienste des Reiches Gottes zubereitet werden (Kranken-, Krüppel-, Waisen-, Armen-, Kinderpflege, Rettungsarbeit, Kolportage, Stadtmission, Gemeinschaftspflege und Wortverkündigung im In- und Auslande). 3. Die Arbeit und die Unterhaltung der Arbeiter geht aus dem Glauben. Doch halten wir es nicht für einen Widerspruch mit diesem Glaubensprinzip, vorhandene Nöte zur Kenntnis der Geschwisterkreise zu bringen .... Wir vertrauen dem Herrn, daß er die Schwierigkeiten, welche dieser Arbeit zurzeit noch entgegenstehen, heben wird, insbesondere daß er uns zunächst die Summe von 50000 Mk. darreichen wird, die zum Bau und ersten Instandsetzung eines Brüderhauses binnen kurzem erforderlich sind." Als nötig neben Chrischona, Johanneum usw. wird es in späteren Veröffentlichungen bezeichnet, weil noch nicht genug Arbeiter vorhanden seien, und weil das Gemeinschaftsbrüderhaus nicht nur zum Dienst am Wort ausbilden will, sondern „zu jedem Dienst dienender Liebe in den verschiedensten Zweigen der Inneren Mission". „Was für ein Feld der Not liegt da vor uns! Ist es im Angesicht solcher Not wirklich noch möglich, daß man fragt, ob ein Brüderhaus

---

*) Das Haus war inzwischen Eigentum der Gemeinschaft geworden.

nötig sei." Man brauche dazu Haus, Ackerland, Brüder, „die bereit sind, um jeden Preis den Herrn zu verherrlichen." „Ich fürchte nicht, daß es an Brüdern fehlen wird. Es laufen schon jetzt genug Meldungen ein. Aber ich bitte den Herrn, daß er Brüder gibt, die es verstehen, daß Gott niemand mit seinem Geist ausrüstet, den er nicht zuvor gründlich zerbrochen hat. Wer noch in irgendeiner Weise sich selbst sucht und sich selber lebt, der ist gänzlich unbrauchbar für den Dienst im Reich Gottes." Man brauche besonders Beter. „Und wenn Beter da sind, dann sind auch Geber da." Bis zum 25. Mai waren 2707 Mk. eingelaufen.

Am 21. Oktober 1906 schon wurde das Brüderhaus „Hebron" in Vandsburg eingeweiht, am 30. November P. Lange, der sein Pfarramt in Jeschewo niederlegte, als Vorsteher durch Paul, Regehly, Krawielitzki und Hoff eingesegnet. Diese Namen zeigen schon die Richtung, in der es arbeiten sollte. Mit 12 Brüdern und einem Gast fing man an.

Der eigentliche Leiter war offenbar auch hier Krawielitzki. Dieser legte zum 1. Januar 1906 sein Pfarramt nieder, um nur noch den Anstalten zu leben, und er wurde im November 1906 als Hausvater „vor versammelter Gemeinde" eingesegnet*), um dann seinerseits am 24. November 1906, gelegentlich des siebenten Jahresfestes, die ersten drei Schwestern einzusegnen, die nun „tadellos" waren, innen und außen. Zu dieser Einsegnung wurden nur „Gotteskinder" gegen besonders auszugebende Eintrittskarten zugelassen. Andererseits hatte man infolge der Erweckung „Mut, Klarheit und Gewißheit" gefunden, „alle die auszuscheiden, welche nicht durchdrangen, weil sie die Finsternis mehr liebten als das Licht".

Gleichwohl wuchs die Zahl, die 1906 bereits 170 Schwestern bei ca. 50 Arbeitsfeldern betrug; bis Herbst 1907 waren die 200 erreicht. Ein großes neues Mutterhaus war schon 1905 gebaut**), in der Marburger Arbeit ein neues Kinderhaus „Hebron" am 19. Mai 1907 eingeweiht. Als neuer Ausbildungsplatz in Kranken-

---

*) Zum Vorstand gehörten jetzt außer ihm: Paul, Vetter, Edel, Regehly, Huhn, Niemann, Urbschat, Bluth, Lange, Hoff, Frau P. Blazejewski, Frau v. Alten, Schwester Emilie.

**) Ein charakteristischer Aufruf aus der Bauzeit, als ein Streik ausgebrochen war, sei mitgeteilt: „Wir richten an alle Brüder, welche Maurer sind, die dringende Bitte, nach V. zu kommen und für einige Zeit an dem Bau selber Hand anzulegen. Der Herr kann solches Opfer wunderbar den Helfern selber oder ihren Angehörigen durch die Hand und den Dienst unserer Schwestern vergelten in Krankheitsnöten, und dadurch, daß vielleicht unsere Schwestern einst Werkzeuge zur Bekehrung ihrer Brüder und Verwandten werden."

pflege hatte sich das neue Krankenhaus in Westend-Charlottenburg gefunden. Besonders zahlreich waren die Vandsburgerinnen in Schlesien, wo 1907 10 Stationen mit 14 Schwestern besetzt waren und eigene Schwesterntage (Januar 1906 in Hausdorf, 1907 in Brieg) eingerichtet wurden.

Über die Entwicklung Elims in Hamburg berichten wir unten. Kinderheil hatte 1906 65 Schwestern und 7 Hilfsschwestern, Herbst 1907 80 Schwestern auf 18 Arbeitsfeldern *).

Salem konnte jetzt sein eigenes Heim bauen **) und zählte Ende 1905 70 Schwestern, davon 17 eingesegnete Diakonissen, 24 Novizen und 29 Probeschwestern. Herbst 1907 waren es 120 Schwestern mit 24 Arbeitsfeldern. Anstaltsgeistlicher war seit 1. Juli 1906 Christiansen, bisher Pastor in Tandslet (Nordschleswig) ***).

---

*) Nach der Angabe im „Kirchlichen Jahrbuch".

**) Eingeweiht 27. März 1906.

***) Er war von Haus aus Nordschleswiger, mit dänischer Muttersprache. Als Student liberaler Theologe geworden, kam er als Vikar zu Witt-Havetoft, der einen starken Einfluß auf ihn ausübte. Er wurde dann Pfarrer auf Alsen, wo er zunächst wieder andere Wege einschlug. Er schreibt selbst darüber (Glaubensgrüße 1910 Nr. 1): „Die Gemeindeglieder erwiesen mir viel Freundlichkeit, sie waren mit dem jungen Pastor sehr zufrieden, der in der Predigt immer sagte: „Wir, so sollten wir es haben usw." und der bei allerlei Festen und Vergnügungen mit ihnen zusammensitzen konnte beim schäumenden Glas — natürlich unter Wahrung des Dekorums . . . man besuchte gern den jungen Pastor in seinem Hause, wo man nicht mit Gottes Wort u. dgl. gelangweilt wurde, wo man mit einem guten Tropfen traktiert wurde, und wo man sich über alle möglichen irdischen Angelegenheiten gut unterhalten konnte. Aber der Herr wollte, mir sollte geholfen werden. Er klopfte auf allerlei Weise an, insonderheit gebrauchte er den Stab Güte . . . Da die liberale Theologie ja auf Erlebnisse, auf persönliche Erfahrungen dringt, das Subjektive betonend, wurde ich immer wieder gezwungen, mich nach solchen Erfahrungen und Erlebnissen in der Welt des Herzens umzusehen. Ich kam nicht zur Ruhe. — Da kamen Spurgeons Predigten in mein Haus. — Die freie Gnade wurde mir angeboten, und es kam ein seliger Abend, da das letzte Band zerrissen wurde, ich konnte das Evangelium annehmen, ich konnte mich fallen lassen in die Arme des Heilandes . . . Ich schmeckte die vergebende Gnade. Selbstverständlich wurde die Verkündigung und die ganze Arbeits- und Lebensweise überhaupt eine andere. Eine Zeitlang stand ich dann fast ganz allein, viele wurden meine Feinde um des Evangeliums willen; man schrieb in der Presse, man hätte den alten Menschen gewählt, mit dem neuen habe man nichts im Sinn . . ."

Zu den englischen Einflüssen kamen die dänisch-nordschleswigschen, besonders Kierkegaardsche Gedanken wirkten auf ihn ein und verstärkten seinen

Das „Bibelhaus" in der Malche bei Freienwalde erhielt ebenfalls Ende 1906 einen Hausgeistlichen, nämlich Huhn, bisher in Baudach. Ein neues Haus wurde gebaut, das alte zum 1. Juli 1907 zu einem Erholungsheim umgewandelt. Bis Ende Juni 1907 waren ca. 220 Schwestern durch das Bibelhaus gegangen, von denen 156 in Europa, 48 in Asien, 12 in Afrika, 2 in Amerika und 2 in der Südsee arbeiteten, und zwar ca. 30 in der Heidenmission, 32 im Dienst des „Deutschen Hilfsbundes für christliches Liebeswerk im Orient". In Deutschland arbeiteten 26 als Stadtmissionarinnen oder im Jungfrauenverein, 17 als Gemeindeschwestern oder in Kleinkinderschulen. Eigentliche Bibelhausschwestern gab es Ende 1906 ca. 40, 4 am 30. September abgeordnet.

Die genannten Häuser nahmen sämtlich teil an der jetzt entstehenden „Allianz-Diakonissenkonferenz", die zuerst am 4. bis 6. September 1906 in Berlin abgehalten wurde, und an der sich außerdem Baptisten, Methodisten, Albrechtsbrüder und freie Gemeinden beteiligten, auch ein Zeichen, wie sehr gerade die Schwesternhäuser der Gemeinschaftsbewegung Träger des darbystischen Allianzgedankens geworden waren.

Daß sich Miechowitz nicht beteiligte, lag wohl an der Zurückgezogenheit, in der hier die Arbeit noch immer getan wurde. Sonst scheint man auch hier den Gedanken der Erweckung sich durchaus geöffnet zu haben. Zweimal war 1905 Dolman dort, zuerst gelegentlich der Einsegnung von fünf Schwestern und dann zur Einweihung des neuen eigentlichen Schwesternhauses „Zionsstille". Damals gab es auch hier eine „Erweckung", und die Folge war ein schneller Zuzug von Schwestern, deren es bis dahin erst 50 waren. Auch von hier gingen Schwestern in die Mission, so 1905 eine nach Hongkong, 1906 weitere zwei.

Dazu kam jetzt eine ganze Reihe von Neugründungen auf Allianzboden. Diese wilden „freien" Gebilde waren ja nur die Konsequenz der darbystisch gedachten Allianz. Häufig waren es Eintagsfliegen, meist trugen sie faktisch den Charakter irgend-

---

Subjektivismus. Jetzt kam er in stärkere Berührung mit der östlichen Gemeinschaftsbewegung, deren darbystischen Ideen Kierkegaards Abneigung gegen alles Kirchliche sehr entgegenkam, und die in Cäcilie Petersen eine Vertreterin an seiner Seite hatte, die, wie ihre aktive Beteiligung an den Erweckungsversammlungen und ihr früheres Verhalten zeigt, der Schwärmerei sehr zugänglich war; vgl. auch ihre Mitteilung (in Glaubensgrüßen 1910 Nr. 1): sie habe in den Zeiten des Anfangs in Lichtenrade Dächsels Bibelwerk verkauft, das sie für die Hausandacht benutzte, „und seitdem hat es mir der Herr geschenkt, daß ich freier sprechen kann".

einer Sekte. Hierher gehören *) ein „Allianz-Diakonissenheim“ in Bremen, ein Schwesternheim „Cäcilie“ in Breslau und in Essen die Diakonissenanstalt „Trautes Heim“ des Gründers der Allianzzeltmission, Th. Duprée, der „weder mit der Kirche noch mit irgendeiner Denomination in Verbindung“, sondern „in Gottes Auftrage“ stand **).

Von den älteren Anstalten kam Jellinghaus' Bibelschule durch seinen Widerspruch gegen die darbystischen und Paulschen Gedanken jetzt, wo diese so im siegreichen Vordringen waren, geradezu in Not. Zwar nahmen 1906 noch 45 Brüder und 9 Schwestern an der Bibelschule teil, aber nun kam hinzu, daß Jellinghaus wieder schwer nervenkrank wurde, so daß er Ende des Jahres in eine Anstalt gebracht werden mußte. Ihn verfolgte der Gedanke, daß er mit seiner heilistischen Theorie Irrlehren verbreitet habe. Im einzelnen ist schwer zu entscheiden, was krankhaft war oder nicht. Offenbar hatte er aber einige falsche Positionen klar erkannt.

Schlimm war aber, daß nun seine Gegner aus der Bewegung ihn und sein Werk zu verdächtigen suchten, obwohl sie ihn zum Teil nicht einmal gelesen, geschweige denn verstanden hatten. So kam eine schwere Zeit für den Sohn, Dr. Paul Jellinghaus, der seines Vaters Werk in Verbindung mit Dr. Damerow und P. Klein fortsetzte, zumal vielfach auch die Geldquellen infolge der gegnerischen Angriffe versiegten. Der Kursus 1907 zählte nur 27 Brüder und 10 Schwestern.

Auch Haarbeck hatte ja die Gefahr der neuen Richtung erkannt, hatte, wie wir sahen, aber gehofft, die Einmütigkeit festhalten zu können, war auch vielleicht zu Anfang etwas unklar ***). Wieweit er freilich im einzelnen auf die radikalen Johanneumsbrüder eingewirkt hat, entzieht sich außerdem natürlich der historischen Forschung. Daß jedoch das ganze Ausbildungsprinzip an der Entwicklung so großen Anteil hatte, wie wir es bisher angedeutet haben, erkannte er auch jetzt nicht †). Seine Berufung auf Christlieb traf

*) Gerade wegen der völlig freien Stellung und ihrer oft nur kurzen Lebensdauer ist weder eine vollständige Aufzählung noch eine erschöpfende Darstellung dieser Bildungen möglich.

**) Organ „Trautes Heim“.

***) Wobei das Interessante anzumerken ist, daß Jellinghaus' Bibelschule von Haus aus Alliancharakter trug, während das Johanneum landeskirchlich war.

†) „Nun wird unserer Schule immer noch der Vorwurf gemacht, daß theologische Halbbildung die Gefahr des Hochmutes, der Selbstüberhebung erzeugt. Auf diesen Vorwurf hat schon Prof. Christlieb geantwortet. Er

dabei insofern keineswegs, als Christlieb an Eingliederung in den kirchlichen Organismus und also fortwährende Beaufsichtigung durch Theologen dachte. Daß dann ausgebildete Brüder Gründliches leisten, leugnet niemand.

1905 wurden 8, 1906 11 eingesegnet, 1906/07 waren 32 Brüder (und neun Gäste) in der Anstalt, 10 (und 4 Gäste) wurden 1907 eingesegnet. Im ganzen standen 1907 rund 100 Johanneumsbrüder in der Arbeit, davon nur 4 als Evangelisten, 54 Gemeinschaftspfleger, 21 Sekretäre und 15 Stadtmissionare. Christliebs Gedanken waren auch jetzt nicht erfüllt worden.

Die theologischen Lehrer neben den beiden Brüdern Haarbeck wechselten häufig. Dem Sohne Haarbecks (1904—1905) folgte P. Demandt (Siegerland), ihm Frühjahr 1907 P. Köhler (Sachsen-Altenburg). Als neue Kraft war Januar 1907 cand. v. Oettingen angestellt. Den Vorstand bildeten P. Müller-Barmen (Vors.), Rosenkranz-Barmen, Schrenk, Coerper, Herbst, Busch, Keeser, P. Kriekhaus-Elberfeld und A. H. Funke-Elberfeld und die beiden Haarbeck. Die Anstalt litt in diesen Jahren unter einer drückenden Garten- und Bauschuld, deren Verzinsung ein Defizit von mehreren hundert Mark verursachte.

Wie sehr die Chrischonabrüder den neuen, ihren independentischen Neigungen entgegenkommenden Allianzgedanken sich öffneten, haben wir gesehen. Im ganzen arbeiteten Ende dieser Periode 22 im Verbande der Chrischona stehende Brüder in Deutschland, insgesamt 228 dort ausgebildete.

Neukirchener Brüder arbeiteten 1907 49 in Deutschland, rechnet man Rubanowitsch und Mitarbeiter, einige Evangelisten der Reichsbrüder, Buchhandlungsangestellte, Kolporteure usw. ab, so verbleiben 37, die als Stadtmissionare, Evangelisten oder Prediger an freien Gemeinden arbeiten; doch kann ich nicht feststellen, welche zur außerkirchlichen und welche zur innerkirchlichen Gemeinschaftsbewegung zu zählen sind, zumal ja gerade ihre Tätigkeit vielfach sich auf der Grenze bewegte. 27 standen in Rheinland-Westfalen, 2 in Waldeck, 2 in Kurhessen, 3 im Nassauischen.

---

leugnet diese Gefahr keineswegs; er macht aber darauf aufmerksam, daß in der Hauptsache, in der Bibelkenntnis, unsere Bildung entschieden mehr als Halbbildung ist. Was aber die theologische Wissenschaft im eigentlichen Sinne betrifft, so erklären wir gerne, daß wir darauf einfach verzichten. Wohl werden an geeigneter Stelle unsere Schüler mit Resultaten theologischer Wissenschaft bekannt gemacht, dagegen fehlt ihnen selbstverständlich die Ausrüstung, um speziell wissenschaftliche Probleme selbst zu lösen. Unser Programm lautet also: nicht halbe Theologen, sondern ganze Bibelchristen!"

c) Sonstige Anstalten.

Aber nicht nur die Ausbildungsanstalten für Deutschland wurden so vielfach Träger der Allianzströmung, sondern auch die Anstalten für Äußere Mission wirkten, im Sinne jener Richtung, wie wir sahen, gegründet, jetzt naturgemäß erstarkend, ihrerseits wiederum als Brennpunkte der darbystischen Bewegung, so in Oberschlesien das „Slaven-Missionsseminar". Es begann Oktober 1905 seinen zweiten Kursus, 1906 wurden 5, 1907 (nach Beendigung des dritten Kursus mit 16 Brüdern und 3 Schwestern) 7 Brüder und 1 Schwester ausgesandt. In P. Johannes Urban wurde am 1. August 1906 ein eigener Missionssekretär berufen. Der Missionsbund für Südosteuropa und das Seminar verschmolzen mehr und mehr miteinander. Die erste eigentliche Sitzung des geschäftsführenden Ausschusses und Beirates des Missionsbundes fand im April 1907 in Kattowitz bzw. Brieg statt. Billig wurde für R. Urban*) Sekretär, M. Urban wurde als Leiter des Seminars von der Gemeinschaft gelöst. J. und M. Urban machten dann eine sechswöchige Missionsreise in den Osten.

Um die China-Allianz-Mission in Barmen sammelte sich ein Allianzverein**).

Wie Liebenzell geradezu ein Vorkämpfer des darbystischen Flügels in Württemberg wurde, werden wir noch sehen. Das Vereinsrecht wurde dieser Mission verweigert, so wurde sie Gesellschaft mit beschränkter Haftung unter dem Namen „Liebenzeller Mission im Verband der China-Inland-Mission". Das Verhältnis zu England wurde selbständiger. Am 28. April 1907 wurde ein neuerbautes Missionshaus eingeweiht. P. Horst-Mansbach legte sein Pfarramt nieder und wurde zweiter Lehrer an der Mission***). Angeschlossen wurde ihr jetzt die „Mission des Deutschen Jugendbundverbandes auf Deutsch-Mikronesien"†), für die der Jugendbund die Aufbringung der Mittel übernahm.

Unbedeutend blieb die Kieler Chinamission, die übrigens

---

*) Ging nach Eperiet im nördlichen Ungarn.

**) 1907 zählte sie zehn Stationen, 9 verheiratete und 2 unverheiratete Missionare, 6 Missionsschwestern, 300 Abendmahlsberechtigte. Einnahme 42511 Mk.

***) 1907 vier Stationen, 2 verheiratete, 7 unverheiratete Missionare, 9 Missionsschwestern. Einnahmen 98863 Mk. „Chinas Millionen" hatten eine Auflage von 9000.

†) Der erste, vom J.B. allein Ausgesandte trat in den Liebenzeller Verband ein. Juli 1906 wurden von Liebenzell aus Wiese und Seibold entsandt, 1907 folgten Mäder und Dönges, letztere für Truk, die ersteren auf Ponape, dazu kamen zwei Missionsschwestern. Einnahmen: 32778 Mk.

erlebte, daß sie ihre darbystischen Grundsätze in der Praxis modeln mußte. Wenigstens erklärte einer ihrer Missionare auf dem Jahresfeste 1906: „Evangelisation allein tut es nicht; es muß etwas mehr Gewicht auf Christianisierung gelegt werden." *)

Die Sudan-Pioniermission, die in Chrischona ausbilden ließ, konnte 1906 einen Missionsarzt mit Frau aussenden **). Die Gründung einer zweiten Station neben Assuan wurde geplant.

Anhangsweise sei hier erwähnt, daß von den 16 Missionaren der Kurku-Mission (s. oben S. 264) 1907 nicht weniger als die Hälfte deutsche Allianzgeschwister waren.

Der „Deutsche Hilfsbund für christliches Liebeswerk im Orient" verlor seinen theologischen Berufsarbeiter J. Lohmann (s. u.).

Andere Anstalten, wie Dolmans Judenmission, werden wir bei den einzelnen Landesteilen erwähnen. Hier sei nur eine Reihe von Erholungsheimen genannt, die jetzt stark sich mehrten. Auch hier war wohl der Selbständigkeitstrieb manches „Reichsgottesarbeiters" nicht unbeteiligt an der Gründung. Eben wegen ihrer gänzlich freien Stellung ist ihre Zahl schwer festzustellen. Von den ältesten, denen der Reichsbrüder, entwickelte sich Teichwolframsdorf unter Seitz weiter, Pr. Bahnau ging nach Blaichs Tode in andere Hände über. Bedeutenden Einfluß hatte Edels Pilgerheim bei Brieg. Das Gnadenheim Soislieden wurde nach Horsts Weggang nach Liebenzell der Reichsgottesarbeitervereinigung angeboten, zunächst aber wie bisher weitergeführt, Mehls Hensoltshöhe bei Gunzenhausen arbeitete dauernd mit Unterbilanz. Neu entstand z. B. Taborshöhe bei Baden (Hannover) auf Allianzgrundlage, ferner am 1. Mai 1905 „Pniel" in Zinnitz im Zusammenhang mit dem Christlichen Verein für Frauen und Mädchen, ebenfalls der Allianzrichtung angehörig, sowie 1907 Zemitz bei Buddenhagen (Vorpommern) unter Evangelist Weisenbacher, für das Köhler und Kühn Gaben annahmen. Unbekannt ist mir die Gründungszeit von „Lydda" in Fleestedt bei Hittfeld (Hannover). Sonst erwähne ich noch (die meines Wissens schon älteren) Elim in Oberndorf (Wittgenstein), Hohegrete bei Hamm (Sieg) und Ottenstein in Hausdorf.

---

*) 1906 waren 2 Missionare zurückgekehrt, so blieben noch 2 Stationen mit 3 Missionaren und 1 Missionsschwester. Auch der Leiter des Werks in China trat 1907 aus. Eine Station wurde bei den Unruhen in China ausgeplündert. Einnahmen ca. 15000 Mk.

**) Danach 2 Missionare, 1 Arzt und 1 Missionsschwester. Einnahmen: 21 791 Mk. Frau P. Ziemendorff † 1905.

d) Zeitschriften und Liederbücher.

(Wacht und Auf der Warte — Philadelphia, Wahrheit in der Liebe und Friedenshalle — „Wilde“ Blätter — Licht und Leben — Die neuen Liederbücher.)

Eine noch größere, schier unübersehbare Flut waren die Gemeinschaftszeitschriften geworden. Sehen wir von den einzelnen an den betreffenden Stellen aufgeführten Organen ab, so ist hier zunächst zu erwähnen das Ende der „Wacht“, jenes den „Eisenachern“ nahestehenden Blattes, das Ende 1905 sein Erscheinen einstellen mußte, worüber das Allianzblatt seine Freude nicht verhehlte. Der Wucht der Erweckung gegenüber, der es vielleicht am kritischsten gegenübergestanden hatte, mußte es weichen. Sein Konkurrent „Auf der Warte“ kam freilich zunächst auch nur langsam voran. Seit Anfang 1906 traten zu E. Lohmann und Bernstorff, der seinerseits finanziell erheblich zuschießen mußte, als Herausgeber Fabianke, Henrichs, Hering-Uderwangen, Holzapfel, Krawielitzki, Regehly, Schenk und Vetter, bald auch Wittekindt, die seit 1907 im Namen eines „Christlichen Schriftenbundes“ zeichneten. Schon diese Namen zeigen, daß die ostdeutsche Richtung jetzt in dem Blatte dominierte. Inzwischen hatte auch Christiansen Oktober 1906 die Schriftleitung übernommen, der, wie wir sahen, in jener Zeit ebenfalls den neuen Einflüssen sich geöffnet hatte. Doch gelang es seiner Redaktion und der Rührigkeit der Firma Ihloff, die gleichzeitig den Verlag übernommen hatte, das Blatt von knapp 1500 Abonnenten rasch zu heben. Juni 1907 waren es 2400 Abonnenten. Erschwert wurde der Aufschwung wohl nur durch seinen Preis, der durch die wirklich reiche Ausstattung bedingt war. Billige, ja wohl gar umsonst bzw. gegen Erstattung der Portokosten versandte, sonst auf demselben Boden stehende Blätter nahmen einen raschen Aufschwung, wie „Israels Hoffnung“, während das nüchtern altpietistisch redigierte „Philadelphia“ sich mit Mühe hielt, obwohl es ebenfalls an Mittellose umsonst abgegeben wurde. Es war zu kirchenfreundlich gehalten*) und forderte zu viel geistige Anstrengung. Nüchternem Denken aber war die siegreiche Strömung nicht gerade günstig.

Übrigens litt darunter offenbar auf der anderen Seite auch „Wahrheit in der Liebe“ von Warns, der schon 1907 sein Blatt in Selbstverlag nehmen mußte.

Bernstorffs „Friedenshalle“ wurde nach ihres Gründers Tode im Juli 1907 ganz mit dem Gemeinschaftsfreund vereinigt.

---

*) So freute es sich des unten zu erwähnenden bayrischen Erlasses und der ebenfalls noch zu besprechenden Mecklenburger Konferenzbeschlüsse (1907 Nr. 2).

An wilden Neugründungen fehlte es auch in dieser Zeit nicht. Interessant für die Harmlosigkeit, mit der man in Gemeinschaftskreisen jedem entgegenkam, den man als „bekehrt" ansehen zu müssen meinte, ist dabei der Zusammenschluß der Urbans mit von Schmidtz-Hofmann zur Herausgabe der Zeitschrift „Der freie Christ". Bereits 1907 wurde mitgeteilt, daß Regehly und M. Urban ihre Beziehungen zu ihm gelöst hätten*).

Diese wilden Zeitschriftsgründungen bildeten jetzt auch häufiger das Rückgrat von freien Unternehmungen, als sogenannte „Schriftenmissionen", d. h. Kolportagegründungen; so entstanden 1906 die „Heimatklänge" der „Christlichen Schriftenmission Berlin-Friedenau", die durch angestellte „Missionsschwestern" verbreitet wurden. Die Schwestern wurden auch für Krankenpflege verwendet.

Ebenfalls 1906 erschien „Der heilige Krieg", Organ der „Golgatha-Mission" in Wandsbek, einer freien Anstalt, die meines Wissens Arbeitslosen helfen wollte.

Das Vorbild aller dieser Blätterunternehmungen war der Kriegsruf der Heilsarmee.

Das wichtigste — und erfreulichste — Ereignis auf dem Gebiete der Gemeinschaftszeitschriften war aber der völlige Übergang von „Licht und Leben" an die Evangelische Gesellschaft. Am 1. April 1906 gab Dammann die Schriftleitung auf. Die Evangelische Gesellschaft übertrug sie Busch (damals noch in Elberfeld, dann in Frankfurt). Doch wurde mehr und mehr Gauger der eigentliche Leiter des Blattes. Die Haltung wurde jetzt klarer die des rheinischen Altpietismus, wie ihn auch die Evangelische Gesellschaft vertrat**). Vom Allianzblatt wurde es darum angegriffen.

---

*) Später stellte sich heraus, daß dieser Pseudobaron Brepohl hieß. Auch von der Altfreundeliste, auf die er, ohne je D.C.S.V.er gewesen zu sein, geraten war, mußte er gestrichen werden.

**) Als Richtlinien für die Herausgabe wurde festgestellt, das Blatt habe „einzutreten für die Verkündigung des Evangeliums innerhalb der Landeskirche auf Grund der reformatorischen Bekenntnisschriften nicht bloß durch die ordinierten Diener der Kirche, sondern auch durch Laienarbeit.

Von diesem Standpunkt aus begreift und beurteilt unser Blatt alle Vorgänge im Reiche Gottes. Dabei wollen wir ein weites Herz haben. So wenig wir unsern eigenen Standpunkt aufgeben und zur Farblosigkeit herabsinken wollen, so wenig muten wir anderen Erscheinungen zu, in unseren Formen einherzugehen, um von uns anerkannt zu werden. Vielmehr wollen wir mit weitschauendem Verständnis alles das würdigen, was Gott tut in allen Landen, Sprachen und Denominationen.

‚Licht und Leben' soll also den Allianzstandpunkt einnehmen im Sinn gesunder Föderation, nicht im Sinn nivellierender Union.

„Die künftige Richtung dieses Blattes wird nun wohl eine mehr kirchliche werden“, schrieb es in einer längeren Notiz, in der die Hoffnung ausgesprochen wurde, daß, wenn Dammann wieder stärker werde, seine „Stimme noch einmal, wenn auch nicht mehr durch ‚Licht und Leben‘, so doch durch andere Blätter erschallen werde“. Dabei schien es die Sache so darzustellen, als ob Dammann, vor allem seine Familie, mit dieser Änderung nicht einverstanden sei; doch überstand das Blatt den Wechsel ohne jeden Rückgang und wurde nun mehr und mehr der Stützpunkt der mehr altpietistisch gerichteten Gemeinschaftsleute im Deutschen Verbande (abgesehen von den Süddeutschen).

Auf der anderen Seite gewannen die „Sabbathklänge“, deren Redaktion Modersohn auch in Blankenburg beibehielt, immer stärkere Bedeutung als Stütze des darbystischen Flügels.

Auch neue Liederbücher brachte die Erweckung, die ja als eine „singende“ charakterisiert war. Wie einst in der Oxfordbewegung mit der Heiligungs- und Evangelisationsbewegung die Lieder aus England-Amerika herübergeströmt waren, so auch jetzt, und zwar in auffallendem Parallelismus wiederum Heiligungslieder und Evangelisationslieder, die ersteren aus der eigentlichen Bewegung in Wales, deren Charakter und Phraseologie („Beuge mich!“) tragend, die letzteren meist von Alexander, dem neuen Sankey.

Speziell „Lieder aus der Erweckungsbewegung in Wales“ brachte „Krönt ihn!“ Von W. H. Jude. Übersetzung von Frances S. R. (in Ihloffs Verlag). Die Sammlung enthält 23 Lieder, zum Teil solche, die auch in Sankeys Gospel Hymns schon stehen*), dann aber auch welsche Lieder, wie das berühmte „Diolch Iddo“ („Preist ihn“), „Lieblich sangen Morgensterne“, mit ihrem eigenartigen Rhythmus und fast schwermütigem Klange. Das Heft hat — offenbar wegen seiner Schwierigkeit — wenig Anklang gefunden.

Sehr viel tiefer steht der „Rettungsjubel“**) (Verlag der Dolmanschen Anstalt in Wandsbek), der gleichwohl eine zweite Auflage erlebte. Es fehlt nicht an geradezu albernen Liedern. Von den 255 Liedern stammen 14 aus Alexanders „Revival

---

Der Geschichte von ‚Licht und Leben‘, der Zusammensetzung des Leserkreises und auch der Aufgabe der Evangelischen Gesellschaft entspricht es, daß das Blatt ganz besonders die Gemeinschaftssache zu pflegen hat; diese Hauptaufgabe darf aber nicht so weit führen, daß andere Reichsgottesgebiete vernachlässigt werden.“

*) Im ganzen 10, darunter das ziemlich geringwertige „Throw out the Life-Line!“, z. T. aber mit klangvolleren Melodien.

**) Vgl. die erfreulich scharfe Kritik in L. u. L. 1907 Nr. 28.

Hymns", mindestens ebenfalls 14 aus Sankeys oft genannter Sammlung. Leider ist bei kaum einem anderen Hefte die Verfasserangabe so unvollständig. Doch sind nach dem Vorwort*) offenbar noch eine ganze Reihe, wenn nicht die Mehrzahl, englischen Ursprungs. Die Übersetzung ist durchweg nicht gerade gut.

Entschieden besser sind die Übersetzungen in den „Blankenburger Liedern". Auch Blankenburg veranstaltete nämlich jetzt eine größere Liedersammlung von 129 Nummern, die sich vielfach mit denen des „Rettungsjubels" decken. Dem Charakter Blankenburgs entsprechend sind mindestens 61 englischen Ursprungs (40 aus den Gospel Hymns, 5 von Alexander, auch Diolch Iddo fehlt nicht), wahrscheinlich noch mehr, zumal aus dem „Rettungsjubel" übernommene. Dazu kommen dann eine ganze Reihe in der modernen deutschen Bewegung entstandene, allein 9 von Kühn, 4 von Dora Rappard, 3 von Johanna Meyer, 2 von Gebhardt, auch Traub und Paul sind vertreten. Nur wenige ältere deutsche Lieder sind aufgenommen, meist pietistischen Ursprungs (12)**).

Der 1906 gehegte Plan des Deutschen Verbandes, ein Gemeinschaftsliederbuch herauszugeben (s. o. S. 480), kam nicht zur Ausführung. Die Reichslieder behaupteten ihren Platz.

Außerdem entstanden jetzt mehr und mehr kleine Sammlungen zum Privatgebrauch einzelner Gemeinschaften bzw. Evangelisationen, wie die „Heilslieder für die Versammlungen der Allianz-Zeltmission", deren 84 Nummern sämtlich den Reichsliedern entnommen sind, fast sämtlich englischen oder sonst neuen Ursprungs, ganz wenige sind älter.

---

*) „Unserm herrlichen Heiland zum Lobe und Preis wurden die Lieder im ‚Rettungsjubel' gewählt, übersetzt und herausgegeben." „Unsern herzlichen Dank den englischen Herausgebern Mr. Marshall, Mr. Morgan, Mr. Kirkpatrik, Mr. Alexander, Miß Rose, Mr. Forrest und vielen anderen, welche uns bereitwillig ihre Lieder zur Verfügung stellten. Herzlichen Dank auch den beiden teuren Schwestern, welche mit vieler Hingabe und unter vielem Gebet die Lieder übersetzten und druckfertig machten."

**) Anmerkungsweise seien auch erwähnt die Notenbeilagen von „Auf der Warte" seit 1906 Nr. 41, meist abwechselnd Erweckungs- und Heiligungslieder, vielfach englischen Ursprungs, aber auch, wohl infolge der Beziehungen Christiansens, manches Dänische enthaltend.

3. Die Entwicklung in den einzelnen Gebieten des Deutschen Verbandes infolge der Erweckung.

a) Der Osten.

α) Schlesien.

(Konferenz und Brüderrat — Oberschlesien — Mittelschlesien — Niederschlesien — Oberlausitz — Allianz und Landeskirche — Der kirchliche Verband — Die Anstalten.)

Innerhalb des Verbandes war die Führung des darbystischen Ostdeutschlands mehr und mehr Schlesien zugefallen. Die XI. schlesische Konferenz (25. bis 28. Sept. 1905, „Merkmale des neuen Lebens") war durch den oben beschriebenen Ausbruch der Erweckung „die herrlichste von allen bisherigen geworden", auf der XII. (24. bis 28. Sept. 1906, „Die Herrlichkeit des Kreuzes Christi") war Paul Hauptredner. Während der Brieger Woche 1905 gewann der Brüderrat „Freudigkeit, den Herrn um fünf neue Arbeiter zu bitten". Anfang 1907 waren es ca. 30 Brüder und 20 Schwestern (meist Vandsburgerinnen). 5 Anstalten, 10 eigene Häuser und ca. 40 gemietete Räume waren vorhanden, und in ca. 200 Ortschaften bestanden regelmäßige Versammlungen*). Der Gesamtbrüderrat bestand 1907 aus folgenden von den Unterverbänden gewählten Deputierten: Bild, Edel (Brieg), Wehler (Oppeln), v. d. Recke-Oberwitz, Supernumerar Baltzer (Neiße), Lohe (Neustadt), M. Urban und Meister-Kattowitz und Holzmann-Königshütte (Industriebezirk) (diese alle für Oberschlesien); für Mittelschlesien: Regehly (Vorsitzender), Geh. Oberregierungsrat Dr. Michaelis, Eisenbahnbetriebssekretär Janke und Fabrikant Köhler für Breslau, Pätzoldt für Saarau, P. Leßmann-Münsterberg, Engel und Lehrer Wandersleben-Hausdorf, R. Urban-Striegau für den Gebirgskreis, Bohnke-Kreuzburg, Hermes-Oels und Ackerbürger Stahr-Militsch für den „Rechte-Oder-Ufer-Kreis"; für Niederschlesien: P. Klose-Lüben, P. de le Roi-Ottendorf, Kusch-Liegnitz für den mittleren Teil, Friemel-Glogau für den Nordteil, Töpfer für den Gebirgskreis; für die Oberlausitz: v. Wiedebach-Nostiz auf Thiemendorf, v. d. Nahmer-Schönberg, Thiemann-Marklissa, Schmidt-Ruhland, Wüsten-Görlitz. Als Vertreter besonderer Reichsgottesarbeiten wurden kooptiert: P. J. Urban (Missionshaus Kattowitz), Lehrer

*) Wirkliche Gemeinschaften gab es aber nach einer anderen Zählung 1907 nur 73 (18 niederschlesische, 16 Oberlausitzer, 16 mittel- und 13 oberschlesische).

Kunisch-Hermsdorf (schlesische Lehrergemeinschaft), Eisenbahnsekretär Leuchtmann-Breslau (schlesische Eisenbahner), Generalsekretär Leusen-Breslau (C. V. J. M.) und Weisenbach-Grünberg (Blaues Kreuz). Den geschäftsführenden Ausschuß bildeten Regehly, Pätzoldt, Bild, Edel, Klose und Wüsten.

In Oberschlesien blieb Brieg die bedeutendste Gemeinschaft (1905 250—300 eingeschriebene Mitglieder, eigene Diakonisse, Erweiterungsbau des Hauses 1905). Daneben trat besonders Kattowitz durch sein Missionsseminar (s. u.*). Hier kam es zu einer Zeitschriftenfehde mit der Landeskirche, deren Wirken und Entgegenkommen Urban sehr herabgesetzt hatte**). In Neustadt wurde am 11. Februar 1906 ein Haus eingeweiht, am 5.—7. Oktober eine Konferenz abgehalten. Die Mitglieder in Neustadt waren zwar meist arme Schuster und Weber, aber Auswärtige, zum Teil Barmer Freunde, gaben jährliche Beihilfen. Die Gemeinschaft (unter Lohe) war organisiert als E. V., ebenso Oppeln, wo Wehler Friemels Nachfolger wurde und ein eigenes Haus am 30. September 1906 eingeweiht werden konnte. Im Anschluß daran fand am 1. bis 3. Oktober 1906 die I. oberschlesische Konferenz statt, auf der besonders Modersohn redete. Neue Gemeinschaften entstanden in Tarnowitz und Myslowitz.

Kreuzburg, das jetzt zum „Rechte-Oder-Ufer-Kreis“ des mittelschlesischen Zweiges rechnete, hatte im März 1906 seine erste Konferenz; von der im Oktober 1906 stattfindenden hieß es: Hauptredner: „Der Herr.“ Thema: „Und er ging in den Tempel.“ Im übrigen fanden die Konferenzen für das rechte Oderufer in Öls statt (IV. 10. bis 12. Nov. 1906). Neue Gemeinschaften entstanden hier 1906 in Namslau, Wohlau und Trebnitz. Für den Gebirgskreis fanden Gemeinschaftsfeste in Hausdorf statt (z. B. 26. Aug. 1906). Auch die alten Feste auf dem Rummelsberge (s. o. S. 216) wurden neubelebt. Das erste dortige Gemeinschaftsfest (24. Aug. 1905) war von ca. 400 Personen aus Breslau, Oppeln, Neiße, Münsterberg, Nimptsch, Gnadenfrei und Reichenbach besucht. Der Schwerpunkt lag aber in Breslau, wo infolge der Erweckung von 1905 die beiden bisher uneinigen Gemeinschaften unter Regehly sich vereinigten als „Vereinigte Christliche Gemeinschaft“ mit ca. 500 Mitgliedern, 3 Berufsarbeitern und 2 Diakonissen. Kubisch sagte sich jedoch 1906 von den Ostdeutschen los, weil dort „alles nach einem Schema“ gehe***) und gründete in der Adalbertstraße

*) Außer den Urbans arbeiteten hier Meister und Meusel.

**) Vgl. Reformation 1906 Nr. 11.

***) Vgl. seinen Brief an Keller (Auf dein Wort 1906 Nr. 11).

einen eigenen Saal. Doch scheint diese Arbeit wieder eingegangen zu sein. Daneben bestand noch eine „Christliche Missionsgemeinschaft innerhalb der Landeskirche", die sich der vereinigten Gemeinschaft nicht anschloß, sondern später Anschluß an den kirchlichen Verband suchte. Die „Vereinigte Gemeinschaft" war organisiert, von den freundschaftlichen Mitgliedern, die „mit Ernst Christen sein wollten", waren geschieden die tätigen („bekehrt, bewährt, begehrt"), etwa 100 an der Zahl. Sonntagsschule und Blaukreuzarbeit wurden betrieben, letztere selbständig in eigenem Lokal. 1907 wurden außer Regehly Weissenbach, Bierhaus und cand min. Schiller von der Gemeinschaft besoldet. Der Etat betrug 15000 Mk. Man erhoffte nun einen größeren Saal und ersehnte einen neuen Geistesdurchbruch. Von Breslau aus wurde auch auf dem rechten Oderufer gearbeitet, ebenso in Maltsch, wo eine kleine Gemeinschaft von 30—40 Personen entstand (Konferenz 28. März 1907). Münsterberg bekam 1906 ein Haus.

In Niederschlesien versammelten sich in Glogau am 13. Januar 1906 zum ersten Male fünf Seelen, im Dezember wurde die Arbeit offiziell begonnen. Friemel kam von Oppeln hierher, unter dem die Arbeit schnellen Aufschwung nahm. Hatte man anfangs ein Zimmer für 40 Personen gemietet, so baute man sich 1907 schon die gemieteten Räume zu einem kleinen Saal für 150 Personen um. Am 15. April 1907 wurde die Gemeinschaft organisiert und die ersten 30 Geschwister aufgenommen. Winzig, Linden, Neusalz und Freystadt gliederten sich an. Überhaupt begann man jetzt im Norden Niederschlesiens intensiver zu arbeiten. In Grünberg konnte 1905 ein junger Bruder (Hamernik von Chrischona) stationiert werden, der freilich 1907 wegen Krankheit wieder wegging*). Die Gemeinschaftsarbeit in Sagan dagegen erlitt „schmerzliche Unterbrechungen durch menschliche Schuld und Untreue". 1907 scheint dort alles aufgelöst gewesen zu sein. Ebenso drohte in der Heidegegend alles unterzugehen, da Kusch**) von Liegnitz aus sie nicht versorgen konnte. Hirschberg war einige Zeit von Wüsten-Görlitz bedient, der auch im christlichen Erholungsheim Bethanien zu Warmbrunn wöchentlich Bibelstunden hielt. Vom 12. bis 17. Dezember 1905 veranstaltete dann der schlesische Brüderrat eine Evangelisation in Hirschberg. Regehly, Edel, M. Urban und Töpfer sprachen, und letzterer wurde dabei dort stationiert. 1906 gründete er bereits einen Blaukreuzverein, Januar 1907 mußte ein eigener Raum für die Gemeinschaft gemietet werden,

---

*) II. Grünberger Konferenz 8. bis 10. Dez. 1906.
**) Der seinerseits jetzt ganz vom Brüderrat übernommen wurde.

nachdem bis dahin größere Versammlungen in einem Hotel, kleinere in Töpfers Wohnung stattgefunden hatten. An Außenorten wurden 1907 von Hirschberg aus bedient: Schmiedeberg, Hohenwiese, Zillerthal-Erdmannsdorf und Warmbrunn. Kunnersdorf fiel an den kirchlichen Verband, dem der Nachfolger P. J. Urbans, P. Held, angehörte. Die I. Hirschberger Konferenz fand vom 17. bis 19. April 1906 *) statt. In Landshut entstand 1906 eine Gemeinschaft. Die niederschlesische Konferenz fand 1905 (18.—20. Nov.) in Lüben statt, 1907 (17.—19. März) in Glogau (Bedeutung des Todes Christi für uns heute).

Noch geringer war das Gemeinschaftswesen in der Oberlausitz. Selbst in dem Hauptorte Görlitz zählte Wüsten nach zehnjähriger Arbeit nicht viel über 100 Bekehrte. Die dort im Mai stattfindende Oberlausitzer Konferenz behandelte 1906 1. Joh. 3, 1905 hatten unter anderem Dolman und Rubanowitsch geredet. Der Oberlausitzer Zweig hielt auch mit der übrigen Lausitz Verbindung.

Die Stellung zur Landeskirche war durch die Erweckung nicht besser geworden. Man beschränkte jetzt nicht einmal mehr die Gemeinschaft auf Angehörige der Landeskirche, behauptete freilich gleichwohl „innerhalb der Landeskirche" zu stehen. Überall waren vielmehr Allianzgebetsstunden, Allianzmonatsstunden usw. entstanden **), und das ostdeutsche Zelt hatte dabei getreulich geholfen.

Eine solche Allianz-Grenzkonferenz wurde in Mittelwalde eingerichtet, an der sich übrigens auch der „Kirchliche Verband" beteiligte. Dieser war 1905 auf einer von den mittelschlesischen und niederschlesischen kirchlichen Gemeinschaften abgehaltenen Konferenz in Gnadenberg gebildet (12. bis 14. September 1905, „Das Leben im Glauben", II. Hauptkonferenz 19. bis 21. September 1906, „Das Wirken des heiligen Geistes"). 1907 schloß sich aber auch der „Kirchliche Verband" seinerseits an den Deutschen Verband an. Der Vorsitzende (P. Müller-Habelschwerdt) trat in das Gnadauer Komitee ein. Im übrigen blieb die Arbeit des Verbandes doch ziemlich beschränkt. Oktober 1905 hatte man einen Gemeinschaftspfleger angestellt. Im Januar 1906 gehörten in Niederschlesien Gemeinschaften in Bunzlau, Haynau, Hohestein, Hirschberg, Jauer, Kreibau, Langenau, Löwenberg, Liegnitz, Schreiberhau zum Verbande. Konferenzen wurden 1905 in Haynau und Löwenberg gehalten. 1907 zählte der Gesamtverband ca. 100 per-

---

*) Töpfer gibt Gemb. 1908 Nr. 32 offenbar irrig 1907 an.

**) Einzelheiten s. in meiner Schrift: Die innere Entwicklung usw. S. 11 ff.

sönliche Mitglieder und 19 Gemeinschaften mit fünf Berufsarbeitern, davon vier in Mittelschlesien. Der Vereinsgeistliche des Provinzialvereins hielt 1907 131 Evangelisationsvorträge.

Stützen des darbystisch gerichteten „Bundes" blieben die verschiedenen Anstalten der schlesischen Gemeinschaftsbewegung, wie das „Zufluchtsheim Pella" bei Lüben*), Eigentum des dortigen Vereins des Blauen Kreuzes (E. V.), jetzt unter Kloses Vorsitz, das Krüppelheim „Bethesda" in Marklissa, das 1906 eine Villa, „Emmaus" genannt, geschenkt erhielt für noch nicht schulpflichtige Krüppelkinder, deren Besitzerin zugleich dort Oberin wurde**), das Pilgerheim in Brieg und die Hausdorfer Waisenhäuser.

β) Posen.

(Das Vordringen der darbystischen Richtung — Der Brüderrat — Die Reichsbrüder.)

In Verbindung mit Schlesien blieb Tirschtiegel, wo Anfang November regelmäßig Konferenz gehalten wurde (III. 1905, „Das neue Leben in Gott", IV. 1906 über 1. Kor. 1, 30). Lassen die Themata schon darauf schließen, daß hier die Heiligungsfrage eine Rolle spielte, so wurde Posen selbst ein Brennpunkt darbystischer Gedanken. Trat doch der Leiter Großmann geradezu aus der Landeskirche aus. Die Gemeinschaft hatte bald über 100 Mitglieder. Ein Saal für 3000 Mk. wurde gemietet (8. April 1906), ein zweiter Evangelist neben Großmann angestellt (Conrad 1906). Großmann gab ja freilich seine Stellung Januar 1907 auf, um zur Zeltmission zu gehen, aber sein Nachfolger Ruprecht, damals Magdeburg, wandelte in seinen Bahnen***).

---

*) Hier wurde jetzt auch der Tabak verboten. „Durch die Erlaubnis des Rauchens haben wir unzweifelhaft früher die Bekehrung und dauernde Rettung der uns anvertrauten Seelen aufgehalten" (Gemeinschaftsbote 1906 Nr. 4).

**) 1907 im ganzen 49 Bewohner in der Anstalt. Vorstand: P. Thiemann, Fr. v. Pirch (Oberin), Fr. Thiemann, v. Hippel-Langenöls, P. v. d. Nahmer, P. Schmidt-Ruhland, P. de le Roi-Ottendorf.

***) Seine Gedanken finden wir z. B. in einem Aufsatze „Unsere Gemeinschaften im Lichte der Schrift und der Erfahrung" (Gemb. 1907 Nr. 6 ff.). Eine Bibelstunde etwa, „wo Bekehrte und Unbekehrte, Erweckte und Fernerstehende sich zum Gehör des Wortes Gottes zusammenfinden", ist „keine Gemeinschaft im biblischen Sinn". „Eine Gemeinschaft ist nach dem Wort unseres Heilandes Matth. 18, 20 da, wo zwei oder drei und mehr Seelen im Namen Jesu zusammenkommen, wo also er selbst in der Mitte ist und als der eigentliche Gemeinschaftsleiter fungiert. Es ist klar,

Eine Allianzkonferenz fand auf Ruprechts Einladung vom 11. bis 14. Juni 1907 statt. Der Hilfsprediger an der Lazaruskirche, Spemann, legte sein Amt nieder und ging an eine freie Gemeinde am Niederrhein. Es scheint, als habe der Brüderrat die Entwicklung der Posener Gemeinschaft schon damals nicht ganz unbedingt gebilligt. Wenigstens beschloß man am 11. Oktober 1906 in Rogasen auf der Generalversammlung des Gemeinschaftsbundes, alle Brüder vom Brüderrat aus anzustellen, da so die Stetigkeit der Arbeit am ehesten gewahrt werde. Schmolke scheint zeitweilig den Vorsitz niedergelegt zu haben. Er übernahm ihn wieder am 10. April 1907. 1906 bildeten Schenk, Menge, Liptow und Großmann das Geschäftskomitee.

Im allgemeinen mußte der Berichterstatter 1906 in Gnadau selbst zugeben: Es fehle an den leitenden selbständigen Persönlichkeiten. „Außer den mitarbeitenden Pastoren und Lehrern steht der Gemeinschaftsarbeit kaum ein gebildeter Mann nahe." „Auch hat manchmal die feste Leitung gefehlt."

---

daß nach diesem Wort jeder Unbekehrte von der Gemeinschaft ausgeschlossen ist." Gegenwärtig wirke nun der Geist „nicht nur versammlungs-, sondern gemeinschaftsbildend im Sinn der Schrift, weil es ihm um die Herausgestaltung des Leibes Christi, um die Zubereitung der Braut des Lammes auf den Tag der Erscheinung ihres Hauptes und Bräutigams zu tun ist". Das Vorbild ist ihm die Pfingstgemeinde als „eine vom heiligen Geist selbst organisierte Gemeinschaft, deren Richtlinien sehr einfach und verständlich waren". Die Gemeinschaft organisieren bedeutet ihm „feststellen, wer eigentlich zum Volke Gottes an einem Ort gehört und wer nicht". „Die Kinder Gottes haben nach der ganzen Schrift ein biblisches Recht, sich untereinander, getrennt von Unbekehrten, zu versammeln." Zu erkennen sind die „wahrhaft Gläubigen" daran, daß sie, auch ohne Aufforderung, „das tiefe Bedürfnis zu engerem Zusammenschluß und besonders zu Gebetsgemeinschaften haben". Bestimmte Richtlinien und Satzungen haben nach ihm schon die Apostel ihren Bekehrten gegeben. Die Apostel haben auch Älteste entsprechend den jetzigen Brüderräten eingesetzt, die entweder allein „oder mit einem vom Herrn dazu besonders ausgerüsteten und legitimierten Bruder die Gemeinden leiteten". Denn bei aller Anerkennung des allgemeinen Priestertums halte die Schrift doch an Ämtern fest. „Wir brauchen also auch in unsern Gemeinschaften Gemeinschaftsleiter oder -pfleger, die vom Herrn berufen und ausgerüstet, den Dienst am Worte tun und Seelsorge üben" (d. h. also, die Gemeinschaftspfleger, die man unter Berufung auf das allgemeine Priestertum als Laienprediger neben das Pfarramt gestellt, fangen an, sich als geordnetes Amt von den Laien zu scheiden!). Die Leitung der Gemeinschaft kann nach R. übrigens auch einmal eine Schwester haben.

Der Brüderrat sah sich auch genötigt, vor einem Zuviel an Konferenzen zu warnen. Von ihm aus gingen die Konferenzen in Posen (14. bis 17. November 1905, „Das Werk des heiligen Geistes"; 10. bis 14. Dezember 1906, Redner: Paul, Edel, Krawielitzki, Menge), Nakel (XIII. 12. bis 14. Juni 1906, XIV. wieder gleich nach Ostern 9. bis 11. April 1907, „Unsere Gemeinschaft mit ihm"), Samotschin (II. 5. bis 7. Dezember 1905, „Jesus unser Vorbild"; hier im Sommer auch Gemeinschaftsfest, das vierte am 24. Juni 1906) und Bromberg (III. 12. bis 13. Februar 1906, IV. 17. bis 20. Februar 1907)*). Der Brüderrat hatte 1906 fünf Brüder. Als Gemeinschaftspfleger für die Provinz wurde der Johanneumsbruder Heyn angestellt. Die Geschäftsstelle des Brüderrates wurde von Bielawy nach Mrotschen („Verein für Innere Mission", O. Busalla) verlegt. Gemeinschaftshäuser bzw. Säle gab es 1907 in Posen 13, von denen jedoch keiner dem Gemeinschaftsbunde gehörte. Älter waren die Säle in Nakel, Netztal, Grenzdorf, Mrotschen, Hohenwalde, Massel bei Rawitsch und Margonin. Bromberg weihte seinen neugebauten Saal am 17. Februar 1907 ein, Samotschin am 14. Juli 1907 und Kolmar am 11. November 1906**). Hier fand auch am 2. und 3. April 1907 zuerst eine Konferenz statt.

Bei den Reichsbrüdern förderte die Erweckungs- und Allianzbewegung, der sie beistimmten in der Hoffnung, daß dadurch „das eine wahre Kirchentum, die eine biblische Gemeinschaft der Heiligen" zur Darstellung gebracht werde (Brdb. 1905 Nr. 22), den Verlust des eigenen Gepräges, mochten sie auch von der Brüderratsarbeit in Posen getrennt bleiben. In Posen-Stadt hatten sie zwei Gemeinschaften (St. Lazarus und Wilda); auch ihre Konferenzen dort (im Februar und Himmelfahrt) hielten sie gesondert, an denen sich das Konsistorium (1907 Hesekiel, Alberts und Balan) weiter beteiligte. Andererseits hatten sie 1907 Bernstorff für die Leitung in Aussicht genommen, der dann freilich erkrankte. Neben Seitz sprachen Kmitta und Haarbeck, auf den Glaubensversammlungen 1905 in Bentschen Paul. Zur Verwischung ihrer Eigenart trug vor allem auch die immer stärkere Anstellung von Berufsevangelisten aus Neukirchen und dem Johanneum bei. Von

---

*) Außerdem fanden Konferenzen statt in Lindenwald (Dezember 1905, „Werdet voll Geistes"; Redner: Paul, Menge und Großmann), Gnesen (Oktober 1906, „Die Bedeutung des Kreuzes Christi") u. a.

**) Außerdem sind wohl mitgezählt die Säle in Posen, Tirschtiegel und Bentschen.

den acht 1907 im Dienste des Reichsbrüderbundes arbeitenden Brüdern standen, soviel ich sehe, sechs in Posen*).

γ) Ostpreußen.

(Allgemeine Allianzgedanken — Der Brüderrat und die beginnende Zersetzung — Die Konferenzen — Die Kukatianer.)

Auch in Ostpreußen, wo die Arbeit der Reichsbrüder scheinbar keine weitere Ausbreitung erfuhr, verwischten sich alte Unterschiede. Kmitta, der Chrischonabruder, z. B. verheiratete sich am 10. Dezember 1906 mit Schwester M. Schönsee in Pr. Bahnau und übernahm seinerseits das Erholungsheim, das er freilich am 27. April 1907 an das Wandsburger Brüderhaus verkaufte zur Übergabe am 1. Oktober 1909. Aber solche Grenzverschiebungen bedeuteten hier mehr ein allgemeines Aufgehen in Allianzgedanken als eine feste Ordnung etwa unter dem Brüderrat.

Dieser scheint vielmehr in dieser Zeit nicht gerade an Bedeutung gewonnen zu haben. Sein Vorsitzender v. Below starb Karfreitag 1906. Ihm folgte Chr. Urbschat-Hela. Nur zwei Evangelisten standen 1906 in seinem Dienst, von denen der eine damals fortging, weil er sich gar nicht hatte einleben können (wohl Geiken, erst 1905 von Chrischona gekommen). Man mußte klagen über den „Mangel an klarstehenden, festgegründeten Evangelisten". Doch konnte man immerhin einige anstellen, so Antonowitz, 1907 Geyer (bisher Brieg) und als Kolporteur und Stundenhalter Trumpeit-Budwethen. Auch durch Übernahme von Gemeinschaftshäusern auf den Namen des Gemeinschaftsbundes, der eingetragener Verein geworden war, suchte man die Bewegung einheitlicher zu organisieren. Aber von den 15 Häusern und Sälen, die man 1907 zählte, waren doch nur wenige Eigentum des Gemeinschaftsbundes, so z. B. das in Eichmedien, das Ende 1906 eingeweiht wurde, der 1907 in Heinrichswalde eingeweihte Saalbau und der in Fürstenwalde 1907 geplante**). Auch schlossen sich keineswegs alle neu entstehenden Gemeinschaften dem Bunde an. Allerdings konnte in Allenstein 1907 Geyer stationiert und ein als Markthalle geplanter Keller zum Versammlungsraum gemietet werden. In Tilsit hatte der Gemeinschaftsbund 1906 zuerst eine Arbeit begonnen. Der dortige Blaukreuzverein spaltete sich an der Frage

---

*) In Posen (Hartmann [Joh.] und Fritz), Rawitsch (Dowidat [Neuk.]), Bentschen (Kuhl [Joh.]), Ostrowo (Micklich).

**) Abgesehen von den bereits früher errichteten bzw. übernommenen wie in Osterode und Pilkallen (s. o. S. 333).

des Anschlusses an den kirchlichen Blaukreuzverband. Basel evangelisierte dort und begann so mit dem abgesplitterten Teil eine Gemeinschaft. 1907 konnte dann Antonowitz mit diesem Blaukreuzverein II in die sogenannte Kalweitsche Kapelle*) übersiedeln. Aber die Insterburger Gemeinschaft, die seit Anfang 1907 von Amiszus gepflegt wurde und bereits einen Hausbau plante, lehnte den Anschluß an den Brüderrat ab, ebenso Dittbrenner, der Gemeinschaft und Blaukreuzverein in Lyck selbständig übernahm. Zwar hoffte man, daß sich die bisherige freie lutherische Gemeinde in Insterburg bald dem Gemeinschaftsbunde mit ihrer Kirche anschließen werde, aber auch diese Hoffnung trog. Ob die um diese Zeit in Angerburg entstehende Gemeinschaft mit Blaukreuzverein und J.B. zum Gemeinschaftsbunde gehörte, ist nicht ersichtlich, desgleichen die 1906 in Bartenstein erwähnte kleine, aber lebendige Gemeinschaft unter Kreisbaumeister Utsch und einem Chrischonabruder.

Selbst die Königsberger Gemeinschaft machte sich unter Basel unabhängig vom Gemeinschaftsbunde. Sie hatte sich rasch entwickelt. Aus dem Mietssaal in der Freystraße zog man schon im Herbst 1905 in den Stadtmissionssaal. Am ersten Jahresfest beschloß man den Hausbau. Ein Grundstück für 230 000 Mk. wurde gekauft (Steindammer Lavendelstraße 1c), am 15. August 1906 der Grundstein gelegt, am 16. Dezember Einweihung gehalten. Zirka 52 000 Mk. kostete der Saalbau, der ca. 1000 Personen faßte. Neben Basel trat Kreuz zur Versehung der Arbeit**). Auch die älteren Chrischonabrüdergemeinschaften hatten sich doch offenbar selbständig gehalten, wenn auch, soweit ich sehe, der alte Verein für Innere Mission in Ost- und Westpreußen so gut wie verschwunden war; geblieben war um so mehr die Neigung der Brüder zu independentischer Selbständigkeit.

Das mußte gefährlich werden, wenn einmal trennende Gedanken aufkamen, jetzt blieb es noch verborgen in der allgemeinen Allianzstimmung, wie sie besonders auf den Konferenzen herrschte, vor allem auf der Königsberger. Auf der VIII. (24. bis 27. Oktober 1905, „Die Fülle des heiligen Geistes") brach unter der Leitung Tiele-Winklers die Erweckung aus, das Abendmahl wurde in freier Weise ohne Anwendung von Formularen gefeiert. Auf der IX. (23. bis 26. Oktober 1906, „Das Volk Gottes") konnte

*) Über diesen mehr als Separatisten anzusehenden Litauer vgl. Gaigalat a. a. O. S. 32.

**) Außer Basels Gemeinschaft und der der Reichsbrüder gab es noch eine landeskirchliche Gemeinschaft Philadelphia in Königsberg (s. die Anzeigen im Gemb. 1906).

v. Viebahn erklären: „Das Volk Gottes hat sich auf seine Einheit besonnen.“ Außer ihm sprachen v. Gerdtell, Modersohn, Paul, Regehly. Es war eine ausgesprochene Allianzkonferenz geworden*). Ebenso zog in Tilsit der Allianzgedanke siegreich ein. Modersohn, der Vertreter Blankenburgs, evangelisierte an verschiedenen Orten und redete auf Konferenzen zum Teil mit Regehly. Es wurden regelmäßig wiederholt die Konferenzen in Tilsit (IV. 21. bis 22. Oktober 1905, „Die Macht der Gnade“; V. 20. bis 22. Oktober 1906, 1. Kor. 1, 30, Redner: Kraunus, Modersohn, Regehly), daran anschließend in Goldap (III. 1906, „Wie kommt der Herr zu seinem Recht?“)**) und in Lyck (III. 1906, „Die Autorität des heiligen Geistes“). In Osterode war die erste Konferenz (ebenfalls im Oktober) 1905 („Der völlige Erlöser“), auf der II. (28. bis 31. Oktober 1906) redeten Paul und Volkmann über „Geistesgaben und Geistesfülle“.

Unberührt von aller Allianz, im Gegenteil ihr geschworener Feind blieb Kukat. Doch mehrten sich die Klagen, daß der Friedensbote verdrängt werde, die Streitigkeiten und Parteien im Vereine wüchsen. „Man will die Grund- und Glaubenslehre sowie die Ordnungen und Besprechung der Brüder nicht nachkommen“ (Frdb. 1907 Nr. 20). Eine besondere Konferenz der Königsberger wurde 1907 mit Kukats Zustimmung eingerichtet.

δ) Westpreußen.

(Wandlungen und Ausbreitung der Arbeit — Die beginnende Zersetzung — Stellung zur Landeskirche.)

Die bekanntlich von Anfang an als Allianzkonferenz gehaltene Danziger Konferenz hatte früher „nie so recht ziehen“ wollen. Unter dem Einflusse der Erweckung konnte von der VIII. (6. bis 9. Februar 1906, „Das Werk des heiligen Geistes“) berichtet werden: „Diesmal hat der Herr gesiegt“ (IX. 5. bis 8. Februar 1907, „Die Freude am Herrn ist unsere Stärke“). Auch der Zionspilgerbund war von der Erweckung ergriffen. Auf dem Jahresfest von 1906 gab es „ganze Gebetsstürme“. Der Bund wurde aufgelöst, „weil sich im Laufe der Zeit allerlei Elemente in demselben angesiedelt hatten, die je nach der Partei, zu welcher sie sich hingezogen fühlten, für dieselbe wirkten“. Eine Neugründung fand

---

*) In geringerem Maße war sie es immer gewesen, insofern ist die Bemerkung in meiner Schrift „Die Innere Entwicklung usw.“ S. 15 nicht richtig.

**) Hier gab es damals noch keine eigentliche Gemeinschaft.

statt, doch scheint aus dem — allerdings recht unklaren — Berichte Wolffs (Auf der Warte 1906 Nr. 9) hervorzugehen, daß er fortan keine abgeschlossene Gemeinschaftsorganisation mehr bildete. Wolff verließ dann auch Westpreußen (s. u.). Der Saal wurde vom Brüderrat erworben. Hier arbeiteten Wiese und Aumann. So hatte man in Danzig zwei „landeskirchliche Gemeinschaften" (Paradiesgasse und Heilige-Geist-Gasse), dazu in Danzig-Ohra P. Niemanns Arbeit. Andere Hauptstützpunkte der Arbeit waren jetzt Thorn (Dörflinger, Haus), Graudenz (Herrmann, neuer Saal, Ende 1906 eingeweiht), Konitz (Beier, 1907 Haus geplant), Jeschewo (Nagel, 1906 Haus gebaut), Preußisch-Stargard (Zimmermann, I. Konferenz 8. bis 10. Januar 1907, „Heilsgewißheit"), dazu die Ausgangspunkte der Bewegung in Elbing und Marienwerder, Vandsburg und Zempelburg. Dazu kamen kleinere Orte, die von diesen aus bedient wurden, wie Briesen von Thorn aus, Löbau von Strasburg (neuer Saal eingeweiht 3. November 1907).

Aber hier wie in Ostpreußen bedeutete dies Wachsen der Arbeit in der Erweckungszeit und ihrer Allianzbegeisterung nicht ohne weiteres eine Stärkung des Brüderrates. Mochten auch die älteren Organisationen wie Zionspilgerbund und Verein für Innere Mission sich auflösen, Die Chrischonabrüder ordneten sich doch auch hier der Provinzialorganisation nicht fest ein, und durch ihre besonderen Brüderkonferenzen für Ost- und Westpreußen*) wuchs auch hier nur die independentische Neigung der einzelnen Brüder.

War es Krawielitzkis Persönlichkeit, die in dieser Zeit den Zusammenhang noch aufrecht erhielt? Neben der Motzkusschen Gemeinschaft in Elbing war jedenfalls die Vandsburger die bedeutendste in Westpreußen. Hier fanden im Herbst die mehrtägigen Glaubensversammlungen statt, auf denen 1905 die Erweckung ausgebrochen war. Hier entstand neben dem Schwesternhaus 1906 das schon lange geplante Brüderhaus (s. o.), dessen Vorsteher Lange aus Jeschewo dorthin übersiedelte.

Die Stellung des Brüderrates zur Landeskirche kennzeichnet ein Artikel des Schriftführers Niemann: „Die evangelische Landeskirche im Todeskampf" (Reformation 1906 Nr. 11).

Alle Anstrengungen, eine Besserung herbeizuführen, seien „nichts anderes als die letzten verzweifelten Todeszuckungen eines sterbenden Organismus", denn sie habe „die Grundlagen, auf denen sie einst ins Leben

*) So 1905 im Mai in Memel, 1906 im Herbst in Rastenburg. Im ganzen arbeiteten in dieser Zeit acht Chrischonabrüder (außer Kraunus und Szidat) in Ost- und Westpreußen: In Elbing (2), Marienwerder, Preußisch-Holland (Dodschuweit), Preußisch-Bahnau, Memel, Heiligenbeil, Rastenburg.

getreten ist, verlassen." Vor allem sei das Gemeindeprinzip aufgegeben, wonach einerseits ein klarer Unterschied zwischen Weltkindern und Gotteskindern sei, andererseits die Gemeinde aus der Gemeinschaft der Gläubigen bestehe. „Es ist vielleicht die Hauptursache des Todes der evangelischen Landeskirche, daß sie nicht ernst gemacht hat mit dem Grundsatz der Reformation: Die Kirche ist die Gemeinde der Gläubigen und alle die, welche nicht durch eine persönliche Bekehrung Kinder Gottes geworden sind, sind für sie nicht gleichberechtigte Glieder, sondern Gegenstand der Mission" *).

ε) Pommern.

(Die Gesamtlage — Störungen durch die Zeltmission — Ausdehnung der Arbeit.)

Selbst Fabianke-Stettin schrieb 1906 ziemlich scharf gegen die Kirche in der „Reformation", obwohl er, wie schon erwähnt, besonnener war als der Vorsitzende des Brüderrates, Meyer-Ravenstein. Dieser begünstigte natürlich die Ausbreitung der Erweckung, der Gedanken von Allianz **), Geistestaufe usw. „Bekenntnisse" waren auf den Versammlungen an der Tagesordnung, auf denen übrigens vielfach Paul redete, so in Stralsund, auf der Konferenz in Köslin (28.—31. Januar 1906, „Werdet voll Geistes") und sonst. Auf der Frühjahrs-Stundenhalterkonferenz von 1906 in Stargard verhandelte man über Geistestaufe und völlige Reinigung, auf der des nächsten Jahres über „Auferbauung des Leibes Christi", „Allianz

*) Für Niemanns sonstige Anschauung vgl. Reform. 1905 Nr. 21: Bis Jesus wiederkommt, wirkt er in der Welt durch den heiligen Geist, der in denen, die ihn empfangen haben, (schon hier) ein völlig neues Leben zustande bringt, vermöge dessen der Mensch die Sünde überwinden kann. Einzige Bedingung ist die Glaubenshingabe an den Herrn. Apgsch. 8 zeigt, „daß jemand äußerlich aufrichtig gläubig sein kann, auch getauft und also mit Recht zur äußern Christenheit gehörig und doch vom Herrn noch nicht anerkannt, weil noch nicht mit dem heiligen Geist begabt". Erst der Empfang des heiligen Geistes ist „ein gültiges Zeugnis dafür, daß Gott uns als seine Kinder anerkannt hat", und zwar als „ein besonderes Erlebnis, dessen man sich bewußt sein muß". „Sie erlebten das in der ihnen unmittelbar zuteil werdenden Gewißheit der Errettung." — Zur Auswirkung des neuen Lebens in den Gläubigen ist Gemeinschaft nötig, der „Zusammenschluß derer, die durch die Evangelisation zu einem persönlichen Erleben Gottes . . . gelangt sind". Es hat sich zu betätigen durch den „Bruch mit jeder erkannten Sünde", klare Scheidung von der Welt auch in bezug auf die Mitteldinge und tatkräftiges Eintreten in die persönliche Arbeit des Seelenwerbens für den Herrn und Unterstützung aller damit zusammenhängenden Reichsgottesarbeit.

**) Die Allianzkonferenz in Gollnow blieb bestehen, scheint aber nicht besonders großen Einfluß geübt zu haben.

und Gemeinschaft" und „Freiheit der Kinder Gottes". Auch mit Viebahn stand man auf gutem Fuße, während man doch vor der Propaganda des Darbysten Lieberenz (s. o. S. 329) immer wieder warnte. Dazu fing die Abendmahlsfrage an, die Gemüter zu beunruhigen. Allerdings mahnte Meyer hierin dringend zur Besonnenheit. Dennoch kam es in Stargard zur Spaltung. Hier hatte es 1905 eine kleine Erweckung gegeben. Die Gemeinschaft erreichte die Zahl von 170 Mitgliedern, auch von denen, die zunächst sich von der Arbeit zurückgehalten hatten, traten mehrere ein. Da kam das ostdeutsche Zelt und die Errichtung des Zelthauses. Nach Rappes Bericht haben die Zeltbrüder freikirchliche Ideen eingetragen. Bald fing man an, im häuslichen Kreise Brot zu brechen. Als Rappe dem entgegentrat, ging man damit ins Zelthaus. Endlich kam es zum offenen Bruche. Paul selbst und Meyer baten die Abendmahlsleute, etwa für ein Vierteljahr die Feier zu unterlassen. Aber nur die Hälfte ging darauf ein. Endlich traten nach zwei Jahren das Stargarder Brüderratsmitglied und 14 Gemeinschaftsglieder aus. Die Gemeinschaft war schwer geschädigt.

Auch in Stettin richtete das östliche Zelt 1905 Verwirrung an. „Mit großer Liebe und Erwartung wurde es von unserer Gemeinschaft aufgenommen. Es ging nach mehr als achtwöchigem Wirken mit einer Schuld belastet von uns. In unsere bis dahin stille, einmütige und sehr gesegnete Evangelisationsarbeit hatte es unbiblische Heiligungslehren und nervöse Spannung gebracht und damit viel Not und großen Schaden, der durch eine verhältnismäßig kleine Zahl Neubekehrter nicht aufgewogen worden ist*)". Spaltung entstand, die Postabteilung ging darüber zugrunde.

Doch ging im allgemeinen die Arbeit des Brüderrates voran. Nach dem in der vorigen Periode erwähnten Rückgange stieg die Zahl der arbeitenden Brüder 1907 auf 15**). Besonders in Vorpommern drang man vor. Im April 1905 konnte man die erste vorpommersche Konferenz in Demmin halten („Das neue Leben aus Gott"). In Stralsund, wo jetzt ein Evangelist stationiert wurde***), bildete sich eine organisierte Gemeinschaft, die freilich „durch allerlei Engen und Drängen" mußte. Ende 1905 folgte

---

*) Vgl. meine Schrift „Die Innere Entwicklung usw." S. 5 f.

**) Krüger und Lehnhardt-Stettin, Steinborn-Dramburg, Kreling-Pyritz, Kotz-Stralsund, Gehrmann-Schlawe, Toewe-Neustettin (1906), Rößler-Pasewalk (1905), Hoff-Köslin, Rappe-Stargard, Schwarz, Bunte und Heckel-Stolp, Jantz-Rummelsburg, Kuhr-Demmin.

***) Zuerst Gebert bis zu seinem Ausscheiden 1906.

der zweite Evangelist in Pasewalk. Hier evangelisierte im Februar 1906 Volkmann, in Stralsund fand nach Pauls Evangelisation die II. vorpommersche Konferenz statt (25./26. Februar 1906, „Weisheit von Gott"), in Demmin, wo 1906 Bührmann evangelisierte, konnte dann der dritte Evangelist angestellt werden. Die III. vorpommersche Konferenz fand 1907 in Pasewalk statt („Das Geheimnis des Sieges"). Demmin hatte im November 1906 sogar schon einen Saal „Pniel" einweihen können*).

Überhaupt wurden in den Jahren 1905 und 1906 eine ganze Anzahl Häuser bzw. Säle in Pommern eingeweiht, meist auf den Namen des Brüderbundes. In Stettin selbst kam es nur zum Kauf eines Bauplatzes (Brüderbund), dafür aber wurde dort vom Brüderrat in Gemeinschaft mit „Kinderheil" ein Rettungshaus für Trinkerinnen im Oktober 1905 begonnen (Elim). Auch größere Konferenzen fanden hier wieder statt (15.—17. Febr. 1906). Ein Saal wurde gebaut in Pyritz (1907, Brüderbund); in Kolberg begann man 1906 wenigstens einen Fonds zu sammeln. In Köslin war der Bau auf dem früher überwiesenen Grundstück (s. o. S. 330) nicht genehmigt. So erwarb man 1905 ein anderes (Einweihung 14. Oktober 1906, Brüderbund). Dramburg konnte am 18. November 1906 einweihen, Vorbruch bei Polzin schon 1905, Gr.-Poplow 1906 (Brüderbund), Bärwalde Mai 1907, Neustettin Oktober 1906. Mit Ausnahme des äußersten Ostens war ganz Pommern jetzt mit Evangelistenstationen und Sälen besetzt. Zirka 150 Gemeinschaftskreise zählte man, wobei freilich auch die losesten Versammlungen mitgerechnet sind.

ζ) Die vereinigten Brüderräte.

Die „Vereinigten Brüderräte" traten wenig an die Öffentlichkeit. Sie betrachteten den Gemeinschaftsboten als ihr Blatt und übertrugen 1907 Regehly die eigentliche Leitung, während die „Gottestaten" im April 1906 zuletzt erschienen. 500 Mk. wurden dem neuen Brüderhause überwiesen; auch war eine ärmere Gemeinschaft in der Lausitz von ihnen unterstützt.

So war der Osten jetzt vollständig im Banne der von der Erweckung emporgetragenen Paulschen und darbystischen Gedanken. Zugleich drang die Gesamtbewegung unter dem neuen Impuls

---

*) Als man 1906 eine Evangelisation abhalten wollte, wurde der bereits gemietete Saal vom Besitzer verweigert. Da baute ein Bürger den Saal Pniel und vermietete ihn an die Gemeinschaft (Sabbathklänge 1908 Nr. 13).

kräftig weiter vor, aber schon begann hier und da eben infolge dieser neuen zum Independentismus neigenden Gedanken auch eine Erweichung, ja Zersetzung der Provinzialorganisationen. Anders ist das Bild, das die auf dem älteren Gnadauer Boden stehenden Landes- bzw. Provinzialorganisationen in dieser Zeit bieten.

b) Die sonstigen fest organisierten Gebiete des Deutschen Verbandes.

α) Brandenburg und Berlin.

Der neue Gemeinschaftsverband — Der märkische Brüderrat — Das Verhältnis des märkischen Brüderrats zum Gemeinschaftsverbande, zur Landeskirche und zur Allianzströmung — Sonstige Gemeinschaften — St. Michael — Westend — Südost — Die Gemeinschaften in Rixdorf — Allianzgemeinschaft und Gemeinschaft des Nordens — Salems Arbeit im Norden und sonstige Gemeinschaften.)

In Brandenburg entwickelte sich ein neuer Verband, indem der Frankfurter und der Lohmannsche Kreis sich zusammenschlossen. Wohl durch Lohmanns Einfluß nahm er eine Sonderstellung ein, wie er sich auch nicht den vereinigten ostdeutschen Brüderräten anschloß, dem sonst der Frankfurter Kreis angehört hatte. Dieser hatte seine Arbeit besonders in der Niederlausitz ausgedehnt. In Kottbus wurde am 1. Oktober 1905 ein eigener Evangelist (Diercks) angestellt; am 1. Juli 1906 fand die I. Konferenz dort statt, vom 30. Juni bis 2. Juli 1907 die II. („Die Herrlichkeit des Kreuzes Christi"). In Lübben arbeitete seit 1906 der Zögling der Allianzbibelschule Beidermieden. Im Berichte derselben hieß es, daß auch die Wenden des Spreewalds nach der einfachen göttlichen Wahrheit und nach biblischer Gemeinschaft verlangten. Die Konferenz in Frankfurt blieb die bedeutendste dieses Kreises (VII. 20.—23. Februar 1906, „Jesus Christus der Gekreuzigte und das Wort vom Kreuz"). Die VIII. (19.—21. Februar 1907, „Christus der Mittler des Neuen Bundes") war allein von ca. 150 Auswärtigen besucht. Ein „freudiger Gebetsgeist" herrschte. Überhaupt war man hier auf die Erweckungs- und Allianzgedanken eingegangen. Im Oktober 1905 waren in Frankfurt besondere „Glaubensversammlungen" veranstaltet. Neben der Frankfurter Gemeinschaft bildete den festen Stützpunkt das Bibelhaus in Freienwalde. Lohmann rief mit S. Braune zusammen auch die erste Königsberger Konferenz ins Leben (16./17. April 1906, „Ostergewißheit und Osterarbeit").

Am 1. Mai 1907 gründeten dann 22 Vertreter des Frankfurter und Freienwalder Kreises den „Gemeinschaftsverband der

Provinz Brandenburg", konstituierten sich als Vorstand und wählten als Arbeitsausschuß v. Patow-Zinnitz (Vors.), C. Lohmann (stellv. Vors.), Huhn-Freienwalde (Reiseprediger und Schriftführer), Depdolla-Sonnenberg (Kassierer), Evers-Rixdorf, Heydorn-Frankfurt, Geh. Revisor Müller-Charlottenburg. Es schlossen sich an: Rixdorf, Charlottenburg (Trinitatisgemeinschaft in der Schillerstraße), Eberswalde, Freienwalde und Umgegend, Königsberg (Neumark) und Umgegend, Frankfurt a. O. und Umgegend, Nahausen, Reppen, Baudach, Kottbus und Umgegend, Drieschnitz, Spremberg und Umgegend, Zinnitz, Lübben, Luckau, Gießmannsdorf, Sommerfeld, Ober-Ullersdorf, Beeskow, Fürstenberg a. O., Ströbitz, Sonnenberg, Werben und andere Spreewälder Gemeinschaften. Der Verband stellte sich, wie ja auch schon die Aufnahme Beiderwiedens zeigt, auf Allianzboden. Das war jedenfalls auch ein Grund der Sonderorganisation neben dem märkischen Brüderrat. Die Hauptsache waren aber wohl persönliche Fragen.

Eine Gemeinschaft ging dabei geradezu vom märkischen Brüderrate zum neuen Verbande über, nämlich Eberswalde. Hier war ja Wrase 1907 freier Evangelist geworden. An seine Stelle berief die Gemeinschaft, die auch ein eigenes Haus hatte, P. J. Lohmann (bisher Frankfurt a. M. als Sekretär des deutschen Hilfsbundes), unter dem sie zum Gemeinschaftsverbande überging.

Die Arbeit des Brüderrats ging aber auch voran. In der Priegnitz stellte man einen zweiten Sendboten an, so daß nun Peter in Wittenberge und Reimann in Pritzwalk arbeitete. In Potsdam wurde am 16. Juni 1907 Nabia Joseph als Evangelist für die dortigen vereinigten Gemeinschaften eingeführt. In Königswusterhausen, wo am 10. März 1907 ein Saal eingeweiht wurde, wurde Stuhlert, in Vietz für einen Teil der Neumark Liptow stationiert, beide unausgebildet, der eine aus der Danziger Gemeinschaft, der andere aus der Michaelsgemeinschaft vom Gesundbrunnen, bis dahin Maurer. Auch zwei Kolporteure (in Arnswalde und Köpenick) wurden 1907 angestellt und endlich für Wriezen a. O., zugleich als Reiseevangelist, der uns bekannte C. A. Wolff aus Danzig. So zählte der Brüderrat mit den bereits früher angestellten Stachelhaus-Strausberg und Lach-Brandenburg 1907 im ganzen zehn Angestellte. Bührmann war aus dem Dienste des Brüderrates ausgeschieden, wohnte jetzt in Oranienburg, wo er eine Arbeit an Waisenkindern begann, und evangelisierte in verschiedenen Gegenden, besonders in Rheinland und Westfalen, auch in Ostpreußen, und zwar zum Teil in Verbindung mit den Kukatianern, was zur Folge hatte, daß der ostpreußische Gemeinschaftsbund ihn optima forma desavouierte (Gemb. 1906 Nr. 47). Bührmann gehörte dabei nach wie vor dem märkischen Brüderrate an; außer ihm bildeten 1907 Pückler, Dr. Wilke=Westend, Diettrich=Berlin, P. Doenitz=Tempelhof, Rathmann=Perleberg und Friese=Küstrin den engeren Brüderrat. Die Gemeinschaft an letzterem Orte war besonders aufgeblüht und bildete mit Fürstenwalde und den oben als Sendbotenstationen genannten Orten die Hauptstützpunkte der Brüderratsarbeit. Wriezen, Küstrin und Fürstenwalde konnten 1907 Säle einweihen. In Nowawes evangelisierte Dr. Wilke. Die märkische Konferenz fand weiter im Februar in Berlin statt (1906: „Die Kraft des Blutes Christi", „Gliedschaft am Leibe Christi" und „Wie eine Gemeinschaft zu handhaben ist"; 1907: „Ein Werk zu Gottes Ehre"). Die letztere war „sehr gut besucht und gestaltete sich am Schluß zu einer begeisterten Sieges= und Jubelversammlung". Rührend ist der Bericht über die Vorstandssitzung nach Gründung des anderen Brandenburger Verbandes, der doch für den märkischen Brüderrat und speziell für Pückler eine Zurücksetzung bedeutete: „Es wurde mehrfach betont, daß es wohl Gottes Wille sei, daß gerade in unserer Mark zwei Brüderräte existierten. Der allseitige Wunsch war der, daß wir uns doch recht lieb haben möchten" *). Genau so ehrlich freundlich blieb Pücklers Stellung zur Landeskirche in der Überzeugung, daß man nichts zum Schein sein dürfe, sondern, wenn man landeskirchlich heißen wolle, es auch sein müsse. Freilich drang auch in seine Arbeit der moderne Allianzgedanke. Lehrreich ist dabei Landsberg, wo der Brüderrat mehrfach gearbeitet hat, wo es aber scheinbar zu bleibendem Bestande nicht kam. Im dortigen Jünglingsverein wurde etwa 1904 ein kleiner Kreis von Mitgliedern des Bundes vom Weißen Kreuz durch „die Gegenarbeit eines modernen Vikars . . ., der z. B. sagte: ‚Einen Satan gibt es nicht, das Buch Hiob ist märchenhaft' usw., zum Austritt veranlaßt". Dann kam Blecher dorthin, und nach einem Vierteljahr zählte die junge Gemeinschaft ca. 40 Seelen. Aber ein halbes Jahr später „kamen durch Gründung der evangelischen Gemeinschaft unliebsame Trennungen vor, wobei auf allen Seiten gefehlt worden ist". Bis zur Allianzgebetswoche 1907 blieb es so. „Doch der Geist Gottes kann auch auf dem härtesten Boden Wunder wirken." Baptisten, Albrechtsleute, Heilsarmee, Brüdergemeinde und Gemeinschaft hielten nun Allianzversammlungen und Heiligungsgebetsstunden. Die Gemeinschaft wollte ein Haus kaufen, aber nach späteren Berichten scheint sie auch jetzt noch keinen Bestand gehabt zu haben.

---

*) Wie schwer andererseits die Absplitterung empfunden wurde, zeigt die Einladung zur Konferenz: „Er segne euch und gebe euch und uns Freude und gnädige Erhörung in einer Zeit sichtender Heimsuchung."

Die sonst in der Neumark vorhandenen Reste der Brüderdiaspora kamen auch weiterhin in Driesen mit den Gemeinschaftsleuten zusammen (III. Konferenz 25./26. Mai 1905, „Geist oder Fleisch").

Die 1906 aus Blechers Versammlungen hervorgegangene Gemeinschaft in Friedrichshagen (ca. 40 Glieder), die 1907 einen eigenen Saal einweihte, scheint nur Beziehungen zum Jugendbunde gehabt zu haben.

Die Michaelsgemeinschaft konnte 1907 (29. September) den Neubau am Wedding einweihen, wo bis dahin infolge des Fehlens des alten Saales die Arbeit zurückgegangen war. Auch in der Koppenstraße krankte die Arbeit. Im ganzen zählte man auf den zwölf Arbeitsplätzen*) 1906 1610, 1907 1700 „Mitglieder", so daß also die Steigerung auch jetzt eine sehr langsame blieb. Die Auflage des St.-Michaels-Boten war auf 2800 gesunken, die des Kleinen St.-Michaels-Boten auf 2700 gestiegen. 84 Versammlungen fanden wöchentlich statt, neun Sonntagsschulen waren von 2000 Kindern besucht, das Zufluchtsheim November 1906 bis April 1907 von 40 Mädchen. Eine Kaffeestube in Moabit war neu gegründet (1906), als die am Wedding geschlossen war. Ebenso war dort eine Herberge weggefallen, die andere in der Koppenstraße zählte 1907 31560 Logiergäste. Höfesingen wurde von den Gemeinschaften Chausseestraße, O und Christophorus betrieben, im Sommer wurden Versammlungen im Freien N Barfußstraße, NO Landsberger Allee, SW Tempelhofer Feld und N auf dem Grundstück des Generalkonsuls Borchard Koloniestraße (seit 1906) gehalten. Das Budget war auf 52000 Mk. gestiegen**). Pücklers Mitarbeiter waren 3 Evangelisten (Hochwald, Stüwe, Manitz), 1 Sekretär (Kreuter, seit Anfang in der Gemeinschaft tätig), 4 Bureau- und Gemeinschaftsarbeiter, 2 Hausväter, 3 Damen.

An die Spitze der Gemeinschaft Westend-Charlottenburg trat nach Bernstorffs Tode Dr. Wilke; neben ihm arbeiteten seine Frau, zwei Brüder und zwei Schwestern. Von den verschiedenen Stationen***) waren 1907 die drei älteren Gemeinschaften organisiert, Nauen teilweise, Spandau nicht. Im ganzen gab es ca. 150 eingeschriebene Mitglieder, davon ca. 100 am Spandauerberg. Auf dem Hause lasteten noch Schulden.

---

*) N am Wedding (Dalldorfer Str. 24), N Gesundbrunnen (Buttmannstr. 2), N Chausseestr. 17, O Koppenstr. 5, NO Friedenstr. 1, SW Gneisenaustr. 4, Lichtenberg Hubertusstr. 51, Friedenau-Wilmersdorf Bernhardstr. 4, Schmargendorf Sulzaerstr. 13, Schöneberg Feurigstr. 37, Pankow Brehmestr. 62, NO Landsberger Allee 53/4.

**) Darunter Zuschuß der Leitung 1907 29373,92 Mk.

***) Spandauerberg 2, Holtzendorffstr. 10, Halensee, Nauen, Spandau.

SO Lausitzerstraße 24 verlor einen Berufsarbeiter (Matern), der in seinen irdischen Beruf zurücktrat (Kaufmann). Die Ersparnis machte es möglich, noch Räume am Kottbuser Ufer 35 hinzuzumieten speziell für Jugendarbeit. 1906 zählte die Gemeinschaft 98 eingeschriebene Mitglieder. Ein schwerer Verlust war auch für sie der Tod Bernstorffs. Sie trat in engere Verbindung mit der Arbeit in Rixdorf „Haus Gotteshülfe" (Ziethenstraße 15). Eine Konferenz zur Vertiefung des geistlichen Lebens fand hier vom 12. bis 16. November 1906 statt (wiederholt 1907). Der Anschluß an den Gemeinschaftsverband ist erwähnt. Die Stellung der Gemeinschaft geht auch daraus hervor, daß hier neben Evers ein Bruder aus der Allianzbibelschule arbeitete (Ohligschläger).

Mit der Evangeliumshalle Sarepta scheint es in dieser Zeit rückwärts gegangen zu sein. Sie zählte 1906 48 Mitglieder und hatte ein Defizit von 132 Mk.

Aus dem Schwesternheim der Vandsburger in der Allianzgemeinschaft Charlottenburg (Schlüterstraße)*), die monatliche Allianzgebetsstunden einrichtete und den darbystisch gerichteten W. C. M. Springer zu Vorträgen berief, entwickelte sich eine neue Arbeit, indem R. Volkmann von dort aus mit einem Kreise von Theosophen und Spiritisten zusammengeführt wurde, die sich bekehrten und ihren Saal im Norden Berlins nun Volkmann zur Verfügung stellten, der dort evangelisierte und auch ein Kinderheim eröffnete (11. Dezember 1905). Die Arbeit wuchs so, daß diese „Gemeinschaft des Nordens" noch einen zweiten Raum (Schönhauser Allee) einrichtete.

Ebenfalls im Norden begann im Winter 1906/07 das Diakonissenhaus Salem in Lichtenrade durch die Oberin und P. Christiansen den Versuch, im „Theater für Allerlei" Evangelisationsversammlungen zu halten. Der Erfolg soll anfangs stark gewesen sein. Als aber nach einer Pause im März wieder begonnen wurde, blieb der Saal fast leer; erst die letzten Versammlungen waren besser besucht. Für den Sommer wurde ein kleines Lokal für Sonntagsschule, J. V. und Evangelisation gemietet.

Den Anschluß der Charlottenburger Gemeinschaft in der Schillerstraße an den Gemeinschaftsverband haben wir erwähnt. Sie und die Heilandsgemeinschaft taten ebenso wie die Evangelisch-kirchliche Gemeinschaft des Ostens Andreasstraße, wie die Markus-Andreas-Gemeinschaft jetzt hieß, in alter Weise ihre Arbeit weiter.

---

*) Über die Gemeinschaft Hohenstaufenstr. vgl. oben S. 493.

Die Friedensgemeinschaft wechselte öfter ihre Adresse, auf Friedenstraße 66 folgte Ende 1906 Friedenstraße 48 Hof part., 1907 Friedenstraße 10. Ein Hausbau war bereits 1906 geplant. Aber erst am 6. Oktober 1907 konnte der neuerbaute Saal Pallisadenstraße 26 eingeweiht werden. Reklamehaft war die Ankündigung, bei der die Musik wieder eine große Rolle spielte. Wurde doch im Vorderhause eine „Privatmusikschule" eröffnet. Durch den Saal sollte „ein Sammelpunkt zur Verkündigung des Evangeliums und eine Stätte zur Pflege geistlicher Musik" geschaffen werden.

Daneben – vielleicht aus der Friedensgemeinschaft entstanden? – taucht Mitte 1907 eine „Christliche Gemeinschaft Koppenstraße 70" auf, über die mir Näheres jedoch nicht bekannt ist.

Zur 1. kirchlichen Gemeinschaftskonferenz für Berlin kam es am 5. Mai 1905 (wiederholt am 28. Januar 1906). Im Januar 1907 evangelisierte Keller wieder in der Stadtmissionskirche, ohne jedoch die Entkirchlichten wirklich zu erreichen.

β) Königreich Sachsen.

(Der Brüderrat und die Ausdehnung der Arbeit — Konferenzen — Stellung zu Kirche und Allianz.)

Sachsen scheint wenigstens von den wilden Stürmen der Erweckung verschont geblieben zu sein. Der Brüderrat (14 Personen, 1906: 4 Fabrikanten, 3 Kaufleute, 2 Pastoren [darunter der Vereinsgeistliche des Landesvereins]*), 2 Lehrer, 2 Gewerbetreibende, 1 Evangelist) blieb auf der eingeschlagenen ruhigen Bahn. 1906 hatte er bereits 13 Gemeinschaftspfleger angestellt; bis Ende des Jahres kamen noch zwei hinzu, und auch der letzte Philadelphiaarbeiter wurde übernommen. Von diesen 16 und dem Gemeinschaftspfleger des Landesvereins für Innere Mission wurden ca. 160 angeschlossene Gemeinschaften bedient, während etwa 40—50 dem Brüderrat nicht angeschlossen waren. Der Mittelpunkt des Verbandes war Chemnitz, wo eine eigene Geschäftsstelle und Vereinsbuchhandlung eingerichtet wurde. „Nimm und lies" erreichte eine Auflage von 72000 Exemplaren. Der Brüderrat bildete einen Gemeinschaftsverein (e. V.) namentlich zur Übernahme von Gemeinschaftshäusern.

Im östlichen Sachsen ging die Arbeit jetzt vorwärts. Für die Wendei wurde 1906 A. Mirtschin in Löbau angestellt, selbst ein Wende (Konferenz z. B. 7. Juli 1907, „Herrlichkeit des Kreuzes Christi"). In Großschönau arbeitete Kretschmar, jetzt im Dienste

*) Nach Weidauers Tode (17. April 1906) v. d. Trenck.

des Brüderrates. In Bautzen entstanden größere Konferenzen (22. bis 25. September 1906, „Das neue Leben", Michaelis und Seitz), berufen von einem besonderen Konferenzkomitee, soviel ich sehe, aus den Kreisen des dortigen Chr. V. J. M.

In Dresden arbeitete Berger weiter, in Pirna war 1905 die erste Konferenz. In Leipzig blühte die Gemeinschafts-organisation unter Buchborn. Ein großes Haus auf den Namen des Gemeinschaftsvereins ward geplant, zu dem 100 000 Mk. gesammelt und eine Gabe von 50 000 Mk. geschenkt wurden. Februar 1907 konnte die bisherige homöopathische Klinik (Sidonienstr.) gekauft werden. Im Muldental (Hainichen) war ein Bruder (Hartwig) stationiert. In Döbeln wollte man 1907 bauen.

Geradezu dicht gedrängt waren jetzt aber die Gemeinschaften im Südwesten. Hier arbeiteten Brüder in Freiberg (Andrä), Chemnitz (Stolpmann), Hohenstein (Lehmann), Werdau (Schmidt), Reichenbach (Riedel), Mylau*) (Petzold), Plauen (Brück) und Zwota (Walter).

Auch die Hauptkonferenz fand jetzt regelmäßig in Chemnitz statt. Am 14. Mai 1905 wurde verhandelt über „Unsere Gemeinschaft mit Gott" und die „Gemeinschaft der Kinder Gottes untereinander", 1906 sprach Ihmels über die „Herrlichkeit Jesu"; ca. 2500 Besucher waren da. 1907 (28. April) sprach Seitz über „Gebetsleben, die unerläßliche Bedingung für das siegreiche Fortschreiten des Reiches Gottes" und Limbach über „Das königliche Priestervolk des Herrn hier und in der Herrlichkeit" vor ca. 3000 Besuchern. Bei dieser Konferenz kam es übrigens zu einem kleinen Zusammenstoß mit den kirchlichen Organen, da der Ephorus die Kirche zum Hauptgottesdienst dem gewünschten fremden Gemeinschaftspastor verweigerte, während er sie freilich für den Nachmittag und Abend angeboten hatte. Auch sonst kamen wohl einmal kirchlicherseits Klagen, besonders über manche Gemeinschaftspfleger, die sich den freundlich gesinnten Pastoren gegenüber „als eine Art Superintendenten" aufspielten. Es fehle etwas an Kontrolle. Aber im ganzen blieb das Verhältnis zur Kirche ein gutes. Lag es mit darin begründet, daß die Gemeinschaftspfleger im Brüderrat keine Rolle spielten? Das Landeskonsistorium empfahl die Leitsätze der Deutsch-Evangelischen Kirchenkonferenz (s. o.) zu besonderer Beachtung (1905). Die Landessynode stellte sich 1906 ebenfalls freundlich zur Bewegung, desgleichen 1905 die Pastoralkonferenz in Dresden. Zur Chemnitzer Konferenz zog man 1906 geradezu die Gemeinschaftsleute mit hinzu.

---

*) Saal gebaut 1907.

Dauernd hoch blieb die Zahl der Austritte zu darbystisch gerichteten Sekten. Wird man sie auch nicht geradezu der Gemeinschaftsbewegung zur Last legen*), so wurden sie doch wohl dadurch befördert, daß der Brüderrat gegen die Allianzströmung fest blieb. Für diese blieb die Zwickauer Konferenz, doch wurde noch 1905 dringend gewünscht, daß sie sich noch mehr gleich ihrer jüngeren Nürnberger Schwester zu einer Allianzkonferenz für Sachsen und Thüringen erweitern werde.

Ob es auch die Allianztendenzen waren, die eine rechte Einigung der Blaukreuzvereine mit den Gemeinschaften in Sachsen immer noch hinderten, während der Jugendbund eng mit ihnen verbunden blieb?

γ) Thüringen und Provinz Sachsen.

(Das östliche Thüringen — Der Thüringer Gemeinschaftsbund und seine Arbeit — Der sächsisch-anhaltinische Brüderrat und seine Arbeit — Die Arbeit der Evangelischen Gesellschaft.)

In dem mit Sachsen verbundenen östlichen Thüringen**) arbeiteten 1907 Schleif in Triebes, Peters in Greiz und Schwarck in Gera. Blankenburgs Arbeit vor allem in Rudolstadt ist bereits erwähnt. In Altenburg wurde das Gut des Frh. v. Thümmler, Selka, ein Mittelpunkt der Gemeinschaftspflege. Gen.-Sup. Lohoff sprach auf der Klosterlausnitzer Konferenz 1905 freundlich über die Bewegung. Im übrigen Thüringen kam die Bewegung voran durch den Anschluß Meiningens an Hessen-Nassau. Das war der Anfang energischen Vorgehens: Am 14. bis 16. Juni 1905 wurde wiederum eine Konferenz nach Meiningen berufen, aber „um die zerstreuten Kinder Gottes hin und her in den thüringischen Staaten zu sammeln und zu stärken", d. h. man wollte einen Mittelpunkt für Thüringen schaffen, wenigstens für die westlichen Staaten. Das ist auch gelungen. Am 7. September 1905 kamen verschiedene Führer der thüringischen Bewegung in Eisenach mit dem Vorstand des hessen-nassauischen Gemeinschaftsvereins zusammen, um sich demselben als Zweigverein unter dem Namen „Allgemeiner Thüringischer Gemeinschaftsbund" anzuschließen. Vorsitzender wurde auch hier Wittekindt, stellvertretender Freiherr von Eisebeck-Unterlind; außerdem wurden Vorstandsmitglieder: Heß, Dammann und Frau Geheimrat Manskopf-Thal. Dem Bunde

---

*) Richtiger wird die religiöse Beweglichkeit der Bevölkerung als der Grund des Wachsens sowohl der Gemeinschaftsbewegung wie der Sekten anzusehen sein.

**) Reußische Konferenz 12. Juni 1905 in Zeulenroda.

schlossen sich an außerdem Fräulein Tidemann-Meiningen, Weyer-Eisenach, Runn-Salzungen, Vogt-Schmalkalden. Gleichzeitig wurde das vormalige Haus der Eisenacher Stadtmission durch den Verein übernommen und am 1. Oktober durch Gemeinschaftskonferenz eingeweiht. Konferenzen hielt der Bund Ende 1905 in Gotha und Schmalkalden. Im Anschluß an die am 28. Januar 1906 in Meiningen gehaltene fand eine Vorstandssitzung statt, wo unter anderem ein Bundesbeitrag in Gestalt einer monatlichen Sonntagskollekte eingerichtet wurde und Gesichtspunkte für Konferenzen aufgestellt wurden. Die Zahl derselben sollte nicht zu groß sein (11. Februar 1906 in Ohrdruf, 18. März Salzungen, 10. Juni Thal). Am 1. Juli 1906 übernahm der Brüderrat den bisherigen Philadelphiaarbeiter Gester in Thal.

Bald war die junge Organisation so erstarkt, daß der „Thüringische Gemeinschaftsbund" die Verbindung mit dem hessen-nassauischen Gemeinschaftsverein löste und sich selbständig machte. Am 12. November 1906 fand die konstituierende Mitgliederversammlung statt. Leiter wurde nun Modersohn, womit der Darbysmus jedenfalls einen guten Schritt vorwärts tat. Am 2. bis 4. April 1907 hielt der Bund seine erste Konferenz in Eisenach („Gesetzt, Frucht zu bringen"; Girkon, Horst, Modersohn). Zu ihm gehörte nun Eisenach, wo seit 10. Juli 1906 Wiechert (Johann.) angestellt war. Ein Hausbau wurde geplant, zu dem Dammann schon längst sammelte, doch es gelang nicht. Das vormalige Haus der Stadtmission (Hospiz) mußte vielmehr März 1907 verkauft werden, da der selbständig gewordene Bund es nicht übernehmen zu können meinte. Ferner war Heß-Meiningen Evangelist des Thüringer Bundes. Im Meiningischen bestanden außerdem noch Gemeinschaften in Salzungen, Walldorf, Sonneberg und Unterlind, wo der zweite Vorsitzende Freiherr von Esebeck wohnte. In dem speziell Gothaschen Brüderrat war auf Graebenteich P. Goetz-Altenbergen, dann Fabrikant Boller als Vorsitzender gefolgt. Herbst 1905 scheint, wenn ich recht sehe, der Anschluß an den Thüringer Bund vollzogen zu sein. Die neben bzw. im Zusammenhang mit dem C.V.J.M. und Blauen Kreuz Danneils in Gotha selbst bestehenden losen Versammlungen waren 1907 im Begriff, sich zu einer Gemeinschaft zu organisieren. In Ohrdruf leitete die Gemeinschaft Domänenpächter Holder, in Friedrichroda nach wie vor Stötzer. Wie auch hier der darbystische Allianzgedanke vordrang, zeigt das I. Allianz-Waldfest, das man hier 1907 plante (Sabbathklänge 1907 Nr. 20).

Sehr bald tauchte naturgemäß der Wunsch auf, auch den Schmalkaldener Landesteil anzuschließen. Doch kam es zunächst Juli 1907 nur zum Anschluß von Schmalkalden selbst. Vogt gab damals seine Stellung dort auf und wurde freier Evangelist (s. o.).

Auch zum übrigen preußischen Thüringen (Reg.-Bez. Erfurt) scheinen sich bald Beziehungen angeknüpft zu haben, wenn auch dieser Teil zunächst bei Provinz Sachsen verblieb. Ja, hier stellte der sächsisch-anhaltinische Brüderrat sogar seinen ersten Evangelisten (Möller-Johanneum) am 29. Oktober 1905 an, der, wie bezeugt wird, von dem Generalsuperintendenten der Provinz freundlich aufgenommen wurde. Überhaupt machte die Organisation Fortschritte. Am 9. Oktober 1906 konnte in einer Sitzung in Halle ein Wachsen der Bewegung konstatiert werden. Ein engerer Anschluß an die einzelnen Gemeinschaften sollte erstrebt werden. Das Gehalt des Philadelphiaarbeiters übernahm man zur Hälfte. So wurde denn am 8. Februar 1907 eine Vertreterkonferenz in Halle abgehalten, wo ein weiterer und engerer Brüderrat gewählt und damit die „längsterwünschte Reorganisation" durchgeführt wurde. Vorsitzender wurde Kaufmann Herm. Behrens-Oschersleben, Kassierer Kaufmann Westerhoff-Halle. Gleichzeitig wurde, weil jetzt die allgemeine deutsche Gnadauer Konferenz jährlich stattfinden sollte, die bisher alle zwei Jahre mit ihr abwechselnde Provinzialkonferenz *) aufgehoben und eine Wanderkonferenz für den Herbst beschlossen. Die Hauptversammlung des „Gemeinschaftsbundes der Provinz Sachsen und des Herzogtums Anhalt" war 1907 mit der IX. Harzkonferenz (22.—25. Juli) **) verbunden, die infolgedessen von über 450 Personen besucht war.

Überhaupt blieb Wernigerode ein Hauptstützpunkt des Gemeinschaftslebens. Für R. Schultz siedelte 1906 Wittekindt dorthin über. In Magdeburg feierte die unter Ruprecht stehende Gemeinschaft am 22. April 1906 ihr drittes Jahresfest und im Anschluß daran die erste Magdeburger Gemeinschaftskonferenz. Doch ging ja Ruprecht bereits 1907 nach Posen. Da versetzte der Brüderrat Möller von Erfurt an seine Stelle. Der Philadelphiaarbeiter verlegte seinen Wohnsitz von Staßfurt nach Gardelegen, wo es ihm gelungen war, in der Umgegend durch „Stundenhalten in den Bauernhöfen viele kleine Feuerherde" anzuzünden, vor allem übrigens unter den kleinen Leuten. In Halberstadt konnte ein Gemeinschaftshaus erbaut werden.

---

*) VI. 13.—15. Juni 1905, „Bleiben und Fruchtbringen in Christo".

**) „Der geistliche Segen in Christo" Eph. 2. 3. Redner: P. Bohne, Lüdecke, Mandel, Wittekindt.

Die Evangelische Gesellschaft dehnte ihre thüringische Arbeit auf drei Vollstationen aus: Tennstedt, Mühlhausen und Falken.

δ) Mecklenburg, Schleswig-Holstein und Hamburg.

(Wachsen der Arbeit in Mecklenburg — Stellung zur Kirche — Der Gemeinschaftsverein — Der Kirchliche Verein für Evangelisation — Nordschleswig — Wandsbek — Philadelphia — E. Meyers Geistestaufe und die Strandmission — Konferenzen.)

In Mecklenburg nahmen immer mehr Adlige sich der Gemeinschaftssache an, 1907 zählte man schon ca. 30 dafür interessierte. Das bedeutete natürlich für die Bewegung eine große Förderung. Bereits vom 4.—6. November 1905 fand die I., 11.—14. Oktober 1906 die II. mecklenburgische Konferenz in Rostock statt. Ein Evangelist (Paulsen) wurde angestellt und in Neustrelitz stationiert. 1907 gab es an ca. 15 Orten, meist kleinen Städten, kleine Gemeinschaften. An der Spitze des Brüderrates für Evangelisation und Gemeinschaftspflege stand v. Tiele-Winkler. Die Behörde ließ allmählich mehr Bewegungsfreiheit, als nach dem Gesetz von 1836 den Gemeinschaften zustand. Unter den Pastoren fanden einzelne eine freundlichere Stellung zur Bewegung. Auf einer eigens anberaumten Versammlung wurden von 38 Pastoren folgende Sätze angenommen:

1. Wir begrüßen die Gemeinschaftsbewegung insofern mit Freuden, als ihren Gliedern, mit welchen wir uns in der Liebe zum Herrn eins wissen, nicht nur das eigene, sondern auch der Nächsten Seelenheil am Herzen liegt und sie um dasselbe sorgen.

2. Der Eifer der Gemeinschaftsleute muß uns vielfach beschämen, und wir wollen demütig gestehen, daß die Sorge um die uns anvertrauten Seelen oft schwach gewesen und nicht ernstlich genug betätigt ist.

3. Wir freuen uns über den Eifer und Fleiß, mit welchem die Gemeinschaftsleute in der Bibel forschen und das Gebet pflegen.

4. Wir freuen uns des Laienzeugnisses als willkommener Ergänzung der amtlichen Wortverkündigung.

5. Wir beklagen, daß innerhalb der Gemeinschaft die Neigung besteht, bezüglich der Bekehrung, ohne welche niemand selig wird, die plötzliche als die einzig normale Weise der Bekehrung zu bezeichnen und solche, welche nicht auf diese Weise bekehrt sind, für unbekehrt zu halten.

6. Wir beklagen, daß innerhalb der Gemeinschaft die Bedeutung der Taufe für die Heilsaneignung vielfach unterschätzt wird.

7. Wir beklagen die vielfach hervortretende Gleichgültigkeit gegen die lutherischen Bekenntnisse und die Ordnungen unserer Landeskirche sowie die Geringschätzung der amtlichen Wortverkündigung und die ungerechte Beurteilung der bestehenden kirchlichen Verhältnisse.

8. Wir beklagen die unnüchterne Praxis in der Seelenpflege wegen der damit verbundenen ethischen Gefahren.

9. Unter der Voraussetzung, daß die in unserer Landeskirche sich bildenden Gemeinschaften gewillt sind, an dem lutherischen Bekenntnis festzuhalten, halten wir ein Zusammengehen mit der Gemeinschaftsbewegung für wünschenswert, um der Kirche wertvolle Kräfte und diesen den Segen der kirchlichen Gemeinschaft zu erhalten.

10. Wir müssen es für geboten erachten, daß die Gemeinschaftsleute ihre Tätigkeit in einer Gemeinde nur im Einvernehmen mit dem zuständigen Pastor ausüben.

Oberkirchenrat Bard erließ einen Hirtenbrief, worin er aufforderte, den Bedürfnissen, die in der Gemeinschaftsbewegung ihre Befriedigung fänden, kirchlicherseits mit allem Eifer Genüge zu tun. Evangelisten zu berufen, widerrät er den Pastoren, wo sie doch eindrängen, soll der Pastor sich die Aufsicht darüber nicht nehmen lassen. Polizeiliche Maßregeln sind keinenfalls anzuwenden.

Soweit ich sehe, wurde die Verbindung mit Schleswig-Holstein in dieser Zeit schon wieder gelöst und der mecklenburgische Brüderrat selbständig, nur daß Tiele-Winkler zugleich im Vorstande des schleswig-holsteinischen Vereins saß, ja nach Bernstorffs Tode (21. April 1907) in der Generalversammlung vom 17. Juni zum ersten Vorsitzenden auch dieses Vereins erwählt wurde. Da er Kränklichkeit halber aber die Leitung allein nicht gut führen konnte, wurde die so lange unbesetzte Stelle des Inspektors wieder besetzt, und zwar mit Sekretär Jhloff. Das bedeutete ein weiteres Übergewicht der Berufsarbeiter im Verein. Es gab deren am 5. März 1906 16. Hinzugekommen war die Arbeit in Neustadt (Holstein, Br. Ebeling); auch in Lübeck war wieder ein Bruder (Stock bis 1907, dann Edelhoff) angestellt, der nun dort neben der Clasenschen Gemeinschaft arbeitete. 1906 wurde dann Lindemann an die Gemeinschaft in Hannover abgegeben (s. u.), Golz erkrankte, Stahl-Sonderburg trat wieder in sein früheres Geschäft; so zählte man beim Jahresfest 1907 nur 13 Sendboten. Im Sommer 1907 waren besetzt: Elmshorn (Golz), Ütersen (Triesch), Itzehoe (Weitmann), Meldorf (Timmermann), Bredstedt (Jensen), Neumünster (Wink seit 1907), Rendsburg (Brügmann), Sörupholz (Lohse), Flensburg (Stoldt), Kiel (Deckert), Lübeck (Edelhoff), Mölln (Sievers) und Neustadt (Ebeling). Die Organisation wurde straffer. Der Verein wurde am 24. Juni 1907 als „Gemeinschaftsverein in Schleswig-Holstein" eingetragener Verein*). Dadurch

*) §§ 1—4 der Satzungen lauteten jetzt:

§ 1. Der bisher unter dem Namen: „Verein für Innere Mission in Schleswig-Holstein (Gemeinschaftsverein)" bestehende Verein führt fortan die Bezeichnung: „Gemeinschaftsverein in Schleswig-Holstein." Er hat seinen Sitz in Neumünster und soll in das Vereinsregister eingetragen werden.

konnte er nun die bisher auf den Namen der Buchhandlung eingetragenen Häuser selbst übernehmen. Neu hinzu kam 1906 Lindau-Mühlenholz, 1907 auch Kiel, wodurch nun die Arbeit dort wieder ein eigenes Heim bekam. Das Haus in Neumünster war 1906 auf den Verein übergegangen. So waren es jetzt ihrer 12. Aber im allgemeinen wird man diese Zeit nicht als Periode des Fortschritts betrachten können. Zwar waren, wie es scheint, die Streitigkeiten der vorigen Periode überwunden, aber daß, abgesehen von jenen ersten oben (S. 459) geschilderten Ausbrüchen, die sehnlich erhoffte Erweckung ausgeblieben war, scheint deprimierend gewirkt zu haben, Reibereien in den Gemeinschaften kamen hinzu. Die Einnahmen hielten nicht Schritt mit den Ausgaben, die 1906 auf 26 690,87 Mk. angestiegen waren; der Rückgang der Zahl der Boten bzw. die Nichtbesetzung von Stellen hängt wohl damit zusammen, ob auch der Verkauf des Hauses in Bredstedt, der 1907 erfolgte, kann ich nicht sagen. Das finanzielle Rückgrat wurde mehr und mehr die Buchhandlung, die schon 1906 6209,05 Mk. zusteuern mußte. Ihr Umsatz betrug 133 928 Mk., der „Gemeinschaftsfreund“, den nach Bernstorffs Tode Ihloff redigierte, hatte eine Auflage von 1700, „Nimm und lies“ 110 000, „Kinderfreude“ 5200 und „Gemeinschaftskalender“ 18 000, 77 000 Reichslieder waren 1906 abgesetzt, im ganzen damit 740 000. Auch „Auf der Warte“ war ja 1906 in den Verlag Ihloffs übergegangen (2100).

---

§ 2. Zweck des Vereins ist, Evangelisation und Gemeinschaftspflege zu treiben. Dieser Zweck wird durch Aussendung von Sendboten zur Verkündigung des Wortes Gottes zu erreichen gesucht.

§ 3. Grundlage des Vereins ist die Heilige Schrift des Alten und Neuen Testaments.

§ 4. Mitglied des Vereins kann jeder werden, welcher die erlösende Kraft Jesu Christi an seinem Herzen erfahren hat oder doch ein Verlangen danach trägt und sich verpflichtet, mindestens einen Beitrag von 5 Pf. pro Woche zu zahlen. Die Anmeldung erfolgt bei einem Mitgliede des Vorstandes. Dem letzteren steht das Recht zu, die Aufnahme ohne Angabe von Gründen abzulehnen. Der Austritt ist jederzeit frei und erfolgt durch schriftliche Anzeige an den Vorstand.

Der Vorstand bestand 1907 aus: v. Tiele-Winkler, Lehrer Beck-Havetoft (stellvertr. Vors.), Ihloff, Landmann H. Thiesen, Rentier John, Buchhändler Möbius (Ihloffs Schwiegersohn), P. Witt-Havetoft, Landmann Schnack, Rentier Ralfs, Maurermeister Wiese, Rentier Noack, L. Lindemann-Ottensen, Hutmacher Dancker, Landmann Wurr, Architekt Nissen, Landmann J. Thiesen, Auktionator Ingwersen, Landmann Ehlers, Kaufmann Rohwedder, Landmann Greve; die ersten sechs bildeten den geschäftsführenden Ausschuß.

Seitens der Kirche wurde gerade in der Propstei Neumünster über die steigende Entfremdung des Vereins geklagt (s. Gemfr. 1907 Nr. 30). Als der „Sonntagsbote" warnte, der Nordbund der Jünglingsvereine solle sich vor dem Fahrwasser der Allianz hüten, hieß es: „Also die Gemeinschaft aller Kinder Gottes miteinander steht im Widerspruch mit der Lehre der Kirche." „Bei aller Liebe zu unserer Kirche, das sei offen gesagt, wir stellen uns eher in Gegensatz zu ihr als zur heiligen Schrift." Neumünster war auch eine der ersten Gemeinschaften, die die „Organisation" einführten (7. April 1907). In Fortführung der Verhandlungen von 1904 (s. o. S. 400) wurde 1907, wenn auch nicht ohne Widerspruch, beschlossen, ein Normalstatut für organisierte Einzelgemeinschaften zu erlassen, das jedoch fakultativ sein sollte*). Aus § 2 geht der praktische Anlaß dieser

---

*) Es lautet in §§ 1—3 und § 6:

§ 1. Die Gemeinschaft in . . . ist ein Glied des nach besonderem Statut geregelten Vereins für Innere Mission in Schleswig Holstein (Gemeinschaftsverein).

§ 2. Zweck der Gemeinschaft ist gegenseitige Erbauung und praktische Arbeit im Reiche Gottes unter Zusammenschluß aller im Rahmen des Gemeinschaftsvereins bestehenden Vereine. Diese haben ihre Zugehörigkeit zum Gemeinschaftsverein in ihren Satzungen zum Ausdruck zu bringen und ihre Vorstandswahl vom Gemeinschaftsvorstand bestätigen zu lassen. Etwaige Differenzen entscheidet der Vorstand des Gemeinschaftsvereins.

§ 3. Die Gemeinschaft unterscheidet aktive und passive Mitglieder. I. Aktive Mitglieder können nur solche Personen werden, welche den Anforderungen zur Mitgliedschaft des Gemeinschaftsvereins in Schleswig-Holstein entsprechen und folgendes Gelübde übernehmen:

1. Ich beuge mich unter Gottes heiliges Wort als die unantastbare Wahrheit. Es soll die Regel und die Richtschnur meines ganzen Lebens sein.

2. Ich bezeuge vor Gott, daß ich die erlösende Kraft des Blutes Christi an meinem Herzen erfahren habe und Jesu teuer erkauftes Eigentum bin.

3. Ich will mein ferneres Leben als ein Gott geweihtes betrachten und alle meine Gaben und Kräfte Leibes und der Seele, meine Zeit und meinen Einfluß dem Herrn zur Verfügung stellen.

4. Ich will beachten das Wort: Ermahnet euch untereinander (1. Thess. 5, 11) und mir gerne von anderen sagen und mich zurechtstellen lassen. Die Fehler anderer sollen mir Anlaß zum Beten und nicht zum Richten und Verleumden sein.

§ 6. Die Aufnahme der aktiven und passiven Mitglieder erfolgt nach vorhergehendem schriftlichen oder mündlichen Antrag bei einem Vorstandsmitglied unter Zustimmung von mindestens zwei Dritteln der aktiven Mitglieder. Wer in einem Zweigverein als stimmberechtigtes Mitglied aufgenommen werden will, muß zuerst Mitglied der Gemeinschaft werden.

Maßregel hervor, die vorhandene Organisation des J.B. und Blauen Kreuzes, die für die nicht organisierte Gemeinschaft Schwierigkeiten brachte. Bereits 1906 hatte man sich auf folgende Sätze über Nachversammlungen geeinigt:

„1. Sie sind nützlich und entsprechen dem biblischen Grundsatz, das öffentlich gepredigte Evangelium noch dem Einzelnen sonderlich nahezubringen. 2. Sie sind nicht immer abzuhalten, sondern da, wo viel vorhergehende Geistesarbeit stattgefunden hat, und wo der Herr es gibt. 3. Bei den Nachversammlungen ist jeder Ritus zu vermeiden. Es muß sorgfältig auf die Leitung des Geistes in jedem Falle geachtet werden."

Das war entschieden ein Erfolg der Gedanken aus der Erweckung von 1905 *). Auch die Abendmahlsfrage begann schon die Gemüter zu bewegen (s. meine Schrift: „Die innere Entwicklung usw." S. 28).

Der Kirchliche Verein für Evangelisation unter dem Vorsitz von P. Jungclaußen-Sörup konnte 1906 zwei neue Landmissionare anstellen, so daß er nun vier hatte: Theilig (aus dem Stephansstift) in Flensburg, Lorenzen (aus Breklum) für die Westküste, Kahrs (Stephansstift) in Neumünster und Richter (Breklum) in Zarpen. Die Einnahme betrug 3742,99 Mk., Ausgabe 3542,34 Mk.

Von der Wales-Erweckung in Deutschland blieb er ebenso unberührt wie der Kirchliche Verein für Innere Mission in Nordschleswig; doch scheint hier die Erweckungssehnsucht von Norwegen und Dänemark herübergeschlagen zu haben. Wenigstens wird 1906 berichtet, daß sie „seufzen nach einer Ausgießung des heiligen Geistes". Doch blieb man ruhig und besonnen, verwarf z. B. die Nachversammlungen **). Den Vorstand bildeten 1907

Der Vorstand ist berechtigt, ohne Angabe von Gründen die Aufnahme in einzelnen Fällen abzulehnen, sowie auf Grund von Matth. 18, 15 bis 17 auszuschließen. Der Austritt kann jederzeit nach freier Wahl eines Mitgliedes erfolgen; dem Vorstand ist in diesem Falle davon Kenntnis zu geben.

*) Wie Bunke (Kirchl. Jahrb. 1907 S. 230) darin einen Fortschritt der nüchternen Anschauung erblicken kann, ist schwer verständlich.

**) Vgl. die Instruktion für die Sendboten:

§ 1. Sendbote N. N. ist von dem „Kirchlichen Verein für Innere Mission in Nordschleswig" ausgesandt; dieser Verein hat damit die Verantwortung dafür übernommen, daß er Gottes Wort pur und rein verkündigt in Übereinstimmung mit dem Bekenntnis der lutherischen Kirche. Sollten Zweifel hinsichtlich der Reinheit seiner Verkündigung und seines Wandels entstehen, wird man gebeten, sich an den Vorstand zu wenden, der dann die Angelegenheit untersuchen wird.

§ 2. Der Sendbote hat unter dem Volke Gottes einherzugehen als ein Bruder, der nicht über des Herrn Erbe herrschen, aber auch nicht der

P. Nielsen-Tandslet (Vorſ.), P. Tonnesen-Hoptrup (Schriftf.), P. Obbarius, Rentier Rosenlund, Kaufmann Abkjer. 9 Sendboten wurden unterhalten, und 16 Häuser gehörten dem Hauptverein oder einzelnen Zweigvereinen. Der Etat belief sich auf ca. 8000 Mk. Mit Bornholmern und „Sündlosen“ hatte man hier und da zu tun, aber nur wenig. Die Bornholmer wünschten übrigens in dieser Zeit, wohl infolge jener Erweckungsstimmung, wie es in einem Berichte heißt, „Gemeinschaft in Christo“.

Von dem Ausbruch der Erweckung auf der Wandsbeker Konferenz ist berichtet. 1907 wurde die Konferenz mit Rücksicht auf Gnadau auf den 5.—7. Juli verlegt. „Das Thema ‚Das Gebetsleben der Kinder Gottes‘ wurde unter Leitung des heiligen Geistes von den erschienenen Knechten Gottes auf Grund des Wortes beleuchtet“ (365 Gäste). Hier wurde auch jetzt noch wild durcheinander gebetet. Anfang 1905 hatte „Israels Hoffnung“ 30 000 Leser. Man vereinte sich nun „im Gebet, daß der Herr uns im Jahre 1905 10 000 neue Leser schenken möchte“. Bis August waren es ca. 35 000, 1906 50 000, 1907 56 000.

Die Wandsbeker Gemeinschaft wurde 1905 ein Zweig der Hamburger Philadelphia. Diese konsolidierte sich weiter unter Rubanowitsch’ kräftiger Leitung. Die Zahl der Abendmahlsberechtigten stieg, wohl infolge der Erweckung, 1906 auf 1386, fiel

---

Sklave der Heiligen sein will. Sein Wandel nach außen muß derart sein, daß er dem Herrn der Gemeinde nicht Schande bereitet. Den Draußenstehenden gegenüber muß er seine Arbeitsweise einrichten nach dem Beispiel des Paulus 1. Kor. 9, 19—22 . . .

§ 4. Bevor der Sendbote die Arbeit in einem der ihm angewiesenen Kirchspiele anfängt, hat er sich mit dem Ortsgeistlichen in Verbindung zu setzen und ihn um die Erlaubnis zu bitten, öffentliche Versammlungen abzuhalten; wenn möglich, hat er mit ihm eine Vereinbarung zu treffen, ob die Versammlungen ein für allemal freigegeben sind, oder ob die einzelnen Versammlungen bei dem Ortsgeistlichen angemeldet werden sollen. Versammlungen in Privathäusern ohne Bekanntmachung in lokalen Blättern, sowie Hausbesuche und Kolportage sollen von der Erlaubnis des Ortspastors nicht abhängig gemacht werden.

§ 5. Die Zeit zwischen den Versammlungen soll möglichst auf Hausbesuche und Kolportage verwandt werden. Die Hausbesuche hat der Missionar möglichst nach den ihm von dem Pastor und den Missionsfreunden gegebenen Fingerzeigen einzurichten. Alte, Kranke, Suchende und Angefochtene sollen in erster Linie besucht werden. Ein Gespräch mit erweckten Menschen nach einer Versammlung kann zu großem Segen sein, verlangt aber Takt und Vorsicht. Die sogenannten „Nachversammlungen“ nach einem bestimmten Schema dürfen nicht geduldet werden.

aber 1907 wieder auf 1349; es nahmen faktisch am Abendmahl teil 1906 996, 1907 1006. „Was sagt die Schrift?" hatte 1907 1391 Leser (gegen 1354) und lieferte einen Überschuß. Überhaupt hat Rubanowitsch offenbar finanziell musterhaft gewirtschaftet, wie denn auch seine Berichte sich durch genaue Zahlen und Übersichtlichkeit auszeichnen. Die hohen, von früher her auf dem Hause lastenden Hypotheken wurden allmählich abgewälzt, 1906 allein 29 000 Mk., wozu vom Holstenwall allein 13 500 Mk. aufgebracht waren. Mit berechtigtem Stolz weist Rubanowitsch darauf hin, daß seine so gebefreudige Gemeinschaft dabei doch eine Gemeinschaft armer Christen sei. Freilich scheint 1907 auch hier ein Rückschritt eingetreten zu sein. Die Einnahmen sanken auf 40 910 Mk. (gegen 49 476,22 1906 und 41 813,86 1905), darunter die Gaben in den Büchsen von 11 735,26 auf 10 862,28 Mk., die Liebesgaben von 22 355,33 auf 13 794,49 Mk. Immerhin konnten davon noch 1500 Mk. Schulden abbezahlt werden, im ganzen durch die Überschüsse der verschiedenen Anstalten 15 000 Mk. Ein Baufonds für ein Schwesternerholungsheim von 1938,49 Mk. war gesammelt, der Fonds für ein Waisenhaus, mit 2500 Mk. 1906 gegründet, war 1907 um 454 Mk. gewachsen. Als „alte Schuld" waren 1902—7 eingegangen 2989,07 Mk.

Die Arbeit wuchs weiter. 1907 wurden 70 Versammlungen wöchentlich gehalten, dazu kamen 5 14tägige, 1 dreiwöchentliche, 4 monatliche und 1 vierteljährliche Versammlung. Der Blaukreuzverein*) zählte 1906 820 Mitglieder (700) und Anhänger (120), der J.B. der Philadelphia, der sich dem Nordbund nicht angeschlossen hatte, nannte sich jetzt J.B. für Jesus allein**). Seine Mitglieder-

*) Hauptverein Holstenwall mit den Zweigvereinen Fleestedt, Harburg, Moorburg, Trittau und Wandsbek.

**) Sein Gelübde lautete:

„Meinem Herrn Jesus Christus gelobe ich im Vertrauen auf seine Kraft: Es soll mein ernstes Bestreben sein, allezeit zu tun, was meinem Herrn und Heiland wohlgefällt, Ihm allezeit nach bestem Willen und Gewissen zu folgen und besonders durch Treue im kleinen bei Erfüllung des täglichen Berufes Seine Verherrlichung zu suchen. Ich will Seine Leitung täglich in Seinem Worte und im Gebet suchen, desgleichen mich um die Rettung anderer treulich bemühen. Daß ich die Gemeinschaft der Gläubigen und namentlich der Mitglieder unseres Jugendbundes gewissenhaft pflege, sehe ich als den wohlgefälligen Willen Gottes an. Die Versammlungen der Gemeinschaft wie des Jugendbundes treu zu besuchen, soll mir heilige Regel sein. Ich halte mich deshalb für verpflichtet, ein etwaiges Ausbleiben aus einer monatlichen Weihestunde den Vorstand des Jugendbundes wissen zu lassen. Dies alles zu des Herrn Ehre!"

zahl betrug 1907 259 Mitglieder, 65 Anhänger; 55 Eintritten standen 63 Austritte gegenüber. Er bestand außer am Holstenwall in Harburg, Moorburg, Uhlenhorst, Wandsbek und Trittau. Das Schwesternhaus Elim zählte 1907 38 Schwestern, davon 5 Vorprobeschwestern, 21 arbeiteten in Elim selbst, in Bethel, dem ehemals Röschmannschen Hause, das nun ebenfalls der Siechenpflege diente, 3, in Rehoboth in Lokstedt 5 und am Holstenwall 5. Im März hatten 4 Vorprobeschwestern eingekleidet, eine nach fünfjähriger Probe eingesegnet werden können.

Außer einigen dieser Schwestern und Rubanowitsch arbeiteten 1907 an der Gemeinschaft 6 Berufsarbeiter (neu: Busse 1906).

In der Stadt wurde außer am Holstenwall gearbeitet auf der Uhlenhorst, wo man 1907 nach der Humboldtstraße umzog, im Eppendorfer Missionssaal, wo die Arbeit endlich größeren Erfolg hatte, in Barmbeck (1905 neu begonnen), in Rothenburgsort, wo die polizeilich für ungeeignet erklärten Räume mit günstigeren vertauscht wurden, in Hammerbrook (1905 neu begonnen) und in Eimsbüttel (1906 neu begonnen).

In Holstein wurde außer in Wandsbek und Altona gearbeitet in Trittau (monatlich), Aumühle (14tägig) und Lokstedt. Hier wurde Oktober 1905 ein Haus „Rehoboth" für 27 000 Mk. gekauft, das als Zweig von Elim ebenfalls der Siechenpflege diente. In Flottbek fing Fr. Beschnidt eine Versammlung an.

Auf dem linken Elbufer hatte man nach wie vor Versammlungen im hamburgischen Moorburg sowie in einigen hannoverschen Orten, vor allem in Harburg. Hier machte sich Maack zwar Dezember 1905 unabhängig. Er war „sich klar darüber, der Weisung des Herrn an ihn gefolgt zu sein, als er mit der Bitte, die Arbeit auf persönliche Verantwortung fortzuführen, an die Leitung herantrat". Doch nahm er 1906 in „Was sagt die Schrift?" öffentlich zurück, was er manchem gegenüber über Rubanowitsch geäußert hatte, trat wieder ein, und das Verhältnis zu Hamburg wurde wieder das alte. Rubanowitsch evangelisierte dort 1907.

Das Werk dehnte sich in Hannover aus nach Neugraben und Rönneburg 1906. In Altenwerder wurde nach einer Evangelisation Rubanowitsch' neu begonnen. In Schneverdingen hatte 1906 der dortige Blaukreuzverein sich getrennt. Doch wurde die Arbeit nach einiger Zwischenzeit wieder aufgenommen. Fleestedt wurde nach Harburgs Selbständigwerden von Hamburg aus versorgt. Der Pastor warnte, aber die Arbeit gewann Boden (Sonntagsschule, Bibelstunde, Blaues Kreuz). Auch in Hittfeld hielt man alle drei Wochen Bibelstunde.

Scheint so Kubanowitsch im allgemeinen die Erweckungsbewegung in der Hand behalten und in ruhigere Arbeit umgeleitet zu haben, so ließ sich Meyer, der Leiter der „Mission unter Strandgut“ oder seit 1906 „Strandmission“, willenlos von den neuen Ideen fortreißen. Gleich zu Anfang der Erweckung erfuhr er „eine besondere Gnade“. Er geriet in schwere innere Kämpfe, an denen wohl die bedenkliche finanzielle Entwicklung Anteil hatte.

Am 13. Juli sagte er seiner Frau, er gehe fort, ohne zu wissen, wohin, oder wann er wiederkomme. „Ich suchte eine Begegnung mit dem lebendigen Gott.“ „Die Menschen fliehend, zog ich dahin durch Wald und Feld, andauernd betend: ‚Herr, beuge mich! Herr, beuge mich!‘ Nirgends fand ich Ruhe; immer schwerer wurde die Last, immer unerträglicher der innere Zustand. So kam ich abends 7 Uhr ins Rodenbeker Quellental. Hier ruhte ich etwas. Auf einmal empfing ich Licht für die hinter mir liegenden fünf Arbeitsjahre. . . . Eins nach dem andern deckte mir der Geist Gottes auf. Tief gebeugt flehte ich dann um Tilgung der Schuld und, wenn Er mich noch gebrauchen wolle, um Licht für die Zukunft. In wunderbarer Weise erhielt ich Aufschluß darüber, wie das Werk fortzusetzen sei. Bis aufs kleinste erhielt ich göttliche Anweisung . . . Nachdem ich mir die auszuführende Reorganisation bis ins Detail aufgeschrieben und meinem Gott für die Erhörung meiner Gebete gedankt, ging ich weiter. Obschon ich von dem nächsten Orte aus, den ich erreichte, Wohldorf, meiner Frau per Postkarte mitteilen konnte, daß mir ‚wohl‘ geworden sei, war ich doch noch nicht frei. Bei meiner Wanderung kam ich 8 Uhr abends in einen Tannenwald. Ich drang ins Dickicht hinein. Nun war ich allein, fern von Menschen, mit Gott allein. Ich warf mich auf den Boden und flehte unausgesetzt: ‚Herr, beuge mich! Herr, beuge mich!‘ Ich bat den Herrn um Antwort aus Seinem Wort. Beim Aufschlagen meiner Bibel fiel mein Blick auf 1. Kön. 13, 17. . . . Die Antwort war deutlich, und ich gelobte dem Herrn, den alten Weg nicht wieder gehen zu wollen. In mir wurde es nun dunkel und immer dunkler und um mich herum auch. So lag ich vor Gott drei Stunden lang, ständig um Beugung bittend. Da, um 11 Uhr nachts, wurde in mir eine Stimme lebendig. Die Erhörung kam, und ich schreckte davor zurück. Der Geist Gottes deckte mir eine Sünde nach der andern auf, die mir bisher noch unbekannt geblieben waren. Nach einigen Augenblicken erhielt ich den Befehl: ‚Schreibe!‘ Ich bebte davor zurück. ‚Schreibe!‘ hieß es wieder. ‚Ja, Herr!‘ antwortete ich. Ich zog eine unbeschriebene Postkarte aus der Tasche und fing an zu schreiben. Gleichzeitig fiel das Licht des aufgehenden Mondes durch die Zweige, und erhielt ich so auch Licht zum Schreiben. Die nun folgende Stunde läßt mein Herz heute noch erzittern. Eine ganze Stunde lang hatte ich das göttliche Diktat auszuhalten. Eine Stunde lang schrieb ich Sünde auf Sünde aus der Vergangenheit auf. Mitten hinein bekam ich den Befehl: ‚Bekenne!‘ Schon so tief gebeugt, drückte mich dieser Befehl ganz zu Boden. Ich konnte nicht ‚ja‘ sagen. Sofort schwieg die Stimme. Schnell sagte ich: ‚Herr, ja, ich will gerne alles bekennen!‘ Und weiter redete Gott mit mir. Um 12 Uhr nachts wurde es stille in mir, während es um mich herum wieder völlig dunkel wurde. Ich lag zerschlagen am Boden, zwei Stunden lang. Hierauf brachte ich alle die mir nun offenbar gewordenen Sünden aus der Vergangenheit unter das Kreuz Christi, und nachdem ich Vergebung empfangen, zog ein wunderbarer Friede in mein Herz. Um 2 Uhr nachts machte ich mich auf den Heimweg.... So begann die Reorganisation... Schwere Zeiten waren es. Niemand verstand mich. Nur ich wußte, wohin es sollte. Unterdessen war es mir zum Bewußtsein gekommen, daß der heilige Geist in mir nicht nur Raum gemacht, sondern auch mich selbst erfüllt hatte. Noch wagte ich nicht, davon zu reden, noch glaubte ich kaum an die Möglichkeit, daß der Geist Gottes in mir Wohnung genommen habe. So kam der Anfang Dezember 1905 heran. Am 4. Dezember morgens schickte ich mich schweren Herzens an, zur Hausandacht zu gehen. Ich wollte einigen sagen, daß es so nicht mehr ginge, weil wir uns nicht verstanden. Doch schenkte mir der Herr im letzten Augenblick sein Wort. Jetzt wußte ich, was ich sagen sollte; es fiel mir wie Schuppen von den Augen, daß meine lieben Mitarbeiter, wie ich, gerne gewollt, aber nicht gekonnt hatten, wie sie gewollt. An dem Morgen brach eine tiefgehende Erweckung unter den Angestellten aus. Die Kinder Gottes wurden offenbar; sie beugten sich, die Unbekehrten bekehrten sich... Die Erweckung griff über in die Gemeinschaft, das Blaue Kreuz, den Jugendbund."

Die Reorganisation bestand vor allem in einer Einschränkung. Das Haus Norderstraße 57 wurde aufgegeben, das Arbeitslosenheim wurde 1. Oktober 1905 nach Niedernstraße 113/4 verlegt; auch die Gemeinschaft, Blaues Kreuz und J.B. siedelten dahin über, auch Meyer selbst, der seine Privatwohnung aufgab. Die Sonntagsschule in der Norderstraße ging ein, da die Lehrer den Kindern — mit Recht — verboten, in die Niedernstraße zu gehen. Die Mädchenabteilung, die bisher am Pferdemarkt geblieben war, zog dagegen in die Niedernstraße. Laus ging als zweiter Reiseprediger an den J.B. Wehler blieb — nur gegen freie Station. Trotzdem schloß man mit einem Defizit von 4500 Mk. Vergrößert hatte sich die Arbeit im Jakobsbrunnen, der 1905 von 77 Frauen besucht war. 4 Schwestern arbeiteten dort. Brüderrat und Beirat scheinen jetzt beiseite geschoben zu sein und Meyer die Leitung des ganzen Werks allein in die Hand genommen zu haben, und zwar „völlig auf dem Glaubensstandpunkt", d. h., wie er selbst sagt: „Ich glaube, daß Gott der Herr uns in seinen Aufträgen auf unsere Bitten hin versorgen und keine Not leiden lassen wird, indem er Menschen willig macht, uns zu geben, was wir gebrauchen." Wenn er freilich hinzufügte: „Wir werden auch nichts mehr beginnen ohne Gottes Befehl", so hinderte ihn das nicht, mit überstürzten, kostspieligen Projekten fortzufahren. Nicht nur, daß die Zahl der Aufzunehmenden im Heim von 30 auf 51 erhöht, die Schreibstube — die bekanntlich sehr schwer zu balancieren ist — vergrößert wurde, im Jakobsbrunnen auch Kinder aufgenommen wurden, sondern diese Vergrößerung ließ Meyer den Plan eines neuen Heims für sämtliche Arbeiten fassen, zumal die eigentliche Gemeinschaftsarbeit in der Niedernstraße stark gelitten hatte. Er kaufte ein Grundstück mit Haus in der Richardstraße für 103 500 Mk., ein zweites Haus für den Jakobsbrunnen sollte auf dem nebenliegenden Grundstück (Preis 28 250 Mk.) gebaut werden. Dabei ging er mit 9500 Mk. Defizit ins Jahr 1907. Wie er dabei seinen „Glaubensstandpunkt" auffaßte, zeigt die Bemerkung: „Wir haben den Abschnitt ‚Ausdehnung der Arbeit' dem Bericht deshalb noch hinzugefügt, damit unsere Freunde wissen sollen, was wir brauchen. Wir haben es dem Herrn gesagt, nun auch Ihnen." Auch ein Berichtsblatt „Vierteljährliche Mitteilungen" gab Meyer jetzt heraus. Die Verbindung mit Vandsburg löste sich am 23. Dezember 1906, die dafür eintretenden Schwestern wurden in die Schwesternschaft des „Friedenshortes" in Miechowitz aufgenommen. April 1907 waren die Käufe perfekt, und am 23. Juli wurden die Häuser eingeweiht. In der Niedernstraße blieb die Kaffeehalle, auch eine Gemeinschaft, während in der Richardstraße eine neue sich bildete. Für Meyers Stellung zur Landeskirche ist bezeichnend, daß er jetzt auch gesonderte Abendmahlsfeiern hielt.

Die Hamburger Osterkonferenz trat nach dreijähriger Pause 1906 wieder ins Leben (IV. 17.—19. April, „Der priesterliche Dienst"), scheint dann aber, zumal Bernstorff ja starb, endgültig eingeschlafen zu sein.

ε) Hannover.

(Die größeren Städte — Der neue Brüderrat — Stellung zu Allianz und Kirche — Ausdehnung — Einzeln stehende Gemeinschaften — Nachbargebiete.)

Die Arbeiten der Philadelphia in Harburg und anderen hannoverschen Orten sind schon dargestellt. Der dortige Zweigverein der Kukatianer konnte 1905, im zwölften Jahre seines Bestehens, ein neues Haus einweihen.

In Lüneburg kam es (ob unter der Einwirkung der Erweckungsbewegung?) zur Abzweigung eines radikaleren Flügels unter einer früheren Hamburger Bibelfrau (Fr. Lohse). 1905 im Herbst erschien auch P. Witt-Kiel hier, der dann zu monatlichen Bibelstunden wieder gerufen wurde. Unter seinem Einflusse löste sich die entstandene Organisation völlig auf. Während ein Teil sich mit Witts Bibelstunden begnügte, auch wohl im Winter 1906/7 einmal Gräfin Schimmelmann berief, drang ein anderer Teil auf Neubildung der Gemeinschaft, im Zusammenhang mit Fr. Lohse.

P. Wittekindt wurde 1907 gerufen, und es entstanden wieder wöchentliche Versammlungen unter Kaufmann Cordes und Fr. Lohse, d. h. also in gewissen Beziehungen zur Philadelphia-Hamburg. Graf Korff wurde von dieser Seite zur Evangelisation berufen. Doch „das Experiment mißglückte. Zwistigkeiten in der Gemeinschaft trieben Cordes fort" (Egebrecht im Protokoll der 21. ordentlichen Bezirkssynode zu Lüneburg).

Fester konsolidierte sich die Gemeinschaft in der Stadt Hannover. Lindemann wurde vom Gemeinschaftsverein zuerst beurlaubt, dann Hannover ganz überlassen und von der Gemeinschaft ihrerseits angestellt. Sie konnte am 4. November 1906 in einem Fabrikgebäude ihren neuen, ca. 300 Plätze fassenden Saal einweihen und zählte Sommer 1907 ca. 60 feste Mitglieder, nachdem durch eine Evangelisation Reuters „eine Anzahl Seelen hinzugetan" waren. Die Berufung Lindemanns führte aber als Bruch des gegebenen Versprechens (s. o. S. 413) zur Lösung der kirchlichen Beziehungen. Das kirchliche (sogen. Keller-) Komitee berief erneut Keller zur Evangelisation, und Kellers Gehilfe Kohn*), wurde am 1. Oktober 1906 in Hannover angestellt, vor allem, um die durch Kellers Evangelisation Gewonnenen zu pflegen. Diese versammelten sich in 15 Bibelkränzchen, einige unter pastoraler Leitung. Monatlich fand eine allgemeine Zusammenkunft statt. Keller evangelisierte auch in Celle.

Auch in Osnabrück ging es nicht ohne Gegensätze ab. Die Gemeinschaft rief 1905 Frl. Paula Hoffmann, später in Remismühle, und zeigte damit, daß sie radikaleren Tendenzen nicht unzugänglich war. Es entstanden nun auch Blaukreuzverein und J.B. Durch eine Evangelisation Dannerts, der 1906 von dem reformierten P. Langen gerufen wurde, scheint ersterer erstarkt zu sein. Die Folge war eine Spaltung der Gemeinschaft. Im Anschluß an den Blaukreuzverein entstand die Gemeinschaft „Immanuel", gepflegt von den reformierten Pastoren und ihrem Stadtmissionar Düsterbeck. Die landeskirchliche Gemeinschaft leitete weiter Br. Eckhardt.

In Wilhelmsburg-Reiherstieg organisierten sich die Besucher der Bibelstunden P. Schmidts fester, als dieser 1906 nach Wietzen (Kr. Nienburg) zog. Anfangs erfolgte ihre Bedienung von Hamburg aus. 1907 wurde ihnen in einem Neubau ein Saal angeboten, der im Beisein Schmidts eingeweiht wurde.

Dieser war inzwischen einer der offiziellen Führer der Bewegung geworden. Er war neben Claus-Baden, Graf Korff, P. Börner-

---

*) Früher Gemeinschaftspfleger in Leipzig und Stadtmissionar in Freiburg, seit 1. April 1906 Kellers Gehilfe.

Norderney und P. coll. Thimme-Osterwald Unterzeichner der Einladung zur II. Konferenz in Osterwald, die diesmal auf drei Tage ausgedehnt wurde (28.—31. Mai 1906, „Die Liebe Christi in den Seinen"), denn „nach dem ersten Anfang erlaubt der Herr, im Mai dieses Jahres einen Schritt weiter zu gehen". Die III. fand, da Thimme Pastor in Jutschede geworden war, in Osnabrück statt (28.—30. Mai 1907, „Das Leben im Fleisch und der Wandel im Geist nach Rö. 8." Wittekindt, Lohmann, Dolman). Schmidt und Thimme waren auch die eigentlichen Führer in dem jetzt entstehenden Brüderrat, der am 3. Dezember 1906 für Hannover, Bremen, Braunschweig und Oldenburg gebildet wurde, zugleich mit einem „Hannoverschen Verbande landeskirchlicher Gemeinschaften", der sich dem Deutschen Verbande anschloß. Der in der ersten beratenden Versammlung, an der auch Wittekindt teilnahm, provisorisch, dann definitiv gewählte Brüderrat bestand außer den beiden Genannten, von denen Schmidt Schriftführer wurde, aus sechs Laien, darunter Korff (Vors.), Claus, Lindemann, Eckhardt und Landwirt Auhagen-Bunkenburg, zwar geborener Stadt-Hannoveraner, aber längere Zeit im Osten gewesen, wo er das Gemeinschaftschristentum kennen gelernt hatte.

Damit war eine wirkliche organisierte Gemeinschaftsbewegung in Hannover überhaupt erst begonnen. Indem nun aber der frühere, sozusagen inoffizielle Brüderrat beiseite geschoben wurde und von Geistlichen nur die beiden völlig in die Gedanken der Bewegung eingegangenen, z. T. von Rubanowitsch beeinflußten Führer in den neuen Brüderrat eintraten, so bedeutete das gleichzeitig eine Lockerung des Verhältnisses zur Kirche. Mochte man auch betonen, daß man eine landeskirchliche Gemeinschaftsbewegung sein wolle, so blieb doch zum mindesten jene schon gelegentlich der I. Osterwalder Konferenz bemerkte Unklarheit ein Charakteristikum der hannoverschen Führer. Rief man doch z. B. Dolman zu Konferenzen, wie die Osnabrücker Gemeinschaft Paula Hoffmann gerufen hatte, und wie infolge der Erweckung Ende 1905 in Stadt Hannover „eine Anzahl Gotteskinder, und zwar freikirchliche und Blaukreuzler", sich vereinigt hatten zu monatlicher Allianzgebetsstunde und zur gemeinsamen Gebetswoche 1906. Die II. Osterwalder Konferenz wurde im Bericht im Allianzblatt (1906 Nr. 26) ausdrücklich als eine „Allianzkonferenz" bezeichnet und mit der Phraseologie der Erweckung geschildert: „Man spürte das Wehen und Wirken des heiligen Geistes. Manche bisher unerkannte Sünde wurde in den Herzen aufgedeckt und dem Herrn dargebracht. Diolch Iddo!"

Demgegenüber sprach sich die Landessynode 1905 sehr maßvoll aus.

Sie konstatierte, daß „in der Gemeinschaftsbewegung das Streben nach dem Zusammenschluß gleichgesinnter Christen zu gemeinsamer Erbauung als berechtigt anzuerkennen, und daß es daher wohlgetan ist, kirchlicherseits diesem berechtigten Verlangen entgegenzukommen und dadurch die Bewegung nicht allein in gesunde Bahnen zu leiten und darin zu erhalten, sondern auch der Kirche und Gemeinde geistlichen Segen zuzuführen. Wo aber diese Bemühungen sich als vergeblich erweisen, und wo durch Haltung und Gesinnung der Führer ein Erfolg von vornherein ausgeschlossen ist, wo auf Grund falscher Lehre von den Gnadenmitteln, von Bekehrung und Wiedergeburt, vom geistlichen Amt usw. man darauf ausgeht, die Landeskirche und die organisierte Gemeinde zu sprengen und an ihre Stelle die organisierte Gemeinschaft zu setzen, da ist solchem Streben, wie seitens des Kirchenregiments, so seitens der Geistlichen fest und bestimmt entgegenzutreten und in Predigt, Konfirmandenunterricht und Seelsorge die gesunde Lehre nach Gottes Wort und dem kirchlichen Bekenntnis klar und deutlich zu treiben."

Auch versuchten diejenigen Pastoren, die seinerzeit im ersten Brüderrat eine Verständigung zwischen Landeskirche und Gemeinschaft hatten anbahnen wollen, einen neuen Boden für solche Verständigung zu schaffen durch die Einrichtung einer pastoralen Gemeinschaftskonferenz auf dem Stephansstift (1907).

Übrigens blieb die Ausdehnung der Bewegung zunächst gering. Auf die Gründe ist schon oben (s. S. 177) hingewiesen. Hinzu kam, daß die Führer z. T. stammesfremde Leute waren wie Korff. So blieben es außer den genannten Gemeinschaften auch jetzt noch ganz vereinzelte Anfänge. In Münden war es ein General a. D. Kruska, der eine kleine Versammlung leitete, Anfang 1907 auch H. Dallmeyer zur Evangelisation berief. In Einbeck hatten, wie es scheint, einige „Gotteskinder" Gemeinschaft mit den Baptisten. In Hameln und Hildesheim konnte 1907 Reuter evangelisieren, gerufen aber vom Jünglingsverein bzw. Chr. V. J. M. In Osterwald erhielt sich aus Thimmes Zeit ein J.B. (seit 1906). Im Lüneburgischen entstanden durch die Arbeit zweier Hamburger kleinere Versammlungen in Pattensen (i. L.), Scharnebeck, Ohlendorf, Brackel und Ashausen. In Neuenkirchen bei Soltau wurde P. Wittkopf Gemeinschaftsmann. Dort hielt man vom 21. bis 23. August 1906 auch ein Missions- *) und Gemeinschaftsfest. Auch in Osterholz-Scharmbeck war es noch immer nur ein „kleiner Kreis gläubiger, heilsverlangender Seelen". Die Verbindung der Gemeinschaft in Blumenthal mit Osterholz erlosch. Die Blumenthaler, jetzt „Evang. Gemeinschaft" sich nennend, unter Niemeyer und Anna Boß, wurde isoliert und immer schwärmerischer. Mit der

*) Diesen besonders im Lüneburgischen geradezu irreführenden Namen hat man offenbar später nicht wieder angewandt.

Kirche hatte sie völlig gebrochen (ohne auszutreten). Enthaltung von Alkohol und Tabak, Verwerfung von formulierten Gebeten und ausgearbeiteten Predigten wurden Kennzeichen der Bekehrung. Anna Voß hatte auch Offenbarungen.

Wie diese, so scheinen auch einige ostfriesische Gemeinschaften ohne Beziehung zum Brüderrat geblieben zu sein; so erscheint eine Gemeinschaft in Möhlenwarf bei Bunde im Allianzblatt. Aus Norden schrieb ein P. Walter in „Wahrheit in der Liebe" gegen die Landeskirche.

Der Brüderrat wollte, wie wir sahen, auch für die Nachbargebiete arbeiten. In Bremen konnte ein auf Allianzstandpunkt stehender J. V. Januar 1907 sein erstes Jahresfest feiern (Redner: Modersohn).

In Oldenburg fing ein kleiner Kreis an, sich zu sammeln. In Schaumburg-Lippe und Braunschweig regte sich noch nichts.

ζ) Bayern.

(Entgegenkommen der Kirche — Entstehung des Brüderrats — Die Allianzrichtung — Die Arbeit des Philadelphiavereins — Die Ausdehnung der Arbeit.)

Wie in Hannover, so kam es auch in Bayern jetzt erst zur Organisation. Bedeutete dieselbe aber im ersteren Lande eine Verselbständigung gegenüber der Kirche, dagegen keine deutliche Abgrenzung gegenüber dem Allianzgedanken, so waren es in Bayern umgekehrt die kirchenfreundlichen Führer, vor allem Eichhorn selbst, die jetzt nach langem Zögern zur Organisation schritten, um der immer stärker vordringenden Allianzströmung den Weg zu verlegen und die Beziehung zur Landeskirche aufrechtzuerhalten, die gerade jetzt den Gemeinschaften sehr entgegenkam. Die Generalsynode von 1905 beantragte, ihnen größere Freiheit zu geben*). Im Erlaß des Oberkonsistoriums, betr. Diözesansynoden 1905 (Schott 1907 Nr. 10), wurde anerkannt, daß die Gemeinschaftsbewegung allerorten richtig beurteilt werde. Die Nürnberger Pastoralkonferenz von 1906 beschloß:

„Wir erkennen die Pflicht des kirchlichen Amtes an, das Gemeinschaftswesen anzuerkennen und mit aller Sorgfalt und Weisheit zu pflegen. Wir hoffen, daß die Kirche sich das Gemeinschaftswesen zur Belebung und Erfrischung dienen läßt, und legen den Gemeinschaften die Notwendigkeit ans

---

*) Allerdings scheint dabei nach den Berichten eine ganz merkwürdige Unkenntnis über die Geschichte der Bewegung (Verwechslung mit der Evangelischen Gemeinschaft) geherrscht zu haben.

Herz, ihren Lebens- und Arbeitszusammenhang mit der Kirche treu zu wahren."

Ein Konsistorialerlaß Anfang Dezember 1906 verfügte dann:

„1. Wo eine Anzahl von Familien oder Einzelpersonen sich zum Zwecke gemeinsamer Erbauung regelmäßig zu versammeln wünscht, haben sie dem protestantischen Pfarramte, in dessen Bezirk die Versammlungen abgehalten werden sollen, Ort, Zeit und Zahl der Zusammenkünfte mitzuteilen. Während des Gemeindlichen Hauptgottesdienstes dürfen solche Zusammenkünfte nicht stattfinden.

2. Das Pfarramt gibt alsbald nach erhaltener Mitteilung der zuständigen Polizeibehörde (Distriktspolizeibehörde) Kenntnis und erstattet zugleich durch Vermittlung des vorgesetzten Dekanates dem Königl. Konsistorium Anzeige.

3. Dem Ortspfarrer als dem Seelsorger und Träger des Lehramtes darf der Zutritt zu diesen Versammlungen nicht verwehrt werden.

4. Bieten die Zusammenkünfte in bezug auf Lehre oder Kirchenordnung Anlaß zu wesentlichen Beanstandungen, so ist dies von dem Ortspfarrer oder dem Königl. Dekanate dem vorgesetzten Konsistorium zur Anzeige zu bringen. Das Königl. Oberkonsistorium ist in solchen Fällen berechtigt, die Ermächtigung zu den betreffenden Zusammenkünften einzuschränken oder zurückzuziehen.

5. Für die Abhaltung von sogenannten Gemeinschaftskonferenzen oder anderen ähnlichen größeren Zusammenkünften von Angehörigen mehrerer Kirchengemeinden gelten die vorstehenden Bestimmungen mit dem Abmaße, daß die Leitung der Versammlung durch einen Geistlichen der Landeskirche stattzufinden hat und anderen Personen nur mit Genehmigung des zuständigen Konsistoriums übertragen werden darf."

So glaubten die kirchentreuen Führer die Zeit gekommen, ein Organ zum Verhandeln mit der Kirchenregierung zu schaffen. So berief man auf den 17. Oktober 1906 eine Vertreterversammlung nach Ansbach, wo man für das rechtsrheinische Bayern*) einen Brüderrat schuf aus sieben Pastoren und zehn Laien, nachdem ein vorläufiger Brüderrat sich schon im Februar gebildet hatte. Derselbe stellte dann zum 1. April 1907 den Vikar Thauer als Reiseprediger an. Nach der anderen Seite sollte der Brüderrat Aufsichtsorgan sein gegen „ungesunde, unnüchterne, schwärmerische Geister, die ihre Stärke in der Polemik gegen die geschichtlich gewordene Landes- und Bekenntniskirche suchen, die den Wert der äußeren Kirche negieren und sie als Babel bezeichnen, die endlich unter dem Vorgeben der unmittelbaren Geistesleitung sich selbst zu Päpsten aufwerfen."

---

*) Zunächst nur nördlich der Donau, da die südlichen Gemeinschaften württembergischen Verbänden angeschlossen waren.

Die Allianzgruppe konzentrierte sich mehr und mehr um das Erholungsheim Hensoltshöhe. Von hier wurden außer P. Mehl zwei Kolporteure und ein Bibelbote unterhalten. Vier Konferenzen wurden hier jährlich veranstaltet. Mehl gab als Vorstand der bayrischen Allianz auch „Mitteilungen an alle Freunde der Evangelischen Allianz in Bayern" heraus. In Nürnberg wurden die Allianzkonferenzen regelmäßig fortgesetzt (IV. 5.—7. November 1907). Die dortige Gemeinschaft beteiligte sich durchweg daran, wenn sie auch, ebenso wie die Fürther, die seit 1906 auch einen eigenen Pfleger (Dumbeck) besaß, in ein loses Verhältnis zum Brüderrat trat. Wohl eine Folge der Ausbreitung dieser Ideen war es, daß die bayrische Landeskirche in dieser Zeit einen starken Verlust an außerkirchliche Gemeinschaften aufwies.

Es war nun die Frage, ob es dem neugeschaffenen Brüderrate gelingen werde, der vordringenden darbystischen Strömung die Wage zu halten. Eine Unterstützung bot ihm dabei die Arbeit des Philadelphiavereins. Dieser hatte außer Steger in Ansbach am 1. April 1906 Weckerle in Hof angestellt. Hier hatten seit längerer Zeit die „Vereinigten Brüder in Christo" gearbeitet, jedoch nur kleine Kreise gewonnen. Als nun 1905 ihre Gemeinschaften an die bischöflichen Methodisten übergingen, wollte eine Anzahl Glieder sich nicht von der Landeskirche trennen und wandte sich an den Philadelphiaverein. Weckerle begann alsbald von Hof aus eine erfolgreiche Tätigkeit. Im ersten Jahre hielt er 352 Versammlungen auf 18 Stationen in Oberfranken. Am 20. Mai 1907 konnte er die I. von ca. 5—600 Personen besuchte oberfränkische Konferenz in Hof halten. 1907 kam dann noch Meck in Bächingen bei Günzburg als Philadelphiaarbeiter hinzu. So wurde nun auch in Oberfranken und Schwaben intensiv gearbeitet.

Überhaupt wuchs die Bewegung, aufs Ganze gesehen, in diesen Jahren. Man zählte jetzt ca. 70 Gemeinschaften. Die Reihe der mehr oder weniger regelmäßig gehaltenen Konferenzen mehrte sich. Der Hauptsitz blieb Franken. Hier fanden sich jetzt auch Kreise in Bamberg, Forchheim und der fränkischen Schweiz. Doch hatte man schon 1905 auch in Memmingen zuerst Konferenz halten können.

η) Hessen-Nassau.

(Stand der Arbeit in Kurhessen — Die Haltung der Führer — Der nassauische Zweig und seine Arbeit — Der Herborner Verein — Sonstige Arbeiten — Nassau südlich der Lahn.)

Viel weiter als Hannover und Bayern war ja Hessen-Nassau, speziell Kurhessen in der Organisation gediehen. Nachdem

Meiningen an den Thüringer Bund übergegangen war, hatte der hessen-nassauische Verein noch vier Bezirke: Homberg (Roth), Hersfeld (H. Fischer), Groß-Almerode (C. Wiegand) und Schmalkalden (Vogt). Daß auch bald Schmalkalden sich an Thüringen anzuschließen suchte und Vogt freier Evangelist wurde, ist bei Thüringen erzählt. Das dort vom hessen-nassauischen Verein bereits gekaufte Grundstück wurde, da mit der Gemeinschaft über den Bau und den Anschluß an Thüringen keine Einigung erzielt wurde, 1907 wieder verkauft. Eine Erweiterung der Arbeit war jedoch inzwischen durch die Anstellung Hartigs (bisher Görlitz) in Eschwege eingetreten (März 1907). Auf der Mitgliederversammlung des Gemeinschaftsvereins 1906 in Hersfeld war kräftige Förderung der Häuser in Homberg und Hersfeld beschlossen; auf der Generalversammlung Januar 1907 plante man einen Verbandssekretär; im April beschloß man in Kassel eine neue Satzung und die Bildung von Bezirksvorständen. Stang-Niederaula wurde als Bücherbote bestellt. Im Juni wurden in Hersfeld die neuen Bezirksvorstände gewählt und der neue Brüderrat, der aus sämtlichen Bezirksvorständen zuzüglich des Vorstandes zusammengesetzt wurde. Letzteren bildeten Wittekindt, Sartorius, Sperber, Röttger, Holzapfel, Wiegand. Der Brüderrat stellte in seiner ersten Sitzung Richtlinien für die Gemeinschaften auf. Die Verbindung mit „Unter dem Kreuz" wurde wieder aufgegeben und seit Juli 1907 der „Gemeinschaftsbote, wöchentlich erscheinendes Organ des Hessen-Nassauischen Gemeinschaftsvereins für Evangelisation und Gemeinschaftspflege" herausgegeben, d. h. ein kopfloses Blatt von Gebr. Bramstedt-Elmshorn mit diesem Kopf und einer Seite Sondertext versehen. Schriftleiter wurde Sartorius. Zunächst zählte man 1400 Abonnenten. Die große Kasseler Konferenz wurde jetzt zur jährlichen umgestaltet (VII. 18.—20. April 1906, „Nachfolge Christi", VIII. 9.—12. April 1907, „Das Werk des heiligen Geistes" [an der Welt, in den Gläubigen, in der Gemeinde]. Urbschat, Wittekindt, Göbel). Dazu wurde ein allgemeiner hessischer Gemeinschaftstag eingerichtet (I. am 16. Dezember 1906 in Kassel). Der Etat des Gemeinschaftsvereins belief sich auf über 7000 Mk.

Auch im einzelnen ging es vorwärts. In **Kassel** wirkte neben A. Dallmeyer seit 1906 H. Dallmeyer als freier Evangelist. Der unter ersterem stehende Blaukreuzverein konnte 1907 ein Männerheim einrichten. Wiegand-**Großalmerode** arbeitete in ca. 20 Ortschaften, Roth-**Homberg** in ca. 15. Hier konnte September 1906 ein Haus eingeweiht werden. Regelmäßige vierteljährliche Brüderkonferenzen unter dem Vorsitz von Amtsrichter Horst wurden 1906 für diesen Bezirk (Homberg, Fritzlar, Ziegenhain) eingerichtet. Aus dem hierzu gehörigen Treysa war zwar Grabowsky weggezogen, aber das Werk so erstarkt, daß man die Anstellung eines eigenen Bruders ins Auge fassen konnte. H. Fischer-Hersfeld arbeitete in 20 bis 25 Orten*). In Hersfeld selbst wurde der Bau eines Hauses begonnen und bis Mitte 1907 im Rohbau fertiggestellt. Hier wurden jetzt in der Lulluswoche mehrtägige Glaubenskonferenzen eingerichtet. Allein 16 Sommerfeste waren in diesem Bezirk 1907 geplant. Brüderkonferenzen wurden hier ebenfalls eingerichtet. Auch in Fulda wurde die Anstellung eines Bruders ins Auge gefaßt. Für das Hanauische wurde ein solcher Beschluß schon 1906 gefaßt. Zwar kam er zunächst nicht zur Ausführung, doch wurde Häcker-Friedberg mit dieser Arbeit mitbetraut, zugleich ein Zeichen dafür, daß das Verhältnis zu den Chrischonagemeinschaften, vielleicht unter dem Einflusse der Allianzwelle von 1905, sich besserte. Hier waren es Gemeinschaften in Oberissigheim, Roßdorf, Bruchköbel, Hirzbach, Marköbel und Bergen.

Auch das Verhältnis des Gemeinschaftsvereins zum J. B. und Blauen Kreuz war „lieblich"; beriefen doch beide die große Kasseler Konferenz ihrerseits mit.

So schien das Gemeinschaftsleben im Gebiet des Gemeinschaftsvereins in rüstigem, ruhigen Fortschritt begriffen, als der Sturm des Zungenredens alles zu zerstören drohte. Fragt man sich, wie dessen Eindringen möglich war, obwohl hier eigentlich darbystische Neigungen nicht geherrscht zu haben scheinen, so ist wohl, abgesehen von persönlichen Beziehungen, hauptsächlich auf die etwas unentschlossene und unklare Haltung der Führer hinzuweisen, die wir für Wittekindt schon oben angemerkt haben. Bezeichnend war, daß das Organ des Vereins sich zwar in der Besprechung eines Kühnschen Buches über das Abendmahl gegen „das scharfe Abscheiden der Gläubigen von der Landeskirche" aussprach, andererseits die schleswig-holsteinischen Satzungen für organisierte Gemeinschaften (s. o.) empfahl. An einigen Orten kam es denn auch zu Allianzversammlungen, wie in Großalmerode, wo Holzapfel ja sowieso etwas schwärmerisch arbeitete.

Ganz anders lagen die Dinge in Nassau, wo auch jetzt noch der Gemeinschaftsverein nur eine und vielleicht nicht einmal die bedeutendste Organisation war. Ein besonderer nassauischer Zweig war allerdings am 10. Oktober 1905 zu Wiesbaden durch

---

*) Z. B. Fulda, Wendershausen, Burghaun, Großenmoor, Langenschwarz, Cruspis, Rhina, Niederaula, Allendorf, Solms, Kathus und Sorga, Erdmannrode, Weiterode, Breitenbach, Heinebach, Heimboldshausen, Rotenburg, Weisenbach.

die zu jenem Verein gehörigen Gemeinschaftsleute des Westerwaldes und südlichen Nassau konstituiert. Wittekindt wurde auch hier Vorsitzender, Stellvertreter Huth-Eibelshausen. Außer ihnen gehörten zum Vorstande: P. Konradi-Hirschberg, P. Hild-Bornig, P. Neubourg-Kördorf, Deuser-Mansfelden, Dürr-St. Goarshausen, Seumer-Wiesbaden, Römer-Katzenelnbogen, Simon-Salzburg, Hofmann-Stangenroth sowie Ackermann und Wenzelmann. Letzterer wurde jetzt als Missionsarbeiter vom nassauischen Zweige übernommen. Durch ihn gewann der Verein nun besonders im Westerwalde Boden. Der neue „Gemeinschaftsbote" fand hier manche Leser. Bereits 1906 stellte Wenzelmann ein kleines, leicht transportables Zelt her für 300 Personen, 10 m lang, 7 m breit, das als Ersatz für die in dem armen Westerwalde fehlenden Säle diente. Am 5. Mai 1907 wurden in Alpenrod die Zeltversammlungen begonnen. In Unnau konnte er Konferenzen halten. Im Lahntal kamen zur Weilburger Konferenz (VI. 21. März 1906) Konferenzen in Limburg (Juli und November 1906). In Ems konnte 1907 ein Saal gemietet werden. Dort arbeitete Frl. Breitenbücher unterstützt vom Diakonissenhaus (mit seinen Berner Diakonissen). Im Dilltal dagegen drang die neue Organisation noch nicht bemerkenswert vor*). Doch wurde die Allendorfer Konferenz regelmäßig gehalten (V. 7.—9. März 1906). Die Hauptarbeit blieb hier aber in den Händen des **Herborn-Dillenburger Vereins**. 1907 waren von seinen vier Boten einer gestorben, einer nach Schlesien gegangen. Jahn arbeitete mehr in der Sache des Erziehungsvereins. Grabowsky, der 1905 nach Herborn gekommen war, arbeitete in Dillenburg. Der pensionierte Triesch in Allendorf half noch nach Kräften mit. Im ganzen wurden 60 Orte bedient, von denen jedoch Weidenhausen, Hartenrod und Schlierbach zum Kreis Biedenkopf, Stein zum Oberwesterwald gehörten.

Groß war hier im Dilltal übrigens die Zahl der Darbysten, sogenannten „entschiedenen Christen"; dazu kamen ihre Vorläufer, die Neukirchener Brüder (in Donsbach Klein, in Schlierbach Dücker, in Achenbach Höferhüsch), im Kreis Biedenkopf auch Chrischonabrüder.

Nehmen wir noch hinzu, daß in Obernhof a. d. Lahn 1905 die Evangelische Gesellschaft einen Boten stationierte, so ergibt sich für Nassau nördlich der Lahn 1907 ein ziemlich buntes Bild, in dem der Gemeinschaftsverein nur eine Schattierung liefert. Viel geringer war das Gemeinschaftsleben **südlich** der Lahn, hier jedoch, wie es scheint, durchweg in Verbindung mit dem Gemeinschafts-

---

*) Doch vergleiche auch das Vordringen des J. B. hier.

verein. Vor allem arbeitete hier ja der Philadelphiaarbeiter Ackermann, außer in Wiesbaden (und Ems) in Schierstein und Dotzheim, wo 1907 ein Versammlungsraum neu erbaut und am ersten Sonntage im Monat für die ganze Gegend Gemeinschaftsstunde gehalten wurde. In Katzenelnbogen hielt das Brüderratsmitglied Bäckermeister Römer Gemeinschaft in seinem Hause, in St. Goarshausen Dürr.

In Wiesbaden fanden nach wie vor die Versammlungen zur Förderung und Vertiefung des Glaubenslebens statt (16.—18. Oktober 1906, „Das Reich Gottes").

9) Resultat.

So war die Bewegung, die sich in der vorigen Periode in diesen Gebieten angebahnt hatte, durch die Erweckungsbewegung bedeutend gefördert. Während die Organisation noch bedeutende Fortschritte machte (Provinz Sachsen, Thüringen), ja einige Landesteile jetzt erst erfaßte, wie Hannover und Bayern, drangen andererseits auch die Paulschen und darbystischen Gedanken weiter vor, teils nur wenig als abgelehnte Nebenströmung, teils als Sauerteig in der Organisation, teils als besonderer Verband oder wenigstens Gruppe, teils von vornherein an der Organisation beteiligt.

c) Der Kampf der Richtungen in den lose oder gar nicht organisierten Landesteilen.

Gar nicht oder nur lose im Sinne des deutschen Verbandes organisiert waren jetzt eigentlich nur noch diejenigen Landesteile, wo mehr oder weniger starke altpietistische Gruppen sich befanden: Schwaben, Südwestdeutschland und Rheinland-Westfalen. In den zuerst genannten Gebieten wurde dabei der Kampf der Richtungen jetzt erst recht heftig, da durch die Erweckung jetzt auch hier die Allianzströmung kräftiger einsetzte.

Eine besondere Stellung nimmt der Frankfurter Brüderrat ein, da in ihm sehr verschiedenartige, zum Teil in sich geschlossene Organisationen vereinigt waren.

α) Das Gebiet des Frankfurter Brüderrates.

(Die Chrischonabrüder in Oberhessen — Der Brüderrat und die Frankfurter Konferenz — Frankfurt — Rheinhessen-Starkenburg und der hessische Verein für Innere Mission.)

An ihm beteiligten sich ja auch die Chrischonabrüder in Oberhessen, während sie sich in Kurhessen, wie wir sahen, dem

Gemeinschaftsverein näherten. Sie bewahrten aber durchaus ihre Sonderorganisation. Insgesamt waren es 1907 9 bzw. 10 Brüder.

In Kurhessen trat in Bellnhausen und Heinebach keine Veränderung ein, ebensowenig in der Marburger Stadtmission (Böhler). In Marburg-Land folgte auf Knipper, der nach Frankfurt ging, Müller (stationiert in Cölbe). Hier wurde gearbeitet in Reddehausen, Cölbe, Cappel, Moischt, Cyriaxweimar, Goßfelden, Wehrda, Oberrosphe, Niederasphe, Münchhausen.

In Oberhessen war jetzt Gießen vollständig Mittelpunkt geworden. Hier erschien auch seit 1907 ein eigenes Organ der hessischen Chrischonagemeinschaften „Aufwärts" in einer Auflage von 7500 Exemplaren. Vom 18.—20. Juni 1906 hielt man eine engere Konferenz für Evangelisation und Gemeinschaftspflege ab, an der ca. 30 meist Reichsgottesarbeiter teilnahmen. Herrmann hatte schon 1905 in Müller eine Hilfe erhalten, dem, als er nach Marburg kam, Juli 1907 Otto Rappe aus Pommern folgte. Auch in Lich, dem alten Mittelpunkt, wurde 1905 wieder ein zweiter Evangelist (Gebhardt) stationiert. In Niederweisel blieb Wernher, dem sich auch Butzbach anschloß. Daß Häcker-Friedberg im Auftrage des hessen-nassauischen Vereins auch das Hanauische bediente, ist bereits erzählt. Umgekehrt wurde der aufgegebene Bezirk Lauterbach jetzt im Wechsel mit den Hessen-Nassauern von Lich und Fulda aus verwaltet. Jetzt endlich fand man auch Eingang auf der Höhe des Vogelsberges. Im ganzen arbeiteten die Brüder 1907 regelmäßig in ca. 50—60 Dörfern und Städten. 12 eigene Vereinshäuser dienten ihren Zwecken: Lich, Hörnsheim, Watzenborn, Allendorf, Großenlinden, Gießen, Niederweisel, Schwalheim, Dorfgüll, dazu Bellnhausen, Marburg und Heinebach.

Das Verhältnis zur Kirche war nicht besser geworden. Wie weit im einzelnen die Gedanken der Erweckung von 1905 und der neuen Allianz hier eindrangen, vermag ich nicht zu sagen. Beachtenswert ist immerhin, daß gerade von den hessischen Chrischonabrüdern nicht eben sehr nüchtern arbeitende wie Vetter, Bollinger, Basel ausgingen.

Aus Oberhessen gehörten dem „Brüderrat für Frankfurt a. M. und Umgegend und Hessen-Darmstadt" 1907 an Häcker, Wernher und Martin, Dinkel-Butzbach, Gorr II und M. Sames II-Dorfgüll, P.D. Weber-Lich, aus Frankfurt Ch. de Neufville (Vors.), P. Paschen (2. Vors.), P. Correvon, Stadtmissionar Nebeling-Bockenheim und Amtsgerichtsrat Dr. Schuchardt, außerdem P. Hahn-Friedrichsdorf, Stadtmissionar Heesemann-Hanau, Gärth-Allendorf, Sauerwein-Roßdorf, Greiner, P. Eßlinger-Auerbach und P. Beller, P. Widmann und Dr. Linß-Darmstadt. Der Brüderrat schloß sich dem Deutschen Verbande an. Sein Organ war der

„Vereinshaus Nordost-Bote“, das überhaupt seinen Rückhalt bildete. Er hatte naturgemäß wenig organisatorische Bedeutung. Vor allem veranstaltete er die Frankfurter Osterkonferenz, auf der im allgemeinen der nüchterne Ton der älteren Gnadauer vorherrschte. So sprach man in der IV. (17.—19. April 1906, Col. 3, 3) unter anderem über Geistestaufe. Hier führte Haarbeck ähnlich wie später in Gnadau (s. o. S. 477) aus, daß Geistestaufe nicht etwas Hinzukommendes, sondern das Wesentliche des Christentums sei. Allerdings gab er zu:

„Die Bekehrung sei heutzutage meist keine normale; es komme zu keiner reinlichen Scheidung von einst und jetzt. Früher suchte man in der Welt seine Ehre und seinen Vorteil, jetzt bei den Brüdern; sei das überhaupt eine Bekehrung? Wenn wir nicht auf die Kraft des Geistes verzichten wollten, müßten wir das Versäumte nachholen durch Buße und Glauben. Dann könne es auf einmal anders werden, wie es schon auf vielen Konferenzen geschehen sei. Und wer diesen Weg nicht gehen wolle, empfange den Geist nicht, wenn er auch nach Wales oder sonstwohin reise.“

Dietrich fügte in seiner Milde noch hinzu: „Man solle auch solche Brüder in Liebe tragen, die behaupteten, die Geistestaufe sei etwas ganz Besonderes, was sie erst lange nach ihrer Bekehrung erlebt hätten. Man solle solchen sagen: ‚Gut, lieber Bruder, daß du es endlich hast. Es schadet auch nicht, wenn du noch einmal und noch einmal mit dem Geist getauft wirst und immer wieder!‘ In der Tat sollten solche Brüder, statt ihre Erfahrung als etwas besonders Hohes hinzustellen, vielmehr bedenken, daß es eigentlich sehr traurig ist, wenn man sich jahrelang für bekehrt ausgegeben hat, ohne den heiligen Geist zu haben. Und wenn sie sagen, man könne wohl den Geist der Kindschaft haben, aber das sei noch nicht der Geist der Kraft, so ist eine solche Unterscheidung, wie der Referent mit Recht sagte, ein pures Menschenfündlein.“

Der reformierte Siebel hatte scharf die Vergebung der täglichen Schuld betont. Auch die anderen Redner, wie Limbach, Herbst, Reuter sprachen durchaus nüchtern. Zugleich freilich zeigen die obigen Ausführungen, wie man auch hier den Irrtum der alten Gnadauer teilte, durch mildes Tragen die radikalere Richtung halten zu können. Auf der V. (3.—6. März 1907, „Jesus Christus unser Hoherpriester, Prophet und König“) sprachen Reuter, Christlieb, Sartorius und Stuhrmann.

In Frankfurt a. M. tat der „Evangelische Verein Nordost für Evangelisation und Gemeinschaftspflege (E. V.)“ seine Arbeit weiter. Immer mehr machte sich hier das Bedürfnis geltend, das Verhältnis des Vereins und seines Vereinsgeistlichen (P. Paschen) zur Landeskirche rechtlich zu fixieren, namentlich da nach der neuen Frankfurter Kirchenverfassung in der lutherischen Stadtsynode das Einzelgemeindeprinzip durchgeführt wurde und auch der Stadtteil

Nordost seinen Pfarrer bekam. 1907 traten Busch, Mahling und Saul auf der Synode für Nordost ein. Verhandlungen wurden eingeleitet.

Als besonderer Zweig des Frankfurter Brüderrates bildete sich ein Brüderrat für Rheinhessen und Starkenburg, der die einzeln stehenden Gemeinschaften wie Darmstadt und den Verein für Innere Mission zusammenschloß. Die Pastoren Eßlinger, Widmann und Veller gehörten auch dem Frankfurter Brüderrat an. Der Letztgenannte leitete die alte Darmstädter kirchliche Gemeinschaft, „Stadtmission" genannt, in ruhigen Bahnen. Es separierte sich von ihr die „Christliche Gemeinschaft Immanuel", die, offenbar allianzfreundlich, vom 13.—27. Januar 1907 Kaul evangelisieren, auf ihrem Jahresfest Dolman reden ließ.

Eßlinger war Vorsitzender des Vereins für Innere Mission, den er mit Greiner und drei anderen Gemeinschaftsgliedern im Brüderrat vertrat. Der Verein hatte jetzt drei Berufsarbeiter in Worms (Greiner), in Alzey und in Mainz*). Es wurden in Rheinhessen ca. 8, in Starkenburg ca. 6 Gemeinschaften bedient, wozu noch eine Reihe von losen „Versammlungen" kamen.

Über des Vereins bzw. Greiners Stellung zur Allianzströmung widersprechen sich die Angaben. Während ein Bericht in „Auf der Warte" (1908 Nr. 3) seine „entschiedene Allianzgesinnung" rühmte**), berichtigt P. Eßlinger das dahin, daß er im Gegenteil das Eindringen dieser Strömung stets zäh bekämpft habe. Vielleicht ist jene Meinung dadurch entstanden, daß Greiner in persönlichen Beziehungen zu Vetter stand, der ja sein geistliches Kind war, und daß er, wie so manche Altpietisten, die Einmütigkeit mit den radikalen Elementen aufrechtzuerhalten suchte. Wie weit darüber hinaus er etwa damals wirklich sich der Erweckung geöffnet hat und das entgegengesetzte Urteil etwa von der späteren Reaktion beeinflußt ist, kann ich natürlich nicht feststellen. Dagegen spricht eigentlich, daß sich neben seiner Gemeinschaft in Worms eine andere auf Allianzboden stehende nebst Blaukreuzverein bildete, auf deren Jahresfest 1907 Köhler und Kühn sprachen.

---

*) Nach einer Mitteilung P. Eßlingers ist die dortige Stadtmission vom Verein gegründet; nach anderen Angaben war sie 1902 selbständig (s. o. S. 135).

**) Vgl. meine Schrift „Die innere Entwicklung usw." S. 22.

β) Das Gebiet des südwestdeutschen Altpietismus.

(Die Wißwässerianer — Der Pfälzer Verein — Die Arbeiten im Westrich — Elsaß — Der Gegensatz der Richtungen in Baden.)

Mit Rheinhessen-Starkenburg haben wir bereits das Gebiet des südwestdeutschen Altpietismus betreten. Hier sei vorab über die Wißwässerianer bemerkt, daß ihre Gemeinschaften mehr und mehr zurückgingen. Lamb*) zählt für 1910 in Rheinhessen 6, Starkenburg 8—12, Pfalz 10—15, Baden 18. Das wird auch für 1907 zutreffen. Höchstens, daß die eine oder andere zwischen 1907 und 1910 eingegangen sein könnte. An der Spitze stand noch Paul Wißwässer. Ihre Hauptstütze waren ihre Kinderschwestern, die in Mannheim in eigener Anstalt ausgebildet wurden.

In Rheinhessen und Starkenburg blieb unter Schmidt das Verhältnis sowohl zur Kirche (keine getrennten Abendmahlsfeiern) wie zum Verein für Innere Mission freundlich. In Worms hielt Schmidt z. B. Bibelstunden in Greiners Saal. In der Pfalz blieben die Wißwässerschen offenbar kirchenfeindlicher.

Hier hatte sich der Pfälzer Verein für Innere Mission kräftig entwickelt, besoldete er doch 1907, abgesehen von vier ihm angeschlossenen Stadtmissionaren, zwölf Reiseprediger, meist Chrischonabrüder, und plante noch weitere Anstellungen. Die Befehdung von protestantenvereinlicher Seite blieb, wenn man sich auch scheinbar auf das Verkehrte polizeilicher Maßregelung besann**). Allerdings scheinen einige Reiseprediger, wie Ewald, sich auch stark den Allianzideen erschlossen zu haben. Auch Pf. Götz-Godramstein, einst als Student von Christlieb 1877 in Bonn für die Gemeinschaftssache gewonnen, stand diesen Gedanken nicht fern.

Bewußt kirchlich wollte dagegen der Philadelphiaverein im Westrich wirken. So konnte denn 1907 das Gemeinschaftsjahresfest in Zweibrücken zum ersten Male in der Kirche gehalten werden unter Mitwirkung eines Geistlichen und unter Teilnahme von ca. 700 Personen. „Wir teilen dies gerne mit," schrieb Philadelphia (1907 Nr. 9), „weil sonstwo in der Pfalz das Verhältnis zwischen Gemeinschaft und Kirche kein gutes ist. Es kommt eben viel auf den Ortsgeistlichen und auf die Stellung der Gemeinschaft an. Wo beide Teile wollen, kann man auch in der Pfalz recht schön zusammenarbeiten. Und wir wollen." Dem alternden Will konnte man November 1906 Kuhnle zur Seite stellen. Ohler arbeitete noch in Neunkirchen (Bez. Trier). Die Konferenz in

---

*) Die Wißwässersekte S. 61 ff.

**) 1906 hatten im ganzen sechs liberale Pfarrer die Polizei angerufen.

St. Johann wurde regelmäßig wiederholt (II. 12.—16. April 1906, „Das neue Leben"). Auf der III. (28. März bis 2. April 1907, „Die große Barmherzigkeit Gottes nach 1. Petr. 1") sprach Rappard; danach evangelisierten Wittekindt und Reuter. Teil nahmen die Chrischonagemeinschaften (Grau) und die der Evangelischen Gesellschaft (Roland). In den ersteren scheint die Erweckung von 1905 gewirkt zu haben. „Seit zwei Jahren pulsiert neues Leben in den Gemeinschaften" („Auf der Warte" 1907 Nr. 19). Man ging an den Neubau eines größeren Hauses.

Im Elsaß drang jetzt erst die organisierte Bewegung ein, aber, soviel ich sehe, auch die Allianzströmung; ja, vielleicht ist der Anfang zur Organisation geschehen, um letzterer in etwas zu begegnen. Bald nach Ostern 1906 nämlich fand eine Gemeinschaftskonferenz in Straßburg statt, auf der auch Dietrich anwesend war. Hier wurde aus Vertretern der einzelnen (ca. 25) Gemeinschaften des Unterelsaß ein Brüderrat gewählt, dem die Evangelische Gesellschaft die bisher durch ihre „Landmission" und deren zwei Berufsarbeiter betriebene Gemeinschaftspflege übergab. Der neue Brüderrat stellte zunächst nur einen Evangelisten (Ullmer in Brumath) an. Ausdrücklich wurde betont, daß man treu zur Landeskirche halten wolle. Durch den Vereinsgeistlichen (auf Saul, der nach Frankfurt ging, folgte Schrenk, ein Sohn des Evangelisten) stand der Brüderrat mit der Evangelischen Gesellschaft in persönlicher Verbindung. Als Orte, an denen damals gearbeitet wurde, sind mir genannt: Weißenburg, Geisberg-Schafbusch, Hunnspach, Oberseebach, Birlenbach, Sulz u. W., Mietesheim, Oberbronn, Stattmatten, Sesenheim, Brumath, Molsheim, Petersbach, Moderfeld, Wasselnheim, Bläsheim, Gottesheim. Doch bezeichnete man von anderer Seite diese „Versammlungen" nicht als „eigentliche Gemeinschaften in des Wortes tiefster Bedeutung". Das waren die darbystischen Gedanken.

Im Oberelsaß blieben die alten selbständigen Gemeinschaften, wie Mülhausen (Ev. Uehlinger).

Ganz besonders deutlich ward das Ringen der verschiedenen Strömungen in Baden. Hier stand jetzt der Verein für Innere Mission A. B. unter der Leitung P. Böhmerles, der, ähnlich wie in Württemberg Dietrich, wohl allem Neuen, wenn es Belebung des alten Werks versprach, Verständnis entgegenbrachte, aber unbedingt den historischen Zusammenhang wahren wollte. An der neuen Strömung, worunter er übrigens offenbar vor allem die methodistisch beeinflußte ältere Gnadauer Art verstand, schätzte er gegenüber dem Altpietismus vor allem die evangelistische Bearbeitung des ganzen Volks, die stärkere Öffentlichkeit. So bekam unter ihm der Verein einen stärker evangelistischen Zug, während früher die Gemeinschaften des Vereins nur Sammelstätten der Gläubigen waren und nur durch Hausbesuche gewirkt wurde. Jetzt erlangte die Evangelisation „Heimatrecht in den Versammlungen", und „da und dort trug sie greifbare und bleibende Frucht". Ja, es setzte hie und da eine Erweckung ein. „Wir erleben in allen Teilen des Landes mannigfach Wunderbares" („Reichs Gottes Bote" 1907 Nr. 18). Bibelkurse wurden eingerichtet, der Bau eines Erholungs- und Bibelheims für 100 000 Mk. geplant. Gemeinschaftshäuser wurden außer den 21 1906 dem Verein gehörenden gebaut bzw. geplant, so in Friesenheim, Eberbach, Zierolshofen, Hockenheim und Weinheim. 300 Gemeinschaften zählte der Verein 1907, 28 Reiseprediger, 2 Jungfrauenpflegerinnen, 2 Büroarbeiter und den Inspektor. Die Auflage des „Reichs Gottes Boten" betrug 19 000, des Kalenders ca. 50 000.

Aber andererseits hatte Böhmerle auch allerlei Bedenken gegen die neue Strömung. Er sah sehr deutlich die Gefahren der „schrecklich vielen" Evangelisationen, Konferenzen usw. und wollte die altpietistische Art der Einzelseelsorge keineswegs aufgeben. Dazu hielt er fest an der innerkirchlichen Arbeit. Nur so könne wirkliche Volksmission getrieben werden.

Darum trat er energisch gegen die Allianzströmung auf, wie sie gegen Ende dieser Periode von Liebenzell her und durch die Zeltmission Baden bedrohte*). Auf Allianzboden, wenn auch wohl mehr in der älteren, stilleren Art, stand in Baden der Christliche Kolportageverein v. Gemmingens, dementsprechend wohl auch die Konferenz in Gernsbach (31. März bis 2. April 1907), dann vor allem die Freiburger November-Konferenz. Auf der III. (1906) sprach Henrichs (Gnadenmittel zum inneren Wachstum des Volkes Gottes nach Apgsch. 2, 42). Diese Konferenz lehnte sich an das von der Familie Mez gegründete Vereinshaus und hatte offenbar nahe Beziehungen zur Chrischona, ebenso eine Arbeit in Müllheim, wo durch Holdermann schon früher ein Vereinshaus entstanden war. Dazu kam dann ja noch die Chrischonastation in Konstanz.

Auf dem alten Gnadauer Standpunkt stand der Mannheimer Kreis unter Schneider in Neckarau, der jetzt ganz vom Philadelphiaverein übernommen wurde (s. u. S. 566) und 1907 einen neuen Saal bauen konnte.

---

*) Genaueres s. meine Schrift „Die innere Entwicklung usw." S. 21 f.

γ) Württemberg.

(Gnadauer Anregungen und die Ausdehnung der Arbeit — Das Erstarken der Allianzströmung und der Kampf der Richtungen.)

Ähnlich wie in Baden war die Lage in Württemberg. Mit bedächtiger Vorsicht führten Männer wie Dietrich weiter die Gnadauer Gedanken in die altpietistischen Gemeinschaften ein. Mehr und mehr besoldete Gemeinschaftspfleger wurden jetzt angestellt, jedoch nur, wo nicht genügend geeignete Brüder aus weltlichen Berufen vorhanden waren. 1906 waren es 7, 1907 schon 9 *). Ebenso mehrten sich die eigenen Häuser: 1906 wurden allein drei neue eingeweiht, am 27. Mai das in Heidenheim für 90 000 Mk., wovon 25 500 allein von der Gemeinschaft aufgebracht waren, mit 600 Sitzplätzen, ferner das in Affalterbach und das in Sondelfingen. Die beiden ersteren waren Eigentum des Gemeinschaftsvereins. Im ganzen waren es jetzt 10 Häuser. Die bisherigen „Mitteilungen" gingen am 1. Januar 1907 als „Gemeinschaftsblatt für die verbundenen altpietistischen Gemeinschaften in Württemberg" an den Brüderrat über, unter der bisherigen Schriftleitung. Die Brüderkasse hatte im Jahre 1906/7 21 755 Mk. Einnahme, aber vom Jahre vorher noch ein Defizit von 2688 Mk., das sich jetzt auf 1241 Mk. ermäßigte.

Auch größere Konferenzen wurden jetzt mehr gehalten, so 1905 in Stuttgart, Gmünd, Süssen, Brackenheim und Freudenstadt. Die Stuttgarter war wieder eine dreitägige Philadelphia-Konferenz (25.—27. April), wie die von 1900 (s. o. S. 130). Die Themata waren: „Unsere Stellung zur Schrift", „Der Christ in Trübsal" und „Unsere Arbeit an der Welt", letzteres, von Zimmermann behandelt, etwas dem älteren Pietismus ziemlich Fremdes. 1906 fanden größere Bezirkskonferenzen in Brackenheim, Freudenstadt, Crailsheim **), Edelfingen, Rottweil (hier zuerst 2. Februar, „Das Volk Gottes"), Ulm, Gmünd, Göppingen statt. In bezug auf die zwei Brüderkonferenzen in Kornthal und Reutlingen wurde beschlossen, daß nach Reutlingen nur die Oberländer, nach Kornthal nur die Unterländer Gemeinschaften kommen sollten, von den übrigen Bezirken nur jeweils die Bezirksbrüder.

Nahm man so an, was man von neueren Gedanken für die eigene Art fruchtbar machen konnte, so setzte man sich zur Wehre gegen die darbystische Allianzströmung. Denn blieben auch

*) Kühlwein-Ulm, Lotze-Stuttgart, Rehm-Heidenheim, Lilienfein-Gschwend, Veil-Brackenheim, Sprandel-Dornstetten, Kopp-Süssen, Baumeister und Hofmann-Öhringen.

**) Jährlich regelmäßig im Dezember fürs württembergische Franken.

die altpietistischen Gemeinschaften von dem Ausbruch der Erweckung verschont, die neue Strömung fand ihren Weg auch ins Schwabenland. Dafür sorgte schon Liebenzell. Bereits am 29./30. November 1905 kam es zu einer Allianzkonferenz in Heilbronn, von der es hieß: „Die Einheitsgedanken der Kinder Gottes finden neuerdings auch in Süddeutschland guten Eingang." „Neben einer Reihe von Methodisten- und Baptistenbrüdern" dienten „die landeskirchlichen Brüder Modersohn und Coerper" und wurden „durch eine reiche Siegesbeute erfreut". Auf der II. (28.—30. November 1906), wo außer den Obigen auch Dolman sprach, sollen ca. 2000 Personen gewesen sein. Die „Frucht" war eine regelmäßige monatliche Allianzgebetstunde. Auch in Stuttgart wurde am 30. Oktober 1906 eine Allianzkonferenz gehalten.

Dazu kam das süddeutsche Zelt (s. o. S. 490). Endlich war eine neue „Christliche Gemeinschaft" unter Frl. Sattler in Stuttgart entstanden, ebenfalls kirchenfrei.

Aber der Brüderrat erhob seine warnende Stimme. Schon früher hatte Dietrich gegen das Predigen von Frauen wie Schimmelmann*), Hoff und Sattler geschrieben (Phil. 1905 Nr. 12). Am 3. Januar 1907 verhandelte der Brüderrat über die Allianzfrage und kam zu dem Schluß, daß zwar jeder gläubige Christ, auch wenn er nicht der Landeskirche angehöre, als Bruder anerkannt werden solle, „daß aber von einem Zusammengehen mit anderen Kirchengemeinschaften abzuraten sei". Ebenso wurde dann vor der Zeltmission gewarnt**).

Dafür fehlte es nicht nur nicht an bitteren Bemerkungen Vetters***), auch aus den Reihen der Altpietisten selbst traten manche für das Neue und gegen die Führer ein, die sich sagen lassen mußten, sie seien Himmelreichsbremser. Überhaupt erwiesen sich die altpietistischen Gemeinschaften nicht unbedingt als Schutzmauer gegen das Vordringen außer- und nebenkirchlicher Gedanken, was sich schon darin zeigt, daß gerade die württembergische Landeskirche besonders hohe Übertrittsziffern zu den Sekten zeigt. Doch das Gros der Altpietisten wurde in aufopfernder Arbeit von den Führern in besonnenen Bahnen erhalten.

---

*) Die November 1905 in Heilbronn evangelisierte.

**) Ausführliche Zitate siehe in meiner Schrift „Die innere Entwicklung" usw. S. 18 ff.

***) Z. B. „Viel Kampf und von allen Seiten Widerspruch, besonders die Pietisten und die Kirche tun alles, um das Werk zu hemmen — aber siegend schreitet Jesus über Land und Meer" (Gottes Fußspuren in der Zeltmission S. 165), vgl. auch die Anm. oben S. 491.

Das gilt erst recht von den Hahnschen Gemeinschaften, die unter Oberlehrer Griesinger ihren Besitzstand, wie es scheint, ungeschmälert erhielten.

δ) Altpietisten, Gnadauer und darbystisch Gerichtete in Rheinland-Westfalen.

(Die Evangelische Gesellschaft und ihre Arbeitsgebiete — Die Stützpunkte der Allianzströmung — Die Barmer Konferenz — Das Industriegebiet — Das Oberbergische — Mörs — Siegen — Sauerland — Minden-Ravensberg — Die Gesamtbrüderräte — Die Stellung der Landeskirche — Lippe und Waldeck.)

Bei weitem nicht eine so fest geschlossene Phalanx bildete der rheinisch-westfälische Pietismus. Auch war ja gerade hier die Erweckung von 1905 zuerst ausgebrochen. Abgesehen vom Siegerlande war noch die festeste altpietistische Organisation die Evang. Gesellschaft in Elberfeld. Diese verlor 1907 ihren Inspektor Munz, der als Missionsprediger nach Stuttgart ging. Für ihn trat P. Ernst Buddeberg, bisher reform. Pastor in Heiligenhaus, früher Lehrer am Johanneum, ein. Einen weittragenden Einfluß gewann die Gesellschaft durch die völlige Übernahme von „Licht und Leben" (s. o. S. 502).

Die Gesellschaft hatte 1907 60 Boten (1906: 56), 52 Zweigvereine (1906: 45), 43 Vereinshäuser (41). Außerdem waren noch 6 Häuser geplant, zum Teil schon im Bau. Die Einnahmen wuchsen von 97238,59 Mk. (1905) auf 110103,89 Mk., aber auch die Ausgaben von 99736,96 Mk. auf 112820,37 Mk. So hatte man am 1. Januar 1907 ca. 5000 Mk. Defizit.

Geschlossene Kreise hatte sie vor allem im Kr. Wetzlar und im Hunsrück-Nahe-Gebiet. Im ersteren stieg die Zahl der Boten auf 5*), bei 8 Vereinshäusern**). 3 Zweigvereine (inkl. Biedenkopf) waren zu einem Kreisverbande zusammengeschlossen***).

Ebenso bildeten die Zweigvereine des linken Rheinufers südlich der Mosel den Kreisverband Rhein-Hunsrück-Nahe†). Hier stand jetzt ein eigenes Haus in Idar. 5, zeitweise 6 Boten bedienten diese Gegend††).

---

*) In Allendorf, Ehringshausen, Großrechtenbach, Wetzlar, Oberlemp.

**) In Allendorf, Altenkirchen, Aßlar, Dutenhofen, Ehringshausen, Großrechtenbach, Niedergirmes, Wetzlar.

***) Doch arbeiteten hier auch noch Chrischona- und Neukirchener Brüder, und der J.-B. drang vor (s. u.).

†) Abgesehen vom Saargebiet, das wir bereits beim Westrich erwähnt haben.

††) In Idar, Waldalgesheim, Oppertshausen, Roxheim, Sobernheim.

Ebenso viele Boten versorgten die blühende Arbeit im Westerwälder Kreisverbande, in dem zwei Gemeinschaften geradezu als „Mustergemeinschaften" bezeichnet werden konnten. 8 Vereinshäuser waren, wenn man Wahlbach im Kr. Siegen und Langenbach in Nassau mit hinzurechnet, die Stützpunkte*), letzteres 1907 erbaut, nachdem 1906 dort ein Bote stationiert war.

Im Oberbergischen scheint die Erweckung den ebenfalls zu einem Kreisverbande zusammengeschlossenen Gemeinschaften der Evang. Gesellschaft nicht gerade sonderlich viel Zuwachs gebracht zu haben. Die Zahl der Boten der Gesellschaft vermehrte sich nur um einen (in Übersehn b. Herchen 1906), so daß nun 5 zwischen Sieg und Agger arbeiteten. Ein neues Vereinshaus war 1905 in Buchen erstanden, ein neuer Saal fest gemietet 1906 in Bielstein.

In Köln konnte der Bote nach siebenzehnjähriger Arbeit ein Haus „Eben Ezer" einweihen (1907).

Viel mehr als in diesen Orten war die Gesellschaft im Industriebezirk nur eine Arbeit neben anderen, im Wuppertal**), Ruhrgebiet***) und am Niederrhein†) wie im westfälischen Kohlengebiet††). Außerdem hatte die Gesellschaft 1907 noch ein Haus und einen Boten in Westig (Kr. Iserlohn, wo 1906 auch eine Gemeinschaft in Letmathe hinzukam) sowie in Minden-Ravensberg (Mellbergen), wo 1907 ein zweiter in Vlotho hinzukam, und in Ülsen in der Grafschaft Bentheim (Hannover), wo ein Haus gemietet wurde (eingeweiht 1906)†††).

Die Arbeit der Gesellschaft wurde von den Inspektoren in bewußt altpietistischem, kirchenfreundlichen Geiste erhalten, der durch die Erweckung emporgetragene darbystische Allianzgedanke daher abgelehnt. Dabei fehlte es natürlich nicht an Schwierigkeiten mit

---

*) Außer den beiden genannten: Viersdorf, Derschen, Dierdorf, Hohegrete, Ober- und Niederdreisbach.

**) 1907: außer Elberfeld-Barmen (mit vier Häusern und mehreren Boten) Solingen (Haus und Bote) und Haan (Bote).

***) 1907: Essen (H. u. B.), Bergeborbeck (H. u. B.) und Oberhausen (B.) (Essener Kreisverband).

†) 1907: Hamborn (Haus), Hiesfeld, Marxloh und Meiderich (je Haus u. Bote) (Niederrheinischer Kreisverband.)

††) Dortmund (drei Häuser, zwei Boten), Eickel (H. u. B.), Gelsenkirchen (H. u. zwei B.), Hagen (H. u. B.), Herne (H. u. B.), Kamen (H. u. B.), Witten (B.), Bochum (B.), Hörde (B.), Marten (B.), Wattenscheid (H. u. B.). In Osterfeld war 1907 ein Haus im Bau (Kreisverband des Kohlenreviers und märkischer Kreisverband).

†††) Die Arbeit in St. Johann s. o. S. 554, Thüringen S. 529, über Lippe s. u. S. 565.

der eindringenden Allianzströmung, so im Oberbergischen, auch gegenüber der Zeltmission in Barmen, Gelsenkirchen, Bochum und sonst. Ihr treiberisches Wesen wurde nicht gutgeheißen, wenn auch anerkannt wurde, daß Segen davon ausgegangen sei.

Im allgemeinen scheint die Gesellschaft ihre Gemeinschaften vor der neuen Strömung bewahrt zu haben; außerhalb derselben aber gewann diese in weiten Kreisen infolge der Erweckung großen Zuwachs, der auch blieb, als die Erweckung wieder abflaute, vor allem in Mülheim (Ruhr). Hier beschlossen die Führer Modersohn und Girkon, die Neugewonnenen zu organisieren. Die Statuten *)

---

*) „I. Zweck der Gemeinschaft ist die Ausübung und Pflege der ‚Gemeinschaft der Heiligen', die wir dem Worte Gottes und dem apostolischen Glaubensbekenntnis gemäß glauben und bekennen; d. h. die durch Gottes Wort gläubig Gewordenen sollen völlig in die Gemeinschaft mit Christus, unserm göttlichen Haupte, eingeführt werden, so daß sie lernen, an allen seinen Gütern und Gaben teilzunehmen; sie sollen aber auch zur wirklichen, praktischen Gemeinschaft mit allen lebendigen Gliedern zusammengebracht werden, so daß sie lernen, einer dem andern in Liebe zu dienen, ein jeglicher mit der Gabe, die er empfangen hat.

II. Mitglieder der Gemeinschaft sind darum grundsätzlich alle, welche wiedergeboren sind und das Zeugnis des heiligen Geistes von ihrer Gotteskindschaft besitzen; doch ist es zur praktischen Betätigung und Pflege der Gemeinschaft nötig, seinen Anschluß an dieselbe durch ausdrückliche Erklärung zu vollziehen.

III. Das Verhältnis zu den bestehenden Kirchen bleibt für jedes Glied der Gemeinschaft unangetastet; denn dieselbe hat nicht die Absicht, sondern lehnt es vielmehr ausdrücklich ab, irgendeine neue Kirche zu gründen, und verbürgt jedem Mitgliede in seinem Verhältnis zur Kirche völlige Gewissensfreiheit.

IV. Zusammenkünfte der Gemeinschaft finden statt in dem Gemeinschaftshause in der Steinstraße 1. wöchentlich, wozu aber der Eintritt auch Nichtmitgliedern frei steht; 2. monatlich, wozu nur die Mitglieder zu Geschäfts- und Weihestunden sich sammeln; 3. je nach Bedarf zu jeder Zeit für Mitglieder allein und auch für jedermann.

V. Lehre und Wandel der einzelnen Mitglieder soll bestimmt sein durch Gottes Wort in der heiligen Schrift, an welches allein jedes Gewissen gebunden sein soll. Darüber hat die Gemeinschaft zu wachen und Zucht des heiligen Geistes auszuüben.

VI. Die Beiträge zu den Ausgaben werden von jedem Mitgliede nach seiner Kraft und nach eigener Bestimmung nach einer in der Gemeinschaft zu vereinbarenden Ordnung gegeben. Völliges oder zeitweiliges Unvermögen hierzu schließt keineswegs von der Gemeinschaft aus.

VII. Besondere Diener der Gemeinschaft. Hierzu gehört zunächst nur der Vorsteher und Leiter derselben, den der Herr gibt. Welche anderen Dienste je nach Bedarf einzurichten sind, soll dem Willen und Wirken Gottes überlassen bleiben."

tragen ausgesprochenen darbystischen Allianzcharakter. Ein Platz wurde gekauft (Steinstraße), und am 9. Dezember 1906 konnte der Saal eingeweiht werden. Inzwischen war Modersohn gegangen, Girkon starb am 18. Juli 1907. Die Gemeinschaft zählte 500 „wirklich Bekehrte“, zum guten Teil eine Frucht der Erweckung. Die monatliche Allianzversammlung blieb.

In Köln verlor dagegen die Allianzrichtung eine Stütze. Die freie Stadtmission rief zwar noch Ende 1906 Binde zur Evangelisation*), aber 1907 wurde der Leiter Schröder liberal, und seine Stadtmissionsgemeinschaft löste sich auf. Er behielt seinen Hospizbetrieb.

In Beeck arbeitete Knippel in Kauls Geiste fort. In Krefeld hielt eine Schwester Sch.-Stettin Februar 1907 reichgesegnete Versammlungen. In Velbert evangelisierte zur selben Zeit Modersohn. In Godesberg erschloß sich die „Christl. Gemeinschaft“ unter Adrian dem Allianzgedanken. In Barmen und anderen Orten, wo die Erweckung gewirkt hatte, blieben Allianzversammlungen, so in Düsseldorf, wo das Allianzkomitee 1907 v. Viebahn berief, und seit 1906 in Witten, wo noch 1907 die Allianzgebetswoche um acht Tage verlängert werden mußte und seither alle vierzehn Tage Allianzgebetsstunde stattfand. Duprée stellte dann dem dortigen Allianzkomitee sein Zelt zur Verfügung, und ca. 50 Seelen bekannten öffentlich, in dieser Evangelisation „Frieden mit Gott gefunden zu haben“. Aber im einzelnen ist die lokale Ausdehnung der Strömung schwierig, ja vielleicht gar nicht zu fassen, denn hier in Rheinland-Westfalen handelte es sich ja nicht, wie im Osten, um geschlossene darbystische Verbände oder, wie im Süden, um kleine, in der Opposition befindliche und darum feststellbare Kreise, sondern hier war es gerade der rein ausgeprägte Darbysmus**) mit seiner grundsätzlichen Gegnerschaft gegen Formen als Richtung, ja Stimmung, aber eben deswegen in verschiedenster Form. Bald war eine freie Gemeinschaft, ja Gemeinde Trägerin der Gedanken, die dann, weil ausgesprochen außerkirchlich, für unsere Betrachtung ausscheidet, dann wieder etwa ein Blaukreuzverein, wie ja gerade viele Vereine des Westbundes auf Allianzboden standen. So lassen sich außer den genannten hervorragenden lokalen Stützpunkten eigentlich nur die großen Sammelplätze der Allianzströmung genau fixieren, deren bedeutendster Tersteegensruh blieb. Auf der

*) In die „Hochburg der modernen Theologie, die viel verheerender wirkt als der berüchtigte Karneval“.

**) Es sei nochmals daran erinnert, daß ich damit stets die älteste Form desselben, die der open brethren meine.

VI. Konferenz (20.—23. Juni 1905) sprach man über „Was wir unserm großen treuen Hohenpriester schuldig sind". Wegen des wachsenden Einflusses der Konferenz beschloß man eine Halle zu bauen. Da hierzu aber die Mittel nicht reichten, errichtete man ein Zelt. Das Komitee bildeten Girkon, Modersohn, Böhm-Gelsenkirchen und Oetzbach-Ratingen. (VII. 12.—15. Juni 1906, „Die Ruhe des Volkes Gottes", VIII. 28.—31. Mai 1907, „Gebetsleben der Kinder Gottes": Girkon, Wittekindt, Ströter, Modersohn, ca. 2400.) Auch eine I. allgemeine Missionskonferenz wurde hier gehalten, an der sich Barmen, Neukirchen, China-Inland- und China-Allianzmission beteiligten.

Daneben bestanden weiter die Missions-Glaubensversammlungen in Duisburg-Beeck (XI. 20.—23. Januar 1907) und die Versammlungen zur Vertiefung des Glaubenslebens in Düsseldorf (im Februar 1907: Ströter, Henrichs, Kaiser). Neu hinzu kamen Glaubensversammlungen in Godesberg (23.—24. Januar 1907: Dolman, Coerper, Großmann).

Diesen Versammlungen gegenüber stand als Sammelpunkt der kirchlich gesinnten Altpietisten und älteren Gnadauer die Gemeinschaftskonferenz in Barmen. Auf der II. (20.—23. Juni 1905), deren Vormittagsversammlungen sogar von 5—800 Personen besucht waren, war der Hauptvortrag der Schrenks über die „Gabe des heiligen Geistes". Seine Ausführungen zeigten freilich zugleich wieder, wie weit in die Kreise der alten Gnadauer hinein der Boden für die neue Lehre von der Geistestaufe bereitet war, denn er wiederholte auch jetzt noch seine Auffassung, daß die Rechtfertigung noch nicht identisch sei mit dem Empfang der Gabe des Geistes (Licht u. Leben 1905 Nr. 35). Auf der III. (8.—11. Mai 1906) sprachen Dannert, Busch, Amstein, Keeser und Haarbeck über „Das Wirken des heiligen Geistes". Diesmal wies Keeser mit Nachdruck die „zweite Bekehrung" zurück, wenn er auch einen plötzlichen Eintritt des völligen Habens des Geistes als möglich anerkannte. In der Besprechung klang die gegensätzliche Auffassung an (L. u. L. 1906 Nr. 20, 22). Haarbeck betonte: „Der Leib (Christi) ist nicht darstellbar, bleibt trotz Allianz ein Glaubensartikel und Produkt des heiligen Geistes" (ebend. Nr. 20).

Bezeichnend war Buschs Bericht (ebenda Nr. 22): „Wir sind doch in der Hauptsache einig, daß der Geist Gottes Besitz nehmen muß von unsern Herzen, sind doch auch wohl darin einig, daß Er da nicht regiert, wo man sich nicht lieb hat. Nun wollen wir doch Zutrauen zueinander haben, uns verstehen lernen und uns gegenseitige Freiheit lassen, nicht unsere Erfahrungen zu neuen Gesetzen für unser christliches Leben machen neben dem Evangelium, wollen vor allem für einander beten! Und das gilt nach allen

Seiten hin. Schließlich ist's so oft nur ein Streit um Worte, während man im Grunde ganz eins ist."

So stand man auch hier nicht in wirklicher Klarheit der neuen Strömung gegenüber, sondern suchte nach Kompromissen. Der sicherste Weg, den viel entschiedeneren Radikalen den Weg zu bahnen! Wie sich im übrigen die einzelnen Gemeinschaften der altpietistischen bzw. älteren Gnadauer Richtung stellten, läßt sich, abgesehen von der Elberfelder Gesellschaft, nur bei einzelnen unter sich mehr geschlossenen Gruppen aufzeigen. Am schwersten im Industriegebiet, wo eben solcher Zusammenschluß fehlte, ja, wo manchesmal, etwa bei von Pastoren geleiteten Gemeinschaften, die Grenzen zwischen Gemeinschaften und Vereinen fließend sein mochten. Wir merken daher nur an, daß z. B. in Mülheim die Kreise des alten Vereinshauses der Modersohn-Girkonschen Gemeinschaft wie schon vorher der Erweckung skeptisch gegenüberstanden, sowie daß im westfälischen Industriegebiet Langendreer als die größte Gemeinschaft bezeichnet wird, und daß in der westfälischen Provinzialsynode behauptet wurde, „daß ein Zusammengehen der evangelischen Geistlichkeit mit der Zeltmission bisher beim besten Willen nicht möglich gewesen sei (Bochum, Gelsenkirchen, Siegen)", während in Essen das Presbyterium die Zeltmission berief. Übrigens wurde sie 1907 bei ihrer zweiten Arbeit unterstützt von P. Kirchberg-Gelsenkirchen-Hüllen.

Das Oberbergische hatte ja seit einigen Jahren einen eigenen Brüderrat und hielt seine eigenen Konferenzen (12./13. März 1906 in Nümbrecht). Der Ausbruch der Erweckung in diesem Gebiet ist erzählt. Durch das damit erfolgende Eindringen von Allianzgedanken und Paulschen Heiligungstheorieen wurde viel Unruhe und starke Gegensätze hervorgerufen (Mitteilungen der Ev. Ges. f. D. 1909 Nr. 9).

Die Grafschaft Moers scheint ihr gesondertes Gemeinschaftsleben bewahrt zu haben. Das Neukirchener Missionshaus arbeitete auch im Cleveschen, z. B. in Cleve selbst.

Das Siegerland behielt im „Verein für Reisepredigt" seine geschlossene Organisation. Trotz der Aufgeschlossenheit für die Gedanken der älteren „Evangelischen Allianz" stand man der neuen Erweckung und ihren Allianzgedanken sehr kühl gegenüber. Diese hatten natürlich ihr Zentrum im Zeltmissionshaus. März 1907 hielt Henrichs in Siegen Evangelisation. Der „Verein für Reisepredigt" hatte jetzt im ganzen acht Diakone. 90 bis 100 Gemeinschaftsversammlungen fanden jeden Sonntag statt, ca. 50 Häuser waren auf den Namen der Firma A. Michel & Co. in Weidenau eingetragen, ca. 120 Gemeinschaften wurden bedient. „Der Evangelist aus dem Siegerland" hatte 7—8000 Abonnenten.

Im Sauerlande kam es zu einem besonderen Zusammenschlusse der „auf dem Boden des Gnadauer Programmes" stehenden Gemeinschaften als „Vereinigung der kirchlichen Gemeinschaften im Kreise Altena", vielleicht geradezu in einem gewissen Gegensatze zur Allianzrichtung. Die I. sauerländische Konferenz fand am 22. April 1906 in Lüdenscheid statt (Dannert), die II. am 16. September (Wittekindt). Hier wurde unter anderem über Bedingungen und Ziele einer geordneten Gemeinschaft geredet. Den Vorstand bildeten Köster-Halver, Conze-Lüdenscheid, Twittenhoff-Eveking, Kaiser-Altena. Bei der III. (26. Mai 1907) wurde auf einer Brüderkonferenz „Unsere Stellung zur neuen Heiligungsbewegung" besprochen, auf der eigentlichen Gemeinschaftskonferenz „Die herrliche Freiheit der Kinder Gottes". Bezeichnend freilich für das auch hier herrschende unklare Streben, die Einmütigkeit festzuhalten, war die Teilnahme Dolmans an dieser Konferenz.

Dolman arbeitete im Mai 1907 auch in Schildesche, vor ihm Modersohn. Hier war jetzt der Hauptsitz der neuen Allianzströmung für Minden-Ravensberg. Die Gemeinschaft besaß auch ein eigenes Haus, ebenso die in Wallenbrück unter dem Bruder Jellinghaus'. Außer diesen kennt Modersohn als größere Gemeinschaft nur noch die unter Wolck stehende in Bielefeld, wo er selbst Palmsonntag 1907 auf der Konferenz redete, d. h. diese Gemeinschaften waren der neuen Allianzrichtung zugänglich. Die übrige Gemeinschaftspflege im Lande lag in den Händen der lutherischen Geistlichkeit, weswegen Modersohn schrieb: „Im Ravensberger Lande sind die Schwierigkeiten, mit denen die Gemeinschaftsbewegung zu tun hat, eben ganz besonders groß. Die Gegend ist von einer solchen Kirchlichkeit, daß ihnen jeder andere als der eigene Pastor als der Ketzerei verdächtig erscheint." „Infolgedessen gibt es erst geringe Anfänge des Gemeinschaftswesens im Ravensberger Lande, das einst von so herrlichen Erweckungen heimgesucht worden ist." Wie man sieht, hatte sich das Urteil der Radikalen über den alten lutherischen Pietismus dort noch nicht geändert. Zugleich ergibt sich aber daraus, daß bislang der Altpietismus noch nicht erschüttert war.

In Lippstadt entstand 1907 ein J. B. Selbst im Münsterlande regte es sich.

All diesen verschiedenen Gruppen gegenüber konnten natürlich der „Rheinische"*) und „Westfälische Brüderrat" je

*) P. Müller-Barmen (Vors.), Haarbeck, P. Bröckermann-Neudüsseltal, Christlieb-Mettmann, Herbst, Knellessen-Beeck, Biederbieck-Krefeld, Rekt. Rehbein-Düsseldorf, P. Spieker-Essen, Will-Nümbrecht.

länger, je weniger Bedeutung gewinnen. Sie waren und blieben bloße Konferenzkomitees, wobei die rheinische Konferenz (8. Oktober 1905 in Betzdorf, „Hat jeder Gläubige den hl. Geist empfangen?") nicht einmal die bedeutendste ihres Bezirks war. Die westfälische fand weiter halbjährlich statt (z. B. Herbst 1905 in Gelsenkirchen, Frühjahr 1906 in Langendreer, Frühjahr 1907 in Hattingen, „Gesetz und Gnade nach Gal." Leiter: P. Grote-Oberfischbach).

Die Landeskirche stellte sich in Westfalen besonders in der Person des Generalsuperintendenten Zöllner sehr freundlich zur Bewegung. Er betonte den Wert der Gemeinschaftspflege einmal gegenüber dem Liberalismus, andererseits dazu, daß die Kraft Gottes die Gemeinde besser durchdringe. Die Gemeinschaften könnten suchenden Seelen ein Führer zum Heiland sein. „In der Gemeinschaft der Gläubigen darf solcher aufrichtige Mensch dann die selige Gewißheit erfahren, daß in dem Blute des unbefleckten Lammes Reinheit ist für jede Sünde." Er wünschte recht viele Gemeinschaften.

In Lippe-Detmold arbeitete die Elberfelder Gesellschaft im Anschluß an den dortigen Brüderrat. Die XVI. lippische Konferenz („Die Organisation der christlichen Gemeinschaften in biblischer Beleuchtung") fand am 21. Oktober 1906 in Lemgo statt. Hier war auch der Bote der Gesellschaft stationiert, doch arbeitete auch der 1907 in Vlotho angestellte vor allem in Lippe.

In Waldeck arbeiteten weiter Chrischonabrüder, wie zeitweise Binde (s. o.), auch Neukirchener (z. B. in Corbach).

4. Der Deutsche Verband und der Philadelphiaverein 1907.

So war überall die neue darbystische Allianzströmung im raschen Vordringen, vielfach den erst vor kurzem aufgebauten Bau der Organisation des Deutschen Verbandes unterspülend. Hatte Gnadau die wirklich grundsätzliche Entscheidung, wie wir sahen, nicht gebracht bzw. nicht durchgeführt, so mußte der Kampf sich naturgemäß, wie der Überblick schon gezeigt hat, in eine Reihe kleinerer Einzelkämpfe auflösen. Das bedeutete für den „Deutschen Verband" einen starken Verlust an Autorität und Geschlossenheit.

Äußerlich freilich umfaßte er noch immer den bei weitem größten Teil der deutschen Gemeinschaftsbewegung. Den Vorstand bildeten: Michaelis, jetzt freier Evangelist in Bielefeld, Wittekindt, jetzt in Wernigerode und nur im Nebenamt Verbandssekretär, und Bernstorff, nach dessen Tode Bild-Brieg, außerdem gehörten dem Komitee jetzt an: Behrens-Oschersleben (Prov. Sachsen), Dietrich (Philadelphiaverein), Edelhoff (Ostpreußen), Grote = Oberfischbach (Westfalen), Günther=Fraustadt (Reichsbrüder), Haarbeck (Johanneum), Graf Korff (Hannover), Krawielitzki (Westpreußen), Meyer (Pommern), Müller=Barmen (Rheinprovinz), Müller=Habelschwerdt (Kirchl. Verband Schlesiens), Munz=Elberfeld (Evang. Gesellschaft, für ihn dann Gauger), Modersohn (Thüringen), de Neufville, Paul, Pückler (Märk. Brüderrat), Rappard (Chrischona), Regehly (Schlesischer Gemeinschaftsbund), Reuter, Rothkirch (Weißes Kreuz), Siebel, Scharwächter (Sachsen), Schmolke (Posen), Tiele=Winkler (Schleswig=Holstein), Witt, v. Zastrow (Brandenburg II).

Bedeutete so der Verband nicht ohne eigene Schuld das nicht mehr, was er in den ersten Jahren seines Bestehens bedeutet hatte, so war zu noch geringerer Bedeutung in der Öffentlichkeit herabgesunken der Deutsche Philadelphiaverein, einst das Arbeitszentrum der ganzen Bewegung, dies aber nicht durch eigene Schuld, sondern weil er getreu seinen Grundsätzen nur Anregungsarbeit hatte leisten wollen. So war, wie oben schon erwähnt, eine Station nach der anderen von den erstarkten Brüderräten übernommen, wie in Sachsen (1907 Kretschmar als der letzte), Schlesien (1907 Kusch) und Thüringen (1906 Gester). Neues Gebiet erschloß sich, wie wir sahen, vor allem in Bayern, wo 1906 Weckerle in Hof und 1907 Meck in Bächingen bei Günzburg zu Steger in Ansbach hinzukamen. In Neckarau wurde 1905 Schneider übernommen, in Zweibrücken kam zu Will 1906 Kuhnle. So hatte man 1907 14 Angestellte, nämlich außer Bornhak und Weis und dem Boten in Graz (auf Urban folgte hier 1906 J. Hermann) Ackermann=Wiesbaden, Bursche=Gardelegen (nur noch halb), Merz=Blankenburg, Ohler=Neunkirchen, Kuhnle und Will=Zweibrücken, Schneider=Neckarau, Volk=Heidelberg, Steger=Ansbach, Weckerle=Hof und Meck=Bächingen.

Der Philadelphiaverein verlor ein Mitglied an Bernstorff. Für ihn trat Gottfried Graf v. Pückler=Limpurg ein, für den hochbetagten Fr. A. Siebel seine Neffen Jak. Gust. und Walt. Alfr. Siebel.

Die Einnahmen gingen stark zurück (1905: 32 720,22 Mk., 1906: 31 294,14 Mk.) und trotz Herabdrückens der Ausgaben (1905: 31 378,16 Mk., 1906: 31 294,14 Mk.) vermochte man nicht das Defizit zu beseitigen (1907 noch 1209,99 Mk.).

Philadelphia behauptete sich auf seiner alten Höhe.

Drittes Kapitel.

Die Erweckung und die Berufsgemeinschaften.

(Frauen — Lehrer — D.C.S.V. und Verwandtes — Neue Bildungen und Erstarken der älteren — Die pastoralen Gemeinschaftskonferenzen.)

Noch vermehrt wurde die so stark im Wachsen begriffene Dezentralisation, um nicht zu sagen Desorganisation der Gemeinschaftsbewegung durch die Berufsgemeinschaften. Zum Teil verstärkten sie geradezu das Gros des darbystischen Flügels. Das taten die Frauen. Ihre Hauptorganisation blieb der „Deutsche Frauenmissionsbund". Außer auf seinen Konferenzen*) und in seinen Gebetskreisen**) arbeitete er seit Oktober 1906 auch durch sein eigenes Organ***). Der Bund hatte 1907 drei eigene Missionarinnen draußen, nur ledige Schwestern. Den geschäftsführenden Vorstand bildeten Fr. von Bethmann-Hollweg, Gräfin El. Waldersee, Fr. v. Hochstetter, Vorsteherin des Bibelhauses, Frl. v. Redern, Frl. v. Plotho, Frl. C. Rhiem, die Reisesekretärin des Bundes, und P. E. Lohmann. Unter den sonstigen Vorstandsmitgliedern waren als einzige männliche Modersohn und Huhn.

Dieser Umstand zeigt schon, welche Richtung hier herrschte. War doch auch auf seinen Konferenzen die Erweckung ausgebrochen. In „den Segenstagen in Freienwalde" war Mrs. Penn Lewis selbst anwesend gewesen, in Liegnitz standen „die zum Reden Berufenen alle wirklich Gott zur Verfügung" und „sprachen oder schwiegen", ließen „sich unterbrechen oder ihr Programm umstoßen", „wie die Leitung des Herrn es ergab". „Am ersten Tage war noch manches zu überwinden." „Am zweiten Tage schon gab es in der Morgengebetsstunde einen Durchbruch, und Gott segnete sichtlich die Zeugnisse, Bekenntnisse und Lieder." In der Chr. V. F. M. in Berlin, deren Leiterin, Frl. v. Kardorff, auch dem weiteren Vorstande des Frauenmissionsbundes angehörte, beschäftigte man sich damals mit der Apokalypse und nahm begeistert die Entrückungslehre an.

---

*) 1905: im Mai in Freienwalde, Juni Wandsbek, Oktober Düsseldorf, November Liegnitz; 1906: im Oktober Görlitz und Karlsruhe (die XIII. Frauenmissionskonferenz); 1907: im Juni in Rostock.

**) Februar 1907 werden in Deutschland 96 Kreise angegeben, durchs ganze Reich zerstreut.

***) „Mitteilungen des Deutschen Frauenmissionsbundes", monatlich.

Während der Gebetswoche des Weltbundes bezeugte dann am Dienstag ein Vorstandsmitglied, „daß sie nach wochenlangem Harren in den vergangenen Nachtstunden getauft worden war mit dem heiligen Geist und mit Feuer! Darauf gingen wir ins Gebet, — ununterbrochen wurde fortgebetet, und nur mit dem einen Ziel: ‚Gib uns den vollen Pfingstsegen!‘ Da plötzlich ruft jemand: ‚Jesus — das Feuer! — Schwestern, dankt!‘ — Und in tiefer Anbetung lobten wir ihn, der unter uns angefangen hatte, Pfingsten zu geben“ (Auf der Warte 1905 Nr. 50).

In den Lehrergemeinschaften wurde der Vorsitzende der Westdeutschen*) ein Vorkämpfer der neuesten Erweckungsmethode, und auf der Pfingstversammlung der Ostdeutschen, 1906 in Vandsburg, wurde auf die „Absicht Gottes, uns mit seinem Geist zu taufen“, hingewiesen und das Programm umgestoßen. Der altpietistische Verein evangelischer Lehrer in Württemberg**) wurde dagegen von diesen neueren nicht als einer der Ihrigen anerkannt.

Die westdeutsche Gemeinschaft mit ihren beiden Zweigen, dem kurhessischen und Frankfurter (Pfingsten), tagte Ostern in Barmen (1906 ca. 400), im Herbst 1905 in Düsseldorf (ca. 150), 1906 in Altena. Die ostdeutsche***) erhielt einen Zweig in der pommerschen, die 1907 in Ramelow beschloß, für einen Missionar in Neupommern zu sammeln. Die norddeutsche verlegte ihre Versammlungen 1906†) auf Ostern und den Herbst, statt Pfingsten und Weihnachten††). Eine Zweiggemeinschaft der mitteldeutschen†††) bildete sich in der brandenburgischen§). Die schlesische tagte Ostern 1907 in Ohlau zum zehnten Male. Ebenso hielt die sächsische Ostern Konferenz. Zu der badischen kam 1906 noch eine bayrische Gemeinschaft§§).

Der Lehrer-Missionsbund zählte 1907 627 Mitglieder, davon 87 Schlesier.

Selbst die D. C. S. V. berief 1905 Torrey nach Wernigerode. Eine Anzahl schloß sich auf einen Aufruf zum Gebetsbunde für

---

*) W. Goebel, auch noch nach seinem Ausscheiden aus dem Schuldienst.

**) 1907 646 Mitglieder.

***) Halbjährlich. XIII. in Elbing, XIV. in Schneidemühl, XV. in Vandsburg, XVI. (im Oktober 1906 statt Weihnachten) in Stettin, XVII. (Pfingsten 1907) in Köslin.

†) Zuerst Ostern 1906 in Schleswig. Ostern 1907 in Rendsburg war der Besuch sehr zahlreich.

††) Zuletzt Weihnachten 1905 in Elmshorn.

†††) II. Herbst 1905 (Halle), III. Weihnachten 1905, IV. Herbst 1906 (52), V. Ostern 1907.

§) Zuerst Berlin Oktober 1905, jährlich dreimal (Weihnachten, Ostern und Herbst) tagend, für Berlin und Umgegend monatlich.

§§) Zum zweiten Male Dezember 1906.

eine Erweckung zusammen. Torreys Vortrag: „Die persönliche Erfahrung von der Kraft des heiligen Geistes" riß auch manche fort, die „durchgeglüht, von mancherlei Bann befreit" wurden. Aber bei der Fragebeantwortung hinterher zeigte sich doch deutsche kritische Art und von Torreys Seite erhebliche Unklarheit. Die Erweckung brach nicht aus, und zwei Jahre später gab man zu, daß Torreys Vortrag teilweise Unheil angerichtet habe, da er zu wenig auf die psychologischen Voraussetzungen hingewiesen habe.

Das war ein Zeichen davon, daß die darbystische Richtung in der D. C. S. V. nicht durchdringen konnte. Zu ihren Vertretern gehörten Spemann*), Gundert, der in den „Mitteilungen" auf die Erweckung hingewirkt hatte**), Arnold***) und v. Gerdtell. Dieser baute seine Studentenmission zu einer Arbeit an den Gebildeten aus und redete 1905/6 z. B. in Greifswald, Königsberg und Tilsit. Sein Bericht darüber behauptet einen ungeheuren Erfolg. Seine starke Zuhörerschaft hatte er vielleicht auch der scharf antikirchlichen bezw. antitheologischen Form, zu reden, zu verdanken†).

Trotz des Mißerfolges Torreys schien es, als ob eine Vorherrschaft dieser Kreise in der D. C. S. V. in Aussicht stünde,

---

*) S. oben S. 510.

**) „Abwärts oder aufwärts" in Nr. 58, „Wie wird unsere Bewegung stark und blühend?" in Nr. 59.

***) Er sagte 1906 in Blankenburg von einem sich bekehrenden Studenten: „Natürlich trat er auch aus seinem studentischen Verein aus" (Sabbathklänge 1906 Nr. 45).

†) Gewissermaßen als sein Programm stellte er auf:

1. Wir stehen auf dem Boden der ganzen heiligen Schrift, die wir als alleinige Autorität in Lehre und Leben anerkennen. Die Unantastbarkeit und allseitige Genugsamkeit der heiligen Schrift steht uns fest.

2. Wir betonen die Gottheit Jesu und sein stellvertretendes Sühnopfer im apostolischen Vollsinne.

3. Wir fordern von jedem Menschen eine persönliche und totale Willensentscheidung für Jesus, sowie Bruch mit Sünde und Welt. Wir glauben an die ewige Verdammnis derer, die Jesus nicht annehmen.

4. Wir wollen Studenten und akademisch gebildete Männer für Jesus gewinnen und die Gewonnenen im persönlichen und wissenschaftlichen Verständnis des Urchristentums vertiefen.

5. Wir dienen keiner bestimmten Konfession, noch wollen wir ein bestimmtes kirchenpolitisches Programm stützen. Aber wir garantieren, soviel an uns liegt, jedem volle Gewissensfreiheit, Gott ohne Menschenrücksichten nach seiner biblischen Erkenntnis zu dienen.

6. Wir arbeiten in dankbarer Anerkennung alles dessen, was Gott wirkt, soviel an uns liegt, brüderlich Hand in Hand mit allen bereits bestehenden, lebendigen Missionsbestrebungen unter den Studenten.

waren doch v. Gerdtell und v. Viebahn Hauptredner der Konferenz von 1907. Aber nicht nur wurde dagegen Widerspruch laut, es bahnte sich auch schon in dieser Zeit der Konflikt an, der zum Austritt v. Gerdtells und mehrerer seiner Gesinnungsgenossen führte. Ich habe denselben genauer geschildert in meiner Schrift: Die innere Entwicklung usw. S. 34 ff. und wiederhole hier nur, daß auch Pückler die „Basis" nicht so auslegen wollte, daß damit die Annahme der Verbalinspiration gefordert sei, und nicht wollte, daß ein um den Verband verdienter Sekretär ausgeschlossen würde, nur weil er die Autorschaft des 2. Petrusbriefs angezweifelt hatte.

Aber gerade weil hier Pückler und seine Gesinnungsgenossen mit der studentischen Richtung gegen darbystische Enge Front machten, war es nicht rein ein Sieg der studentischen Richtung, sondern die schon oben mehrfach aufgezeigten Gegensätze blieben bestehen.

Gerade auf der Wernigeroder Konferenz von 1905, wo Torrey sprach, hielt auch Heim seinen Vortrag: „Bilden ungelöste Fragen ein Hindernis für den Glauben?" In derselben Nummer der „Mitteilungen", die einen Vortrag des Norwegers Wilder ohne Einschränkung brachte: „Das evangelistische Ziel all unsrer Vereinigungen; seine überragende Bedeutung und die Mittel zu seiner Verwirklichung", brachte auch einen Bericht über die süddeutsche Konferenz, mit gründlicher wissenschaftlicher Arbeit. Gelegentlich der Konferenz, wo Gerdtell und Viebahn redeten, tauchte der Wunsch auf: „Könnte nicht ein Tag der Konferenz mehr intellektuellen Fragen in aggressiv-apologetischer Behandlung gewidmet werden?"

Daß die studentische Richtung erstarkte, lag schon an der Vergrößerung und dem stärkeren Ausbau der Organisation, was z. B. in Tübingen geradezu den Kauf eines eigenen Hauses mit sich führte. 1906 zählte man Kreise an 25 Universitäten und Hochschulen und etwa 4—500 Mitglieder, allein in Halle 100*). Die großen Konferenzen fanden jetzt stets in Wernigerode statt. Die XVI. 1906 war von ca. 180 Studenten besucht. Gesprochen wurde über die „Schönheit" 1. der Welt, 2. des Kreuzes, 3. der Arbeit für den Herrn und 4. die Schönheit, auf die wir warten. Die Themata hatten manche gekünstelt angemutet. 1907 führte Langmesser aus: „Wer war Jesus?", v. Viebahn: „Stirb und Werde" und v. Gerdtell: „Ganze Menschen". Trotz der außerkirchlichen Redner war die Zahl der Besucher auf ca. 200 gestiegen*).

---

*) Der Weltbund zählte 1906 elf „Bewegungen", 1825 Vereinigungen, 113000 Mitglieder. Konferenzen: 1905 in Zeist, 1907 in Tokio.

**) Die fünfte süddeutsche Konferenz fand vom 17. bis 19. April 1906 statt.

Die Mitteilungen erschienen seit Oktober 1906 monatlich. Ein festes Zentralbureau in Berlin wurde eingerichtet. Als Sekretär diente Theoph. Mann und als 2. Sekretär Gundert (bis S.-S. 1905), dann wieder Dr. Oestreicher (vom W.-S. 1906/7 ab). Außer ihnen (und den wechselnden studentischen Vorstandsmitgliedern) bildeten den Vorstand Pückler und Riehl-Osterholz-Scharmbeck. Zur besseren Finanzierung beschloß man 1906, einen Kreis unterstützender Freunde mit festen Beiträgen zu gewinnen.

Eine Verstärkung des Studentischen bedeutete die Einrichtung eines Arbeitsausschusses, bestehend aus drei der studentischen Vorstandsmitglieder, die durch persönliche Korrespondenz die Verbindung der Kreise untereinander aufrechterhalten und die Sekretäre unterstützen sollten*). Dazu kamen die Kreisleiterkonferenzen oder „Studentische Arbeitskonferenzen". Auf der I. (17.—19. April 1907, ca. 50 Teilnehmer) begann der erwähnte Streit um die Verbalinspiration. Schon hier siegte die studentische Richtung. Jedes Jahr sollten zwei solcher Konferenzen gehalten werden.

Die „Altfreunde" organisierten sich fester, z. T. in Bezirksverbänden. Den Vorsitz führte Heim.

Dazu kam jetzt die Organisation der Studentinnen. Im August 1905 bildete sich die „Christliche Vereinigung studierender Frauen" (C. V. S. F.)**), die bei der XV. Wernigeroder Konferenz zuerst eine eigene Konferenz abhielt. Kreise bestanden in Berlin, Halle, Bonn, Breslau, Leipzig, Marburg, München***). Die Sekretäre der D. C. S. V. wurden stimmberechtigte Mitglieder des Vorstandes der D. C. V. S. F.

Ähnlich war die Verbindung des S. f. M. mit der D. C. S. V., in deren Vorstande dem S. f. M. vier Sitze mit drei Stimmen zustehen. Seine Zunahme war nicht gerade stark, 1907 betrug sie 15, in früheren Jahren noch weniger. Ein studentischer Kreis unterstützender Freunde wurde jetzt gesammelt von solchen, die nicht direkt in den S. f. M. gehen könnten.

Von den Bibelkränzchen für Schüler höherer Lehranstalten, die hie und da jetzt von anderer Seite als von ausgesprochenen Gemeinschaftsleuten betrieben wurden, sei wenigstens angegeben, daß 1906 an 50 Orten 80 Bibelkränzchen mit ca. 2700 Teilnehmern bestanden und am 8. Juni 1906 in Halle unter Mockerts Leitung

---

*) Allerdings waren zwei der ersten Mitglieder gerade Vertreter der darbystischen Richtung (Arnold und Still).

**) Zweck: „Die Kommilitoninnen durch Veranstaltung von Bibel- und Diskussionsabenden einem persönlichen Heiland näherzubringen."

***) Vors. Frl. A. Kost-Halle.

die I. allgemeine Konferenz der Leiter von Bibelkränzchen stattfand (ca. 30 Teilnehmer)*).

Ganz auf dem Boden der Bewegung stand dagegen nach wie vor der „Deutsche Christliche Technikerbund". Seine II. allgemeine Konferenz wurde am 4. und 5. November 1905 in Chemnitz gehalten, die III. am 6. und 7. Oktober 1906 in Frankfurt a. M. 1906 zählte man 30 Ortsgruppen, meist im Westen. Hier hatte schon im Juli 1905 die III. Bezirkskonferenz für Westdeutschland stattfinden können, und bald konnten im Westen vier Bezirke gebildet werden mit besonderen Konferenzen. Die I. süddeutsche Bezirkskonferenz war im Februar 1907 in Stuttgart, die III. für Schlesien und Posen im Dezember 1906.

Wie weit sie sich der Erweckung geöffnet haben, ist mir nicht bekannt, auch nicht von den übrigen Berufsgemeinschaften, doch standen ja die meisten auf Allianzboden. Dabei entstanden stets noch neue Berufsgemeinschaften, und die vorhandenen bauten ihre Organisation immer straffer aus.

Neu entstand die Vereinigung der „gläubigen Landwirte", ausgehend von Schleswig-Holstein**). Ein Vorstand von sieben Personen wurde gewählt***). Den Schleswig-Holsteinern folgte die „Vereinigung gläubiger Landwirte Posens und Westpreußens" †).

Aus der Konferenz gläubiger Fleischer entstand der „Verband gläubiger Fleischer" ††).

Am Ende unserer Periode bildete sich eine „Vereinigung gläubiger Grubenarbeiter" im Oberbergamtsgebiet Dortmund.

Die „Vereinigung gläubiger Beamten" dehnte sich über ganz Deutschland aus und nannte ihr Organ „Beamtenfreund".

Die „gläubigen Bäcker" fügten zu ihrer Hauptkonferenz

---

*) Organ „Mitteilungen und Winke für Leiter von Bibelkränzchen".

**) I. Konferenz Oktober 1905 in Neumünster, die II. Februar, die III. November 1906 („Christus für uns, wir für Christus") ebendort.

***) Vors. Hofbesitzer Thiesen-Hardesby. Organ: „Der gläubige Landwirt", vierteljährlich. 1907 ca. 300 Mitglieder.

†) Zuerst 1907.

††) Gegründet am 12. März 1907. Er „bekennt sich zu Jesum Christum als Sohn Gottes und Heiland der Welt, und hält Gottes Wort als die alleinige Richtschnur des Glaubens und Lebens. Er will die Fleischer, die Jesus als ihren Heiland anerkennen, und als seine Jünger leben wollen, sammeln, pflegen und stärken und Gottes Reich unter den Fleischern ausbreiten, durch lebendige Verkündigung von Gottes Wort". Organ: „Ein guter Freund der Fleischer".

für ganz Deutschland *) Bezirkskonferenzen für Norddeutschland in Itzehoe **), Süddeutschland ***) sowie für Schlesien und Posen †). Das Organ der „gläubigen Barbiere“ wurde in Weidenau herausgegeben. Die „gläubigen Handlungsgehilfen“ ††) stellten sich ausdrücklich auf den Boden der Allianz.

Auf demselben Boden stand der „Bund christlicher Polizeibeamter“, der in Berlin bald vier Gruppen zählte. An der Spitze standen Frl. v. Redern und Generalleutnant a. D. v. Schultzendorff.

Die Postbeamten hielten 1906 ihre Herbstversammlung in Essen, 1907 ihre Jahreskonferenz zweitägig in Hannover, die damit nach Frl. v. Blüchers Tode sich von deren Gemeinschaft löste. Die Leitung hatte jetzt allein Schultz, der die „Christliche Post“ redigierte. Auch Bezirkskonferenzen entstanden, z. T. mit den Eisenbahnern zusammen, besonders in Süddeutschland †††), aber auch in Schleswig-Holstein §) und Mitteldeutschland.

Die Eisenbahner waren offenbar weiter vorgeschritten in der Organisation. Ihr Verband zählte 1907 ca. 3000 Mitglieder (Vors. Friese-Küstrin). Ihre Hauptkonferenz wurde 1905 zum ersten Male von Erfurt verlegt §§). Im Herbst fanden verschiedene eintägige Bezirkskonferenzen statt, z. B. in Treysa, Königsberg, Görlitz, Gießen, Halle. Feste Bezirksverbände hatten sich gebildet (z. B. Schlesien, Brandenburg, Mitteldeutschland). Schultz redigierte auch „Weg und Ziel“.

Der Verband der „gläubigen Kaufleute“ wuchs auf 800 Mitglieder in sechs Bezirken unter Bilds Vorsitz §§§). Zusammen mit dem C. V. J. M. unterhielt der Verband in Berlin einen Sekretär.

---

*) Die III. Juni 1905 in Berlin, die IV. Juni 1906 ebendort; hier wurde beschlossen, mit Rücksicht auf die anderen Konferenzen die Hauptkonferenz nur alle zwei Jahre zu halten.

**) Die I. Januar 1906, die II. Januar 1907.

***) Die I. Januar 1906 in Stuttgart.

†) Die I. April 1907 in Breslau.

††) II. Konferenz in Hagen (März 1905), III. in Barmen (Juni), IV. in Hagen (März 1906), V. in Iserlohn (Juni 1906), VI. (zweite Jahreskonferenz 19./20. Mai 1907) in Kassel. Ca. 100 Mitglieder.

†††) Z. B. für Baden, Pfalz und Hessen April 1906.

§) Herbst 1907 in Neumünster.

§§) 19.—22. Juni in Kassel. Ca. 190 Besucher („Dein ist die Herrlichkeit“), 1906 wieder in Erfurt („Des Christen Wettlauf“), 1907 die VIII. in Bielefeld (17.—20. Juni).

§§§) Organ jetzt: Mitteilungen. Hauptkonferenz jährlich im Februar in Berlin (1907 die VI.). Bezirkskonferenzen für Sachsen (Chemnitz, April 1907, „Die Ausrüstung des Kaufmanns“), für Schleswig-Holstein (zuerst

Die verschiedenen Soldatenvereinigungen, die teils mit Jünglingsbündnissen, teils mit Christlichen Vereinen Junger Männer zusammenhängen, lassen wir als nicht eigentlich zur Gemeinschaftsbewegung gehörig weg, ebenso den gerade in dieser Zeit entstehenden Christlichen Kellnerbund*).

Der „Evangelische Sängerbund" zählte unter Keesers Vorsitz über 6000 angeschlossene Mitglieder. Seine Hauptstütze war offenbar der rheinische Pietismus. Leider fehlen mir für den „Christlichen Sängerbund" aus dieser Zeit genauere Daten (1906: 17000 in der ganzen Welt). Interessant wäre, festzustellen, ob ihm, der ja die Allianz vertrat, die Erweckung großen Zuwachs gebracht oder nicht.

Ganz anders stellten sich natürlich zur Erweckungs- und Allianzbewegung die pastoralen Gemeinschaftskonferenzen, deren besonderen Charakter wir oben (S. 261, 432) zeichneten. Neben den bisherigen in Schlesien **), in Plötzensee ***), in Karlshof für Ostpreußen †), in Posen, in Württemberg, in Pommern ††), in der Provinz Sachsen †††), in Frankfurt a. M. *†) und in Schleswig-Holstein entstanden neu die für die Rheinprovinz in Hohegrete bei Hamm *††), in Hessen *§), in Hannover *§§) und in Sachsen †§).

September 1906), für Schlesien, für Süddeutschland (IV. im Mai 1906), für Rheinland und Westfalen (IV. 1905 in Essen) und die beiden Hessenlande.

*) Heute (1912) ist er freilich, soviel ich sehe, fast ganz im Fahrwasser der Bewegung. Ursprünglich gab es einen „Christlichen Kellnerbund" in Frankfurt und Christliche Vereine für Gastwirtsgehilfen in London und Genf, alle drei auch mit Gruppen in anderen Städten und mit einem gemeinsamen „Komitee zur Pflege christlichen Lebens im Kellnerstande". 1905 wurde in London die Vereinigung beschlossen und am 1. Oktober 1906 der „Internat. Christliche Kellnerbund" organisiert, der „Kellnerbote" mit dem „Kellnerfreund" verschmolzen, ein Reisesekretär angestellt.

**) Zuletzt 8. April 1907 in Liegnitz. Ca. 60—70 Geistliche.

***) Die VII. 3.—5. April 1907.

†) Die VII. Mai 1907.

††) Die III. Juni 1905 in Stargard, die IV. 6. Februar 1907 in Stargard.

†††) Im April, jährlich, in Halle.

*†) Die II. 6. Januar 1906. Auf der III. am 22. Oktober 1906 sprachen Busch, Ecke, Wurster, Simsa.

*††) Zuerst 9.—11. Oktober 1905 (65), II. 1.—3. Oktober 1906 (60—70).

*§) 10. April 1907 in Kassel.

*§§) Zuerst Ostern 1907 im Stephansstift.

†§) Zuerst im Anschluß an die Chemnitzer Konferenz 1907 (Zeißig: „Wie kann das geistliche Leben in unsern Gemeinden gefördert werden?").

Wie schwer es aber war, gründliche theologische Wissenschaft und Gemeinschaftsbewegung zusammenzubringen, zeigte die IV. pommersche Konferenz, wo Lepsius über „Weltflucht und Weltüberwindung“ redete. Fabianke war nicht damit einverstanden, daß Lepsius in der Frömmigkeit der Gemeinschaftsbewegung katholische Elemente fand.

In Pommern gab es ja eben um dieser Schwierigkeiten willen noch eine Konferenz von Gemeinschaftspastoren*). Eine solche bildete sich auch in Hannover**), zugleich ein Zeichen, wie stark man sich als geschlossene Gruppe fühlte gegenüber denen, die nicht ganz auf die Bewegung eingingen. Die Zeit der Einwirkung der pastoralen Gemeinschaftskonferenzen auf die Bewegung war — wenn sie je gewesen war — vorüber.

Viertes Kapitel.

Gemeinschaftsbewegung und Spezialarbeiten.

1. Der J. B.

(J. B. und Gemeinschaften — Stellung zu Kirche und Allianz und Ausbreitung des J. B. — Stellung der Leitung.)

Wurde durch die starke Zunahme der Berufsgemeinschaften die Frage nach dem Verhältnis zu den eigentlichen Gemeinschaften allmählich brennend, so drängte erst recht die Frage nach dem Verhältnis dieser zu den Spezialgemeinschaften des J. B. und Blauen Kreuzes auf eine Lösung. Sie wurde aber, wenigstens für den J. B., noch nicht gefunden. Auch die „Organisation“ der Einzelgemeinschaft hatte augenscheinlich an der Rivalität der beiden Organisationen nichts geändert. Wenn man vielmehr jetzt sogar anfing, Gemeinschaften von Erwachsenen dem J. B. offiziell anzugliedern, wie den Lehrerbund für E. C. in Halle und die jetzt entstehenden Frauen- und Männergemeinschaften für E. C., so bedeutete das jedenfalls geradezu eine Konkurrenz mit den Gemeinschaften. Gut war das Verhältnis von J. B. und Gemeinschaften, wie wir sahen, vor allem da, wo Personalunion bestand,

---

*) 1905 in Belgard (jährlich).
**) In Nienburg.

wie sie z. B. in Sachsen weiter bestehen blieb*) — obwohl freilich auch hier nur „im allgemeinen" eine „gute Harmonie" konstatiert wurde (in Gnadau 1906) — und in Hessen-Nassau sich bildete, wo ein Aktionskomitee eingerichtet wurde aus den Leitern der kirchlich arbeitenden Gemeinschaften und Vereine**) und ja Blaues Kreuz und J.B. die großen Kasseler Konferenzen mit beriefen.

In diesen Gebieten arbeitete der J.B., wohl eben wegen dieser Personalunion, auch kirchlich, während er sonst auch jetzt noch vielfach Träger der radikaleren Strömung blieb, so naturgemäß im Osten. Hier ging der donatistische Gedanke in Pommern so weit, daß man auch als freundschaftliche Mitglieder nur „Bekehrte" aufnahm***). Zugleich blieb der Osten offenbar das beste Gebiet für den J. B. Posen-Westpreußen erstarkte so, daß zwei selbständige Provinzialverbände geschaffen wurden, am 2. September 1906 Posen mit 23 Jugendgemeinschaften (2. Vors. Ruprecht)†), am 9. September Westpreußen (Vors. P. Lange-Vandsburg)††). Ostpreußen konstituierte sich auf einer Konferenz im Juni 1906 in Königsberg neu†††) und gewann immer mehr Boden. Die schlesische Verbandskonferenz fand 1905 in Lüben, 1907 in Neiße statt. Brandenburg hatte seinen festen Stützpunkt an den Berliner J.B.-Gemeinschaften und der Zentrale in Friedrichshagen§).

In der Prov. Sachsen rückte die J. B.-Sache ebenso langsam vor wie die Gemeinschaftsbewegung überhaupt, erst am 19. November 1905 entstand ein Verband. Auf der II. Konferenz (Oktober 1906) folgte die endgültige Konstituierung (1. Vors. Hahn, 2. Lüdecke). Hier waren vertreten: Magdeburg (3 Jugendbündnisse), Halberstadt, Halle, Klostermansfeld, Schönebeck, Almrich b. Naumburg, Staßfurt (2), Schönebeck. Hannover war 1907 die einzige Provinz ohne Verband, die hier§§) und in Oldenburg und

---

*) 1906 56 Jugendbündnisse. Konferenz des sächsisch-thüringischen Verbandes stets verbunden mit der großen Gemeinschaftskonferenz in Chemnitz. 1. Vors.: Schneider-Auerhammer, 2.: Kleemann-Chemnitz.

**) XVI. hessische J. B.-Konferenz am 10. März 1907 in Kassel (17 Gemeinschaften).

***) Verbandskonferenz im Mai (1905: Köslin, 1907: Stettin), hinterpommersche: III. 18. November 1906 in Stolp.

†) Konferenz 1. April 1907 in Bromberg, 16 Gemeinschaften vertreten.

††) I. Vertreterversammlung am 13., 14. Juli 1907 in Neu-Klunkwitz, wo 13 Gemeinschaften vertreten waren.

†††) Die neue erste ostpreußische J. B.-Konferenz am 1., 2. April 1907.

§) Verbandskonferenz 1905 in Frankfurt a. O., 1907 Friedrichshagen.

§§) Scheinbar nur Hannover, Osterwald, Osnabrück und Reiherstieg.

Bremen*) vorhandenen wenigen und meist jetzt erst entstehenden Jugendbündnisse waren dem Nordbund angeschlossen**), der aber auch nördlich der Elbe nicht stark war. Offenbar gehörten die „Männer- und Jünglingsvereine für entschiedenes Christentum in Schleswig-Holstein", die 1907 in Kiel tagten, ebensowenig zum Nordbunde des J. B. wie Rubanowitsch' Jugendbund, wohl aber Dolman und der oft genannte Leiter der Strandmission, in dessen Saal 1907 die Konferenz stattfand***). In Rheinland-Westfalen blieben die Radikalen auch besonders Träger der J. B.-Sache. So entstand in Solingen ein J.B. infolge der Zeltmission 1906. Die Hauptkonferenz fand in Tersteegensruh statt†). Ein besonderer Bezirksverband entstand hier am 4. November 1906 für die Kreise Siegen, Dillenburg und Wetzlar, zu dem Gemeinschaften in Siegen, Straßebersbach, Wetzlar, Reiskirchen und Niedergirmes gehörten, was offenbar zugleich einen gewissen Gegensatz gegen den Herborn-Dillenburger Verein bzw. die Evangelische Gesellschaft bedeutete. In Süddeutschland††) kam zu dem einen Mittelpunkt in Liebenzell nun noch der andere in Gunzenhausen, wo Ostern 1907 schon die II. bayrische, von ca. 2—300 besuchte Konferenz gehalten werden konnte (Kaul u. a. sprachen).

In ganz Deutschland zählte man 1907 372 Vereine in 13 Provinzialverbänden mit 4580 tätigen, 3520 freundschaftlichen und 595 Ehrenmitgliedern (1906: 300 Vereine mit 3939, 3042 und 570). Dazu kamen 45 Kinderbündnisse mit 1192 Kindern. Ein zweiter Reisesekretär wurde 1905 neben Urbschat angestellt (Laus von der Strandmission, s. o. S. 538). Die XII. deutsche Nationalkonferenz fand vom 8.—10. Oktober 1906 in Berlin-Charlottenburg statt. 1905 hatte in Berlin die europäische Konferenz getagt†††).

Die Gesamtleitung zeigte nach wie vor das Bestreben, rein „praktisch" zu arbeiten und die Gegensätze in der Gemeinschaftsbewegung zu übersehen. Das führte aber auf der einen Seite zu manchmal recht mechanischen, äußerlichen, praktischen Anweisungen und andererseits zu einer ziemlich starken Unklarheit in grundsätz-

*) Entstanden 1906.
**) Vors. P. Mau.
***) Sonst in Wandsbek.
†) 17. Juni 1906, 26. Mai 1907.
††) V. süddeutsche Konferenz 11., 12. November 1906 in Heidelberg.
†††) 1906 in Genf die Weltkonferenz. Damals 67 219 Vereine mit ca. 4 000 000 Mitgliedern. Chr. End. World zählte über 700 000 Abonnenten. Über die Südseemission s. o. S. 499.

lichen Dingen, die im Grunde auch hier nur der radikalen Richtung zugute kam, auch wenn man in richtiger praktischer Erkenntnis eine gewisse Nüchternheit zu bewahren suchte. So wurde z. B. der pommersche Antrag, auch als freundschaftliche Mitglieder nur Bekehrte aufzunehmen, von der Zentrale abgelehnt, .und bezüglich der Trennung von Brüdern und Schwestern gab man zu, daß die Erfahrung von 15 Jahren allerdings gelehrt habe, „daß es weise ist, getrennte Versammlungen für junge Leute zu halten". Dagegen fehlte es besonders in der Kinderbundarbeit nicht an praktischen Anweisungen, die an Trivialität grenzten*). Natürlich hielt man hier auch an den „Kinderbekehrungen" und „Erweckungen" fest; wenn die Leitung hie und da zur Vorsicht mahnte, das „Ja" des Kindes nicht zu überschätzen, wurden doch ruhig recht unpädagogische Berichte abgedruckt und der Unterschied von der Sonntagsschule dahin festgestellt, daß nur der Kinderbund die Kinder zu wirklichem biblischen Glauben bringe durch Überführung von ihrer Verantwortung der Sünde gegenüber, woraus dann folge, daß sie „die Versöhnung Jesu für sich persönlich nehmen" (Jugendhilfe 1907 Nr. 2).

Die Erweckung nahm der J. B. begeistert auf. Torrey sprach auf der europäischen Konferenz. „Krönt ihn!" wurde von sämtlichen Chören gesungen, Girkon berichtete über Mülheim**). In der Weihestunde brach dann die Erweckung aus. Viele beteten gleichzeitig. „Das war es ja, was wir ersehnt und erbetet hatten. Es war eine Stunde, wo man fast meinte, man sei in Wales."

So wurde auch der J. B. ein Faktor in der sich anbahnenden Zersetzung der Gemeinschaftsbewegung, nicht minder auf der anderen Seite das Blaue Kreuz.

2. Das Blaue Kreuz.

Bezeichnend für das Verhältnis der Gemeinschaften zu den „Spezialarbeiten" sowie dieser untereinander sind folgende Fürbitten in der Jugendhilfe: „Für J. B.-G., der durch einen unlauteren Bruder vom Blauen Kreuz Schwierigkeiten hat, für J. B.-P., der durch den Leiter der Gemeinschaft, der dem J. B. mit Mißtrauen gegenübersteht, in eine Krisis gedrängt wird" (Jugendhilfe 1908 Nr. 2).

---

*) Z. B. die Anweisung zu veranschaulichenden Zeichnungen (Jugendhilfe 1905 Nr. 5).

**) In einer Weise, die selbst Stöcker „plump" nannte (Reformation 1905 Nr. 32).

Dabei war das Verhältnis des stark wachsenden*) Blauen Kreuzes zu den Gemeinschaften offenbar vielfach gespannter als das der letzteren zum J. B. Nur aus Hessen-Nassau wurde berichtet, daß das Verhältnis „lieblich" sei, während Kleemann für Sachsen mit seinen damals 29 Blaukreuz-Vereinen noch 1906 in Gnadau konstatierte, daß einige Vereine durchaus keine Fühlung mit der Ortsgemeinschaft hätten.

„Unser Wunsch und Gebet ist, daß diese durch eine ähnliche Personalunion, wie beim Jugendbund, unseren Gemeinschaften möchten erhalten bleiben, damit eins dem andern diene und Zersplitterung derer, die nach Gottes Willen und geschichtlicher Entwicklung zusammengehören, vermieden werde; wir sind überzeugt, daß eins das andere zur gegenseitigen Ergänzung braucht, und hoffen zum Herrn auf eine glückliche Lösung des — menschlich gesprochen nicht ganz leichten — Problems."

Und selbst Dietrich mußte klagen, „daß es da und dort vorkomme, daß man diejenigen Geschwister, die nicht zu einem Blaukreuz-Verein gehören, als Christen, die noch nicht durchgedrungen seien, ansieht. Das halte ich nicht für biblisch und nicht für recht".

Je mehr man nun von Gemeinschaftsseite drängte, die Blaukreuzarbeit wie überhaupt die Spezialarbeiten der Gemeinschaft, namentlich der organisierten Gemeinschaft einzuordnen, desto schärfer mußte die Spannung werden. So sah sich jetzt die Zentrale des Blauen Kreuzes genötigt, die Sache grundsätzlich zu regeln. Noch auf der IV. deutschen Hauptversammlung wurde festgestellt: „Es (das Blaue Kreuz) muß auch gegenüber den Gemeinschaften seine Selbständigkeit und Unabhängigkeit bewahren." „Es muß sich die ihm eigene einheitliche Organisation erhalten und so weit ausbauen, als es ohne Einschnürung der Einzelarbeit möglich ist. Die Verfassung der Ortsvereine sowohl als auch der ihnen übergeordneten Organisationen muß so sein, daß biblische Zucht und Ordnung ermöglicht wird."

Aber die Mißstimmung auf Gemeinschaftsseite wurde immer größer. Man debattierte über Berechtigung und Gefahren der

---

*) Am 1. August 1907 zählte man 502 (1. September 1906: 465) Ortsvereine mit 18 085 (16 301) Mitgliedern, 7449 (6692) Anhängern, davon 6414 (6165) frühere Trinker; dazu noch 603 (643) „jugendliche Mitglieder". „Der Herr mein Panier" 17 500, „Rettung für Trinker" 80 000. Die Verteilung auf die einzelnen Bündnisse war: Westbund: 197 Vereine, 9064 Mitglieder, Mitteldeutscher Bund: 96 und 2397; Südostbund: 48 und 1443; Nordostbund: 76 und 2008; Nordbund: 52 und 1973; Südbund: 33 und 1200. Zentralvorstand: P. Fischer, P. Wittekindt, Goebel, L. Frowein-Barmen, P. Simsa, P. Fehle-Stuttgart, P. Littann-Magdeburg, P. Regehly, P. Bluth, Deckert-Kiel.

Spezialarbeiten und ihre Stellung zur Gemeinschaft und meinte damit eben Blaukreuzler und J. B.er, von denen manche behaupteten: „Wer nicht ‚blau‘ ist, ist auch noch kein wahrer Christ“, „wer nicht zum J. B. gehört, hat kein entschiedenes Christentum“ u. dgl. *). Viele Gemeinschaften fürchteten sich geradezu, Spezialarbeit zu treiben, weil sie sich dadurch selbst anderen auslieferten. Seien doch die Arbeiten mancher Spezialarbeiter „Saugapparate“ *). Andere Brüder trieben wohl Blaukreuzarbeit, wollten sich aber dem Westbunde nicht anschließen **).

So mußte eine Lösung gefunden werden. Der Schriftführer des deutschen Hauptvereins arbeitete daher zunächst privatim „Richtlinien zur Regelung des Verhältnisses zwischen den Gemeinschaften und den aus ihnen hervorgegangenen und mit ihnen in enger Verbindung stehenden Blaukreuzvereinen“ aus. Mehrere Gemeinschaftsführer, wie Bernstorff, Scharwächter, Dietrich, Edelhoff, Haarbeck und Dannert, äußerten sich zustimmend. Auch der deutsche Zentralvorstand gab seine Zustimmung und empfahl den Vereinen, sich danach zu richten, übergab aber den Entwurf noch einer Redaktionskommission (Simsa, Goebel, Klingholz und Regehly).

Andere und, wie es scheint, besonders die „Reichsgottesarbeiter“ meinten, die Richtlinien würden die Mißstände kaum beseitigen. Die Hauptursache sah A. Dallmeyer ***) in der demokratischen Verfassung der Blaukreuzvereine und in der abhängigen Stellung der Ortsvereine vom Bunde. „An die Leitung der Blaukreuzvereine gehören nicht in erster Linie gerettete Trinker“ †). Manche forderten einen besonderen deutschen Gemeinschafts-Blaukreuzbund, dem auch Dallmeyer nicht abgeneigt war, wenn er auch vor unüberlegten Schritten warnte. Goebel protestierte gegen Dallmeyers Charakterisierung der Geretteten.

Die Lösung der Frage wurde aber allmählich unaufschiebbar, und so wurde schon für 1907 die V. deutsche Hauptversammlung einberufen mit dem ausgesprochenen Zweck, das Verhältnis zu den Gemeinschaften zu regeln ††). Hier entschloß man sich zu radikaler

---

*) Vgl. „Reichgottesarbeiter“ 1907 Nr. 1.

**) Ebendort Nr. 5.

***) „Reichgottesarbeiter“ 1907 Nr. 1.

†) Das bestätigt m. W. auch die Erfahrung des kirchlichen Blauen Kreuzes. Gerettete Trinker sind zur Leitung, besonders auch zur finanziellen Geschäftsführung nicht zu gebrauchen. Andererseits gewinnt man aus den Auseinandersetzungen ein wenig auch den Eindruck, daß der junge Stand der selbständigen Gemeinschaftsleiter seine Selbständigkeit in der Leitung wahren möchte.

††) 28. bis 30. Juni 1907.

Maßregel. Der deutsche Hauptverein wurde auf ganz neuer Grundlage neu begründet. Der Hauptverein wurde eingetragener Verein und sollte nicht mehr als 150 Mitglieder zählen, verteilt über das ganze Reich. Ortsvereine sollten sich ihm angliedern können, wenn sie dem Hauptverein gewisse Rechte zugeständen und vor allem die Richtlinien des Hauptvereins für sich als bindend anerkennten. „Bei Vereinen, die einer anderen Reichgottesarbeit (Gemeinschaft, Stadtmission usw.) angegliedert sind, dient der Zentral- bzw. Bundesvorstand in dieser Weise nur im Einvernehmen mit der Leitung der betreffenden Arbeit." Alle Beschlüsse wurden einstimmig gefaßt. Anwesend waren z. B. Wittekindt, Krawielitzki, Edelhoff, Urbschat, Bild. Ebenso einstimmig wurde beschlossen, die auf der Versammlung vertretenen Ortsvereine als dem neuen Hauptverein angeschlossen zu betrachten. Allgemein hatte man den Eindruck, daß damit endlich die Brücke geschlagen sei, „die die große Kluft zwischen den Vereinen in den Gemeinschaften und dem deutschen Hauptverein überbrücken" werde*).

Das Weiße Kreuz, das wegen seiner offenen Organisation, wie schon früher bemerkt, nicht als Konkurrenz empfunden wurde, hatte bis Anfang 1907 15454 Mitgliedskarten ausgegeben und zählte 328 Zweigbündnisse.

Fünftes Kapitel.

Nachträge.

1. Die Eisenacher 1905—1907.

Bei dieser ganzen Entwicklung seit 1905 kommt der Eisenacher Bund nicht mehr in Betracht. Er stand als solcher nicht mehr in der Gemeinschaftsbewegung. So hatte er auf die Auseinandersetzung mit der Erweckung auch keinen Einfluß, höchstens einzelne seiner Glieder, wie Keller, dessen Monatsschrift „Auf dein Wort" auch wohl von Gemeinschaftsleuten gelesen wurde, und die Oktober 1906 8000 Abonnenten zählte. Hier sprach er sich gegen großartige Erweckungen und gegen das Nachahmen von Wales aus. „Wenn man ein Vierteljahrhundert Reichgottesarbeit hinter sich hat, wird man nüchterner und rechnet mit der Wirklichkeit." Freilich die Gesamtbewegung beurteilte auch er nicht klar, wenn er meinte, die weitaus größte Zahl sei gut landeskirchlich. Blankenburg und

*) „Reichgottesarbeiter" 1907 Nr. 7.

„einige Kreise im Osten" dürften als die äußerste Linke der großen Schlachtordnung anzusehen sein (Auf dein Wort 1907 Nr. 8).

Die Eisenacher Konferenz, die 1905 in Kösen getagt hatte, fand 1906 wieder in Eisenach statt, wo Kähler, Jaeger und Wilde sprachen (über 2. Kor. 13, 13). Mahling hielt die Festpredigt, Keller evangelisierte. ca. 500 Besucher waren anwesend. Die VI. Konferenz, auf der Lepsius, Schlatter, Oettli u. a. sprachen, tagte in Potsdam (27.—29. Mai 1907). Die Anstellung eines eigenen Reiseagenten wurde zwar schon 1906 ins Auge gefaßt, aber nicht verwirklicht. Immerhin hatte sich der Bund ausgedehnt. Zweigkonferenzen hatten stattgefunden in Bremen (17. und 18. Oktober 1905), auf Anregung des Hamburger Vereins für kirchliche Evangelisation, als Anfang einer Wanderkonferenz in den Hansestädten, und Berlin (4. und 5. März 1906). Zwei kirchliche Gemeinschaftskonferenzen schlossen sich an, in Vorpommern und in Ostpreußen, wo sich Februar 1906 ein Ostpreußischer Bund für kirchliche Evangelisation und Gemeinschaftspflege bildete*).

---

*) Die Satzungen lauteten: Der Bund ... steht auf dem Grunde des Glaubens der evangelischen Kirche. Er bekennt sich zu Jesu Christo, dem eingeborenen Sohne Gottes, der um unserer Sünde willen dahingegeben und um unserer Rechtfertigung willen auferweckt, der alleinige Mittler alles unseres Heils geworden und unter uns gegenwärtig ist alle Tage bis ans Ende. Der Bund ist Mitglied des Eisenacher Bundes, und mit demselbigen eins im Bekenntnis des Glaubens, der Forderung persönlicher Heiligung und dem Bestreben, für das Reich Gottes zu arbeiten in der Mission an den Heiden und in der Gewinnung der dem Glauben der Kirche Entfremdeten. Der Bund will in seinen Veranstaltungen der Landeskirche unserer Provinz dienen und dem geistlichen Amt in der Erweckung des Glaubens und in der Pflege brüderlicher Gemeinschaft innerhalb der Kirchengemeinde Handreichung tun.

Dazu:

1. veranstaltet er — in der Regel jährlich — allgemeine mit Evangelisations- und Missionsversammlungen verbundene Konferenzen zur Vertiefung des Glaubens und zur gegenseitigen Stärkung und Förderung in der Gemeinschaftspflege;

2. wünscht er, auch innerhalb der Einzelgemeinden Evangelisation zu treiben und Gemeinschaften zu gründen bzw. zu stärken. Er wird dies grundsätzlich im Anschluß an das geordnete geistliche Amt tun. Ziel soll sein, daß jede Evangelisation nach dem jeweiligen Bedarf der Gemeinde zur Bildung einer kirchlichen Gemeinschaft führe, bezüglich solche Gemeinschaften stärke;

3. will er innerhalb der kirchlichen Gemeinschaften besonderen Wert gelegt wissen auf praktische Arbeit für das Reich Gottes. Außerdem nimmt er die Ausbildung von Evangelisten in Aussicht. Der Bund hat seinen

2. Die Kirchlich-Sozialen und die Gemeinschaftsbewegung 1905—1907.

Die Eisenacher Kreise waren zum großen Teile auch die, die die Beziehungen zwischen Gemeinschaftsbewegung und der Kirchlich-sozialen Konferenz aufrechtzuerhalten suchten. Aber ein Fortschritt war auch hier nicht zu spüren. Im Gegenteil, die in dieser Periode unaufhaltsam vordringende Strömung war ja sozialer Betätigung keineswegs günstig. Gleichwohl verharrte man auf kirchlich-sozialer Seite bei den Anstrengungen, die Gemeinschaftsleute zu gewinnen, und verfolgte die Entwicklung der Bewegung mit dem lebhaftesten Interesse, freilich vielleicht eben deswegen mit oft merkwürdig starkem Optimismus. Bei der XI. Konferenz 1906 in Kassel sprach in der zweiten Kommission Stuhrmann über „Göttliches und Menschliches bei Erweckungen". 1907 in Karlsruhe hielt Keller die Festpredigt: „Gemeinschaftsleute, auf zu kirchlich-sozialer Arbeit!" Er nannte es „merkwürdig", daß „gerade hier, wo man auch an den Christus der Bibel glaubt, und wo das stärkste soziale Motiv, die christliche Bruderliebe, brennt," ihr Hilferuf kein Echo zu finden scheine. Noch immer sei die pietistische Anschauung weit verbreitet: Der Herr tue alles, wir dürften nichts tun. Das klinge so fromm und sei so bequem. „Der Christ soll nichts weiter als ein getretenes Kindlein sein, das, laut jammernd oder still hoffend auf den Weltzusammenbruch, in der Ecke sitzt und nicht mehr mitspielt; vielleicht noch mit dem heimlichen Beigeschmack einer aufgeschobenen Rachsucht gegenüber seinen Widersachern." Skizzierte er so scharf den pietistischen Dualismus, so richtete er gleichzeitig in der zweiten Kommission „Sieben Bitten an die evangelischen Pfarrer": „1. Weg mit der Kruste! 2. Seelsorge für die Seelsorger! 3. Schämet euch der Buße nicht! 4. Weg mit der Seelenpachtung! 5. Sucht Gemeinschaft mit der Gemeinschaft! 6. Denkt an eure soziale Pflicht! 7. Hütet euch vor den Abgöttern!"

3. Innere Mission und Landeskirche und die Gemeinschaftsbewegung 1905—1907.

Die große Auseinandersetzung der Gemeinschaftsbewegung mit der Inneren Mission war zu Ende, wohl weil man von solchen Verhandlungen wenig mehr erhoffte. In den einzelnen Landes-

Sitz in Königsberg i. Pr. Mitglieder des Bundes können sowohl einzelne Personen wie auch Gemeinschaften werden, die mit obigen allgemeinen Grundsätzen des Bundes einverstanden sind.

teilen war die Stellung zueinander verschieden. In Sachsen war, wie wir sahen, der Vereinsgeistliche Mitglied des Brüderrats. In Hannover arbeiteten gerade die Geistlichen der Innern Mission an der pastoralen Gemeinschaftskonferenz mit, um so auf neutralem Boden wenigstens persönliche Fühlung zu halten. Im allgemeinen war man sich jetzt auch wohl dort, wo die Beziehungen gut waren, klar geworden, daß die Gemeinschaftsbewegung eine besondere Bewegung bedeutete, nicht eine Arbeitsmethode bzw. Organisation, die in die Innere Mission der evangelischen Kirche hätte aufgenommen werden können.

Wie die Kirchenregierungen im einzelnen zur Bewegung sich stellten, haben wir bei den einzelnen Landesteilen verfolgt. Offenbar versuchte man sich durchweg so anerkennend wie nur möglich zu stellen. Besondere Erlasse des preußischen Oberkirchenrats bezüglich der Gemeinschaftsbewegung kamen in dieser Zeit nicht heraus. Auch die Eisenacher Konferenz beschäftigte sich in dieser Zeit nicht mit der Frage.

4. Die Sekten und die Gemeinschaftsbewegung (Evangelische Allianz) 1905–1907.

Eigenartig ist das Verhalten der Sekten. So sehr die Gemeinschaftsleute, soweit sie auf die Erweckungsbewegung eingegangen waren, in Allianzversammlungen, -gebetsstunden u. dergl. sie umwarben, so spröde verhielten sie sich diesem Werben gegenüber. Wenn sie auch am einzelnen Orte sich an den Allianzversammlungen beteiligten, von denen übrigens sich die „Versammlung“, d. h. die exklusiven Darbysten, auszuschließen pflegte, so verleugneten sie nie dabei ihr eigenes kirchliches Bewußtsein, das taten leider höchstens die Gemeinschaftsleute. Die Baptisten und Methodisten verschiedener Schattierung vergaßen nie, daß sie eben Baptisten usw. waren, wie es denn bezeichnenderweise vorkam, daß sie bei einer Wiederholung der Zeltmission sich zurückzogen, weil sie das erste Mal keinen Zuwachs gehabt hatten. Für ein Aufgehen in kirchenfreien Allianzgemeinschaften waren sie am wenigsten zu haben. Darum entsprach ihnen eigentlich besser als die neue darbystische Allianz die alte „Evangelische Allianz“, die im übrigen jetzt gegenüber der vordringenden neuen Strömung schier in den Hintergrund trat.

Erst im Jahre 1905 kam es zur V. deutschen Allianzkonferenz in Hamburg (20.—22. Juni 1905). Hier betonte sogar der Prediger Bader von den Albrechtsleuten die von der Allianz nicht getrübte Zugehörigkeit des einzelnen zu seiner Kirchengemeinde viel stärker als Bernstorff*), während Kaiser es aussprach, daß die Landeskirche trotz aller Schäden „die hauptsächliche Trägerin des historischen überlieferten Christentums für viele Millionen" gewesen sei, und daß „sie durch einen Riesenaufwand von Arbeit . . . eine staunenswerte Theologie geschaffen habe".

Die westdeutsche Konferenz (Vors. P. Krafft-Barmen) tagte regelmäßig in Hammerhütte, die süddeutsche 1906 und 1907 in Neustadt a. d. H. (im November). Mit Bernstorff verlor der nationaldeutsche Zweig den Präses seines Ausschusses, ebenso die Berliner Abteilung, die deswegen auch auf der diamantenen Jubiläumsfeier der Evangelischen Allianz und XI. internationalen Konferenz in London (Juli 1907) unvertreten war. Thümmler vertrat den Blankenburger Zweig.

Schlußkapitel.

Die Vorbereitung der „Pfingstbewegung" in der deutschen Gemeinschaftsbewegung.

Was uns in dieser Periode vor allem entgegengetreten ist, ist das siegreiche Vordringen der darbystisch gefärbten, z. T. auch von Paulschen Heiligungslehren beherrschten Richtung. Wie sie die Erweckung vorbereitet hatte, so war sie dann durch diese weiter verbreitet. Nicht, wie wir sahen, handelte es sich dabei um etwas Einheitliches, Geschlossenes. Vielmehr war die siegende Richtung selbst etwas Auflösendes, vor allem in der Organisation**), was durch die Erweckung und ihren alle Formen verwerfenden Enthusiasmus nur verstärkt war. Nur die Organisation der Einzelgemeinschaft hielt sie hoch, hier z. T. mit Einführung eines neuen festen „Amtes" ***), doch erwachte auch hiergegen schon enthusiastische Opposition†).

Ebensowenig einheitlich war die Lehre. Einheitlich war hier eigentlich nur die Grundstimmung, daß jetzt die Zeit gekommen sei, die zu sammeln, die vor der großen Trübsal entrückt werden

---

*) Dem dafür das „Allianzblatt" attestierte, daß er „den ursprünglichen, mit der heiligen Schrift sich deckenden Allianzgedanken" zum Ausdruck gebracht habe (1904/5 Nr. 20).

**) S. o. S. 513, 515.

***) S. o. S. 510.

†) S. o. S. 485.

sollten. Erwartete man aber vielfach einfach die Entrückung aller Gläubigen, so gewann jetzt daneben immer mehr Boden die Lehre von der Entrückung einer Auswahl, wie sie vereinzelt sich schon immer gefunden hatte. Vor allem war es Ströter, der sie vertrat, indem er sie mit seiner judaisierenden Schriftauslegung verband. So entstand die Lehre vom „Leibe Christi", dessen Herausbildung das alleinige Ziel dieses Zeitalters ist, und der besteht aus denen, die sich ausgestalten lassen zu Jesu Bilde, „eine Körperschaft ihm gleichgearteter und gleichgestalteter, ebenbürtiger Söhne Gottes" *). Auf diesen „Leib" beziehen sich eigentlich nur die Aussagen des Apostels der Gemeinde, Paulus, während alles andere auf Israel bzw. das sich bekehrende Israel der Endzeit sich bezieht. Immer schroffer wurde das durchgeführt: Das Vaterunser sei eigentlich nicht Gemeindegebet **), die Offenbarung beziehe sich nur auf die Endgeschicke Israels ***), ja, Ströter schritt zu der Behauptung fort: Der Taufbefehl sei nur den Aposteln Israels erteilt, für die Gemeinde aus den Nationen bestehe Tauffreiheit. Diese Anschauungen verbreitete er seit 1907 in einem eigenen Monatsblatt „Das Prophetische Wort" †).

Natürlich kamen gerade diese Gedanken denen der Erweckung entgegen, wie denn auch Ströter in der Phraseologie der Erweckung ausführt, wie die „Überwinder", d. h. also die Glieder des Leibes, diejenigen seien, die sich „jetzt in dieser Gnadenzeit vom Geiste Gottes richten" lassen, während diejenigen durch das Gericht der großen Trübsal müssen, die nicht „eingehen" wollten „auf das große, geistliche Beugungsgericht, das jetzt über das Volk Gottes geht" ††). Vor allem der Osten ging nun auch begeistert auf diese Gedanken ein, lagen sie doch nur in der Fortsetzung der schon früher hier verfolgten †††), mochte das auch manchmal mehr in Stockmayerscher Weise §) ausgeführt werden und Leib Christi und Brautgemeinde nicht immer auseinandergehalten werden §§). Wie man in der

---

*) „Prophet. Wort" 1907 Nr. 10.

**) a. a. O. Nr. 4 ff.

***) Nr. 12.

†) Es fehlt darin auch nicht an starken Entgleisungen, z. B. Nr. 6 über den „Bauch", den der erste Mensch nicht gehabt haben soll, wobei er zugleich die Hahnschen Gedanken über die Mannweiblichkeit Adams vertritt.

††) Nr. 1; vgl. den heftigen Ausfall auf die zurückbleibende „christliche (?) Welt" in Nr. 10.

†††) S. o. S. 340 f. und Edels Ausführungen o. S. 319.

§) Der hier vor allem vorgearbeitet hatte.

§§) Vgl. Ausführungen wie folgende: Es handelt sich in der Gemeinschaftsbewegung „um die Zubereitung der Brautgemeinde, um den Bau

vorigen Periode begonnen hatte, die entschieden Bekehrten in organisierten Gemeinschaften zu sammeln, so jetzt die, die sich durchheiligen ließen*), die, die die Geistestaufe empfangen hatten. Im einzelnen wurde, wie wir sahen, die Bedeutung derselben, ob mehr als Kraftmitteilung für den Dienst oder als besonderes Heiligungserlebnis, verschieden gefaßt, jedenfalls galt sie als ein mystisches Erlebnis, fast physischer Art**). Damit verbanden sich die Gedanken der Penn Lewis vom Mitgekreuzigt- und Mitauferstandensein. Diese mystischen Ideen nahmen einen immer höheren Flug, namentlich nach der Richtung, daß der wirklich Durchgeheiligte auch die Erlösung des Leibes habe. Es waren alte Gedanken, wie sie Stockmayer und Paul auch früher vertreten hatten, aber jetzt wurden sie Allgemeingut und verstiegen sich zu schwindelnder Höhe***).

Neben diesem wildesten Enthusiasmus stand als Erkennungszeichen der Durchgeheiligten schroffster Dualismus†).

Das waren die, freilich wenig geklärten, Grundgedanken der siegenden Richtung, und ihr Sieg schien vollständig. Zwar waren noch nicht alle Gegner verschwunden. Dem tollen Enthusiasmus und schroffen Dualismus gegenüber fehlte es nicht an gesunden, nüchternen Ansätzen, und es sei ausdrücklich hervorgehoben, sie finden sich gerade bei einzelnen Reichsgottesarbeitern. Ihr Verband mit seinen praktischen Zielen drängte manches enthusiastische Moment zurück††). Selbst in Blankenburger Kreisen hielt man sich teilweise der Lehre vom „reinen Herzen" fern†††). Aber in der allgemeinen

---

des Leibes Christi, dessen einzelne Glieder übrigens in allen Denominationen und Kirchen sich finden und die zunächst in einer Erstlingsschar dem kommenden König und Bräutigam entgegengeführt werden sollen" (Gemb. 1907 Nr. 16). „Weil aber ... immer nur ein kleiner Bruchteil des Volkes Gottes eingeht auf diese klaren und unmißverständlichen Forderungen der Schrift und der größere Teil sich begnügt mit dem in der Bekehrung empfangenen Heil ..., so wird Gott ... genötigt sein, sich zurückzuziehen auf eine kleine Minderheit. ... Bei ihnen braucht's dann keine ‚große Trübsal' mehr, der heilige Geist sorgt für das zu ihrer Vollendung nötige Maß von Trübsal ..." (Nr. 19).

*) Vgl. die Scheidung in Breslau (o. S. 507) und die Vorgänge in Wandsburg (o. S. 494).

**) S. o. Edel S. 465, E. Meyer S. 537 f.

***) Vgl. Proph. Wort 1907 Nr. 5 und oben S. 488 Bierhaus.

†) Z. B. im Rauchen s. o. S. 454 u. f.; vgl. Modersohn o. S. 485.

††) S. o. S. 488.

†††) Z. B. Viebahn s. o. S. 466.

Stimmung traten diese Gedanken zurück, und der grundsätzliche Gegensatz wurde nicht empfunden.

Die Gnadauer aber, die zum Teil wirklich ihre Gegnerschaft gegen die Geistestaufe u. dgl. durchgedacht hatten, verloren infolge ihrer schwächlichen Brüderlichkeit und ihrer verhängnisvollen Siegestäuschung*) immer mehr an Einfluß. Nur einzelne Gebiete bzw. Führer und vor allem die Altpietisten führten einen wirklichen Kampf. In Gnadau verstand man so wenig seine Aufgabe, daß man nicht einmal den Niedergang der Erweckung zur wirklichen Überwindung der neuen Strömung benutzte, sondern für den Streit ganz bedeutungslose Konferenzthemata wählte**) und auch jetzt noch bei den Gegner fördernden Kompromissen endete***). Es stand wirklich zu fürchten, daß die darbystischen Ideen eines Tages noch einmal in Gnadau zum Siege kämen, oder daß Gnadau zur Bedeutungslosigkeit herabsänke.

So war es nicht ohne Gnadaus Schuld, daß die Gedanken der Erweckung trotz deren Erlöschen weiterloderten, neu geschürt durch Ströters wachsenden Einfluß. Gerade die Lehre von den wenigen „Überwindern", die im Gegensatz zu den „nur Geretteten" entrückt werden sollten, ließ die Erschlaffung nach der gewaltigen Anspannung der Erweckung überstehen.

Gewiß, die ersehnte letzte große Erweckung, die in die Entrückung übergehen sollte†), war nicht gekommen. Aber war das nicht eigne Schuld? War man nicht zu wenig „Überwinder" gewesen, noch nicht gleichgestaltet dem Bilde des Sohnes? Wenn die Überwinderschar zubereitet ist, dann muß ja der Herr kommen. Wenn sich die Kinder Gottes „schmücken lassen", beschleunigen sie seine Wiederkunft; dieser alte Stockmayersche Gedanke††) wird immer schärfer betont. So galt es sich jetzt nur noch tiefer zu beugen, als es in der Erweckung von 1905 geschehen, noch mehr sich auszustrecken nach der „Geistestaufe". Namentlich Paul war ihr Herold†††), und sein Einfluß reichte ja so weit. Hier und da nahm diese Sehnsucht schier wilde Formen an§).

---

*) S. o. S. 479.

**) S. o. S. 483.

***) S. o. S. 483 f. Vgl. auch den Bericht in ALK 1907 Sp. 564, wonach die Radikaleren ganz zurückgetreten seien und von den älteren, besonnenen Brüdern sich hätten weisen lassen.

†) S. Auf der Warte 1906 Nr. 18.

††) S. schon oben S. 124.

†††) „Wir brauchen ein geistliches Hochwasser. Oben müssen sich Schleusen öffnen durch Geistesausgießungen" (Heiligung Nr. 102).

§) Vgl. Reformation 1906 Nr. 29.

Das war die Stimmung, die dem Ausbruch des „Zungenredens“ offen stand, sobald diese den Geistesempfang scheinbar biblisch dokumentierende Gabe sich zeigen würde. Auf der anderen Seite hatte die Gabe der Prophetie, die ja in der Kirchengeschichte mit dem Zungenreden immer durcheinandergeht, sich schon in den hellseherischen Momenten der Erweckung gezeigt, der Dämonen- und Besessenheitsglaube war, auch durch Penn Lewis, geschürt, und die wilden Nervenerregungen hatten unter der Flagge der Geistesleitung in den Versammlungen von 1905 Bürgerrecht erlangt.

So war die Saat gesät, deren Frucht die sogenannte „Pfingstbewegung“ werden sollte, durch die die deutsche Gemeinschaftsbewegung fast vernichtet worden wäre.

Literatur.

1. Enthusiastische Bewegungen im allgemeinen.

Arnold, Gemeinschaft der Heiligen und Heiligungsgemeinschaften (Berlin 1909). — Bruckner, Erweckungsbewegungen (Hamburg). — L. Keller, Die Reformation und die älteren Reformparteien (Leipzig 1885).

2. Der Pietismus im allgemeinen.

Barthold, Die Erweckten im protestantischen Deutschland (in Raumer, Histor. Taschenbücher 1852/53). — Behm, Geschichte der Laienpredigt (in Monatsschrift für Innere Mission 1895 S. 239 ff.). — Grünberg, Phil. Jak. Spener (Göttingen 1893). — Heppe, Geschichte des Pietismus u. der Mystik in der reformierten Kirche. — Hoßbach, Phil. Jak. Spener u. seine Zeit[2] (Berlin 1853). — Oehler, Der ursprüngliche Pietismus (Gütersloh 1898). — Renner, Lebensbilder aus der Pietistenzeit (Bremen 1886). — Ritschl, Geschichte des Pietismus. 3 Bde. — Sachsse, Ursprung und Wesen des Pietismus (Wiesbaden 1884). — Schmid, Geschichte des Pietismus (Nördlingen 1863). — Treplin, Die Laienpredigt innerhalb Deutschlands (Monatsschr. für Inn. Miss. 1885 S. 28 ff.).

3. Brüdergemeinde.

Steinecke, Die Diaspora (Gemeinschaftspflege) der Brüdergemeine in Deutschland, 3 Tle. (Halle).

4. Methodismus.

Christlieb, Zur methodistischen Frage in Deutschland (Bonn 1882). — Kalb, Kirchen u. Sekten der Gegenwart (Stuttgart 1905). — Carvosso, Leben und Wirken von William — (Bremen). — Leben Joh. Wilh. Fletschers nach der Bearbeitung von Benson (Berlin 1833). — Jacoby, Geschichte des Methodismus, 2 Bde. (Bremen). — Jüngst, Der Methodismus in Deutschland[3] (Gießen 1906). — Nuelsen u. Mann, Kurzgefaßte Geschichte des Methodismus, bis jetzt 7 Hefte (Bremen). — Rodemeyer, Biblische Heiligung[2] (Bremen 1879). — Lebensgeschichte und Erfahrungen von Frau Esther Anna Rogers (Bremen). — Schmidt, Jenseits der Kirchenmauern (Berlin 1909). — Sulzberger, Christliche Glaubenslehre[3] (Bremen 1898); Die Lehre der Methodistenkirche[2] (Bremen 1886). —

Wesley, Eine kurze Erklärung der Vollkommenheit (Bremen). — John Wesleys Leben, die Entstehung u. Verbreitung des Methodismus. Nach dem Engl. des Rob. Southey. Hrsg. von Krummacher (Hamburg 1841).

5. Darbysmus.

Kalb s. o. — Grunewald, Die Darbysten oder Plymouthbrüder (in Jahrbb. f. d. Theol. XV, 1870 S. 706 ff.). — Heintz, Die Plymouthbrüder in England u. Irland (Allgem. Repertorium für die theol. Literatur, Bd. 50 S. 276 ff. u. 51 S. 86 ff.). — J. N. D(arby), Vorträge über die Sendschreiben an die sieben Versammlungen (Elberfeld 1881). — J. N. Darby, Betrachtungen über das Wort Gottes. Das Neue Testament (Elberfeld); Vorlesungen über den Propheten Daniel (Düsseldorf 1849); Die Kirche nach dem Worte Gottes (Tübingen 1850); Die gegenwärtige Erwartung der Kirche Gottes (Tübingen 1850); Betrachtung über den verfallenen Zustand der Kirche (Tübingen 1850); Die Welt und die Kirche (Düsseldorf 1850). — Springer, Der Darbysmus (Vohwinkel 1904). — F. Kaiser, Ist die sogenannte Versammlung (darbystische) in ihren Lehren u. Einrichtungen biblisch? (Bonn 1911).

6. Die amerikanische Heiligungs- und Evangelisationsbewegung und ihre Vorgeschichte.

Weingarten, Die Revolutionskirchen Englands (Leipzig 1868). — Fleisch, Zur Geschichte der Heiligungsbewegung, 1. Heft (Leipzig 1910). — (Edwards,) Nachrichten von dem herrlichen Werk Gottes der Bekehrung vieler hundert Seelen zu Northampton u. an andern Orten in Neu-England (Basel). — Finney, XXII Reden über religiöse Erweckungen (Düsseldorf 1903). — C. G. Finney, Lebenserinnerungen (Düsseldorf 1902). — Hahn, Die große Erweckung in den Vereinigten Staaten von Amerika (Basel 1859). — Fabri, Die neuesten Erweckungen in Amerika, Irland und anderen Ländern (Barmen 1860). — Mahan, Out of darkness into light[6] (London 1894); The baptism of the holy Ghost (London). — Upham Principles of the interior or hidden life (London 1895). — Boardman, The higher christian life (London); The first step of faith for deliverance from sin. — Moody, der Evangelist. Ein Lebensbild (Kassel 1900). — Möller, R. Pearsall Smith. Ein Lebensbild (Wandsbek). — Die Selbstlosigkeit Gottes, und wie ich sie entdeckte. Aus dem Leben der Quäkerin Hanna W. Smith (Basel 1910).

7. Die Oxforder Bewegung.

R. P. Smith, Der Wandel im Licht[2] (Basel); Die Heiligung durch den Glauben[4] (Basel). — H. W. S(mith), Glauben u. Leben[5] (Basel 1904). — R. P. Smiths Reden (Barmen). — Die Segenstage in Oxford (Basel). — Warneck, Briefe über die Versammlung zu Brighton (Hamburg 1876). — Allg. evang.-luth. Kirchenzeitung 1875—1877 (zit. ALK). — Neue evang. Kirchenzeitung 1874—1876 (NKZ). — Evangelische Kirchenzeitung 1875—1876 (EKZ) — Münkel, Neues Zeitblatt 1874—1876, 1883 bis 1886). — Rappard, Vertrauliche Mitteilung über P. Smith.

8. Keswick.

Pierson, The Keswick movement. — Harford, The Keswick convention. Its message, its method and its men (London). — Havergal, Des Königs Einladung (Basel). — Murray, Aus seiner Fülle (Bielefeld 1908); Bleibe in Jesu[9] (Basel 1898); Der Geist Jesu Christi[3] (Basel 1901); Der volle Pfingstsegen (Kassel); Die Kraft des Blutes Jesu (Hagen 1900); Jesus Selbst (Kassel); Nach Jesu Bild[2] (Basel 1887); Nicht mein Wille! (Kassel). — F. B. Meyer, Weltüberwindender Glaube (Striegau 1908). — Life of Faith (wöchentlich).

9. Die deutsche Gemeinschaftsbewegung (Gesamtdarstellungen).

Benser, Das moderne Gemeinschaftschristentum (Religionsgesch. Volksb.) (Tübingen 1910). — Bunke, Innerkirchliche Evangelisation, in Schneider, Kirchliches Jahrbuch (zit. Kirchl. Jahrb.) 1900 ff. — Dietrich u. Brockes, Die Privaterbauungsgemeinschaften innerhalb der evangelischen Kirchen Deutschlands (Stuttgart 1903) (zit. D. u. Br.). — Fleisch, Die gegenwärtige Krisis in der modernen Gemeinschaftsbewegung (Leipzig 1905); Die innere Entwicklung der deutschen Gemeinschaftsbewegung in den Jahren 1906 u. 1907 (Leipzig 1908). — Kalb, Gemeinschaftspflege u. Evangelisation in geschichtlicher Beleuchtung (Stuttgart 1901): — Kayser, Die moderne Gemeinschaftsbewegung (Baden-Baden 1907). — Schian, Die moderne Gemeinschaftsbewegung (Stuttgart 1909). — Der Gemeinschaftsfreund. Ein Wegweiser durch die christlichen Versammlungen und Vereine Deutschlands usw. (Witten).

10. Biographieen.

(Baedeker.) Ein Bote des Königs (Barmen 1907). — Andreas Graf von Bernstorff (Schwerin 1909). — Binde, Vom Sozialisten zum Christen[7] (Gotha 1909). — (Blazejewski.) Am Kreuz (Vandsburg 1901). — Conrad Bollinger (Geisweid). — Arnold Bovet (Basel 1906). — Jak. Gerh. Engels (Neukirchen). — Martin Girkon, ein Fürst und Großer in Israel (Mülheim). — (Markus Hauser.) Ein Hoffnungsleben (Gotha). — Bilder aus dem Leben des Evangelisten Hermann Hengstenberg (Witten). — Christian Jensen (Breklum 1908). — Curt von Knobelsdorff (Barmen). — Kühn, Aus den Wogen des Zweifels auf den Fels des Glaubens (Gotha 1909). — Modersohn, Sechs Jahre in der Stadt Tersteegens (Mülheim 1906). — Jasper von Oertzen, ein Arbeiter im Reiche Gottes (Hagen). — Karl Heinrich Rappard (Gießen 1910). — Schrenk, Pilgerleben u. Pilgerarbeit (Kassel). — Adeline Gräfin Schimmelmann, Streiflichter aus meinem Leben. — (Spengemann.) Ein Jünger Jesu (Schwerin 1907). — Dorothea Trudel (Neumünster). — (Zeller.) Was er dir Gutes getan. — Direktor Ziegler, ein Erzieher von Gottes Gnaden (Elberfeld 1910).

11. Konferenzverhandlungen.

Verhandlungen der Gnadauer Pfingstkonferenz (Gnadau 1888), der II. (Kassel), III.—VI. (Berlin), VIII.—XV. (Stuttgart) (zit. Verh.). — Die Seelsorge in den Gemeinschaften (II. deutsch. Gemeinschaftstag) (Stuttgart 1908). — Wie entsteht eine Gemeinschaft? Wer soll dazu gehören? (III. deutsch. Gemeinschaftstag) (Stuttgart 1909). — XIII., XVI.—XVIII., XXI., XXII. u. XXV. Allianzkonferenz (Blankenburg 1898, 1901, 1902, 1903, 1906, 1907, 1910.) — Die I. Eisenacher Konferenz Pfingsten 1902 (zit. Eis. Verh.). — Verhandlungen der II. Eisenacher Konferenz (Berlin 1903). — I.—III., VI., VII., IX. Konferenz gläubiger Kaufleute u. Fabrikanten (1902 bis 1904, 1907, 1908, 1910).

12. Die Erweckung von 1905.

Torrey u. Alexander. Die Geschichte ihres Lebens (Basel 1905). — Torrey, Geisteskraft u. Geistesfülle (Wandsbek 1907); Die Taufe mit dem heiligen Geist[3] (Barmen 1905); Richte dein Amt redlich aus! (Wandsbek); Wie bringen wir Menschenseelen zu Christo? (Striegau). — Penn-Lewis, Kampf u. Sieg in den himmlischen Örtern (Barmen); Das Kreuz auf Golgatha (Barmen); Die verborgenen Quellen der Erweckung in Wales (Freienwalde 1905). — Stead, Die Erweckung in Wales (Mülheim). — Oehler, Die religiöse Bewegung in Wales (Stuttgart 1905). — de Rougemont, Eindrücke über die Erweckung in Wales (Basel 1906). — Gräfin Schimmelmann, Unsere Erfahrungen in der Waleser Erweckung (Berlin). — Dannert, Im Strom vom Heiligtum oder — Daneben (Kassel). — Glage, Wittenberg oder Wales? (Schwerin 1905). — Mumssen, Wittenberg und Wales! (Neumünster). — The Overcomer (monatlich).

13. Die Zungenbewegung.

Dallmeyer, Sonderbare Heilige (Kassel); Feuer (Neumünster); Kraft von oben und von unten (Neumünster); Erfahrungen in der Pfingstbewegung (Neumünster). — Edel, Die Pfingstbewegung im Lichte der Kirchengeschichte. — Haarbeck, Die Pfingstbewegung (Barmen 1910). — Kühn, Die Pfingstbewegung[2] (Gotha). — Lohmann, Pfingstbewegung u. Spiritismus (Frankfurt). — Rubanowitsch, Das heutige Zungenreden (Neumünster). — Schoffield, Gesundes Christentum (Neumünster). — Schopf, Zur Kasseler Bewegung (Bonn). — Schrenk, Was lehrt uns die Kasseler Bewegung? (Kassel); Die Pfingstbewegung (Stuttgart); Der biblische Weg zu vermehrter Geistesausrüstung (Kassel). — Töpfer, Was will das werden? (Gotha). — Urban, Zur gegenwärtigen Pfingstbewegung (Striegau). — Der Heilige Geist u. die Gemeinde[2] (Elberfeld 1910). — Confidence, monatlich (Sunderland). — Trust, monatlich (Rochester). — Latter rain Evangel. — De Spaade Regen (Amsterdam).

14. Das Gemeinschaftswesen einzelner Länder.

Ecke, Die evangelischen Landeskirchen Deutschlands im neunzehnten Jahrhundert (Berlin 1904). — Drews, Evangelische Kirchenkunde, I. Sachsen (von Drews), II. Schlesien (von Schian), III. Baden (von Ludwig), IV. Bayern (von Beck), V. Thüringen (von Glaue). — Tiesmeyer, Die Erweckungsbewegung in Deutschland während des XIX. Jahrhunderts, bis jetzt 15 Hefte (Kassel). — Württemberg: Baun, Das schwäbische Gemeinschaftsleben (Stuttgart 1910); Schulmeister Kolb von Dagersheim (Stuttg. 1904); Der Glemser Marte (Stuttg. 1905); Johannes Kullen (Stuttg. 1904); Schultheiß Klaß von Beuren (Stuttg. 1909); Der Karle von Beuren (Stuttg. 1909); Der blinde Hansjörg (Stuttg. 1909); Der Hansmartin von Mägerkingen (Stuttg. 1909); Johann Albrecht Bengel[3] (Stuttg. 1910); Johann Michael Hahn (Stuttg. 1906). — Johann Albrecht Bengel, Lebensabriß von Wächter (Stuttg. 1865). — J. A. Bengels Leben u. Wirken von Burk[2] (Stuttg. 1832). — Bengel u. Oetinger von Wächter (Gütersloh 1886). — Bertsch, Israel Hartmann (Stuttg. 1910). — Claus, Württembergische Väter, 2 Bde. (Stuttg. 1887). — Buck, Aus den Gemeinschaften (Württ. Vät., Bd. 4, Stuttg. 1905). — Grüneisen, Abriß einer Geschichte der religiösen Gemeinschaften in Württemberg (Ztschr. f. hist. Theol. 1841 S. 63 ff.). — Auszug aus Johann Michael Hahns Schriften, 2 Bde. (Stuttg. 1857/58). — Die Hahnsche Gemeinschaft (Stuttg. 1877). — Jäger, Ludwig Hofacker (Stuttg. 1910). — Kapff, Kornthal u. Wilhelmsdorf (Kornthal 1839). — Kiefner, Joh. Jak. Gollmer (Stuttg.). — Palmer, Gemeinschaften u. Sekten Württembergs (Tübingen 1877). — Schmidt, Die Innere Mission in Württemberg (Hamburg 1879). — Wurm, Die Evangelische Gesellschaft in Stuttgart 1830—1905 (Stuttg. 1905). — Zahn, Das evangelische Schwaben (Zeitfragen XI, H. 5). — Dazu mir zur Verfügung gestellte Druckbogen: Die Entstehung des Verbandes der altpietistischen Gemeinschaften in Württemberg. — Südwestdeutschland: Ebenezer, Festschrift zum fünfzigjährigen Jubiläum des Evang. Vereins für Inn. Mission A. B. in Baden (Karlsruhe 1899). — Dienstanweisung u. Konferenzordnung (desselben) (Karlsr. 1893). — Statuten des Evang. Vereins für Inn. Mission im Großh. Hessen. — Lamb, Die Wißwässersekte (Berlin 1910). — Schollmayer, Peter Runtz aus Annweiler (Kaiserslautern). — Westdeutschland: Eben Ezer. 30 Jahre Gemeinschaftsarbeit in Hessen (Gießen 1908). — Protokoll der Kreissynode Herborn, 1904. — Statut des Vereins zur Pflege des christl. Gemeinschaftslebens (Herborn 1896). — Gemeinschaftskalender 1906, Ausg. für Hessen-Nassau. — zur Nieden, Die religiösen Bewegungen im 18. Jahrh. u. die evangelische Kirche in Westfalen u. am Niederrhein (Gütersloh 1910). — Goebel, Geschichte des christlichen Lebens in der rheinisch-westfälischen Kirche, 3 Bde. (Koblenz 1849). — Erdmann, Arbeiten u. Erfahrungen, 2 Bde. (Elberfeld 1873/74). — Toerper, Fünfzig Jahre der Evangelischen Gesellschaft für Deutschland (Elberfeld). — Jahresberichte u. Quartalsberichte derselben. — Der Evangelische Brüderverein in Elberfeld von 1850—1900 (Elberfeld). — Kühn, Das Versammlungswesen des Siegerlandes (in Kirchl. Monatsbl. 1894, 2 u. 3). — Severing, Die christlichen Versammlungen des Siegerlandes (Haardt 1881). — Stahlschmidts Pilgerreise (Siegen). — Ohm Michel von Schiefer (Neukirchen). — Sincerus, Ein Gang durchs Wuppertal (Berlin 1887). — Zeugen u. Zeugnisse aus dem christlich-kirchlichen Leben von Minden-Ravensberg im 18. u. 19. Jahrh., 2 Bde. (Bielefeld 1896/97); Dasselbe. Neue Folge (19. Jahrh.), 2 Bde. (Bethel 1899 u. 1901). — Nordwestdeutschland: Bartels,

Mitteilungen zur Geschichte des Pietismus in Ostfriesland (Ztschr. f. Kirchengesch. 1882). — Uhlhorn, Hannoversche Kirchengeschichte (Stuttgart 1902). — Satzung des Hannoverschen Verbandes landeskirchlicher Gemeinschaften (Hannover 1911). — 41. Jahresber. des Evang. Vereins in Hannover (1906). — Protokoll der Bezirkssynode Lüneburg 1909. — v. Oertzen, Kurzer Abriß der Geschichte des Vereins für innere Mission in Schleswig-Holstein (Flensburg 1885). — Ihloff, Im Weinberge des Herrn (Neumünster 1907). — Schäfer, J. H. Sommer (Monatsschr. f. J. M. 1895 S. 89 ff.). — Treplin, Beiträge zur Geschichte der Inneren Mission in Schleswig-Holstein (Flieg. Blätter 1886 S. 133 ff.). — Verein für kirchl. Evangelisation in Hamburg, Jahresberichte. — Strandmission in Hamburg, Jahresberichte 1903—1907. — Meyer, Nach 10 Jahren! Denkschrift über die Arbeit der Strandmission (1907). — Mitteldeutschland: Kluge, 150 Jahre Gemeinschaftspflege in Sachsen (Dresden 1900). — Zeißig, Die Stellung der landeskirchlichen Gemeinschaften zu den sektiererischen Strömungen der Gegenwart (Dresden). — Ostdeutschland: Christliche Gemeinschaft St. Michael (November 1905). — Büchsel, Erinnerungen aus dem Leben eines Landgeistlichen (Berlin 1882 ff.). — Wangemann, Geistliches Ringen u. Regen am Ostseestrande (Berlin 1861). — Statut des evangl. Brüderbundes in Pommern. — Einige Mitteilungen über den Evang. Reichsbrüderbund. — XXIII. u. XXIV. Bericht des Provinzialvereins für J. M. in Westpreußen (Danzig 1900/01). — Statuten des ostpreußisch-evangelischen Gebetvereins (Tilsit 1897). — Satzungen der Christl. Vereinigung für Evangelisation u. Gemeinschaftspflege in der Prov. Ostpreußen. — Gaigalat, Die evangelische Gemeinschaftsbewegung unter den preußischen Litauern (Königsberg 1904). — Denkschrift zur Erinnerung an die Einweihungsfeier des Erweiterungsbaues des Christl. Gemeinschaftshauses in Brieg. — Offene Türen in Oberschlesien.

15. Arbeiten und Veranstaltungen.

Modersohn, Blankenburger Jahrbuch (Blankenburg 1909). — Jellinghaus, Zum 25jährigen Bestehen der Bibelschule (Lichtenrade). — Haarbeck, Evangelistenschule Johanneum (Barmen); Evangelistenschule Johanneum 1886—1911 (Barmen). — Jahresberichte des Johanneums (Barmen). — Rappard, Die Pilgermission zu St. Chrischona. — Stursberg, Die Waisen- und Missionsanstalt in Neukirchen (Neukirchen 1898). — Huhn, Ausgesandt zum Dienst, Nachrichten aus der Arbeit des Bibelhauses (Freienwalde 1907). — Ein Friedensgruß vom Friedenshort. — Vetter, Gottes Fußspuren in der Zeltmission (Geisweid); Unser Programm (Gotha). — Kieser, Die christliche Studentenbewegung (Basel 1911). — Niedermeyer, Bilder aus der Deutschen Christl. Studentenbewegung (1910). — Irmer, Die christliche Bewegung unter den Studenten Deutschlands (Flieg. Blätter 1903, H. 6, 7). — Quast, Kurze Geschichte der Studentenmissionsbewegung (Halle 1894). — Sieben Männer für Christum (1898). — Sage nicht! — Würz, Soll ich Missionar werden? — Lohmann, Der Befehl des Königs. — Die Mission und das Missionsseminar in Kattowitz. — Mitteilungen über die Eröffnung einer Allianzbibelschule. — Das Krüppelheim Bethesda 1900 bis 1905. — Sieben Jahre Jugendbund für entschiedenes Christentum. — Verfassung des J.B. für E.C. — Themabüchlein. — Eine kirchliche Notwendigkeit. — Hahn, Die Grundlage des J.B. — Blecher, Bilder aus dem J.B. für E.C. in aller Welt (Friedrichshagen 1905). — Mursell, Die Philosophie des J.B. (Friedrichshagen). — Die Entwicklung des Christlichen Sängerbundes deutscher Zunge 1879–1904 (Bonn 1904).

16. Liederbücher, Predigtbücher, Kalender.

Gemeinschaftslieder (Basel 1878). — Blankenburger Lieder (Blankenburg 1907). — Evangelisationslieder (Neumünster). — Glaubenslieder mit Melodien[26] (Basel 1892). — Heilslieder für die Versammlungen der Allianz-Zeltmission (Essen). — Krönt ihn! (Neumünster). — Reichsharfe[2] (Striegau). — Reichslieder für Evangelisation u. Gemeinschaftspflege nebst einem Anhang, hrsg. vom Gemeinschaftsbund für Posen u. Westpreußen. Notenausgabe[15] (Neumünster). — Rettungsjubel (Wandsbek). — Singet dem Herrn![4] (Elberfeld 1902). — Vereinslieder des Blauen Kreuzes (Barmen). — Der Zionssänger von Paul u. Wallfisch (Görlitz). — Dein Reich komme! (Neumünster 1902). — Gemeinschaftskalender 1907—1912 (Neumünster). — Reichskalender 1908, 1912 (Stettin).

17. Zeitschriften.

Allzeit bereit! (Polizeibeamte). — Auf Dein Wort (Keller). — Aufwärts! (Chrischonabrüder in Oberhessen). — Beamtenfreund. — Des Christen Glaubensweg 1875–1877. — Die Christliche Gemeinde (Hannover). — Die Christl. Post. — Deutsches Gemeinschaftsblatt (Osten). — Echo der Wahrheit (Evangelisationsblatt). — Erbauliche Mitteilungen, jetzt: Gemeinschaftsblatt für die verbundenen altpietistischen Gemeinschaften Württembergs. — Evangelisches Allianzblatt (zit. Allbl.) — Evangelischer Brüderbote (Reichsbrüder, zit. Brdb.). — Der Evangelist aus dem Siegerlande. — Forschet in der Schrift, 1911: Der neue Weg, dann: Der schmale Weg (Großmann). — Der Freiwillige (1903? eingegangen). — Friedensbote bzw. Pakajaus Paslas (Kukatianer, zit. Frdb.) — Friedenshalle. — Für Alle. — Fundament (Techniker). — Furche, akadem. Monatsschrift. — Gemeinschaftsbote (Chrischonabrüder des Ostens, zit. Gemb.). — Gemeinschaftsbote für die landeskirchlichen Gemeinschaften der Prov. Hessen-Nassau, dann Sonderausgabe von „Unter dem Kreuz", dann wieder: Gemeinschaftsbote des hessen-nassauischen Gemeinschaftsvereins, s. 1911: Gemeinschaftsbote für Hessen-Nassau u. Oberhessen (zus. mit Aufwärts). — Gemeinschaftsfreund (Schleswig-Holstein, zit. Gemfr.). — Glaubensbote (Chrischona). — Glaubensgrüße (Christiansen). — Glaubensweg (Pr. Sachsen). — Gottestaten (Osten). — Gott mit uns (Strandmission). — Gruß aus der Zeltmission, seit 1909: Zeltgruß. — Hebronblätter. — Heimat für Heimatlose (Golgathamission). — Heimatklänge (Christl. Schriftenmission Berlin-Rixdorf). — Heiligung (Paul). — Von der Hensoltshöhe. — Israels Hoffnung (Dolman). — Jugendhilfe (J.B.). — Kinderbund. — Des Königs Botschaft (Evangelisationsblatt). — Lämmer-Weide. — Leuchtturm, später Leuchtfeuer (Gräfin Schimmelmann). — Licht und Leben (zit. L. u. L.). — Licht vom Kreuz (Evangelisationsblatt). — Lose Hefte (des S. f. M.). — Mitteilungen (der D.C.S.B.). — Mitteilungen (des Altfreundeverbandes). — Missions- und Heidenbote (Neukirchen). — St. Michaelsbote. — Mitt. an die Freunde der Ev. Allianz in Bayern. — Mitt. der Evang. Gesellschaft. — Mitt. des pommerschen Gemeinschaftsbundes. — Mitt. aus der Bibelschule. — Mitt. der Allianzbibelschule. — Mitt. der Mission für Südost-Europa. — Mitt. aus dem Gemeinschafts-Brüderhause. — Monatlicher Anzeiger für die bayrischen Gemeinschaften. — Nachrichten aus dem Krüppelheim Bethesda. — Nimm und lies (Evangelisationsblatt). — Offene Türen (Allianzbibelschule). — Pfingstgrüße (Zungenbewegung). — Philadelphia (zit. Phil.). — Prophetisches Wort (Ströter). — Posaune Gottes (Zungenbewegung). — Die Quelle (Dr. Seher). — Reich Christi (Lepsius). — Reichgottesarbeiter. — Reich-Gottes-Bote (Baden). — Sabbathklänge, seit 1910 Trennung in: Sabbathklänge (rhein. Altpietisten) u.: Heilig dem Herrn (Modersohn). — Signale (wöchentliche Traktate, Paul). — Sonnenaufgang (Armenien). — Talitha Kumi (Bandsburg). — Die Wacht (Schlesien, kirchl. Verband). — Waisenfreund (Elisabethheim in Havetoft). — Die Warte (1902 bis 1904). — Auf der Warte (Forts. des vorigen seit 1904). — Die Wacht (1904/05, hrsg. vom früheren Verleger der Warte). — Wahrheit in der Liebe (Warns, eingegangen). — Was sagt die Schrift? (Rubanowitsch). — Der Weg (E. Lohmann). — Weg u. Ziel (Eisenbahner). — Das Wort vom Kreuz (Christl. Schriftenmission). — Zeltmissionszeitung (Allianzzeltmission). — Zeugnisse (v. Viebahn). — Zwischen Weser u. Elbe (Hannoversches Evangelisationsblatt).

18. Prinzipielles.

a) Allgemeine Schriften aus den Kreisen*) der Bewegung.

Christliche Bedenken von einem Sorgenvollen (Gütersloh 1888). — Cürlis, Was Ende des 19. Jahrhunderts der evangelischen Kirche zu wünschen ist! (Düsseldorf 1899). — Dietrich, Kirchliche Fragen der Gegenwart (Kassel). — L. v. F., Leben aus Gott (Berlin 1900). — Gerß, Zwei Wege in der heutigen Erweckungsbewegung (Gütersloh 1908). — Haarbeck, Kurzgefaßte biblische Glaubenslehre (Barmen). — Hobbing, Das Ringen der Gemeinschaftsbewegung mit den Strömungen der Gegenwart (Neumünster). — Krawielitzki, Praktische Nachfolge (Gotha 1903). — Kühn, Geschichten u. Bilder aus dem christlichen Gemeinschaftsleben (Berlin 1910). — Müller, Methodistische Strömungen (Gütersloh 1894). — Virscher, Die Quellen unserer Kraft (Gotha 1888). — Bowinckel, Erfahrungen u. Beobachtungen aus der Arbeit im Werke des Herrn (Neukirchen).

b) Gemeinschaftspflege, Gemeinschaftsbewegung und die Stellung der Kirche zu beiden.

Von kirchlicher Seite**): Armknecht, Deutsches Christentum (Hannover 1907). — Büttner, Evangelisation, Gemeinschaft, Heiligung

---

*) Im weitesten Sinne.

**) Natürlich ist die Trennung von „kirchlicher Seite" und „Gemeinschaftsseite" nur als ungefährer Anhalt gedacht und nicht etwa gleich Gegner und Freunde.

(in ALK 1899 S. 242 ff.). — Fürer, Über die Pflege der christlichen Gemeinschaft (Hamburg 1896). — Grosse, Kirchliche Gemeinschaftspflege (Leipzig 1902). — Haack, Kirche, Gemeinde, „Gemeinschaft“ (Schwerin 1907). — Heim, Die Gemeinschaftsbewegung eine Verwirklichung von Gedanken Luthers (Berlin 1901). — Hesekiel, Die Pflege der christlichen Gemeinschaft (Hamburg 1899); Gemeinschaftspflege in der Gemeinde (Hamburg 1901). — Hildebrand, Das Gotteserlebnis (Sopron 1909). — Kolde, Luthers Gedanken von der ecclesiola in ecclesia (Zeitschr. f. Kirchengesch. 1892 S. 552). — Kühn, Das christliche Gemeinschaftswesen innerhalb der evangelischen Kirchengemeinde u. innerkirchliche Evangelisation. — Lamerdin, Kirche u. Gemeinschaft (Karlsruhe 1904). — Lang, Gemeinde u. Gemeinschaft (Deutsch-Evang. Jahrb. 1901). — Ohly, Kirche u. Gemeinschaft, Vortrag auf der kurmärkischen Konferenz 1904 (auch in Flieg. Blätt.). — Petri, Die Pflege der christlichen Gemeinschaft von seiten der Kirche (Leipzig 1894). — Rendtorff, Volkskirche, Kirchengemeinde, Gemeinschaft (in Verh. der I. u. II. Konf. für evang. Gemeindearbeit) (Leipzig 1911). — Schapper, Über Gemeinschaftspflege in der evangelischen Kirche (Magdeburg 1897). — Schneider, Evangelisation u. Gemeinschaftspflege (Gütersloh 1898). — Schwerdtmann, Kirche, Sitte, persönliches Leben (Leipzig 1909). — Streit, Die Pflege der christlichen Gemeinschaft und die innere Mission (Dresden 1894). — Uhlhorn, Sind die Gedanken Luthers von der Sammlung einer engeren Gemeinschaft wahrer Christen innerhalb der Gemeinde ratsam u. durchführbar? (Hannov. Pastoralkorr. 1896 Nr. 4). — Wacker, Die Laienpredigt u. der Pietismus in der lutherischen Kirche (Gütersloh 1889). — Walther, Ein Merkmal des Schwärmergeistes (Leipzig 1898); Das Zeugnis des heiligen Geistes nach Luther u. nach moderner Schwärmerei (Leipzig 1899); Die Gemeinschaftsbewegung der Gegenwart (Leipzig 1900). — Zahn, Konventikel u. Bibelstunde (Leipzig 1901). — Zeißig, Kirche u. Gemeinschaft (1905). — Ferner: Die Verhandlungen der Kirchenkonferenzen in Eisenach u. die Ausschreiben der Kirchenregierungen in Schott, Allgemeines Kirchenblatt 1896 ff. (zit. Schott), Evangelisation u. Gemeinschaftspflege in ALK 1899 S. 802 ff., Flieg. Blätter 1898, 1899, Monatsschrift für Inn. Miss. 1899, 1900. —

Von Gemeinschaftsseite: Berg, Das Erbe der Reformation (I. Glaube u. Taufe [Rostock 1909], II. Kirchliches Amt u. Laienarbeit [Rostock 1910]). — Bochterle u. Krieg, Die Bedeutung der Gemeinschaftspflege (Hefte der fr. kirchl.-soz. Konf. 3). — Conrad, Bauet Euch! (Barmen 1907). — Dannert, Was hindert u. was fördert die Gemeinschaft der Kinder Gottes untereinander? (Stuttgart). — Edel, Gedanken über die Entwicklung u. Vollendung der Kirche (Striegau 1902); Kirchliche Bedenken gegen Gemeinschaft im Lichte der Wahrheit (Neumünster). — Fabianke, Die Arbeit der Frau in den Gemeinschaften (Striegau 1902). — Flambach, Das Weib schweige! (Düsseldorf 1905). — Haarbeck, Kirche u. Gemeinschaft (Barmen). — Kirche u. Gemeinschaft, Hefte zur Verständigung (Neumünster): I. Warum bleiben wir in der Kirche (Regehly); II. Wiedergeburt in der Taufe? (Lettau); III. Arbeitsaustausch zwischen Kirche u. Gemeinschaft (Michaelis); IV. Die Gemeinschaftsbewegung ein echtes Kind der deutschen Reformation (Essen) V. Was wir wünschen (Modersohn). —

Koch, Gemeinschaftspflege u. Evangelisation in ihrem Verhältnis zueinander (Bonn 1890). — Kühn, Zurück zur ersten Liebe! (Gotha 1906); Winke u. Ratschläge für die Versammlungen der Kinder Gottes (Geisweid). — Michaelis, Hat die erste Gemeinde den heiligen Geist betrübt? (Barmen 1905). — Müller, Ecclesiola in ecclesia (Barmen). — Müller, Landeskirche u. Gemeinschaftsbewegung (1911). — Nagel, Der große Kampf (Witten). — Neue Zeiten — neue Wege (Leipzig 1889). — Paul, Die Einheit der Kinder Gottes u. der Austritt aus Kirche oder Kirchengemeinschaft (Berlin 1898). — Stockmayer, Der Leib Christi u. sein göttlicher Baumeister (Gotha 1903). — Vetter, Über Gemeinschaftspflege in der evangelischen Gemeinde (Bern 1886).

c) Evangelisation.

Bornhak, Was sagt Wichern über Evangelisation (Hamburg 1900). — Bunke, Kirchliche Evangelisation im Geist der Inneren Mission (Hamburg 1899). — Christlieb, Die Bildung evangelistisch begabter Männer zum Gehilfendienst am Wort u. dessen Angliederung an den Organismus der Kirche (Kassel). — Dannert, Vor- u. Nacharbeit bei Evangelisationen Kassel). — Graebenteich, Zur Evangelisationsfrage (Eisleben 1900). — Hahn, Evangelisation u. Gemeinschaftspflege, I. Evangelisation (Reval 1909). — Hardeland, Evangelisationsfragen im lutherischen Sinne erwogen (Leipzig 1899); Evangelisation mit besonderer Rücksicht auf die Heiligungsbewegung (in Neue kirchl. Zeitschr. 1898 S. 42 ff.). — Keller, Wie können die dem Evangelium Entfremdeten in unserm Volk für das Evangelium wieder zurückgewonnen werden? (M.-Gladbach). — Märker, Die Evangelisation (Stuttgart 1896). — v. d. Oelsnitz, Auf zur Evangelisation! (Rengersdorf). — Orelli, Ziel und Wege der Evangelisation in der Gegenwart (Elberfeld 1883). — Rische, Das öffentliche Wortzeugnis von Laien (in N. kirchl. Ztschr. 1903 S. 20 ff.). — Schian, Die moderne deutsche Erweckungspredigt (Zeitschr. f. Theol. u. Kirche 1907 S. 235 ff.). — Wichern, Die innere Mission der deutschen evangelischen Kirche, eine Denkschrift an die deutsche Nation[3] (Hamburg 1889). — Wilhelmi, Predigtprobleme (in Ztschr. f. d. ev.-luth. Kirche in Hamburg 1904). — Dazu als praktische Beispiele: Vetter, Freie Gnade in Christo, Evangelisationsreden (Gotha 1903). — Schrenk, Seelsorgerliche Briefe für allerlei Leute (Kassel) und als evangelistisch-apologetische Schriften: v. Gerdtell, Sind die Wunder des Urchristentums geschichtswissenschaftlich genügend bezeugt? Die urchristlichen Wunder vor dem Forum der modernen Weltanschauung; Ist das Dogma vom stellvertretenden Sühnopfer Christi noch haltbar? (Stuttgart).

d) Gemeinschaftsbewegung und Bibel.

Eichhorn, Unsere Stellung zur Heiligen Schrift (Stuttgart 1905). — Vetter, Die Bibel das Schwert des Geistes (Gotha 1903). — An Auslegungen seien beispielsweise angeführt: M. v. O., Betrachtungen über das Johannes-Evangelium (Schwerin 1909). — v. Bernstorff, Laienbetrachtungen über die Pastoralbriefe (Berlin 1898). — Röschmann, Philadelphia u. Laodicea (Dinglingen). — E. Lohmann, Das Leben des

Glaubens nach 1. Mos. 12—24 (Bonn 1903). — Schrenk, Wir sahen seine Herrlichkeit (Kassel).

e) Eschatologie.

Binde, Vollendung des Leibes Christi (Geisweid). — Franson, Die Himmelsuhr (Barmen). — Stockmayer, Die Zubereitung der Braut des Lammes (Lichtenthal 1902). — Ströter, Unsres Leibes Erlösung (Bremen). — Witt, Der Tag Jesu Christi (Neumünster).

f) Heiligung und Heiligungsbewegung, auch Geistesleitung, Geistestaufe und Glaubensheilung.

Birckenstaedt, Der biblische Kern in der modernen Heiligungsbewegung (Flensburg 1890). — Dammann, Unsere Heiligung (Hagen 1900, Referate von Krafft, Dammann, Herbst u. Haarbeck). — Gennrich, Wiedergeburt u. Heiligung (Leipzig 1908). — Hadorn, Die Heiligung mit besonderer Berücksichtigung der sogen. Heiligungsbewegung (Neukirchen 1902). — Jellinghaus, Das völlige, gegenwärtige Heil durch Christum[5] (Berlin 1903); Sieg u. Leben in der Glaubenshingabe an den im Worte gegenwärtigen, völligen Erlöser[3] (Neumünster 1900). — Kargel, Christus unsere Heiligung (Gotha). — Nagel, Sündigen oder Nichtsündigen (Witten 1896). — Paul, Ihr werdet die Kraft des hl. Geistes empfangen (Berlin 1896); Wie kommst du zur Ruhe? (Striegau); Taufe u. Geistestaufe (Berlin 1895); Freiheit (Berl. 1899); Ich habe das Paradies gefunden (Berl. 1897); Die Gabe des hl. Geistes (Berl. 1896); Zum Ziel hin! (Elmshorn 1903). — Rietschel, Lutherische Rechtfertigungslehre oder moderne Heiligungslehre? (Leipzig 1909). — Röschmann, Rechtfertigung u. Heiligung (Stuttgart). — Springer, Der Weg zur schriftgemäßen Heiligung (Mülheim). — Stockmayer, Gnade u. Sünde (Basel 1897); Die Gabe des hl. Geistes (Basel 1898). — Strube, Die biblische Lehre von der Heiligung (Barmen). — Vetter, Der hl. Geist u. das Blut Jesu (Gotha 1902). — de le Roi, Die Taufe mit dem hl. Geist (Stuttgart). — Stockmayer, Geistesleitung (Lichtenthal 1900). — Kühn, Krankheit u. Heilung (Bonn 1912).

g) Bekehrung, Wiedergeburt, Taufe und Abendmahl.

Lenz, Die Lehre von der Bekehrung (Reval 1895). — Saul, Ist die Kindertaufe die Wiedergeburt? (Dresden 1905). — Coerper, Ein wenig über Taufe u. Abendmahl[2] (Elberfeld 1902). — (Edel,) Das hl. Abendmahl u. die Gemeinschaften (Striegau). — v. Viebahn, Was lehrt die Schrift über die Bedeutung u. Feier des Abendmahls (Striegau).

h) Allgemeines über das christliche Leben.

Kühn, Was ist Christentum? (Homburg). — Limbach, Das Leben aus Gott (Basel 1910). — Dallmeyer, Unvermischte Christen (Neumünster).

19. Anhang.

1. Einige neuerdings viel gelesene englisch-amerikanische Schriften: Mauro, Der gegenwärtige Stand des Erntefeldes; Warum wir uns von der Welt trennten; Leben für die Toten; Ewige Beziehungen; Das Gebet

des Herrn Jesu in Gethsemane (sämtlich Gotha 1910); Des Menschen Zahl. — **Gordon**, Die Macht des gläubigen Gebets; Ringende Mächte; In Jesu Nachfolge; Ein Wort für Reichgottesarbeiter (sämtlich Wandsbek); Kraft, die wir brauchen (Basel 1904).

2. Für die nordische Bewegung: **Rosenius**, Geheimnisse im Gesetz u. Evangelium (Flensburg, 2 Bde.). — Schriften von **N. P. Madsen**.

Aus der **Realencyklopädie** von **Hauck** (3. Aufl.) sind benutzt; Darby (Loofs) IV, S. 483 ff.; Kongregationalisten (Loofs) X, S. 680 ff.; Methodismus (Loofs) XII, S. 747 ff.; Puritaner (Kattenbusch) XVI, S. 324 ff.; Prophezei (Egli) XVI, S. 108 ff.; Evangelische Allianz (Achelis) I, S. 376 ff.; Evangelisation (Rahlenbeck) V, S. 661 ff.; Finney (Brendel) VI, S. 63 ff.; Pietismus (Mirbt) XV, S. 774 ff.

Register*).

Abendmahlsfeier, separate 41. 63. 67. 135. 142. 143. 157. 163. 165. 174. 266. 291. 313. 315. 403 f. 480. 482. 517.
Alkoholgenuß 52. 153. 211. 216. 240 ff. 346. 422 f. 543. 579 f.
Allianz, Evang. 83. 158. 280 f. 311. 375. 378. 563. 584.
Allianzbibelschule 415. 491 f. 519. 523.
Allianzkonferenzen (außer Blankenburg) 151. 153. 176. 180. 187. 332. 338. 393. 399. 407. 411. 417. 459. 508. 510. 514. 526. 527. 528. 534. 541. 545. 557. 561 f.
Altpietisten 262. 287 f. 368. 588.
— **(rheinische)** 62 ff. 145 ff. 157. 416. 418. 558 ff.
— **(württemb.)** 6. 8. 72 ff. 79. 128 ff. 421. 448. 556 f.
— **(südwestd.)** 66 ff. 131 ff. 420. 553 ff.
Anhalt 179. 182.
Auf der Warte 389. 501. 531.

Baden 6. 7. 9. 41. **66 ff. 130 ff.** 262. **420 f. 554 f.**
Baedeker 21. 32. 54. 136. 153. 240. 282. 283. 284. 308. 312. 484. 492. 493.
Bayern 127 f. 410 f. 543 ff. 566.
Bekehrung 75. 97. 101 f. 122. 210. 291. 302. 304. 339. 347. 352. 382. 386. 404. 434. 437. 477. 478. 529.
Berlin 21. 54 ff. 85. 89. 108. 188 ff. 225. 228. 250. 252. 394 ff. 490. 493. 519. 576. 577. 582.
v. Bernstorff 37. 84. 88. 89. 101. 102. 108. 110. 113. 114. 119. 122. 126. **167 ff.** 174. 176. 180. 190. 194. 260. 281. 288. 289. 297. 307. 359. 366. 370. 374. 378. 389. 395. 402. 403. 407. 411. 441. 469. 476. 480. 481. 511. 522. 530. 539. 565 f. 580. 585.
Beruf 292. 342. 376. 474.
Berufsgemeinschaften 250 ff. 427 ff. 567 ff.
Bibelhaus 194. 262. **270 f.** 358. 398. **496.** 519.
Bibelkränzchen 257. 429. 571.
Bibelkurse 266. 340. 555.
Bibelschule **37.** 42. 99. 144. **265 f. 380. 497.**
Blankenburger Konferenz 103. 299 f. 311 f. 361 ff. 463 ff. 476. 485 ff.
Blankenburger Allianz 169. 281 ff. 308 ff. 368 f. 378. 439. 484 ff. 585.
Blaues Kreuz 153. 166. 174. 213. 214. 221. 222. 237. **240 ff.** 346. 393. 405. **422 f.** 473. 533. 535. 547. 561. **578 ff.**
Blazejewski 202. 206. **209 ff.** 235. 246. 271 f.

---

*) Wegen des starken Umfanges des Buches ließ sich ein vollständiges Register leider nicht ermöglichen, ein solches wird am Schlusse des zweiten Bandes folgen. Das obige enthält die wichtigsten Namen und Sachen.

Blut Christi 29. 33. 71. 78. 93. 120. 123. 293 f. 346. 387. 404.
Bornholmer 61. 164. 178. 216. 403. 533.
Brandenburg 46. 118. 193 ff. 264. 394 ff. 424. 519 ff. 576.
Braunschweig 179. 541. 543.
Brautgemeinde 11. 95. 102. 120. 123 f. 279. 293 f. 308. 318 f. 366. 439 f. 447 483 f. 510. 586.
Bremen 57. 82. 177. 179. 497. 541. 543. 582.
Brieger Woche 220. 322. 324. 344. 362. 366. 448. 460. 466 f.
Brüdergemeinde s. auch Diasporagemeinschaften 4 ff. 47. 118. 182. 216. 219. 522.
Brüderhäuser 351 f. 491 ff. 497 f.
Brüderverein 7. 9. 13 f. 147 f. 150. 154. 157. 455.

China-Allianz-Mission 151. 263. 359. 416. 499. 562.
China-Inland-Mission 166 f. 256. 262 ff. 359. 421. 499. 562.
Chrischona 36. **38 ff.** 89. 118. 209. 241. 264. 266. 288 f. **380**. 386. **498**. 555.
Chrischonabrüder 40 ff. 44. 67. 130 f. 135. 136 ff. 142 f. 148. 163. 204. 208 f. 228. 333. 420. 498. 513. 515. 548. 549 ff. 553. 554. 558. 565.
Christlicher Sängerbund 36. 237. 432. 573.
Christlicher Verein junger Männer (C. V. J. M.) 18. **56 f.** 89. 243. 245. **249 f.**
Christl. Verein f. Frauen u. Mädchen (C. V. F. M.) 430. 500. 567.
Christlieb (Prof.) 23. 65. 81. **82 ff.** 88 ff. 95. 150. 251. 280. 286 f. 289. 497.

Dammann 83. 88. 89. 93. 136. 139. **151 f.** 162. 183. 224. **229. 233 ff.** 238. 245. 254. 263. 278. 280. 287. 290. 301 ff. **388**. 394. 407. 465. 487. 489. 502. 526 f.
Dannert 139 ff. 160. 220 f. **227**. 418. 465. 487. 489. 540. 562. 564.
Darbysten **11 ff.** 16. 63. 148. 157. 197. 200. 262. 329. 450. 517. 525. 548.
Darbysmus 11 ff. 64. 102. 157. 293. 308 ff. 318 ff. 363. 367. 368 f. 379 f. 389. 393. 399. 400. 403 f. 416. 421. 425 f. 438 ff. 447 f. 466 ff. 479 ff. 484 ff. 509 f. 527. 556 ff. 585.
Deutsche Christl. Studentenvereinigung (D. C. S. V.) 252 ff. 427 ff. 568 ff.
Deutsche Christl. Vereinigung studierender Frauen (D. C. V. S. F.) 571.
Deutscher Gemeinschaftstag 480. 482 f.
Deutsches Komitee für evg. Gemeinschaftspflege (u. Evangelisation) 101. 107 ff. 119. 144. 158.
Deutscher Philadelphiaverein **110**. 118. 134. 135. 149. 367. **390 f.** 545. 553. 555. **566.**
Deutscher Verband für evang. Gemeinschaftspflege u. Evangelisation **113.** 116 f. 128. 133. 145. 154. 162. 180. 198. 305. 348. 364 ff. **565 f.**
Diasporagemeinschaften 6. 193. 219. 398. 522.
Dietrich, Rektor **72 ff.** 86. 89. 90. 97. 99. 101. 102. 104. 106 ff. 112. 114. 116. 122. 124. 126. 128. 130. 134. 184. 187. 205. 219. 232 f. 257. 288. 289. 301. 365. 367 ff. 373. 391. 448. 465. 473. 476. 478. 481 ff. 554. 556 f. 565.

Edel 217 ff. 222. 239. **318 f.** 321 f. 324. 348. 365. 375. 382. 388. 397. 464. 483. 490. 505 ff. 511.
Eisenacher **302 ff.** 412. 440. **581 f.**
Eisenacher Kirchenkonferenz 225 f. 433 f. 584.
Elsaß 7. 135. 225. 262. 420. 554.
Enthusiasmus s. auch Glaubensanstalten, Glaubensheilung und Geistesleitung 39. 48. 80. 292. 434. 437. 488. 587.
Entrückung 11. 102. 123 f. 228. 293. 308 ff. 316. 319. 341. 369. 388. 399. 404. 417. 439. 447. 489. 585 f.
Entrückung der Auswahl 102. 120. 123 f. 293. 310. 316. 319. 388. 404. 417. 447. 585.
Erholungsheime 46. 238 f. 500.
Evangelische Gesellschaft (Elberfeld) 7. 9. 13 f. **64 f.** 118. 143. **144 ff.** 158 ff. 181 f. 236. 288. 290. 413. **416**. 418. 420. 432. 455. 502. 554. **558 ff.** 577.
Evangelischer Sängerbund 238. 432. 574.

Evangelisten 8. 40. 46. 64. 78 ff. 82 ff. 227 ff. 267. 338. 383 ff. 437. 440. 487.

Frankfurt a. M. 22. 66. 81. 130. **136.** 220. 225. 251. **419 f.** 490. **550 f.**
Frauen 232. **261 ff.** 417. **429 f.** 444. 448. 454. 462. 466. 468. 482. **567 f.**

Geistesleitung 16. 55. 125 f. 214. 228. 241. 386. 404. 418. 425. 444. 448 ff. 474.
Geistestaufe 15. 17. 22. 24. 48. 92. 100. 103 f. 119. 228. 290. 293. 347. 386. 399. 443 f. 447 ff. 466. 471. 476 ff. 489. 516. 538. 551. 562. 569. 587.
Gemeinschaftsbrüderhaus 344. 350 ff. **493 f.** 512.
Gemeinschaftspfleger (s. auch Evangelisten u. Reichsgottesarbeiter) 100. 222. 230. 289. 381 ff. 435. 437. 525.
Gemeinschaftsschwesternhäuser 213. 271 ff. 356 f. 460 f. 494 f.
Glaubensanstalten (-missionen) 64. 262 ff. 290. 361. 362. 385. 407. 439. 493.
Glaubensheilung 43. 44. 46. 48. 68. 76. 80. 81. 126. 152. 213. 232. 241. 272. 383. 386 f. 434.
Gnadauer 364 ff. 389. 390 ff. 410. 418. 420. 421. 440. 465 ff. 519 ff. 551. 555. 556. 558 ff. 588.

Haarbeck (Th.) 39. 82. 86. 89. 101 f. 104. 119. 120 f. 126. 136. 155. 183. 235. 267. 294. 301. 304. 366. 370. 373. 375. 378. 379. 466 f. 476. 477. 497. 511. 551. 562. 564. 566.
Hahn (Mich.), (Hahnianer) 5. 6. 8. 36. 68. **70 ff.** 130. 288. 404. 421. 558.
Hamburg 57. 166. **173 ff.** 225. 265. 269. **403 ff. 456 ff. 534 ff.**
Hannover **177 ff.** 225. 242. **411 ff. 539 ff.** 576. 584.
Heiligung 11. 15. 16. 19 ff. 30. 65. 68. 71. 75. 80. 88. 93 f. 97. 105. 121 f. 123. 152 f. 165. 196. 213. 228. 234. 241. 248. 283. 289. 316 f. 327. 343. 369. 373 f. 387. 408. 446. 476.
Heilsgewißheit 75. 79. 122. 210. 241. 292. 320. 339. 446. 560.
Herborn-Dillenburger Verein 7. **65 f.** 141. **143. 410. 548.** 577.
Hessen-Darmstadt 225. 419 f. 550 f.
Hessen-Nassau 114. 118. **139 ff.** 225. 264. **407 ff.** 424. 526. **545 ff.** 579.

J.-B. **214 ff.** 366. 392. 396. 405. **423 ff.** 522. 533. 535. 543. 547. **575 ff.**
Inspiration 39. 101. 241. **297 ff.** 326. 384. 387. 443. 448. 570.
Jellinghaus 20 f. **28 ff. 37.** 42. 47. 89. 94. 98 ff. **102.** 151. 180. 206. 239. 265 f. 282 f. 285 ff. 290. 295 f. 301. 303 f. 311 f. 380. 399. 484. 497.
Johanneum **85 ff.** 118. 145. 150. 227. **267 f. 379 f.** 418. **497 f.**

Keller (S.) 124. 182. 222. **229.** 234 f. 290. 302 ff. 317. 388. 397. 413. 524. 540. 581 ff.
Kinderbekehrung 153. 244. 347. 386. 462. 463. 578.
Kinderbund 243. 426. 577 f.
Kinderheil 199. 268 f. 358. 495. 518.
v. Knobelsdorff 89. 102 ff. 151. 153. 166. 173. 213 f. **240 f.** 283 ff. 300.
Krawielitzki 205 f. 235. 271 f. 289. 312. 332. 336. **338 ff.** 343 f. 351 ff. 361 f. 365. 385. 417. 476. 485. 494. 501. 511. 515. 566. 581.
Kühn, Bernh. **310 ff.** 366. 466. 469. 484. 486. 492. 504. 552.
Kukat (Kukatianer) 49 ff. 159. 178. 191. 213. 215 f. 288 f. 334. 348 ff. 514. 520. 539.
Kurhessen **139 ff.** 225. 246. **407 ff.** 424. **545 ff.** 550.

Laientätigkeit 59 f. 77. 88 ff. 100. 223 f. 273 ff. 331. 381 f. 488. 529.
Leib Christi 12 f. 95. 99. 291. 294. 308 f. 312 ff. 320 f. 341. 344 f. 387. 482. 510. 516. 586.
Leiter- u. Vertrauensmännerkonferenzen 113 ff. 365 f. 468.
Lepsius 100. 104. 113. 123. 180. 206. 217. 224. 228. 233. 235. 265. 285. 287. 290. 294. 295 ff. 380. 582.
Licht und Leben 151. 233. 388. 502 f. 558.
Lieder 32 ff. 235 ff. 480. 503 ff.
Lippe-Detmold 162 f. 416. 565.
Litauer 5. 6. 9. 49 ff. 215. 262. 334. 348 f. 514.
Lohmann, E. 94. 101. 136. 145. 161. 191. 194. 199. 206. 228. 234 f. 251.

253. 262. 264. 297 f. 300. 355. 359. 385. 389. 398. 407. 417. 438. 464. 483. 519 f. 541. 567.
Lübeck 57. 169. 172. 400 f. 530.

Magdalenenstift 269. 357 f.
Mecklenburg 172 f. 401. 529 f.
Meldiener 8. 9. 216. 334.
Methodismus 10 f. 14. 81. 83. 160. 168. 173. 286 ff. 426. 440.
Michaelis (P.) 105. 113 f. 116. 119. 126. 159 ff. 234. 366. 370. 373. 375. 415. 466. 473. 475 f. 480. 483. 487. 525. 565.
Minden-Ravensberg 5. 6. 9. 89. 160. 288. 413 f. 564.
Mission (äußere) 6. 63. 262 ff. 358 ff. 362 f. 368. 499.
Mission (innere) 7, 273 ff. 351 ff. 362. 367. 437. 493. 583 f.
Mitgekreuzigtsein 446. 462. 586.
Mitteldinge 211. 292. 302. 342. 365. 404.
Modersohn 125 f. 152 ff. 235. 298. 312. 417 f. 448 f. 453. 460. 485 f. 506. 514. 527. 560 f. 562. 564. 566. 567.

Nachversammlungen 82. 210. 386. 429. 452. 455. 466. 474. 533.
Nassau 66. 141. 143 f. 225. 247. 288. 409 f. 547 ff.
Neukirchen 63 f. 89. 118. 139. 142 f. 147 f. 154. 163. 263. 266. 380. 498. 548. 558. 562. 563.

Oberhessen 6. 41. 136 ff. 419. 549 f.
Oberkirchenrat, altpr. 182. 214. 222. 223 ff. 433 f. 584.
v. Oertzen, J. 9. 57. 58 ff. 83. 86. 91 f. 94. 97. 99. 101 f. 108. 119. 164 ff. 173 f. 176. 280. 286. 288 f.
Oldenburg 179. 541. 543. 576.
Organisation der Einzelgemeinschaften 117. 320 ff. 329. 332. 340 ff. 345. 361. 365. 382. 390. 392. 394 f. 406. 416. 481 f. 485. 510. 532. 539. 547. 575. 585.
Ostpreußen 8. 9. 41 f. 48 ff. 89. 118. 208 ff. 225. 247. 288. 330 ff. 343. 348. 424. 512 ff. 576. 582.

Pastorale Gemeinschaftskonferenzen 261. 354. 432. 542. 574.
Paul 102. 105 ff. 110. 114. 119. 122 f. 126. 153. 176. 195 ff. 201 f. 205 f. 217. 221. 229. 234 ff. 245 f. 251. 260. 271 f. 285. 288. 290. 298. 316 ff. 322. 332. 346. 348. 351 ff. 359. 362. 371 ff. 375. 378. 385 f. 407. 416 f. 425 f. 449. 452. 459. 466 f. 487. 489 f. 494. 504 f. 511. 514. 516 ff. 566.
Paulsche Heiligungslehre 316 ff. 322. 324. 327. 329 f. 332. 334. 344. 346. 363. 369. 371 ff. 387. 399. 400. 404. 408. 417. 426. 439. 449. 466 f. 479. 485. 489. 516. 563. 585.
Pfalz 7. 8. 9. 68. 131 ff. 225. 262. 420. 553 f.
Philadelphia 101. 108 ff. 232. f. 295. 306. 378. 389. 391. 467 f. 501.
Pommern 6. 47. 110. 114. 195 ff. 225. 242. 264. 288. 327 ff. 343. 423 f. 516 ff. 576.
Prov. Posen 9. 48. 118. 201 ff. 225. 236. 264. 334 ff. 348. 509 ff. 576.
Pregizer (Pregizerianer) 5. 6. 36. 130. 421.
Prophetie 125. 589.
Pückler 54 ff. 84. 88 f. 91. 95. 97. 100 ff. 104 ff. 109 f. 114 ff. 122 f. 125 f. 188. 250 f. 260. 289. 291. 295 f. 358. 366. 370. 374. 376. 398. 427. 468 f. 473. 477 ff. 483. 521. 566.

Rappard 22. 24 f. 27 f. 35 f. 38 ff. 47. 126. 136. 241. 266. 298. 466. 477. 490. 554. 566.
Regehly 217. 219. 221. 239. 241. 246. 303. 322 ff. 344. 348. 359. 365. 370. 374. 378. 397. 461 f. 468. 475. 479. 483. 485. 494. 501 f. 505 ff. 514. 518. 566. 579 f.
Reichsbrüder 42. 43 ff. 89. 127 f. 130. 198. 201 ff. 209 ff. 215 f. 239. 264. 289. 333. 336. 348. 500. 511 f.
Reichsgottesarbeiter (s. auch Evangelisten und Gemeinschaftspfleger) 381 ff. 487 ff. 500. 580. 587.
Reines Herz (s. auch Paulsche Heiligungslehre) 330. 387. 466. 587.
Rheinhessen-Starkenburg 7. 68. 132 ff. 419. 552. 553.
Rheinland 5. 6. 9. 53. 89. 118. 144 ff. 225. 246. 262. 288. 416 ff. 425. 448 ff. 558 ff. 577.
Röschmann 99. 100. 103. 106. 136. 150. 165 f. 173 ff. 219. 235. 241. 242. 251. 269. 288. 401.

Rubanowitsch 174. 219. 220. 221. **228**. 296. 299 ff. 363. **403 ff.** 412. 417. 457. 460. **535 f.** 541. 577.

Sachsen, Königr. 4. 6. 108. 110. 114. 184 ff. 225. 246. 262. 288. 289. **391 ff.** 422. 423. **524 ff.** 566. 576. 579. 584.
Sachsen, Prov. 114. 118. **173 ff.** 225. 262. 296. **399 f. 528 f.** 576.
Salem 358. 495. 523.
Schimmelmann 231. 383. 539. 557.
Schlesien 89. 108. 114. 118. **216 ff.** 236. 246. 264. 289. **318 ff.** 343. 424. 461 f. **505 ff.** 506. 576.
Schleswig-Holstein 6. 9. 57. **58 ff.** 89. 118. **161 ff.** 225. 242. 264. 288. **400 ff.** 422. **530 ff.** 577.
Schrenk **78 ff.** 84. 86. 88 f. 92. 95. 97. 99. 100. 120. 122. 125. 130. 139. 140. 145. 146. 160. 173. 225. **227**. 230. 238. 288. 289. 291. 294. **388**. 418. 440. 483. 487. 498. 562.
R. Schultz 89. **93**. 164. 166. 169. 170. 176. 180. 259. 283. 286. 487. 528. 573.
Schwestern 68. 173 f. 213. 268 ff. 351 ff. 383. 494. 553.
Seitz 43. 44. 46. 47. 48. 89. 93. 127. 184. 187. 228. 241. 392. 460. 500. 511. 525.
Siegen 5. 6. 9. 13. **62**. 89. **157 f.** 289. 385. **415 f.** 423. **563 f.** 577.
Smith, R. P. 15 ff. 19 ff. 54.
Soziale Arbeit 100. 212. 278 ff. 355 ff. 362. 417. 426. 583.
Stockmayer 32. 47. 89. 120. 122. 123. 125. 151. 153. 165. 206. 220. 235. 253. 279. 283. 285. 290. 298. 299. 301. 303. 308. 312. 316. 332. 348. 370. 374. 384. 385. 387. 411. 417. 466. 471. 478. 586 f.
Stöcker 55. 182. 244. 277 ff. 287. 303. 352 ff.
Ströter 151. 286. 298. 299. 303. 304. **308**. 312. 316. 388. 417. 562. 586.
Studentenbund für Mission (S. f. M.) 256. 429. 571.
Studentenmission 428. 569.
Sudan-Pionier-Mission 263. 359. 500.
Südosteuropa, Missionsbund für 359 f. 499.
Südseemission 426. 499.

Tabak 52. 80. 153. 211. 216. 346. 423. 454. 458. 472. 543.
Taufe 96. 100. 102 ff. 130. 165. 168. 181. 304. 475. 482. 491. 529. 586.
Techniker 429. 572.
Thüringen 108. 110. 181 ff. 283. 393. 408. 416. 484. 526 ff. 566.
Vandsburg (s. auch Gemeinschaftsschwesternhaus) 205. 206. 213. 271. 356. 460. 494. 515. 539.
Vereinigte ostdeutsche Brüderräte 343 ff. 348. 364 ff. 397. 439. 518 f.
Vetter 137. 139. 298. 300. 301. **383 ff.** 415. 453. 459. 490 f. 501. 550. 552. 557.
v. Viebahn 89. 153. 200. 285. 298. 299. 308. 312. 322. 323. 324. 332. 348. 366. 411. 452. 459. 463. 466 ff. 485. 492. 513. 517. 570.
Vollkommenheit 11. 93. 120 f. 152. 294. 374. 399. 426. 434. 437.

Welt 11. 75. 97. 99. 100. 124. 211. 249. 292. 313. 342. 345. 346. 350. 356. 380. 439. 441. 485.
Westfalen 53. 114. 118. **157**. 225. 242. 247. 262. 288. **413 ff.** 425. **558 ff.** 577.
Westpfalz 420. 553.
Westpreußen **41 f.** 89. 118. **205 ff.** 225. 242. 271. **336 ff.** 343. **514 ff.** 576.
Wiedergeburt 96. 100. 102 ff. 121. 196. 233. 295 f.
Wißwässerianer 67 ff. 134 ff. 149. 553.
Wittekindt 110. 114. 117. 119. 140. 141. 142. 144. 234. 235. 245. 294. 301. 365. 377. 408. 419. 421. 422. 476. 480. 481. 487. 501. 526. 528. 540. 541. 546 f. 554. 562. 564. 565. 579. 580.
Württemberg 4. 5. 6. 8. 9. 41. **70 ff.** 82. 89. 118. **128 ff.** 225. 262. 288. 289. **421**. 422. 424. **556 ff.**
Zeitschriften 232 ff. 388 ff. 501 ff.
Zeltmission 118. 125. 137. 383 ff. 415 f. 450. 453. 462. 489 ff. 517. 555. 557. 563.

TITLES in THIS SERIES

1. THE HIGHER CHRISTIAN LIFE; A BIBLIOGRAPHICAL OVERVIEW. Donald W. Dayton, *THE AMERICAN HOLINESS MOVEMENT: A BIBLIOGRAPHICAL INTRODUCTION.* (Wilmore, Ky., 1971) *bound with* David W. Faupel, *THE AMERICAN PENTECOSTAL MOVEMENT: A BIBLIOGRAPHICAL ESSAY.* (Wilmore, Ky., 1972) *bound with* David D. Bundy, *Keswick: A BIBLIOGRAPHIC INTRODUCTION TO THE HIGHER LIFE MOVEMENTS.* (Wilmore, Ky., 1975)

2. *ACCOUNT OF THE UNION MEETING FOR THE PROMOTION OF SCRIPTURAL HOLINESS, HELD AT OXFORD, AUGUST 29 TO SEPTEMBER 7, 1874.* (Boston, n. d.)

3. Baker, Elizabeth V., and Co-workers, *CHRONICLES OF A FAITH LIFE.*

4. THE WORK OF T. B. BARRATT. T. B. Barratt, *IN THE DAYS OF THE LATTER RAIN.* (London, 1909) *WHEN THE FIRE FELL AND AN OUTLINE OF MY LIFE,* (Oslo, 1927)

5. WITNESS TO PENTECOST: THE LIFE OF FRANK BARTLEMAN. Frank Bartleman, *FROM PLOW TO PULPIT—FROM MAINE TO CALIFORNIA* (Los Angeles, n. d.), *HOW PENTECOST CAME TO LOS ANGELES* (Los Angeles, 1925), *AROUND THE WORLD BY FAITH, WITH SIX WEEKS IN THE HOLY LAND* (Los Angeles, n. d.), *TWO YEARS MISSION WORK IN EUROPE JUST BEFORE THE WORLD WAR, 1912-14* (Los Angeles, [1926])

6. Boardman, W. E., *THE HIGHER CHRISTIAN LIFE* (Boston, 1858)

7. Girvin, E. A., *PHINEAS F. BRESEE: A PRINCE IN ISRAEL* (Kansas City, Mo., [1916])

8. Brooks, John P., *THE DIVINE CHURCH* (Columbia, Mo., 1891)

9. RUSSELL KELSO CARTER ON "FAITH HEALING." R. Kelso Carter, *THE ATONEMENT FOR SIN AND SICKNESS* (Boston, 1884) *"FAITH HEALING" REVIEWED AFTER TWENTY YEARS* (Boston, 1897)

10. Daniels, W. H., *DR. CULLIS AND HIS WORK* (Boston, [1885])

11. HOLINESS TRACTS DEFENDING THE MINISTRY OF WOMEN. Luther Lee, *"WOMAN'S RIGHT TO PREACH THE GOSPEL; A SERMON, AT THE ORDINATION OF REV. MISS ANTOINETTE L. BROWN, AT SOUTH BUTLER, WAYNE COUNTY, N. Y., SEPT. 15, 1853"* (Syracuse, 1853) *bound with* B. T. Roberts, *ORDAINING WOMEN* (Rochester, 1891) *bound with* Catherine (Mumford) Booth, *"FEMALE MINISTRY; OR, WOMAN'S RIGHT TO PREACH THE GOSPEL . . ."* (London, n. d.) *bound with* Fannie (McDowell) Hunter, *WOMEN PREACHERS* (Dallas, 1905)

12. LATE NINETEENTH CENTURY REVIVALIST TEACHINGS ON THE HOLY SPIRIT. D. L. Moody, *SECRET POWER OR THE SECRET OF SUCCESS IN CHRISTIAN LIFE AND WORK* (New York, [1881]) *bound with* J. Wilbur Chapman, *RECEIVED YE THE HOLY GHOST?* (New York, [1894]) *bound with* R. A. Torrey, *THE BAPTISM WITH THE HOLY SPIRIT* (New York, 1895 & 1897)

13. SEVEN "JESUS ONLY" TRACTS. Andrew D. Urshan, *THE DOCTRINE OF THE NEW BIRTH, OR, THE PERFECT WAY TO ETERNAL LIFE* (Cochrane, Wis., 1921) *bound with* Andrew Urshan, *THE ALMIGHTY GOD IN THE LORD JESUS CHRIST* (Los Angeles, 1919) *bound with* Frank J. Ewart, *THE REVELATION OF JESUS CHRIST* (St. Louis, n. d.) *bound with* G. T. Haywood, *THE BIRTH OF THE SPIRIT IN THE DAYS OF THE APOSTLES* (Indianapolis, n. d.) *DIVINE NAMES AND TITLES OF JEHOVAH* (Indianapolis, n. d.) *THE FINEST OF THE WHEAT* (Indianapolis, n. d.) *THE VICTIM OF THE FLAMING SWORD* (Indianapolis, n. d.)

14. THREE EARLY PENTECOSTAL TRACTS. D. Wesley Myland, *THE LATTER RAIN COVENANT AND PENTECOSTAL POWER* (Chicago, 1910) *bound with* G. F. Taylor, *THE SPIRIT AND THE BRIDE* (n. p., [1907?]) *bound with* B. F. Laurence, *THE APOSTOLIC FAITH RESTORED* (St. Louis, 1916)

15. Fairchild, James H., *OBERLIN: THE COLONY AND THE COLLEGE, 1833-1883* (Oberlin, 1883)

16. Figgis, John B., *KESWICK FROM WITHIN* (London, [1914])

17. Finney, Charles G., *Lectures to Professing Christians* (New York, 1837)

18. Fleisch, Paul, *Die Moderne Gemeinschaftsbewegung in Deutschland* (Leipzig, 1912)

19. Six Tracts by W. B. Godbey. *Spiritual Gifts and Graces* (Cincinnati, [1895]) *The Return of Jesus* (Cincinnati, [1899?]) *Work of the Holy Spirit* (Louisville, [1902]) *Church—Bride—Kingdom* (Cincinnati, [1905]) *Divine Healing* (Greensboro, [1909]) *Tongue Movement, Satanic* (Zarephath, N. J., 1918)

20. Gordon, Earnest B., *Adoniram Judson Gordon* (New York, [1896])

21. Hills, A. M., *Holiness and Power for the Church and the Ministry* (Cincinnati, [1897])

22. Horner, Ralph C., *From the Altar to the Upper Room* (Toronto, [1891])

23. McDonald, William and John E. Searles, *The Life of Rev. John S. Inskip* (Boston, [1885])

24. LaBerge, Agnes N. O., *What God Hath Wrought* (Chicago, n. d.)

25. Lee, Luther, *Autobiography of the Rev. Luther Lee* (New York, 1882)

26. McLean, A. and J. W. Easton, *Penuel; or, Face to Face with God* (New York, 1869)

27. McPherson, Aimee Semple, *This Is That: Personal Experiences Sermons and Writings* (Los Angeles, [1919])

28. Mahan, Asa, *Out of Darkness into Light* (London, 1877)

29. The Life and Teaching of Carrie Judd Montgomery Carrie Judd Montgomery, *"Under His Wings": The Story of My Life* (Oakland, [1936]) Carrie F. Judd, *The Prayer of Faith* (New York, 1880)

30. The Devotional Writings of Phoebe Palmer Phoebe Palmer, *The Way of Holiness* (52nd ed., New York, 1867) *Faith and Its Effects* (27th ed., New York, n. d., orig. pub. 1854)

31. Wheatley, Richard, *The Life and Letters of Mrs. Phoebe Palmer* (New York, 1881)

32. Palmer, Phoebe, ed., *Pioneer Experiences* (New York, 1868)

33. Palmer, Phoebe, *The Promise of the Father* (Boston, 1859)

34. Pardington, G. P., *Twenty-five Wonderful Years, 1889-1914: A Popular Sketch of the Christian and Missionary Alliance* (New York, [1914])

35. Parham, Sarah E., *The Life of Charles F. Parham, Founder of the Apostolic Faith Movement* (Joplin, [1930])

36. The Sermons of Charles F. Parham. Charles F. Parham, *A Voice Crying in the Wilderness* (4th ed., Baxter Springs, Kan., 1944, orig. pub. 1902) *The Everlasting Gospel* (n.p., n.d., orig. pub. 1911)

37. Pierson, Arthur Tappan, *Forward Movements of the Last Half Century* (New York, 1905)

38. *Proceedings of Holiness Conferences, Held at Cincinnati, November 26th, 1877, and at New York, December 17th, 1877* (Philadelphia, 1878)

39. *Record of the Convention for the Promotion of Scriptural Holiness Held at Brighton, May 29th, to June 7th, 1875* (Brighton, [1896?])

40. Rees, Seth Cook, *Miracles in the Slums* (Chicago, [1905?])

41. Roberts, B. T., *Why Another Sect* (Rochester, 1879)

42. Shaw, S. B., ed., *Echoes of the General Holiness Assembly* (Chicago, [1901])

43. The Devotional Writings of Robert Pearsall Smith and Hannah Whitall Smith. [R]obert [P]earsall [S]mith, *Holiness Through Faith: Light on the Way of Holiness* (New York, [1870]) [H]annah [W]hitall [S]mith, *The Christian's Secret of a Happy Life*, (Boston and Chicago, [1885])

44. [S]mith, [H]annah [W]hitall, *The Unselfishness of god and How I Discovered It* (New York, [1903])

45. Steele, Daniel, *A Substitute for Holiness; or, Antinomianism Revived* (Chicago and Boston, [1899])

46. Tomlinson, A. J., *The Last Great Conflict* (Cleveland, 1913)

47. Upham, Thomas C., *The Life of Faith* (Boston, 1845)

48. Washburn, Josephine M., *History and Reminiscences of the Holiness Church Work in Southern California and Arizona* (South Pasadena, [1912?])